Montaigne

Essais
Tome II

Éditions Garnier Frères
19, Rue des Plantes, 75014 Paris

*Tous droits de reproduction, de traduction
et d'adaptation réservés pour tous pays.*
© GARNIER FRÈRES 1962

Essais
de
Montaigne

Édition conforme
au texte de l'exemplaire de Bordeaux
avec les additions
de l'édition posthume,
les principales variantes,
une introduction, des notes
et un index
par
Maurice Rat
Ancien élève de l'École Normale Supérieure
Agrégé de l'Université
Président de la Société des Amis de Montaigne

Édition illustrée

MICHEL DE MONTAIGNE
Portait frontispice des *Essais*, éd. de Melle de Gournay de 1635

B. N. Estampes   Cl. B. N.
« ... *le Duc de Guyse, qui mourut à Orleans...* »
(Voir p. 65)
Gravure anonyme du XVIe siècle

« ... Marie de Gournay le Jars, ma fille d'alliance... »
(Voir p. 66)

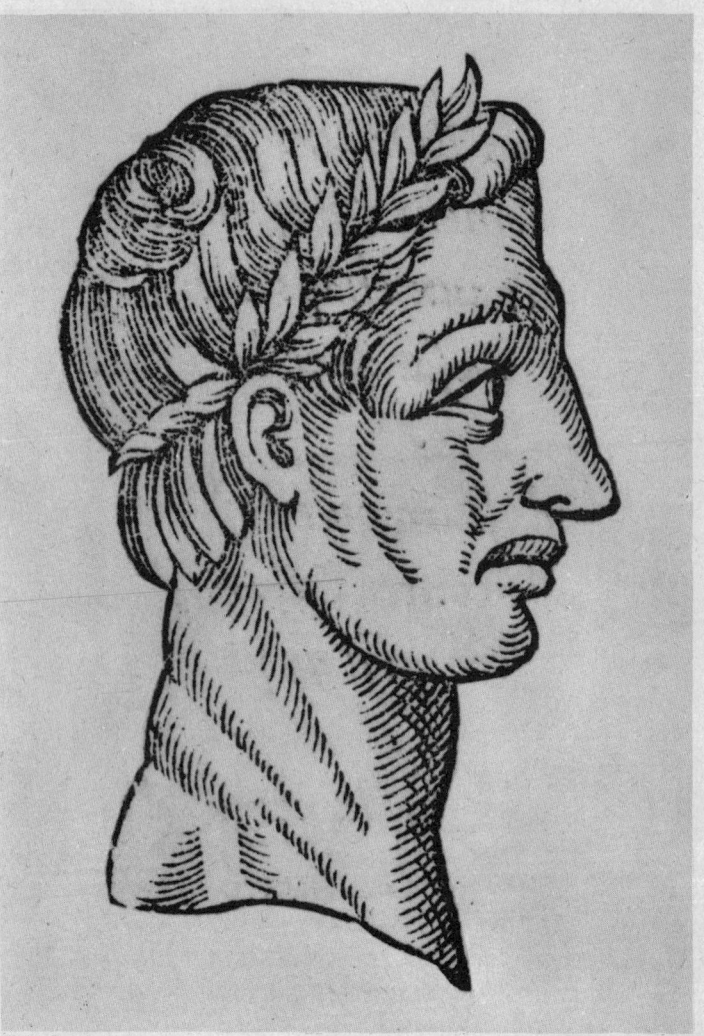

PORTRAIT DE CÉSAR
Extrait de la *Vie des hommes illustres* de Plutarque,
traduction Amyot, 1583 (Voir chap. XXXIV, p. 142)

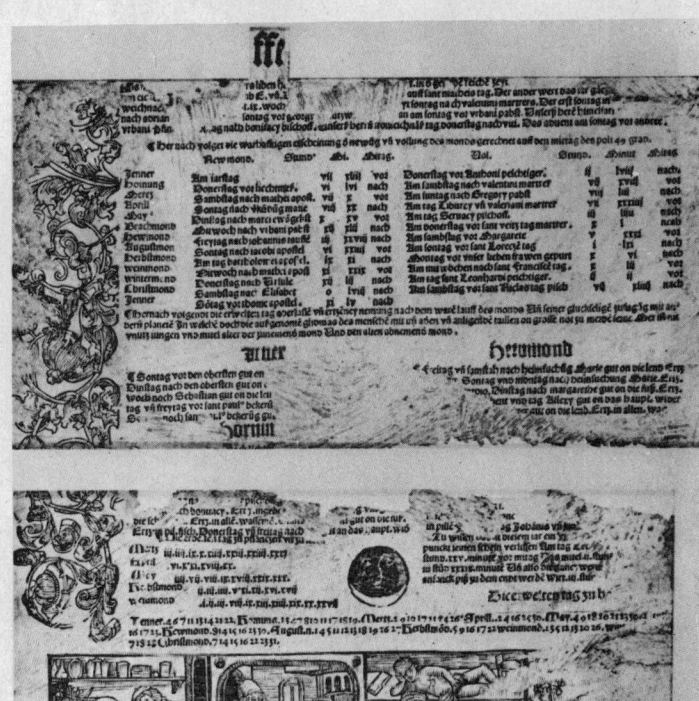

B. N. Estampes *Cl. B. N.*

FRAGMENT D'UN CALENDRIER DU XVIᵉ SIÈCLE : LES MÉDECINS
(Voir p. 183)

B. N. Estampes

« *Chez moy, je me destourne un peu plus souvent à ma librairie...* » (Voir p. 248)
Carte postale, cliché Bloc, vers 1925

Cl. B. N.

B. N. Estampes   *Cl. B. N.*
LA TOUR DU CHATEAU DE MONTAIGNE (Voir p. 249)
Carte postale, cliché Bloc, vers 1925

B. N. Estampes   Cl. B. N.

« *Le premier, c'est ma chapelle, le second une chambre et sa suite...* » (Voir p. 249)
Carte postale, cliché Bloc, vers 1925

B. N. Estampes   *Cl. B. N.*

ATTABALIPA, ROI DU PÉROU (Voir p. 345, note 726)
Gravure extraite des *Vrais pourtraits et vies des hommes illustres...*,
de A. Thevet, Paris, 1584

« *Messieurs de Bordeaux m'esleurent maire de leur ville...* »
(Voir p. 449)
PLAN DE BORDEAUX, par Jean d'Ogerolles, 1563

LA
MESNAGERIE
DE XENOPHON.

Les Regles de mariage,
DE PLVTARQVE.

Lettre de consolation,
de Plutarque à sa femme.

Le tout traduict de Grec en François par feu M. ESTIENNE DE LA BOËTIE Conseiller du Roy en sa court de Parlement à Bordeaux. Ensemble quelques Vers Latins & François, de son inuention.

Item, vn Discours sur la mort dudit Seigneur De la Boëtie, par M. de Montaigne.

A PARIS.
De l'Imprimerie de Federic Morel, rue S. Ian de Beauuais, au Franc Meurier.

M. D. LXXI.
AVEC PRIVILEGE.

B. N. Imprimés   Cl. B. N.

PAGE DE TITRE DE L'ÉDITION DE 1571
(Voir *L'Appendice : Montaigne et La Boëtie*, p. 583)

Le castelet de La Boétie, dessin du XIXe siècle
(Voir l'Appendice : *Montaigne et La Boétie*)

ESSAIS

LIVRE SECOND *(suite)*

CHAPITRE XIII

DE JUGER DE LA MORT D'AUTRUY

Quand nous jugeons de l'asseurance d'autruy en la mort, qui est sans doubte la plus remerquable action de la vie humaine, il se faut prendre garde d'une chose : que mal aisément on croit estre arrivé à ce point. Peu de gens meurent resolus que ce soit leur heure derniere, et n'est endroit où la piperie de l'esperance nous amuse plus. Elle ne cesse de corner aux oreilles : « D'autres ont bien esté plus malades sans mourir; l'affaire n'est pas si désespéré qu'on pense; et, au pis aller, Dieu a bien fait d'autres miracles. » Et advient cela de ce que nous faisons trop de cas de nous. Il semble que l'université des choses souffre aucunement de nostre aneantissement, et qu'elle soit compassionnée[a] à nostre estat. D'autant que nostre veuë alterée se represente les choses de mesmes; et nous est advis qu'elles luy faillent[b] à mesure qu'elle leur faut[c] : comme ceux qui voyagent en mer, à qui les montaignes, les campaignes, les villes, le ciel et la terre vont mesme branle, et quant et quant[d] eux,

> *Provehimur portu, terræque urbésque recedunt*[e].

Qui veit jamais vieillesse qui ne louast le temps passé et ne blamast le present, chargeant le monde et les meurs des hommes de sa misere et de son chagrin?

> *Jamque caput quassans grandis suspirat arator,*
> *Et cum tempora temporibus præsentia confert*
> *Præteritis, laudat fortunas sæpe parentis,*
> *Et crepat antiquum genus ut pietate repletum*[f].

Nous entrainons tout avec nous.

---

a. Compatissante. — *b.* Manquent. — *c.* Manque. — *d.* En même temps que. — *e.* « Nous nous éloignons du port, et les terres et les villes reculent. » Virgile, *Énéide*, III, 72. — *f.* « Déjà hochant la tête,

D'où il s'ensuit que nous estimons grande chose nostre mort, et qui ne passe pas si aisément, ny sans solenne[a] consultation des astres, « *tot circa unum caput tumultuantes deos*[b] ». Et le pensons d'autant plus que plus nous nous prisons. Comment? tant de sciance se perdroit elle avec tant de dommage, sans particulier soucy des destinées? Une ame si rare et examplaire ne coute elle non plus à tuer qu'une ame populaire et inutile? Cette vie, qui en couvre tant d'autres, de qui tant d'autres vies despendent, qui occupe tant de monde par son usage, remplit tant de places, se desplace elle comme celle qui tient à son simple nœud[1]?

Nul de nous ne pense assez n'estre qu'un.

De là viennent ces mots de Cæsar à son pilote, plus enflez que la mer qui le menassoit :

> *Italiam si, cælo authore, recusas,*
> *Me pete : sola tibi causa hæc est justa timoris,*
> *Vectorem non nosse tuum...*
>   *perrumpe procellas,*
> *Tutela secure mei*[c].

Et ceux cy :

> *credit jam digna pericula Cæsar*
> *Fatis esse suis : Tantúsque evertere, dixit,*
> *Me superis labor est, parva quem puppe sedentem*
> *Tam magno petiere mari*[d].

Et cette resverie publique, que le Soleil porta en son front, tout le long d'un an, le deuil de sa mort :

le laboureur chargé d'ans soupire, et quand il compare le présent au passé, il vante bien des fois le bonheur de son père et grommelle que les hommes d'autrefois étaient remplis de piété. » Lucrèce, II, 1164. — *a*. Solennelle. — *b*. « Tant de dieux s'affairant autour d'un seul homme. » Sénèque, *Suasoriæ*, I, 4. — *c*. « Si le ciel te détourne de gagner l'Italie, prends-moi pour garant, et va. Le seul motif juste de ta terreur, c'est de ne pas connaître ton passager... Lance-toi à travers les tempêtes; ta divinité tutélaire, ce sera moi. » Lucain, *Pharsale*, V, 578. — *d*. « César croit maintenant les périls dignes de ses destins : — Le ciel, dit-il, a donc tant de peine à me renverser, puisque, assis sur une petite poupe, je suis assailli par une si grosse mer! » Lucain, *Pharsale*, V, 654.

LIVRE II, CHAPITRE XIII

*Ille etiam, extincto miseratus Cæsare Romam,
Cum caput obscura nitidum ferrugine texit* [a];

et mille semblables, dequoy le monde se laisse si ayséement piper, estimant que nos interests alterent le Ciel, et que son infinité se formalise de noz menues distinctions : « *Non tanta cælo societas nobiscum est, ut nostro fato mortalis sit ille quoque siderum fulgor* [b]. »

Or, de juger la resolution et la constance en celuy qui ne croit pas encore certainement estre au danger, quoy qu'il y soit, ce n'est pas raison; et ne suffit pas qu'il soit mort en cette desmarche, s'il ne s'y estoit mis justement pour cet effect. Il advient à la pluspart de roidir leur contenance et leurs parolles pour en acquerir reputation, qu'ils esperent encore jouir vivans. D'autant que[c] j'en ay veu mourir, la fortune a disposé les contenances, non leur dessein. Et de ceux mesmes qui se sont anciennement donnez la mort, il y a bien à choisir[d] si c'est une mort soudaine, ou mort qui ait du temps. Ce cruel Empereur Romain disoit de ses prisonniers qu'il leur vouloit faire sentir la mort; et si quelcun se deffaisoit en prison : « Celuy là m'est eschapé », disoit il[2]. Il vouloit estendre la mort et la faire sentir par les tourmens :

> *Vidimus et toto quamvis in corpore cæso
> Nil animæ letale datum, moremque nefandæ
> Durum sævitiæ pereuntis parcere morti*[e].

De vray ce n'est pas si grande chose d'establir, tout sain et tout rassis, de se tuer; il est bien aisé de faire le mauvais avant que de venir aux prises : de maniere que le plus effeminé homme du monde, Heliogabalus, parmy ses plus laches voluptez, desseignoit[f] bien de se faire mourir delicatement où l'occasion l'en forceroit; et, afin que sa mort ne dementist point le reste de sa vie, avoir fait bastir exprès une tour somptueuse, le bas et le devant de laquelle

---

a. « Lui aussi, à la mort de César, prenant Rome en pitié, couvrit son front brillant d'un voile sombre. » Virgile, *Géorgiques,* I, 465. — *b.* « Il n'y a pas une si grande alliance entre le ciel et nous, qu'à notre mort la splendeur des astres doive s'éteindre. » Pline, *Hist. Nat.,* II, 8. — *c.* De tous ceux que. — *d.* Discerner. — *e.* « Nous l'avons vu, le corps qui, tout couvert de plaies, n'avait pas encore reçu le coup fatal, et dont on ménageait la vie expirante selon une coutume d'une cruauté impie. » Lucain, *Pharsale,* II, 178. — *f.* Projetait.

estoit planché d'ais enrichis d'or et de pierrerie pour se
precipiter; et aussi fait faire des cordes d'or et de soye
cramoisie pour s'estrangler; et battre une espée d'or pour
s'enferrer; et gardoit du venin dans des vaisseaux[a] d'eme-
raude et de topaze pour s'empoisonner, selon que l'envie
lui prendroit de choisir de toutes ces façons de mourir[3] :

Impiger et fortis virtute coacta[b].

Toutesfois, quant à cettuy-cy, la mollesse de ses aprets
rend plus vray-semblable que le nez luy eut seigné, qui
l'en eut mis au propre[c]. Mais de ceux mesmes qui, plus
vigoureux, se sont resolus à l'exécution, il faut voir (dis-je)
si ç'a esté d'un coup qui ostat le loisir d'en sentir l'effect :
car c'est à deviner, à voir escouler la vie peu à peu, le
sentiment du corps se meslant à celuy de l'ame, s'offrant
le moyen de se repentir, si la constance s'y fut trouvée
et l'obstination en une si dangereuse volonté.

Aux guerres civiles de Cæsar, Lucius Domitius, pris en
la Prusse[d], s'estant empoisonné, s'en repantit après. Il est
advenu de nostre temps que tel, resolu de mourir, et de
son premier essay n'ayant donné assez avant, la demangeson de la chair luy repoussant le bras, se reblessa bien
fort à deux ou trois fois après, mais ne peut jamais gaigner
sur luy d'enfoncer le coup[4]. Pendant qu'on faisoit le
procès à Plautius Silvanus, Urgulania, sa mere-grant, luy
envoya un poignard, duquel n'ayant peu venir à bout de
se tuer, il se fit couper les veines à ses gens[5]. Albucilla,
du temps de Tibere, s'estant pour se tuer frappée trop
mollement, donna encores à ses parties[e] moyen de l'emprisonner et faire mourir à leur mode[6]. Autant en fit
le Capitaine Demosthenes après sa route[f] en la Sicile[7].
Et C. Fimbria, s'estant frappé trop foiblement, impetra[g]
de son valet de l'achever[8]. Au rebours, Ostorius, lequel,
ne se pouvant servir de son bras, desdaigna d'employer
celuy de son serviteur à autre chose qu'à tenir le poignard
droit et ferme, et, se donnant le branle, porta luy-mesme
sa gorge à l'encontre, et la transperça[9]. C'est une viande,
à la verité, qu'il faut engloutir sans macher, qui[h] n'a le

---

a. Vases. — *b.* « Courageux et brave par nécessité. » Lucain, *Pharsale,* IV, 798. — *c.* A même (de se tuer). — *d.* L'Abruzze (le Bruttium).
— *e.* Adversaires. — *f.* Déroute. — *g.* Obtint. — *h.* Si l'on.

LIVRE II, CHAPITRE XIII

gosier ferré à glace ; et pourtant l'Empereur Adrianus feit que son medecin merquat et circonscript en son tetin justement l'endroit mortel où celuy eut à viser, à qui il donna la charge de le tuer[10]. Voylà pourquoy Cæsar, quand on luy demandoit quelle mort il trouvoit la plus souhaitable : « La moins premeditée, respondit-il, et la plus courte[11]. »

Si Cæsar l'a osé dire, ce ne m'est plus lacheté de le croire.

Une mort courte, dit Pline[12], est le souverain heur de la vie humaine. Il leur fache de la reconnoistre. Nul ne se peut dire estre resolu à la mort, qui craint à la marchander, qui ne peut la soustenir les yeux ouvers. Ceux qu'on voit aux supplices courir à leur fin, et haster l'execution et la presser, ils ne le font pas de resolution : ils se veulent oster le temps de la considerer. L'estre mort ne les fache pas, mais ouy bien le mourir,

Emori nolo, sed me esse mortuum nihili æstimo[a].

C'est un degré de fermeté auquel j'ay experimenté que je pourrois arriver[13], ainsi que ceux qui se jettent dans les dangers comme dans la mer, à yeux clos.

Il n'y a rien, selon moy, plus illustre en la vie de Socrates que d'avoir eu trente jours entiers à ruminer le decret de sa mort ; de l'avoir digerée tout ce temps là d'une très certaine esperance, sans esmoy, sans alteration, et d'un train d'actions et de parolles ravallé[b] plustost et anonchali[c] que tendu et relevé par le poids d'une telle cogitation[14].

Ce Pomponius Atticus à qui Cicero escrit, estant malade, fit appeler Agrippa son gendre, et deux ou trois autres de ses amys, et leur dit qu'ayant essayé[d] qu'il ne gaignoit rien à se vouloir guerir, et que tout ce qu'il faisoit pour allonger sa vie, allongeoit aussi et augmentoit sa douleur, il estoit deliberé de mettre fin à l'un et à l'autre, les priant de trouver bonne sa deliberation et, au pis aller, de ne perdre point leur peine à l'en détourner. Or, ayant choisi de se tuer par abstinence, voyla sa maladie guerie par accidant : ce remede qu'il avoit employé pour se deffaire, le remet en santé. Les medecins et ses amis, faisans feste

---

a. « Je ne veux pas mourir, mais être mort me semble une chose indifférente. » Cicéron, *Tusculanes*, I, VIII. — *b.* Rabaissé. — *c.* Aveuli. — *d.* Éprouvé.

d'un si heureux evenement et s'en resjouissans avec luy, se trouverent bien trompez; car il ne leur fut possible pour cela de luy faire changer d'opinion, disant qu'ainsi comme ainsi ᵃ luy failloit il ᵇ un jour franchir ce pas, et qu'en estant si avant, il se vouloit oster la peine de recommancer un'autre fois[15]. Cettuy-cy, ayant reconnu la mort tout à loisir, non seulement ne se descourage pas au joindre, mais il s'y acharne; car, estant satis-fait en ce pourquoy il estoit entré en combat, il se picque par braverie d'en voir la fin. C'est bien loing au delà de ne craindre point la mort, que de la vouloir taster et savourer.

L'histoire du philosophe Cleanthes est fort pareille. Les gengives ᶜ luy estoient enflées et pourries; les medecins lui conseillarent d'user d'une grande abstinence. Ayant jeuné deux jours, il est si bien amendé qu'ils luy declarent sa guérison et permettent de retourner à son train de vivre accoustumé. Luy, au rebours, goustant desjà quelque douceur en cette defaillance, entreprend de ne se retirer plus arriere et franchit le pas qu'il avoit si fort avancé[16].

Tullius Marcellinus, jeune homme Romain, voulant anticiper l'heure de sa destinée pour se deffaire d'une maladie qui le gourmandoit plus qu'il ne vouloit souffrir, quoy que les medecins luy en promissent guerison certaine, sinon si soudaine, appella ses amis pour en deliberer. Les uns, dit Seneca, luy donnoyent le conseil que par lacheté ils eussent prins pour eux mesmes; les autres, par flaterie, celuy qu'ils pensoyent luy devoir estre plus agreable. Mais un Stoïcien luy dit ainsi : « Ne te travaille pas, Marcellinus, comme si tu deliberois de chose d'importance : ce n'est pas grand chose que vivre; tes valets et les bestes vivent; mais c'est grand chose de mourir honnestement, sagement et constamment. Songe combien il y a que tu fais mesme chose : manger, boire, dormir; boire, dormir et manger. Nous roüons sans cesse en ce cercle; non seulement les mauvais accidans et insupportables, mais la satieté mesme de vivre donne envie de la mort. » Marcellinus n'avoit besoing d'homme qui le conseillat, mais d'homme qui le secourut. Les serviteurs craignoyent de s'en mesler, mais ce philosophe leut fit entendre que les domestiques sont soupçonnez, lors seulement qu'il est en

---

a. Que d'une façon ou d'une autre. — *b.* Il lui fallait. — *c.* Gencives.

LIVRE II, CHAPITRE XIII

doubte si la mort du maistre a esté volontaire; autrement, qu'il seroit d'aussi mauvais exemple de l'empescher que de le tuer, d'autant que

Invitum qui servat idem facit occidenti [a].

Après il advertit Marcellinus qu'il ne seroit pas messeant, comme le dessert des tables se donne aux assistans, nos repas faicts, aussi la vie finie, de distribuer quelque chose à ceux qui en ont esté les ministres.

Or estoit Marcellinus de courage franc et liberal : il fit départir quelque somme à ses serviteurs, et les consola. Au reste, il n'y eust besoing de fer ny de sang; il entreprit de s'en aller de cette vie, non de s'en fuir; non d'eschapper à la mort, mais de l'essayer. Et, pour se donner loisir de la marchander, ayant quitté toute nourriture, le troisiesme jour après, s'estant faict arroser d'eau tiede, il defaillit peu à peu, et non sans quelque volupté, à ce qu'il disoit[17]. De vray, ceux qui ont eu ces defaillances de cœur qui prennent par foiblesse, disent n'y sentir aucune douleur, voire plustost quelque plaisir, comme d'un passage au sommeil et au repos.

Voyla des morts estudiées et digerées.

Mais, afin que le seul Caton peut fournir à tout exemple de vertu, il semble que son bon destin luy fit avoir mal en la main dequoy il se donna le coup, pour qu'il eust loisir d'affronter la mort et de la coleter, renforceant le courage au dangier, au lieu de l'amollir. Et si ç'eust esté à moy à le representer en sa plus superbe assiete, c'eust esté deschirant tout ensanglanté ses entrailles, plustost que l'espée au poing, comme firent les statueres de son temps. Car ce second meurtre fut bien plus furieux que le premier[18].

---

a. « Sauver un homme malgré lui, c'est quasiment le tuer. » Horace, *Art poétique*, 467.

CHAPITRE XIV

COMME NOSTRE ESPRIT S'EMPESCHE SOY-MESMES

C'EST une plaisante imagination de concevoir un esprit balancé justement entre deux pareilles envyes. Car il est indubitable qu'il ne prendra jamais party, d'autant que l'application et le chois porte inequalité de pris; et qui nous logeroit entre la bouteille et le jambon, avec egal appetit de boire et de menger, il n'y auroit sans doute remede que de mourir de soif et de fain. Pour pourvoir à cet inconvenient, les Stoïciens, quand on leur demande d'où vient en nostre ame l'eslection de deux choses indifferentes, et qui faict que d'un grand nombre d'escus nous en prenions plustost l'un que l'autre, estans tous pareils, et n'y ayans aucune raison qui nous incline à la preferance, respondent que ce mouvement de l'ame est extraordinaire et déreglé, venant en nous d'une impulsion estrangiere, accidentale et fortuite[19]. Il se pourroit dire, ce me semble, plustost, que aucune chose ne se presente à nous où il n'y ait quelque difference, pour legiere qu'elle soit; et que, ou à la veuë ou à l'atouchement, il y a tousjours quelque plus qui nous attire, quoy que ce soit imperceptiblement. Pareillement qui presupposera une fisselle egalement forte par tout, il est impossible de toute impossibilité qu'elle rompe; car par où voulez-vous que la faucée[a] commence? et de rompre par tout ensemble, il n'est pas en nature. Qui joindroit encore à cecy les propositions Geometriques qui concluent par la certitude de leurs demonstrations le contenu plus grand que le contenant, le centre aussi grand que sa circonference, et qui trouvent deux lignes s'approchant sans cesse l'une de l'autre et ne se pouvant jamais joindre, et la pierre philosophale, et quadrature du cercle, où la raison et l'effect sont si opposites, en tireroit à l'adventure quelque argument pour secourir ce mot hardy de Pline, « *solum certum nihil esse certi, et homine nihil miserius aut superbius*[b][20] ».

a. Rupture. — *b.* « Il n'y a rien de certain que l'incertitude et rien de plus misérable et de plus fier que l'homme. » Pline, *Hist. Nat.*, II, 7.

CHAPITRE XV

QUE NOSTRE DESIR S'ACCROIT PAR LA MALAISANCE [a]

Il n'y a raison qui n'en aye une contraire, dict le plus sage party des philosophes[21]. Je remachois tantost ce beau mot qu'un ancien[22] allegue pour le mespris de la vie : « Nul bien nous peut apporter plaisir, si ce n'est celuy à la perte duquel nous sommes preparez. » « *In æquo est dolor amissæ rei et timor amittendæ*[b] »; voulant gaigner par là que la fruition de la vie ne nous peut estre vrayement plaisante, si nous sommes en crainte de la perdre. Il se pourroit toutes-fois dire, au rebours, que nous serrons et embrassons ce bien, d'autant plus estroit et avecques plus d'affection que nous le voyons nous estre moins seur et craignons qu'il nous soit osté. Car il se sent evidemment, comme le feu se picque à l'assistance du froid, que nostre volonté s'esguise aussi par le contraste :

> *Si nunquam Danaen habuisset ahenea turris,
> Non esset Danae de Jove facta parens*[c];

et qu'il n'est rien naturellement si contraire à nostre goust que la satieté qui vient de l'aisance, ny rien qui l'éguise tant que la rareté et difficulté. « *Omnium rerum voluptas ipso quo debet fugare periculo crescit*[d]. »

> *Galla, nega : satiatur amor, nisi gaudia torquent*[e].

Pour tenir l'amour en haleine, Licurgue ordonna que les mariez de Lacedemone ne se pourroient prattiquer qu'à la desrobée, et que ce seroit pareille honte de les rencontrer couchés ensemble, qu'avecques d'autres[23]. La difficulté

---

a. Difficulté. — *b.* « Le chagrin d'avoir perdu une chose et la crainte de la perdre affectent également l'esprit. » Sénèque, *Épîtres*, 88. — *c.* « Si Danaé n'avait pas été enfermée dans une tour d'airain, elle n'eût jamais conçu de Jupiter. » Ovide, *Amours*, II, XIX, 27. — *d.* « En toute chose, le plaisir croît en raison du péril qui devrait nous en écarter. » Sénèque, *De beneficiis*, VII, 9. — *e.* « Galla, dis non ! la satiété vient vite en amour quand les joies ne sont pas mêlées de tourments. » Martial, IV, XXXVII.

des assignations[a], le dangier des surprises, la honte du lendemain,

> *et languor, et silentium,*
> *Et latere petitus imo spiritus*[b],

c'est ce qui donne pointe à la sauce. Combien de jeux très lascivement plaisants naissent de l'honneste et vergongneuse maniere de parler des ouvrages de l'amour! La volupté mesme cerche à s'irriter par la douleur. Elle est bien plus sucrée quand elle cuit et quand elle escorche. La Courtisane Flora disoit n'avoir jamais couché avecques Pompeius, qu'elle ne luy eust faict porter les merques de ses morsures[24] :

> *Quod petiere premunt arctè, faciúntque dolorem*
> *Corporis, et dentes inlidunt sæpe labellis :*
> *Et stimuli subsunt, qui instigant lædere idipsum,*
> *Quodcunque est, rabies unde illæ germina surgunt*[c].

Il en va ainsi par tout; la difficulté donne pris aux choses.

Ceux de la marque[d] d'Ancone font plus volontiers leurs veuz à Saint Jaques[e], et ceux de Galice à nostre Dame de Lorete; on faict au Liege grande feste des bains de Luques, et en la Toscane de ceux d'Aspa; il ne se voit guiere de Romain en l'escole de l'escrime à Romme, qui est plaine[f] de François. Ce grand Caton se trouva, aussi bien que nous, desgousté de sa femme tant qu'elle fut siene, et la desira quand elle fut à un autre[25].

J'ay chassé au haras un vieux cheval duquel, à la senteur des juments, on ne pouvoit venir à bout. La facilité l'a incontinent saoulé envers les siennes; mais, envers les estrangeres et la premiere qui passe le long de son pastis, il revient à ses importuns hannissements et à ses chaleurs furieuses comme devant.

---

a. Rendez-vous. — *b.* « Ma langueur, mon silence, mes soupirs tirés du fond de ma poitrine. » Horace, *Épodes,* XI, 9. — *c.* « L'objet de leur désir, ils le pressent étroitement, ils le font souffrir, ils impriment leurs dents sur des lèvres charmantes qu'ils meurtrissent de baisers; des aiguillons les pressent sourdement de blesser l'objet, quel qu'il soit, qui fait lever en eux ces germes de fureur. » Lucrèce, IV, 1079. — *d.* Marche. — *e.* Saint-Jacques-de-Compostelle. — *f.* Pleine.

Nostre appetit mesprise et outrepasse ce qui luy est en main, pour courir après ce qu'il n'a pas :

> *Transvolat in medio posita, et fugientia captat*[a].

Nous defendre quelque chose, c'est nous en donner envie :

> *nisi tu servare puellam*
> *Incipis, incipiet desinere esse mea*[b].

Nous l'abandonner tout à faict, c'est nous en engendrer mespris. La faute et l'abondance retombent en mesme inconvenient,

> *Tibi quod superest, mihi quod defit, dolet*[c] :

Le desir et la jouyssance nous mettent pareillement en peine. La rigueur des maistresses est ennuyeuse, mais l'aisance et la facilité l'est, à dire verité, encores plus : d'autant que le mescontentement et la cholere naissent de l'estimation en quoy nous avons la chose desirée, éguisent l'amour et le reschauffent; mais la satieté engendre le dégoust : c'est une passion mousse[d], hebetée, lasse et endormie.

> *Si qua volet regnare diu, contemnat amantem*[e] :

> *contemnite, amantes,*
> *Sic hodie veniet si qua negavit heri*[f].

Pourquoy inventa Poppæa de masquer les beautez de son visage, que pour les rencherir à ses amans[26] ? Pourquoy a l'on voylé jusques au dessoubs des talons ces beautez que chacune desire montrer, que chacun desire voir? Pourquoy couvrent elles de tant d'empeschemens les uns sur les autres les parties où loge principallement nostre

---

a. « Il dédaigne ce qu'il a sous la main et court après ce qui lui échappe. » Horace, *Satires*, I, 11, 108. — *b.* « Si tu ne fais garder ta belle, elle cessera bientôt d'être à moi. » Ovide, *Amours*, II, xix, 47. — *c.* « Tu te plains de ton superflu et moi du manque du nécessaire. » Térence, *Phormion*, I, iii, 10. — *d.* Émoussée. — *e.* « Si une femme veut régner longtemps, qu'elle dédaigne son amant! » Ovide, *Amours*, II, xix, 33. — *f.* « Amants, faites-vous méprisants, telle et qui résistait hier se rendra aujourd'hui. » Properce, II, xvi, 19.

desir et le leur? Et à quoy servent ces gros bastions, dequoy les nostres viennent d'armer leurs flancs[27], qu'à lurrer[a] nostre appetit et nous attirer à elles en nous esloignant?

> *Et fugit ad salices, et se cupit ante videri*[b].
> *Interdum tunica duxit operta moram*[c].

A quoy sert l'art de cette honte virginalle? cette froideur rassise, cette contenance severe, cette profession d'ignorance des choses qu'elles sçavent mieux que nous qui les en instruisons, qu'à nous accroistre le desir de vaincre, gourmander et fouler à nostre appetit toute cette ceremonie et ces obstacles? Car il y a non seulement du plaisir, mais de la gloire encore, d'affoler et desbaucher cette molle douceur et cette pudeur enfantine, et de ranger à la mercy de nostre ardeur une gravité fiere et magistrale : « C'est gloire, disent-ils, de triompher de la rigueur, de la modestie, de la chasteté et de la temperance; et qui desconseille aux Dames ces parties là, il les trahit et soy-mesmes. » Il faut croire que le cœur leur fremit d'effroy, que le son de nos mots blesse la pureté de leurs oreilles, qu'elles nous en haissent et s'accordent à nostre importunité d'une force forcée. La beauté, toute puissante qu'elle est, n'a pas dequoy se faire savourer sans cette entremise. Voyez en Italie, où il y a plus de beauté à vendre, et de la plus fine, comment il faut qu'elle cherche d'autres moyens estrangers et d'autres arts pour se rendre aggreable; et si, à la verité, quoy qu'elle face, estant venale et publique, elle demeure foible et languissante : tout ainsi que, mesme en la vertu, de deux effets pareils, nous tenons ce neantmoins celuy-là le plus beau et plus digne auquel il y a plus d'empeschement et de hasard proposé.

C'est un effect de la Providence divine de permettre sa saincte Eglise estre agitée, comme nous la voyons, de tant de troubles et d'orages, pour esveiller par ce contraste les ames pies et les r'avoir de l'oisiveté et du sommeil où les avoit plongez une si longue tranquillité. Si nous contrepoisons[d] la perte que nous avons faicte par le

---

a. Leurrer. — *b.* « Elle s'enfuit vers les saules, mais elle veut qu'on la voie auparavant. » Virgile, *Bucoliques*, III, 65. — *c.* « Tantôt à mon ardeur elle opposait sa tunique. » Properce, II, xv, 6. — *d.* Contrepesons.

nombre de ceux qui se sont desvoyez, au gain qui nous vient pour nous estre remis en haleine, resuscité nostre zèle et nos forces à l'occasion de ce combat, je ne sçay si l'utilité ne surmonte point le dommage.

Nous avons pensé attacher plus ferme le neud de nos mariages pour avoir osté tout moyen de les dissoudre; mais d'autant s'est déprins et relaché le neud de la volonté et de l'affection, que celuy de la contrainte s'est estroicy. Et, au rebours, ce qui tint les mariages à Rome si long temps en honneur et en seurté, fut la liberté de les rompre qui voudroit. Ils aymoient mieux leurs femmes d'autant qu'il les pouvoyent perdre; et, en pleine licence de divorces, il se passa cinq ans et plus[28], avant que nul s'en servit.

Quod licet, ingratum est; quod non licet, acrius urit [a].

A ce propos se pourroit joindre l'opinion d'un ancien[29], que les supplices aiguisent les vices plustost qu'ils ne les amortissent; qu'ils n'engendrent point le soing de bien faire, c'est l'ouvrage de la raison et de la discipline, mais seulement un soing de n'estre surpris en faisant mal :

Latius excisæ pestis contagia serpunt [b].

Je ne sçay pas qu'elle soit vraye, mais cecy sçay-je par l'experience que jamais police ne se trouva reformée par là. L'ordre et le reglement des meurs dépend de quelque autre moyen.

Les histoires Grecques font mention des Argippées, voisins de la Scythie, qui vivent sans verge et sans baston à offenser; que non seulement nul n'entreprend d'aller attaquer, mais quiconque s'y peut sauver, il est en franchise, à cause de leur vertu et saincteté de vie; et n'est aucun si osé d'y toucher. On recourt à eux pour apoincter [c] les differens qui naissent entre les hommes d'ailleurs[30].

Il y a nation où la closture des jardins et des champs qu'on veut conserver se faict d'un filet de coton, et se trouve bien plus seure et plus ferme que nos fossez et nos hayes[31].

a. « Ce qui est permis est sans charme; ce qui n'est pas permis échauffe les désirs. » Ovide, *Amours,* II, xix, 3. — *b.* « Le mal qu'on croyait avoir extirpé s'insinue plus loin. » Rutilius, *Itinerarium,* I, 397. — *c.* Régler.

« *Furem signata sollicitant. Aperta effractarius præterit*[a]. »
A l'adventure sert entre autres moyens l'aisance à couvrir ma maison de la violence de nos guerres civiles. La deffense attire l'entreprinse, et la deffiance l'offense. J'ay affoibly le dessein des soldats, ostant à leur exploit le hasard et toute matiere de gloire militeire qui a accoustumé de leur servir de tiltre et d'excuse. Ce qui est faict courageusement, est toujours faict honorablement, en temps où la justice est morte. Je leur rens la conqueste de ma maison lasche et traistresse. Elle n'est close à personne qui y hurte. Il n'y a pour toute provision qu'un portier d'ancien usage et ceremonie, qui ne sert pas tant à defendre ma porte qu'à l'offrir plus decemment et gratieusement. Je n'ay ny garde, ny sentinelle que celle que les astres font pour moi.

Un gentilhomme a tort de faire montre d'estre en deffense, s'il ne l'est parfaictement. Qui est ouvert d'un costé, l'est par tout. Noz peres ne pansarent pas à bastir des places frontieres. Les moyens d'assaillir, je dy sans baterie et sans armée, et de surprendre nos maisons, croissent tous les jours audessus des moyens de se garder. Les esprits s'esguisent generalement de ce costé là. L'invasion touche tous. La defense non, que les riches. La mienne estoit forte selon le temps qu'elle fut faicte. Je n'y ay rien adjouté de ce costé là, et creindroy que sa force se tournast contre moy-mesme; joint qu'un temps paisible requerra qu'on les defortifie. Il est dangereux de ne les pouvoir regaigner. Et est difficile de s'en asseurer.

Car en matiere de guerres intestines, vostre valet peut estre du party que vous craignez. Et où la religion sert de pretexte, les parentez mesmes deviennent infiables[b], avec couverture[c] de justice. Les finances publiques n'entretiendront pas noz garnisons domestiques : elles s'espuiseroient. Nous n'avons pas dequoy le faire sans nostre ruine, ou, plus incommodement et injurieusement, sans celle du peuple. L'estat de ma perte ne seroit de guere pire. Au demeurant, vous y perdez vous? vos amis mesme s'amusent, plus qu'à vous plaindre, à accuser vostre invigilance[d] et improvidence[e] et l'ignorance ou nonchalance

---

a. « Un larron est attiré par des serrures. Celui qui vole avec effraction n'entre pas dans les maisons ouvertes. » Sénèque, *Épîtres*, 68. — *b.* Indignes qu'on s'y fie. — *c.* Apparence. — *d.* Insouciance. — *e.* Imprévoyance.

aux offices de vostre profession. Ce que tant de maisons
gardées se sont perdues, où ceste-cy dure, me faict soupçonner qu'elles se sont perdues de ce qu'elles estoient
gardées. Cela donne et l'envie et la raison à l'assaillant.
Toute garde porte visage de guerre. Qui se jettera, si Dieu
veut, chez moy; mais tant y a que je ne l'y appelleray
pas. C'est la retraite à me reposer des guerres. J'essaye de
soubstraire ce coing à la tempeste publique, comme je fay
un autre coing en mon ame. Nostre guerre a beau changer
de formes, se multiplier et diversifier en nouveaux partis;
pour moy, je ne bouge. Entre tant de maisons armées,
moy seul, que je sache en France, de ma condition, ay
fié[a] purement au ciel la protection de la mienne. Et n'en
ay jamais osté ny cueillier d'argent, ny titre[b]. Je ne veux
ny me creindre, ny me sauver à demi. Si une plaine recognoissance acquiert la faveur divine, elle me durera jusqu'au bout; si non, j'ay tousjours assez duré pour rendre
ma durée remerquable et enregistrable. Comment? Il y a
bien trente ans[32].

CHAPITRE XVI

DE LA GLOIRE

Il y a le nom et la chose; le nom, c'est une voix qui
remerque et signifie la chose; le nom, ce n'est pas une
partie de la chose ny de la substance, c'est une piece estrangere joincte à la chose, et hors d'elle.

Dieu, qui est en soy toute plenitude et le comble de
toute perfection, il ne peut s'augmenter et accroistre au
dedans; mais son nom se peut augmenter et accroistre
par la benediction et louange que nous donnons à ses
ouvrages exterieurs. Laquelle louange, puis que nous ne
la pouvons incorporer en luy, d'autant qu'il n'y peut avoir
accession de bien, nous l'attribuons à son nom, qui est
la piece hors de luy la plus voisine. Voilà comment c'est
à Dieu seul à qui gloire et honneur appartient; et il n'est

---

a. Confié. — *b.* Titre de propriété.

rien si esloigné de raison que de nous en mettre en queste pour nous : car, estans indigens et necessiteux au dedans, nostre essence estant imparfaicte et ayant continuellement besoing d'amelioration, c'est là à quoy nous nous devons travailler. Nous sommes tous creux et vuides; ce n'est pas de vent et de voix que nous avons à nous remplir; il nous faut de la substance plus solide à nous reparer. Un homme affamé seroit bien simple de chercher à se pourvoir plustost d'un beau vestement que d'un bon repas : il faut courir au plus pressé. Comme disent nos ordinaires prieres : « *Gloria in excelsis Deo, et in terra pax hominibus* [a]. » Nous sommes en disette de beauté, santé, sagesse, vertu, et telles parties essentieles; les ornemens externes se chercheront après que nous aurons proveu aux choses necessaires. La Theologie traicte amplement et plus pertinemment ce subject, mais je n'y suis guiere versé [33].

Chrysippus et Diogenes ont esté les premiers autheurs et les plus fermes du mespris de la gloire; et, entre toutes les voluptez, ils disoient qu'il n'y en avoit point de plus dangereuse ny plus à fuir que celle qui nous vient de l'approbation d'autruy [34]. De vray, l'experience nous en faict sentir plusieurs trahisons bien dommageables. Il n'est chose qui empoisonne tant les Princes que la flatterie, ny rien par où les meschans gaignent plus aiséement credit autour d'eux; ny maquerelage si propre et si ordinaire à corrompre la chasteté des femmes, que de les paistre [b] et entretenir de leurs louanges.

Le premier enchantement que les Sirenes employent à piper Ulisses, est de cette nature,

> *Deça* [c] *vers nous, deça, ô trèslouable Ulisse,*
> *Et le plus grand honneur dont la Grèce fleurisse* [d].

Ces philosophes là disoient que toute la gloire du monde ne meritoit pas qu'un homme d'entendement estandit seulement le doigt pour l'acquerir [35] :

> *Gloria quantalibet quid erit, si gloria tantum est* [e]*?*

a. « Gloire à Dieu au plus haut des cieux, et paix aux hommes sur la terre. » *Évangile selon saint Luc*, II, 14. — *b.* Repaître. — *c.* Ici. — *d.* Vers traduits d'Homère (*Odyssée*, XII, 184). — *e.* « Une gloire, si grande qu'elle soit, que sera-ce si ce n'est que de la gloire ? » Juvénal, VIII, 81.

je dis pour elle seule : car elle tire souvent à sa suite plusieurs commoditez pour lesquelles elle se peut rendre desirable. Elle nous acquiert de la bienveillance ; elle nous rend moins exposez aux injures et offences d'autruy, et choses semblables.

C'estoit aussi des principaux dogmes d'Epicurus ; car ce precepte de sa secte : CACHE TA VIE, qui deffend aux hommes de s'empescher des charges et negotiations publiques, presuppose aussi necessairement qu'on mesprise la gloire, qui est une approbation que le monde fait des actions que nous mettons en evidence. Celuy qui nous ordonne de nous cacher et de n'avoir soing que de nous, et qui ne veut pas que nous soyons connus d'autruy, il veut encores moins que nous en soions honorez et glorifiez. Aussi conseille il à Idomeneus de ne regler aucunement ses actions par l'opinion ou reputation commune, si ce n'est pour éviter les autres incommoditez accidentales que le mespris des hommes luy pourroit apporter[36].

Ces discours là sont infiniment vrais, à mon advis, et raisonnables. Mais nous sommes, je ne sçay comment, doubles en nous mesmes, qui faict que ce que nous croyons, nous ne le croyons pas, et ne nous pouvons deffaire de ce que nous condamnons. Voyons les dernieres paroles d'Epicurus, et qu'il dict en mourant : elles sont grandes et dignes d'un tel philosophe, mais si ont elles quelque marque de la recommendation de son nom, et de cette humeur qu'il avoit décriée par ses preceptes. Voicy une lettre qu'il dicta un peu avant son dernier souspir :

Epicurus a Hermachus salut

Ce pendant que je passois l'heureux et celuy-là mesmes le dernier jour de ma vie, j'escrivois cecy, accompaigné toute-fois de telle douleur en la vessie et aux intestins, qu'il ne peut rien estre adjousté à sa grandeur. Mais elle estoit compensée par le plaisir qu'apportoit à mon ame la souvenance de mes inventions et de mes discours. Or toy, comme requiert l'affection que tu as eu dès ton enfance envers moy et la philosophie, embrasse la protection des enfants de Metrodorus[37].

Voilà sa lettre. Et ce qui me faict interpreter que ce

plaisir qu'il dit sentir en son ame, de ses inventions, regarde aucunement la reputation qu'il en esperoit acquerir après sa mort, c'est l'ordonnance de son testament, par lequel il veut que Aminomachus et Thimocrates, ses heritiers, fournissent, pour la celebration de son jour natal, tous les mois de Janvier, les frais que Hermachus ordonneroit et aussi pour la despence qui se feroit, le vingtiesme jour de chasque lune, au traitement des philosophes ses familiers, qui s'assembleroient à l'honneur de la memoire de luy et de Metrodorus[38].

Carneades a esté chef de l'opinion contraire et a maintenu que la gloire estoit pour elle mesme desirable : tout ainsi que nous ambrassons nos posthumes pour eux mesmes, n'en ayans aucune connoissance ny jouissance[39]. Cette opinion n'a pas failly d'estre plus communement suyvie, comme sont volontiers celles qui s'accommodent le plus à nos inclinations. Aristote[40] luy donne le premier rang entre les biens externes : Évite comme deux extremes vicieux l'immoderation et à la rechercher et à la fuir. Je croy que, si nous avions les livres que Cicero avoit escrit sur ce subject, il nous en conteroit de belles : car cet homme là fut si forcené de cette passion que, s'il eust osé, il fut, ce crois-je, volontiers tombé en l'excès où tombarent d'autres : que la vertu mesme n'estoit desirable que pour l'honneur qui se tenoit tousjours à sa suitte[41],

Paulum sepultæ distat inertiæ
Celata virtus [a].

Qui est un'opinion si fauce que je suis dépit qu'elle ait jamais peu entrer en l'entendement d'homme qui eust cet honneur de porter le nom de philosophe.

Si cela estoit vray, il ne faudroit estre vertueux qu'en public; et les operations de l'ame, où est le vray siege de la vertu, nous n'aurions que faire de les tenir en regle et en ordre, sinon autant qu'elles debvroient venir à la connoissance d'autruy.

N'y va il donc que de faillir[b] finement et subtilement? « Si tu sçais, dit Carneades, un serpent caché en ce lieu, auquel, sans y penser, se va seoir celuy de la mort duquel

---

a. « La vertu cachée diffère peu de l'oisiveté obscure. » Horace, *Odes,* IV, III, 29. — *b.* Commettre des fautes.

tu esperes profit, tu fais meschamment si tu ne l'en advertis ; et d'autant plus que ton action ne doibt estre connue que de toy[42]. » Si nous ne prenons de nous mesmes la loy de bien faire, si l'impunité nous est justice, à combien de sortes de meschancetez avons nous tous les jours à nous abandonner ! Ce que S. Peduceus fit, de rendre fidèlement ce que C. Plotius avoit commis à sa seule science de ses richesses, et ce que j'en ay faict souvent de mesme, je ne le trouve pas tant loüable comme je trouverois execrable qu'il y eut failli[43]. Et trouve bon et utile à ramentevoir[a] en noz jours l'exemple de P. Sextilius Rufus, que Cicero accuse pour avoir recueilli une heredité contre sa conscience, non seulement non contre les loix, mais par les loix mesmes[44]. Et M. Crassus et Q. Hortensius, lesquels à cause de leur authorité et puissance ayans esté pour certaines quotités appelés par un estrangier à la succession d'un testament faux, à fin que par ce moyen il y establit sa part, se contanterent de n'estre participants de la fauceté et ne refuserent d'en tirer quelque fruit, assez couverts s'ils se tenoient à l'abry des accusateurs, et des tesmoins, et des loix. « *Meminerint Deum se habere testem, id est (ut ego arbitror) mentem suam*[b] [45]. »

La vertu est chose bien vaine et frivole, si elle tire sa recommendation de la gloire. Pour neant entreprendrions nous de luy faire tenir son rang à part, et la déjoindrions de la fortune ; car qu'est-il plus fortuite que la reputation ? « *Profecto fortuna in omni re dominatur : ea res cunctas ex libidine magis quam ex vero celebrat obscuratque*[c]. » De faire que les actions soient connuës et veuës, c'est le pur ouvrage de la fortune.

C'est le sort qui nous applique la gloire selon sa temerité. Je l'ai veuë fort souvent marcher avant le merite et souvent outrepasser le merite d'une longue mesure. Celuy qui, premier, s'advisa de la ressemblance de l'ombre à la gloire[46], fit mieux qu'il ne vouloit. Ce sont choses excellamment vaines.

---

a. Rappeler. — *b.* « Qu'ils se souviennent qu'ils ont Dieu pour témoin, c'est-à-dire (comme je l'interprète) leur propre conscience. » Cicéron, *De officiis*, III, 10. — *c.* « Oui, la fortune étend sa domination sur toute chose ; elle glorifie les uns et couvre d'ombre les autres, moins selon la réalité que selon son caprice. » Salluste, *Catilina*, VIII.

Elle va aussi quelque fois davant son corps, et quelque fois l'excede de beaucoup en longueur.

Ceux qui apprennent à la noblesse de ne chercher en la vaillance que l'honneur, « *quasi non sit honestum quod nobilitatum non sit*[a] », que gaignent ils par là que de les instruire de ne se hazarder jamais si on ne les voit, et de prendre bien garde s'il y a des tesmoins qui puissent rapporter nouvelles de leur valeur, là où il se presente mille occasions de bien faire sans qu'on en puisse estre remarqué ? Combien de belles actions particulieres s'ensevelissent dans la foule d'une bataille[47] ? Quiconque s'amuse à contreroller autruy pendant une telle meslée, il n'y est guiere embesoigné, et produit contre soy mesmes le tesmoignage qu'il rend des deportemens de ses compaignons.

« *Vera et sapiens animi magnitudo honestum illud quod maxime naturam sequitur, in factis positum, non in gloria judicat*[b]. » Toute la gloire que je pretens de ma vie, c'est de l'avoir vescue tranquille : tranquille non selon Metrodorus, ou Arcesilas, ou Aristippus, mais selon moy. Puis que la philosophie n'a sçeu trouver aucune voye pour la tranquillité qui fust bonne en commun, que chacun la cherche en son particulier !

A qui doivent Cæsar et Alexandre cette grandeur infinie de leur renommée, qu'à la fortune ? Combien d'hommes a elle esteint sur le commencement de leur progrès, desquels nous n'avons aucune connoissance, qui y apportoient mesme courage que le leur, si le malheur de leur sort ne les eut arrestez tout court sur la naissance de leurs entreprinses ! Au travers de tant et si extremes dangers, il ne me souvient point avoir leu que Cæsar ait esté jamais blessé. Mille sont morts de moindres perils que le moindre de ceux qu'il franchit. Infinies belles actions se doivent perdre sans tesmoignage avant qu'il en vienne une à profit. On n'est pas tousjours sur le haut d'une bresche ou à la teste d'une armée, à la veuë de son general, comme sur un eschaffaut. On est surpris entre la haye et le fossé ; il faut tenter fortune contre un poullaillier[c] ; il faut dénicher

---

a. « Comme si une action n'était vertueuse que lorsqu'elle est devenue célèbre. » Cicéron, *De officiis*, I, 4. — *b*. « Une vraie et sage grandeur d'âme place l'honneur, qui est le principal but de notre nature, dans les actes, non dans la gloire. » Cicéron, *De officiis*, I, 19. — *c*. Une bicoque.

quatre chetifs harquebousiers d'une grange; il faut seul
s'escarter de la trouppe et entreprendre seul, selon la
necessité qui s'offre. Et si on prend garde, on trouvera
qu'il advient par experience que les moins esclattantes
occasions sont les plus dangereuses; et qu'aux guerres qui
se sont passées de nostre temps, il s'est perdu plus de gens
de bien aux occasions legeres et peu importantes et à la
contestation de quelque bicoque, qu'ès lieux dignes et
honnorables.

Qui tient sa mort pour mal employée si ce n'est en
occasion signalée, au lieu d'illustrer sa mort, il obscurcit
volontiers sa vie, laissant eschapper cependant plusieurs
justes occasions de se hazarder. Et toutes les justes sont
illustres assez, sa conscience les trompetant suffisamment à
chacun. « *Gloria nostra est testimonium conscientiæ nostræ*[a]. »

Qui n'est homme de bien que par ce qu'on le sçaura, et
par ce qu'on l'en estimera mieux après l'avoir sceu; qui
ne veut bien faire qu'en condition que sa vertu vienne a
la connoissance des hommes, celuy-là n'est pas homme de
qui on puisse tirer beaucoup de service.

> *Credo che'l resto di quel verno cose*
> *Facesse degne di tenerne conto;*
> *Ma fur sin'a quel tempo si nascose,*
> *Che non è colpa mia s'hor' non le conto :*
> *Perche Orlando a far opre virtuose,*
> *Piu ch'a narrarle poi, sempre era pronto,*
> *Ne mai fu alcun' de li suoi fatti espresso,*
> *Senon quando hebbe i testimonii apresso*[b].

Il faut aller à la guerre pour son devoir, et en attendre
cette recompense, qui ne peut faillir à toutes belles actions,
pour occultes qu'elles soient, non pas mesme aux vertueuses
pensées : c'est le contentement qu'une conscience bien
reglée reçoit en soy de bien faire. Il faut estre vaillant pour

---

[a]. « Notre gloire, c'est le témoignage de notre conscience. » Saint
Paul, *Épîtres aux Corinthiens*, II, 1, 12. — [b]. « Je crois que le reste de
cet hiver [Roland] fit des choses dignes qu'on en tienne compte,
mais elles ont été si secrètes jusqu'ici que ce n'est pas ma faute si je
ne les raconte point, car Roland a toujours été plus prompt à faire de
belles choses qu'à les publier, et jamais ses exploits n'ont été divul-
gués que par des témoins. » Arioste, *Roland furieux*, XI, LXXXI.

soy-mesmes et pour l'avantage que c'est d'avoir son courage logé en une assiette ferme et asseurée contre les assauts de la fortune :

> *Virtus, repulsæ nescia sordidæ,*
> *Intaminatis fulget honoribus,*
> *Nec sumit aut ponit secures*
> *Arbitrio popularis auræ* [a].

Ce n'est pas pour la montre que nostre ame doit jouer son rolle, c'est chez nous au dedans, où nuls yeux ne donnent que les nostres : là elle nous couvre de la crainte de la mort, des douleurs et de la honte mesme; elle nous asseure là de la perte de nos enfans, de nos amis et de nos fortunes; et quand l'opportunité s'y presente, elle nous conduit aussi aux hazards de la guerre. « *Non emolumento aliquo, sed ipsius honestatis decore* [b]. » Ce profit est bien plus grand et bien plus digne d'estre souhaité et esperé que l'honneur et la gloire, qui n'est qu'un favorable jugement qu'on faict de nous.

Il faut trier de toute une nation une douzaine d'hommes pour juger d'un arpent de terre; et le jugement de nos inclinations et de nos actions, la plus difficile matiere et la plus importante qui soit, nous la remettons à la voix de la commune et de la tourbe, mere d'ignorance, d'injustice et d'inconstance. Est-ce raison faire dependre la vie d'un sage du jugement des fols [48] ?

« *An quidquam stultius quam quos singulos contemnas, eos aliquid putare esse universos* [c] ? »

Quiconque vise à leur plaire, il n'a jamais faict; c'est une bute [d] qui n'a ny forme ny prise.

« *Nihil tam inæstimabile est quam animi multitudinis* [e]. »

Demetrius disoit plaisamment de la voix du peuple,

---

a. « La vertu, indifférente à la honte de l'échec, est brillante d'honneurs sans mélange; elle n'a point à prendre et à déposer les haches au gré du souffle populaire. » Horace, *Odes,* III, II, 17. — *b.* « Non pour quelque profit, mais pour l'honneur attaché à la vertu. » Cicéron, *De finibus,* I, 10. — *c.* « Est-il rien plus insensé, lorsqu'on méprise des gens pris chacun à part, que d'en faire cas lorsqu'ils se trouvent réunis ? » Cicéron, *Tusculanes,* V, xxxvi. — *d.* Une cible, un but. — *e.* « Rien d'aussi incalculable que les jugements de la foule. » Tite-Live, XXXI, 34.

qu'il ne faisoit non plus de recette de celle qui luy sortoit par en haut, que de celle qui luy sortoit par en bas[49].

Celuy-là dict encore plus : « *Ego hoc judico, si quando turpe non sit, tamen non esse non turpe, quum id a multitudine laudetur*[a]. »

Null'art, nulle souplesse d'esprit pourroit conduire nos pas à la suitte d'un guide si desvoyé et si desreiglé. En cette confusion venteuse de bruits de raports et opinions vulgaires qui nous poussent, il ne se peut establir aucune route qui vaille. Ne nous proposons point une fin si flotante et vagabonde; allons constammant après la raison; que l'approbation publique nous suyve par là, si elle veut; et comme elle despend toute de la fortune, nous n'avons point loy de l'esperer plustost par une autre voye que par celle là. Quand pour sa droiture je ne suyverois le droit chemin, je le suyvrois pour avoir trouvé par experience qu'au bout du conte[b] c'est communement le plus heureux et le plus utile. « *Dedit hoc providentia hominibus munus ut honesta magis juvarent*[c]. » Le marinier antien disoit ainsin à Neptune en une grande tempeste : « O Dieu, tu me sauveras, si tu veux; tu me perderas, si tu veux : mais si tiendrai je tousjours droit mon timon[50]. » J'ay veu de mon temps mill'hommes souples, mestis[d], ambigus, et que nul ne doubtoit plus prudans mondains que moy, se perdre où je me suis sauvé :

Risi successu posse carere dolos[e].

Paul Æmile, allant en sa glorieuse expedition de Macedoine, advertit sur tout le peuple à Rome de contenir leur langue de ses actions pendant son absence[51]. Que la licence des jugements est un grand destourbier[f] aux grands affaires! D'autant que chacun n'a pas la fermeté de Fabius à l'encontre des voix communes, contraires et injurieuses, qui aima mieux laisser desmembrer son authorité aux

---

a. « Moi j'estime qu'une chose, lors même qu'elle ne serait pas honteuse, semble l'être quand elle est louée par la multitude. » Cicéron, *De finibus*, II, 15. — *b.* Compte. — *c.* « La Providence a fait aux hommes cette faveur que les choses honnêtes apportent plus de profit. » Quintilien, *Institution oratoire*, I, 12. — *d.* Doubles. — *e.* « J'ai ri de voir que les ruses pouvaient ne pas réussir. » Ovide, *Héroïdes*, I, 18. — *f.* Une grande entrave.

vaines fantasies des hommes, que faire moins bien sa charge avec favorable reputation et populaire consentement[52].

Il y a je ne sçay quelle douceur naturelle à se sentir louer, mais nous luy prestons trop de beaucoup.

> *Laudari haud metuam, neque enim mihi cornea fibra est;*
> *Sed recti finemque extremumque esse recuso*
> *Euge tuum et belle*[a].

Je ne me soucie pas tant quel je sois chez autruy, comme je me soucie quel je sois en moy mesme. Je veux estre riche par moy, non par emprunt. Les estrangers ne voyent que les evenemens et apparences externes; chacun peut faire bonne mine par le dehors, plein au dedans de fiebvre et d'effroy. Ils ne voyent pas mon cœur, ils ne voyent que mes contenances. On a raison de descrier l'hipocrisie qui se trouve en la guerre : car qu'est il plus aisé à un homme pratic que de gauchir aux dangers et de contrefaire le mauvais, ayant le cœur plein de mollesse? Il y a tant de moyen d'eviter les occasions de se hazarder en particulier, que nous aurons trompé mille fois le monde avant que de nous engager à un dangereux pas; et lors mesme, nous y trouvant empétrez, nous sçaurons bien pour ce coup couvrir nostre jeu d'un bon visage et d'une parolle asseurée, quoy que l'ame nous tremble au dedans. Et qui auroit l'usage de l'anneau Platonique[53], rendant invisible celuy qui le portoit au doigt, si on luy donnoit le tour vers le plat de la main, assez de gens souvent se cacheroient où il se faut presenter le plus, et se repentiroient d'estre placez en lieu si honorable, auquel la necessité les rend asseurez.

> *Falsus honor juvat, et mendax infamia terret*
> *Quem, nisi mendosum et mendacem*[b]*?*

Voylà comment tous ces jugemens qui se font des apparences externes sont merveilleusement incertains et dou-

---

a. « Je ne craindrais pas, moi, d'être loué; car je n'ai point la fibre de corne. Mais que « bravo! » et « joli! » dans ta bouche soient et la fin et le degré suprême du bien, c'est ce que je nie. » Perse, I, 47.
— *b.* « Qui est sensible à de fausses louanges et redoute la calomnie, sinon le fourbe et le menteur? » Horace, *Épîtres*, I, XVI, 39.

teux; et n'est aucun si asseuré tesmoing comme chacun à soy-mesme.

En celles là combien avons nous de goujats[a], compaignons de nostre gloire? Celuy qui se tient ferme dans une tranchée descouverte, que faict il en cela que ne facent devant luy cinquante pauvres pioniers qui luy ouvrent le pas et le couvrent de leurs corps pour cinq sous de païe par jour?

> *non, quicquid turbida Roma*
> *Elevet, accedas, examenque improbum in illa*
> *Castiges trutina : nec te quæsiveris extra*[b].

Nous appellons agrandir nostre nom[54], l'estandre et semer en plusieurs bouches; nous voulons qu'il y soit receu en bonne part, et que cette sienne accroissance luy vienne à profit : voylà ce qu'il y peut avoir de plus excusable en ce dessein. Mais l'excès de cette maladie en va jusques là que plusieurs cerchent de faire parler d'eux en quelque façon que ce soit. Trogus Pompeius dict de Herostratus, et Titus Livius de Manlius Capitolinus[55], qu'ils estoyent plus desireux de grande que de bonne reputation. Ce vice est ordinaire. Nous nous soignons plus qu'on parle de nous, que comment on en parle; et nous est assez que nostre nom coure par la bouche des hommes, en quelque condition qu'il y coure. Il semble que l'estre conneu, ce soit aucunement avoir sa vie et sa durée en la garde d'autruy. Moy, je tiens que je ne suis que chez moy; et, de cette autre mienne vie qui loge en la connoissance de mes amis, à la considerer nue et simplement en soy, je sçay bien que je n'en sens fruict ny jouyssance que par la vanité d'une opinion fantastique. Et quand je seray mort, je m'en resentiray encores beaucoup moins[56]; et si[c], perderay tout net l'usage des vrayes utilitez qui accidentalement la suyvent par fois; je n'auray plus de prise par où saisir la reputation ny par où elle puisse me toucher ny arriver à moy.

Car de m'attendre que mon nom la reçoive, premierement je n'ay point de nom qui soit assez mien : de deux

---

a. Valets d'armée. — *b.* « Ne va point, si Rome dans son désarroi juge une œuvre de peu de poids, l'approuver ou redresser l'aiguille faussée de cette balance et te chercher hors de toi. » Perse, I, 5. — *c.* Et encore.

que j'ay, l'un est commun à toute ma race, voire encore
à d'autres. Il y a une famille à Paris et à Montpelier qui se
surnomme Montaigne; une autre en Bretaigne et en Xain-
tonge, de la Montaigne. Le remuement d'une seule syllabe
meslera nos fusées, de façon que j'auray part à leur gloire,
et eux, à l'adventure, à ma honte; et si [a], les miens se sont
autres-fois surnommez [b] Eyquem, surnom qui touche encore
une maison cogneuë en Angleterre. Quant à mon autre
nom, il est à quiconque aura envie de le prendre. Ainsi
j'honoreray peut estre un crocheteur en ma place. Et puis,
quand j'aurois une marque particuliere pour moy, que peut
elle marquer quand je n'y suis plus? Peut elle designer et
favorir l'inanité [c]?

> *Nunc levior cyppus non imprimit ossa?*
> *Laudat posteritas : nunc non è manibus illis,*
> *Nunc non è tumulo fortunatáque favilla*
> *Nascuntur violæ* [d] *?*

Mais de cecy j'en ay parlé ailleurs [57].

Au demeurant, en toute une bataille où dix mill'hommes
sont stropiez [e] ou tuez, il n'en est pas quinze dequoy on
parle. Il faut que ce soit quelque grandeur bien eminente,
ou quelque consequence d'importance que la fortune y
ait jointe, qui face valoir un'action privée, non d'un harque-
bousier seulement, mais d'un Capitaine. Car de tuer un
homme, ou deux, ou dix, de se presenter courageusement
à la mort, c'est à la verité quelque chose à chacun de nous,
car il y va de tout; mais pour le monde, ce sont choses si
ordinaires, il s'en voit tant tous les jours, et en faut tant
de pareilles pour produire un effect notable, que nous n'en
pouvons attendre aucune particuliere recommandation,

> *casus multis hic cognitus ac jam*
> *Tritus, et e medio fortunæ ductus acervo* [f].

a. Et encore. — *b.* Nommés. — *c.* Favoriser le néant. — *d.* « Le
cippe ne pèse-t-il pas maintenant, plus léger, sur ses os? La postérité le loue : est-ce que maintenant de ces mânes glorieux et de ces
heureux restes calcinés ne vont pas naître des violettes? » Perse, I,
37. — *e.* Estropiés. — *f.* « C'est un accident arrivé à beaucoup
d'autres, banal, et pris dans les mille chances de la fortune. » Juvénal, XIII, 9.

De tant de miliasses de vaillans hommes qui sont morts depuis quinze cens ans en France, les armes en la main, il n'y en a pas cent qui soyent venus à nostre cognoissance. La memoire non des chefs seulement, mais des batailles et victoires, est ensevelie.

Les fortunes de plus de la moitié du monde, à faute de registre, ne bougent de leur place et s'evanouissent sans durée.

Si j'avois en ma possession les evenemens inconnus, j'en penserois très facilement supplanter les connus en toute espece d'exemples.

Quoy, que des Romains mesmes et des Grecs, parmy tant d'escrivains et de tesmoins, et tant de rares et nobles exploits, il en est venu si peu jusques à nous?

Ad nos vix tenuis famæ perlabitur aura[a].

Ce sera beaucoup si, d'icy à cent ans, on se souvient en gros que, de nostre temps, il y a eu des guerres civiles en France.

Les Lacedemoniens sacrifioient aux muses, entrant en bataille, afin que leurs gestes fussent bien et dignement escris, estimant que ce fut une faveur divine et non commune que les belles actions trouvassent des tesmoings qui leur sçeussent donner vie et memoire[58].

Pensons nous qu'à chaque harquebousade qui nous touche, et à chaque hazard que nous courons, il y ayt soudain un greffier qui l'enrolle[b]? et cent greffiers, outre cela, le pourront escrire, desquels les commentaires ne dureront que trois jours et ne viendront à la veuë de personne. Nous n'avons pas la millieme partie des escrits anciens; c'est la fortune qui leur donne vie, ou plus courte, ou plus longue, selon sa faveur; et ce que nous en avons, il nous est loisible de doubter si c'est le pire, n'ayant pas veu le demeurant. On ne faict pas des histoires de choses de si peu : il faut avoir esté chef à conquerir un Empire ou un Royaume; il faut avoir gaigné cinquante deux batailles assignées, tousjours plus foible en nombre, comme Cæsar. Dix mille bons compaignons et plusieurs grands capitaines

---

a. « À peine un léger souffle de leur gloire se glisse-t-il jusqu'à nous. » Virgile, *Énéide*, VII, 646. — *b.* Enregistre.

moururent à sa suite, vaillamment et courageusement, desquels les noms n'ont duré qu'autant que leurs femmes et leurs enfants vesquirent,

quos fama obscura recondit [a].

De ceux mesme que nous voyons bien faire, trois mois ou trois ans après qu'ils y sont demeurez, il ne s'en parle non plus que s'ils n'eussent jamais esté. Quiconque considerera avec juste mesure et proportion de quelles gens et de quels faits la gloire se maintient en la memoire des livres, il trouvera qu'il y a de nostre siecle fort peu d'actions et fort peu de personnes qui y puissent pretendre nul droict. Combien avons nous veu d'hommes vertueux survivre à leur propre reputation, qui ont veu et souffert esteindre en leur presence l'honneur et la gloire très-justement acquise en leurs jeunes ans? Et, pour trois ans de cette vie fantastique et imaginere, allons nous perdant nostre vraye vie et essentielle, et nous engager à une mort perpetuelle? Les sages se proposent une plus belle et plus juste fin à une si importante entreprise.

« *Recte facti, fecisse merces est* [b]. » — « *Officii fructus ipsum officium est* [c]. »

Il seroit à l'advanture excusable à un peintre ou autre artisan, ou encores à un Rhetoricien ou Grammairien, de se travailler pour acquerir nom par ses ouvrages; mais les actions de la vertu, elles sont trop nobles d'elles mesmes pour rechercher autre loyer [d] que de leur propre valeur, et notamment pour la chercher en la vanité des jugemens humains.

Si toutes-fois cette fauce opinion sert au public à contenir les hommes en leur devoir; si le peuple en est esveillé à la vertu; si les Princes sont touchez de voir le monde benir la memoire de Trajan et abominer celle de Neron; si cela les esmeut de voir le nom de ce grand pendart, autresfois si effroyable et si redoubté, maudit et outragé si librement par le premier escolier qui l'entreprend [e] :

---

a. « Qui sont ensevelis dans une gloire obscure. » Virgile, *Énéide*, V, 302. — *b.* « La récompense d'une bonne action, c'est de l'avoir faite. » Sénèque, *Épîtres*, 81. — *c.* « Le fruit d'un service, c'est le service même. » Cicéron, *De finibus*, II, 22. — *d.* Profit. — *e.* L'attaque.

qu'elle accroisse hardiment et qu'on la nourrisse entre nous le plus qu'on pourra.

Et Platon, employant toutes choses à rendre ses citoyens vertueus, leur conseille[59] aussi de ne mespriser la bonne reputation et estimation des peuples; et dict que, par quelque divine inspiration, il advient que les meschans mesmes sçavent souvent, tant de parole que d'opinion, justement distinguer les bons des mauvais. Ce personnage et son pedagogue[60] sont merveilleux et hardis ouvriers à faire joindre les operations et revelations divines tout par tout où faut l'humaine force; « *ut tragici poetæ confugiunt ad deum, cum explicare argumenti exitum non possunt*[a] ».

Pour tant à l'avanture l'appelloit Timon l'injuriant : le grand forgeur de miracles[61].

Puis que les hommes, par leur insuffisance, ne se peuvent assez payer d'une bonne monnoye, qu'on y employe encore la fauce. Ce moyen a esté practiqué par tous les Legislateurs, et n'est police où il n'y ait quelque meslange ou de vanité ceremonieuse, ou d'opinion mensongere, qui serve de bride à tenir le peuple en office. C'est pour cela que la pluspart ont leurs origines et commencemens fabuleux et enrichis de mysteres supernaturels. C'est cela qui a donné credit aux religions bastardes et les a faites favorir aux[b] gens d'entendement; et pour cela que Numa et Sertorius, pour rendre leurs hommes de meilleure creance, les paissoyent de cette sottise, l'un que la nymphe Egeria[62], l'autre que sa biche blanche[63] luy apportoit de la part des dieux tous les conseils qu'il prenoit.

Et l'authorité que Numa donna à ses loix soubs titre du patronage de cette Deesse, Zoroastre, legislateur des Bactriens et des Perses, la donna aux siennes sous le nom du Dieu Oromasis; Trismegiste, des Ægyptiens, de Mercure; Zamolxis, des Scythes, de Vesta; Charondas, des Chalcides, de Saturne; Minos, des Candiots, de Juppiter; Licurgus, des Lacedemoniens, d'Apollo; Dracon et Solon, des Atheniens, de Minerve. Et toute police a un dieu à sa teste, faucement les autres, veritablement celle que Moïse dressa au peuple de Judée sorty d'Ægypte[64].

---

a. « Comme les poètes tragiques qui ont recours à un dieu quand ils ne savent trouver le dénouement de leur pièce. » Cicéron, *De natura deorum*, I, 20. — *b.* Favoriser par les.

La religion des Bedoins, comme dit le sire de Jouinville[65], portoit entre autres choses que l'ame de celuy d'entre eux qui mouroit pour son prince, s'en alloit en un autre corps plus heureux, plus beau et plus fort que le premier; au moyen dequoy ils en hazardoient beaucoup plus volontiers leur vie.

In ferrum mens prona viris, animæque capaces
Mortis, et ignavum est rediturae parcere vitæ [a].

Voylà une creance trèssalutaire, toute vaine qu'elle puisse être. Chaque nation a plusieurs tels exemples chez soy; mais ce subjet meriteroit un discours à part.

Pour dire encore un mot sur mon premier propos, je ne conseille non plus aux Dames d'appeler honneur leur devoir : « *ut enim consuetudo loquitur, id solum dicitur honestum quod est populari fama gloriosum* [b] »; leur devoir est le marc [c], leur honneur n'est que l'escorce. Ny ne leur conseille de nous donner cette excuse en payement de leur refus : car je presuppose que leurs intentions, leur desir et leur volonté, qui sont pieces où l'honneur n'a que voir, d'autant qu'il n'en paroit rien au dehors, soyent encore plus reglées que les effects.

Quæ, quia non liceat, non facit, illa facit [d].

L'offence et envers Dieu et en la conscience seroit aussi grande de le desirer que de l'effectuer. Et puis ce sont actions d'elles mesmes cachées et occultes; il seroit bienaysé qu'elles en desrobassent quelcune à la connoissance d'autruy, d'où l'honneur depend, si elles n'avoyent autre respect à leur devoir, et à l'affection qu'elles portent à la chasteté pour elle-mesme.

Toute personne d'honneur choisit de perdre plustost son honneur, que de perdre sa conscience.

---

a. « De là, chez ces guerriers, des cœurs enclins à courir aux armes, des âmes capables de mourir, et le sentiment qu'il est lâche d'épargner une vie qui doit revenir. » Lucain, *Pharsale*, I, 461. — *b.* « De même que, dans le langage ordinaire, on n'appelle honnête que ce qui est glorieux dans l'opinion du peuple. » Cicéron, *De finibus*, II, 15. — *c.* L'essentiel. — *d.* « Celle-là succombe, qui se refuse parce qu'il ne lui est pas permis de succomber. » Ovide, *Amours*, III, IV, 4.

CHAPITRE XVII

DE LA PRÆSUMPTION

Il y a une autre sorte de gloire, qui est une trop bonne opinion que nous concevons de nostre valeur. C'est un'affection inconsiderée, dequoy nous nous cherissons, qui nous represente à nous mesmes autres que nous ne sommes : comme la passion amoureuse preste des beautez et des graces au subjet qu'elle embrasse, et fait que ceux qui en sont espris, trouvent, d'un jugement trouble et alteré, ce qu'ils ayment autre et plus parfaict qu'il n'est.

Je ne veux pas que, de peur de faillir de ce costé là, un homme se mesconnoisse pourtant, ny qu'il pense estre moins que ce qu'il est. Le jugement doit tout par tout maintenir son droit : c'est raison qu'il voye en ce subject, comme ailleurs, ce que la verité luy presente. Si c'est Cæsar, qu'il se treuve hardiment le plus grand Capitaine du monde. Nous ne sommes que ceremonie; la ceremonie nous emporte, et laissons la substance des choses; nous nous tenons aux branches et abandonnons le tronc et le corps. Nous avons apris aux Dames de rougir oyant[a] seulement nommer ce qu'elles ne craignent aucunement à faire; nous n'osons appeller à droict[b] nos membres, et ne craignons pas de les employer à toute sorte de desbauche. La ceremonie nous defend d'exprimer par parolles les choses licites et naturelles, et nous l'en croyons; la raison nous defend de n'en faire point d'illicites et mauvaises, et personne ne l'en croit. Je me trouve icy empestré és loix de la ceremonie car elle ne permet ny qu'on parle bien de soy, ny qu'on en parle mal. Nous la lairrons[c] là pour ce coup.

Ceux que la fortune (bonne ou mauvaise qu'on la doive appeller) a faict passer la vie en quelque eminent degré, ils peuvent par leurs actions publiques tesmoigner quels ils sont. Mais ceux qu'elle n'a employez qu'en foule, et de qui personne ne parlera, si eux mesmes n'en parlent,

---

a. Entendant. — *b.* Directement. — *c.* Laisserons.

ils sont excusables s'ils prennent la hardiesse de parler d'eux mesmes envers ceux qui ont interest de les connoistre, à l'exemple de Lucilius :

> *Ille velut fidis arcana sodalibus olim*
> *Credebat libris, neque, si malè cesserat, usquam*
> *Decurrens alio, neque si benè : quo fit ut omnis*
> *Votiva pateat veluti descripta tabella*
> *Vita senis* [a].

Celuy là commettoit[b] à son papier ses actions et ses pensées, et s'y peignoit tel qu'il se sentoit estre. « *Nec id Rutilio et Scauro citra fidem aut obtrectationi fuit*[c]. »

Il me souvient donc que, dès ma plus tendre enfance, on remerquoit en moy je ne sçay quel port de corps et des gestes tesmoignants quelque vaine et sotte fierté. J'en veux dire premierement cecy, qu'il n'est pas inconvenient[d] d'avoir des conditions et des propensions si propres et si incorporées en nous, que nous n'ayons pas moyen de les sentir et reconnoistre. Et de telles inclinations naturelles, le corps en retient volontiers quelque pli sans nostre sçeu et consentement. C'estoit une certaine affetterie consente de sa beauté, qui faisoit un peu pancher la teste d'Alexandre sur un costé[66] et qui rendoit le parler d'Alcibiades mol et gras[e][67]. Julius Cæsar se gratoit la teste d'un doigt, qui est la contenance d'un homme remply de pensemens penibles[68]; et Ciceron, ce me semble, avoit accoustumé de rincer le nez, qui signifie un naturel moqueur. Tels mouvemens peuvent arriver imperceptiblement en nous. Il y en a d'autres, artificiels, dequoy je ne parle point, comme les salutations et reverences, par où on acquiert, le plus souvent à tort, l'honneur d'estre bien humble et courtois : on peut estre humble de gloire. Je suis assez prodigue de bonnettades, notamment en esté, et n'en

---

a. « Celui-là confiait, comme à des compagnons fidèles, tous ses secrets à ses livres. Qu'il fût malheureux ou heureux, jamais il n'eut d'autre confident; aussi toute sa vie de vieillard s'y voit dépeinte comme dans un tableau votif. » Horace, *Satires*, II, 1, 30. — *b.* Confiait. — *c.* « Et Rutilius et Scaurus n'en ont été ni moins crus, ni moins prisés. » Tacite, *Agricola*, 1. — *d.* Malséant. — *e.* *Estans douez d'une extrême beauté, ils s'y aidoient un peu sans y penser, par mignardise*, ajoutent les éditions publiées du vivant de Montaigne.

reçoys jamais sans revenche, de quelque qualité d'homme que ce soit, s'il n'est à mes gages. Je desirasse d'aucuns Princes que je connois, qu'ils en fussent plus espargnans, et justes dispensateurs ; car, ainsin indiscrettement espanduës, elles ne portent plus de coup. Si elles sont sans esgard, elles sont sans effect. Entre les contenances desreglées, n'oublions pas la morgue de Constantius l'Empereur[69], qui en publicq tenoit tousjours la teste droite, sans la contourner ou flechir ny çà ny là, non pas seulement pour regarder ceux qui le saluoient à costé, ayant le corps planté immobile, sans se laisser aller au branle de son coche, sans oser ny cracher, ny se moucher, ny essuyer le visage devant les gens.

Je ne sçay si ces gestes qu'on remerquoit en moy, estoient de cette premiere condition, et si à la verité j'avoy quelque occulte propension à ce vice, comme il peut bien estre, et ne puis pas respondre des bransles du corps ; mais, quant aux bransles de l'ame, je veux icy confesser ce que j'en sens.

Il y a deux parties en cette gloire : sçavoir est, de s'estimer trop, et n'estimer pas assez autruy. Quant à l'une, il me semble premierement ces considerations devoir estre mises en conte[a], que je me sens pressé d'un'erreur d'âme qui me desplait, et comme inique, et encore plus comme importune. J'essaye à la corriger ; mais l'arracher, je ne puis. C'est que je diminue du juste prix des choses que je possede, de ce que je les possede ; et hausse le prix aux choses, d'autant qu'elles sont estrangeres, absentes et non miennes. Cette humeur s'espand bien loin. Comme la prerogative de l'authorité faict que les maris regardent les femmes propres[b] d'un vitieux[c] desdein, et plusieurs peres leurs enfants ; ainsi fay je, et entre deux pareils ouvrages poiserois[d] toujours contre le mien. Non tant que la jalousie de mon avancement et amandement trouble mon jugement et m'empesche de me satisfaire, comme que, d'elle mesmes, la maistrise[e] engendre mespris de ce qu'on tient et regente. Les polices[f], les mœurs loingtaines me flattent, et les langues ; et m'apperçoy que le latin me pippe à sa faveur par sa dignité, au delà de ce qui luy

---

a. Compte. — *b.* Leurs propres femmes. — *c.* Injuste. — *d.* Pèserais, insisterais. — *e.* La propriété. — *f.* Sociétés.

appartient, comme aux enfans et au vulgaire. L'Œconomie[a], la maison, le cheval de mon voisin, en esgale valeur, vaut mieux que le mien, de ce qu'il n'est pas mien. Davantage que[b] je suis très ignorant en mon faict. J'admire l'asseurance et promesse que chacun a de soy, là où il n'est quasi rien que je sçache sçavoir, ny que j'ose me respondre pouvoir faire. Je n'ay point mes moyens en proposition et par estat[c]; et n'en suis instruit qu'après l'effect : autant doubteux de moy que de toute autre chose. D'où il advient, si je rencontre louablement[d] en une besongne, que je le donne plus à ma fortune[e] qu'à ma force : d'autant que je les desseigne[f] toutes au hazard et en crainte. Pareillement j'ay en general cecy que, toutes les opinions que l'ancienneté a eües de l'homme en gros, celles que j'embrasse plus volontiers et ausquelles je m'attache le plus, ce sont celles qui nous mesprisent, avilissent et aneantissent le plus. La philosophie ne me semble jamais avoir si beau jeu que quand elle combat nostre presomption et vanité, quand elle reconnoit de bonne foy son irresolution, sa foiblesse et son ignorance. Il me semble que la mere nourrisse des plus fauces opinions et publiques et particulieres, c'est la trop bonne opinion que l'homme a de soy. Ces gens qui se perchent à chevauchons sur l'epicycle de Mercure, qui voient si avant dans le ciel, ils m'arrachent les dens; car en l'estude que je fay, duquel le subject c'est l'homme, trouvant une si extreme varieté de jugemens, un si profond labyrinthe de difficultez les unes sur les autres, tant de diversité et incertitude en l'eschole mesme de la sapience, vous pouvez penser, puis que ces gens là n'ont peu se resoudre de la connoissance d'eux mesmes et de leur propre condition, qui est continuellement presente à leurs yeux, qui est dans eux; puis qu'ils ne sçavent comment branle ce qu'eux mesmes font branler, ny comment nous peindre et deschiffrer les ressorts qu'ils tiennent et manient eux mesmes, comment je les croirois de la cause du flux et reflux de la riviere du Nile. La curiosité de connoistre les choses a esté donnée aux hommes pour fleau, dit la saincte parole[70].

a. L'administration domestique. — *b.* D'autant plus que. — *c.* Couchés sur un état, inventoriés. — *d.* Si je réussis. — *e.* Chance. — *f.* J'en conçois le dessein.

Mais, pour venir à mon particulier, il est bien difficile, ce me semble, que aucun autre s'estime moins, voire que aucun autre m'estime moins, que ce que je m'estime.

Je me tiens [a] de la commune sorte, sauf en ce que je m'en tiens : coulpable des defectuositez plus basses [b] et populaires, mais non desadvouées, non excusées; et ne me prise seulement que de ce que je sçay mon prix.

S'il y a de la gloire, elle est infuse en moy superficiellement par la trahison de ma complexion, et n'a point de corps qui comparoisse à la veuë de mon jugement.

J'en suis arrosé, mais non pas teint [71].

Car, à la verité, quand aux effects de l'esprit, en quelque façon que ce soit, il n'est jamais party de moy chose qui me remplist; et l'approbation d'autruy ne me paye pas. J'ay le goust tendre et difficile, et notamment en mon endroit; je me desadvoue sans cesse; et me sens par tout flotter et fleschir de foiblesse [c]. Je n'ay rien du mien dequoy satisfaire mon jugement. J'ay la veuë assez claire et reglée; mais, à l'ouvrer [d], elle se trouble : comme j'essaye plus evidemment en la poësie. Je l'ayme infiniment; je me congnois assez aux ouvrages d'autruy; mais je fay, à la verité, l'enfant quand j'y veux mettre la main; je ne me puis souffrir. On peut faire le sot par tout ailleurs, mais non en la Poësie,

mediocribus esse poetis
Non dii, non homines, non concessere columnæ [e].

Pleust à Dieu que cette sentence se trouvat au front des boutiques de tous nos Imprimeurs, pour en deffendre l'entrée à tant de versificateurs,

verum
Nil securius est malo Poeta [f].

Que n'avons nous de tels peuples? Dionysius le pere [g]

---

a. Je m'estime. — b. Les plus basses. — c. *Je me connoy tant que s'il estoit party de moi chose qui me pleut, je le devroy sans doubte à la fortune,* ajoutent ici les éditions antérieures à 1595. — d. A l'ouvrage. — e. « Tout défend aux poètes d'être médiocres, et les dieux et les hommes, et les colonnes [où l'on affiche leurs ouvrages]. » Horace, *Art poétique*, 372. — f. « Mais rien n'a plus d'assurance qu'un mauvais poète. » Martial, *Épigrammes*, XII, LXIII, 13. — g. Denys l'Ancien.

n'estimoit rien tant de soy que sa poësie. A la saison des jeux Olympiques, avec des charriots surpassans tous les autres en magnificence, il envoya aussi des poëtes et des musiciens pour presenter ses vers, avec des tentes et pavillons dorez et tapissez royalement. Quand on vint à mettre ses vers en avant, la faveur et excellence de la prononciation attira sur le commencement l'attention du peuple; mais quand, par après, il vint à poiser*a* l'ineptie de l'ouvrage, il entra premierement en mespris, et, continuant d'aigrir son jugement, il se jetta tantost en furie, et courut abattre et deschirer par despit tous ses pavillons. Et ce que ses charriots ne feirent non plus rien qui vaille en la course, et que la navire qui rapportoit ses gens faillit*b* la Sicile et fut par la tempeste poussée et fracassée contre la coste de Tarente, il tint pour certain que c'estoit l'ire*c* des Dieus irritez comme luy contre ce mauvais poëme. Et les mariniers mesme eschappez du naufrage alloient secondant l'opinion de ce peuple.

A la quelle l'oracle qui predit sa mort sembla aussi aucunement souscrire. Il portoit que Dionysius seroit près de sa fin quand il auroit vaincu ceux qui vaudroient mieux que luy; ce que il interpreta des Carthaginois qui le surpassoient en puissance. Et, ayant affaire à eux, gauchissoit*d* souvant la victoire et la temperoit, pour n'encourir le sens de cette prediction. Mais il l'entendoit mal : car le dieu marquoit le temps de l'avantage que, par faveur et injustice, il gaigna à Athenes sur les poëtes tragiques meilleurs que luy, ayant faict jouer à l'envi la sienne, intitulée *Les Leneïens;* soudain après laquelle victoire il trespassa, et en partie pour l'excessive joye qu'il en conceut[72].

Ce que je treuve excusable du mien, ce n'est pas de soy et à la verité, mais c'est à la comparaison d'autres choses pires, ausquelles je voy qu'on donne credit. Je suis envieux du bon-heur de ceux qui se sçavent resjouir et gratifier en leur besongne, car c'est un moyen aisé de se donner du plaisir, puis qu'on le tire de soy mesmes. Specialement s'il y a un peu de fermeté en leur opiniastrise. Je sçay un poëte à qui forts, foibles, en foulle et en chambre, et le ciel et la terre crient qu'il n'y entend guere. Il n'en rabat

---

a. Peser. — *b.* Manqua. — *c.* La colère. — *d.* Évitait.

pour tout cela rien de la mesure à quoy il s'est taillé, tousjours recommence, tousjours reconsulte, et tousjours persiste; d'autant plus fort en son avis et plus roidde qu'il touche à luy seul de le maintenir. Mes ouvrages, il s'en faut tant qu'ils me rient, qu'autant de fois que je les retaste, autant de fois je m'en despite :

> *Cum relego, scripsisse pudet, quia plurima cerno,*
> *Me quoque qui feci judice, digna lini* [a].

J'ay tousjours une idée en l'ame et certaine image trouble, qui me presente comme en songe une meilleure forme que celle que j'ay mis en besongne, mais je ne la puis saisir et exploiter. Et cette idée mesme n'est que du moyen estage. Ce que j'argumante par là, que les productions de ces riches et grandes ames du temps passé sont bien loing au delà de l'extreme estendue de mon imagination et souhaict. Leurs escris ne me satisfont pas seulement et me remplissent; mais ils m'estonnent et transissent d'admiration. Je juge leur beauté; je la voy, si non jusques au bout, au moins si avant qu'il m'est impossible d'y aspirer. Quoy que j'entreprenne, je doy un sacrifice aux graces, comme dict Plutarque de quelqu'un[73], pour pratiquer leur faveur,

> *si quid enim placet,*
> *Si quid dulce hominum sensibus influit,*
> *Debentur lepidis omnia gratiis* [b].

Elles m'abandonnent par tout. Tout est grossier chez moy; il y a faute de gentillesse et de beauté. Je ne sçay faire valoir les choses pour le plus que ce qu'elles valent. Ma façon n'ayde rien à la matiere. Voilà pourquoy il me la faut forte, qui aye beaucoup de prise et qui luise d'elle mesme. Quand j'en saisis des populaires et plus gayes, c'est pour me suivre à moy, qui n'aime point une sagesse

---

a. « Quand je les relis, j'ai honte de les avoir écrits, car j'y vois une foule de choses qui, au jugement même de leur auteur, méritent d'être biffées. » Ovide, *Pontiques*, I, v, 15. — *b.* « Car tout ce qui peut plaire, tout ce qui peut charmer les sens des mortels, est dû aux grâces aimables. » Auteur inconnu.

ceremonieuse et triste, comme faict le monde, et pour m'esgayer, non pour esgayer mon stile, qui les veut plustost graves et severes (au moins si je dois nommer stile un parler informe et sans regle, un jargon populaire et un proceder sans definition, sans partition[a], sans conclusion, trouble, à la guise de celuy d'Amafanius et de Rabirius[74]). Je ne sçay ny plaire, ny rejouyr, ny chatouiller : le meilleur conte du monde se seche entre mes mains et se ternit. Je ne sçay parler qu'en bon escient[b], et suis du tout dénué de cette facilité, que je voy en plusieurs de mes compaignons, d'entretenir les premiers venus et tenir en haleine toute une trouppe, ou amuser, sans se lasser, l'oreille d'un prince de toute sorte de propos, la matiere ne leur faillant jamais, pour cette grace qu'ils ont de sçavoir employer la premiere venue, et l'accommoder à l'humeur et portée de ceux à qui ils ont affaire. Les princes n'ayment guere les discours fermes, ny moy à faire des contes[c]. Les raisons premieres et plus aisées, qui sont communément les mieux prinses, je ne sçay pas les employer : mauvais prescheur de commune. De toute matiere je dy volontiers les dernieres choses que j'en sçay. Cicero estime[75] que ès traictez de la philosophie le plus difficile membre ce soit l'exorde. S'il est ainsi, je me prens à la conclusion.

Si faut-il conduire la corde à toute sorte de tons; et le plus aigu est celuy qui vient le moins souvent en jeu. Il y a pour le moins autant de perfection à relever une chose vuide qu'à en soustenir une poisante[d]. Tantost il faut superficiellement manier les choses, tantost les profonder. Je sçay bien que la pluspart des hommes se tiennent en ce bas estage, pour ne concevoir les choses que par cette premiere escorse; mais je sçay aussi que les plus grands maistres et Xenophon et Platon, on les void souvent se relascher à cette basse façon, et populaire, de dire et traiter les choses, la soustenant des graces qui ne leur manquent jamais.

Au demeurant, mon langage n'a rien de facile et poly[76] : il est aspre et desdaigneux, ayant ses dispositions libres et desreglées; et me plaist ainsi, si non par mon jugement, par mon inclination. Mais je sens bien que par fois je m'y

---

a. Division. — *b.* Sérieusement. — *c. Ce que j'ay à dire, je le dis tousjours de toute ma force,* ajoute l'édition de 1588. — *d.* Pesante.

laisse trop aller, et qu'à force de vouloir eviter l'art et
l'affectation, j'y retombe d'une autre part :

> brevis esse laboro,
> Obscurus fio [a].

Platon dict[77] que le long ou le court ne sont proprietez
qui ostent ny donnent prix au langage.

Quand j'entreprendroy de suyvre cet autre stile æquable [b],
uny et ordonné, je n'y sçaurois advenir; et encore que les
coupures et cadences de Saluste reviennent plus à mon
humeur, si est-ce que je treuve Cæsar et plus grand et moins
aisé à representer [c]; et si mon inclination me porte plus à
l'imitation du parler de Seneque, je ne laisse pas d'estimer
davantage celuy de Plutarque. Comme à faire, à dire aussi
je suy tout simplement ma forme naturelle : d'où c'est à
l'adventure [d] que je puis plus à parler qu'à escrire. Le
mouvement et action animent les parolles, notamment à
ceux qui se remuent brusquement, comme je fay, et qui
s'eschauffent. Le port, le visage, la voix, la robbe, l'assiette [e], peuvent donner quelque pris aux choses qui d'elles
mesmes n'en ont guere, comme le babil. Messala se pleint
en Tacitus [78] de quelques accoustremens estroits de son
temps, et de la façon des bancs où les orateurs avoient
à parler, qui affoiblissoient leur eloquence.

Mon langage françois est alteré [f] [79], et en la prononciation et ailleurs, par la barbarie de mon creu; je ne vis
jamais homme des contrées de deçà [80] qui ne sentit bien
evidemment son ramage et qui ne blessast les oreilles
pures françoises. Si n'est-ce pas pour estre fort entendu
en mon Perigordin, car je n'en ay non plus d'usage que de
l'Aleman; et ne m'en chaut guere. C'est un langage,
comme sont autour de moy, d'une bande et d'autre [g], le
Poitevin, Xaintongeois, Angoumoisin, Lymosin, Auver-
gnat : brode [h], trainant, esfoiré [i]. Il y a bien au-dessus de
nous, vers les montaignes, un Gascon que je treuve singulierement beau, sec, bref, signifiant, et à la verité un

---

a. « Je m'efforce d'être bref, je deviens obscur. » Horace, *Art
poétique*, 25. — *b.* Égal. — *c.* Imiter. — *d.* Peut-être. — *e.* L'attitude.
— *f. Je ne sçay parler que la langue Françoise, encores est-elle alterée*,
disait la première édition. — *g.* De part et d'autre. — *h.* Mou. —
i. Prolixe.

langage masle et militaire plus qu'autre que j'entende;
autant nerveux, puissant et pertinant [a], comme le François
est gratieus, delicat et abondant.

Quant au Latin, qui m'a esté donné pour maternel,
j'ay perdu par des-accoustumance la promptitude de m'en
pouvoir servir à parler : ouy, et à escrire, en quoy autrefois je me faisoy appeller maistre Jean[81]. Voylà combien
peu je vaux de ce costé là.

La beauté est une piece de grande recommandation
au commerce des hommes; c'est le premier moyen de
conciliation des uns aux autres, et n'est homme si barbare
et si rechigné qui ne se sente aucunement frappé de sa
douceur. Le corps a une grand'part à nostre estre, il y
tient un grand rang; ainsin sa structure et composition
sont de bien juste consideration. Ceux qui veulent desprendre nos deux pieces principales et les sequestrer l'une
de l'autre, ils ont tort. Au rebours, il les faut r'accoupler
et rejoindre. Il faut ordonner à l'ame non de se tirer à
quartier [b], de s'entretenir à part, de mespriser et abandonner
le corps (aussi ne le sçauroit elle faire que par quelque
singerie contrefaicte), mais de se r'allier à luy, de l'embrasser, le cherir, luy assister, le contreroller, le conseiller,
le redresser et ramener quand il fourvoye, l'espouser en
somme et luy servir de mary[82]; à ce que leurs effects [c]
ne paroissent pas divers et contraires, ains [d] accordans et
uniformes. Les Chrestiens ont une particuliere instruction
de cette liaison : car ils sçavent que la justice divine embrasse
cette société et jointure du corps et de l'ame, jusques à
rendre le corps capable des recompenses eternelles; et
que Dieu regarde agir tout l'homme, et veut qu'entier il
reçoive le chastiement, ou le loyer, selon ses merites[83].

La secte Peripatetique, de toutes les sectes la plus civilisée, attribue à la sagesse ce seul soin de pourvoir et pro-
curer en commun le bien de ces deux parties associées :
et montre les autres sectes, pour ne s'estre assez attachées
à la consideration de ce meslange, s'estre partialisées,
cette-cy pour le corps, cette autre pour l'ame, d'une
pareille erreur, et avoir escarté leur subject, qui est l'homme,
et leur guide, qu'ils advouent en general estre nature[84].

La premiere distinction qui aye esté entre les hommes,

---

a. Approprié. — *b.* A l'écart. — *c.* Action. — *d.* Mais.

et la premiere consideration qui donna les præeminences aux uns sur les autres, il est vray-semblable que ce fut l'advantage de la beauté :

> agros divisere atque dedere
> Pro facie cujúsque et viribus ingeniôque :
> Nam facies multum valuit viresque vigebant[a].

Or je suis d'une taille un peu au dessoubs de la moyenne. Ce defaut n'a pas seulement de la laideur, mais encore de l'incommodité, à ceux mesmement qui ont des commandements et des charges : car l'authorité que donne une belle presence[b] et majesté corporelle en est à dire.

C. Marius ne recevoit pas volontiers des soldats qui n'eussent six pieds de hauteur[85]. Le *Courtisan*[86] a bien raison de vouloir, pour ce gentilhomme qu'il dresse, une taille commune plus tost que tout'autre, et de refuser pour luy toute estrangeté qui le face montrer au doigt. Mais de choisir s'il faut à cette mediocrité qu'il soit plus tost au deçà qu'au delà d'icelle, je ne le ferois pas à un homme militaire.

Les petits hommes, dict Aristote[87], sont bien jolis, mais non pas beaux; et se connoist en la grandeur la grand'ame, comme la beauté en un grand corps et haut.

Les Æthiopes[c] et les Indiens, dit-il[88], elisants leurs Roys et magistrats, avoient esgard à la beauté et procerité[d] des personnes. Ils avoient raison : car il y a du respect pour ceux qui le suyvent, et pour l'ennemy de l'effroy, de voir à la teste d'une trouppe marcher un chef de belle et riche taille :

> Ipse inter primos præstanti corpore Turnus
> Vertitur, arma tenens, et toto vertice supra est[e].

Nostre grand Roy divin et celeste, duquel toutes les

---

a. « Ils divisèrent les troupeaux et les terres qu'ils répartirent suivant la beauté, la force et les qualités d'esprit de chacun. Car la beauté fut en grand honneur et la force était en grande estime. » Lucrèce, V, 1110. — *b*. Prestance. — *c*. Éthiopiens. — *d*. Haute taille. — *e*. « Entre les premiers se trouve Turnus les armes à la main, superbe et dépassant de la tête tous ceux qui l'entourent. » Virgile, *Énéide*, VII, 783.

circonstances doivent estre remarquées avec soing, religion et reverence, n'a pas refusé la recommandation corporelle, « *speciosus forma præ filiis hominum*[a] ».

Et Platon, aveq la temperance et la fortitude[b], desire la beauté aux conservateurs de sa republique[89].

C'est un grand despit qu'on s'adresse à vous parmy vos gens, pour vous demander : « Où est monsieur? » et que vous n'ayez que le reste de la bonnetade[c] qu'on fait à vostre barbier ou à vostre secretaire. Comme il advint au pauvre Philopœmen[90]. Estant arrivé le premier de sa troupe en un logis où on l'attendoit, son hostesse, qui ne le connoissoit pas et le voyoit d'assez mauvaise mine, l'employa d'aller un peu aider à ses femmes à puiser de l'eau ou attiser du feu, pour le service de Philopœmen. Les gentils-hommes de sa suitte estans arrivez et l'ayant surpris embesongné à cette belle vacation[d] (car il n'avoit pas failly d'obeyr au commandement qu'on luy avoit faict), lui demanderent ce qu'il faisoit-là : « Je paie, leur respondit-il, la peine de ma laideur. »

Les autres beautez sont pour les femmes; la beauté de la taille est la seule beauté des hommes. Où est la petitesse, ny la largeur et rondeur du front, ny la blancheur et douceur des yeux, ny la mediocre[e] forme du nez, ny la petitesse de l'oreille et de la bouche, ny l'ordre et blancheur des dents, ny l'épesseur bien unie d'une barbe brune à escorce de chataigne, ny le poil relevé, ny la juste rondeur de teste[f], ny la frécheur du teint, ny l'air du visage agreable, ny un corps sans senteur, ny la proportion legitime des membres peuvent faire un bel homme.

J'ay au demeurant la taille forte et ramassée; le visage, non pas gras, mais plein; la complexion, entre le jovial et le melancholique, moiennement sanguine et chaude,

Unde rigent setis mihi crura, et pectora villis[g];

la santé forte et allegre, jusques bien avant en mon aage[h]

---

a. « Beau à voir entre les fils des hommes. » *Psaume* XLV, 3. — *b.* Bravoure. — *c.* Coup de bonnet, salut. — *d.* Occupé à ce bel emploi. — *e.* Moyenne. — *f. inclinant un peu sur la grossesse*, ajoute la première édition. — *g.* « Aussi ai-je les jambes et la poitrine hérissées de poils. » Martial, *Épigrammes*, II, XXXVI, 5. — *h. quoique je m'en sois servy assez licencieusement*, ajoutaient les éditions antérieures à 1588.

LIVRE II, CHAPITRE XVII

rarement troublée par les maladies. J'estois tel, car je ne me considere pas à cette heure, que je suis engagé dans les avenuës de la vieillesse, ayant pieça[a] franchy les quarante ans :

> *minutatim vires et robur adultum*
> *Frangit, et in partem pejorem liquitur ætas*[b].

Ce que je seray doresenavant, ce ne sera plus qu'un demy estre, ce ne sera plus moy. Je m'eschape tous les jours et me desrobe à moy,

> *Singula de nobis anni prædantur euntes*[c].

D'adresse et de disposition[d], je n'en ay point eu; et si, suis fils d'un pere très dispost et d'une allegresse qui luy dura jusques à son extreme vieillesse[91]. Il ne trouva guere homme de sa condition qui s'egalast à luy en tout exercice de corps : comme je n'en ay trouvé guiere aucun qui ne me surmontat, sauf au courir (en quoy j'estoy des mediocres[e]). De la musique, ny pour la voix que j'y ay trèsinepte, ny pour les instrumens, on ne m'y a jamais sceu rien apprendre. A la danse, à la paume, à la lutte, je n'y ay peu acquerir qu'une bien fort legere et vulgaire suffisance; à nager, à escrimer, à voltiger et à sauter, nulle du tout. Les mains, je les ay si gourdes que je ne sçay pas escrire seulement pour moy : de façon que, ce que j'ay barbouillé, j'ayme mieux le refaire que de me donner la peine de le démesler; et ne lis guere mieux. Je me sens poiser[f] aux escoutans. Autrement, bon clerc[92]. Je ne sçay pas clorre à droit[g] une lettre[93] ny ne sçeus jamais tailler plume, ny trancher à table, qui vaille, ny equipper un cheval de son harnois, ny porter à poinct un oiseau et le lascher, ny parler aux chiens, aux oiseaux, aux chevaux.

Mes conditions corporelles sont en somme trèsbien accordantes à celles de l'ame. Il n'y a rien d'allegre : il y a

---

a. Depuis longtemps. — *b.* « Petit à petit, les forces et la vigueur de l'adolescence sont brisées par l'âge qui glisse vers la décrépitude. » Lucrèce, II, 1131. — *c.* « Un à un, nos biens nous sont dérobés par les années qui passent. » Horace, *Épîtres*, II, 11, 55. — *d.* Alacrité (qualité de celui qui est dispos). — *e.* Moyens. — *f.* Peser. — *g.* Adroitement, bien.

seulement une vigueur pleine et ferme. Je dure bien à la peine; mais j'y dure, si je m'y porte moy-mesme, et autant que mon desir m'y conduit,

>   *Molliter austerum studio fallente laborem* [a].

Autrement, si je n'y suis alleché par quelque plaisir, et si j'ay autre guide que ma pure et libre volonté, je n'y vaux rien. Car j'en suis là que, sauf la santé et la vie, il n'est chose pourquoy je veuille ronger mes ongles, et que je veuille acheter au pris du tourment d'esprit et de la contrainte,

>   *tanti mihi non sit opaci*
>   *Omnis arena Tagi, quodque in mare volvitur aurum* [b] :

extremement oisif, extremement libre, et par nature et par art. Je presteroy aussi volontiers mon sang que mon soing.

J'ay une ame toute sienne, accoustumée à se conduire à sa mode. N'ayant eu jusques à cett'heure ny commandant ny maistre forcé, j'ay marché aussi avant et le pas qu'il m'a pleu. Cela m'a amolli et rendu inutile au service d'autruy, et ne m'a faict bon qu'à moy. Et pour moy, il n'a esté besoin de forcer ce naturel poisant, paresseux et fayneant. Car, m'estant trouvé en tel degré de fortune dès ma naissance, que j'ay eu occasion de m'y arrester [c], et en tel degré de sens que j'ay senti en avoir occasion, je n'ay rien cerché et n'ay aussi rien pris :

>   *Non agimur tumidis velis Aquilone secundo;*
>   *Non tamen adversis ætatem ducimus austris :*
>   *Viribus, ingenio, specie, virtute, loco, re,*
>   *Extremi primorum, extremis usque priores* [d].

---

a. « Le plaisir trompant l'austérité du labeur. » Horace, *Satires*, II, II, 12. — b. « A si grand prix, je ne voudrais pas de tout l'or que roulent vers la mer les sables du Tage ombragé. » Juvénal, III, 54. — c. *une occasion pourtant que mille autres de ma cognoissance eussent prinse, pour planche plus tost, à se passer à la queste, à l'agitation et inquiétude,* ajoute l'édition de 1595. — d. « L'aquilon favorable n'enfle pas mes voiles, mais aussi l'auster ne contrarie pas ma course. En force, en talent, en beauté, en vertu, en naissance, en biens, je suis des derniers de la première classe, mais des premiers de la dernière. » Horace, *Épîtres*, II, II, 201.

Je n'ay eu besoin que de la suffisance de me contenter[a], qui est pour tant un reglement d'ame, à le bien prendre, esgalement difficile en toute sorte de condition, et que par usage nous voyons se trouver plus facilement encores en la necessité qu'en l'abondance ; d'autant à l'advanture[b] que, selon le cours de nos autres passions, la faim des richesses est plus aiguisée par leur usage que par leur disette, et la vertu de la moderation plus rare que celle de la patience. Et n'ay eu besoin que de jouir doucement des biens que Dieu par sa liberalité m'avoit mis entre mains. Je n'ay gousté aucune sorte de travail[c] ennuyeux. Je n'ay eu guere en maniement que mes affaires ; ou, si j'en ay eu, ce a esté en condition de les manier à mon heure et à ma façon, commis par gens qui s'en fioient à moy et qui ne me pressoient pas et me congnoissoient. Car encores tirent les experts quelque service d'un cheval restif et poussif.

Mon enfance mesme a esté conduite d'une façon molle et libre, et exempte de subjection rigoureuse. Tout cela m'a formé une complexion delicate et incapable de sollicitude. Jusques là que j'ayme qu'on me cache mes pertes et les desordres qui me touchent : au chapitre de mes mises, je loge ce que ma nonchalance me couste à nourrir et entretenir,

hæc nempe supersunt,
Quæ dominum fallant, quæ prosint furibus[d].

J'ayme à ne sçavoir pas le conte[e] de ce que j'ay, pour sentir moins exactement ma perte. Je prie ceux qui vivent avec moy, où l'affection leur manque et les bons effects, de me piper et payer de bonnes apparences. A faute d'avoir assez de fermeté pour souffrir l'importunité des accidents contraires ausquels nous sommes subjects, et pour ne me pouvoir tenir tendu à regler et ordonner les affaires, je

---

a. Du talent de me tenir pour content. — *b.* Peut-être. — *c. et suis tresmal instruit à me sçavoir contraindre : incommode à toute sorte d'affaires et négotiations penibles : n'ayant jamais eu en maniement que moy : eslevé en mon enfance d'une façon molle et libre,* ajoutait la première édition ; puis après sa mairie, Montaigne corrigea : *jamais guères eu;* finalement, il biffa toute cette phrase sur l'exemplaire de Bordeaux. — *d.* « Le voilà bien, ce superflu qui échape aux yeux du maître, et dont les voleurs font leur profit! » Horace, *Épîtres,* I, vi, 45. — *e.* Compte.

nourris autant que je puis en moy cett'opinion, m'abandonnant du tout à la fortune, de prendre toutes choses au pis; et, ce pis là, me resoudre à le porter doucement et patiemment. C'est à cela seul que je travaille, et le but auquel j'achemine tous mes discours.

À un danger, je ne songe pas tant comment j'en eschaperay, que combien peu il importe que j'en eschappe. Quand j'y demeurerois, que seroit-ce? Ne pouvant reigler les evenements, je me reigle moy-mesme, et m'applique à eux s'ils ne s'appliquent à moy. Je n'ay guiere d'art pour sçavoir gauchir[a] la fortune et luy eschapper ou la forcer, et pour dresser et conduire par prudence les choses à mon poinct. J'ay encore moins de tolerance pour supporter le soing aspre et penible qu'il faut à cela. Et la plus penible assiete pour moy, c'est estre suspens[b] ès choses qui pressent, et agité entre la crainte et l'esperance. Le deliberer, voire ès choses plus legieres, m'importune; et sens mon esprit plus empesché à souffrir le branle et les secousses diverses du doute et de la consultation, qu'à se rassoir et resoudre à quelque party que ce soit, après que la chance est livrée. Peu de passions m'ont troublé le sommeil ; mais, des deliberations, la moindre me le trouble. Tout ainsi que des chemins, j'en evite volontiers les costez pandans et glissans, et me jette dans le battu le plus boueux et enfondrant[c], d'où je ne puisse aller plus bas, et y cherche seurté; aussy j'ayme les malheurs tous purs, qui ne m'exercent et tracassent plus après l'incertitude de leur rabillage[d], et qui, du premier saut, me poussent droictement[e] en la souffrance :

dubia plus torquent mala[f].

Aux évenemens je me porte virilement; en la conduicte, puerillement. L'horreur de la cheute me donne plus de fiebvre que le coup. Le jeu ne vaut pas la chandelle. L'avaritieux a plus mauvais conte de sa passion que n'a le pauvre, et le jaloux que le cocu. Et y a moins de mal souvant à perdre sa vigne qu'à la plaider. La plus basse marche est la plus ferme. C'est le siege de la constance. Vous n'y avez besoing que de vous. Elle se fonde là et

a. Esquiver. — *b.* Suspendu. — *c.* Enfonçant, empêtrant. — *d.* Réparation. — *e.* Tout droit. — *f.* « Les maux incertains nous tourmentent plus. » Sénèque, *Agamemnon*, III, 1, 29.

appuye toute en soy. Cet exemple d'un gentil'homme
que plusieurs ont cogneu, a il pas quelque air philosophique ? Il se marya bien avant en l'aage, ayant passé en
bon compaignon sa jeunesse : grand diseur, grand gaudisseur. Se souvenant combien la matiere de cornardise
luy avoit donné dequoy parler et se moquer des autres,
pour se mettre à couvert, il espousa une femme qu'il print
au lieu où chacun en trouve pour son argent, et dressa
avec elle ses alliances : « Bon jour, putain. — Bon jour,
cocu ! » Et n'est chose dequoy plus souvent et ouvertement il entretint chez luy les survenans, que de ce sien
dessein : par où il bridoit les occultes caquets des moqueurs
et esmoussoit la pointe de ce reproche.

Quant à l'ambition, qui est voisine de la presumption,
ou fille plustost, il eut fallu, pour m'advancer, que la
fortune me fut venu querir par le poing. Car, de me mettre
en peine pour un'esperance incertaine et me soubmettre
à toutes les difficultez qui accompaignent ceux qui cerchent
à se pousser en credit sur le commencement de leur progrez,
je ne l'eusse sçeu faire ;

spem pretio non emo [a].

Je m'atache à ce que je voy et que je tiens, et ne m'eslongne guiere du port,

Alter remus aquas, alter tibi radat arenas [b].

Et puis on arrive peu à ces avancements, qu'en hazardant
premierement le sien : et je suis d'advis que, si ce qu'on
a suffi à maintenir la condition en laquelle on est nay
et dressé, c'est folie d'en lâcher la prise sur l'incertitude
de l'augmenter. Celuy à qui la fortune refuse dequoy planter son pied et establir un estre tranquille et reposé, il est
pardonnable s'il jette au hazard ce qu'il a, puis qu'ainsi
comme ainsi la necessité l'envoye à la queste.

Capienda rebus in malis præceps via est [c].

---

a. « Je n'achète pas l'espérance comptant. » Térence, *Adelphes*, II,
III, 11. — *b.* « Qu'une de tes rames batte les flots et que l'autre frôle
la plage. » Properce, III, III, 23. — *c.* « Dans le malheur, il faut prendre des chemins hasardeux. » Sénèque, *Agamemnon*, II, 1, 47.

Et j'excuse plustost un cabdet de mettre sa legitime au vent, que celuy à qui l'honneur de la maison est en charge, qu'on ne peut voir necessiteux qu'à sa faute.

J'ay bien trouvé le chemin plus court et plus aisé, avec le conseil de mes bons amis du temps passé, de me défaire de ce desir et de me tenir coy,

> *Cui sit conditio dulcis sine pulvere palmæ* [a] :

jugeant aussi bien sainement de mes forces qu'elles n'estoient pas capables de grandes choses, et me souvenant de ce mot du feu Chancelier Olivier, que les François semblent des guenons qui vont grimpant contremont un arbre, de branche en branche, et ne cessent d'aller jusques à ce qu'elles sont arrivées à la plus haute branche, et y monstrent le cul quand elles y sont.

> *Turpe est, quod nequeas, capiti committere pondus,*
> *Et pressum inflexo mox dare terga genu* [b].

Les qualitez mesmes qui sont en moy non reprochables, je les trouvois inutiles en ce siecle. La facilité de mes meurs, on l'eut nommée lâcheté et foiblesse ; la foy et la conscience s'y feussent trouvées scrupuleuses et superstitieuses ; la franchise et la liberté, importune, inconsiderée et temeraire. A quelque chose sert le mal'heur. Il fait bon naistre en un siecle fort depravé ; car, par comparaison d'autruy, vous estes estimé vertueux à bon marché. Qui n'est que parricide en nos jours, et sacrilege, il est homme de bien et d'honneur :

> *Nunc, si depositum non inficiatur amicus,*
> *Si reddat veterem cum tota ærugine follem,*
> *Prodigiosa fides et Tuscis digna libellis,*
> *Quæque coronata lustrari debeat agna* [c].

---

a. « Qui jouit d'une condition douce sans affronter la poussière de la victoire. » Horace, *Épîtres*, I, 1, 51. — *b.* « Il est honteux de vous charger la tête d'un poids que vous ne sauriez porter, pour fléchir bientôt des genoux et se soustraire au fardeau. » Properce, III, IX, 5. — *c.* « Aujourd'hui si un ami ne nie pas un dépôt, s'il te restitue une vieille bourse avec tout son vert-de-gris, c'est un prodige de bonne foi digne qu'on recoure aux livres toscans et qui exige le sacrifice d'une agnelle couronnée. » Juvénal, XIII, 60.

Et ne fut jamais temps et lieu où il y eust pour les princes loyer plus certain et plus grand proposé à la bonté et à la justice. Le premier qui s'avisera de se pousser en faveur et en credit par cette voye là, je suis bien deçeu si, à bon conte, il ne devance ses compaignons. La force, la violance peuvent quelque chose, mais non pas tousjours tout.

Les marchans, les juges de village, les artisans, nous les voyons aller à pair de vaillance et science militaire aveq la noblesse : ils rendent des combats honorables, et publiques et privez, ils battent, ils defendent villes en nos guerres. Un prince estouffe sa recommandation emmy cette presse. Qu'il reluise d'humanité, de verité, de loyauté, de temperance et sur tout de justice : marques rares, inconnues et exilées[94]. C'est la seule volonté des peuples de quoy il peut faire ses affaires, et nulles autres qualitez ne peuvent tant flatter leur volonté comme celles là : leur estant bien plus utiles que les autres.

Nihil est tam populare quam bonitas[a].

Par cette proportion, je me fusse trouvé grand et rare, comme je me trouve pygmée et populaire à la proportion d'aucuns siecles passez, ausquels il estoit vulgaire, si d'autres plus fortes qualitez n'y concurroient, de voir un homme moderé en ses vengeances, mol au ressentiment des offences, religieux en l'observance de sa parolle, ny double, ny souple, ny accommodant sa foy à la volonté d'autruy et aux occasions. Plustost lairrois[b] je rompre le col aux affaires que de tordre ma foy pour leur service. Car, quant à cette nouvelle vertu de faintise et de dissimulation qui est à cette heure si fort en credit, je la hay capitalement; et, de tous les vices, je n'en trouve aucun qui tesmoigne tant de lâcheté et bassesse de cœur. C'est un'humeur couarde et servile de s'aller desguiser et cacher sous un masque, et de n'oser se faire veoir tel qu'on est. Par là nos hommes se dressent à la perfidie : estant duicts[c] à produire des parolles fauces, ils ne font pas conscience d'y manquer. Un cœur genereux ne doit point desmentir ses pensées; il se veut faire voir jusques au dedans. Ou tout y est bon, ou au moins tout y est humein.

a. « Rien n'est plus populaire que la bonté. » Cicéron, *Pro Ligario*, XII. — *b.* Laisserais. — *c.* Formés.

Aristote estime[95] office de magnanimité hayr et aimer à descouvert, juger, parler avec toute franchise, et, au prix de la verité, ne faire cas de l'approbation ou reprobation d'autruy.

Apollonius[96] disoit que c'estoit aux serfs de mantir, et aux libres de dire verité.

C'est la premiere et fondamentale partie de la vertu. Il la faut aymer pour elle mesme. Celuy qui dict vray, par ce qu'il y est d'ailleurs obligé et par ce qu'il sert, et qui ne craint point à dire mansonge, quand il n'importe à personne, n'est pas veritable suffisamment. Mon âme, de sa complexion, refuit la menterie et hait mesmes à la penser.

J'ay un'interne vergongne et un remors piquant, si par fois elle m'eschape, comme parfois elle m'eschape, les occasions me surprenant et agitant impremeditéement.

Il ne faut pas tousjours dire tout, car ce seroit sottise; mais ce qu'on dit, il faut qu'il soit tel qu'on le pense, autrement c'est meschanceté. Je ne sçay quelle commodité ils attendent de se faindre et contrefaire sans cesse, si ce n'est de n'en estre pas creus lors mesme qu'ils disent verité; cela peut tromper une fois ou deux les hommes; mais de faire profession de se tenir couvert, et se vanter comme ont faict aucuns de nos princes[97], qu'ils jetteroient leur chemise au feu si elle estoit participante de leurs vrayes intentions (qui est un mot de l'ancien Metellus Macedonicus[98]), et que, qui ne sçait se faindre, ne sçait pas regner, c'est tenir advertis ceux qui ont à les praticquer, que ce n'est que piperie et mensonge qu'ils disent. « *Quo quis versutior et callidior est, hoc invisior et suspectior, detracta opinione probitatis*[a]. » Ce seroit une grande simplesse à qui se lairroit[b] amuser ny au visage, ny aux parolles de celuy qui faict estat d'estre tousjours autre au dehors qu'il n'est au dedans, comme faisoit Tibere[99]; et ne sçay quelle part telles gens peuvent avoir au commerce des hommes, ne produisans rien qui soit reçeu pour contant.

Qui est desloyal envers la verité l'est aussi envers le mensonge.

Ceux qui, de nostre temps[100], ont considéré, en l'esta-

---

a. « Plus on est fin et adroit plus on est odieux et suspect, si l'on perd son renom d'honnêteté. » Cicéron, *De officiis*, II, 9. — *b.* Laisserait.

blissement du devoir d'un prince, le bien de ses affaires
seulement, et l'ont preferé au soin de sa foy et conscience,
diroyent quelque chose à un prince de qui la fortune auroit
rangé à tel point les affaires que pour tout jamais il les
peut establir par un seul manquement et faute à sa parole.
Mais il n'en va pas ainsi. On rechoit souvent en pareil
marché; on faict plus d'une paix, plus d'un traitté en sa
vie. Le gain qui les convie à la premiere desloyauté (et
quasi tousjours il s'en presente comme à toutes autres
meschancetez : les sacrileges, les meurtres, les rebellions,
les trahisons s'entreprenent pour quelque espece de fruit),
mais ce premier gain apporte infinis dommages suivants,
jettant ce prince hors de tout commerce et de tout moyen
de negociation par l'example de cette infidelité. Solyman,
de la race des Ottomans, race peu soigneuse de l'observance des promesses et paches [a], lors que, de mon enfance[101],
il fit descendre son armée à Ottrente, ayant sçeu que Mer-
curin de Gratinare et les habitants de Castro estoyent
detenus prisonniers, après avoir rendu la place, contre ce
qui avoit esté capitulé avec eux, manda qu'on les relaschat;
et qu'ayant en main d'autres grandes entreprinses en cette
contrée là, cette desloyauté, quoy qu'ell'eut quelque apparence d'utilité presente, luy apporteroit pour l'avenir un
descri et une desfiance d'infini prejudice.

Or, de moy, j'ayme mieux estre importun et indiscret
que flateur et dissimulé.

J'advoue qu'il se peut mesler quelque pointe de fierté
et d'opiniastreté à se tenir ainsin entier et descouvert sans
consideration d'autruy; et me semble que je deviens un
peu plus libre où il le faudroit moins estre, et que je m'eschaufe par l'opposition du respect. Il peut estre aussi
que je me laisse aller après ma nature, à faute d'art. Presentant aux grands cette mesme licence de langue et de
contenance que j'apporte de ma maison, je sens combien
elle decline vers l'indiscretion et incivilité. Mais, outre
ce que je suis ainsi faict, je n'ay pas l'esprit assez souple
pour gauchir à [b] une prompte demande et pour en eschaper
par quelque destour, ny pour feindre une verité, ny assez
de memoire pour la retenir ainsi feinte, ny certes assez
d'asseurance pour la maintenir; et fois le brave par foi-

a. Pactes. — *b.* Me dérober à, esquiver.

blesse. Parquoy je m'abandonne à la nayfveté, et à tousjours dire ce que je pense, et par complexion et par discours, laissant à la fortune d'en conduire l'evenement.

Aristippus disoit le principal fruit qu'il eut tiré de la philosophie, estre qu'il parloit librement et ouvertement à chacun[102].

C'est un outil de merveilleux service que la memoire, et sans lequel le jugement faict bien à peine son office : elle me manque du tout. Ce qu'on me veut proposer, il faut que ce soit à parcelles. Car de respondre à un propos où il y eut plusieurs divers chefs, il n'est pas en ma puissance. Je ne sçaurois recevoir une charge sans tablettes. Et quand j'ay un propos de consequence à tenir, s'il est de longue haleine, je suis reduit à cette vile et miserable necessité d'apprendre par cœur mot à mot ce que j'ay à dire; autrement je n'auroy ny façon ny asseurance, estant en crainte que ma memoire vint à me faire un mauvais tour. Mais ce moïen m'est non moins difficile. Pour aprandre trois vers, il me faut trois heures; et puis, en un mien ouvrage, la liberté et authorité de remuer l'ordre, de changer un mot, variant sans cesse la matiere, la rend plus malaisée à concevoir [a]. Or, plus je m'en defie, plus elle se trouble; elle me sert mieux par rencontre, il faut que je la solicite nonchalamment : car, si je la presse, elle s'estonne; et, depuis qu'ell'a commencé à chanceler, plus je la sonde, plus elle s'empestre et embarrasse; elle me sert à son heure, non pas à la mienne.

Cecy que je sens en la memoire, je le sens en plusieurs autres parties. Je fuis le commandement, l'obligation et la contrainte. Ce que je fais aysément et naturellement, si je m'ordonne de le faire par une expresse et prescrite ordonnance, je ne le sçay plus faire. Au corps mesme, les membres qui ont quelque liberté et jurisdiction plus particulière sur eux, me refusent par fois leur obeyssance, quand je les destine et attache à certain point et heure de service necessaire. Cette preordonnance contrainte et tyrannique les rebute; ils se croupissent d'effroy ou de despit, et se transissent. Autresfois, estant en lieu où c'est discourtoisie barbaresque de ne respondre à ceux qui vous convient à boire, quoy qu'on m'y traitast avec toute liberté,

---

a. L'édition de 1595 porte ici : *arrester en la mémoire.*

j'essaiay de faire le bon compaignon en faveur des dames
qui estoyent de la partie, selon l'usage du pays. Mais il y
eust du plaisir, car cette menasse et preparation d'avoir à
m'efforcer outre ma coustume et mon naturel, m'estoupa
de maniere le gosier, que je ne sçeuz avaller une seule
goute, et fus privé de boire pour le besoing mesme de
mon repas. Je me trouvay saoul et desalteré par tant de
breuvage que mon imagination avoit preoccupé. Cet effaict
est plus apparent en ceux qui ont l'imagination plus vehemente et puissante ; mais il est pourtant naturel, et n'est
aucun qui ne s'en ressante aucunement. On offroit à un
excellant archer condamné à la mort de luy sauver la vie,
s'il vouloit faire voir quelque notable preuve de son art : il
refusa de s'en essayer, craignant que la trop grande contention de sa volonté luy fit fourvoier la main, et qu'au
lieu de sauver sa vie, il perdit encore la reputation qu'il
avoit acquise au tirer de l'arc. Un homme qui pense ailleurs
ne faudra point, à un pousse près, de refaire tousjours un
mesme nombre et mesure de pas au lieu où il se promene ;
mais, s'il y est avec attention de les mesurer et conter, il
trouvera que ce qu'il faisoit par nature et par hazard, il
ne le faira pas si exactement par dessein.

Ma librerie[a], qui est des belles entre les libreries de
village, est assise à un coin de ma maison ; s'il me tombe
en fantasie chose que j'y veuille aller cercher ou escrire,
de peur qu'elle ne m'eschappe en traversant seulement
ma court, il faut que je la donne en garde à quelqu'autre.
Si je m'enhardis, en parlant, à me destourner tant soit
peu de mon fil, je ne faux jamais de le perdre : qui faict
que je me tiens, en mes discours, contraint, sec et resserré.
Les gens qui me servent, il faut que je les appelle par le
nom de leurs charges ou de leur pays, car il m'est trèsmalaisé de retenir des noms. Je diray bien qu'il a trois
syllabes, que le son en est rude, qu'il commence ou termine par telle lettre. Et si je durois à vivre long temps, je
ne croy pas que je n'oubliasse mon nom propre, comme
ont faict d'autres. Messala Corvinus fut deux ans n'ayant
trace aucune de memoire[103] ; ce qu'on dict aussi de George
Trapezunce[104] ; et, pour mon interest, je rumine souvent
quelle vie c'estoit que la leur, et si sans cette piece il me

---

[a] Bibliothèque.

restera assez pour me soustenir avec quelque aisance; et, y regardant de près, je crains que ce defaut, s'il est parfaict, perde toutes les functions de l'ame. « *Memoria certe non modo philosophiam, sed omnis vitæ usum omnesque artes una maxime continet* [a]. »

Plenus rimarum sum, hac atque illac effluo [b].

Il m'est advenu plus d'une fois d'oublier le mot du guet que j'avois trois heures auparavant donné ou receu d'un autre, et d'oublier où j'avoy caché ma bourse, quoy qu'en die Cicero [105]. Je m'aide à perdre ce que je serre particulierement. C'est le receptacle et l'estuy de la science que la memoire : l'ayant si deffaillante, je n'ay pas fort à me plaindre, si je ne sçay guiere. Je sçay en general le nom des arts et ce dequoy elles traictent [106], mais rien au delà. Je feuillette les livres, je ne les estudie pas : ce qui m'en demeure, c'est chose que je ne reconnois plus estre d'autruy; c'est cela seulement dequoy mon jugement a faict son profict, les discours et les imaginations dequoy il s'est imbu; l'autheur, le lieu, les mots et autres circonstances, je les oublie incontinent.

Et suis si excellent en l'oubliance, que mes escrits mesmes et compositions, je ne les oublie pas moins que le reste. On m'allegue tous les coups à moy-mesme sans que je le sente. Qui voudroit sçavoir d'où sont les vers et exemples que j'ay icy entassez, me mettroit en peine de le luy dire [107]; et si [c], ne les ay mendiez qu'ès portes connues et fameuses, ne me contentant pas qu'ils fussent riches, s'ils ne venoient encore de main riche et honorable : l'authorité y concurre quant et la raison. Ce n'est pas grand merveille si mon livre suit la fortune des autres livres et si ma memoire desempare ce que j'escry comme ce que je ly, et ce que je donne comme ce que je reçoy.

Outre le deffaut de la memoire [108], j'en ay d'autres qui aydent beaucoup à mon ignorance. J'ay l'esprit tardif et mousse; le moindre nuage luy arreste sa pointe, en

---

a. « La mémoire est assurément le réceptacle unique non seulement de la philosophie, mais encore de tout ce qui concerne la pratique de la vie et de tous les arts. » Cicéron, *Académiques*, II, 7. — *b.* « Je suis tout percé de trous; je perds de-ci de-là. » Térence, *Eunuque*, I, II, 25. — *c.* Et pourtant.

LIVRE II, CHAPITRE XVII

façon que (pour exemple) je ne luy proposay jamais enigme si aisé qu'il sçeut desvelopper. Il n'est si vaine subtilité qui ne m'empesche. Aux jeux, où l'esprit a sa part, des échets, des cartes, des dames et autres, je n'y comprens que les plus grossiers traicts. L'apprehension, je l'ay lente et embrouillée; mais ce qu'elle tient une fois, elle le tient bien et l'embrasse bien universellement, estroitement et profondement, pour le temps qu'elle le tient. J'ay la veuë longue, saine et entière, mais qui se lasse aiséement au travail et se charge; à cette occasion, je ne puis avoir long commerce avec les livres que par le moyen du service d'autruy. Le jeune Pline instruira ceux qui ne l'ont essayé, combien ce retardement est important à ceux qui s'adonnent à cette occupation[109].

Il n'est point ame si chetifve et brutale en laquelle on ne voye reluire quelque faculté particuliere; il n'y en a point de si ensevelie qui ne face une saillie par quelque bout. Et comment il advienne qu'une ame, aveugle et endormie à toutes autres choses, se trouve vifve, claire et excellente à certain particulier effect, il s'en faut enquerir aux maistres. Mais les belles ames, ce sont les ames universelles, ouvertes et prestes à tout, si non instruites, au moins instruisables : ce que je dy pour accuser la mienne; car, soit par foiblesse ou nonchalance (et de mettre à nonchaloir[a] ce qui est à nos pieds, ce que nous avons entre-mains, ce qui regarde de plus près l'usage de la vie, c'est chose bien esloingnée de mon dogme[110]), il n'en est point une si inepte et si ignorante que la mienne de plusieurs telles choses vulgaires et qui ne se peuvent sans honte ignorer. Il faut que j'en conte quelques exemples.

Je suis né et nourry aux champs et parmy le labourage; j'ay des affaires et du mesnage en main, depuis que ceux qui me devançoient en la possession des biens que je jouys m'ont quitté leur place. Or je ne sçay conter ny à get[b], ny à plume; la pluspart de nos monnoyes, je ne les connoy pas; ny ne sçay la difference de l'un grain à l'autre, ny en la terre, ny au grenier, si elle n'est pas trop apparente; ny à peine celle d'entre les choux et les laictues de mon jardin. Je n'entens pas seulement les noms des premiers outils du mesnage, ny les plus grossiers principes de

a. Négliger. — *b.* Avec des jetons.

l'agriculture, et que les enfans sçavent; moins aux arts mechaniques, en la trafique et en la connoissance des marchandises, diversité et nature des fruicts, de vins, de viandes; ny à dresser un oiseau, ny à medeciner un cheval ou un chien. Et, puis qu'il me faut faire la honte toute entiere, il n'y a pas un mois qu'on me surprint ignorant dequoy le levain servoit à faire du pain, et que c'estoit que faire cuver du vin. On conjectura anciennement à Athenes une aptitude à la mathematique en celuy à qui on voioit ingenieusement agencer et fagotter une charge de brossailles[111]. Vrayement on tireroit de moy une bien contraire conclusion : car, qu'on me donne tout l'apprest d'une cuisine, me voilà à la faim.

Par ces traits de ma confession, on en peut imaginer d'autres à mes despens. Mais, quel que je me face connoistre, pourveu que je me face connoistre tel que je suis, je fay mon effect. Et si, ne m'excuse pas d'oser mettre par escrit des propos si bas et frivoles que ceux-cy. La bassesse du sujet m'y contrainct. Qu'on accuse, si on veut, mon project; mais mon progrez[a], non. Tant y a que, sans l'advertissement d'autruy, je voy assez ce peu que tout cecy vaut et poise, et la folie de mon dessein. C'est prou[b] que mon jugement ne se defferre poinct, duquel ce sont icy les essais :

> *Nasutus sis usque licet, sis denique nasus,*
>   *Quantum noluerit ferre rogatus Athlas,*
> *Et possis ipsum tu deridere Latinum,*
>   *Non potes in nugas dicere plura meas,*
> *Ipse ego quam dixi : quid dentem dente juvabit*
>   *Rodere? carne opus est, si satur esse velis.*
> *Ne perdas operam : qui se mirantur, in illos*
>   *Virus habe; nos hæc novimus esse nihil*[c].

Je ne suis pas obligé à ne dire point de sottises, pourveu que je ne me trompe pas à les connoistre. Et de faillir[d]

---

a. Procédé. — *b.* Assez. — *c.* « Quel que soit le nez que vous ayez, fût-ce un nez tel qu'Atlas n'aurait pas consenti à le porter, et fussiez-vous capable de confondre par vos plaisanteries Latinus en personne, vous ne parviendrez pas à dire pis de ces bagatelles que je n'en ai dit moi-même. Pourquoi mâcher dans le vide? Il faut de la viande pour se rassasier. Ne perdez pas votre peine; répandez ailleurs votre venin sur ceux qui s'admirent, car moi, je sais que tout ceci n'est rien. » Martial, *Épigrammes*, XIII, II, 1. — *d.* Me tromper.

à mon escient, cela m'est si ordinaire que je ne faux guere d'autre façon : je ne faux [a] jamais fortuitement. C'est peu de chose de prester à la temerité de mes humeurs les actions ineptes, puis que je ne me puis pas deffendre d'y prester ordinairement les vitieuses.

Je vis un jour[112], à Barleduc, qu'on presentoit au Roy François second, pour la recommandation de la memoire de René, Roy de Sicile, un pourtraict qu'il avoit luy-mesmes fait de soy. Pourquoy n'est-il loisible de mesme à un chacun de se peindre de la plume, comme il se peignoit d'un creon?

Je ne veux donc pas oublier encor cette cicatrice, bien mal propre à produire en public : c'est l'irresolution, defaut très-incommode à la negociation des affaires du monde. Je ne sçay pas prendre party ès entreprinses doubteuses :

Ne si, ne no, nel cor mi suona intero [b].

Je sçay bien soustenir une opinion, mais non pas la choisir.

Par ce que ès choses humaines, à quelque bande qu'on panche, il se presente force apparences qui nous y confirment (et le philosophe Chrysippus[113] disoit qu'il ne vouloit apprendre de Zenon et Cleanthez, ses maistres, que les dogmes simplement : car, quant aux preuves et raisons, qu'il en fourniroit assez de luy mesmes), de quelque costé que je me tourne, je me fournis toujours assez de cause et de vray-semblance pour m'y maintenir. Ainsi j'arreste chez moi le doubte et la liberté de choisir, jusques à ce que l'occasion me presse. Et lors, à confesser la verité, je jette le plus souvent la plume au vent, comme on dict, et m'abandonne à la mercy de la fortune : une bien legere inclination et circonstance m'emporte,

Dum in dubio est animus, paulo momento huc atque illuc
[*impellitur* [c].

L'incertitude de mon jugement est si également balancée[114] en la pluspart des occurrences, que je compro-

---

a. Me trompe. — *b.* « Mon cœur ne me dit entièrement ni oui, ni non. » Pétrarque, *Sonnets*, CXXXV. — *c.* « Quand l'esprit est dans le doute, le moindre poids le pousse à pencher d'un côté ou d'un autre. » Térence, *Andrienne*, I, vi, 32.

mettrois volontiers à la decision du sort et des dets; et remarque avec grande consideration de nostre foiblesse humaine les exempl s que l'histoire divine mesme nous a laissez de cet usage de remettre à la fortune et au hazard la determination des élections [a] ès choses doubteuses : « *Sors cecidit super Mathiam* [b]. » La raison humaine est un glaive double et dangereux[115]. Et en la main mesme de Socrate, son plus intime et plus familier amy, voyez à quant de bouts c'est un baston.

Ainsi, je ne suis propre qu'à suyvre, et me laisse aysément emporter à la foule : je ne me fie pas assez en mes forces pour entreprendre de commander, ny guider; je suis bien aise de trouver mes pas trassez par les autres. S'il faut courre le hazard d'un chois incertain, j'ayme mieux que ce soit soubs tel, qui s'asseure plus de ses opinions et les espouse plus que je ne fay les miennes, ausquelles je trouve le fondement et le plant glissant. Et si, ne suis pas trop facile au change, d'autant que j'apperçois aux opinions contraires une pareille foiblesse[116]. « *Ipsa consuetudo assentiendi periculosa esse videtur et lubrica* [c]. » Notamment aux affaires politiques, il y a un beau champ ouvert au bransle [d] et à la contestation :

> *Justa pari premitur veluti cum pondere libra*
> *Prona, nec hac plus parte sedet, nec surgit ab illa* [e].

Les discours de Machiavel, par exemple, estoient assez solides pour le subject; si, y a-il eu grand aisance à les combattre; et ceux qui l'ont faict, n'ont pas laissé moins de facilité à combatre les leurs. Il s'y trouveroit tousjours, à un tel argument, dequoy y fournir responses, dupliques, repliques, tripliques, quadrupliques, et cette infinie contexture de debats que notre chicane a alongé tant qu'elle a peu en faveur des procez,

> *Cædimur, et totidem plagis consumimus hostem* [f],

a. Choix. — *b.* « Le sort tomba sur Mathias. » *Actes des Apôtres*, I, 26. — *c.* « L'habitude même de donner son assentiment paraît périlleuse et glissante. » Cicéron, *Académiques*, II, 21. — *d.* Au flottement. — *e.* « Ainsi, lorsque ses plateaux sont chargés d'un poids égal, la balance ne s'abaisse ni ne s'élève d'aucun côté. » Tibulle, IV, 1, 40. — *f.* « L'ennemi nous frappe, et nous lui rendons coup sur coup. » Horace, *Épîtres*, II, II, 97.

les raisons n'y ayant guere autre fondement que l'experience, et la diversité des evenements humains nous presentant infinis exemples à toute sorte de formes. Un sçavant personnage de nostre temps dit qu'en nos almanacs, où ils disent chaud, qui voudra dire froid, et, au lieu de sec, humide, et mettre tousjours le rebours de ce qu'ils pronostiquent, s'il devoit entrer en gageure de l'evenement de l'un ou l'autre, qui ne se soucieroit pas quel party il print, sauf ès choses où il n'y peut eschoir incertitude, comme de promettre à Noel des chaleurs extremes, et à la sainct Jean des rigueurs de l'hiver. J'en pense de mesmes de ces discours politiques : à quelque rolle qu'on vous mette, vous avez aussi beau jeu que vostre compagnon, pourveu que vous ne venez à choquer les principes trop grossiers et apparens. Et pourtant, selon mon humeur, ès affaires publiques, il n'est aucun si mauvais train, pourveu qu'il aye de l'aage et de la constance, qui ne vaille mieux que le changement et le remuement. Nos meurs sont extremement corrompuës, et panchent d'une merveilleuse inclination vers l'empirement; de nos loix et usances, il y en a plusieurs barbares et monstrueuses; toutesfois, pour la difficulté de nous mettre en meilleur estat, et le danger de ce crollement, si je pouvoy planter une cheville à nostre rouë et l'arrester en ce point, je le ferois de bon cœur :

> *nunquam adeo fœdis adeoque pudendis*
> *Utimur exemplis, ut non pejora supersint* [a].

Le pis que je trouve en nostre estat, c'est l'instabilité, et que nos loix, non plus que nos vestemens, ne peuvent prendre aucune forme arrestée. Il est bien aisé d'accuser d'imperfection une police, car toutes choses mortelles en sont pleines; il est bien aisé d'engendrer à un peuple le mespris de ses anciennes observances : jamais homme n'entreprint cela, qui n'en vint à bout; mais d'y restablir un meilleur estat en la place de celuy qu'on a ruiné, à cecy plusieurs se sont morfondus, de ceux qui l'avoient entreprins.

Je fay peu de part à la prudence de ma conduite; je me

---

a. « Il n'est pas d'exemples si dégoûtants et si honteux qu'on n'en puisse citer d'encore pires. » Juvénal, VIII, 183.

laisse volontiers mener à l'ordre public du monde. Heureux peuple, qui faict ce qu'on commande mieux que ceux qui commandent, sans se tourmenter des causes; qui se laisse mollement rouler après le roulement celeste. L'obeyssance n'est pure ny tranquille en celuy qui raisonne et qui plaide.

Somme[a], pour revenir à moy, ce seul par où je m'estime quelque chose, c'est en ce quoy jamais homme ne s'estima deffaillant : ma recommendation est vulgaire, commune et populaire, car qui a jamais cuidé avoir faute de sens? Ce seroit une proposition qui impliqueroit en soy de la contradiction : c'est une maladie qui n'est jamais où elle se voit; ell'est bien tenace et forte, mais laquelle pourtant le premier rayon de la veuë du patient perce et dissipe, comme le regard du soleil un brouillas opaque; s'accuser seroit s'excuser en ce subject là; et se condamner, ce seroit s'absoudre. Il ne fut jamais crocheteur ny femmelette qui ne pensast avoir assez de sens pour sa provision. Nous reconnoissons ayséement ès autres l'advantage du courage, de la force corporelle, de l'experience, de la disposition, de la beauté; mais l'advantage du jugement, nous ne le cedons à personne; et les raisons qui partent du simple discours naturel[b] en autruy, il nous semble qu'il n'a tenu qu'à regarder de ce costé là, que nous les ayons trouvées. La science, le stile, et telles parties que nous voyons ès ouvrages estrangers, nous touchons bien aisément si elles surpassent les nostres; mais les simples productions de l'entendement, chacun pense qu'il estoit en luy de les rencontrer toutes pareilles, et en apperçoit malaisement le poids et la difficulté, si ce n'est, et à peine, en une extreme et incomparable distance. Ainsi, c'est une sorte d'exercitation de laquelle je dois esperer fort peu de recommandation et de louange, et une maniere de composition de peu de nom[c].

Et puis, pour qui escrivez vous? Les sçavans à qui touche la jurisdiction livresque, ne connoissent autre prix que de la doctrine[d], et n'advouent autre proceder[e] en noz esprits que celuy de l'erudition et de l'art : si vous avez pris l'un des Scipions pour l'autre[117], que vous

---

a. En somme, bref. — *b.* Naïf bon sens. — *c. Le plus sot homme du monde pense avoir autant d'entendement que le plus habile,* ajoutent les éditions publiées du vivant de Montaigne. — *d.* La science. — *e.* Procédé.

reste il à dire qui vaille? Qui ignore Aristote, selon eux
s'ignore quand et quand soy-mesme. Les ames communes
et populaires ne voyent pas la grace et le pois d'un discours
hautain et deslié. Or ces deux especes occupent le monde.
La tierce, à qui vous tombez en partage, des ames reglées
et fortes d'elles-mesmes est si rare, que justement elle n'a
ny nom, ny rang entre nous : c'est à demy temps perdu
d'aspirer et de s'efforcer à luy plaire.

On dit communément que le plus juste partage que
nature nous aye fait de ses graces, c'est celuy du sens[118] :
car il n'est aucun qui ne se contente de ce qu'elle luy en
a distribué. N'est-ce pas raison? Qui verroit au delà, il
verroit au delà de sa veuë. Je pense avoir les opinions
bonnes et saines; mais qui n'en croit autant des siennes?
L'une des meilleures preuves que j'en aye, c'est le peu
d'estime que je fay de moy; car si elles n'eussent esté bien
asseurées, elles se fussent aisément laissées piper à l'affection
que je me porte singuliere, comme celuy qui la ramene
quasi toute à moy, et qui ne l'espands gueres hors de là.
Tout ce que les autres en distribuent à une infinie multitude
d'amis et de connoissans, à leur gloire, à leur grandeur,
je le rapporte tout au repos de mon esprit et à moy. Ce
qui m'en eschappe ailleurs, ce n'est pas proprement de
l'ordonnance de mon discours,

mihi nempe valere et vivere doctus[a].

Or mes opinions, je les trouve infiniement hardies et
constantes à condamner mon insuffisance. De vray, c'est
aussi un subject auquel j'exerce mon jugement autant qu'à
nul autre. Le monde regarde tousjours vis à vis; moy, je
replie ma veue au dedans, je la plante, je l'amuse là. Chacun
regarde devant soy; moy, je regarde dedans moy : je
n'ay affaire qu'à moy, je me considere sans cesse, je me
contrerolle, je me gouste. Les autres vont tousjours ailleurs,
s'ils y pensent bien; ils vont tousjours avant,

nemo in sese tentat descendere[b],

moy je me roulle en moy mesme.

---

a. « Instruit à vivre et à user de sa force. » Lucrèce, V, 961. —
b. « Personne ne tente de descendre en soi-même. » Perse, IV, 20.

Cette capacité de trier le vray, quelle qu'elle soit en moy, et cett'humeur libre de n'assubjectir aisément ma creance, je la dois principalement à moy : car les plus fermes imaginations que j'aye, et generalles, sont celles qui, par maniere de dire, nasquirent avec moy. Elles sont naturelles et toutes miennes. Je les produisis crues et simples, d'une production hardie et forte, mais un peu trouble et imparfaicte; depuis je les ay establies et fortifiées par l'authorité d'autruy, et par les sains discours des anciens, ausquels je me suis rencontré conforme en jugement : ceux-là m'en ont assuré la prinse, et m'en ont donné la jouyssance et possession plus entiere.

La recommandation que chacun cherche, de vivacité et promptitude d'esprit, je la pretends du reglement; d'une action esclatante et signalée, ou de quelque particuliere suffisance, je la pretends de l'ordre, correspondance et tranquillité d'opinions et de meurs. « *Omnino, si quidquam est decorum, nihil est profecto magis quam æquabilitas universæ vitæ, tum singularum actionum : quam conservare non possis, si, aliorum naturam imitans, omittas tuam* [a]. »

Voylà donq jusques où je me sens coulpable de cette premiere partie, que je disois estre au vice de la presomption. Pour la seconde, qui consiste à n'estimer poinct assez autruy, je ne sçay si je m'en puis si bien excuser; car, quoy qu'il me couste, je delibere de dire ce qui en est.

A l'adventure [b] que le commerce continuel que j'ay avec les humeurs anciennes, et l'Idée de ces riches ames du temps passé me dégouste, et d'autruy et de moy mesme; ou bien que, à la verité, nous vivons en un siecle qui ne produict les choses que bien mediocres; tant y a que je ne connoy rien digne de grande admiration; aussi ne connoy-je guiere d'hommes avec telle privauté qu'il faut pour en pouvoir juger; et ceux ausquels ma condition me mesle plus ordinairement sont, pour la pluspart, gens qui ont peu de soing de la culture de l'ame, et ausquels on ne propose pour toute beatitude que l'honneur, et pour toute perfection que la vaillance. Ce que je voy de beau

---

a. « A coup sûr, s'il est quelque chose de louable, c'est l'uniformité de la conduite qui ne se dément dans aucune action particulière; et l'on ne peut observer cette uniformité, si l'on abandonne sa manière d'être pour copier celle d'autrui. » Cicéron, *De officiis*, I, 31.
— *b.* Peut-être.

en autruy, je le loüe et l'estime très-volontiers : voire j'encheris souvent sur ce que j'en pense, et me permets de mentir jusques là. Car je ne sçay point inventer un subject faux. Je tesmoigne volontiers de mes amis par ce que j'y trouve de loüable; et d'un pied de valeur, j'en fay volontiers un pied et demy. Mais de leur prester les qualitez qui n'y sont pas, je ne puis, ny les defendre ouvertement des imperfections qu'ils ont.

Voyre à mes ennemis je rens nettement ce que je dois de tesmoignage d'honneur. Mon affection se change; mon jugement, non. Et ne confons point ma querelle avec autres circonstances qui n'en sont pas; et suis tant jaloux de la liberté de mon jugement, que mal-ayséement la puis-je quitter pour passion que ce soit. Je me fay plus d'injure en mentant, que je n'en fay à celuy de qui je mens. On remarque cette loüable et genereuse coustume de la nation Persienne [a], qu'ils parlent de leurs mortels ennemis et qu'ils font guerre à outrance, honorablement et equitablement, autant que porte le merite de leur vertu.

Je connoy des hommes assez, qui ont diverses parties belles : qui, l'esprit; qui, le cœur; qui, l'adresse; qui, la conscience; qui, le langage; qui, une science; qui, un'autre. Mais de grand homme en general, et ayant tant de belles pieces ensemble, ou une en tel degré d'excellence qu'on s'en doive estonner, ou le comparer à ceux que nous honorons du temps passé, ma fortune ne m'en a fait voir nul. Et le plus grand que j'aye conneu au vif, je di des parties naturelles de l'ame, et le mieux né, c'estoit Estienne de la Boitie; c'estoit vrayement un'ame pleine et qui montroit un beau visage à tout sens; un'ame à la vieille marque et qui eut produit de grands effects, si sa vertune l'eust voulu, ayant beaucoup adjousté à ce riche naturel par science et estude. Mais je ne sçay comment il advient (et si [b], advient sans doubte) qu'il se trouve autant de vanité et de foiblesse d'entendement en ceux qui font profession d'avoir plus de suffisance, qui se meslent de vacations lettrées et de charges qui despendent des livres, qu'en nulle autre sorte de gens : ou bien par ce que on requiert et attend plus d'eux, et qu'on ne peut excuser en eux les fautes communes; ou bien que l'opinion du sçavoir

---

a. Perse. — *b.* Et pourtant.

leur donne plus de hardiesse de se produire et de se descouvrir trop avant, par où ils se perdent et se trahissent. Comme un artisan tesmoigne bien mieux sa bestise en une riche matiere qu'il ait entre mains, s'il l'accommode et mesle sottement et contre les regles de son ouvrage, qu'en une matiere vile, et s'offence l'on plus du defaut en une statue d'or qu'en celle qui est de plastre. Ceux cy en font autant lors qu'ils mettent en avant des choses qui d'elles mesmes et en leur lieu seroyent bonnes : car ils s'en servent sans discretion, faisans honneur à leur memoire aux despens de leur entendement. Ils font honneur à Cicero, à Galien, à Ulpian et à saint Hierosme, et eux se rendent ridicules.

Je retombe volontiers sur ce discours[a] de l'ineptie de notre institution[b119]. Elle a eu pour sa fin de nous faire non bons et sages, mais sçavans : elle y est arrivée. Elle ne nous a pas apris de suyvre et embrasser la vertu et la prudence, mais elle nous en a imprimé la derivation et l'etymologie. Nous sçavons decliner vertu, si nous ne sçavons l'aymer; si nous ne sçavons que c'est que prudence par effect et par experience, nous le sçavons par jargon et par cœur. De nos voisins, nous ne nous contentons pas d'en sçavoir la race, les parentelles[c] et les alliances, nous les voulons avoir pour amis et dresser avec eux quelque conversation et intelligence; elle nous a apris les deffinitions, les divisions et particions[d] de la vertu, comme des surnoms et branches d'une genealogie, sans avoir autre soing de dresser entre nous et elle quelque pratique de familiarité et privée acointance. Elle nous a choisi pour nostre aprentissage non les livres qui ont les opinions plus saines et plus vrayes, mais ceux qui parlent le meilleur Grec et Latin, et, parmy ses beaux mots, nous a fait couler en la fantasie les plus vaines humeurs de l'antiquité. Une bonne institution[e], elle change le jugement et les meurs, comme il advint à Polemon, ce jeune homme Grec debauché, qui, estant allé ouïr par rencontre une leçon de Xenocrates, ne remerqua pas seulement l'eloquence et la suffisance[f] du lecteur, et n'en rapporta pas seulement en la maison la science de quelque belle matiere, mais un

---

a. Sujet. — *b.* Éducation. — *c.* Parentés. — *d.* Parties. — *e.* Éducation. — *f.* Le talent.

fruit plus apparent et plus solide, qui fut le soudain changement et amendement de sa premiere vie. Qui a jamais senti un tel effect de nostre discipline?

> *faciasne quod olim*
> *Mutatus Polemon? ponas insignia morbi,*
> *Fasciolas, cubital, focalia, potus ut ille*
> *Dicitur ex collo furtim carpsisse coronas,*
> *Postquam est impransi correptus voce magistri*[a]*?*

La moins desdeignable condition de gens me semble estre celle qui par simplesse tient le dernier rang, et nous offrir un commerce plus reglé. Les meurs et les propos des paysans, je les trouve communéement plus ordonnez selon la prescription de la vraie philosophie, que ne sont ceux de nos philosophes. « *Plus sapit vulgus, quia tantum quantum opus est, sapit*[b]. »

Les plus notables hommes que j'aye jugé par les apparences externes (car, pour les juger à ma mode, il les faudroit esclerer de plus près), ce ont esté, pour le faict de la guerre et suffisance militaire, le Duc de Guyse[120], qui mourut à Orleans, et le feu Mareschal Strozzi[121]. Pour gens suffisans[c], et de vertu non commune, Olivier[122] et l'Hospital, Chanceliers de France. Il me semble aussi de la Poësie qu'elle a eu sa vogue en nostre siecle. Nous avons foison de bons artisans de ce mestier-là : Aurat[123], Beze[124], Buchanan[125], l'Hospital[126], Mont-doré[127], Turnebus[128]. Quant aux François, je pense qu'ils l'ont montée au plus haut degré où elle sera jamais; et aux parties en quoy Ronsart et du Bellay excellent, je ne les treuve guieres esloignez de la perfection ancienne. Adrianus Turnebus sçavoit plus et sçavoit mieux ce qu'il sçavoit, que homme qui fut de son siecle, ny loing au delà.

Les vies du Duc d'Albe dernier mort[129] et de nostre

---

a. « Ferez-vous ce que fit autrefois Polémon converti? Quitterez-vous la livrée de votre folie, les rubans, les coussins, les cravates, comme on raconte qu'après boire il arracha furtivement de son cou ses couronnes, quand la voix d'un maître à jeun l'eut réprimandé? » Horace, *Satires*, II, III, 253. — *b.* « Le vulgaire est plus sage parce qu'il n'est sage qu'autant qu'il le faut. » Lactance, *Institutions divines*, III, 5, cité par Juste Lipse, *Politiques*, I, 10. — *c.* Capables, de talent.

connestable de Mommorancy[130] ont esté des vies nobles et qui ont eu plusieurs rares ressemblances de fortune; mais la beauté et la gloire de la mort de cettuycy, à la veuë de Paris et de son Roy, pour leur service, contre ses plus proches, à la teste d'une armée victorieuse par sa conduitte, et d'un coup de main, en si extreme vieillesse, me semble meriter qu'on la loge entre les remercables evenemens de mon temps.

Comme aussi la constante bonté, douceur de meurs et facilité conscientieuse de monsieur de la Nouë[131], en une telle injustice de parts [a] armées, vraie eschole de trahison, d'inhumanité et de brigandage, où tousjours il s'est nourry, grand homme de guerre et très-experimenté.

J'ay pris plaisir à publier en plusieurs lieux l'esperance que j'ay de Marie de Gournay le Jars, ma fille d'alliance[132], et certes aymée de moy beaucoup plus que paternellement, et enveloppée en ma retraitte et solitude, comme l'une des meilleures parties de mon propre estre. Je ne regarde plus qu'elle au monde[133]. Si l'adolescence peut donner presage, cette ame sera quelque jour capable des plus belles choses, et entre autres de la perfection de cette tressaincte amitié où nous ne lisons point que son sexe ait peu monter encores. La sincerité et la solidité de ses meurs y sont desjà bastantes [b], son affection vers moy plus que sur-abondante, et telle en somme qu'il n'y a rien à souhaiter, sinon que l'apprehension qu'elle a de ma fin, par les cinquante et cinq ans ausquels elle m'a rencontré[134], la travaillast moins cruellement. Le jugement qu'elle fit des premiers *Essays,* et femme, et en ce siecle, et si jeune, et seule en son quartier, et la vehemence fameuse dont elle m'ayma et me desira long temps sur la seule estime qu'elle en print de moy, avant m'avoir veu, c'est un accident [c] de très-digne consideration.

Les autres vertus ont eu peu ou point de mise en cet aage; mais la vaillance, elle est devenue populaire par noz guerres civiles, et en cette partie il se trouve parmy nous des ames fermes jusques à la perfection, et en grand nombre, si que le triage en est impossible à faire.

Voylà tout ce que j'ay connu, jusques à cette heure, d'extraordinaire grandeur et non commune.

a. Factions. — *b*. Suffisantes. — *c*. Une particularité, un point.

CHAPITRE XVIII

DU DEMENTIR

Voire mais [a] on me dira que ce dessein de se servir de soy pour subject à escrire seroit excusable à des hommes rares et fameux qui, par leur reputation, auroyent donné quelque desir de leur cognoissance. Il est certain; je l'advoüe; et sçay bien que, pour voir un homme de la commune façon, à peine qu'un artisan leve les yeux de sa besongne, là où, pour voir un personnage grand et signalé arriver en une ville, les ouvroirs [b] et les boutiques s'abandonnent. Il méssiet à tout autre de se faire cognoistre qu'à celuy qui a dequoy se faire imiter, et duquel la vie et les opinions peuvent servir de patron. Cæsar et Xenophon ont eu dequoy fonder et fermir [c] leur narration en la grandeur de leurs faicts comme en une baze juste et solide. Ainsi sont à souhaiter les papiers journaux du grand Alexandre, les commentaires qu'Auguste, Caton, Sylla, Brutus et autres avoyent laissé de leurs gestes. De telles gens on ayme et estudie les figures, en cuyvre mesmes et en pierre.

Cette remontrance est très-vraie, mais elle ne me touche que bien peu :

> *Non recito cuiquam, nisi amicis, idque rogatus,*
> *Non ubivis, coramve quibuslibet. In medio qui*
> *Scripta foro recitent, sunt multi, quique lavantes* [d].

Je ne dresse pas icy une statue à planter au carrefour d'une ville, ou dans une Eglise, ou place publique :

> *Non equidem hoc studeo, bullatis ut mihi nugis*
> *Pagina turgescat...*
> *Secreti loquimur* [e].

C'est pour le coin d'une librairie, et pour en amuser un

---

a. Oui, mais. — *b.* Ateliers. — *c.* Corroborer. — *d.* « Je ne lis ceci qu'à mes seuls amis, et encore sur leur prière; je ne le fais pas en tout lieu ni devant n'importe qui. Il est beaucoup d'auteurs, au contraire, qui lisent leurs ouvrages au forum et dans les bains. » Horace, *Satires*, I, IV, 73. — *e.* « Certes, je ne prétends point enfler

voisin, un parent, un amy, qui aura plaisir à me racointer et repratiquer en cett'image. Les autres ont pris cœur de parler d'eux pour y avoir trouvé le subject digne et riche; moy, au rebours, pour l'avoir trouvé si sterile et si maigre qu'il n'y peut eschoir soupçon d'ostentation.

Je juge volontiers des actions d'autruy; des miennes, je donne peu à juger à cause de leur nihilité.

Je ne trouve pas tant de bien en moy que je ne le puisse dire sans rougir.

Quel contentement me seroit ce d'ouir ainsi quelqu'un qui me recitast les meurs, le visage, la contenance, les parolles communes et les fortunes de mes ancestres! Combien j'y serois attentif! Vrayement cela partiroit d'une mauvaise nature, d'avoir à mespris les portraits mesmes de nos amis et predecesseurs, la forme de leurs vestements et de leurs armes. J'en conserve l'escriture, le seing, des heures et un'espée peculiere qui leur a servi, et n'ay point chassé de mon cabinet des longues gaules que mon pere portoit ordinairement en la main.

« Paterna vestis et annulus tanto charior est posteris, quanto erga parentes major affectus[a]. »

Si toutes-fois ma posterité est d'autre appetit, j'auray bien dequoy me revencher : car ils ne sçauroient faire moins de conte de moy que j'en feray d'eux en ce temps là. Tout le commerce que j'ay en cecy avec le publiq, c'est que j'emprunte les utils[b] de son escriture, plus soudaine et plus aisée[c]. En recompense, j'empescheray peut-estre que quelque coin de beurre ne se fonde au marché.

Ne toga cordyllis, ne penula desit olivis[d],
Et laxas scombris sæpe dabo tunicas[e].

de futilités une page capable de donner du poids à de la fumée..., nous parlons en tête à tête. » Perse, V, 19. — *a.* « L'habit d'un père et son anneau sont d'autant plus chers à ses enfants qu'ils avaient plus d'affection pour lui. » Saint Augustin, *Cité de Dieu*, I, 13. — *b.* Outils (imprimerie). — *c.* L'édition publiée du vivant de Montaigne porte ici : *Il m'a fallu jetter en moule cette image, pour m'exempter la peine d'en faire faire plusieurs extraits à la main. En récompense de cette commodité que j'en ay emprunté, j'espère luy faire ce service d'empescher peut-estre...* — *d.* « Que les thons ne manquent pas d'emballage ni les olives d'enveloppe. » Martial, *Épigrammes*, XIII. 1. — *e.* « Et je fournirai souvent aux maquereaux des tuniques où ils seront à l'aise. » Catulle, XCIV, 8.

LIVRE II, CHAPITRE XVIII

Et quand personne ne me lira, ay-je perdu mon temps de m'estre entretenu tant d'heures oisifves à pensements si utiles et agreables? Moulant sur moy cette figure, il m'a fallu si souvent dresser et composer pour m'extraire, que le patron s'en est fermy et aucunement formé soy-mesmes. Me peignant pour autruy, je me suis peint en moy de couleurs plus nettes que n'estoyent les miennes premieres. Je n'ay pas plus faict mon livre que mon livre m'a faict, livre consubstantiel à son autheur, d'une occupation propre, membre de ma vie; non d'une occupation et fin tierce et estrangere comme tous autres livres.

Ay-je perdu mon temps de m'estre rendu compte de moy si continuellement, si curieusement? Car ceux qui se repassent par fantasie seulement et par langue quelque heure, ne s'examinent pas si primement, ny ne se penetrent, comme celuy qui en faict son estude, son ouvrage et son mestier, qui s'engage à un registre de durée, de toute sa foy, de toute sa force.

Les plus delicieux plaisirs, si se digerent-ils [a] au dedans, fuyent à [b] laisser trace de soi, et fuyent la veuë non seulement du peuple, mais d'un autre.

Combien de fois m'a cette besongne diverty de cogitations [c] ennuyeuses! et doivent estre contées pour ennuyeuses toutes les frivoles. Nature nous a estrenez [d] d'une large faculté à nous entretenir à part, et nous y appelle souvent pour nous apprendre que nous nous devons en partie à la société, mais en la meilleure partie à nous. Aux fins de renger ma fantasie à resver mesme par quelque ordre et projet, et la garder de se perdre et extravaguer au vent, il n'est que de donner corps et mettre en registre tant de menues pensées qui se presentent à elle. J'escoute à mes resveries par ce que j'ay à les enroller. Quant de fois, estant marry de quelque action que la civilité et la raison me prohiboient de reprendre à descouvert, m'en suis je icy desgorgé, non sans dessein de publique instruction! Et si, ces verges poëtiques :

> Zon dessus l'euil, zon sur le groin,
> Zon sur le dos du Sagoin[135] !

s'impriment encore mieux en papier qu'en la chair vifve.

---

a. Certes, ils se digèrent. — *b.* Évitent de. — *c.* Pensées. — *d.* Gratifiés.

Quoy, si je preste un peu plus attentivement l'oreille aux livres, depuis que je guette si j'en pourray friponner quelque chose de quoy esmailler ou estayer le mien?

Je n'ay aucunement estudié pour faire un livre; mais j'ay aucunement estudié pour ce que je l'avoy faict, si c'est aucunement estudier que effleurer et pincer par la teste ou par les pieds tantost un autheur, tantost un autre; nullement pour former mes opinions; ouy pour les assister pieç'a[a] formées, seconder et servir.

Mais, à qui croyrons nous parlant de soy, en une saison si gastée? veu qu'il en est peu, ou point, à qui nous puissions croire parlant d'autruy, où il y a moins d'interest à mentir. Le premier traict de la corruption des mœurs, c'est le bannissement de la verité : car, comme disoit Pindare, l'estre veritable est le commencement d'une grande vertu[136] et le premier article que Platon[137] demande au gouverneur de sa république. Nostre verité de maintenant, ce n'est pas ce qui est, mais ce qui se persuade à autruy : comme nous appellons monnoye non celle qui est loyalle seulement, mais la fauce aussi qui a mise. Nostre nation est de long temps reprochée de ce vice; car Salvianus Massiliensis, qui estoit du temps de Valentinian l'Empereur, dict[138] qu'aux François le mentir et se parjurer n'est pas vice, mais une façon de parler. Qui voudroit encherir sur ce tesmoignage, il pourroit dire que ce leur est à present vertu. On s'y forme, on s'y façonne, comme à un exercice d'honneur; car la dissimulation est des plus notables qualitez de ce siecle.

Ainsi, j'ay souvent consideré d'où pouvoit naistre cette coustume, que nous observons si religieusement, de nous sentir plus aigrement offencez du reproche de ce vice, qui nous est si ordinaire, que de nul autre; et que ce soit l'extreme injure qu'on nous puisse faire de parolle, que de nous reprocher la mensonge. Sur cela, je treuve qu'il est naturel de se defendre le plus des deffaux dequoy nous sommes le plus entachez. Il semble qu'en nous ressentans de l'accusation et nous en esmouvans, nous nous deschargeons aucunement de la coulpe; si nous l'avons par effect, au moins nous la condamnons par apparence.

a. Depuis longtemps.

Seroit ce pas aussi que ce reproche semble envelopper la couardise et lâcheté de cœur? En est-il de plus expresse que se desdire de sa parolle? quoy, se desdire de sa propre science?

C'est un vilein vice que le mentir, et qu'un ancien[139] peint bien honteusement quand il dict que c'est donner tesmoignage de mespriser Dieu, et quand et quand de craindre les hommes. Il n'est pas possible d'en representer plus richement l'horreur, la vilité et le desreglement. Car que peut on imaginer plus vilain que d'estre couart à l'endroit des hommes et brave à l'endroit de Dieu? Nostre intelligence se conduisant par la seule voye de la parolle, celuy qui la fauce, trahit la societé publique. C'est le seul util[a] par le moien duquel se communiquent nos volontez et nos pensées, c'est le truchement de nostre ame: s'il nous faut, nous ne nous tenons plus, nous ne nous entre-connoissons plus. S'il nous trompe, il rompt tout nostre commerce et dissoult toutes les liaisons de nostre police[b].

Certaines nations des nouvelles Indes (on n'a que faire d'en remarquer les noms, ils ne sont plus; car jusques à l'entier abolissement des noms et ancienne cognoissance des lieux s'est estandue la desolation de cette conqueste d'un merveilleux exemple et inouy) offroyent à leurs Dieux du sang humain, mais non autre que tiré de leur langue et oreilles, pour expiation du peché de la mensonge, tant ouye que prononcée[140].

Ce bon compaignon de Grece[141] disoit que les enfans s'amusent par les osselets, les hommes par les parolles.

Quant aux divers usages de nos démentirs, et les loix de nostre honneur en cela, et les changemens qu'elles ont receu, je remets à une autre-fois d'en dire ce que j'en sçay, et apprendray cependant, si je puis, en quel temps print commencement cette coustume de si exactement poiser[c] et mesurer les parolles, et d'y attacher nostre honneur. Car il est aisé à juger qu'elle n'estoit pas anciennement entre les Romains et les Grecs. Et m'a semblé souvent nouveau et estrange de les voir se démentir et s'injurier, sans entrer pourtant en querelle. Les loix de leur devoir prenoient quelque autre voye que les nostres. On appelle Cæsar[142] tantost voleur, tantost yvrongne, à sa barbe.

---

a. Outil. — *b.* Tous les rapports de notre société. — *c.* Peser.

Nous voyons la liberté des invectives qu'ils font les uns contre les autres, je dy les plus grands chefs de guerre de l'une et l'autre nation, où les parolles se revenchent seulement par les parolles et ne se tirent à autre consequence.

CHAPITRE XIX

DE LA LIBERTÉ DE CONSCIENCE

Il est ordinaire de voir les bonnes intentions, si elles sont conduites sans moderation, pousser les hommes à des effects très-vitieux. En ce debat par lequel la France est à présent agitée de guerres civiles, le meilleur et le plus sain party est sans doubte celuy qui maintient et la religion et la police ancienne du pays. Entre les gens de bien toutes-fois qui le suyvent (car je ne parle point de ceux qui s'en servent de pretexte pour, ou exercer leurs vengences particulieres, ou fournir à leur avarice, ou suyvre la faveur des Princes; mais de ceux qui le font par vray zele envers leur religion, et sainte affection à maintenir la paix et l'estat de leur patrie), de ceux-cy, dis-je, il s'en voit plusieurs que la passion pousse hors les bornes de la raison, et leur faict par fois prendre des conseils injustes, violents et encore temeraires.

Il est certain qu'en ces premiers temps que nostre religion commença de gaigner authorité avec les loix, le zele en arma plusieurs contre toute sorte de livres paiens, dequoy les gens de lettres souffrent une merveilleuse perte. J'estime que ce desordre ait plus porté de nuysance aux lettres que tous les feux des barbares. Cornelius Tacitus en est un bon tesmoing : car, quoy que l'Empereur Tacitus[143], son parent, en eut peuplé par ordonnances expresses toutes les libreries du monde, toutes-fois un seul exemplaire entier n'a peu eschapper la curieuse recherche de ceux qui desiroyent l'abolir pour cinq ou six vaines clauses contraires à nostre creance. Ils ont aussi eu cecy, de prester aisément des louanges fauces à tous les Empereurs qui faisoient pour nous, et condamner universellement toutes les actions de ceux qui nous estoient adversaires, comme il est aisé à voir en l'Empereur Julian, surnommé l'Apostat[144].

C'estoit, à la verité, un très-grand homme et rare, comme celuy qui avoit son ame vivement tainte des discours de la philosophie, ausquels il faisoit profession de regler toutes ses actions; et, de vray, il n'est aucune sorte de vertu dequoy il n'ait laissé de très-notables exemples[145]. En chasteté (de laquelle le cours de sa vie donne bien cler tesmoignage), on lit de luy un pareil trait à celuy d'Alexandre et de Scipion, que de plusieurs trèsbelles captives il n'en voulut pas seulement voir une, estant en la fleur de son aage[146]; car il fut tué par les Parthes aagé de trente un an seulement[147]. Quant à la justice, il prenoit luy-mesme la peine d'ouyr les parties; et encore que par curiosité il s'informast à ceux qui se presentoient à luy de quelle religion ils estoient, toutesfois l'inimitié qu'il portoit à la nostre ne donnoit aucun contrepoix à la balance[148]. Il fit luy mesme plusieurs bonnes loix, et retrancha une grande partie des subsides et impositions que levoient ses predecesseurs[149].

Nous avons deux bons historiens tesmoings oculaires de ses actions : l'un desquels, Marcellinus, reprend aigrement en divers lieux de son histoire cette sienne ordonnance par laquelle il deffendit l'escole et interdit l'enseigner à tous les Rhetoriciens et Grammairiens Chrestiens, et dit qu'il souhaiteroit cette sienne action estre ensevelie soubs le silence[150]. Il est vray-semblable, s'il eust fait quelque chose de plus aigre contre nous, qu'il ne l'eut pas oublié, estant bien affectionné à nostre party. Il nous estoit aspre, à la verité, mais non pourtant cruel ennemy; car nos gens[151] mesmes recitent de luy cette histoire, que, se promenant un jour autour de la ville de Chalcedoine, Maris, Evesque du lieu, osa bien l'appeler meschant traistre à Christ, et qu'il n'en fit autre chose, sauf luy respondre : « Va, miserable, pleure la perte de tes yeux. » A quoy l'Evesque encore repliqua : « Je rens graces à Jesus Christ de m'avoir osté la veuë, pour ne voir ton visage impudent »; affectant, disent-ils, en cela une patience philosophique. Tant y a que ce faict là ne se peut pas bien rapporter aux cruautez qu'on le dit avoir exercées contre nous. Il estoit (dit Eutropius[152], mon autre tesmoing) ennemy de la Chrestienté, mais sans toucher au sang[a].

Et, pour revenir à sa justice, il n'est rien qu'on y puisse accuser que les rigueurs dequoy il usa, au commencement de son empire, contre ceux qui avoient suivy le parti de Constantius, son predecesseur[153]. Quant à sa sobrieté, il vivoit toujours un vivre soldatesque, et se nourrissoit en pleine paix comme celui qui se preparoit et accoustumoit à l'austerité de la guerre[154]. La vigilance estoit telle en luy qu'il departoit[b] la nuict à trois ou à quatre parties, dont la moindre estoit celle qu'il donnoit au sommeil[155]; le reste, il l'employoit à visiter luy mesme en personne l'estat de son armée et ses gardes, ou à estudier; car, entre autres siennes rares qualitez, il estoit très-excellent en toute sorte de literature[156]. On dict d'Alexandre le grand, qu'estant couché, de peur que le sommeil ne le débauchat de ses pensemens et de ses estudes, il faisoit mettre un bassin joignant son lict, et tenoit l'une de ses mains au dehors avec une boulette de cuivre, affin que, le dormir le surprenant et relaschant les prises de ses doigts, cette boulette, par le bruit de sa cheute dans le bassin, le reveillat[157]. Cettuy-cy avoit l'ame si tendue à ce qu'il vouloit, et si peu empeschée de fumées par sa singuliere abstinence, qu'il se passoit bien de cet artifice. Quant à la suffisance militaire, il fut admirable en toutes les parties d'un grand capitaine; aussi fut-il quasi toute sa vie en continuel exercice de guerre, et la plupart avec nous en France contre les Allemans et Francons. Nous n'avons guere memoire d'homme qui ait veu plus de hazards, ny qui ait plus souvent faict preuve de sa personne. Sa mort a quelque chose de pareil à celle d'Epaminondas[158]; car il fut frappé d'un traict, et essaya de l'arracher, et l'eut fait sans ce que, le traict estant tranchant, il se couppa et affoiblit sa main. Il demandoit incessamment qu'on le rapportat en ce mesme estat en la meslée pour y encourager ses soldats, lesquels contesterent cette bataille sans luy, très coura-

a. On lisait ici, dans les éditions antérieures à 1588 : *Aussi ce que plusieurs disent de luy qu'estant blessé à mort d'un coup de traict, il s'escria : Tu as vaincu, ou, comme disent les autres, Contente toy Nazarien, n'est non plus vraysemblable, car ceux qui estoient présens à sa mort et qui nous en récitent toutes les particulières circonstances, les contenances mesmes et les paroles, n'en disent rien; non plus que de je ne sçay quels miracles que d'autres y meslent.* — b. Partageait.

geusement, jusques à ce que la nuict separa les armées[159]. Il devoit à la philosophie un singulier mespris en quoy il avoit sa vie et les choses humaines[160]. Il avoit ferme creance de l'eternité des ames.

En matiere de religion, il estoit vicieux par tout; on l'a surnommé apostat pour avoir abandonné la nostre; toutesfois cette opinion me semble plus vray-semblable, qu'il ne l'avoit jamais euë à cœur, mais que, pour l'obeïssance des loix, il s'estoit feint jusques à ce qu'il tint l'Empire en sa main. Il fut si superstitieux en la sienne que ceux mesmes qui en estoient de son temps, s'en mocquoient; et, disoit-on, s'il eut gaigné la victoire contre les Parthes, qu'il eut fait tarir la race des bœufs au monde pour satisfaire à ses sacrifices[161]; il estoit aussi embabouyné de la science divinatrice, et donnoit authorité à toute façon de prognostiques[162]. Il dit entre autres choses, en mourant, qu'il sçavoit bon gré aux dieux et les remercioit dequoy ils ne l'avoyent pas voulu tuer par surprise, l'ayant de long temps adverty du lieu et heure de sa fin, ny d'une mort molle ou lâche, mieux convenable aux personnes oisives et delicates, ny languissante, longue et douloureuse; et qu'ils l'avoient trouvé digne de mourir de cette noble façon, sur le cours de ses victoires et en la fleur de sa gloire[163]. Il avoit eu une pareille vision à celle de Marcus Brutus, qui premierement le menassa en Gaule et depuis se representa à lui en Perse sur le poinct de sa mort[164].

Ce langage qu'on lui faict tenir, quand il se sentit frappé : « Tu as vaincu, Nazareen[165] », ou, comme d'autres : « Contente toi, Nazareen[166] », n'eust esté oublié, s'il eust esté creu par mes tesmoings, qui, estans presens en l'armée, ont remerqué jusques aux moindres mouvements et parolles de sa fin, non plus que certains autres miracles qu'on y attache.

Et, pour venir au propos de mon theme, il couvoit, dit Marcellinus[167], de long temps en son cœur le paganisme; mais, par ce que toute son armée estoit de Chrestiens, il ne l'osoit descouvrir. En fin, quand il se vit assez fort pour oser publier sa volonté, il fit ouvrir les temples des dieux, et s'essaya par tous moyens de mettre sus [a] l'idolatrie[168]. Pour parvenir à son effect, ayant rencontré en

a. Établir.

Constantinople le peuple descousu[a] avec les prelats de l'Eglise Chrestienne divisez, les ayant faict venir à luy au palais, les amonnesta instamment d'assoupir ces dissentions civiles, et que chacun sans empeschement et sans crainte servit à sa religion. Ce qu'il sollicitoit avec grand soing, pour l'esperance que cette licence augmenteroit les parts et les brigues de la division, et empescheroit le peuple de se reunir et de se fortifier par consequent contre luy par leur concorde et unanime intelligence; ayant essayé par la cruauté d'aucuns Chrestiens qu'il n'y a point de beste au monde tant à craindre à l'homme que l'homme.

Voilà ses mots à peu près : en quoy cela est digne de consideration, que l'Empereur Julian se sert, pour attiser le trouble de la dissention civile, de cette mesme recepte de liberté de conscience que nos Roys viennent d'employer pour l'estaindre. On peut dire, d'un costé, que de lâcher la bride aux pars d'entretenir leur opinion, c'est espandre et semer la division; c'est préter quasi la main à l'augmenter, n'y ayant aucune barriere ny coerction[b] des loix qui bride et empesche sa course. Mais, d'austre costé, on diroit aussi que de lascher la bride aux pars d'entretenir leur opinion, c'est les amolir et relâcher par la facilité et par l'aisance, et que c'est émousser l'éguillon qui s'affine par la rareté, la nouvelleté et la difficulté. Et si, croy mieux, pour l'honneur de la devotion de nos rois, c'est que, n'ayans peu ce qu'ils vouloient, ils ont fait semblant de vouloir ce qu'ils pouvoient[169].

CHAPITRE XX

NOUS NE GOUSTONS RIEN DE PUR

La foiblesse de nostre condition fait que les choses, en leur simplicité et pureté naturelle, ne puissent pas tomber en nostre usage. Les elemens que nous jouyssons sont alterez, et les metaux de mesme; et l'or, il le faut empirer

---

a. Divisé. — *b.* Coercition.

par quelque autre matiere pour l'accommoder à nostre service.

Ny la vertu ainsi simple, qu'Ariston et Pyrrho et encore les Stoïciens faisoient fin de la vie, n'y a peu servir sans composition, ny la volupté Cyrenaïque et Aristippique.

Des plaisirs et biens que nous avons, il n'en est aucun exempt de quelque meslange de mal et d'incommodité,

> *medio de fonte leporum*
> *Surgit amari aliquid, quod in ipsis floribus angat* [a].

Nostre extreme volupté a quelque air de gemissement et de plainte. Diriez vous pas qu'elle se meurt d'angoisse? Voire quand nous en forgeons l'image en son excellence, nous la fardons d'epithetes et qualitez maladifves et douloureuses : langueur, mollesse, foiblesse, deffaillance, *morbidezza* ; grand tesmoignage de leur consanguinité et consubstantialité.

La profonde joye a plus de severité que de gayeté; l'extreme et plein contantement, plus de rassis que d'enjoué. « *Ipsa fœlicitas, se nisi temperat, premit* [b]. » L'aise nous masche.

C'est ce que dit un verset Grec ancien de tel sens : « Les dieux nous vendent tous les biens qu'ils nous donnent[170] », c'est à dire ils ne nous en donnent aucun pur et parfaict, et que nous n'achetons au pris de quelque mal.

Le travail et le plaisir, très-dissemblables de nature, s'associent pourtant de je ne sçay quelle joincture naturelle.

Socrates dict[171] que quelque dieu essaya de mettre en masse et confondre la douleur et la volupté, mais que, n'en pouvant sortir, il s'avisa de les accoupler au moins par la queue.

Metrodorus disoit[172] qu'en la tristesse il y a quelque alliage de plaisir. Je ne sçay s'il vouloit dire autre chose; mais moy, j'imagine bien qu'il y a du dessein, du consentement et de la complaisance à se nourrir en la melancholie; je dis outre l'ambition, qui s'y peut encore mesler. Il y a quelque ombre de friandise et delicatesse qui nous rit

---

a. « D'emmi la source des plaisirs il surgit je ne sais quoi d'amer qui jusque dans les fleurs vous prend à la gorge. » Lucrèce, IV, 1133.
— *b.* « La félicité qui ne se modère pas se détruit soi-même. » Sénèque, *Épitres*, 74.

et qui nous flatte au giron mesme de la melancholie. Y a il pas des complexions qui en font leur aliment?

est quædam flere voluptas [a].

Et dict un Attalus, en Seneque[173], que la memoire de nos amis perdus nous agrée comme l'amer au vin trop vieus,

Minister vetuli, puer, falerni,
Ingere mi calices amariores [b];

et comme des pommes doucement aigres.

Nature nous descouvre cette confusion : les peintres tiennent que les mouvemens et plis du visage qui servent au pleurer, servent aussi au rire. De vray, avant que l'un ou l'autre soyent achevez d'exprimer, regardez à la conduicte de la peinture : vous estes en doubte vers lequel c'est qu'on va. Et l'extremité du rire se mesle aux larmes. « *Nullum sine auctoramento malum est* [c]. » Quand j'imagine l'homme assiegé de commoditez desirables (mettons le cas que tous ses membres fussent saisis pour tousjours d'un plaisir pareil à celuy de la generation en son poinct plus excessif), je le sens fondre soubs la charge de son aise, et le vois du tout incapable de porter une si pure, si constante volupté et si universelle. De vray, il fuit quand il y est, et se haste naturellement d'en eschapper, comme d'un pas où il ne se peut fermir, où il craint d'enfondrer.

Quand je me confesse à moy religieusement, je trouve que la meilleure bonté que j'aye a de la teinture vicieuse. Et crains que Platon en sa plus verte vertu (moy qui en suis autant sincere et loyal estimateur, et des vertus de semblable marque, qu'autre puisse estre), s'il y eust escouté de près, et il y escoutoit de près, il y eust senty quelque ton gauche [d] de mixtion humaine, mais ton obscur et sensible seulement à soy. L'homme, en tout et par tout, n'est que rapiessement et bigarrure.

Les loix mesmes de la justice ne peuvent subsister sans quelque meslange d'injustice; et dit Platon[174] que ceux-là

---

a. « Il y a quelque volupté à pleurer. » *Tristes,* IV, III, 27. — b. « Enfant qui nous sers le vieux falérne, remplis-moi les coupes d'un vin plus amer. » Catulle, XXVII, 1. — c. « Il n'y a pas de mal sans compensation. » Sénèque, *Épttres,* 69. — d. Faux.

entreprennent de couper la teste de Hydra qui pretendent oster des loix toutes incommoditez et inconveniens. « *Omne magnum exemplum habet aliquid ex iniquo, quod contra singulos utilitate publica rependitur* [a] », dict Tacitus.

Il est pareillement vray que, pour l'usage de la vie et service du commerce public, il y peut avoir de l'excez en la pureté et perspicacité de nos esprits; cette clarté penetrante a trop de subtilité et de curiosité. Il les faut appesantir et emousser pour les rendre plus obeissans à l'exemple et à la pratique, et les espessir et obscurcir pour les proportionner à cette vie tenebreuse et terrestre. Pourtant se trouvent les esprits communs et moins tendus plus propres et plus heureux à conduire affaires. Et les opinions de la philosophie eslevées et exquises se trouvent ineptes à l'exercice. Cette pointue vivacité d'ame, et cette volubilité souple et inquiete trouble nos negotiations. Il faut manier les entreprises humaines plus grossierement et superficiellement, et en laisser bonne et grande part pour les droicts de la fortune. Il n'est pas besoin d'esclairer les affaires si profondement et si subtilement. On s'y perd, à la consideration de tant de lustres [b] contraires et formes diverses : « *Volutantibus res inter se pugnantes obtorpuerant animi* [c]. »

C'est ce que les anciens disent de Simonides : par ce que son imagination luy presentoit (sur la demande que luy avoit faict le Roy Hiero[175] pour à la quelle satisfaire il avoit eu plusieurs jours de pensement) diverses considerations aigües et subtiles, doubtant laquelle estoit la plus vray-semblable, il desespera du tout de la verité.

Qui en recherche et embrasse toutes les circonstances et consequences, il empesche son election [d]. Un engin [e] moyen conduit esgallement, et suffit aux executions de grand et de petit pois. Regardez que les meilleurs mesnagers [f] sont ceux qui nous sçavent moins dire comment ils le sont, et que ces suffisans conteurs n'y font le plus souvent rien qui vaille. Je sçay un grand diseur et très-

---

a. « Tout grand exemple comporte quelque iniquité envers les particuliers qui est compensée par un profit public. » Tacite, *Annales*, XIV, 44. — *b.* Points de vue. — *c.* « A force de rouler dans leur esprit des motifs contradictoires, ils étaient devenus stupides. » Tite-Live, XXXII, 20. — *d.* Sa décision, son choix. — *e.* Esprit. — *f.* Administrateurs de leurs biens.

excellent peintre de toute sorte de mesnage, qui a laissé
bien piteusement couler par ses mains cent mille livres de
rente. J'en sçay un autre qui dict, qui consulte mieux
qu'homme de son conseil, et n'est point au monde une
plus belle montre[a] d'ame et de suffisance[b]; toutesfois, aux
effects, ses serviteurs trouvent qu'il est tout autre, je dy
sans mettre le malheur en compte.

CHAPITRE XXI

CONTRE LA FAINEANTISE

L'empereur Vespasien, estant malade de la maladie
dequoy il mourut, ne laissoit pas de vouloir entendre
l'estat de l'empire, et dans son lict mesme despeschoit sans
cesse plusieurs affaires de consequence. Et son medecin
l'en tençant comme de chose nuisible à sa santé : « Il faut,
disoit-il, qu'un Empereur meure debout[176]. » Voylà un
beau mot, à mon gré, et digne d'un grand prince. Adrian,
l'Empereur, s'en servit depuis à ce mesme propos[177], et
le debvroit on souvent ramentevoir aux Roys, pour leur
faire sentir que cette grande charge qu'on leur donne du
commandement de tant d'hommes n'est pas une charge
oisive, et qu'il n'est rien qui puisse si justement dégouster
un subject de se mettre en peine et en hazard pour le service de son prince, que de le voir apoltronny[c] ce pendant
luy mesme à des occupations lasches et vaines, et d'avoir
soing de sa conservation, le voyant si nonchalant de la
nostre[178].

Quand quelqu'un voudra maintenir qu'il vaut mieux
que le Prince conduise ses guerres par autre que par soy,
la fortune luy fournira assez d'exemples de ceux à qui
leurs lieutenans ont mis à chef des grandes entreprises,
et de ceux encore desquels la presence y eut esté plus
nuisible qu'utile. Mais nul prince vertueux et courageux
pourra souffrir qu'on l'entretienne de si honteuses instructions. Soubs couleur de conserver sa teste comme la statue

a. Apparence. — *b.* Habileté. — *c.* Vivant en fainéant.

d'un sainct à la bonne fortune de son estat, ils le degradent
justement de son office, qui est tout en action militaire,
et l'en declarent incapable. J'en sçay un[179] qui aymeroit
bien mieux estre battu que de dormir pendant qu'on se
battoit pour luy, qui ne vid jamais sans jalousie ses gens
mesmes faire quelque chose de grand en son absence.
Et Selym premier[180] disoit avec grande raison, ce me
semble, que les victoires qui se gaignent sans le maistre,
ne sont pas completes; de tant plus volontiers, eut-il dict,
que ce maistre devroit rougir de honte d'y pretendre part
pour son nom, n'y ayant embesongné que sa voix et sa
pensée; ny cela mesme, veu qu'en telle besongne les advis
et commandemens qui apportent honneur sont ceux-là
seulement qui se donnent sur la place et au milieu de
l'affaire. Nul pilote n'exerce son office de pied ferme. Les
Princes de la race Hottomane, la premiere race du monde
en fortune guerriere, ont chauldement embrassé cette
opinion[181]. Et Bajazet second avec son fils, qui s'en des-
partirent, s'amusans aus sciences et autres occupations casa-
nieres, donarent aussi de bien grands soufflets à leur empire;
et celuy qui regne à present, Ammurat troisiesme, à leur
exemple, commence assez bien de s'en trouver de mesme.
Fut-ce pas le Roy d'Angleterre, Edouard troisiesme, qui
dict de nostre Charles cinquiesme ce mot : « Il n'y eut
onques Roy qui moins s'armast, et si, ny eut onques Roy
qui tant me donnast à faire[182]? » Il avoit raison de le trouver estrange, comme un effaict du sort plus que de la
raison. Et cherchent autre adherent que moy, ceux qui
veulent nombrer entre les belliqueux et magnanimes con-
querants les Roys de Castille et de Portugal de ce qu'à
douze cents lieuës de leur oisive demeure, par l'escorte
de leurs facteurs[a], ils se sont rendus maistres des Indes
d'une et d'autre part : desquelles c'est à sçavoir s'ils
auroyent seulement le courage d'aller jouyr en presence.

L'empereur Julian disoit encore plus, qu'un philosophe
et un galant homme ne devoient pas seulement respirer :
c'est à dire ne donner aux necessitez corporelles que ce
qu'on ne leur peut refuser, tenant tousjours l'ame et le
corps embesoignez à choses belles, grandes et vertueuses[183].
Il avoit honte si en public on le voioit cracher ou suer

a. Agents.

(ce qu'on dict aussi de la jeunesse Lacedemonienne, et Xenophon[184] de la Persienne[a]), parce qu'il estimoit que l'exercice, le travail continuel et la sobrieté devoient avoir cuit et asseché toutes ces superfluitez. Ce que dit Seneque[185] ne joindra pas mal en cet endroict, que les anciens Romains maintenoient leur jeunesse droite : « Ils n'apprenoient, dit-il, rien à leurs enfans qu'ils deussent apprendre assis. »

C'est une genereuse envie de vouloir mourir mesmes, utilement et virilement; mais l'effect n'en gist pas tant en nostre bonne resolution qu'en nostre bonne fortune. Mille ont proposé de vaincre ou de mourir en combattant, qui ont failly à l'un et à l'autre : les blesseures, les prisons leur traversant ce dessein et leur prestant une vie forcée. Il y a des malladies qui atterrent jusques à nos desirs et à nostre connoissance[b] : Moley Molluch, Roy de Fez, qui vient de gagner contre Sebastien, Roy de Portugal, cette journée fameuse par la mort de trois Roys et par la transmission de cette grande couronne à celle de Castille, se trouva griefvement malade dès lors que les Portugais entrerent à main armée en son estat, et alla tousjours despuis en empirant vers la mort, et la prevoyant. Jamais homme ne se servit de soy plus vigoureusement et plus glorieusement.

a. Perse. — *b.* L'édition de 1595 ajoute ici : *Fortune ne devoit pas seconder la vanité des légions Romaines, qui s'obligèrent par serment de mourir ou de vaincre.* Victor, Marce Fabi, revertar ex acie. Si fallo, Jovem patrem Gradivumque Martem, aliosque iratos invoco Deos. *Les Portugais disent qu'en certain endroit de leur conqueste des Indes ils rencontrerent des soldats qui s'estoyent condamnez avec horribles exécrations de n'entrer en aucune composition que de se faire tuer ou demeurer victorieux; et, pour marque de ce vœu, portaient la teste et la barbe rase. Nous avons beau nous hazarder et obstiner. Il semble que les coups fuyent ceux qui s'y présentent trop alaigrement; et n'arrivent volontiers à qui s'y presente trop volontiers et corrompt leur fin. Tel ne pouvant obtenir de perdre sa vie par les forces adversaires, après avoir tout essayé, a été contraint pour fournir à sa résolution d'en rapporter l'honneur ou de n'en rapporter pas la vie : se donner soy mesme la mort, en la chaleur propre du combat. Il en est d'autres exemples : mais en voicy un. Philistius, chef de l'armée de mer du jeune Dionysius contre les Syracusains, leur presenta la bataille qui fut asprement contestée, les forces estant pareilles. En icelle il eut du meilleur au commencement, par sa prouesse. Mais les Syracusains se rengeans autour de sa galère pour l'investir, ayant faict grands faicts d'armes de sa personne pour se développer, n'esperant plus de ressource, s'osta de sa main la vie, qu'il avoit si libéralement abandonnée, et frustratoirement, aux mains ennemies.*

LIVRE II, CHAPITRE XXI

Il se trouva foible pour soustenir la pompe cerémonieuse de l'entrée de son camp, qui est, selon leur mode, pleine de magnificence et chargée de tout plein d'action, et resigna cet honneur à son frere. Mais ce fut aussi le seul office de Capitaine qu'il resigna; tous les autres, necessaires et utiles, il les fit très-laborieusement et exactement; tenant son corps couché, mais son entendement et son courage debout et ferme, jusques au dernier soupir, et aucunement au delà. Il pouvoit miner ses ennemys, indiscretement[a] advancez en ses terres; et luy poisa[b] merveilleusement qu'à faulte d'un peu de vie, et pour n'avoir qui substituer à la conduitte de cette guerre, et affaires d'un estat troublé, il eust à chercher la victoire sanglante et hasardeuse, en ayant une autre sure et nette entre ses mains. Toutesfois il mesnagea miraculeusement la durée de sa maladie à faire consommer[c] son ennemy et l'attirer loing de l'armée de mer et des places maritimes qu'il avoit en la coste d'Affrique, jusques au dernier jour de sa vie, lequel, par dessein, il employa et reserva à cette grande journée. Il dressa[d] sa bataille[e] en rond, assiegeant de toutes pars l'ost[f] des Portugais; lequel rond, venant à se courber et serrer, les empescha non seulement au conflict, qui fut très aspre par la valeur de ce jeune Roy assaillant, veu qu'ils avoient à montrer visage à tous sens, mais aussi les empescha[g] à la fuitte après leur routte[h]. Et, trouvans toutes les issues saisies et closes, furent contraints de se rejetter à eux mesmes (« *coacervanturque non solum cæde, sed etiam fuga*[i] ») et s'amonceller les uns sur les autres, fournissans aus vaincueurs une très meurtriere victoire et très entiere. Mourant, il se fit porter et tracasser[j] où le besoing l'appelloit, et, coulant le long des files, enhortoit[k] ses Capitaines et soldats les uns après les autres. Mais un coing de sa bataille se laissant enfoncer, on ne le peut tenir qu'il ne montast à cheval, l'espée au poing. Il s'efforçoit pour s'aller mesler, ses gens l'arretans qui par la bride, qui par sa robe et par ses estriers. Cet effort acheva d'accabler

---

[a]. Sans discernement, témérairement. — [b]. Pesa. — [c]. Consumer. — [d]. Dispersa. — [e]. Son armée. — [f]. La troupe. — [g]. Entrava. — [h]. Déroute. — [i]. « Ils sont entassés non seulement par le carnage, mais aussi par la fuite. » Tite-Live, II, 4. — [j]. Porter çà et là. — [k]. Exhortait.

ce peu de vie qui luy restoit. On le recoucha. Luy, se resuscitant comme en sursaut de cette pasmoison, toute autre faculté lui desfaillant, pour avertir qu'on teust[a] sa mort, qui estoit le plus necessaire commandement qu'il eust lors à faire, pour n'engendrer quelque desespoir aux siens par cette nouvelle, expira, tenant le doigt contre sa bouche close, signe ordinaire de faire silence. Qui vescut oncques si longtemps et si avant en la mort? Qui mourut oncques si debout[186]?

L'extreme degré de traicter courageusement la mort, et le plus naturel, c'est la voir non seulement sans estonnement, mais sans soin, continuant libre le train de la vie jusques dans elle. Comme Caton qui s'amusoit à dormir et à estudier, en ayant une, violente et sanglante, presente en sa teste et en son cœur, et la tenant en sa main.

CHAPITRE XXII

DES POSTES

JE n'ay pas esté des plus foibles en cet exercice[187], qui est propre à gens de ma taille, ferme et courte; mais j'en quitte le mestier; il nous essaye trop pour y durer long temps.

Je lisois à cette heure[188] que le Roy Cyrus, pour recevoir plus facilement nouvelles de tous les costez de son Empire, qui estoit d'une fort grande estandue, fit regarder combien un cheval pouvoit faire de chemin en un jour tout d'une traite, et à cette distance il establit des hommes qui avoient charge de tenir des chevaux prets pour en fournir à ceux qui viendroient vers luy. Et disent aucuns que cette vistesse d'aller vient à la mesure du vol des gruës.

Cæsar dit[189] que Lucius Vibulus Rufus, ayant haste de porter un advertissement à Pompeius, s'achemina vers luy jour et nuict, changeant de chevaux pour faire diligence. Et luy mesme, à ce que dit Suetone[190], faisoit cent mille par jour sur un coche de louage. Mais c'estoit un furieux

a. Tût.

courrier, car là où les rivieres luy tranchoient son chemin, il les franchissoit à nage; et ne se destournoit du droit pour aller querir un pont ou un gué. Tiberius Nero, allant voir son frere Drusus, malade en Allemaigne, fit deux cens mille en vingt-quatre heures, ayant trois coches[191].

En la guerre des Romains contre le Roy Antiochus, T. Sempronius Gracchus, dict Tite Live, *« per dispositos equos prope incredibili celeritate ab Amphissa tertio die Pellam pervenit* [a] *»;* et appert[b] à voir le lieu, que c'estoient postes assises[c], non ordonnées freschement pour cette course.

L'invention de Cecinna à renvoyer des nouvelles à ceux de sa maison avoit bien plus de promptitude; il emporta quand et[d] soy des arondeles, et les relaschoit vers leurs nids quand il vouloit r'envoyer de ses nouvelles, en les teignant de marque de couleur propre à signifier ce qu'il vouloit, selon qu'il avoit concerté avec les siens. Au theatre, à Romme, les maistres de famille avoient des pigeons dans leur sein, ausquels ils attacheoyent des lettres quand ils vouloient mander quelque chose à leurs gens au logis; et estoient dressez à en raporter responce. D. Brutus en usa, assiegé à Mutine, et autres ailleurs[192].

Au Peru, ils couroyent sur les hommes, qui les chargeoient sur les espaules à tout[e] des portoires[f], par telle agilité que, tout en courant, les premiers porteurs rejettoyent aux seconds leur charge sans arrester un pas[193].

J'entends que les Valachi, courriers du Grand Seigneur[g], font des extremes diligences, d'autant qu'ils ont loy de desmonter[h] le premier passant qu'ils trouvent en leur chemin, en luy donnant leur cheval recreu; et que, pour se garder de lasser, ils se serrent à travers le corps bien estroitement d'une bande large[194].

---

a. « Parvint en trois jours d'Amphise à Pella sur des chevaux de relais avec une rapidité presque incroyable. » Tite-Live, XXXVII, 7. — *b.* Il apparaît. — *c.* Établies à demeure. — *d.* Avec. — *e.* Avec. — *f.* Des brancards. — *g.* Du Grand Turc. — *h.* Faire descendre de cheval.

CHAPITRE XXIII

DES MAUVAIS MOYENS EMPLOYEZ A BONNE FIN

Il se trouve une merveilleuse relation et correspondance en cette universelle police[a] des ouvrages de nature, qui montre bien qu'elle n'est ny fortuite ny conduyte par divers maistres. Les maladies et conditions de nos corps se voyent aussi aux estats et polices[b]; les royaumes, les republiques naissent, fleurissent et fanissent[c] de vieillesse, comme nous. Nous sommes subjects à une repletion d'humeurs inutile et nuysible; soit de bonnes humeurs (car cela mesme les medecins le craignent; et, par ce qu'il n'y a rien de stable chez nous, ils disent que la perfection de santé trop allegre et vigoreuse, il nous la faut essimer[d] et rabatre par art, de peur que nostre nature, ne se pouvant rassoir en nulle certaine place et n'ayant plus où monter pour s'ameliorer, ne se recule en arriere en desordre et trop à coup[e]; ils ordonnent pour cela aux Athletes les purgations et les saignées pour leur soustraire cette superabondance de santé); soit repletion de mauvaises humeurs, qui est l'ordinaire cause des maladies.

De semblable repletion se voyent les estats souvent malades, et a l'on accoustumé d'user de diverses sortes de purgation. Tantost on donne congé à une grande multitude de familles pour en décharger le païs, lesquelles vont cercher ailleurs où s'accommoder aux despens d'autruy. De cette façon, nos anciens Francons, partis du fons de l'Alemaigne, vindrent se saisir de la Gaule et en deschasser les premiers habitans; ainsi se forgea cette infinie marée d'hommes qui s'écoula en Italie soubs Brennus et autres; ainsi les Gots et Vuandales, comme aussi les peuples qui possedent à present la Grece, abandonnerent leur naturel païs pour s'aller loger ailleurs plus au large; et à peine est il deux ou trois coins au monde qui n'ayent senty l'effect d'un tel remuement. Les Romains bâtissoient par ce moyen leurs colonies; car, sentans leur ville se grossir outre mesure,

---

a. Gouvernement. — *b.* Gouvernements. — *c.* Se fanent. — *d.* Diminuer. — *e.* D'un coup.

ils la deschargeoyent du peuple moins necessaire, et l'envoyoient habiter et cultiver les terres par eux conquises. Par fois aussi ils ont à escient nourry des guerres avec aucuns leurs ennemis, non seulement pour tenir leurs hommes en haleine, de peur que l'oysiveté, mere de corruption, ne leur apportast quelque pire inconvenient,

> *Et patimur longæ pacis mala; sævior armis,*
> *Luxuria incumbit* [a]*;*

mais aussi pour servir de saignée à leur Republique et esvanter un peu la chaleur trop vehemente de leur jeunesse, escourter et esclaircir le branchage de ce tige foisonnant en trop de gaillardise. A cet effet se sont ils autrefois servis de la guerre contre les Cartaginois [195].

Au traité de Bretigny, Edouard troisiesme, Roy d'Angleterre, ne voulut comprendre, en cette paix generale qu'il fit avec nostre Roy, le different du Duché de Bretaigne, affin qu'il eust où se descharger de ses hommes de guerre, et que cette foulle d'Anglois, dequoy il s'estoit servy aux affaires de deçà, ne se rejettast en Angleterre [196]. Ce fut l'une des raisons pourquoy nostre Roy Philippe [197] consentit d'envoyer Jean son fils à la guerre d'outremer, afin d'en mener quand et [b] luy un grand nombre de jeunesse bouillante, qui estoit en sa gendarmerie [c].

Il y en a plusieurs en ce temps qui discourent de pareille façon, souhaitans que cette emotion chaleureuse qui est parmy nous se peut deriver à quelque guerre voisine, de peur que ces humeurs peccantes qui dominent pour cette heure nostre corps, si on ne les escoulle ailleurs, maintiennent nostre fiebvre tousjours en force, et apportent en fin nostre entiere ruine. Et, de vray, une guerre estrangiere est un mal bien plus doux que la civile; mais je ne croy pas que Dieu favorisat une si injuste entreprise, d'offencer et quereler autruy pour notre commodité :

> *Nil mihi tam valde placeat, Rhamnusia virgo,*
> *Quod temere invitis suscipiatur heris* [d].

---

a. « Nous souffrons aujourd'hui des maux d'une longue paix. Plus funeste que les armes, le luxe nous envahit. » Juvénal, VI, 292. — *b.* Avec lui. — *c.* Parmi ses gens d'armes. — *d.* « Puissé-je, ô vierge de Rhamnonte [Némésis], ne jamais me plaire ainsi à des œuvres téméraires, entreprises contre la volonté de nos maîtres ! » Catulle, LXVIII b, 77.

Toutesfois la foibesse de notre condition nous pousse souvent à cette necessité, de nous servir de mauvais moyens pour une bonne fin. Licurgus, le plus vertueux et parfaict legislateur qui fust onques, inventa cette très-injuste façon, pour instruire son peuple à la temperance, de faire enyvrer par force les Elotes [a], qui estoyent leurs serfs, afin qu'en les voyant ainsi perdus et ensevelis dans le vin, les Spartiates prinsent en horreur le débordement de ce vice [198].

Ceux là avoient encore plus de tort, qui permettoyent anciennement que les criminels, à quelque sorte de mort qu'ils fussent condamnez, fussent déchirez tous vifs par les medecins, pour y voir au naturel nos parties interieures et en establir plus de certitude en leur art. Car, s'il se faut débaucher, on est plus excusable le faisant pour la santé de l'ame que pour celle du corps. Comme les Romains dressoient le peuple à la vaillance et au mespris des dangiers et de la mort par ces furieux spectacles de gladiateurs et escrimeurs à outrance qui se combatoient, détailloient [b] et entretuoyent en leur presence,

> *Quid vesani aliud sibi vult ars impia ludi,*
> *Quid mortes juvenum, quid sanguine pasta voluptas* [c]?

Et dura cet usage jusque à Théodosius l'Empereur :

> *Arripe dilatam tua, dux, in tempora famam,*
> *Quodque patris superest, successor laudis habeto.*
> *Nullus in urbe cadat cujus sit pœna voluptas.*
> *Jam solis contenta feris, infamis arena*
> *Nulla cruentatis homicidia ludat in armis* [d].

C'estoit, à la verité, un merveilleux exemple, et de très-grand fruict pour l'institution [e] du peuple, de voir tous

---

a. Hilotes. — b. Tailladaient. — c. « A quoi riment ces jeux impies et insensés, ces massacres de jeunes gens, cette volupté sanguinaire ? » Prudence, *Contre Symmaque*, II, 672. Cette citation, comme le développement qui suit, est empruntée à Juste Lipse, *Saturnalium sermonum libri duo*, I, 14. — d. « Saisissez, chef, une gloire réservée à votre règne ; ajoutez à l'héritage de gloire de votre père la seule louange qui vous reste à mériter. Que nul dans la Ville [Rome] ne meure plus condamné par le plaisir du peuple ; que l'arène infâme se contente désormais du sang des bêtes, et que des jeux homicides ne souillent plus nos yeux ! » Idem, *ibid.*, II, 643. — e. Profit pour l'éducation.

les jours en sa presence cent, deux cens, et mille couples d'hommes, armez les uns contre les autres, se hacher en pieces avecques une si extreme fermeté de courage qu'on ne leur vist lácher une parolle de foiblesse ou commiseration, jamais tourner le dos, ny faire seulement un mouvement lâche pour gauchir au[a] coup de leur adversaire, ains[b] tendre le col à son espée et se presenter au coup. Il est advenu à plusieurs d'entre eux, estans blessez à mort de force playes, d'envoyer demander au peuple s'il estoit content de leur devoir, avant que se coucher pour rendre l'esprit sur la place. Il ne falloit pas seulement qu'ils combattissent et mourussent constamment, mais encore allegrement : en maniere qu'on les hurloit et maudissoit, si on les voyoit estriver[c] à recevoir la mort.

Les filles mesmes les incitoient :

> *consurgit ad ictus;*
> *Et, quoties victor ferrum jugulo inserit, illa*
> *Delitias ait esse suas, pectusque jacentis*
> *Virgo modesta jubet converso pollice rumpi*[d].

Les premiers Romains employoient à cet exemple les criminels; mais depuis on y employa des serfs innocens, et des libres mesmes qui se vendoyent pour cet effect; jusques à des Senateurs et Chevaliers Romains, et encore des femmes

> *Nunc caput in mortem vendunt, et funus arenæ,*
> *Atque hostem sibi quisque parat, cum bella quiescunt*[e].

> *Hos inter fremitus novósque lusus,*
> *Stat sexus rudis insciusque ferri,*
> *Et pugna capit improbus viriles*[f].

---

a. Esquiver le. — *b.* Mais. — *c.* Rechigner. — *d.* « La vierge pudique se lève à chaque coup et, chaque fois que le vainqueur enfonce le fer dans la gorge de son adversaire, elle se déclare ravie, et, quand un des combattants est couché à terre, elle tourne le pouce pour ordonner sa mort. » Prudence, *Contre Symmaque*, II, 617. — *e.* « Maintenant ils vendent leur tête et vont mourir dans l'arène; chacun d'eux s'est fait d'abord un ennemi en pleine paix. » Manilius, *Astronomiques*, IV, 225. — *f.* « Au milieu de ces frémissements et parmi ces jeux nouveaux, le sexe inhabile au maniement du fer se mêle avec fureur aux combats des hommes. » Stace, *Sylves*, I, VI, 51.

Ce que je trouverois fort estrange et incroyable si nous n'estions accoustumez de voir tous les jours en nos guerres plusieurs miliasses d'hommes estrangiers, engageant pour de l'argent leur sang et leur vie à des querelles où ils n'ont aucun interest.

CHAPITRE XXIV

DE LA GRANDEUR ROMAINE

Je ne veus dire qu'un mot de cet argument infiny, pour montrer la simplesse de ceux qui apparient à celle là les chetives grandeurs de ce temps.

Au septiesme livre des *Épîtres familieres* de Cicero (et que les grammairiens en ostent ce surnom de familieres, s'ils veulent, car à la verité il n'y est pas fort à propos; et ceux qui, au lieu de familieres, y ont substitué « *Ad familiares* », peuvent tirer quelque argument pour eux de ce que dit Suetone en la *Vie de Cæsar,* qu'il y avoit un volume de lettres de luy « ad familiares »), il y en a une[199] qui s'adresse à Cæsar estant lors en la Gaule, en laquelle Cicero redit ces mots, qui estoyent sur la fin d'un'autre lettre que Cæsar luy avoit escrit : « Quant à Marcus Furius, que tu m'as recommandé, je le feray Roy de Gaule; et si tu veux que j'advance quelque autre de tes amis, envoye le moy. »

Il n'estoit pas nouveau à un simple cytoien Romain, comme estoit lors Cæsar, de disposer des Royaumes, car il osta bien au Roy Dejotarus le sien pour le donner à un gentil'homme de la ville de Pergame nommé Mithridates. Et ceux qui escrivent sa vie enregistrent plusieurs autres Royaumes par luy vendus; et Suetone dict[200] qu'il tira pour un coup, du Roy Ptolomæus, trois millions six cens mill'escus, qui fut bien près de luy vendre le sien :

Tot Galatæ, tot Pontus eat, tot Lydia nummis [a].

Marcus Antonius disoit que la grandeur du peuple

---

a. « A tant d'écus la Galatie, à tant le Pont, à tant la Lydie. » Claudien, *In Eutropium,* I, 203.

Romain ne se montroit pas tant par ce qu'il prenoit que
par ce qu'il donnoit[201]. Si en avoit il, quelque siecle avant
Antonius, osté un entre autres d'authorité si merveilleuse
que, en toute son histoire, je ne sache marque qui porte
plus haut le nom de son credit. Antiochus possedoit toute
l'Egypte et estoit après à conquerir Cypre et autres demeu-
rans[a] de cet empire. Sur le progrez de[b] ses victoires,
C. Popilius arriva à luy de la part du senat, et d'abordée
refusa de luy toucher à la main, qu'il n'eust premierement
leu les lettres qu'il luy apportoit. Le Roy les ayant leuës
et dict qu'il en delibereroit, Popilius circonscrit la place
où il estoit, à tout sa baguette, en luy disant : « Rends moy
responce que je puisse raporter au senat, avant que tu
partes de ce cercle. » Antiochus, estonné de la rudesse
d'un si pressant commandement, après y avoir un peu
songé : « Je feray, dict-il, ce que le senat me commande. »
Lors le salua Popilius comme amy du peuple Romain.
Avoir renoncé à une si grande monarchie et cours d'une
si fortunée prosperité par l'impression de trois traits d'escriture! Il eut vrayement raison, comme il fit, d'envoyer
depuis dire au senat par ses ambassadeurs qu'il avoit receu
leur ordonnance de mesme respect que si elle fust venue
des Dieux immortels[202].

Tous les Royaumes qu'Auguste gaigna par droict de
guerre, il les rendit à ceux qui les avoyent perdus, ou en
fit present à des estrangiers.

Et sur ce propos Tacitus, parlant du Roy d'Angleterre
Cogidunus, nous faict sentir par un merveilleux traict cette
infinie puissance : « Les Romains, dit-il, avoyent accoustumé, de toute ancienneté, de laisser les Roys qu'ils avoyent
surmontez en la possession de leurs Royaumes, soubs leur
authorité, à ce qu'ils eussent des Roys mesmes, utils de
la servitude : « *ut haberet instrumenta servitutis et reges*[c]. »

Il est vray-semblable que Soliman, à qui nous avons veu
faire liberalité du Royaume de Hongrie et autres estats,
regardoit plus à cette consideration qu'à celle qu'il avoit
accoustumé d'alleguer : qu'il estoit saoul et chargé de tant
de Monarchies et de puissance[d]!

---

a. Restes. — *b.* Au cours de. — *c.* Ce passage, que Montaigne traduit avant de le citer, est dans la *Vie d'Agricola*, XIV. — *d. que sa
vertu ou celle de ses ancestres luy avoyent acquis,* ajoute l'édition de 1595.

CHAPITRE XXV

DE NE CONTREFAIRE LE MALADE

Il y a un epigramme en Martial, qui est des bons (car il y en a chez luy de toutes sortes), où il recite plaisamment l'histoire de Cœlius, qui, pour fuir à faire la court à quelques grans à Romme, se trouver à leur lever, les assister et les suivre, fit mine d'avoir la goute; et, pour rendre son excuse plus vray-semblable, se faisoit oindre les jambes, les avoit envelopées, et contre-faisoit entierement le port et la contenance d'un homme gouteux; en fin la fortune luy fit ce plaisir de l'en rendre tout à faict :

> *Tantum cura potest et ars doloris!*
> *Desiit fingere Cœlius podagram* [a].

J'ay veu en quelque lieu d'Appian [203], ce me semble, une pareille histoire d'un qui, voulant eschapper aux proscriptions des triumvirs de Rome, pour se dérober de la connoissance de ceux qui le poursuyvoient, se tenant caché et travesti, y adjousta encore cette invention de contre-faire le borgne. Quand il vint à recouvrer un peu plus de liberté et qu'il voulut deffaire l'emplatre qu'il avoit long temps porté sur son œil, il trouva que sa veuë estoit effectuellement perdue soubs ce masque. Il est possible que l'action de la veuë s'estoit hebetée pour avoir esté si long temps sans exercice, et que la force visive s'estoit toute rejetée en l'autre œil : car nous sentons evidemment que l'œil que nous tenons couvert r'envoye à son compaignon quelque partie de son effect, en maniere que celuy qui reste s'en grossit et s'en enfle; comme aussi l'oisiveté, avec la chaleur des liaisons et des medicamens, avoit bien peu attirer quelque humeur podagrique au gouteux de Martial.

Lisant chez Froissard [204] le veu d'une troupe de jeunes

---

[a]. « Beau résultat de sa peine et de sa contrefaçon de la douleur! La goutte de Cœlius a cessé d'être une feinte. » Martial, VII, xxxix, 8.

gentilshommes Anglois, de porter l'œil gauche bandé
jusques à ce qu'ils eussent passé en France et exploité
quelque faict d'armes sur nous, je me suis souvent cha-
touillé de ce pensement, qu'il leur eut pris comme à ces
autres, et qu'ils se fussent trouvez tous éborgnez au revoir
des maistresses pour lesquelles ils avoyent faict l'entreprise.

Les meres ont raison de tancer leurs enfans quand ils
contrefont les borgnes, les boiteux et les bicles[a], et tels
autres defauts de la personne : car, outre ce que le corps
ainsi tendre en peut recevoir un mauvais ply, je ne sçay
comment il semble que la fortune se joüe à nous prendre
au mot; et j'ay ouy reciter[b] plusieurs exemples de gens
devenus malades, ayant entrepris de s'en feindre.

De tout temps j'ay apprins de charger ma main, et à
cheval et à pied, d'une baguette ou d'un baston, jusques
à y chercher de l'elegance et de m'en sejourner[c], d'une
contenance affettée. Plusieurs m'ont menacé que fortune
tourneroit un jour cette mignardise en necessité. Je me
fonde sur ce que je seroy tout le premier goutteux de
ma race.

Mais alongeons ce chapitre et le bigarrons d'une autre
piece, à propos de la cecité. Pline dict[205] d'un qui, songeant estre aveugle en dormant, s'en trouva l'endemain
sans aucune maladie precedente. La force de l'imagination
peut bien ayder à cela, comme j'ay dit ailleurs[206], et semble
que Pline soit de cet advis; mais il est plus vraysemblable
que les mouvemens que le corps sentoit au dedans, desquels les medecins trouveront, s'ils veulent, la cause, qui
luy ostoient la veuë, furent occasion du songe.

Adjoutons encore un'histoire voisine de ce propos, que
Seneque recite[d] en l'une de ses lettres[207] : « Tu sçais,
dit-il en escrivant à Lucilius, que Harpaste, la folle de ma
femme, est demeurée chez moy pour charge hereditaire :
car, de mon goust, je suis ennemy de ces monstres, et si
j'ay envie de rire d'un fol, il ne me le faut chercher guiere
loing, je me ris de moy-mesme. Cette folle a subitement
perdu la veuë. Je te recite chose estrange, mais veritable :
elle ne sent point qu'elle soit aveugle, et presse incessamment son gouverneur de l'en emmener, par ce qu'elle dit
que ma maison est obscure. Ce que nous rions en elle,

---

a. Bigles. — b. Conter. — c. De m'y appuyer. — d. Raconte.

je te prie croire qu'il advient à chacun de nous; nul ne connoit estre avare, nul convoiteux. Encore les aveugles demandent un guide, nous nous fourvoions de nous mesmes. Je ne suis pas ambitieux, disons nous, mais à Rome on ne peut vivre autrement; je ne suis pas sumptueux [a], mais la ville requiert une grande despence; ce n'est pas ma faute si je suis colere, si je n'ay encore establi aucun train asseuré de vie, c'est la faute de la jeunesse. Ne cerchons pas hors de nous nostre mal, il est chez nous, il est planté en nos entrailles. Et cela mesme que nous ne sentons pas estre malades, nous rend la guerison plus mal-aisée. Si nous ne commençons de bonne heure à nous penser [b], quand aurons nous pourveu à tant de playes et à tant de maus? Si avons nous une très-douce medecine que la philosophie; car des autres, on n'en sent le plaisir qu'après la guerison, cette cy plait et guerit ensemble. »

Voylà ce que dit Seneque, qui m'a emporté hors de mon propos; mais il y a du profit au change.

CHAPITRE XXVI

DES POUCES

TACITUS recite [c] [208] que, parmy certains Roys barbares, pour faire une obligation asseurée, leur maniere estoit de joindre estroictement leurs mains droites l'une à l'autre, et s'entrelasser les pouces; et quand, à force de les presser, le sang en estoit monté au bout, ils les blessoient de quelque legere pointe, et puis se les entresuçoient.

Les medecins disent que les pouces sont les maistres doigts de la main, et que leur etymologie Latine vient de *pollere* [209]. Les Grecs l'appellent ἀντίχειρ, comme qui diroit une autre main. Et il semble que par fois les Latins les prennent aussi en ce sens de main entière,

> *Sed nec vocibus excitata blandis,*
> *Molli pollice nec rogata surgit* [d].

a. Dépensier. — *b.* Panser, soigner. — *c.* Raconte. — *d.* « Mais elle n'a besoin ni de l'excitation d'une voix charmeuse, ni de la caresse du pouce pour se dresser. » Martial, *Épigrammes*, XII, XCVII, 8.

C'estoit à Rome une signification de faveur, de comprimer et baisser les pouces,

> *Fautor utróque tuum laudabit pollice ludum* [a];

et de desfaveur, de les hausser et contourner au dehors,

> *converso pollice vulgi*
> *Quemlibet occidunt populariter* [b].

Les Romains dispensoient de la guerre ceux qui estoient blessez au pouce, comme s'ils n'avoient plus la prise des armes assez ferme. Auguste confisqua les biens à un chevalier Romain qui avoit, par malice, couppé les pouces à deux siens jeunes enfans, pour les excuser d'aler aux armées[210]; et avant luy, le Senat, du temps de la guerre Italique, avoit condamné Caius Vatienus à prison perpetuelle et luy avoit confisqué tous ses biens, pour s'estre à escient[c] couppé le pouce de la main gauche pour s'exempter de ce voyage[211].

Quelcun, de qui il ne me souvient point, ayant gaigné une bataille navale, fit coupper les pouces à ses ennemis vaincus, pour leur oster le moyen de combatre et de tirer la rame.

Les Atheniens les firent coupper aux Æginetes pour leur oster la preference[d] en l'art de marine[212].

En Lacedemone, le maistre chatioit les enfans en leur mordant le pouce[213].

---

a. « Tes partisans applaudiront des deux pouces ton jeu. » Horace, *Épîtres*, I, xviii, 66. — *b.* « Dès que le peuple a tourné le pouce, on égorge n'importe qui pour lui plaire. » Juvénal, III, 36. — *c.* Sciemment, exprès. — *d.* Prééminence.

CHAPITRE XXVII

COUARDISE MERE DE LA CRUAUTÉ

J'ay souvent ouy dire que la couardise est mere de cruauté[214].

Et ay par experience apperçeu que cette aigreur et aspreté de courage malitieux et inhumain s'accompaigne coustumierement de mollesse feminine. J'en ay veu des plus cruels, subjets à pleurer aiséement et pour des causes frivoles. Alexandre, tyran de Pheres, ne pouvoit souffrir d'ouyr au theatre le jeu des tragedies, de peur que ses citoyens ne le vissent gemir aus malheurs de Hecuba et d'Andromache, luy qui, sans pitié, faisoit cruellement meurtrir tant de gens tous les jours[215]. Seroit-ce foiblesse d'ame qui les rendit ainsi ployables à toutes extremitez ?

La vaillance (de qui c'est l'effect de s'exercer seulement contre la resistence,

Nec nisi bellantis gaudet cervice juvenci [a])

s'arreste à voir l'ennemy à sa mercy. Mais la pusillanimité, pour dire qu'elle est aussi de la feste, n'ayant peu se mesler à ce premier rolle, prend pour sa part le second, du massacre et du sang. Les meurtres des victoires s'exercent ordinairement par le peuple et par les officiers du [b] bagage; et ce qui fait voir tant de cruautez inouies aux guerres populaires, c'est que cette canaille de vulgaire s'aguerrit et se gendarme à s'ensanglanter jusques aux coudes et à deschiqueter un corps à ses pieds, n'ayant resentiment [c] d'autre vaillance :

Et lupus et turpes instant morientibus ursi,
Et quæcunque minor nobilitate fera est [d];

---

a. « Et qui ne se plaît qu'au cou d'un taureau qui résiste. » Claudien *Epist. ad Hadrianum*, 30. — *b.* Hommes chargés du. — *c.* Sentiment, connaissance. — *d.* « Le loup, les ours lâches et les bêtes les moins nobles s'acharnent contre les mourants. » Ovide, *Tristes*, III, v, 35.

LIVRE II, CHAPITRE XXVII

comme les chiens coüards, qui deschirent en la maison et mordent les peaux des bestes sauvages qu'ils n'ont osé attaquer aux champs. Qu'est-ce qui faict en ce temps nos querelles toutes mortelles ; et que, là où nos peres avoient quelque degré de vengeance, nous commençons à cette heure par le dernier, et ne se parle d'arrivée que de tuer ; qu'est-ce, si ce n'est couardise ? Chacun sent bien qu'il y a plus de braverie[a] et desdain à battre son ennemy qu'à l'achever, et de le faire bouquer que de le faire mourir. D'avantage que l'appetit de vengeance s'en assouvit et contente mieux, car elle ne vise qu'à donner ressentiment de soy. Voilà pourquoy nous n'attaquons pas une beste ou une pierre quand elle nous blesse, d'autant qu'elles sont incapables de sentir nostre revenche. Et de tuer un homme, c'est le mettre à l'abry de nostre offence.

Et tout ainsi comme Bias crioit à un meschant homme : « Je sçay que tost ou tard tu en seras puny, mais je crains que je ne le voye pas », et plaignoit les Orchomeniens de ce que la penitence que Lyciscus eut de la trahison contre eux commise, venoit en saison qu'il n'y avoit personne de reste de ceux qui en avoient esté interessez et ausquels devoit toucher le plaisir de cette penitence : tout ainsin est à plaindre la vengeance, quand celuy envers lequel elle s'employe pert le moyen de la sentir ; car, comme le vengeur y veut voir pour en tirer du plaisir, il faut que celuy sur lequel il se venge y voye aussi pour en souffrir du desplaisir et de la repentence[216].

« Il s'en repentira », disons nous. Et, pour luy avoir donné d'une pistolade en la teste, estimons nous qu'il s'en repente ? Au rebours, si nous nous en prenons garde, nous trouverons qu'il nous faict la mouë en tombant ; il ne nous en sçait pas seulement mauvais gré, c'est bien loing de s'en repentir. Et luy prestons le plus favorable de tous les offices[b] de la vie, qui est de le faire mourir promptement et insensiblement. Nous sommes à coniller[c], à trotter et à fuir les officiers de la justice qui nous suivent, et luy est en repos. Le tuer est bon pour éviter l'offence à venir, non pour venger celle qui est faicte : c'est une action plus de crainte que de braverie[a], de precaution

---

a. Bravoure. — b. Services. — c. Se terrer comme un lapin (conil.)

que de courage, de defense que d'entreprinse. Il est apparent que nous quittons par là et la vraye fin de la vengeance, et le soing de nostre reputation; nous craignons, s'il demeure en vie, qu'il nous recharge d'une pareille.

Ce n'est pas contre luy, c'est pour toy que tu t'en deffais.

Au royaume de Narsingue, cet expedient nous demeuroit inutile. Là, non seulement les gens de guerre, mais aussi les artisans demeslent leurs querelles à coups d'espée. Le Roy ne refuse point le camp à qui se veut battre, et assiste, quand ce sont personnes de qualité, estrenant le victorieux d'une chaisne d'or. Mais, pour laquelle conquerir, le premier à qui il en prend envie, peut venir aux armes avec celuy qui la porte; et, pour s'estre desfaict d'un combat, il en a plusieurs sur les bras [217].

Si nous pensions par vertu estre tousjours maistres de nostre ennemy et le gourmander à nostre poste, nous serions bien marris qu'il nous eschappast, comme il faict en mourant: nous voulons vaincre, mais plus seurement que honorablement; et cherchons plus la fin que la gloire en nostre querelle. Asinius Pollio, pour un honneste homme, representa une erreur pareille; qui, ayant escrit des invectives contre Plancus, attendoit qu'il fust mort pour les publier [218]. C'estoit faire la figue à un aveugle et dire des pouïlles à un sourd et offenser un homme sans sentiment, plus tost que d'encourir le hazard de son ressentiment. Aussi disoit on pour luy que ce n'estoit qu'aux lutins [a] de luitter [b] les mors [219]. Celuy qui attend à veoir trespasser l'autheur duquel il veut combattre les escrits, que dict-il, si non qu'il est foible et noisif [c]?

On disoit à Aristote que quelqu'un avoit mesdit de luy: « Qu'il face plus, dict-il, qu'il me fouëtte, pourveu que je n'y soy pas [220]. »

Nos peres se contentoient de revencher une injure par un démenti, un démenti par un coup, et ainsi par ordre. Ils estoient assez valeureux pour ne craindre pas leur ennemy vivant et outragé. Nous tremblons de frayeur tant que nous le voyons en pieds. Et qu'il soit ainsi, nostre belle pratique d'aujourd'huy porte elle pas de poursuyvre à mort aussi bien celuy que nous avons offencé, que celuy qui nous a offencez?

a. Ombre. — *b.* Combattre. — *c.* Querelleur (chercheur de noises).

C'est aussi une image de lacheté qui a introduit en nos combats singuliers cet usage de nous accompaigner de seconds, et tiers, et quarts. C'estoit anciennement des duels; ce sont, à cette heure, rencontres et batailles. La solitude faisoit peur aux premiers qui l'inventerent : *Cum in se cuique minimum fiduciæ esset*[a]. Car naturellement quelque compaignie que ce soit apporte confort[b] et soulagement au dangier. On se servoit anciennement de personnes tierces pour garder qu'il ne s'y fit desordre et desloyauté et pour tesmoigner de la fortune du combat; mais, depuis qu'on a pris ce train qu'ils s'y engagent eux mesmes, quiconque y est convié ne peut honnestement s'y tenir comme spectateur, de peur qu'on ne luy attribue que ce soit faute ou d'affection ou de cœur,

Outre l'injustice d'une telle action, et vilenie, d'engager à la protection de vostre honneur autre valeur et force que la vostre, je trouve du desadvantage à un homme de bien et qui pleinement se fie de soy, d'aller mesler sa fortune à celle d'un second. Chacun court assez de hazard pour soy, sans le courir encore pour un autre, et a assez à faire à s'asseurer en sa propre vertu pour la deffence de sa vie, sans commettre chose si chere en mains tierces. Car, s'il n'a esté expressement marchandé au contraire, des quatre, c'est une partie liée. Si vostre second est à terre, vous en avez deux sur les bras, avec raison. Et de dire que c'est supercherie, elle l'est voirement[c], comme de charger, bien armé, un homme qui n'a qu'un tronçon d'espée, ou, tout sain, un homme qui est desjà fort blessé. Mais si ce sont avantages que vous ayez gaigné en combatant, vous vous en pouvez servir sans reproche. La disparité et inegalité ne se poise[d] et considere que de l'estat en quoy se commence la meslée; du reste prenez vous en à la fortune. Et quand vous en aurez tout seul trois sur vous, vos deux compaignons s'estant laissez tuer, on ne vous fait non plus de tort que je ferois à la guerre, de donner un coup d'espée à l'ennemy que je verrois attaché à l'un des nostres, de pareil avantage. La nature de la société porte, où il y a trouppe contre trouppe (comme où nostre Duc d'Orleans deffia le Roy d'Angleterre Henry, cent

---

a. « Parce que chacun se méfiait de soi-même. » — *b*. Réconfort. — *c*. Vraiment. — *d*. Pèse.

contre cent[221] ; trois cents contre autant, comme les Argiens contre les Lacedemoniens[222] ; trois à trois comme les Horatiens contre les Curiatiens[223]), que la multitude de chaque part n'est considerée que pour un homme seul. Par tout où il y a compaignie, le hazard y est confus et meslé.

J'ay interest domestique à ce discours; car mon frere, sieur de Matecolom[224], fut convié à Rome, à seconder un gentil-homme qu'il ne cognoissoit guere, lequel estoit deffendeur et appellé par un autre. En ce combat il se trouva de fortune avoir en teste un qui luy estoit plus voisin et plus cogneu (je voudrois qu'on me fit raison de ces loix d'honneur qui vont si souvent choquant et troublant celles de la raison); après s'estre desfaict de son homme, voyant les deux maistres de la querelle en pieds encores et entiers, il alla descharger son compaignon. Que pouvoit il moins? devoit il se tenir coy et regarder deffaire, si le sort l'eust ainsi voulu, celuy pour la deffence duquel il estoit là venu? ce qu'il avoit faict jusques alors ne servoit rien à la besoingne : la querelle estoit indecise. La courtoisie que vous pouvez et certes devés faire à vostre ennemy, quand vous l'avez reduict en mauvais termes et à quelque grand desadvantage, je ne vois pas comment vous la puissiez faire, quand il va de l'interest d'autruy, où vous n'estes que suyvant, où la dispute n'est pas vostre. Il ne pouvoit estre ny juste, ny courtois, au hazard de celuy auquel il s'estoit presté. Aussi fut-il delivré des prisons d'Italie par une bien soudaine et solenne recommandation de nostre Roy[225].

Indiscrette nation! nous ne nous contentons pas de faire sçavoir nos vices et folies au monde par reputation, nous allons aux nations estrangeres pour les leur faire voir en presence. Mettez trois François aux deserts de Lybie, ils ne seront pas un mois ensemble sans se harceler et esgratigner; vous diriez que cette peregrination est une partie dressée pour donner aux estrangers le plaisir de nos tragedies, et le plus souvent à tels qui s'esjouyssent de nos maux et qui s'en moquent.

Nous allons apprendre en Italie à escrimer[226], et l'exerçons aux depens de nos vies avant que de le sçavoir. Si faudroit il, suyvant l'ordre de la discipline, mettre la theorique avant la practique; nous trahissons nostre apprentissage :

*Primitiæ juvenum miseræ, bellique futuri
Dura rudimenta* [a].

Je sçay bien que c'est un art utile à sa fin (au duel des deux Princes, cousins germains [227], en Hespaigne, le plus vieil, dict Tite-Live, par l'addresse des armes et par ruse, surmonta facilement les forces estourdies du plus jeune) et, comme j'ay cognu par experience, duquel la cognoissance a grossi le cœur à aucuns outre leur mesure naturelle; mais ce n'est pas proprement vertu, puis qu'elle tire son appuy de l'addresse et qu'elle prend autre fondement que de soy-mesme. L'honneur des combats consiste en la jalousie du courage, non de la science; et pourtant [b] ay-je veu quelqu'un de mes amis, renommé pour grand maistre en cet exercice choisir en ses querelles des armes qui luy ostassent le moyen de cet advantage, et lesquelles dépendoient entierement de la fortune et de l'asseurance, affin qu'on n'attribuast sa victoire plustost à son escrime qu'à sa valeur; et, en mon enfance, la noblesse fuyoit la reputation de bon escrimeur comme injurieuse, et se desroboit pour l'apprendre, comme un mestier de subtilité desrogeant à la vraye et naifve vertu,

> *Non schivar, non parar, non ritirarsi
> Voglion costor, ne qui destrezza ha parte.
> Non danno i colpi finti, hor pieni, hor scarsi;
> Toglie l'ira e il furor l'uso de l'arte.
> Odi le spade horribilmente urtarsi
> A mezzo il ferro; il pie d'orma non parte :
> Sempre è il pie fermo, è la man sempre in moto,
> Ne scende taglio in van, ne punta à voto* [c].

Les butes [d], les tournois, les barrieres, l'image des com-

---

a. « Malheureux coups d'essai de la jeunesse! Dur apprentissage de la guerre à venir. » Virgile, *Énéide*, XI, 156. — *b.* Aussi. — *c.* « Ils ne veulent ni esquiver, ni parer, ni battre en retraite; l'adresse n'a point de part à leur combat. Leurs coups ne sont point feints, tantôt directs, tantôt obliques; la colère et la fureur leur ôtent tout usage de l'art. Oyez le choc horrible de ces épées qui se heurtent en plein fer; ils ne rompraient pas d'une semelle; leur pied est toujours ferme et leur main toujours en mouvement; d'estoc ou de taille, tous leurs coups portent. » Le Tasse, *Jérusalem délivrée*, XII, st. LV. — *d.* Tirs à la cible.

bats guerriers estoient l'exercice de nos peres; cet autre exercice est d'autant moins noble qu'il ne regarde qu'une fin privée, qui nous apprend à nous entreruyner, contre les loix et la justice, et qui en toute façon produict tousjours des effects dommageables. Il est bien plus digne et mieux seant de s'exercer en choses qui asseurent, non qui offencent nostre police[a], qui regardent la publique seurté et la gloire commune.

Publius Rutilius consul fut le premier qui instruisist le soldat à manier ses armes par adresse et science, qui conjoingnist l'art à la vertu, non pour l'usage de querelle privée; ce fut pour la guerre et querelles du peuple Romain[228]. Escrime populaire et civile. Et, outre l'exemple de Cæsar, qui ordonna aux siens de tirer principalement au visage des gendarmes de Pompeius en la bataille de Pharsale[229], mille autres chefs de guerre se sont ainsin advisez d'inventer nouvelle forme d'armes, nouvelle forme de frapper et de se couvrir selon le besoin de l'affaire present. Mais, tout ainsi que Philopœmen condamna la luicte, en quoy il excelloit, d'autant que les preparatifs qu'on employoit à cet exercice estoient divers à[b] ceux qui appartiennent à la discipline militaire, à laquelle seule il estimoit les gens d'honneur se devoir amuser[230], il me semble aussi que cette adresse à quoy on façonne ses membres, ces destours et mouvemens à quoy on exerce la jeunesse en cette nouvelle eschole, sont non seulement inutiles, mais contraires plustost et dommageables à l'usage du combat militaire.

Aussi y emploient nos gens communéement des armes particulieres et peculierement destinées à cet usage. Et j'ay veu qu'on ne trouvoit guere bon qu'un gentil-homme, convié à l'espée et au poignard, s'offrit en équipage de gendarme[c]. Il est digne de consideration que Lachez en Platon[231], parlant d'un apprentissage de manier les armes conforme au nostre, dict n'avoir jamais de cette eschole veu sortir nul grand homme de guerre, et nomméement des maistres d'icelle. Quand à ceux-là, nostre experience en dict bien autant. Du reste au moins pouvons nous dire

---

a. État. — *b.* Différents de. — *c.* Avec une armure d'homme de guerre. — L'édition de 1595 ajoute : *ny qu'un autre offrist d'y aller avec sa cape au lieu du poignard.*

LIVRE II, CHAPITRE XXVII

que ce sont suffisances de nulle relation et correspondance. Et en l'institution*a* des enfans de sa police*b*, Platon[232] interdict les arts de mener les poings, introduictes par Amycus et Epeius, et de luiter, par Antæus et Cercyo, par ce qu'elles ont autre but que de rendre la jeunesse plus apte au service des guerres et n'y conferent*c* point.

Mais je m'en vois un peu bien à gauche de mon theme. L'Empereur Maurice, estant adverty par songes et plusieurs prognostiques qu'un Phocas, soldat pour lors inconnu, le devoit tuer, demandoit à son gendre Philippe qui estoit ce Phocas, sa nature, ses conditions et ses meurs ; et comme, entre autres choses, Philippe luy dit qu'il estoit lasche et craintif, l'Empereur conclud incontinent par là qu'il estoit donc meurtrier et cruel[233]. Qui rend les Tyrans si sanguinaires ? c'est le soing de leur seurté, et que leur lâche cœur ne leur fournit d'autres moyens de s'asseurer qu'en exterminant ceux qui les peuvent offencer, jusques aux femmes, de peur d'une esgratigneure,

*Cuncta ferit, dum cuncta timet*d.

Les premieres cruautez s'exercent pour elles mesmes : de là s'engendre la crainte d'une juste revanche, qui produict après une enfilure de nouvelles cruautez pour les estouffer les unes par les autres. Philippus Roy de Macedoine, celuy qui eut tant de fusées à demesler avec le peuple Romain, agité de l'horreur des meurtres commis par son ordonnance, ne se pouvant resoudre contre tant de familles en divers temps offensées, print party de se saisir de tous les enfans de ceux qu'il avoit faict tuer, pour, de jour en jour, les perdre l'un après l'autre, et ainsin establir son repos[234].

Les belles matieres tiennent tousjours bien leur reng en quelque place qu'on les seme. Moi, qui ay plus de soin du poids et utilité des discours que de leur ordre et suite, ne doy pas craindre de loger icy un peu à l'escart une très-belle histoire*e*. Entre les autres condamnez par Philippus,

---

a. Éducation. — *b.* État, République. — *c.* Contribuent. — *d.* « Il frappe tout en craignant tout. » Claudien, *In Eutropium*, I, 182. — *e. Quand elles sont si riches de leur propre beauté et se peuvent seules trop soutenir, je me contente du bout d'un poil, pour les joindre à mon propos,* ajoute l'édition de 1595.

avoit esté un Herodicus, prince des Thessaliens. Après luy, il avoit encore depuis faict mourir ses deux gendres, laissans chacun un fils bien petit. Theoxena et Archo estoyent les deux vefves. Theoxena ne peut^a estre induite à se remarier, en estant fort poursuyvie. Archo espousa Poris, le premier homme d'entre les Æniens, et en eut nombre d'enfans, qu'elle laissa tous en bas aage. Theoxena, espoinçonnée^b d'une charité maternelle envers ses nepveux, pour les avoir en sa conduite et protection, espousa Poris. Voicy venir la proclamation de l'edict du Roy. Cette courageuse mere, se deffiant et de la cruauté de Philippus et de la licence de ses satellites envers cette belle et tendre jeunesse, osa dire qu'elle les tueroit plustost de ses mains que de les rendre. Poris, effrayé de cette protestation, luy promet de les desrober et emporter à Athenes en la garde d'aucuns siens hostes fidelles. Ils prennent occasion d'une feste annuelle qui se celebroit à Ænie en l'honneur d'Æneas, et s'y envont. Ayant assisté le jour aux ceremonies et banquet publique, la nuit ils s'escoulent dans un vaisseau preparé, pour gaigner païs par mer. Le vent leur fut contraire; et, se trouvans l'endemain en la veue de la terre d'où ils avoyent desmaré, furent suivis par les gardes des ports. Au joindre, Poris s'enbesoignant à haster les mariniers pour la fuite, Theoxena, forcenée d'amour et de vengeance, se rejetta à sa premiere proposition; faict apprest d'armes et de poison; et, les presentant à leur veue : « Or sus, mes enfants, la mort est meshuy^c le seul moyen de vostre defense et liberté, et sera matiere aux Dieux de leur saincte justice; ces espées traictes^d, ces couppes vous en ouvrent l'entrée : courage! Et toy, mon fils, qui es plus grand, empoigne ce fer, pour mourir de la mort plus forte. » Ayants d'un costé cette vigoureuse conseillere, les ennemis de l'autre à leur gorge, ils coururent de furie chacun à ce qui luy fut le plus à main; et demi morts, furent jettez en la mer. Theoxena, fiere d'avoir si glorieusement pourveu à la seureté de tous ses enfans, accolant chaudement son mary : « Suivons ces garçons, mon amy, et jouyssons de mesme sepulture avec eux. » Et, se tenant ainsin embrassez, se precipiterent; de maniere que le vaisseau fut ramené à bord vuide de ses maistres.

a. Put. — *b.* Aiguillonnée. — *c.* Désormais. — *d.* Tirées.

Les tyrans, pour faire tous les deux ensemble et tuer et faire sentir leur colere, ils ont employé toute leur suffisance à trouver moyen d'alonger la mort. Ils veulent que leurs ennemis s'en aillent, mais non pas si viste qu'il n'ayent loisir de savourer leur vengeance[235]. Là dessus ils sont en grand peine : car, si les tourments sont violents, ils sont cours; s'ils sont longs, ils ne sont pas assez douloureux à leur gré : les voylà à dispenser leurs engins. Nous en voyons mille exemples en l'antiquité, et je ne sçay si, sans y penser, nous ne retenons pas quelque trace de cette barbarie.

Tout ce qui est au delà de la mort simple me semble pure cruauté. Nostre justice ne peut esperer que celuy que la crainte de mourir et d'estre decapité ou pendu ne gardera de faillir, en soit empesché par l'imagination d'un feu languissant, ou des tenailles, ou de la roüe. Et je ne sçay cependant si nous les jettons au desespoir : car en quel estat peut estre l'ame d'un homme attendant vingt-quatre heures la mort, brisé sur une roüe, ou, à la vieille façon, cloué à une croix ? Josephe recite[236] que, pendant les guerres des Romains en Judée, passant où l'on avoit crucifié quelques Juifs, il y avoit trois jours, reconneut trois de ses amis, et obtint de les oster de là; les deux moururent, dit-il, l'autre vescut encore depuis.

Chalcondyle, homme de foy, aux memoires qu'il a laissé des choses advenues de son temps et près de luy, recite pour extreme supplice celuy que l'empereur Mechmed[237] pratiquoit souvent, de faire trancher les hommes en deux parts par le faux du corps, à l'endroit du diaphragme, et d'un seul coup de cimeterre : d'où il arrivoit qu'ils mourussent comme de deux morts à la fois; et voyoit-on, dict il, l'une et l'autre part pleine de vie se demener long temps après, pressée de tourment. Je n'estime pas qu'il y eut grand sentiment en ce mouvement. Les supplices plus hideux à voir ne sont pas tousjours les plus forts à souffrir. Et treuve plus atroce ce que d'autres historiens[238] en recitent[a] contre des seigneurs Epirotes, qu'il les fit escorcher par le menu, d'une dispensation[b] si malitieusement[c] ordonnée, que leur vie dura quinze jours à cette angoisse.

Et ces deux autres : Cresus ayant faict prendre un gentilhomme, favori de Pantaleon, son frere, le mena en la bou-

---

a. Racontent. — *b.* Méthode. — *c.* Méchamment.

tique d'un foullon, où il le fit tant grater et carder à coups de cardes et peignes de ce cardeur, qu'il en mourut[239]. George Sechel, chef de ces paysans de Polongne qui, soubs titre de la croisade, firent tant de maux, deffaict en bataille par le Vayvode[a] de Transsilvanie et prins, fut trois jours attaché nud sur un chevalet, exposé à toutes les manieres de tourmens[b] que chacun pouvoit inventer contre luy, pendant lequel temps on ne donna ny à manger, ny à boire aux autres prisonniers. En fin, luy vivant et voyant, on abbreuva de son sang Lucat, son cher frere, et pour le salut duquel il prioit, tirant sur soy toute l'envie de leurs meffaicts; et fit l'on paistre vingt de ses plus favoris Capitaines, deschirans à belles dents sa chair et en engloutissans les morceaux. Le reste du corps et parties du dedans, luy expiré, furent mises bouillir, qu'on fit manger à d'autres de sa suite[240].

CHAPITRE XXVIII

TOUTES CHOSES ONT LEUR SAISON

Ceux qui apparient Caton le censeur au jeune Caton, meurtrier de soy-mesme[c], apparient deux belles natures et de formes voisines. Le premier exploita la sienne à plus de visages, et precelle en exploits militaires et en utilité de ses vacations publiques. Mais la vertu du jeune, outre ce que c'est blaspheme de luy en apparier null'autre en vigueur, fut bien plus nette. Car qui deschargeroit d'envie et d'ambition celle du censeur, ayant osé chocquer l'honneur de Scipion[241] en bonté et en toutes parties d'excellence de bien loin plus grand et que luy et que tout homme de son siecle?

Ce qu'on dit entre autres choses de luy, qu'en son extreme vieillesse il se mit à apprendre la langue Grecque, d'un ardant appetit, comme pour assouvir une longue soif, ne me semble pas luy estre fort honnorable[242]. C'est propre-

---

a. Voïvode. — *b.* Tortures. — *c. font à mon opinion grand honneur au premier; car je les trouve esloignez d'une extrême distance,* disent les premières éditions.

ment ce que nous disons retomber en enfantillage[a]. Toutes choses ont leur saison, les bonnes et tout; et je puis dire mon patenostre hors de propos, comme on desferra[b] T. Quintius Flaminius de ce qu'estant general d'armée, on l'avoit veu à quartier[c], sur l'heure du conflict, s'amusant à prier Dieu en une bataille qu'il gaigna[243].

Imponit finem sapiens et rebus honestis[d].

Eudemonidas, voyant Xenocrates, fort vieil, s'empresser aux leçons de son escole : « Quand sçaura cettuy-cy, dit-il, s'il apprend encore[244] ! »

Et Philopœmen, à ceux qui hault-louoient le Roy Ptolomæus de ce qu'il durcissoit[e] sa personne tous les jours à l'exercice des armes : « Ce n'est, dict-il, pas chose louäble à un Roy de son aage de s'y exercer; il les devoit hormais reellement employer[245]. »

Le jeune doit faire ses apprets, le vieil en jouïr, disent les sages[246]. Et le plus grand vice qu'ils remerquent en nostre nature, c'est que noz desirs rajeunissent sans cesse. Nous recommençons tousjours à vivre. Nostre estude et nostre envie devroyent quelque fois sentir la vieillesse. Nous avons le pied à la fosse, et nos appetits et poursuites ne font que naistre :

> *Tu secanda marmora*
> *Locas sub ipsum funus, et sepulchri*
> *Immemor, struis domos*[f].

Le plus long de mes desseins n'a pas un an d'estandue; je ne pense desormais qu'à finir; me deffois[g] de toutes nouvelles esperances et entreprinses; prens mon dernier congé de tous les lieux que je laisse; et me despossede tous les jours de ce que j'ay.

« *Olim jam nec perit quicquam mihi nec acquiritur. Plus superest viatici quam viæ*[h]. »

---

a. Enfance. — *b.* Déféra en justice, accusa. — *c.* A l'écart, à part. — *d.* « Le sage impose un terme même à la vertu. » Juvénal, VI, 444. — *e.* Endurcissait. — *f.* « Vous faites tailler des marbres à la veille de vos funérailles, et, au lieu de songer à votre tombeau, vous faites bâtir des maisons. » Horace, *Odes*, II, XVIII, 17. — *g.* Je me défais. — *h.* « Depuis longtemps je ne perds ni ne gagne; il me reste plus de provisions de route que de route à faire. » Sénèque, *Épîtres*, 77.

Vixi, et quem dederat cursum fortuna peregi [a].

C'est en fin tout le soulagement que je trouve en ma vieillesse, qu'elle amortist en moy plusieurs desirs et soins de quoy la vie est inquietée, le soing du cours du monde, le soing des richesses, de la grandeur, de la science, de la santé, de moy. Cettuy-cy apprend à parler, lors qu'il luy faut apprendre à se taire pour jamais.

On peut continuer à tout temps l'estude, non pas l'escholage : la sotte chose qu'un vieillard abecedaire [247] !

*Diversos diversa juvant, non omnibus annis
Omnia conveniunt* [b].

S'il faut estudier, estudions un estude sortable à [c] nostre condition, afin que nous puissions respondre comme celuy à qui, quand on demanda à quoy faire ces estudes en sa decrepitude : « A m'en partir meilleur et plus à mon aise », respondit-il [248]. Tel estude fut celuy du jeune Caton sentant sa fin prochaine, qui se rencontra au discours de Platon, de l'eternité de l'ame [249]. Non, comme il faut croire, qu'il ne fut de long temps garny de toute sorte de munition pour un tel deslogement : d'asseurance, de volonté ferme et d'instruction, il en avoit plus que Platon n'en a en ses escrits ; sa science et son courage estoient, pour ce regard, au dessus de la philosophie. Il print cette occupation, non pour le service de sa mort, mais, comme celui qui n'interrompit pas seulement son sommeil en l'importance d'une telle deliberation, il continua aussi, sans chois et sans changement, ses estudes avec les autres actions accoustumées de sa vie.

La nuict qu'il vint d'estre refusé de la Preture, il la passa à jouer ; celle en laquelle il devoit mourir, il la passa à lire : la perte ou de la vie ou de l'office, tout luy fut un [250].

---

a. « J'ai vécu et achevé la carrière que m'avait assignée la Fortune. » Virgile, *Énéide*, IV, 653. — *b.* « Les hommes divers ont des goûts divers : toute chose ne convient pas à tout âge. » Pseudo-Gallus, I, 104. — *c.* Appropriée à.

CHAPITRE XXIX

DE LA VERTU

Je trouve par experience qu'il y a bien à dire entre les boutées et saillies de l'ame, ou une resolue et constante habitude ; et voy bien qu'il n'est rien que nous ne puissions, voire jusques à surpasser la divinité mesme, dit quelqu'un[251], d'autant que c'est plus de se rendre impassible de soy, que d'estre tel de sa condition originelle, et jusques à pouvoir joindre à l'imbecillité[a] de l'homme une resolution et asseurance de Dieu. Mais c'est par secousse. Et ès vies de ces heros du temps passé, il y a quelque fois des traits miraculeux et qui semblent de bien loing surpasser nos forces naturelles ; mais ce sont traits, à la verité ; et est dur à croire que de ces conditions ainsin eslevées, on en puisse teindre et abreuver l'ame, en maniere qu'elles luy deviennent ordinaires et comme naturelles. Il nous eschoit à nous mesmes, qui ne sommes qu'avortons d'hommes, d'eslancer par fois nostre ame, esveillée par les discours ou exemples d'autruy, bien loing au delà de son ordinaire ; mais c'est une espece de passion qui la pousse et agite, et qui la ravit aucunement hors de soy : car, ce tourbillon franchi, nous voyons que, sans y penser, elle se débande et reláche d'elle mesme, sinon jusques à la derniere touche, au moins jusques à n'estre plus celle-là ; de façon que lors, à toute occasion, pour un oyseau perdu ou un verre cassé, nous nous laissons esmouvoir à peu près comme l'un du vulgaire.

Sauf l'ordre, la moderation et la constance, j'estime que toutes choses sont faisables par un homme bien manque et deffaillant en gros.

A cette cause, disent les sages, il faut, pour juger bien à point d'un homme, principalement contreroller ses actions communes et le surprendre en son à tous les jours.

Pyrrho, celuy qui bastit de l'ignorance une si plaisante science, essaya, comme tous les autres vrayement philo-

---

a. La faiblesse.

sophes, de faire respondre sa vie à sa doctrine. Et par ce qu'il maintenoit la foiblesse du jugement humain estre si extreme que de ne pouvoir prendre party ou inclination, et le vouloit suspendre perpetuellement balancé, regardant et accueillant toutes choses comme indifférentes, on conte qu'il se maintenoit tousjours de mesme façon et visage. S'il avoit commencé un propos, il ne laissoit pas de l'achever, quand celuy à qui il parloit s'en fut allé; s'il alloit, il ne rompoit son chemin pour empeschement qui se presentat, conservé des précipices, du hurt des charretes et autres accidens par ses amis. Car de craindre ou esviter quelque chose, c'eust esté choquer ses propositions, qui ostoient au sens mesmes tout'eslection[a] et certitude. Quelque fois il souffrit d'estre incisé et cauterisé, d'une telle constance qu'on ne luy en veit pas seulement siller les yeux[252].

C'est quelque chose de ramener l'ame à ces imaginations; c'est plus d'y joindre les effects; toutefois il n'est pas impossible; mais de les joindre avec telle perseverance et constance que d'en establir son train ordinaire, certes, en ces entreprinses si esloignées de l'usage commun, il est quasi incroyable qu'on le puisse. Voylà pourquoy luy, estant quelque fois rencontré en sa maison tansant[b] bien asprement avecques sa seur, et estant reproché de faillir en cella à son indifferance : « Comment, dit-il, faut-il qu'encore cette fammelette serve de tesmoignage à mes regles ? » Un'autre fois qu'on le veit se deffendre d'un chien : « Il est, dit-il, très difficile de despouiller entierement l'homme; et se faut mettre en devoir et efforcer de combattre les choses, premierement par les effects[c], mais, au pis aller, par la raison et par les discours. »

Il y a environ sept ou huict ans, qu'à deux lieuës d'icy un homme de village, qui est encore vivant, ayant la teste de long temps rompue par la jalousie de sa femme, revenant un jour de la besoigne, et elle le bien-veignant[d] de ses criailleries accoustumées, entra en telle furie que, sur le champ, à tout la serpe qu'il tenoit encore en ses mains, s'estant moissonné tout net les pieces qui la mettoyent en fievre, les luy jetta au nez.

Et il se dit qu'un jeune gentil'homme des nostres[253],

a. Choix. — *b.* Disputant. — *c.* Actes. — *d.* L'accueillant amoureux et gaillard, ayant par sa perseverance amolli en fin le cœur d'une belle maistresse, desesperé de ce que, sur le point de la charge, il s'estoit trouvé mol luy mesmes et defailly, et que

non viriliter
Iners senile penis extulerat caput [a],

s'en priva soudain revenu au logis, et l'envoya, cruelle et sanglante victime, pour la purgation de son offence. Si c'eust esté par discours [b] et religion, comme les prestres de Cibele, que ne dirions nous d'une si hautaine entreprise?

Dépuis peu de jours, à Bragerac, à cinq lieues de ma maison, contremont [c] la riviere de Dordoigne, une femme ayant esté tourmentée et batue, le soir avant, de son mary, chagrin et fácheux de sa complexion, delibera d'eschapper à sa rudesse au pris de sa vie; et, s'estant à son lever accointée de [d] ses voisines comme de coustume, leur laissant couler quelque mot de recommendation de ses affaires, prenant une sienne sœur par la main, la mena avecques elle sur le pont, et, après avoir prins congé d'elle, comme par maniere de jeu, sans montrer autre changement ou alteration, se precipita du haut en bas dans la riviere, où elle se perdit. Ce qu'il y a de plus en cecy, c'est que ce conseil meurist une nuict entiere dans sa teste.

C'est bien autre chose des femmes Indiennes : car, estant leur coustume, aux marys d'avoir plusieurs femmes, et à la plus chere d'elles de se tuer après son mary, chacune par le dessein de toute sa vie vise à gaigner ce point et cet advantage sur ses compaignes; et les bons offices qu'elles rendent à leur mary ne regardent autre recompance que d'estre preferées à la compaignie de sa mort [254],

... ubi mortifero jacta est fax ultima lecto
Uxorum fusis stat pia turba comis;
Et certamen habent lethi, quæ viva sequatur
Conjugium : pudor est non licuisse mori.
Ardent victrices, et flammæ pectora præbent,
Imponuntque suis ora perusta viris [e].

---

a. « Son membre, sans virilité, n'avait dressé qu'une tête sénile. » Tibulle, *De inertia inguinis*. — b. Raison. — c. En remontant. — d. Entretenue avec. — e. « Dès que la dernière torche est jetée sur le lit funéraire, la foule pieuse des épouses commence, les cheveux épars,

Un homme escrit encore de noz jours avoir veu en ces nations Orientales cette coustume en credit, que non seulement les femmes s'enterrent après leurs maris, mais aussi les esclaves des quelles il a eu jouissance. Ce qui se faict en cette maniere. Le mari estant trespassé, la vefve peut, si elle veut, mais peu le veulent, demander deux ou trois mois d'espace à disposer de ses affaires. Le jour venu, elle monte à cheval, parée comme à nopces, et, d'une contenance gaye, comme allant, dict-elle, dormir avec son espoux, tenant en sa main gauche un mirouër, une flesche en l'autre. S'estant ainsi promenée en pompe, accompagnée de ses amis et parents, et de grand peuple en feste, elle est tantost rendue au lieu public destiné à tels spectacles. C'est une grande place au milieu de laquelle il y a une fosse pleine de bois, et, joignant icelle, un lieu relevé de quatre ou cinq marches, sur le quel elle est conduite et servie d'un magnifique repas. Après le quel elle se met à baller et chanter, et ordonne, quand bon luy semble, qu'on allume le feu. Cela faict, elle descend et, prenant par la main le plus proche des parents de son mary, ils vont ensamble à la riviere voisine, où elle se despouille toute nue et distribue ses joyaux et vestements à ses amis et se va plongeant dans l'eau, comme pour y laver ses pechez. Sortant de là, elle s'enveloppe d'un linge jaune de quatorze brasses de long, et donnant de rechef la main à ce parent de son mari, s'en revont sur la motte où elle parle au peuple et recommande ses enfans, si elle en a. Entre la fosse et la motte on tire volontiers un rideau, pour leur oster la veue de cette fornaise ardente; ce qu'aucunes deffendent pour tesmoigner plus de courage. Finy qu'elle a de dire, une femme luy presente un vase plein d'huile à s'oindre la teste et tout le corps, lequel elle jette dans le feu, quand elle en a faict, et, en l'instant, s'y lance elle mesme. Sur l'heure, le peuple renverse sur elle quantité de buches pour l'empescher de languir, et se change toute leur joye en deuil et tristesse. Si ce sont personnes de moindre estoffe, le corps du mort est porté au lieu où

le combat de la mort, luttant à qui, vivante, suivra l'époux : c'est une honte de ne pas obtenir la permission de mourir. Celles qui sont victorieuses dans cette lutte se précipitent dans les flammes et y attendent la mort, leurs lèvres brûlées collées sur leurs maris. »
Properce, III, XIII, 17.

on le veut enterrer, et là mis en son seant, la vefve à
genoux devant luy l'embrassant estroitement, et se tient
en ce point pendant qu'on bastit au tour d'eux un mur
qui, venant à se hausser jusques à l'endroit des espaules
de la femme, quelqu'un des siens, par le derriere prenant
sa teste, luy tort le col; et rendu qu'elle a l'esprit, le mur
est soudain monté et clos, où ils demeurent ensevelis.

En ce mesme pays, il y avoit quelque chose de pareil
en leurs Gypnosophistes : car, non par la contrainte d'autruy, non pas l'impetuosité d'un' humeur soudaine, mais
par expresse profession de leur regle, leur façon estoit,
à mesure qu'ils avoyent attaint certain aage, ou qu'ils se
voyoient menassez par quelque maladie, de se faire dresser
un buchier, et au dessus un lit bien paré; et, après avoir
festoyé joyeusement leurs amis et connoissans, s'aler planter dans ce lict en telle resolution que, le feu y estant
mis, on ne les vid mouvoir ny pieds ny mains; et ainsi
mourut l'un d'eux, Calanus, en presence de toute l'armée
d'Alexandre le Grand[255].

Et n'estoit estimé entre eux ny saint, ny bien heureux
qui ne s'estoit ainsi tué, envoyant son ame purgée et
purifiée par le feu, après avoir consumé tout ce qu'il y
avoit de mortel et terrestre.

Cette constante premeditation de toute la vie, c'est ce
qui faict le miracle.

Parmy nos autres disputes, celle du *Fatum*[a] s'y est
meslée; et, pour attacher les choses advenir et nostre
volonté mesmes à certaine et inevitable necessité, on est
encore sur cet argument du temps passé : « Puis que Dieu
prevoit toutes choses devoir ainsin advenir, comme il
fait sans doubte, il faut donc qu'elles adviennent ainsi. »
A quoy nos maistres[256] respondent que le voir que quelque chose advienne, comme nous faisons, et Dieu de
mesmes (car, tout luy estant present, il voit plutost qu'il
ne prevoit), ce n'est pas la forcer d'advenir; voire, nous
voyons à cause que les choses adviennent, et les choses
n'adviennent pas à cause que nous voyons. L'advenement
faict la science, non la science l'advenement. Ce que nous
voyons advenir, advient; mais il pouvoit autrement advenir; et Dieu, au registre des causes des advenements qu'il

---

a. « Destin. »

a en sa prescience, y a aussi celles qu'on appelle fortuites, et les volontaires, qui despendent de la liberté qu'il a donné à nostre arbitrage, et sçait que nous faudrons par ce que nous aurons voulu faillir.

Or j'ay veu assez de gens encourager leurs troupes de cette necessité fatale : car, si nostre heure est attachée à certain point, ny les harquebousades ennemies, ny nostre hardiesse, ny nostre fuite et couardise ne la peuvent avancer ou reculer. Cela est beau à dire, mais cherchez qui l'effectuera. Et s'il est ainsi, qu'une forte et vive creance tire après soy les actions de mesme, certes cette foy, dequoy nous remplissons tant la bouche, est merveilleusement legiere en nos siecles, sinon que le mespris qu'elle a des œuvres luy face desdaigner leur compaignie.

Tant y a qu'à ce mesme propos le sire de Joinville[257], tesmoing croyable autant que tout autre, nous raconte des Bedoins, nation meslée aux Sarrasins, ausquels le Roy sainct Louys eut affaire en la terre sainte, qu'ils croyoient si fermement en leur religion les jours d'un chacun estre de toute eternité prefix[a] et contez[b] d'une preordonnance inevitable, qu'ils alloyent à la guerre nudz, sauf un glaive à la turquesque, et le corps seulement couvert d'un linge blanc. Et pour leur plus extreme maudisson, quand ils se courroussoient aux leurs, ils avoyent tousjours en la bouche : « Maudit sois tu, comme celuy qui s'arme de peur de la mort ! » Voylà bien autre preuve de creance et de foy que la nostre !

Et de ce reng est aussi celle que donnerent ces deux religieux de Florence, du temps de nos peres. Estans en quelque controverse de science, ils s'accorderent d'entrer tous deux dans le feu, en presence de tout le peuple et en la place publique, pour la verification chacun de son party. Et en estoyent des-jà les aprets tous faicts, et la chose justement sur le point de l'execution, quand elle fut interrompue par un accident improuveu[258].

Un jeune Seigneur Turc ayant faict un signalé faict d'armes de sa personne, à la veue des deux batailles, d'Amurath et de l'Huniade, prestes à se donner, enquis par Amurath, qui l'avoit, en si grande jeunesse et inexperience (car c'estoit la premiere guerre qu'il eust veu),

---

a. Fixés d'avance. — *b.* Comptés.

LIVRE II, CHAPITRE XXIX

rempli d'une si genereuse vigueur de courage, respondit qu'il avoit eu pour souverain precepteur de vaillance un lievre : « Quelque jour, estant à la chasse, dict-il, je descouvry un lievre en forme[a], et encore que j'eusse deux excellents levriers à mon costé, si me sembla il, pour ne le faillir[b] point, qu'il valoit mieux y employer encore mon arc, car il me faisoit fort beau jeu. Je commençay à descocher mes flesches, et jusques à quarante qu'il y en avoit en ma trousse, non sans l'assener seulement[c], mais sans l'esveiller. Après tout, je descouppay mes levriers après, qui n'y peurent non plus. J'apprins par là qu'il avoit esté couvert par sa destinée, et que ny les traits ny les glaives ne portent que par le congé de nostre fatalité, laquelle il n'est en nous de reculer ny d'avancer. » Ce conte[259] doit servir à nous faire veoir en passant combien nostre raison est flexible à toute sorte d'images.

Un personage, grand d'ans, de nom, de dignité et de doctrine[d], se vantoit à moy d'avoir esté porté à certaine mutation très-importante de sa foy par une incitation estrangere aussi bizarre et, au reste, si mal concluante que je la trouvoy plus forte au revers : luy l'appelloit miracle, et moy aussi, à divers sens.

Leurs historiens disent que la persuasion estant populairement semée entre les Turcs, de la fatale et imployable prescription de leurs jours, ayde apparemment à les asseurer aux dangers. Et je connois un grand Prince[260] qui y trouve noblement son profit, si fortune continue à lui faire espaule[e].

Il n'est point advenu, de nostre memoire, un plus admirable effect de resolution que de ces deux qui conspirerent la mort du prince d'Orenge[261]. C'est merveille comment on peut eschauffer le second, qui l'executa, à une entreprise en laquelle il estoit si mal advenu à son compaignon, y ayant apporté tout ce qu'il pouvoit; et, sur cette trace et de mesmes armes, aller entreprendre un seigneur armé d'une si fresche instruction de deffiance, puissant de suitte d'amis et de force corporelle, en sa sale, parmy ses gardes, en une ville toute à sa devotion. Certes il y employa une

---

a. Au gîte. — *b.* Manquer. — *c.* Non seulement sans le frapper. — *d.* Savoir. — *e.* Le seconder. *soit qu'il la croye, soit qu'il la prenne pour excuse à se hazarder extraordinairement, pourveu que la Fortune ne se lasse trop tost de luy faire espaule,* ajoute l'édition de 1595.

main bien determinée et un courage esmeu d'une vigoureuse passion. Un poignard est plus seur pour assener[a]; mais, d'autant qu'il a besoing de plus de mouvement et de vigueur de bras que n'a un pistolet, son coup est plus subject à estre gauchy[b] ou troublé. Que celuy là ne courut à une mort certaine, je n'y fay pas grand doubte; car les esperances de quoy on le pouvoit amuser, ne pouvoient loger en entendement rassis; et la conduite de son exploit montre qu'il n'en avoit pas faute, non plus que de courage. Les motifs d'une si puissante persuasion peuvent estre divers, car nostre fantasie faict de soy et de nous ce qu'il luy plaict.

L'execution qui fut faicte près d'Orleans[262] n'eust rien de pareil; il y eust plus de hazard que de vigueur; le coup n'estoit pas mortel, si la fortune ne l'en eust rendu; et l'entreprise de tirer à cheval, et de loing, et à un qui se mouvoit au branle de son cheval, fut l'entreprise d'un homme qui aymoit mieux faillir[c] son effect que faillir à se sauver. Ce qui suyvit après le montra. Car il se transit et s'enyvra de la pensée de si haute execution, si qu'il perdit et troubla entierement son sens, et à conduire sa fuite, et à conduire sa langue en ses responses. Que luy falloit il, que recourir à ses amys au travers d'une riviere? c'est un moyen où je me suis jetté à moindres dangers et que j'estime de peu de hazard, quelque largeur qu'ait le passage, pourveu que vostre cheval trouve l'entrée facile et que vous prevoyez au delà un bord aysé selon le cours de l'eau. L'autre[263], quand on lui prononça son horrible sentence : « J'y estois preparé, dict-il; je vous estonneray de ma patience[d]. »

Les Assassins, nation dependante de la Phœnicie, sont estimés entre les Mahumetans d'une souveraine devotion et pureté de meurs. Ils tiennent que le plus certain moyen de meriter Paradis, c'est tuer quelqu'un de religion contraire. Parquoy mesprisant tous les dangiers propres, pour une si utile execution, un ou deux se sont veus souvent, au pris d'une certaine mort, se presenter à assassiner (nous avons emprunté ce mot de leur nom) leur ennemi au milieu de ses forces. Ainsi fut tué nostre comte Raimond de Tripoli en sa ville[e][264].

---

a. Frapper. — *b.* Dévié. — *c.* Manquer. — *d.* Mon endurance. — *e. Et pareillement Conrad marquis de Montferrat, les meurtriers conduits au supplice, tous enflez et fiers d'un si beau chef d'œuvre,* ajoute l'édition de 1595.

CHAPITRE XXX

D'UN ENFANT MONSTRUEUX

Ce conte s'en ira tout simple, car je laisse aux medecins d'en discourir. Je vis avant hier un enfant que deux hommes et une nourrisse, qui se disoient estre le pere, l'oncle et la tante, conduisoyent pour tirer quelque sou de le montrer à cause de son estrangeté. Il estoit en tout le reste d'une forme commune, et se soustenoit sur ses pieds, marchoit et gasouilloit à peu près comme les autres de mesme aage; il n'avoit encore voulu prendre autre nourriture que du tetin de sa nourrisse; et ce qu'on essaya en ma presence de luy mettre en la bouche, il le maschoit un peu, et le rendoit sans avaller; ses cris sembloient bien avoir quelque chose de particulier; il estoit aagé de quatorze mois justement. Au dessoubs de ses tetins, il estoit pris et collé à un autre enfant sans teste, et qui avoit le conduict[a] du dos estoupé[b], le reste entier; car il avoit bien l'un bras plus court, mais il luy avoit esté rompu par accident à leur naissance; ils estoient joints face à face, et comme si un plus petit enfant en vouloit accoler un plus grandelet. La jointure et l'espace par où ils se tenoient, n'estoit que de quatre doigts ou environ, en manière que si vous retroussiez cet enfant imparfait, vous voyez au dessoubs le nombril de l'autre; ainsi la cousture se faisoit entre les tetins et son nombril. Le nombril de l'imparfaict ne se pouvoit voir, mais ouy bien tout le reste de son ventre. Voylà comme ce qui n'estoit pas attaché, comme bras, fessier, cuisses et jambes de cet imparfaict, demouroient pendants et branlans sur l'autre, et luy pouvoit aller sa longueur jusques à my jambe. La nourrice nous adjoustoit qu'il urinoit par tous les deux endroicts; aussi estoient les membres de cet autre nourris et vivans, et en mesme point que les siens, sauf qu'ils estoient plus petits et menus[265].

Ce double corps et ces membres divers, se rapportans à une seule teste, pourroient bien fournir de favorable

---

a. Canal. — b. Bouché.

prognostique au Roy de maintenir sous l'union de ses loix ces pars et pieces diverses de nostre estat; mais, de peur que l'evenement ne le demente, il vaut mieux le laisser passer devant, car il n'est que de deviner en choses faictes : « *Ut quum facta sunt, tum ad conjecturam aliqua interpretatione revocantur* [a]. » Comme on dict [266] d'Epimenides qu'il devinoit à reculons.

Je vien de voir un pastre en Medoc, de trente ans ou environ, qui n'a aucune montre des parties genitales : il a trois trous par où il rend son eau incessamment; il est barbu, a desir, et recherche l'attouchement des femmes.

Ce que nous appelons monstres ne le sont pas à Dieu, qui voit en l'immensité de son ouvrage l'infinité des formes qu'il y a comprinses; et est à croire que cette figure qui nous estonne, se rapporte et tient à quelque autre figure de mesme genre inconnu à l'homme. De sa toute sagesse il ne part rien que bon et commun et reglé; mais nous n'en voyons pas l'assortiment et la relation.

« *Quod crebro videt, non miratur, etiam si cur fiat nescit. Quod ante non vidit, id, si evenerit, ostentum esse censet* [b]. »

Nous appellons contre nature ce qui advient contre la coustume; rien n'est que selon elle, quel qu'il soit. Que cette raison universelle et naturelle chasse de nous l'erreur et l'estonnement que la nouvelleté nous apporte.

CHAPITRE XXXI

DE LA COLERE

PLUTARQUE est admirable par tout, mais principalement où il juge des actions humaines. On peut voir les belles choses qu'il dit en la comparaison de Lycurgus et de Numa, sur le propos de la grande simplesse que ce nous est d'abandonner les enfans au gouvernement et à la charge de leurs

---

a. « Afin qu'après l'événement on leur donne quelque interprétation qui en fasse des présages. » Cicéron, *De divinatione*, II, 31. — *b.* « Ce qu'il voit fréquemment ne l'étonne pas, même s'il en ignore la cause. Mais s'il se produit quelque chose qu'il n'a jamais vu, il en fait un prodige. » Cicéron, *De divinatione*, II, 27.

peres. La plus part de nos polices[a], comme dict Aristote[267], laissent à chacun, en maniere des Cyclopes, la conduite de leurs femmes et de leurs enfans, selon leur folle et indiscrete[b] fantasie; et, quasi les seules Lacedemonienne et Cretense[c] ont commis aux loix la discipline de l'enfance. Qui ne voit qu'en un estat tout dépend de son education et nourriture[d]? et cependant, sans aucune discretion, on la laisse à la mercy des parens, tant fols et meschans qu'ils soient.

Entre autres choses, combien de fois m'a-il prins envie, passant par nos ruës, de dresser une farce, pour venger des garçonnetz que je voyoy escorcher, assommer et meurtrir à[e] quelque pere ou mere furieux et forcenez de colere ! Vous leur voyez sortir le feu et la rage des yeux,

> *rabie jecur incendente, feruntur*
> *Præcipites, ut saxa jugis abrupta, quibus mons*
> *Subtrahitur, clivóque latus pendente recedit*[f],

(et, selon Hippocrates[268], les plus dangereuses maladies sont celles qui desfigurent le visage), à tout[g] une voix tranchante et esclatante, souvent contre qui ne faict que sortir de nourrisse. Et puis les voylà stropiets[h], estourdis de coups; et nostre justice qui n'en fait compte, comme si ces esboitemens[i] et eslochements[j] n'estoient pas des membres de nostre chose publique[k] :

> *Gratum est quod patriæ civem populoque dedisti,*
> *Si facis ut patriæ sit idoneus, utilis agris,*
> *Utilis et bellorum et pacis rebus agendis*[l].

Il n'est passion qui esbranle tant la sinceritè des jugemens que la colere. Aucun ne feroit doubte de[m] punir de mort le juge qui, par colere, auroit condamné son criminel;

---

a. Sociétés, États. — *b*. Inconsidérée. — *c*. Crétoise (de Crète). — *d*. Formation. — *e*. Par. — *f*. « Lorsque la rage incendie leur foie [siège du désir], un élan furieux les entraîne, comme le roc s'arrache à un sommet quand la montagne se dérobe et que, sur la pente abrupte, son flanc s'affaisse. » Juvénal, VI, 647. — *g*. Avec. — *h*. Estropiés. — *i*. Boiteries. — *j*. Claudications. — *k*. État. — *l*. « Tu mérites de la gratitude pour avoir donné un citoyen à la patrie, au peuple, oui, pourvu que tu le rendes capable de servir la patrie, utile aux champs, utile dans les travaux de la guerre et de la paix. » Juvénal, XIV, 70. — *m*. N'hésiterait à.

pourquoy est il non plus permis aux peres et aux pedantes [a] de fouetter les enfans et les chastier estans en colere? Ce n'est plus correction, c'est vengeance. Le chatiement tient lieu de medecine aux enfans[269] : et souffririons nous un medecin qui fut animé et courroucé contre son patient?

Nous mesmes, pour bien faire, ne devrions jamais mettre la main sur nos serviteurs, tandis que la colere nous dure. Pendant que le pouls nous bat et que nous sentons de l'émotion, remettons la partie; les choses nous sembleront à la verité autres, quand nous serons r'acoisez[b] et refroidis; c'est la passion qui commande lors, c'est la passion qui parle, ce n'est pas nous.

Au travers d'elle, les fautes nous apparoissent plus grandes, comme les corps au travers d'un brouillas. Celuy qui a faim, use de viande; mais celuy qui veut user de chastiement, n'en doibt avoir faim ny soif.

Et puis, les chastiemens qui se font avec poix et discretion, se reçoivent bien mieux et avec plus de fruit de celuy qui les souffre. Autrement, il ne pense pas avoir esté justement condamné par un homme agité d'ire[c] et de furie; et allegue pour sa justification les mouvements extraordinaires de son maistre, l'inflammation de son visage, les sermens inusitez, et cette sienne inquietude et precipitation temeraire :

*Ora tument ira, nigrescunt sanguine venæ,
Lumina Gorgoneo sævius igne micant*[d].

Suetone recite[e][270] que Lucius Saturninus ayant esté condamné par Cæsar, ce qui luy servit le plus envers le peuple (auquel il appella) pour luy faire gaigner sa cause, ce fut l'animosité et l'aspreté que Cæsar avoit apporté en ce jugement.

Le dire est autre chose que le faire : il faut considerer le presche à part, et le prescheur à part. Ceux-là se sont donnez beau jeu, en nostre temps, qui ont essayé de choquer la verité de nostre Esglise par les vices des ministres d'icelle; elle tire ses tesmoignages d'ailleurs; c'est une sotte façon

---

a. Maîtres d'école. — *b.* Calmés. — *c.* Colère. — *d.* « Sa face se tuméfie de colère, ses veines deviennent noires de sang, ses yeux étincellent d'un feu plus vif que ceux de la Gorgone. » Ovide, *Art d'aimer*, III, 503. — *e.* Raconte.

d'argumenter et qui rejetteroit toutes choses en confusion.
Un homme de bonnes meurs peut avoir des opinions fauces,
et un meschant peut prescher verité, voire celuy qui ne
la croit pas. C'est sans doute une belle harmonie quand le
faire et le dire vont ensemble, et je ne veux pas nier que
le dire, lors que les actions suyvent, ne soit de plus d'authorité et efficace. Comme disoit Eudamidas oyant un philosophe discourir de la guerre : « Ces propos sont beaux,
mais celuy qui les dict n'en est pas croyable, car il n'a
pas les oreilles accoustumées au son de la trompette. » Et
Cleomenes, oyant[a] un Rhetoricien harenguer de la vaillance, s'en print fort à rire ; et l'autre s'en scandalizant, il
luy dict : « J'en ferois de mesmes, si c'estoit une arondelle[b]
qui en parlast ; mais, si c'estoit un aigle, je l'orrois[c] volontiers[271]. » J'apperçois, ce me semble, ès escrits des anciens,
que celui qui dit ce qu'il pense, l'assene bien plus vivement
que celuy qui se contrefait. Oyez Cicero parler de l'amour
de la liberté, oyez en parler Brutus : les escrits mesmes
sonnent que cettuy cy estoit homme pour l'acheter
au pris de la vie. Que Cicero, pere d'eloquence, traite du
mespris de la mort ; que Seneque en traite aussi : celuy là
traine languissant, et vous sentez qu'il vous veut resoudre
de chose dequoy il n'est pas resolu ; il ne vous donne point
de cœur, car luy-mesmes n'en a point ; l'autre vous anime
et enflamme. Je ne voy jamais autheur, mesmement de
ceux qui traictent de la vertu et des offices, que je ne
recherche curieusement quel il a esté.

Car les Ephores, à Sparte, voyant un homme dissolu proposer au peuple un advis utile, luy commanderent de se
taire, et prierent un homme de bien de s'en attribuer
l'invention et le proposer[272].

Les escrits de Plutarque, à les bien savourer, nous le
descouvrent assez, et je pense le connoistre jusques dans
l'ame ; si voudrois-je[d] que nous eussions quelques memoires
de sa vie ; et me suis jetté en ce discours à quartier[e] à
propos du bon gré que je sens à Aul. Gellius de nous avoir
laissé par escrit ce conte de ses meurs qui revient à mon
subjet de la cholere. Un sien esclave mauvais homme et
vicieux, mais qui avoit les oreilles aucunement abreuvées

---

a. Entendant. — *b.* Hirondelle. — *c.* Écouterais. — *d.* Pourtant je
voudrais. — *e.* Cette digression.

des leçons de philosophie, ayant esté pour quelque sienne
faute dépouillé par le commandement de Plutarque, pendant qu'on le fouettoit, grondoit au commencement que
c'estoit sans raison et qu'il n'avoit rien fait; mais en fin,
se mettant à crier et à injurier bien à bon escient son maistre,
luy reprochoit qu'il n'estoit pas philosophe, comme il
s'en vantoit; qu'il luy avoit souvent ouy dire qu'il estoit
laid de se courroucer, voire qu'il en avoit fait un livre; et
ce que lors, tout plongé en la colere, il le faisoit si cruellement battre, démentoit entierement ses escris. A cela
Plutarque, tout froidement et tout rassis : « Comment,
dit-il, rustre, à quoy juges tu que je sois à cette heure courroucé? Mon visage, ma voix, ma couleur, ma parole,
te donne elle quelque tesmoignage que je sois esmeu?
Je ne pense avoir ny les yeux effarouchez, ny le visage
troublé, ny un cry effroyable. Rougis-je? escume-je?
m'eschappe-il de dire chose de quoy j'aye à me repentir?
tressaux-je? fremis-je de courroux? car, pour te dire, ce
sont là les vrais signes de la colere. » Et puis, se destournant à celuy qui fouettoit. « Continuez, luy dit-il, tousjours
vostre besoigne, pendant que cettuy-cy et moy disputons. »
Voylà son conte[273].

Architas Tarentinus, revenant d'une guerre où il avoit
esté capitaine general, trouva tout plein de mauvais mesnage en sa maison, et ses terres en frische par le mauvais
gouvernement de son receveur; et, l'ayant fait appeller :
« Va, luy dict-il, que si je n'estois en cholere, je t'estrillerois bien ! » Platon de mesme, s'estant eschauffé contre
l'un de ses esclaves, donna à Speusippus charge de le
chastier, s'excusant d'y mettre la main luy-mesme sur ce
qu'il estoit courroucé[274]. Charillus, Lacedemonien, à un
Élote[a] qui se portoit trop insolemment et audacieusement
envers luy : « Par les Dieux! dit-il, si je n'estois courroucé,
je te ferois tout à cet heure mourir[275]. »

C'est une passion qui se plaist en soy et qui se flatte.
Combien de fois, nous estans esbranlez soubs une fauce
cause, si on vient à nous presenter quelque bonne defence
ou excuse, nous despitons nous contre la verité mesme
et l'innocence? J'ay retenu à ce propos un merveilleux
exemple de l'antiquité. Piso, personnage par tout ailleurs

---

a. Hilote.

de notable vertu, s'estant esmeu contre un sien soldat dequoy, revenant seul du fourrage, il ne luy sçavoit rendre compte où il avoit laissé un sien compaignon, tint pour averé qu'il l'avoit tué, et le condamna soudain à la mort. Ainsi qu'il estoit au gibet, voicy arriver ce compaignon esgaré. Toute l'armée en fit grand feste, et après force caresses et accolades des deux compaignons, le bourreau meine l'un et l'autre en la presence de Piso, s'attendant bien toute l'assistance que ce luy seroit à luy-mesmes un grand plaisir. Mais ce fut au rebours : car, par honte et despit, son ardeur qui estoit encore en son effort se redoubla; et, d'une subtilité que sa passion luy fournit soudain, il en fit trois coulpables par ce qu'il en avoit trouvé un innocent, et les fist depescher tous trois : le premier soldat, par ce qu'il y avoit arrest contre luy; le second qui s'étoit écarté, par ce qu'il estoit cause de la mort de son compaignon; et le bourreau, pour n'avoir obey au commandement qu'on luy avoit fait[276].

Ceux qui ont à negotier avec des femmes testues peuvent avoir essaié à quelle rage on les jette, quand on oppose à leur agitation le silence et la froideur, et qu'on desdaigne de nourrir leur courroux. L'orateur Celius estoit merveilleusement cholere de sa nature. A un qui souppoit en sa compagnie, homme de molle et douce conversation, et qui, pour ne l'esmouvoir, prenoit party d'approuver tout ce qu'il disoit et d'y consentir, luy, ne pouvant souffrir son chagrin se passer ainsi sans aliment : « Nie moy quelque chose, de par les Dieux! fit-il, affin que nous soyons deux[277]. » Elles, de mesmes, ne se courroucent qu'affin qu'on se contre-courrouce, à l'imitation des loix de l'amour. Phocion, à un homme qui luy troubloit son propos en l'injuriant asprement, n'y fit autre chose que se taire et luy donner tout loisir d'espuiser sa cholere; cela faict, sans aucune mention de ce trouble, il recommença son propos en l'endroict où il l'avoit laissé[278]. Il n'est replique si piquante comme est un tel mespris.

Du plus cholere homme de France (et c'est tousjours imperfection, mais plus excusable à un homme militaire : car, en cet exercice, il y a certes des parties qui ne s'en peuvent passer), je dy souvent que c'est le plus patient homme que je cognoisse à brider sa cholere : elle l'agite de telle violence et fureur,

> *magno veluti cum flamma sonore*
> *Virgea suggeritur costis undantis aheni,*
> *Exultântque œstu latices; furit intus aquaï*
> *Fumidus atque alte spumis exuberat amnis;*
> *Nec jam se capit unda; volat vapor ater ad auras*[a],

qu'il faut qu'il se contraigne cruellement pour la moderer. Et pour moy, je ne sçache passion pour laquelle couvrir et soustenir je peusse faire un tel effort. Je ne voudrois mettre la sagesse à si haut pris. Je ne regarde pas tant ce qu'il faict que combien il luy couste à ne faire pis.

Un autre se vantoit à moy du reglement et douceur de ses meurs, qui est, à la verité, singuliere. Je luy disois que c'estoit bien quelque chose, notamment à ceux comme luy d'éminente qualité sur lesquels chacun a les yeux, de se presenter au monde tousjours bien temperez, mais que le principal estoit de prouvoir au dedans et à soy-mesme, et que ce n'estoit pas, à mon gré, bien mesnager ses affaires que de se ronger interieurement : ce que je craingnois qu'il fit pour maintenir ce masque et cette reglée apparence par le dehors.

On incorpore la cholere en la cachant, comme Diogenes dict à Demosthenes[279], lequel, de peur d'estre apperceu en une taverne, se reculoit au dedans : « Tant plus tu te recules arriere, tant plus tu y entres. » Je conseille qu'on donne plustost une buffe[b] à la joue de son valet un peu hors de saison, que de geiner[c] sa fantaisie[d] pour representer cette sage contenance; et aymerois mieux produire mes passions que de les couver à mes despens; elles s'alanguissent en s'esvantant et en s'exprimant; il vaut mieux que leur pointe agisse au dehors que de la plier contre nous. « *Omnia vitia in aperto leviora sunt; et tunc perniciosissima, cum simulata sanitate subsidunt*[e]. »

J'advertis ceux qui ont loy de se pouvoir courroucer en ma famille : premierement, qu'ils mesnagent leur

---

a. « Ainsi, lorsque avec grand fracas un feu de brandes s'allume sous un vase de bronze, l'eau bouillonne sous l'effet de la chaleur; elle fait rage dans sa prison et franchit, écumante, les bords du vase; elle ne se contient plus; une noire vapeur s'envole dans les airs. » Virgile, *Énéide*, VII, 462. — *b.* Un soufflet. — *c.* Contraindre. — *d.* Son humeur. — *e.* « Tous les vices apparents sont plus légers : ils sont très pernicieux alors qu'ils se dérobent sous un air de santé. » Sénèque, *Épîtres*, 56.

cholere et ne l'espandent pas à tout pris; car cela en
empesche l'effect et le poix; la criaillerie temeraire et
ordinaire passe en usage et faict que chacun la mesprise;
celle que vous employez contre un serviteur pour son
larcin, ne se sent point, d'autant que c'est celle mesme qu'il
vous a veu employer cent fois contre luy, pour avoir mal
rinsé un verre ou mal assis une escabelle; — secondement,
qu'ils ne se courroussent point en l'air, et regardent que
leur reprehension arrive à celuy de qui ils se plaignent : car
ordinairement ils crient avant qu'il soit en leur presence,
et durent à crier un siecle après qu'il est party,

et secum petulans amentia certat [a].

Ils s'en prennent à leur ombre et poussent cette tempeste
en lieu où personne n'en est ny chastié ny interessé, que,
du tintamarre de leur voix, tel qui n'en peut mais. J'accuse
pareillement aux querelles ceux qui bravent et se mutinent
sans partie; il faut garder ces Rodomontades où elles
portent :

Mugitus veluti cum prima in prælia taurus
Terrificos ciet atque irasci in cornua tentat,
Arboris obnixus trunco, ventosque lacessit
Ictibus, et sparsa ad pugnam proludit arena [b].

Quand je me courrouce, c'est le plus vifvement, mais
aussi le plus briefvement et secretement que je puis; je
me pers bien en vitesse et en violence, mais non pas en
trouble, si que j'aille jettant à l'abandon et sans chois
toute sorte de parolles injurieuses, et que je ne regarde
d'asseoir pertinemment mes pointes où j'estime qu'elles
blessent le plus : car je n'y employe communément que
la langue. Mes valets en ont meilleur marché aux grandes
occasions qu'aux petites; les petites me surprennent; et
le mal'heur veut que, depuis que vous estes dans le precipice, il n'importe qui vous ayt donné le branle, vous allez

---

a. « La démence exaltée se tourne contre elle-même. » Claudien,
In Eutropium, I, 237. — *b.* « Comme, s'essayant à un premier combat,
un taureau pousse des mugissements terribles, éprouve son courroux
et ses cornes, heurte de front un tronc d'arbre, harcèle les vents de
ses coups et prélude à l'attaque en dispersant la poussière. » Virgile,
Énéide, XII, 103.

tousjours jusques au fons; la cheute se presse, s'esmeut
et se haste d'elle mesme. Aux grandes occasions, cela
me paye qu'elles sont si justes que chacun s'attend d'en
voir naistre une raisonnable cholere; je me glorifie à tromper leur attente; je me bande et prepare contre celles cy;
elles me mettent en cervelle et menassent de m'emporter
bien loing si je les suivoy. Aiséement je me garde d'y
entrer, et suis assez fort, si je l'atens, pour repousser
l'impulsion de cette passion, quelque violente cause qu'elle
aye; mais si elle me preoccupe et saisit une fois, elle m'emporte, quelque vaine cause qu'elle ayt. Je marchande ainsin
avec ceux qui peuvent contester avec moy : « Quand vous
me sentirez esmeu le premier, laissez moy aller à tort ou
à droict; j'en feray de mesme à mon tour. » La tempeste
ne s'engendre que de la concurrence des choleres qui se
produisent volontiers l'une de l'autre, et ne naissent en
un point. Donnons à chacune sa course, nous voylà tousjours en paix. Utile ordonnance, mais de difficile execution.
Par fois m'advient il aussi de representer le courroussé,
pour le reiglement de ma maison, sans aucune vraye
emotion. A mesure que l'aage me rend les humeurs plus
aigres, j'estudie à m'y opposer, et feray, si je puis, que
je seray dores en advant d'autant moins chagrin et difficile que j'auray plus d'excuse et d'inclination à l'estre,
quoy que par cy devant je l'aye esté entre ceux qui le sont
le moins.

Encore un mot pour clorre ce pas. Aristote dit[280] que
la cholere sert par fois d'arme à la vertu et à la vaillance.
Cela est vray-semblable; toutes-fois ceux qui y contredisent
respondent plaisamment que c'est un'arme de nouvel
usage : car nous remuons les autres armes, cette cy nous
remue; nostre main ne la guide pas, c'est elle qui guide
nostre main; elle nous tient, nous ne la tenons pas[281].

CHAPITRE XXXII

DEFENCE DE SENEQUE ET DE PLUTARQUE

La familiarité que j'ay avec ces personnages icy, et l'assistance qu'ils font à ma vieillesse et à mon livre massonné purement de leurs despouilles, m'oblige à espouser leur honneur.

Quant à Seneque, par-my une miliasse de petits livrets que ceux de la Religion pretendue reformée font courir pour la deffence de leur cause, qui partent par fois de bonne main et qu'il est grand dommage n'estre embesoignée à meilleur subject, j'en ay veu autres-fois un qui, pour alonger et remplir la similitude qu'il veut trouver du gouvernement de nostre pauvre feu Roy Charles neufiesme avec celuy de Neron, apparie feu Monsieur le Cardinal de Lorraine[282] avec Seneque : leurs fortunes, d'avoir esté tous deux les premiers au gouvernement de leurs princes, et quant et quant[a] leurs meurs, leurs conditions et leurs deportemens. Enquoy, à mon opinion, il faict bien de l'honneur audict Seigneur Cardinal : car, encore que je soys de ceux qui estiment autant son esprit, son eloquence, son zele envers sa religion et service de son Roy, et sa bonne fortune d'estre nay en un siecle où il fut si nouveau et si rare, et quant et quant[b], si necessaire pour le bien public, d'avoir un personnage Ecclesiastique de telle noblesse et dignité, suffisant[c] et capable de sa charge : si est-ce[d] qu'à confesser la verité, je n'estime sa capacité de beaucoup près telle, ny sa vertu si nette et entiere, ny si ferme, que celle de Seneque.

Or ce livre de quoy je parle, pour venir à son but, faict une description de Seneque très-injurieuse, ayant emprunté ces reproches de Dion l'historien[283], duquel je ne crois aucunement le tesmoignage; car, outre ce qu'il est inconstant, qui, après avoir appelé Seneque très-sage tantost, et

---

a. Ainsi que. — *b.* En même temps. — *c.* Habile. — *d.* Encore est-il.

tanstost ennemy mortel des vices de Neron, le fait ailleurs avaritieux, usurier, ambitieux, lache, voluptueux et contrefaisant le philosophe à fauces enseignes, sa vertu paroist si vive et vigoureuse en ses escrits, et la defence y est si claire à aucunes de ces imputations, comme de sa richesse et despence excessive, que je n'en croiroy aucun tesmoignage au contraire. Et davantage, il est bien plus raisonnable de croire en telles choses les historiens Romains que les Grecs et estrangers. Or Tacitus [284] et les autres [285] parlent très-honorablement et de sa vie et de sa mort, et nous le peignent en toutes choses personnage très-excellent et très-vertueux. Et je ne veux alleguer autre reproche contre le jugement de Dion que cetuy-cy, qui est inevitable : c'est qu'il a le sentiment si malade aux affaires Romaines qu'il ose soustenir la cause de Julius Cæsar contre Pompeius, et d'Antonius contre Cicero [286].

Venons à Plutarque.

Jean Bodin [287] est un bon autheur de nostre temps, et accompagné de beaucoup plus de jugement que la tourbe des escrivailleurs de son siecle, et merite qu'on le juge et considere. Je le trouve un peu hardy en ce passage de sa *Methode de l'histoire* [288], où il accuse Plutarque non seulement d'ignorance (surquoy je l'eusse laissé dire, car cela n'est pas de mon gibier), mais aussi en ce que cet autheur escrit souvent des choses incroyables et entierement fabuleuses (ce sont ses mots). S'il eust dit simplement les choses autrement qu'elles ne sont, ce n'estoit pas grande reprehension; car ce que nous n'avons pas veu, nous le prenons des mains d'autruy et à credit[a], et je voy que à escient[b] il recite[c] par fois diversement mesme histoire : comme le jugement des trois meilleurs capitaines qui eussent onques esté, faict par Hannibal, il est autrement en la vie de Flaminius, autrement en celle de Pyrrhus [289]. Mais de le charger d'avoir pris pour argent content des choses incroyables et impossibles, c'est accuser de faute de jugement le plus judicieux autheur du monde.

Et voicy son exemple : « Comme, ce dit-il, quand il recite[c] qu'un enfant de Lacedemone se laissa deschirer tout le ventre à un renardeau qu'il avoit desrobé, et le

---

a. Sur la foi d'autrui, de confiance. — *b.* Sciemment, exprès. — *c.* Raconte.

tenoit caché soubs sa robe, jusques à mourir plustost que de descouvrir son larecin. » Je trouve en premier lieu cet exemple mal choisi, d'autant qu'il est bien malaisé de borner les efforts des facultez de l'ame, là où des forces corporelles nous avons plus de loy de les limiter et cognoistre ; et à cette cause, si c'eust été à moy à faire, j'eusse plustost choisi un exemple de cette seconde sorte ; et il y en a de moins croyables, comme, entre autres, ce qu'il recite[a] de Pyrrhus[290], que, tout blessé qu'il estoit, il donna si grand coup d'espée à un sien ennemy armé de toutes pieces, qu'il le fendit du haut de la teste jusques en bas, si que le corps se partit en deux parts. En son exemple, je n'y trouve pas grand miracle, ny ne reçois l'excuse de quoy il couvre Plutarque d'avoir adjousté ce mot : *Comme on dit,* pour nous advertir et tenir en bride nostre creance. Car, si ce n'est aux choses receuës par authorité et reverence d'ancienneté ou de religion, il n'eust voulu ny recevoir luy mesme, ny nous proposer à croire choses de soy incroyables ; et que ce mot : *Comme on dit,* il ne l'employe pas en ce lieu pour cet effect, il est aysé à voir par ce que luy mesme nous raconte ailleurs sur ce subject de la patience[b] des enfans Lacedemoniens, des exemples advenuz de son temps plus mal-aisez à persuader : comme celuy que Cicero a tesmoigné aussi[291] avant luy, pour avoir, à ce qu'il dict, esté sur les lieux : que jusques à leur temps il se trouvoit des enfans, en cette preuve de patience[c] à quoy on les essayoit devant l'autel de Diane, qui souffroyent d'y estre foytez jusques à ce que le sang leur couloit par tout, non seulement sans s'escrier, mais encore sans gemir, et aucuns jusques à y laisser volontairement la vie. Et ce que Plutarque aussi recite[d], avec cent autres tesmoins[292], que, au sacrifice, un charbon ardant s'estant coulé dans la manche d'un enfant Lacedemonien, ainsi qu'il encensoit, il se laissa brusler tout le bras jusques à ce que la senteur de la chair cuyte en vint aux assistans. Il n'estoit rien, selon leur coustume, où il leur alast plus de la reputation, ny dequoy ils eussent à souffrir plus de blasme et de honte, que d'estre surpris en larecin. Je suis si imbu de la grandeur de ces hommes là, que non seulement il ne me semble, comme à Bodin, que son conte

---

a. Raconte. — *b.* L'endurance. — *c.* Endurance. — *d.* Raconte.

soit incroyable, que je ne le trouve pas seulement rare et estrange.

L'histoire Spartaine est pleine de mille plus aspres exemples et plus rares : elle est, à ce pris, toute miracle.

Marcellinus[293] recite[a], sur ce propos du larecin, que de son temps il ne s'estoit encores peu trouver aucune sorte de tourment qui peut forcer les Egyptiens surpris en ce mesfaict, qui estoit fort en usage entre eux, de dire seulement leur nom.

Un paisan Espagnol, estant mis à la geine[b] sur les complices de l'homicide du prætur Lutius Piso, crioit, au milieu des tormens, que ses amys ne bougeassent et l'assistassent en toute seureté, et qu'il n'estoit pas en la douleur de luy arracher un mot de confession; et n'en eust on autre chose pour le premier jour. Le lendemain, ainsi qu'on le ramenoit pour recommencer son tourment, s'esbranlant vigoureusement entre les mains de ses gardes, il alla froisser sa teste contre un paroy et s'y tua[294].

Epicharis, ayant saoulé et lassé la cruauté des satellites de Neron et soustenu leur feu, leurs bastures[c], leurs engins, sans aucune voix de revelation de sa conjuration, tout un jour; rapportée à la geine[d] l'endemain, les membres tous brisez, passa un lasset de sa robe dans l'un bras de sa chaize à tout un nœud courant et, y fourrant sa teste, s'estrangla du pois de son cors[295]. Ayant le courage d'ainsi mourir et se desrober aux premiers tourmens, semble elle pas à escient[e] avoir presté sa vie à cette espreuve de sa patiance[f] pour se moquer de ce tyran et encourager d'autres à semblable entreprinse contre luy?

Et qui s'enquerra à nos argolets des experiences qu'ils ont euës en ces guerres civiles, il se trouvera des effets de patience, d'obstination et d'opiniatreté, par-my nos miserables siecles et en cette tourbe molle et effeminée encore plus que l'Egyptienne, dignes d'estre comparez à ceux que nous venons de reciter de la vertu Spartaine. Je sçay qu'il s'est trouvé des simples paysans s'estre laissez griller la plante des pieds, ecrasés le bout des doits à tout le chien d'une pistole, pousser les yeux sanglants hors de la teste à force d'avoir le front serré d'une grosse corde,

---

a. Raconté. — *b.* Torture. — *c.* Coups. — *d.* Torture. — *e.* Exprès. — *f.* Son endurance. *du jour précédent,* ajoute l'édition de 1595.

avant que de s'estre seulement voulu mettre à rançon. J'en ay veu un, laissé pour mort tout nud dans un fossé, ayant le col tout meurtry et enflé d'un licol qui y pendoit encore, avec lequel on l'avoit tirassé toute la nuict à la queuë d'un cheval, le corps percé en cent lieux à coups de dague, qu'on luy avoit donné non pas pour le tuer, mais pour luy faire de la douleur et de la crainte ; qui avoit souffert tout cela, et jusques à y avoir perdu parolle et sentiment, resolu, à ce qu'il me dict, de mourir plustost de mille morts (comme de vray, quand à sa souffrance, il en avoit passé une toute entiere) avant que rien promettre ; et si [a], estoit un des plus riches laboureurs de toute la contrée. Combien en a l'on veu se laisser patiemment brusler et rotir pour des opinions empruntées d'autruy, ignorées et inconnues !

J'ay cogneu cent et cent femmes, car ils disent que les testes de Gascongne ont quelque prerogative en cela, que vous eussiez plustost faict mordre dans le fer chaut que de leur faire desmordre une opinion qu'elles eussent conçeuë en cholere. Elles s'exasperent à l'encontre des coups et de la contrainte. Et celuy qui forgea le conte de la femme [296] qui, pour aucune correction de menaces et bastonades, ne cessoit d'appeler son mary pouilleux, et qui, precipitée dans l'eau, haussoit encores en s'estouffant les mains, et faisoit au dessus de sa teste signe de tuer des poux, forgea un conte duquel, en verité, tous les jours on voit l'image expresse en l'opiniastreté des femmes. Et est l'opiniastreté sœur de la constance au moins en vigueur et fermeté.

Il ne faut pas juger ce qui est possible et ce qui ne l'est pas, selon ce qui est croyable et incroyable à nostre sens, comme j'ay dit ailleurs [297] ; et est une grande faute, et en laquelle toute-fois la plus part des hommes tombent (ce que je ne dis pas pour Bodin), de faire difficulté de croire d'autruy ce qu'eux ne sçauroient faire, ou ne voudroient. Il semble à chascun que la maistresse forme de nature est en luy [b] ; touche [c] et rapporte à celle là toutes les autres

---

a. Et pourtant il. — *b.* Édition de 1595 : *Selon elle, il faut regler toutes les autres. Les allures qui ne se rapportent aux siennes sont faintes et fauces. Luy propose l'on quelque chose des actions et facultez d'un autre ? La premiere chose qu'il appelle à la consultation de son jugement, c'est son exemple. Selon qu'il en va chez luy, selon cela va l'ordre du monde. O l'asnerie dangereuse et insupportable !* — *c.* Éprouve comme avec une pierre de touche.

formes. Les allures qui ne se reglent aux siennes, sont faintes et artificielles. Quelle bestiale stupidité! Moy, je considere aucuns hommes fort loing au-dessus de moy, noméement entre les anciens; et encores que je reconnoisse clairement mon impuissance à les suyvre de mes pas, je ne laisse pas de les suyvre à veue et juger les ressorts qui les haussent ainsin, desquels je apperçoy aucunement en moy les semences : comme je fay aussi de l'extreme bassesse des esprits, qui ne m'estonne et que je ne mescroy[a] non plus. Je vois bien le tour que celles-là se donnent pour se monter; et admire leur grandeur, et ces eslancemens que je trouve très-beaux, je les embrasse; et si mes forces m'y vont, au moins mon jugement s'y applique très-volontiers.

L'autre exemple qu'il allegue des choses incroyables et entierement fabuleuses dites par Plutarque, c'est qu'Agesilaus fut mulcté[b] par les Ephores pour avoir attiré à soy seul le cœur et volonté de ses citoyens. Je ne sçay quelle marque de faucé il y treuve; mais tant y a que Plutarque parle là de choses qui luy devoyent estre beaucoup mieux connues qu'à nous; et n'estoit pas nouveau en Grece de voir les hommes punis et exilez pour cela seul d'agréer trop à leurs citoyens, tesmoin l'Ostracisme et le Petalisme[298].

Il y a encore en ce mesme lieu un'autre accusation qui me pique pour Plutarque, où il dict qu'il a bien assorty de bonne foy les Romains aux Romains et les Grecs entre eux, mais non les Romains aux Grecs, tesmoin, dit-il, Demostenes et Cicero, Caton et Aristides, Sylla et Lisander, Marcellus et Pelopidas, Pompeius et Agesilaus; estimant qu'il a favorisé les Grecs de leur avoir donné des compaignons si dispareils[c]. C'est justement attaquer ce que Plutarque a de plus excellent et louable : car, en ses comparaisons (qui est la piece plus admirable de ses œuvres et en laquelle, à mon advis, il s'est autant pleu), la fidelité et sincerité de ses jugemens égale leur profondeur et leur pois. C'est un philosophe qui nous apprend la vertu. Voyons si nous le pourrons garentir de ce reproche de prevarication et faucé.

a. Je ne refuse pas de croire. — *b.* Mis à l'amende. — *c.* Différents, mal appariés.

Ce que je puis panser avoir donné occasion à ce jugement, c'est ce grand et esclatant lustre des noms Romains que nous avons en la teste. Il ne nous semble point que Demosthenes puisse égaler la gloire d'un consul, proconsul et questeur de cette grande republique. Mais qui considerera la verité de la chose et les hommes en eux mesmes, à quoy Plutarque a plus visé, et à balancer[a] leurs meurs, leurs naturels, leur suffisance que leur fortune, je pense, au rebours de Bodin, que Ciceron et le vieux Caton en doivent de reste à leurs compaignons. Pour son dessein j'eusse plustost choisi l'exemple du jeune Caton comparé à Phocion; car, en ce païr, il se trouveroit une plus vray-semblable disparité à l'advantage du Romain. Quant à Marcellus, Sylla et Pompeius, je voy bien que leurs exploits de guerre sont plus enflez, glorieux et pompeus que ceux des Grecs que Plutarque leur apparie; mais les actions les plus belles et vertueuses, non plus en la guerre qu'ailleurs, ne sont pas tousjours les plus fameuses. Je voy souvent des noms de capitaines estouffez sous la splendeur d'autres noms de moins de merite : tesmoin Labienus, Ventidius, Telesinus et plusieurs autres. Et, à le prendre par là, si j'avois à me plaindre pour les Grecs, pourrois-je pas dire que beaucoup moins est Camillus comparable à Themistocles, les Gracches à Agis et Cleomenes, Numa à Licurgus[b]? Mais c'est folie de vouloir juger d'un traict les choses à tant de visages.

Quand Plutarque les compare, il ne les égale pas pourtant. Qui plus disertement et conscientieusement pourroit remarquer leurs differences? Vient-il à parangonner[c] les victoires, les exploits d'armes, la puissance des armées conduites par Pompeius, et ses triumphes, avec ceux d'Agesilaus : « Je ne croy pas, dit-il[299], que Xenophon mesme, s'il estoit vivant, encore qu'on luy ait concedé d'écrire tout ce qu'il a voulu à l'advantage d'Agesilaus, osast le mettre en comparaison. » Parle-il de conferer Lisander à Sylla : « Il n'y a, dit-il, point de comparaison, ny en nombre de victoires, ny en hazard de batailles; car Lisander ne gaigna seulement que deux batailles navales, etc. »

a. A mettre en balance. — b. et Scipion encore à Epaminundas, qui estoyent aussi de son rolle, ajoutent les éditions publiées du vivant de Montaigne. *— c. Comparer.*

Cela, ce n'est rien desrober aux Romains; pour les avoir simplement presentez aux Grecs, il ne leur peut avoir fait injure, quelque disparité qui y puisse estre. Et Plutarque ne les contrepoise*a* pas entiers; il n'y a en gros aucune preference*b* : il apparie les pieces et les circonstances, l'une après l'autre, et les juge separément. Parquoy, si on le vouloit convaincre de faveur, il falloit en esplucher quelque jugement particulier, ou dire en general qu'il auroit failly d'assortir tel Grec à tel Romain, d'autant qu'il y en auroit d'autres plus correspondans pour les apparier, et se rapportans mieux.

CHAPITRE XXXIII

L'HISTOIRE DE SPURINA

La philosophie ne pense pas avoir mal employé ses moyens quand elle a rendu à la maison la souveraine maistrise de nostre ame et l'authorité de tenir en bride nos appetits. Entre lesquels ceux qui jugent qu'il n'en y a point de plus violens que ceux que l'amour engendre, ont cela pour leur opinion qu'ils tiennent au corps et à l'ame, et que tout l'homme en est possedé : en maniere que la santé mesme en depend, et est la medecine par fois contrainte de leur servir de maquerellage.

Mais, au contraire, on pourroit aussi dire que le meslange du corps y apporte du rabais et de l'affoiblissement : car tels desirs sont subjects à satieté et capables de remedes materiels. Plusieurs, ayant voulu delivrer leurs ames des alarmes continuelles que leur donnoit cet appetit, se sont servis d'incision et destranchement des parties esmeuës*c* et alterées. D'autres en ont du tout abatu la force et l'ardeur par frequente application de choses froides, comme de neige et de vinaigre. Les haires de nos aieuls estoient de cet usage; c'est une matiere tissue de poil de cheval, dequoy les uns d'entr'eux faisoient des chemises, et d'autres des ceintures à geéner leurs reins. Un prince[300] me disoit,

---

a. Met en balance. — *b.* Supériorité. — *c.* Troublées.

il n'y a pas longtemps que, pendant sa jeunesse, un jour
de feste solemne[a], en la court du Roy François premier,
où tout le monde estoit paré, il luy print envie de se vestir
de la haire, qui est encore chez luy, de monsieur son pere;
mais, quelque devotion qu'il eust, qu'il ne sceut avoir la
patience d'attendre la nuict pour se despouiller, et en fut
longtemps malade, adjoustant qu'il ne pensoit pas qu'il
y eust chaleur de jeunesse si aspre que l'usage de cette
recepte ne peut amortir.

Toutesfois à l'adventure ne les a-il pas essayées les plus
cuisantes; car l'experience nous faict voir qu'une telle
esmotion se maintient bien souvent soubs des habits
rudes et marmiteux[b], et que les haires ne rendent pas
tousjours heres ceux qui les portent. Xenocrates y proceda
plus rigoureusement : car ses disciples, pour essayer sa
continence, luy ayant fourré dans son lict Laïs, cette belle
et fameuse courtisane, toute nuë, sauf les armes de sa
beauté et folastres apasts, ses philtres, sentant qu'en despit
de ses discours et de ses regles, le corps, revesche, commençoit à se mutiner, il se fit brusler les membres qui avoient
presté l'oreille à cette rebellion[301]. Là où les passions qui
sont toutes en l'ame, comme l'ambition, l'avarice et autres,
donnent bien plus à faire à la raison; car elle n'y peut
estre secourue que de ses propres moyens, ny ne sont
ces appetits-là capables de satieté, voire ils s'esguisent et
augmentent par la jouyssance.

Le seul exemple de Julius Cæsar peut suffire à nous
montrer la disparité de ces appetits, car jamais homme ne
fut plus adonné aux plaisirs amoureux. Le soin curieux
qu'il avoit de sa personne, en est un tesmoignage, jusques
à se servir à cela des moyens les plus lascifs qui fussent
lors en usage : comme de se faire pinceter[c] tout le corps
et farder de parfums d'une extreme curiosité[d]. Et de soy
il estoit beau personnage, blanc, de belle et allegre taille,
le visage plein, les yeux bruns et vifs, s'il en faut croire
Suetone[302], car les statues qui se voyent de luy à Rome
ne raportent pas bien par tout à cette peinture. Outre ses
femmes, qu'il changea à quatre fois, sans conter[e] les amours
de son enfance avec le Roy de Bithynie Nicomedes[303],

a. Solennelle. — *b.* Misérables. — *c.* Épiler avec des pinces. —
d. Recherche. — *e.* Compter.

il eust le pucelage de cette tant renommée Royne d'Ægipte, Cleopatra, tesmoin le petit Cæsarion qui en nasquit[304]. Il fit aussi l'amour à Eunoé, Royne de Mauritanie[305], et, à Romme, à Posthumia, femme de Servius Sulpitius; à Lollia, de Gabinius; à Tertulla, de Crassus; et à Mutia mesme, femme du grand Pompeius, qui fut la cause, disent les historiens Romains, pourquoy son mary la repudia[306], ce que Plutarque confesse avoir ignoré[307]; et les Curions pere et fils reprocherent depuis à Pompeius, quand il espousa la fille de Cæsar, qu'il se faisoit gendre d'un homme qui l'avoit fait coqu, et que luy-mesme avoit accoustumé appeller Ægisthus. Il entretint, outre tout ce nombre, Servilia, sœur de Caton et mere de Marcus Brutus, dont chacun tient que proceda cette grande affection qu'il portoit à Brutus, par ce qu'il estoit nay en temps auquel il y avoit apparence qu'il fust nay de luy. Ainsi j'ay raison, ce me semble, de le prendre pour homme extremement adonné à cette desbauche et de complexion très-amoureuse[308]. Mais l'autre passion de l'ambition, dequoy il estoit aussi infiniment blessé, venant à combattre celle là, elle luy fit incontinent perdre place.

Me ressouvenant sur ce propos de Mechmet[309], celuy qui subjugua Constantinople et apporta la finale extermination du nom Grec, je ne sçache point où ces deux passions se trouvent plus egalement balancées : pareillement indefatigable ruffien et soldat. Mais quand en sa vie elles se presentent en concurrance l'une de l'autre, l'ardeur querelleuse gourmande tous-jours l'amoureuse ardeur. Et ceste-cy, encore que ce fust hors sa naturelle saison, ne regaigna pleinement l'authorité souveraine que quand il se trouva en grande vieillesse, incapable de plus soustenir le faix des guerres.

Ce qu'on recite[a], pour un exemple contraire, de Ladislaus, Roy de Naples, est remerquable : que, bon capitaine, courageux et ambitieux, il se proposoit pour fin principale de son ambition l'execution de sa volupté et jouissance de quelque rare beauté. Sa mort fut de mesme. Ayant rangé[b] par un siege bien poursuivy la ville de Florence si à destroit[c] que les habitans estoient après à[d] composer[e]

---

a. Raconte. — *b.* Soumis. — *c.* Strictement. — *d.* En train de. — *e.* Négocier.

LIVRE II, CHAPITRE XXXIII

de sa victoire, il la leur quitta ª pour veu qu'ils luy livrassent une fille de leur ville, dequoy il avoit ouy parler, de beauté excellente. Force fut de la luy accorder et garantir la publique ruine par une injure privée. Elle estoit fille d'un medecin fameux de son temps, lequel, se trouvant engagé en si villaine necessité, se resolut à une haute entreprinse. Comme chacun paroit sa fille et l'attournoit d'ornements et joyaux qui la peussent rendre aggreable à ce nouvel amant, luy aussi luy donna un mouchoir exquis en senteur et en ouvrage, duquel elle eust à se servir en leurs premieres approches, meuble qu'elles n'y oublient guere en ces quartiers ᵇ là. Ce mouchoir, empoisonné selon la capacité de son art, venant à se frotter à ces chairs esmeues et pores ouverts, inspira son venin si promptement, qu'ayant soudain changé leur sueur chaude en froide, ils expirerent entre les bras l'un de l'autre[310]. Je m'en revois ᶜ à Cæsar.

Ses plaisirs ne luy firent jamais desrober une seule minute d'heure, ny destourner un pas des occasions qui se presentoient pour son agrandissement. Cette passion regenta en luy si souverainement toutes les autres, et posseda son ame d'une authorité si pleine, qu'elle l'emporta où elle voulut. Certes j'en suis despit, quand je considere au demeurant la grandeur de ce personnage et les merveilleuses parties qui estoient en luy, tant de suffisance en toute sorte de sçavoir qu'il n'y a quasi science en quoy il n'ait escrit. Il estoit tel orateur que plusieurs ont preferé son eloquence à celle de Cicero; et luy-mesmes, à mon advis, n'estimoit luy devoir guere en cette partie; et ses deux *Anticatons* furent principalement escrits pour contrebalancer le bien dire que Cicero avoit employé en son *Caton*.

Au demeurant, fut-il jamais ame si vigilante, si active et si patiente de labeur que la sienne? et sans doubte encore estoit elle embellie de plusieurs rares semences de vertu, je dy vives, naturelles et non contrefaictes. Il estoit singulierement sobre et si peu delicat en son manger qu'Oppius recite[311] qu'un jour, luy ayant esté presenté à table, en quelque sauce, de l'huyle mediciné ᵈ au lieu d'huyle simple, il en mangea largement pour ne faire honte

---

a. Il les en tint quitte. — *b*. Pays. — *c*. Reviens, retourne. — *d*. Purgative.

à son hoste. Une autrefois, il fit fouetter son bolenger pour luy avoir servy d'autre pain que celuy du commun[312]. Caton mesme avoit accoustumé de dire de luy que c'estoit le premier homme sobre qui se fut acheminé à la ruyne de son pays[313]. Et quant à ce que ce mesme Caton l'appella un jour yvrongne (cela advint en cette façon : estans tous deux au Senat, où il se parloit du fait de la conjuration de Catilina, de laquelle Cæsar estoit soupçonné, on luy apporta de dehors un brevet à cachetes[a]. Caton, estimant que ce fut quelque chose dequoy les conjurez l'advertissent, le somma de le luy donner; ce que Cæsar fut contraint de faire pour eviter un plus grand soupçon[314]. C'estoit de fortune une lettre amoureuse que Servilia, sœur de Caton, luy escrivoit. Caton, l'ayant leuë, la luy rejetta en luy disant : « Tien, ivrongne[315] ! ») cela, dis-je, fut plustost un mot de desdain et de colere qu'un expres reproche de ce vice, comme souvent nous injurions ceux qui nous faschent des premieres injures qui nous viennent à la bouche, quoy qu'elles ne soient nullement deues à ceux à qui nous les attachons. Joinct que ce vice que Caton luy reproche est merveilleusement voisin de celuy auquel il avoit surpris Cæsar; car Venus et Bacchus se conviennent volontiers, à ce que dict le proverbe[316].

Mais, chez moy, Venus est bien plus allegre, accompaignée de la sobriété.

Les exemples de sa douceur et de sa clemence envers ceux qui l'avoient offencé, sont infinis; je dis outre ceux qu'il donna pendant le temps que la guerre civile estoit encore en son progrés[b], desquels il fait luy-mesmes assez sentir par ses escris qu'il se servoit pour amadouer ses ennemis et leur faire moins craindre sa future domination et sa victoire. Mais si[c] faut il dire que ces exemples là, s'ils ne sont suffisans à nous tesmoigner sa naïve douceur, ils nous montrent au moins une merveilleuse confiance et grandeur de courage en ce personnage. Il luy est advenu souvent de renvoyer des armées toutes entieres à son ennemy après les avoir vaincues, sans daigner seulement les obliger par serment, sinon de le favoriser, aumoins de se contenir sans luy faire guerre. Il a prins à trois et à quatre fois tels capitaines de Pompeius, et autant de

---

a. En cachette. — *b.* Cours. — *c.* Encore.

fois remis en liberté. Pompeius declaroit ses ennemis tous ceux qui ne l'accompaignoient à la guerre [317] ; et luy, fit proclamer qu'il tenoit pour amis tous ceux qui ne bougeoient et qui ne s'armoyent effectuellement contre luy. À ceux de ses capitaines [318] qui se desroboient de luy pour aller prendre autre condition, il r'envoioit encore les armes, chevaux et equipage. Les villes qu'il avoit prinses par force, il les laissoit en liberté de suyvre tel party qu'il leur plairoit, ne leur donnant autre garnison que la memoire de sa douceur et clemence. Il deffendit, le jour de sa grande bataille de Pharsale, qu'on ne mit qu'à toute extremité la main sur les citoyens Romains [319].

Voylà des traits bien hazardeux, selon mon jugement ; et n'est pas merveilles si, aux guerres civiles que nous sentons, ceux qui combattent comme luy l'estat ancien de leur pays n'en imitent l'exemple ; ce sont moyens extraordinaires, et qu'il n'appartient qu'à la fortune de Cæsar et à son admirable pourvoyance [a] de heureusement conduire. Quand je considere la grandeur incomparable de cette ame, j'excuse la victoire de ne s'estre peu depestrer de luy, voire en cette très-injuste et très-inique cause.

Pour revenir à sa clemence, nous en avons plusieurs naifs exemples au temps de sa domination, lors que, toutes choses estant reduites en sa main, il n'avoit plus à se feindre. Caius Memmius avoit escrit contre luy des oraisons très-poignantes, ausquelles il avoit bien aigrement respondu ; si [b] ne laissa-il, bien tost après, de aider à le faire consul [320]. Caius Calvus, qui avoit faict plusieurs epigrammes injurieux contre luy, ayant employé de ses amis pour le reconcilier, Cæsar se convia luy mesme à luy escrire le premier [321]. Et nostre bon Catulle, qui l'avoit testonné si rudement sous le nom de Mamurra, s'en estant venu excuser à luy, il le fit ce jour mesme souper à sa table [322]. Ayant esté adverty d'aucuns qui parloient mal de luy, il n'en fit autre chose que declarer, en une sienne harangue publique, qu'il en estoit adverty [323]. Il craignoit encore moins ses ennemis qu'il ne les haissoit. Aucunes conjurations et assemblées qu'on faisoit contre sa vie luy ayant esté descouvertes, il se contenta de publier par edit qu'elles luy estoient connues, sans autrement en

---

a. Prévoyance. — *b.* Pourtant.

poursuyvre les autheurs[324]. Quant au respect qu'il avoit à ses amis, Caius Oppius voyageant avec luy et se trouvant mal, il luy quitta un seul logis qu'il y avoit, et coucha toute la nuict sur la dure et au descouvert[325]. Quant à sa justice, il fit mourir un sien serviteur qu'il aimoit singulierement, pour avoir couché avecques la femme d'un chevalier Romain, quoy que personne ne s'en plaignit[326]. Jamais homme n'apporta ny plus de moderation en sa victoire, ny plus de resolution en la fortune contraire.

Mais toutes ces belles inclinations furent alterées et estouffées par cette furieuse passion ambitieuse, à laquelle il se laissa si fort emporter qu'on peut aisément maintenir qu'elle tenoit le timon et le gouvernail de toutes ses actions. D'un homme liberal elle en rendit un voleur publique pour fournir à cette profusion et largesse, et luy fit dire ce vilain et très-injuste mot, que si les plus meschans et perdus hommes du monde luy avoient esté fidelles au service de son agrandissement, il les cheriroit et avanceroit de son pouvoir aussi bien que les plus gens de bien[327]; l'enyvra d'une vanité si extreme qu'il osoit se vanter en presence de ses concitoyens d'avoir rendu cette grande Republique Romaine un nom sans forme et sans corps[328]; et dire que ses responces devoient meshuy[a] servir de loix; et recevoir assis le corps du Senat venant vers luy[329]; et souffrir qu'on l'adorat et qu'on luy fit en sa presence des honneurs divins[330]. Somme[b], ce seul vice, à mon advis, perdit en luy le plus beau et le plus riche naturel qui fut onques, et a rendu sa memoire abominable à tous les gens de bien, pour avoir voulu chercher sa gloire de la ruyne de son pays et subversion de la plus puissante et fleurissante chose publique[c] que le monde verra jamais.

Il se pourroit bien, au contraire, trouver plusieurs exemples de grands personnages ausquels la volupté a faict oublier la conduicte de leurs affaires, comme Marcus Antonius et autres; mais où l'amour et l'ambition seroient en égale balance et viendroient à se choquer de forces pareilles, je ne fay aucun doubte que cette-cy ne gaignast le pris de la maistrise.

Or, pour me remettre sur mes brisées, c'est beaucoup de pouvoir brider nos appetits par le discours de la raison,

---

a. Désormais. — *b.* En somme. — *c.* État.

ou de forcer nos membres par violence à se tenir en leur devoir; mais de nous foitter pour l'interest de nos voisins, de non seulement nous deffaire de cette douce passion qui nous chatouille, du plaisir que nous sentons de nous voir aggreables à autruy et aymez et recherchez d'un chascun, mais encore de prendre en haine et à contrecœur nos graces qui en sont cause, et de condamner nostre beauté par ce que quelqu'autre s'en eschauffe, je n'en ay veu guere d'exemples. Cettuy-cy en est : Spurina, jeune homme de la Toscane,

> *Qualis gemma micat, fulvum quæ dividit aurum,*
> *Aut collo decus aut capiti, vel quale, per artem*
> *Inclusum buxo aut Oricia terebintho,*
> *Lucet ebur* [a],

estant doué d'une singuliere beauté, et si excessive que les yeux plus continents ne pouvoient en souffrir l'esclat continemment, ne se contentant point de laisser sans secours tant de fiévre et de feu qu'il alloit attisant par tout, entra en furieux despit contre soy-mesme et contre ces riches presens que nature luy avoit faits, comme si on se devoit prendre à eux de la faute d'autruy, et détailla et troubla, à force de playes qu'il se fit à escient [b] et de cicatrices, la parfaicte proportion et ordonnance que nature avoit si curieusement observée en son visage [331].

Pour en dire mon advis, j'admire telles actions plus que je ne les honnore : ces excez sont ennemis de mes regles. Le dessein en fut beau et consciencieux, mais, à mon advis, un peu manque de prudence. Quoy? si sa laideur servit depuis à en jetter d'autres au peché de mespris et de haine ou d'envie pour la gloire d'une si rare recommandation, ou de calomnie, interpretant cette humeur à une forcenée ambition. Y a il quelque forme de laquelle le vice ne tire, s'il veut, occasion à s'exercer en quelque maniere? Il estoit plus juste et aussi plus glorieux qu'il fist de ces dons de Dieu un subjet de vertu examplaire et de reglement.

Ceux qui se desrobent aux offices communs et à ce

---

a. « Telle brille une gemme enchâssée dans l'or fauve, ornement d'un collier ou d'une couronne; tel l'ivoire éclatant, serti de buis ou de térébinthe oricien. » Virgile, *Énéide*, X, 134. — *b.* Exprès.

nombre infiny de regles espineuses à tant de visages qui
lient un homme d'exacte preud'hommie en la vie civile,
font, à mon gré, une belle espargne, quelque pointe d'aspreté peculiere[a] qu'ils s'enjoignent[b]. C'est aucunement
mourir pour fuir la peine de bien vivre. Ils peuvent avoir
autre pris; mais le pris de la difficulté, il ne m'a jamais
semblé qu'ils l'eussent, ni qu'en malaisance il y ait rien
au delà de se tenir droit emmy les flots de la presse du
monde, respondant et satisfaisant loyalement à tous les
membres de sa charge. Il est à l'adventure plus facile de
se passer nettement de tout le sexe, que de se maintenir
deuement de tout point en la compaignie de sa femme;
et a l'on de quoy couler plus incurieusement[c] en la pauvreté qu'en l'abondance justement dispensée : l'usage
conduict selon raison a plus d'aspreté que n'a l'abstinence.
La moderation est vertu bien plus affaireuse que n'est la
souffrance. Le bien vivre du jeune Scipion a mille façons :
le bien vivre de Diogenes n'en a qu'une. Cette-cy surpasse
d'autant en innocence les vies ordinaires, comme les
exquises et accomplies la surpassent en utilité et en force.

CHAPITRE XXXIV

OBSERVATIONS SUR LES MOYENS
DE FAIRE LA GUERRE DE JULIUS CÆSAR

ON recite[d] de plusieurs chefs de guerre, qu'ils ont eu
certains livres en particuliere recommandation : comme
le grand Alexandre, Homere[332]; Scipion l'Aphricain, Xenophon[333], Marcus Brutus, Polybius[334]; Charles cinquiesme,
Philippe de Comines[335]; et dit-on de ce temps, que Machiavel est encores ailleurs en credit; mais le feu Mareschal
Strossy[336], qui avoit pris Cæsar pour sa part, avoit sans
doubte bien mieux choisi : car à la verité, ce devroit estre
le breviaire de tout homme de guerre, comme estant le
vray et souverain patron de l'art militaire. Et Dieu sçait

---

a. Particulière. — *b.* Quelque rigueur qu'ils s'ajoutent. — *c.* Avec
moins de souci. — *d.* Raconte.

encore de quelle grace et de quelle beauté il a fardé cette
riche matiere : d'une façon de dire si pure, si delicate et
si parfaicte, que, à mon goust, il n'y a aucuns escrits au
monde qui puissent estre comparables aux siens en cette
partie.

Je veux icy enregistrer certains traicts particuliers et
rares, sur le faict de ses guerres, qui me sont demeurez
en memoire.

Son armée estant en quelque effroy pour le bruit qui
couroit des grandes forces que menoit contre lui le Roy
Juba, au lieu de rabattre l'opinion que ses soldats en avoyent
prise et appetisser les moyens de son ennemy, les ayant
faict assembler pour les r'asseurer et leur donner courage,
il print une voye toute contraire à celle que nous avons
accoustumé : car il leur dit qu'ils ne se missent plus en
peine de s'enquerir des forces que menoit l'ennemy, et
qu'il en avoit eu bien certain advertissement; et lors il
leur en fit le nombre surpassant de beaucoup et la verité
et la renommée qui en couroit en son armée[337], suyvant
ce que conseille Cyrus en Xenophon[338]; d'autant que
la tromperie n'est pas si grande de trouver les ennemis
par effet plus foybles qu'on n'avoit esperé, que, les ayant
jugez foibles par reputation, les trouver après à la verité
bien forts.

Il accoustumoit sur tout ses soldats à obeyr simplement, sans se mesler de contreroller ou parler des desseins de leur capitaine, lesquels il ne leur communiquoit
que sur le point de l'execution; et prenoit plaisir, s'ils
en avoyent descouvert quelque chose, de changer sur le
champ d'advis pour les tromper; et souvent, pour cet
effect, ayant assigné un logis en quelque lieu, il passoit
outre et alongeoit la journée, notamment s'il faisoit mauvais temps et pluvieux[339].

Les Souisses, au commencement de ses guerres de Gaule,
ayans envoyé vers luy pour leur donner passage au travers
des terres des Romains, estant deliberé de les empescher
par force, il leur contrefit toutes-fois un bon visage, et
print quelques jours de delay à leur faire responce, pour
se servir de ce loisir à assembler son armée. Ces pauvres
gens ne sçavoyent pas combien il estoit excellent mesnager
du temps; car il redit maintes fois que c'est la plus souveraine partie d'un capitaine que la science de prendre au

point les occasions, et la diligence, qui est en ses exploits à la verité inouye et incroyable[340].

S'il n'estoit guiere conscientieux, en cela, de prendre advantage sur son ennemy sous couleur d'un traité d'accord, il l'estoit aussi peu en ce qu'il ne requeroit en ses soldats autre vertu que la vaillance, ny ne punissoit guiere autres vices que la mutination et la desobeïssance. Souvent, après ses victoires, il leur lâchoit la bride à toute licence, les dispensant pour quelque temps des regles de la discipline militaire, adjoutant à cela qu'il avoit des soldats si bien creez que, tous perfumez et musquez, ils ne laissoient pas d'aller furieusement au combat. De vray, il aymoit qu'ils fussent richement armez, et leur faisoit porter des harnois gravez, dorez et argentez, afin que le soing de la conservation de leurs armes les rendit plus aspres à se defendre[341]. Parlant à eux, il les appelloit du nom de *compaignons,* que nous usons encore[342] : ce qu'Auguste son successeur reforma, estimant qu'il l'avoit fait pour la necessité de ses affaires et pour flater le cœur de ceux qui ne le suyvoient que volontairement[343] ;

Rheni mihi Cæsar in undis
Dux erat, hic socius : facinus quos inquinat, æquat [a] *;*

mais que cette façon estoit trop rabaissée pour la dignité d'un Empereur et general d'armée, et remit en train de les appeler seulement *soldats*.

A cette courtoisie Cæsar mesloit toutes-fois une grande severité à les reprimer. La neufiesme legion s'estant mutinée au près de Plaisance, il la cassa avec ignominie, quoy que Pompeius fut lors encore en pieds, et ne la reçeut en grace qu'avec plusieurs supplications[344]. Il les rapaisoit plus par authorité et par audace, que par douceur.

Là où il parle de son passage de la riviere du Rhin vers l'Alemaigne, il dit[345] qu'estimant indigne de l'honneur du peuple Romain qu'il passast son armée à navires [b], il fit dresser un pont afin qu'il passat à pied ferme. Ce fut là qu'il bâtist ce pont admirable de quoy il dechifre particulierement la fabrique [c] : car il ne s'arreste si volontiers

---

a. « Sur les ondes du Rhin, César était pour moi un chef; ici, c'est un complice; le forfait rend égaux ceux qu'il souille. » Lucain, *Pharsale,* V, 289. — b. Sur des navires. — c. Expose la construction.

LIVRE II, CHAPITRE XXXIV

en nul endroit de ses faits, qu'à nous representer la subtilité de ses inventions en telle sorte d'ouvrages de main.

J'y ay aussi remarqué cela, qu'il fait grand cas de ses exhortations aux soldats avant le combat : car, où il veut montrer avoir esté surpris ou pressé, il allegue tousjours cela, qu'il n'eust pas seulement loysir de haranguer son armée. Avant cette grande bataille contre ceux de Tournay : « Cæsar, dict-il[346], ayant ordonné du reste, courut soudainement où la fortune le porta, pour enhorter[a] ses gens ; et rencontrant la dixiesme legion, il n'eust loisir de leur dire, sinon qu'ils eussent souvenance de leur vertu accoustumée, qu'ils ne s'estonnassent poinct et soustinsent hardiment l'effort des adversaires ; et par ce que l'ennemy estoit des-jà approché à un jet de trait, il donna le signe de la bataille ; et de là, estant passé soudainement ailleurs pour en encourager d'autres, il trouva qu'ils estoyent des-jà aux prises. » Voylà ce qu'il en dict en ce lieu là. De vray, sa langue luy a fait en plusieurs lieux de bien notables services ; et estoit, de son temps mesme, son eloquence militaire en telle recommandation que plusieurs en son armée recueilloyent ses harangues ; et par ce moyen il en fut assemblé des volumes qui ont duré longtemps après luy. Son parler avoit des graces particulières, si que ses familiers, et, entre autres, Auguste, oyant[b] reciter ce qui en avoit esté recueilli, reconnoissoit jusques aux phrases et aux mots ce qui n'estoit pas du sien.

La premiere fois qu'il sortit de Rome avec charge publique, il arriva en huit jours à la riviere du Rhone[347], ayant dans sa coche devant luy un secrétaire ou deux qui escrivoyent sans cesse, et derriere luy celuy qui portoit son espée. Et certes, quand on ne feroit qu'aler, à peine pourroit on atteindre à cette promptitude dequoy, tousjours victorieux, ayant laissé la Gaule et suyvant Pompeius à Brindes, il subjuga l'Italie en dix-huict jours, revint de Brindes à Rome ; de Rome il s'en alla au fin fonds de l'Espaigne, où il passa des difficultez extremes en la guerre contre Affranius et Petreius, et au long siege de Marseille. De là il s'en retourna en la Macedoine, battit l'armée Romaine à Pharsale, passa de là, suyvant Pompeius, en Ægypte, laquelle il subjuga ; d'Ægypte il vint en Syrie et

---

a. Exhorter. — *b.* Entendant.

au pays du Pont où il combatit Pharnaces; de là en Afrique, où il deffit Scipion et Juba, et rebroussa encore par l'Italie en Espaigne où il deffit les enfans de Pompeius,

> *Ocior et cæli flammis et tigride fæta*[a],
>
> *Ac veluti montis saxum de vertice præceps*
> *Cum ruit avulsum vento, seu turbidus imber*
> *Proluit, aut annis solvit sublapsa vetustas,*
> *Fertur in abruptum magno mons improbus actu,*
> *Exultatque solo, silvas, armenta virôsque*
> *Involvens secum*[b].

Parlant du siege d'Avaricum, il dit[348] que c'estoit sa coustume de se tenir nuict et jour près des ouvriers qu'il avoit en besoigne. En toutes entreprises de consequence, il faisoit tousjours la descouverte luy mesme, et ne passa jamais son armée en lieu qu'il n'eut premierement reconnu. Et, si nous croyons Suetone, quand il fit l'entreprise de trajetter en Angleterre, il fut le premier à sonder le gué.

Il avoit accoustumé de dire qu'il aimoit mieux la victoire qui se conduisoit par conseil que par force. Et, en la guerre contre Petreius et Afranius, la fortune luy presentant une bien apparante occasion d'advantage, il la refusa, dit-il[349], esperant, avec un peu plus de longueur mais moins de hazard, venir à bout de ses ennemis.

Il fit aussi là un merveilleux traict, de commander à tout son ost[c] de passer à nage la riviere sans aucune necessité

> *rapuitque ruens in prælia miles,*
> *Quod fugiens timuisset, iter; mox uda receptis*
> *Membra fovent armis, gelidôsque a gurgite, cursu*
> *Restituunt artus*[d].

---

a. « Plus rapide que les flammes du ciel et que la tigresse mère. » Lucain, *Pharsale*, V, 405. — *b.* « Pareil à un rocher qui roule du haut de la montagne, arraché par le vent ou miné par les pluies, ou détaché par l'action des ans; la masse énorme se précipite dans une chute horrible vers l'abîme, fait retentir le sol, entraînant avec les forêts, les troupeaux et les gens. » Virgile, *Énéide*, XII, 684. — *c.* Toute son armée. — *d.* « Le soldat se ruant au combat s'élance vers un chemin qu'il eût évité pour fuir. Bientôt, reprenant leurs armes, ils réchauffent leurs membres humides et assouplissent par la course leurs articulations engourdies par le gouffre. » Lucain, *Pharsale*, IV, 151.

Je le trouve un peu plus retenu et consideré en ses entreprinses qu'Alexandre : car cettuy-cy semble rechercher et courir à force les dangiers, comme un impetueux torrent qui choque et attaque sans discretion[a] et sans chois tout ce qu'il rencontre :

> *Sic tauri-formis volvitur Aufidus,*
> *Qui Regna Dauni perfluit Appuli,*
> *Dum sævit, horrendamque cultis*
> *Diluviem meditatur agris*[b].

Aussi estoit-il embesoigné en la fleur et premiere chaleur de son aage, là où Cæsar s'y print estant dès-jà meur et bien avancé. Outre ce qu'Alexandre estoit d'une temperature plus sanguine, colere et ardente, et si esmouvoit encore cette humeur par le vin, duquel Cæsar estoit très-abstinent[350]; mais où les occasions de la necessité se presentoyent et où la chose le requeroit, il ne fut jamais homme faisant meilleur marché de sa personne.

Quant à moy, il me semble lire en plusieurs de ses exploits une certaine resolution de se perdre, pour fuyr la honte d'estre vaincu. En cette grande bataille qu'il eut contre ceux de Tournay, il courut se presenter à la teste des ennemis sans bouclier, comme il se trouva, voyant la pointe de son armée s'esbranler[351]; ce qui luy est advenu plusieurs autres fois. Oyant dire que ses gens estoyent assiegez, il passa desguisé au travers l'armée ennemie pour les aller fortifier de sa presence. Ayant trajecté à Dirrachium avec bien petites forces, et voyant que le reste de son armée, qu'il avoit laissée à conduire à Antonius, tardoit à le suivre, il entreprit luy seul de repasser la mer par une très grande tormente, et se desroba pour aller reprendre luy-mesme le reste de ses forces, les ports de delà et toute la mer estant saisie par Pompeius[352].

Et quant aux entreprises qu'il a faites à main armée, il y en a plusieurs qui surpassent en hazard tout discours de raison militaire; car avec combien foibles moyens entreprint-il de subjuguer le Royaume d'Ægypte, et, depuis,

---

a. Sans discernement, à l'aveuglette. — *b.* « Ainsi l'Aufide, qui arrose à la façon d'un taureau le royaume de Daunus Apulien, roule aux époques de crue ses eaux torrentielles et menace d'une horrible inondation les champs cultivés. » Horace, *Odes*, IV, XIV, 15.

d'aller attaquer les forces de Scipion et de Juba, de dix parts plus grandes que les siennes? Ces gens là ont eu je ne sçay quelle plus qu'humaine confiance de leur fortune.

Et disoit-il qu'il falloit executer, non pas consulter[a], les hautes entreprises[353].

Après la bataille de Pharsale, ayant envoyé son armée devant en Asie, et passant avec un seul vaisseau le destroit de l'Helespont, il rencontra en mer Lucius Cassius avec dix gros navires de guerre; il eut le courage non seulement de l'attendre, mais de tirer droit vers luy, et le sommer de se rendre; et en vint à bout. Ayant entrepris ce furieux siege d'Alexia, où il y avoit quatre vints mille hommes de deffence, toute la Gaule s'estant eslevée pour luy courre sus et lever le siege, et dressé une armée de cent neuf mille chevaux[354] et de deux cens quarante mille hommes de pied, quelle hardiesse et maniacle confiance fut ce de n'en vouloir abandonner son entreprise et se resoudre à deux si grandes difficultez ensemble? Lesquelles toutesfois il soustint; et, après avoir gaigné cette grande bataille contre ceux de dehors, rengea bien tost à sa mercy ceux qu'il tenoit enfermez. Il en advint autant à Lucullus au siege de Tigranocerta contre le Roy Tigranes, mais d'une condition dispareille, veu la mollesse des ennemis à qui Lucullus avoit affaire[355].

Je veux icy remarquer deux rares evenemens et extraordinaires sur le fait de ce siege d'Alexia : l'un, que les Gaulois, s'assemblans pour venir trouver là Cæsar, ayans faict denombrement de toutes leurs forces, resolurent en leur conseil de retrancher une bonne partie de cette grande multitude, de peur qu'ils n'en tombassent en confusion[356]. Cet exemple est nouveau de craindre à estre trop; mais, à le bien prendre, il est vraysemblable que le corps d'une armée doit avoir une grandeur moderée et reglée à certaines bornes, soit pour la difficulté de la nourrir, soit pour la difficulté de la conduire et tenir en ordre. Au moins seroit il bien aisé à verifier, par exemple, que ces armées monstrueuses en nombre n'ont guiere rien fait qui vaille.

Suivant le dire de Cyrus en Xenophon[357], ce n'est pas le nombre des hommes, ains[b] le nombre des bons hommes, qui faict l'advantage, le demeurant servant plus de destour-

---

a. Peser, délibérer. — b. Mais.

bier que de secours. Et Bajazet print le principal fondement à sa resolution de livrer journée à Tamburlan, contre l'advis de tous ses capitaines, sur ce que le nombre innombrable des hommes de son ennemy lui donnoit certaine esperance de confusion[358]. Scanderberch, bon juge et très expert, avoit accoustumé de dire que dix ou douze mille combattans fideles devoient baster[a] à un suffisant[b] chef de guerre pour garantir sa reputation en toute sorte de besoin militaire[359].

L'autre point, qui semble estre contraire et à l'usage et à la raison de la guerre, c'est que Vercingentorix, qui estoit nommé chef et general de toutes les parties des Gaules revoltées, print party de s'aller enfermer dans Alexia[360]. Car celuy qui commande à tout un pays ne se doit jamais engager qu'au cas de cette extremité qu'il y alat de sa derniere place et qu'il n'y eut rien plus à esperer qu'en la deffence d'icelle; autrement il se doit tenir libre, pour avoir moyen de pourvoir en general à toutes les parties de son gouvernement.

Pour revenir à Cæsar, il devint, avec le temps, un peu plus tardif et plus consideré, comme tesmoigne son familier Oppius[361] : estimant[c] qu'il ne devoit aysement hazarder l'honneur de tant de victoires, lequel une seule defortune[d] luy pourroit faire perdre. C'est ce que disent les Italiens, quand ils veulent reprocher cette hardiesse temeraire qui se void aux jeunes gens, les nommant necessiteux d'honneur, « *bisognosi d'honore* », et qu'estant encore en cette grande faim et disete de reputation, ils ont raison de la chercher à quelque pris que ce soit, ce que ne doivent pas faire ceux qui en ont desjà acquis à suffisance. Il y peut avoir quelque juste moderation en ce desir de gloire, et quelque sacieté en cet appetit, comme aux autres; assez de gens le practiquent ainsi.

Il estoit bien esloigné de cette religion des anciens Romains, qui ne se vouloyent prevaloir en leurs guerres que de la vertu simple et nayfve; mais encore y aportoit il plus de conscience que nous ne ferions à cette heure, et n'approuvoit pas toutes sortes de moyens pour acquerir la victoire. En la guerre contre Ariovistus, estant à par-

---

a. Suffire. — *b.* Habile. — *c. dict Suétone*, ajoutent ici les éditions publiées du vivant de Montaigne. — *d.* Malchance.

lementer avec luy, il y survint quelque remuement entre les deux armées, qui commença par la faute des gens de cheval d'Ariovistus ; sur ce tumulte, Cæsar se trouva avoir fort grand avantage sur ses ennemis ; toutes-fois il ne s'en voulut point prevaloir, de peur qu'on luy peut reprocher d'y avoir procedé de mauvaise foy[362].

Il avoit accoustumé de porter un accoustrement riche au combat et de couleur esclatante pour se faire remarquer.

Il tenoit la bride plus estroite à ses soldats, et les tenoit plus de court estant près des ennemis.

Quand les anciens Grecs vouloyent accuser quelqu'un d'extreme insuffisance, ils disoyent en commun proverbe qu'il ne sçavoit ny lire, ny nager[363]. Il avoit cette mesme opinion, que la science de nager estoit très-utile à la guerre, et en tira plusieurs commoditez : s'il avoit à faire diligence, il franchissoit ordinairement à nage les rivieres qu'il rencontroit[364], car il aymoit à voyager à pied comme le grand Alexandre[365]. En Ægypte, ayant esté forcé, pour se sauver, de se mettre dans un petit bateau, et tant de gens s'y estant lancez quant et luy qu'il estoit en danger d'aller à fons, il ayma mieux se jetter en la mer et gaigna sa flote à nage, qui estoit plus de deux cents pas de là, tenant en sa main gauche ses tablettes hors de l'eau et trainant à belles dents sa cotte d'armes, afin que l'ennemy n'en jouyt, estant des-jà bien avancé sur l'eage[366].

Jamais chef de guerre n'eust tant de creance sur ses soldats. Au commancement de ses guerres civiles, les centeniers luy offrirent de soudoyer, chacun sur sa bourse, un homme d'armes ; et les gens de pied, de le servir à leurs despens ; ceux qui estoyent plus aysez, entreprenants encore à deffrayer les plus necessiteux[367]. Feu monsieur l'Admiral de Chatillon[368] nous fit voir dernierement un pareil cas en nos guerres civiles, car les François de son armée fournissoient de leurs bourses au payement des estrangers qui l'accompagnoient ; il ne se trouveroit guiere d'exemples d'affection si ardente et si preste parmy ceux qui marchent dans le vieux train, soubs l'ancienne police des loix[369].

La passion nous commande bien plus vifvement que la raison. Il est pourtant advenu, en la guerre contre Annibal, qu'à l'exemple de la liberalité du peuple Romain en la ville, les gendarmes[a] et Capitaines refuserent leur paye; et appeloit on au camp de Marcellus mercenaires ceux qui en prenoient[370].

Ayant eu du pire auprès de Dirrachium, ses soldats se vindrent d'eux mesmes offrir à estre chastiez et punis, de façon qu'il eust plus à les consoler qu'à les tencer. Une sienne seule cohorte soustint quatre legions de Pompeius plus de quatre heures, jusques à ce qu'elle fut quasi toute deffaicte à coups de trait; et se trouva dans la trenchée cent trente mille flesches. Un soldat nommé Scæva, qui commandoit à une des entrées, s'y maintint invincible, ayant un œil crevé, une espaule et une cuisse percées, et son escu faucé en deux cens trente lieux[371]. Il est advenu à plusieurs de ses soldats pris prisonniers d'accepter plustost la mort que de vouloir promettre de prendre autre party. Granius Petronius, pris par Scipion en Affrique, Scipion, ayant faict mourir ses compaignons, luy manda qu'il luy donnoit la vie, car il estoit homme de reng et questeur. Petronius respondit que les soldats de Cæsar avoient accoustumé de donner la vie aux autres, non la recevoir; et se tua tout soudain de sa main propre[372].

Il y a infinis exemples de leur fidelité; il ne faut pas oublier le traict de ceux qui furent assiegez à Salone, ville partizane pour Cæsar contre Pompeius, pour un rare accident qui y advint[373]. Marcus Octavius les tenoit assiegez; ceux de dedans estans reduits en extreme necessité de toutes choses, en maniere que, pour supplier au deffaut qu'ils avoient d'hommes, la plus part d'entre eux y estans morts et blessez, ils avoient mis en liberté tous leurs esclaves, et pour le service de leurs engins avoient esté contraints de coupper les cheveux de toutes les femmes pour en faire des cordes, outre une merveilleuse disette de vivres, et ce neant moins resolus de jamais ne se rendre. Après avoir trainé ce siege en grande longueur, d'où Octavius estoit devenu plus nonchalant et moins attentif à son entreprinse, ils choisirent un jour sur le midy, et, ayant rangé les femmes et les enfans sur leurs murailles pour faire bonne mine, sortirent en telle furie sur les assiegeans qu'ayant enfoncé le premier, le second et tiers corps de garde, et le quatriesme et puis le reste, et ayant

---

a. Gens d'armes.

fait du tout abandonner les tranchées, les chasserent jusques dans les navires; et Octavius mesme se sauva à Dyrrachium, où estoit Pompeius. Je n'ay point memoire pour cett'heure d'avoir veu aucun autre exemple où les assiegez battent en gros les assiegeans et gaignent la maistrise de la campagne, ny qu'une sortie ait tiré en consequence une pure et entiere victoire de bataille.

CHAPITRE XXXV

DE TROIS BONNES FEMMES

Il n'en est pas à douzaines, comme chacun sçait, et notamment aux devoirs de mariage; car c'est un marché plein de tant d'espineuses circonstances, qu'il est malaisé que la volonté d'une femme s'y maintienne entiere long temps. Les hommes, quoy qu'ils y soyent avec un peu meilleure condition, y ont prou affaire.

La touche d'un bon mariage et sa vraye preuve regarde le temps que la société dure; si elle a esté constamment douce, loyalle et commode. En nostre siecle, elles reservent plus communéement à estaller leurs bons offices et la vehemence de leur affection envers leurs maris perdus, cherchent au moins lors à donner tesmoignage de leur bonne volonté. Tardif tesmoignage et hors de saison! Elles preuvent plustôt par là qu'elles ne les aiment que morts. La vie est plaine de combustion; le trespas, d'amour et de courtoisie. Comme les peres cachent l'affection envers leurs enfans, elles volontiers, de mesmes, cachent la leur envers le mary pour maintenir un honneste respect. Ce mistere n'est pas de mon goust: elles ont beau s'escheveler et esgratigner, je m'en vois à l'oreille d'une femme de chambre et d'un secretaire: « Comment estoient-ils? Comment ont-ils vescu ensemble? » Il me souvient tousjours de ce bon mot: « *jactantius mærent, quæ minus dolent* [a].» Leur rechigner est odieux aux vivans et vain aux morts.

---

a. « Celles qui ont le moins de chagrin pleurent avec le plus d'ostentation. » Tacite, *Annales*, II, 77.

Nous dispenserons volontiers qu'on rie après, pourveu qu'on nous rie pendant la vie. Est ce pas dequoy resusciter de despit, qui m'aura craché au nez pendant que j'estoy, me vienne froter les pieds quand je commence à n'estre plus. S'il y a quelque honneur à pleurer les maris, il n'appartient qu'à celles qui leur ont ry; celles qui ont pleuré en la vie, qu'elles rient en la mort, au dehors comme au dedans. Aussi ne regardez pas à ces yeux moites et à cette piteuse voix; regardez ce port, ce teinct et l'embonpoinct de ces jouës soubs ces grands voiles : c'est par-là qu'elle parle françois. Il en est peu de qui la santé n'aille en amendant, qualité qui ne sçait pas mentir. Cette ceremonieuse contenance ne regarde pas tant derriere soy, que devant; c'est acquest plus que payement. En mon enfance, une honneste et très belle dame, qui vit encores, vefve d'un prince, avoit je ne sçay quoy plus en sa parure qu'il n'est permis par les loix de nostre vefvage; à ceux qui le luy reprochoient : « C'est, disoit elle, que je ne practique plus de nouvelles amitiez, et suis hors de volonté de me remarier. »

Pour ne disconvenir du tout à nostre usage, j'ay icy choisy trois femmes qui ont aussi employé l'effort de leur bonté et affection autour la mort de leurs maris; ce sont pourtant exemples un peu autres, et si pressans qu'ils tirent hardiment la vie en consequence.

Pline le jeune avoit, près d'une sienne maison, en Italie, un voisin merveilleusement tourmenté de quelques ulceres qui luy estoient survenus ès parties honteuses. Sa femme, le voyant si longuement languir, le pria de permettre qu'elle veit à loisir et de près l'estat de son mal, et qu'elle luy diroit plus franchement que aucun autre ce qu'il avoit à en esperer. Après avoir obtenu cela de luy, et l'avoir curieusement consideré, elle trouva qu'il estoit impossible qu'il en peut guerir, et que tout ce qu'il avoit à attandre, c'estoit de trainer fort long temps une vie douloureuse et languissante; si, luy conseilla, pour le plus seur et souverain remede, de se tuer; et le trouvant un peu mol à une si rude entreprise : « Ne pense point, luy dit elle, mon amy, que les douleurs que je te voy souffrir ne me touchent autant qu'à toy, et que, pour m'en delivrer, je ne me vueille servir moy-mesme de cette medecine que je t'ordonne. Je te veux accompagner à la guerison comme j'ay fait à la maladie : oste cette crainte, et pense que nous n'aurons que plaisir en ce passage qui nous doit delivrer de tels tourments; nous nous en irons heureusement ensemble. »

Cela dit, et ayant rechauffé le courage de son mary, elle resolut qu'ils se precipiteroient en la mer par une fenestre de leur logis qui y respondoit. Et pour maintenir jusques à sa fin cette loyale et vehemente affection dequoy elle l'avoit embrassé pendant sa vie, elle voulut encore qu'il mourust entre ses bras; mais, de peur qu'ils ne luy faillissent et que les estraintes de ses enlassements ne vinssent à se relascher par la cheute et la crainte, elle se fit lier et attacher bien estroittement avec luy par le faux du corps[a], et abandonna ainsi sa vie pour le repos de celle de son mary[374].

Celle-là estoit de bas lieu; et parmy telle condition de gens il n'est pas si nouveau d'y voir quelque traict de rare bonté.

> *extrema per illos*
> *Justitia excedens terris vestigia fecit*[b].

Les autres deux sont nobles et riches, où les exemples de vertu se logent rarement.

Arria, femme de Cecinna Pætus, personnage consulaire, fut mere d'un'autre Arria, femme de Thrasea Pætus, celuy duquel la vertu fut tant renommée du temps de Neron et, par le moyen de ce gendre, mere-grand de Fannia; car la ressemblance des noms de ces hommes et femmes et de leurs fortunes en a fait mesconter plusieurs. Cette premiere Arria, Cecinna Pætus, son mary, ayant esté prins prisonnier par les gens de l'Empereur Claudius, après la deffaicte de Scribonianus, duquel il avoit suivy le party, supplia ceux qui l'en amenoient prisonnier à Rome, de la recevoir dans leur navire, où elle leur seroit de beaucoup moins de despence et d'incommodité qu'un nombre de personnes qu'il leur faudroit pour le service de son mary, et qu'elle seule fourniroit à sa chambre, à sa cuisine et à tous autres offices. Ils l'en refuserent; et elle, s'estant jettée dans un bateau de pécheur qu'elle loua sur le champ, le

---

a. La taille. — *b.* « C'est chez eux que la Justice, quittant la terre, laissa la trace de ses derniers pas. » Virgile, *Géorgiques*, II, 473.

suyvit en cette sorte depuis la Sclavonie. Comme ils furent à Rome, un jour, en presence de l'Empereur, Junia, vefve de Scribonianus, s'estant accostée d'elle familierement pour la société de leurs fortunes [a], elle la repoussa rudement avec ces paroles : « Moy, dit-elle, que je parle à toy, ny que je t'escoute, toy au giron de laquelle Scribonianus fut tué? et tu vis encores! » Ces paroles, avec plusieurs autres signes, firent sentir à ses parents qu'elle estoit pour se deffaire elle mesme, impatiente de supporter la fortune de son mary. Et Thrasea son gendre, la suppliant sur ce propos de ne se vouloir perdre, et luy disant ainsi : « Quoy! si je courois pareille fortune à celle de Cæcinna, voudriez vous que ma femme, vostre fille, en fit de mesme? — Comment donq? si je le voudrois? respondit elle : ouy, ouy, je le voudrois, si elle avait vescu aussi long temps et d'aussi bon accord avec toy que j'ay faict avec mon mary. » Ces responces augmentoient le soing qu'on avoit d'elle, et faisoient qu'on regardoit de plus près à ses deportemens. Un jour, après avoir dict à ceux qui la gardoient : « Vous avez beau faire, vous me pouvez bien faire plus mal mourir; mais de me garder de mourir, vous ne sçauriez », s'eslançant furieusement d'une chaire où elle estoit assise, s'alla de toute sa force chocquer la teste contre la paroy voisine; duquel coup estant cheute de son long esvanouye et fort blessée, après qu'on l'eut à toute peine faite revenir : « Je vous disois bien, dit-elle, que si vous me refusiez quelque façon aisée de me tuer, j'en choisirois quelque autre, pour mal-aisée qu'elle fut. »

La fin d'une si admirable vertu fut telle : son mary Pætus n'ayant pas le cœur assez ferme de soy-mesme pour se donner la mort, à laquelle la cruauté de l'Empereur le rengeoit, un jour entre autres, après avoir premierement emploié les discours et enhortements [b] propres au conseil qu'elle luy donnoit à ce faire, elle print le poignart que son mary portoit, et le tenant trait [c] en sa main, pour la conclusion de son exhortation : « Fais ainsi, Pætus », luy dit-elle. Et en mesme instant, s'en estant donné un coup mortel dans l'estomach, et puis l'arrachant de sa playe, elle le lui presenta, finissant quant et quant sa vie avec cette noble, genereuse et immortelle parole : « *Pæte*,

---

a. Communauté de leur sort. — *b.* Exhortations. — *c.* Tiré.

non dolet[a]. » Elle n'eust loisir que de dire ces trois paroles d'une si belle substance : « Tien, Pætus, il ne m'a point faict mal. »

> *Casta suo gladium cum traderet Arria Pæto,*
> *Quem de visceribus traxerat ipsa suis :*
> *Si qua fides, vulnus quod feci, non dolet, inquit;*
> *Sed quod tu facies, id mihi, Pæte, dolet*[b].

Il est bien plus vif en son naturel et d'un sens plus riche; car et la playe et la mort de son mary, et les siennes, tant s'en faut qu'elles luy poisassent[c], qu'elle en avoit esté la conseillere et promotrice; mais, ayant fait cette haute et courageuse entreprinse pour la seule commodité de son mary, elle ne regarde qu'à luy encores au dernier trait de sa vie, et à luy oster la crainte de la suivre en mourant. Pætus se frappa tout soudain de ce mesme glaive; honteux, à mon advis, d'avoir eu besoin d'un si cher et pretieux enseignement[375].

Pompeia Paulina, jeune et très-noble Dame Romaine, avoit espousé Seneque en son extreme vieillesse. Neron, son beau disciple, ayant envoyé ses satellites vers luy pour luy denoncer l'ordonnance de sa mort (ce qui se faisoit en cette maniere : quand les Empereurs Romains de ce temps avoient condamné quelque homme de qualité, ils luy mandoient par leurs officiers de choisir quelque mort à sa poste, et de la prendre dans tel ou tel delay qu'ils luy faisoient prescrire selon la trempe de leur cholere, tantost plus pressé, tantost plus long, luy donnant terme pour disposer pendant ce temps là de ses affaires, et quelque fois lui ostant le moyen de ce faire par la briefveté du temps; et si le condamné estrivoit[d] à leur ordonnance[e], ils menoient des gens propres à l'executer, ou lui coupant les veines des bras et des jambes, ou luy faisant avaller du poison par force. Mais les personnes d'honneur n'attendoient pas cette necessité, et se servoient de leurs

---

a. « Pætus, cela ne fait point mal. » — b. « La chaste Arria, quand elle présenta à son cher Pætus le fer qu'elle venait de retirer elle-même de ses entrailles : « Crois-moi, dit-elle, le coup que je viens de me porter ne me fait point de mal; c'est celui que tu vas te donner, Pætus, qui me fait souffrir. » Martial, I, xiv. — c. Pesassent. — d. Résistait. — e. Ordre.

propres medecins et chirurgiens à cet effet), Seneque ouit leur charge d'un visage paisible et asseuré, et après demanda du papier pour faire son testament ; ce que luy ayant esté refusé par le capitaine, se tournant vers ses amis : « Puis que je ne puis, leur dit-il, vous laisser autre chose en reconnoissance de ce que je vous doy, je vous laisse au moins ce que j'ay de plus beau, à sçavoir l'image de mes meurs et de ma vie, laquelle je vous prie conserver en vostre memoire, affin qu'en ce faisant vous acqueriez la gloire de sinceres et veritables amis. » Et quant et quant appaisant tantost l'aigreur de la douleur qu'il leur voyoit souffrir, par douces paroles, tantost roidissant sa voix pour les en tancer : « Où sont, disoit-il, ces beaux preceptes de la philosophie ? que sont devenuës les provisions que par tant d'années nous avons faictes contre les accidents de la fortune ? La cruauté de Neron nous estoit elle inconnue ? Que pouvions nous attendre de celuy qui avoit tué sa mere et son frere, sinon qu'il fit encore mourir son gouverneur, qui l'a nourry et eslevé ? » Après avoir dit ces paroles en commun, il se destourna à sa femme, et, l'embrassant estroittement, comme, par la pesanteur de la douleur, elle deffailloit de cœur et de forces, la pria de porter [a] un peu plus patiemment [b] cet accident pour l'amour de luy, et que l'heure estoit venue où il avoit à montrer, non plus par discours [c] et par disputes, mais par effect [d], le fruit qu'il avoit tiré de ses estudes, et que sans doubte il embrassoit la mort, non seulement sans douleur, mais avecques allegresse : « Parquoy, m'amie, disoit-il, ne la des-honore par tes larmes, affin qu'il ne semble que tu t'aimes plus que ma reputation ; appaise ta douleur et te console en la connoissance que tu as eu de moy et de mes actions, conduisant le reste de ta vie par les honnestes occupations ausquelles tu es adonnée. » A quoy Paulina ayant un peu repris ses esprits et reschauffé la magnanimité de son courage par une très-noble affection : « Non, Seneca, respondit-elle, je ne suis pas pour vous laisser sans ma compaignie en telle necessité ; je ne veux pas que vous pensiez que les vertueux exemples de vostre vie ne m'ayent encore appris à sçavoir bien mourir, et quand le

---

a. Supporter. — *b.* Avec plus d'endurance. — *c.* Raisonnement. — *d.* Par un acte.

pourroy-je ny mieux, ny plus honnestement, ny plus à mon gré, qu'avecques vous? Ainsi faictes estat que je m'en vay quant etᵃ vous.»

Lors Seneque, prenant en bonne part une si belle et glorieuse deliberation de sa femme, et pour se delivrer aussi de la crainte de la laisser après sa mort à la mercy et cruauté de ses ennemys : « Je t'avoy, Paulina, dit-il, conseillé ce qui servoit à conduire plus heureusement ta vie; tu aymes donc mieux l'honneur de la mort; vrayement je ne te l'envieray poinct; la constance et la resolution soyent pareilles à notre commune fin, mais la beauté et la gloire soit plus grande de ta part.»

Cela fait, on leur couppa en mesme temps les veines des bras; mais par ce que celles de Seneque, resserrées tant par vieillesseᵇ que par son abstinence, donnoient au sang le cours trop long et trop lâche, il commanda qu'on luy couppat encore les veines des cuisses; et, de peur que le tourment qu'il en souffroit n'attendrit le cœur de sa femme, et pour se delivrer aussy soy-mesme de l'affliction qu'il portoit de la veoir en si piteux estat, après avoir très-amoureusement pris congé d'elle, il la pria de permettre qu'on l'emportat en la chambre voisine, comme on feist. Mais, toutes ces incisions estant encore insuffisantes pour le faire mourir, il commanda à Statius Anneus, son medecin, de luy donner un breuvage de poison, qui n'eust guiere non plus d'effet : car, pour la foiblesse et froideur des membres, elle ne peut arriver jusques au cœur. Par ainsin on luy fit outre-cela aprester un baing fort chaud; et lors, sentant sa fin prochaine, autant qu'il eust d'haleine, il continua des discours très-excellans sur le suject de l'estat où il se trouvoit, que ses secretaires recueillirent tant qu'ils peurent ouyr sa voix; et demeurerent ses parolles dernieres long temps despuis en credit et honneur ès mains des hommes (ce nous est une bien facheuse perte qu'elles ne soyent venues jusques à nous). Comme il sentit les derniers traicts de la mort, prenant de l'eau du being toute sanglante, il en arrousa sa teste en disant : « Je vouë cette eau à Juppiter le liberateur.»

Neron, adverty de tout cecy, craignant que la mort de

---

a. Avec. — *b. car il avoit alors environ cent quatorze ans,* disait ici la première édition.

Paulina, qui estoit des mieux apparentées dames Romaines, et envers laquelle il n'avoit nulles particulieres inimitiez, luy vint à reproche, renvoya en toute diligence luy faire r'atacher ses playes : ce que ses gens d'elle firent sans son sçeu, estant des-jà demy morte et sans aucun sentiment. Et ce que, contre son dessein, elle vesqut dépuis, ce fut très-honorablement et comme il appartenoit à sa vertu, montrant par la couleur blesme de son visage combien elle avoit escoulé de vie par ses blessures [376].

Voylà mes trois contes très-veritables, que je trouve aussi plaisans et tragiques que ceux que nous forgeons à nostre poste pour donner plaisir au commun; et m'estonne que ceux qui s'adonnent à cela, ne s'avisent de choisir plutost dix mille très-belles histoires qui se rencontrent dans les livres, où ils auroient moins de peine et apporteroient plus de plaisir et profit. Et qui en voudroit bastir un corps entier et s'entretenant, il ne faudroit qu'il fournit du sien que la liaison, comme la soudure d'un autre metal; et pourroit entasser par ce moyen force veritables evenemens de toutes sortes, les disposant et diversifiant, selon que la beauté de l'ouvrage le requerroit, à peu près comme Ovide a cousu et r'apiecé sa *Metamorphose*, de ce grand nombre de fables diverses.

En ce dernier couple, cela est encore digne d'estre consideré, que Paulina offre volontiers à quitter la vie pour l'amour de son mary, et que son mary avoit autrefois quitté aussi la mort pour l'amour d'elle. Il n'y a pas pour nous grand contre-pois en cet eschange; mais, selon son humeur Stoïque, je croy qu'il pensoit avoir autant faict pour elle, d'alonger sa vie en sa faveur, comme s'il fut mort pour elle. En l'une des lettres qu'il escrit à Lucilius, après qu'il luy a fait entendre comme la fiebvre l'ayant pris à Rome, il monta soudain en coche pour s'en aller à une sienne maison aux champs, contre l'opinion de sa femme qui le vouloit arrester, et qu'il luy avoit respondu que la fiebvre qu'il avoit, ce n'estoit pas fiebvre du corps, mais du lieu, il suit ainsin : « Elle me laissa aller, me recommandant fort ma santé. Or, moy qui sçay que je loge sa vie en la mienne, je commence de pourvoir à moy pour pourvoir à elle; le privilege que ma vieillesse m'avoit donné, me rendant plus ferme et plus resolu à plusieurs choses, je le pers quand il me souvient qu'en ce vieillard il y en a une jeune à qui je profite. Puis que je ne la puis ranger à m'aymer plus courageusement, elle me renge à m'aymer moy-mesme plus curieusement[a] : car il faut prester quelque chose aux honnestes affections; et par fois, encore que les occasions nous pressent au contraire, il faut r'appeller la vie, voire avecque tourment; il faut arrester l'ame entre les dents, puis que la loy de vivre, aux gens de bien, ce n'est pas autant qu'il leur plait, mais autant qu'ils doivent. Celuy qui n'estime pas tant sa femme ou un sien amy que d'en allonger sa vie, et qui s'opiniastre à mourir, il est trop delicat et trop mol : il faut que l'ame se commande cela, quand l'utilité des nostres le requiert; il faut par fois nous prester à nos amis, et, quand nous voudrions mourir pour nous, interrompre notre dessein pour eux. C'est tesmoignage de grandeur de courage, de retourner en la vie pour la consideration d'autruy, comme plusieurs excellens personnages ont faict; et est un traict de bonté singuliere de conserver la vieillesse (de laquelle la commodité plus grande, c'est la nonchalance de sa durée et un plus courageux et desdaigneux usage de la vie), si on sent que cet office soit doux, agreable et profitable à quelqu'un bien affectionné. Et en reçoit on une très-plaisante recompense, car qu'est-il plus doux que d'estre si cher à sa femme qu'en sa consideration on en devienne plus cher à soy-mesme? Ainsi ma Pauline m'a chargé non seulement sa crainte, mais encore la mienne. Ce ne m'a pas esté assez de considerer combien resoluement je pourrois mourir, mais j'ay aussi consideré combien irresoluement elle le pourroit souffrir. Je me suis contrainct à vivre, et c'est quelquefois magnanimité que vivre[377]. »

Voylà ses mots, excellans comme est son usage.

a. Avec plus de soin.

CHAPITRE XXXVI

DES PLUS EXCELLENS HOMMES

Si on me demandoit le chois de tous les hommes qui sont venus à ma connoissance, il me semble en trouver trois excellens au dessus de tous les autres.

L'un, Homere. Non pas qu'Aristote ou Varro (pour exemple) ne fussent à l'adventure aussi sçavans que luy, ny possible encore qu'en son art mesme Vergile ne luy soit comparable; je le laisse à juger à ceux qui les connoissent tous deux. Moy qui n'en connoy que l'un[378], puis dire cela seulement selon ma portée, que je ne croy pas que les Muses mesmes allassent au delà du Romain :

Tale facit carmen docta testudine, quale
Cynthius impositis temperat articulis [a].

Toutesfois, en ce jugement, encore ne faudroit il pas oublier que c'est principalement d'Homere que Vergile tient sa suffisance [b]; que c'est son guide et maistre d'escole, et qu'un seul traict de l'Iliade a fourny de corps et de matiere à cette grande et divine Eneide. Ce n'est pas ainsi que je conte [c] : j'y mesle plusieurs autres circonstances qui me rendent ce personnage admirable, quasi au dessus de l'humaine condition.

Et, à la verité, je m'estonne souvent que luy, qui a produit et mis en credit au monde plusieurs deitez par son auctorité, n'a gaigné reng de Dieu luy mesme. Estant aveugle, indigent; estant avant que les sciences fussent redigées en regle et observations certaines, il les a tant connues que tous ceux qui se sont meslez depuis d'establir des polices, de conduire guerres, et d'escrire ou de la religion ou de la philosophie, en quelque secte que ce soit, ou des ars, se sont servis de luy comme d'un maistre

---

a. « Il chante sur sa docte lyre des vers comme ceux que module le dieu de Cynthe lui-même en touchant des doigts son instrument. » Properce, II, xxxiv, 79. — *b.* Son art. — *c.* Compte.

très-parfaict en la connoissance de toutes choses, et de ses livres comme d'une pepiniere de toute espece de suffisance,

*Qui quid sit pulchrum, quid turpe, quid utile, quid non,
Plenius ac melius Chrysippo ac Crantore dicit*[a];

et, comme dit l'autre,

*A quo, ceu fonte perenni,
Vatum Pyeriis labra rigantur aquis*[b];

et l'autre,

*Adde Heliconiadum comites, quorum unus Homerus
Astra potitus*[c];

et l'autre,

*cujusque ex ore profuso
Omnis posteritas latices in carmina duxit,
Amnémque in tenues ausa est deducere rivos,
Unius fœcunda bonis*[d].

C'est contre l'ordre de nature qu'il a faict la plus excellente production qui puisse estre; car la naissance ordinaire des choses, elle est imparfaicte; elles s'augmentent, se fortifient par l'accroissance; l'enfance de la poësie et de plusieurs autres sciences, il l'a rendue meure, parfaicte et accomplie. A cette cause, le peut on nommer le premier et dernier des poëtes, suyvant ce beau tesmoignage que l'antiquité nous a laissé de luy, que, n'ayant eu nul qu'il peut imiter avant luy, il n'a eu nul après luy qui le peut imiter. Ses parolles, selon Aristote[379], sont les seules

---

a. « Ce qui est honnête ou honteux, ce qui est utile ou ce qui ne l'est pas, il nous le dit plus pleinement et mieux que Chrysippe et Crantor. » Horace, *Épîtres*, I, ɪɪ, 3. — *b.* « Dans ses ouvrages, comme à une source intarissable, les lèvres des poètes viennent s'abreuver des eaux de Piérie. » Ovide, *Amours*, III, ɪx, 25. — *c.* « Ajoutez-y les compagnons des Muses, parmi lesquels l'incomparable Homère s'est élevé jusqu'aux astres. » Lucrèce, III, 1050. — *d.* « Dont les ouvrages sont une source abondante où les poètes suivants ont puisé pour leurs chants un fleuve, que la postérité, enrichie des trésors d'un seul homme, n'a pas craint de diviser en mille petits ruisseaux. » Manilius, *Astronomiques*, II, 8.

parolles qui ayent mouvement et action ; ce sont les seuls mots substantiels. Alexandre le grand, ayant rencontré parmy les despouilles de Darius un riche coffret, ordonna que on le luy reservat pour y loger son Homere, disant que c'estoit le meilleur et plus fidelle conseiller qu'il eut en ses affaires militaires[380]. Pour cette mesme raison disoit Cleomenes, fils d'Anaxandridas, que c'estoit le Poëte des Lacedemoniens par ce qu'il estoit très-bon maistre de la discipline guerriere[381]. Cette louange singuliere et particuliere luy est aussi demeurée, au jugement de Plutarque[382], que c'est le seul autheur du monde qui n'a jamais soulé ne dégousté les hommes, se montrant aux lecteurs tousjours tout autre, et fleurissant tousjours en nouvelle grace. Ce folastre d'Alcibiades, ayant demandé à un qui faisoit profession des lettres, un livre d'Homere, luy donna un soufflet par ce qu'il n'en avoit point[383] : comme qui trouveroit un de nos prestres sans breviaire. Xenophanes se pleignoit un jour à Hieron, tyran de Syracuse, de ce qu'il estoit si pauvre qu'il n'avoit dequoy nourrir deux serviteurs : « Et quoy, luy respondit-il, Homere, qui estoit beaucoup plus pauvre que toy, en nourrit bien plus de dix mille, tout mort qu'il est[384]. » Que n'estoit ce dire, à Panætius[385], quand il nommoit Platon l'Homere des philosophes ?

Outre cela, quelle gloire se peut comparer à la sienne ? Il n'est rien qui vive en la bouche des hommes comme son nom et ses ouvrages ; rien si cogneu et si reçeu que Troye, Helene et ses guerres, qui ne furent à l'advanture jamais. Nos enfans s'appellent encore des noms qu'il forgea il y a plus de trois mille ans. Qui ne cognoit Hector et Achilles ? Non seulement aucunes races particulieres, mais la plus part des nations cherchent origine en ses inventions. Mahumet, second de ce nom, Empereur des Turcs, escrivant à nostre Pape Pie second : « Je m'estonne, dit-il, comment les Italiens se bandent contre moy, attendu que nous avons nostre origine commune des Troyens, et que j'ay comme eux interest de venger le sang d'Hector sur les Grecs, lesquels ils vont favorisant contre moy[386]. » N'est-ce pas une noble farce de laquelle les Roys, les choses publiques et les Empereurs vont jouant leur personnage tant de siecles, et à laquelle tout ce grand univers sert de theatre ? Sept villes Grecques entrarent en debat du lieu

de sa naissance, tant son obscurité mesme luy apporta
d'honneur :

Smyrna, Rhodos, Colophon, Salamis, Chios, Argos, Athenæ.

L'autre, Alexandre le grand. Car qui considerera l'aage
qu'il commença ses entreprises; le peu de moyen avec
lequel il fit un si glorieux dessein; l'authorité qu'il gaigna
en cette sienne enfance parmy les plus grands et experimentez capitaines du monde, desquels il estoit suyvi; la
faveur extraordinaire dequoy fortune embrassa et favorisa
tant de siens exploits hazardeux, et à peu que je ne die
temeraires :

> *impellens quicquid sibi summa petenti
> Obstaret, gaudensque viam fecisse ruina*[a];

cette grandeur avoir, à l'aage de trente trois ans, passé
victorieux toute la terre habitable et en une demye vie
avoir atteint tout l'effort de l'humaine nature, si que vous
ne pouvez imaginer sa durée legitime et la continuation
de son accroissance en vertu et en fortune jusques à un
juste terme d'aage, que vous n'imaginez quelque chose
au dessus de l'homme; d'avoir faict naistre de ses soldats
tant de branches royales, laissant après sa mort le monde
en partage à quatre successeurs, simples capitaines de son
armée, desquels les descendans ont depuis si long-temps
duré maintenant cette grande possession; tant d'excellentes
vertus qui estoyent en luy, justice, temperance, liberalité,
foy en ses parolles, amour envers les siens, humanité
envers les vaincus (car ses meurs semblent à la verité
n'avoir aucun juste reproche, ouy bien aucunes de ses
actions particulieres, rares et extraordinaires. Mais il est
impossible de conduire si grands mouvemens avec les
reigles de la justice; telles gens veulent estre jugez en gros
par la maistresse fin de leurs actions. La ruyne de Thebes[387],
le meurtre de Menander[388] et du Medecin d'Ephestion[389],
de tant de prisonniers Persiens à un coup[390], d'une troupe
de soldats Indiens non sans interest de sa parolle[391], des

---

a. « Abattant tout ce qui s'opposait à son ambition sans mesure
et content de s'ouvrir un chemin à travers les ruines. » Lucain,
Pharsale, I, 149.

Cosseïens jusques aux petits enfans, sont saillies un peu mal excusables[392]. Car, quant à Clytus, la faute en fut amendée outre son pois[a], et tesmoigne cette action, autant que toute autre, la debonnaireté de sa complexion, et que c'estoit de soy une complexion excellemment formée à la bonté[393]; et a esté ingenieusement dict de luy qu'il avoit de la Nature ses vertus, de la Fortune ses vices[394]. Quant à ce qu'il estoit un peu vanteur, un peu trop impatient d'ouyr mesdire de soy, et quant à ses mangeoires, armes et mors qu'il fit semer aux Indes[395], toutes ces choses me semblent pouvoir estre condonnées[b] à son aage et à l'estrange prosperité de sa fortune); qui considerera quand et quand[c] tant de vertus militaires, diligence, pourvoyance[d], patience, discipline, subtilité, magnanimité, resolution, bon-heur, en quoy, quand l'authorité d'Hannibal ne nous l'auroit apris, il a esté le premier des hommes[396]; les rares beautez et conditions de sa personne jusques au miracle[e]; ce port et ce venerable maintien soubs un visage si jeune, vermeil et flamboyant,

> *Qualis, ubi Oceani perfusus lucifer unda,*
> *Quem Venus ante alios astrorum diligit ignes,*
> *Extulit os sacrum cælo, tenebrásque resolvit*[f];

l'excellence de son sçavoir et capacité; la durée et grandeur de sa gloire, pure, nette, exempte de tache et d'envie; et qu'encore long temps après sa mort ce fut une religieuse croyance d'estimer que ses medailles portassent bon-heur à ceux qui les avoyent sur eux; et que, plus de Roys et Princes ont escrit ses gestes qu'autres Historiens n'ont escrit les gestes d'autre Roy ou Prince que ce soit[397] et qu'encore à present les Mahumetans, qui mesprisent toutes autres histoires, reçoivent et honnorent la sienne seule par special privilege[398] : il confessera, tout cêla mis ensemble, que j'ay eu raison de le preferer à Cæsar mesme,

---

a. Plus que pour son importance. — *b.* Accordées. — *c.* En même temps. — *d.* Prévoyance. — *e.* car on tient entre autres choses que sa sueur produisoit une très douce et souefve odeur, ajoutaient les éditions antérieures à 1588. — *f.* « Tel brille Lucifer, l'astre que chérit Vénus entre tous les feux célestes, lorsque, baigné des ondes de l'Océan, il vient de dresser sa tête sacrée dans le ciel et de dissiper les ténèbres. » Virgile, *Énéide*, VIII, 589.

qui seul m'a peu mettre en doubte du chois. Et il ne se peut nier qu'il n'y aye plus du sien en ses exploits, plus de la fortune en ceux d'Alexandre. Ils ont eu plusieurs choses esgales, et Cæsar à l'adventure aucunes plus grandes.

Ce furent deux feux ou deux torrents à ravager le monde par divers endroits,

> *Et velut immissi diversis partibus ignes*
> *Arentem in silvam et virgulta sonantia lauro;*
> *Aut ubi decursu rapido de montibus altis*
> *Dant sonitum spumosi amnes et in æquora currunt,*
> *Quisque suum populatus iter* [a].

Mais quand l'ambition de Cæsar auroit de soy plus de moderation, elle a tant de mal'heur, ayant rencontré ce vilain subject de la ruyne de son pays et de l'empirement universel du monde, que, toutes pieces ramassées et mises en la balance, je ne puis que je ne panche du costé d'Alexandre.

Le tiers et le plus excellent, à mon gré, c'est Epaminondas.

De gloire, il n'en a pas beaucoup près tant que d'autres (aussi n'est-ce pas une piece de la substance de la chose [b]); de resolution et de vaillance, non pas de celle qui est esguisée par l'ambition, mais de celle que la sapience et la raison peuvent planter en une ame bien reglée, il en avoit tout ce qui s'en peut imaginer. De preuve de cette sienne vertu, il en a fait autant, à mon advis, qu'Alexandre mesme et que Cæsar; car, encore que ses exploits de guerre ne soient ny si frequens ny si enflez, ils ne laissent pas pourtant, à les bien considerer et toutes leurs circonstances, d'estre aussi poisants [c] et roides, et portant autant de tesmoignage de hardiesse et de suffisance militaire. Les Grecs lui ont fait cet honneur, sans contredit, de le nommer le premier homme d'entre eux [399]; mais estre le premier de la Grece, c'est facilement estre le prime du monde.

---

a. « Tels deux incendies déchaînés à des points opposés dans une forêt desséchée pleine de broussailles crépitantes et de lauriers, ou tels des torrents écumeux qui, dans une chute rapide, tombent avec fracas du haut des montagnes et courent à la mer après avoir tout ravagé sur leur passage. » Virgile, *Énéide*, XII, 521. — *b.* N'est-ce pas une partie de la réalité substantielle. — *c.* Pesants.

LIVRE II, CHAPITRE XXXVI

Quant à son sçavoir et suffisance, ce jugement ancien nous en est resté, que jamais homme ne sçeut tant, et parla si peu que luy[400]. Car il estoit Pythagorique de secte[401]. Et ce qu'il parla, nul ne parla jamais mieux. Excellent orateur et trèspersuasif.

Mais quant à ses meurs et conscience, il a de bien loing surpassé tous ceux qui se sont jamais meslé de manier affaires. Car en cette partie, qui seule doit estre principalement consideree, qui seule marque veritablement quels nous sommes, et laquelle je contrepoise seule à toutes les autres ensemble, il ne cede à aucun philosophe, non pas à Socrates mesme.

En cettuy-cy l'innocence est une qualité propre, maistresse constante, uniforme, incorruptible. Au parangon[a] de laquelle elle paroist en Alexandre subalterne, incertaine, bigarrée, molle et fortuite.

L'ancienneté[402] jugea qu'à esplucher par le menu tous les autres grands capitaines, il se trouve en chascun quelque speciale qualité qui le rend illustre. En cettuy-cy seul, c'est une vertu et suffisance pleine par tout et pareille; qui, en tous les offices de la vie humaine, ne laisse rien à desirer de soy, soit en occupation publique ou privée, ou paisible ou guerriere, soit à vivre, soit à mourir grandement et glorieusement. Je ne connois nulle ny forme ny fortune d'homme que je regarde avec tant d'honneur et d'amour. Il est bien vray que son obstination à la pauvreté, je la trouve aucunement scrupuleuse, comme elle est peinte par ses meilleurs amis. Et cette seule action, haute pour tant et trèsdigne d'admiration, je la sens un peu aigrette pour, par souhait mesme, m'en desirer l'imitation. Le seul Scipion Æmylian, qui luy donneroit une fin aussi fiere et illustre et la connoissance des sciences autant profonde et universelle, me pourroit mettre en doubte du chois. O quel desplaisir le temps m'a faict d'oster de nos yeux à poinct nommé, des premieres, la couple des vies justement la plus noble qui fust en Plutarque[403], de ces deux personnages, par le commun consentement du monde l'un le premier des Grecs, l'autre des Romains! Quelle matiere, quel ouvrier! Pour un homme non sainct, mais galant homme qu'ils nomment,

---

a. En comparaison.

de meurs civiles et communes, d'une hauteur moderée, la plus riche vie que je sçache à estre vescue entre les vivans, comme on dict, et estoffée de plus de riches parties et desirables, c'est, tout consideré, celle d'Alcibiades à mon gré. Mais quant à Epaminondas, pour exemple d'une excessive bonté, je veux adjouster icy aucunes de ses opinions.

Le plus doux contentement qu'il eust en toute sa vie, il tesmoigna que c'estoit le plaisir qu'il avoit donné à son pere et à sa mere de sa victoire de Leuctres[404]; il couche de beaucoup[a], preferant leur plaisir au sien, si juste et si plein d'une tant glorieuse action.

Il ne pensoit pas qu'il fut loisible, pour recouvrer mesmes la liberté de son pays, de tuer un homme sans connoissance de cause; voylà pourquoy il fut si froid à l'entreprise de Pelopidas son compaignon, pour la delivrance de Thebes[405]. Il tenoit aussi qu'en une bataille il falloit fuyr le rencontre d'un amy qui fut au party contraire, et l'espargner[406].

Et son humanité à l'endroit des ennemis mesmes, l'ayant mis en soupçon envers les Bœotiens de ce qu'après avoir miraculeusement forcé les Lacedemoniens de luy ouvrir le pas qu'ils avoyent entreprins de garder à l'entrée de la Morée près de Corinthe, il s'estoit contenté de leur avoir passé sur le ventre sans les poursuyvre à toute outrance, il fut deposé de l'estat de Capitaine general : très-honorablement pour une telle cause et pour la honte que ce leur fut d'avoir par necessité à le remonter tantost après en son degré, et reconnoistre combien de luy dependoit leur gloire et leur salut, la victoire le suyvant comme son ombre par tout où il guidast[407]. La prosperité de son pays mourut aussi, comme elle estoit née, aveq luy[408].

---

a. Il dit beaucoup.

CHAPITRE XXXVII

DE LA RESSEMBLANCE DES ENFANS AUX PERES

Ce fagotage de tant de diverses pieces[a] se faict en cette condition, que je n'y mets la main que lors qu'une trop lasche oisiveté me presse, et non ailleurs que chez moi. Ainsin il s'est basty à diverses poses et intervalles, comme les occasions me detiennent ailleurs par fois plusieurs moys. Au demeurant, je ne corrige point mes premieres imaginations par les secondes; ouy à l'aventure[b] quelque mot, mais pour diversifier, non pour oter. Je veux representer le progrez[c] de mes humeurs, et qu'on voye chaque piece en sa naissance. Je prendrois plaisir d'avoir commencé plustost et à reconnoistre le trein de mes mutations. Un valet qui me servoit à les escrire soubs moy pensa faire un grand butin de m'en desrober plusieurs pieces choisies à sa poste[d][409]. Cela me console, qu'il n'y fera pas plus de gain que j'y ay fait de perte.

Je me suis enveilly de sept ou huict ans depuis que je commençay[410]; ce n'a pas esté sans quelque nouvel acquest. J'y ay pratiqué la colique[411] par la liberalité des ans. Leur commerce et longue conversation ne se passe aisément sans quelque tel fruit. Je voudroy bien, de plusieurs autres presens qu'ils ont à faire à ceux qui les hantent long temps, qu'ils en eussent choisi quelqu'un qui m'eust esté plus acceptable : car ils ne m'en eussent sçeu faire que j'eusse en plus grande horreur, dès mon enfance; c'estoit à point nommé, de tous les accidents de la vieillesse, celuy que je craignois le plus. J'avoy pensé mainte-fois à part moy que j'alloy trop avant, et qu'à faire un si long chemin, je ne faudroy pas de m'engager en fin en quelque malplaisant rencontre. Je sentois et protestois assez qu'il estoit heure de partir, et qu'il falloit trencher la vie dans le vif et dans le sein, suyvant la regle des chirurgiens quand ils ont à coupper quelque membre; qu'à celuy qui ne la rendoit à temps, Nature avoit accous-

---

a. Les *Essais*. — *b.* Peut-être bien. — *c.* Le cours. — *d.* A sa guise.

tumé faire payer de bien rudes usures. Mais c'estoient vaines propositions. Il s'en faloit tant que j'en fusse prest lors, que, en dix-huict mois ou environ qu'il y a que je suis en ce malplaisant estat, j'ay des-jà appris à m'y accommoder. J'entre des-jà en composition de ce vivre coliqueux; j'y trouve de quoy me consoler et dequoy esperer. Tant les hommes sont acoquinez à leur estre miserable, qu'il n'est si rude condition qu'ils n'acceptent pour s'y conserver!

Oyez Mæcenas :

> *Debilem facito manu,*
> *Debilem pede, coxa,*
> *Lubricos quate dentes :*
> *Vita dum superest bene est* [a].

Et couvroit Tamburlan[412] d'une sotte humanité la cruauté fantastique qu'il exerçoit contre les ladres [b], en faisant mettre à mort autant qu'il en venoit à sa connoissance, pour, disoit-il, les delivrer de la vie qu'ils vivoient si penible. Car il n'y avoit nul d'eux qui n'eut mieux aymé estre trois fois ladre [b] que de n'estre pas.

Et Antisthenes le Stoïcien, estant fort malade et s'escriant : « Qui me delivrera de ces maux? » Diogenes, qui l'estoit venu voir, luy presentant un cousteau : « Cestuy-cy, si tu veux bientost. — Je ne dis pas de la vie, repliqua il, je dis des maux [413]. »

Les souffrances qui nous touchent simplement par l'ame m'affligent beaucoup moins qu'elles ne font la pluspart des autres hommes : partie par jugement (car le monde estime plusieurs choses horribles, ou evitables au pris de la vie, qui me sont à peu près indifferentes); partie par une complexion stupide et insensible que j'ay aux accidents qui ne donnent à moy de droit fil, laquelle complexion j'estime l'une des meilleures pieces de ma naturelle condition. Mais les souffrances vrayement essentielles et corporelles, je les gouste bien vifvement. Si est-ce [c] pour tant que, les prevoyant autresfois d'une veuë foible, delicate et amollie

---

a. « Qu'on me rende manchot, goutteux, cul-de-jatte, qu'on m'arrache mes dents branlantes, pourvu que la vie me reste, tout va bien. » Sénèque, *Épîtres*, 101. — *b.* Lépreux. — *c.* Encore est-il.

par la jouyssance de cette longue et heureuse santé et repos que Dieu m'a presté la meilleure part de mon aage, je les avoy conceuës par imagination si insupportables, qu'à la verité j'en avois plus de peur que je n'y ay trouvé de mal : par où j'augmente tousjours cette creance que la pluspart des facultez de nostre ame, comme nous les employons, troublent plus le repos de la vie qu'elles n'y servent.

Je suis aus prises avec la pire de toutes les maladies, la plus soudaine, la plus douloureuse, la plus mortelle et la plus irremediable. J'en ay desjà essayé cinq ou six bien longs accez et penibles; toutes-fois, ou je me flatte, ou encores y a-il en cet estat dequoy se soustenir, à qui a l'ame deschargée de la crainte de la mort, et deschargée des menasses, conclusions et consequences dequoy la medecine nous enteste. Mais l'effet mesme de la douleur n'a pas cette aigreur si aspre et si poignante, qu'un homme rassis en doive entrer en rage et en desespoir. J'ay aumoins ce profit de la cholique, que ce que je n'avoy encore peu sur moy, pour me concilier du tout et m'accointer à[a] la mort, elle le parfera; car d'autant plus elle me pressera et importunera, d'autant moins me sera la mort à craindre. J'avoy des-jà gaigné cela de ne tenir à la vie que par la vie seulement; elle desnouera encore cette intelligence; et Dieu veuille qu'en fin, si son aspreté vient à surmonter mes forces, elle ne me rejette à l'autre extremité, non moins vitieuse, d'aymer et desirer à mourir!

Summum nec metuas diem, nec optes[b].

Ce sont deux passions à craindre, mais l'une a son remede bien plus prest[c] que l'autre.

Au demourant, j'ay tousjours trouvé ce precepte ceremonieux, qui ordonne si rigoureusement et exactement de tenir bonne contenance et un maintien desdaigneux et posé à la tollerance des maux. Pourquoy la philosophie, qui ne regarde que le vif et les effects, se va elle amusant à ces apparences externes[d]? Qu'elle laisse ce soing aux

---

a. Me familiariser avec. — *b.* « Ne craignez ni ne désirez votre dernier jour. » Martial, X, XLVII, 13. — *c.* A sa portée. — *d.* Éd. de 1588 et éditions antérieures : *comme si elle dressoit les hommes aux actes d'une comédie ou comme s'il estoit en sa jurisdiction d'empescher les mou-*

farceurs et maistres de Rhetorique qui font tant d'estat de nos gestes. Qu'elle condonne hardiment au mal cette lacheté voyelle, si elle n'est ny cordiale, ny stomacale; et preste ces plaintes volontaires au genre des soupirs, sanglots, palpitations, pallissements que Nature a mis hors de nostre puissance. Pourveu que le courage soit sans effroy, les parolles sans desespoir, qu'elle se contente! Qu'importe que nous tordons nos bras, pourveu que nous ne tordons nos pensées! Elle nous dresse pour nous, non pour autruy; pour estre, non pour sembler. Qu'elle s'arreste à gouverner nostre entendement qu'elle a pris à instruire[a]; qu'aux efforts de la cholique, elle maintienne l'ame capable de se reconnoistre, de suyvre son train accoustumé; combatant la douleur et la soustenant, non se prosternant honteusement à ses pieds; esmeuë et eschauffée du combat, non abatue et renversée; capable de commerce, capable d'entretien jusques à certaine mesure.

En accidents si extremes, c'est cruauté de requerir de nous une démarche si composée. Si nous avons beau jeu, c'est peu que nous ayons mauvaise mine[b]. Si le corps se soulage en se plaignant, qu'il le face; si l'agitation luy plaist, qu'il se tourneboule et tracasse à sa fantasie; s'il luy semble que le mal s'évapore aucunement (comme aucuns medecins[414] disent que cela aide à la delivrance des femmes enceintes) pour pousser hors la voix avec plus grande violence, ou, s'il en amuse son tourment, qu'il crie tout à faict. Ne commandons point à cette voix qu'elle aille, mais

vemens et alterations que nous sommes naturellement contraincts de recevoir : qu'elle empesche donc Socrates de rougir d'affection ou de honte, de cligner les yeux à la menasse d'un coup, de trembler et de suer aux secousses de la fièvre; la peinture de la Poësie, qui est libre et volontaire, n'ose priver des larmes mesmes les personnes qu'elle veut representer accomplies et parfaictes,

...et se n'aflige tanto,
Che si morde le man, morde le labbia
Sparge le guancie di continuo piano;

elle devroit laisser cette charge à ceux qui font profession de regler nostre maintien et nos mines. Qu'elle s'arreste — a. *qu'elle luy ordonne ses pas et le tienne en bride et en office,* ajoutent les éditions publiées du vivant de Montaigne. — b. *C'est bien assez que nous soyons tels que nous avons accoustumé en nos pensées et actions principales; quant au corps* (Texte des éditions publiées du vivant de Montaigne.)

permettons le luy. Epicurus[415] ne permet pas seulement à son sage de crier aux torments, mais il le luy conseille. « *Pugiles etiam, quum feriunt in jactandis cæstibus, ingemiscunt, quia profundenda voce omne corpus intenditur venitque plaga vehementior*[a]. » Nous avons assez de travail du mal sans nous travailler à ces regles superflues. Ce que je dis pour excuser ceux qu'on voit ordinairement se tempester aux secousses et assaux de cette maladie; car, pour moy, je l'ay passée jusques à cette heure avec un peu meilleure contenance[b], non pourtant que je me mette en peine pour maintenir cette decence exterieure : car je fay peu de compte d'un tel advantage, je preste en cela au mal autant qu'il veut; mais, ou mes douleurs ne sont pas si excessives, ou j'y apporte plus de fermeté que le commun. Je me plains, je me despite quand les aigres pointures me pressent, mais je n'en viens point à me perdre, comme celuy-là,

*Ejulatu, questu, gemitu, fremitibus
Resonando multum flebiles voces refert*[c].

Je me taste au plus espais du mal et ay tousjours trouvé que j'estoy capable de dire, de penser, de respondre aussi sainement qu'en un autre heure; mais non si constamment, la douleur me troublant et destournant. Quand on me tient le plus atterré et que les assistants m'espargnent, j'essaye souvent mes forces et entame moy-mesmes des propos les plus esloignez de mon estat. Je puis tout par un soudain effort; mais ostez en la durée.

O que n'ay je la faculté de ce songeur de Cicero[416] qui, songeant embrasser une garse, trouva qu'il s'estoit deschargé de sa pierre emmy ses draps! Les miennes me desgarsent estrangement!

Aux intervalles de cette douleur excessive, que mes ureteres languissent sans me poindre si fort, je me remets

---

a. « Les lutteurs aussi, quand ils frappent leurs adversaires en lançant leurs cestes, gémissent, parce que sous l'effort de la voix tout le corps se raidit et le coup est asséné avec plus de vigueur. » Cicéron, *Tusculanes*, II, xxiii. — *b. et me contente de gemir sans brailler*, ajoute l'édition de 1595. — *c.* « Ce sont des soupirs, des cris, des gémissements, des lamentations qui retentissent avec un son plaintif. » Vers du *Philoctète* d'Attius, cités par Cicéron, *De finibus*, II, 29, et *Tusculanes*, II, xiv.

soudain en ma forme ordinaire[a], d'autant que mon ame
ne prend autre alarme que la sensible et corporelle; ce que
je doy certainement au soing que j'ay eu à me preparer
par discours à tels accidens,

> *laborum*
> *Nulla mihi nova nunc facies inopináque surgit;*
> *Omnia præcepi atque animo mecum ante peregi*[b].

Je suis essayé[c] pourtant un peu bien rudement pour
un apprentis, et d'un changement bien soudain et bien
rude, estant cheu tout à coup d'une très-douce condition
de vie et très-heureuse à la plus doloreuse et penible qui
se puisse imaginer. Car, outre ce que c'est une maladie bien
fort à craindre d'elle mesme, elle fait en moy ses commencemens beaucoup plus aspres et difficiles qu'elle n'a accoustumé. Les accés me reprennent si souvent que je ne sens
quasi plus d'entiere santé. Je maintien toutesfois jusques
à cette heure mon esprit en telle assiette que, pourveu que
j'y puisse apporter de la constance, je me treuve en assez
meilleure condition de vie que mille autres, qui n'ont ny
fiévre ny mal que celuy qu'ils se donnent eux mesmes par
la faute de leur discours.

Il est certaine façon d'humilité subtile qui naist de la
presomption, comme cette-cy, que nous reconnoissons
nostre ignorance en plusieurs choses et sommes si courtois
d'avouer qu'il y a ès ouvrages de nature aucunes qualitez
et conditions qui nous sont imperceptibles, et desquelles
nostre suffisance ne peut descouvrir les moyens et les causes.
Par cette honneste et conscientieuse declaration, nous esperons gaigner qu'on nous croira aussi de celles que nous
dirons entendre. Nous n'avons que faire d'aller trier des
miracles et des difficultez estrangeres; il me semble que,
parmy les choses que nous voyons ordinairement, il y a
des estrangetez si incomprehensibles qu'elles surpassent
toute la difficulté des miracles. Quel monstre est-ce, que
cette goute de semence dequoy nous sommes produits

---

a. je devise, je ris, j'estudie, sans esmotion et alteration, ajoutent les
éditions publiées du vivant de Montaigne. — *b.* « Il n'y a pas pour
moi maintenant de peines nouvelles et inattendues; je les ai toutes
éprouvées d'avance, et mon âme y est préparée. » Virgile, *Énéide*
VI, 103. — *c.* Éprouvé.

LIVRE II, CHAPITRE XXXVII

porte en soy les impressions ª, non de la forme corporelle seulement, mais des pensemens et des inclinations de nos peres? Cette goute d'eau, où loge elle ce nombre infiny de formes [417]?

Et comme portent elles ces ressemblances, d'un progrez si temeraire et si desreglé que l'arriere fils respondra [b] à son bisayeul, le neveu à l'oncle? En la famille de Lepidus, à Romme, il y en a eu trois, non de suitte, mais par intervalles, qui nasquirent un mesme œuil couvert de cartilage [418]. A Thebes, il y avoit une race qui portoit, dès le ventre de la mere, la forme d'un fer de lance; et, qui ne le portoit, estoit tenu illegitime [419]. Aristote dict [420] qu'en certaine nation où les femmes estoient communes, on assignoit les enfans à leurs peres par la ressemblance.

Il est à croire que je dois à mon pere cette qualité pierreuse, car il mourut merveilleusement affligé d'une grosse pierre qu'il avoit en la vessie; il ne s'apperceut de son mal que le soixante-septiesme an de son aage, et avant cela il n'en avoit eu aucune menasse ou ressentiment [c] aux reins, aux costez, ny ailleurs; et avoit vescu jusques lors en une heureuse santé et bien peu subjette à maladies; et dura encores sept ans en ce mal, traînant une fin de vie bien douloureuse. J'estoy nay vingt cinq ans et plus avant sa maladie, et durant le cours de son meilleur estat, le troisiesme de ses enfans en rang de naissance. Où se couvoit tant de temps la propension à ce defaut? Et, lors qu'il estoit si loing du mal, cette legere piece de sa substance dequoy il me bastit, comment en portoit elle pour sa part une si grande impression? Et comment encore si couverte, que, quarante cinq ans après, j'aye commencé à m'en ressentir, seul jusques à cette heure entre tant de freres et de sœurs, et tous d'une mere? Qui m'esclaircira de ce progrez [d], je le croiray d'autant d'autres miracles qu'il voudra; pourveu que, comme ils font [e], il ne me donne pas en payement une doctrine beaucoup plus difficile et fantastique que n'est la chose mesme.

Que les medecins excusent un peu ma liberté, car, par cette mesme infusion et insinuation fatale, j'ay receu la haine et le mespris de leur doctrine : cette antipathie que

---

a. Traces. — *b.* Correspondra. — *c.* Sentiment, sensation. — *d.* Processus. — *e.* Comme on fait.

j'ay à leur art m'est hereditaire. Mon pere a vescu soixante et quatorze ans, mon ayeul soixante et neuf, mon bisayeul près de quatre vingts, sans avoir gousté aucune sorte de medecine; et, entre eux, tout ce qui n'estoit de l'usage ordinaire tenoit lieu de drogue. La medecine se forme par exemples et experience; aussi fait mon opinion. Voylà pas une bien expresse experience et bien advantageuse? Je ne sçay s'ils m'en trouveront trois en leurs registres, naiz, nourris et trespassez en mesme fouier, mesme toict, ayans autant vescu soubs leurs regles. Il faut qu'ils m'advouent en cela que, si ce n'est la raison, au moins que la fortune est de mon party; or, chez les medecins, fortune vaut bien mieux que la raison. Qu'ils ne me prennent point à cette heure à leur advantage; qu'ils ne me menassent point, atterré comme je suis : ce seroit supercherie. Aussi, à dire la verité, j'ay assez gaigné sur eux par mes exemples domestiques, encore qu'ils s'arrestent là. Les choses humaines n'ont pas tant de constance : il y a deux cens ans, il ne s'en faut que dix-huict, que cet essay nous dure, car le premier nasquit l'an mil quatre cens deux. C'est vrayement bien raison que cette experience commence à nous faillir. Qu'ils ne me reprochent point les maux qui me tiennent asteure[a] à la gorge : d'avoir vescu sain quarante sept ans pour ma part, n'est-ce pas assez? quand ce sera le bout de ma carriere, elle est des plus longues.

Mes ancestres avoient la medecine à contre-cœur par quelque inclination occulte et naturelle; car la veuë mesme des drogues faisoit horreur à mon pere. Le seigneur de Gaviac, mon oncle paternel, homme d'Eglise, maladif dès sa naissance, et qui fit toutefois durer cette vie debile jusques à 67 ans, estant tombé autrefois en une grosse et vehemente fiévre continue, il fut ordonné par les medecins qu'on luy declaireroit, s'il ne se vouloit aider (ils appellent secours ce qui le plus souvent est empeschement), qu'il estoit infailliblement mort. Ce bon homme, tout effrayé comme il fut de cette horrible sentence, si respondit-il : « Je suis donq mort. » Mais Dieu rendit tantost après vain ce prognostique.

Le dernier des freres, ils estoyent quatre, Sieur de Bussaguet, et de bien loing le dernier, se soubmit seul à cet art,

---

a. A cette heure.

pour le commerce, ce croy-je, qu'il avoit avec les autres arts, car il estoit conseiller en la court de parlement, et luy succeda si mal qu'estant par apparence de plus forte complexion, il mourut pourtant long temps avant les autres, sauf un, le sieur de Sainct Michel.

Il est possible que j'ay receu d'eux cette dispathie[a] naturelle à la medecine; mais s'il n'y eut eu que cette consideration, j'eusse essayé de la forcer. Car toutes ces conditions qui naissent en nous sans raison, elles sont vitieuses, c'est une espece de maladie qu'il faut combatre; il peut estre que j'y avois cette propension, mais je l'ay appuyée et fortifiée par les discours[b] qui m'en ont establi l'opinion que j'en ay. Car je hay aussi cette consideration de refuser la medecine pour l'aigreur de son goust; ce ne seroit aisement mon humeur, qui trouve la santé digne d'estre r'achetée par tous les cauteres et incisions les plus penibles qui se facent.

Et, suyvant Epicurus, les voluptez me semblent à eviter, si elles tirent à leur suite des douleurs plus grandes, et les douleurs à rechercher, qui tirent à leur suite des voluptez plus grandes[421].

C'est une pretieuse chose que la santé, et la seule chose qui merite à la verité qu'on y employe, non le temps seulement, la sueur, la peine, les biens, mais encore la vie à sa poursuite; d'autant que sans elle la vie nous vient à estre penible et injurieuse. La volupté, la sagesse, la science et la vertu, sans elle, se ternissent et esvanouissent; et aux plus fermes et tendus discours que la philosophie nous veuille imprimer au contraire, nous n'avons qu'à opposer l'image de Platon estant frappé du haut mal ou d'une apoplexie, et, en cette presupposition, le deffier de s'ayder de ces nobles et riches facultez de son ame. Toute voye qui nous meneroit à la santé ne se peut dire pour moy ny aspre, ny chere. Mais j'ay quelques autres apparences qui me font estrangement deffier de toute cette marchandise. Je ne dy pas qu'il n'y en puisse avoir quelque art; qu'il n'y ait, parmy tant d'ouvrages de nature, des choses propres à la conservation de nostre santé; cela est certain[c].

---

a. Antipathie, aversion. — *b.* Réflexions. — *c. Mais je dy ce qui s'en void en practique, il y a grand dangier que ce soit pure imposture, j'en croy leurs confraires Fioravanti et Paracelse.* (Éditions antérieures à 1588.)

J'entend bien qu'il y a quelque simple qui humecte, quelque autre qui asseche; je sçay, par experience, et que les refforts produisent des vents, et que les feuilles du sené lâchent le ventre; je sçay plusieurs telles experiences, comme je sçay que le mouton me nourrit et que le vin m'eschauffe; et disoit Solon que le menger estoit, comme les autres drogues, une medecine contre la maladie de la faim[422]. Je ne desadvouë pas l'usage que nous tirons du monde, ny ne doubte de la puissance et uberté de nature, et de son application à nostre besoing. Je vois bien que les brochets et les arondes[a] se trouvent bien d'elle. Je me deffie des inventions de nostre esprit, de nostre science et art, en faveur duquel nous l'avons abandonnée et ses regles, et auquel nous ne sçavons tenir moderation ny limite.

Comme nous appelons justice le pastissage[b] des premieres loix qui nous tombent en main et leur dispensation[c] et pratique, souvent trèsinepte et trèsinique, et comme ceux qui s'en moquent et qui l'accusent n'entendent pas pourtant injurier cette noble vertu, ains condamner seulement l'abus et profanation de ce sacré titre; de mesme, en la medecine, j'honnore bien ce glorieux nom, sa proposition, sa promesse si utile au genre humain, mais ce qu'il designe entre nous, je ne l'honnore ny l'estime.

En premier lieu, l'experience me le fait craindre; car, de ce que j'ay de connoissance, je ne voy nulle race de gens si tost malade et si tard guerie que celle qui est sous la jurisdiction de la medecine. Leur santé mesme est alterée et corrompue par la contrainte des regimes. Les medecins ne se contentent point d'avoir la maladie en gouvernement, ils rendent la santé malade, pour garder qu'on ne puisse en aucune saison eschapper leur authorité. D'une santé constante et entiere, n'en tirent ils pas l'argument d'une grande maladie future? J'ay esté assez souvent malade; j'ay trouvé, sans leurs secours, mes maladies aussi douces à supporter (et en ay essayé quasi de toutes les sortes) et aussi courtes qu'à nul'autre; et si, n'y ay point meslé l'amertume de leurs ordonnances. La santé, je l'ay libre et entiere, sans regle et sans autre discipline que de ma coustume et de mon

---

a. Hirondelles. — b. L'accommodation au petit bonheur. — c. Application.

plaisir. Tout lieu m'est bon à m'arrester, car il ne me faut autres commoditez, estant malade, que celles qu'il me faut estant sain. Je ne me passionne point d'estre sans medecin, sans apotiquaire et sans secours; dequoy j'en voy la plus part plus affligez que du mal. Quoy! eux mesmes nous font ils voir de l'heur et de la durée en leur vie, qui nous puisse tesmoigner quelque apparent effet de leur science?

Il n'est nation qui n'ait esté plusieurs siecles sans la medecine, et les premiers siecles, c'est à dire les meilleurs et les plus heureux; et du monde la dixiesme partie ne s'en sert pas encores à cette heure; infinies nations ne la cognoissent pas, où l'on vit et plus sainement et plus longuement qu'on ne fait icy; et parmy nous le commun peuple s'en passe heureusement. Les Romains avoyent esté six cens ans avant que de la recevoir[423], mais, après l'avoir essayée, ils la chasserent de leur ville par l'entremise de Caton le Censeur, qui montra combien aysément il s'en pouvoit passer, ayant vescu quatre vingts et cinq ans, et fait vivre sa femme jusqu'à l'extreme vieillesse, non pas sans medecine, mais ouy bien sans medecin : car toute chose qui se trouve salubre à nostre vie, se peut nommer medecine. Il entretenoit, ce dict Plutarque[424], sa famille en santé par l'usage (ce me semble) du lievre; comme les Arcades, dict Pline[425], guerissent toutes maladies avec du laict de vache. Et les Lybiens, dict Herodote[426], jouyssent populairement d'une rare santé par cette coustume qu'ils ont, après que leurs enfans ont atteint quatre ans, de leur causteriser et brusler les veines du chef et des temples, par où ils coupent chemin pour leur vie à toute defluxion de rheume. Et les gens de village de ce païs, à tous accidens, n'employent que du vin le plus fort qu'ils peuvent, meslé à force safran et espice : tout cela avec une fortune pareille.

Et à dire vray, de toute cette diversité et confusion d'ordonnances, quelle autre fin et effect après tout y a il que de vuider le ventre? ce que mille simples domestiques peuvent faire.

Et si ne scay si c'est si utillement qu'ils disent, et si nostre nature n'a point besoing de la residence de ses excremens jusques à certaine mesure, comme le vin a de sa lie pour sa conservation. Vous voyez souvent des hommes sains tomber en vomissemens ou flux de ventre par accident estranger, et faire un grand vuidange d'excremens sans besoin aucun precedent et sans aucune utilité suivante, voire avec empirement et dommage. C'est du grand Platon[427] que j'apprins naguieres que, de trois sortes de mouvemens qui nous appartiennent, le dernier et le pire est celuy des purgations, que nul homme, s'il n'est fol, doit entreprendre qu'à l'extreme necessité. On va troublant et esveillant le mal par oppositions contraires. Il faut que ce soit la forme de vivre qui doucement l'allanguisse et reconduise à sa fin : les violentes harpades[a] de la drogue et du mal sont tousjours à nostre perte, puis que la querelle se desmesle chez nous et que la drogue est un secours infiable[b], de sa nature ennemi à nostre santé et qui n'a accez en nostre estat que par le trouble. Laissons un peu faire : l'ordre qui pourvoid aux puces et aux taulpes, pourvoid aussi aux hommes qui ont la patience pareille à se laisser gouverner que les puces et les taulpes. Nous avons beau crier bihore[c], c'est bien pour nous enrouër, mais non pour l'avancer. C'est un ordre superbe et impiteux. Nostre crainte, notre desespoir le desgoute et retarde de nostre aide, au lieu de l'y convier ; il doibt au mal son cours comme à la santé. De se laisser corrompre en faveur de l'un au prejudice des droits de l'autre, il ne le fera pas : il tomberoit en desordre. Suyvons, de par Dieu! suyvons! Il meine ceux qui suyvent ; ceux qui ne le suyvent pas, il les entraine[428], et leur rage et leur medecine ensemble. Faictes ordonner une purgation à vostre cervelle, elle y sera mieux employée qu'à vostre estomach.

On demandoit à un Lacedemonien qui l'avoit fait vivre sain si long temps : « L'ignorance de la medecine », respondit il. Et Adrian l'Empereur crioit sans cesse, en mourant, que la presse[d] des medecins l'avoit tué[429].

Un mauvais luicteur se fit medecin : « Courage, luy dit Diogenes, tu as raison ; tu mettras à cette heure en terre ceux qui t'y ont mis autresfois[430]. »

Mais ils ont cet heur, selon Nicocles[431], que le soleil esclaire leur succez, et la terre cache leur faute ; et, outre cela, ils ont une façon bien avantageuse de se servir de toutes sortes d'evenemens, car ce que la fortune, ce que la nature, ou quelque autre cause estrangere (desquelles

---

a. Luttes. — *b.* Auquel on ne peut se fier. — *c.* Hue! (En gascon.) — *d.* Foule.

le nombre est infini) produit en nous de bon et de salutaire, c'est le privilege de la medecine de se l'attribuer. Tous les heureux succez qui arrivent au patient qui est soubs son regime, c'est d'elle qu'il les tient. Les occasions qui m'ont guery, moy, et qui guerissent mille autres qui n'appellent point les medecins à leurs secours, il les usurpent en leurs subjects; et, quant aux mauvais accidents, ou ils les desavouent tout à fait, en attribuant la coulpe au patient par des raisons si vaines qu'ils n'ont garde de faillir d'en trouver tousjours assez bon nombre de telles : « Il a descouvert son bras, il a ouy le bruit d'un coche;

> *rhedarum transitus arcto*
> *Vicorum inflexu*[a];

on a entrouvert sa fenestre; il s'est couché sur le costé gauche, ou passé par sa teste quelque pensement penible. » Somme[b], une parolle, un songe, une œuillade leur semble suffisante excuse pour se descharger de faute. Ou, s'il leur plait, ils se servent encore de cet empirement, et en font leurs affaires par cet autre moyen qui ne leur peut jamais faillir : c'est de nous payer, lors que la maladie se trouve rechaufée par leurs applications de l'asseurance qu'ils nous donnent qu'elle seroit bien autrement empirée sans leurs remedes. Celuy qu'ils ont jetté d'un morfondement[c] en une fièvre quotidienne, il eust eu sans eux la continue. Ils n'ont garde de faire mal leurs besoignes, puis que le dommage leur revient à profit. Vrayement ils ont raison de requerir du malade une application de creance favorable : il faut qu'elle le soit, à la verité, en bon escient, et bien souple, pour s'appliquer à des imaginations si mal aisées à croire.

Platon disoit[432], bien à propos, qu'il n'appartenoit qu'aux medecins de mentir en toute liberté, puis que nostre salut despend de la vanité et faucété de leurs promesses.

Æsope, autheur de très-rare excellence et duquel peu de gens descouvrent toutes les graces, est plaisant à nous representer cette authorité tyrannique qu'ils usurpent sur ces pauvres ames affoiblies et abatues par le mal et la

---

a. « Le passage des voitures au tournant étroit des rues. » Juvénal, III, 236. — *b*. En somme. — *c*. Rhume de cerveau.

crainte. Car il conte[433] qu'un malade, estant interrogé par son medecin quelle operation il sentoit des medicamens qu'il luy avoit donnez : « J'ay fort sué, respondit-il. — Cela est bon », dit le medecin. A une autre fois, il luy demanda encore comme il s'estoit porté dépuis : « J'ay eu un froid extreme, fit-il, et ay fort tremblé. — Cela est bon », suyvit le medecin. A la troisiesme fois, il lui demanda de rechef comment il se portoit : « Je me sens, dit-il, enfler et bouffir comme d'ydropisie. — Voylà qui va bien », adjousta le medecin. L'un de ses domestiques venant après à s'enquerir à luy de son estat : « Certes, mon amy, respond-il, à force de bien estre, je me meurs. »

Il y avoit en Ægypte une loy plus juste par laquelle le medecin prenoit son patient en charge, les trois premiers jours, aux perils et fortunes du patient; mais, les trois jours passez, c'estoit aux siens propres; car quelle raison y a il qu'Æsculapius, leur patron, ait esté frappé du foudre pour avoir r'amené Heleine de mort à vie[434],

> *Nam pater omnipotens, aliquem indignatus ab umbris*
> *Mortalem infernis ad lumina surgere vitæ,*
> *Ipse repertorem medicinæ talis et artis*
> *Fulmine Phœbigenam stygias detrusit ad undas* [a];

et ses suyvans soyent absous qui envoyent tant d'ames de la vie à la mort?

Un medecin vantoit à Nicocles son art estre de grande auctorité : « Vrayment c'est mon, dict Nicocles, qui peut impunement tuer tant de gens[435]. »

Au demeurant, si j'eusse esté de leur conseil, j'eusse rendu ma discipline [b] plus sacrée et mysterieuse; ils avoyent assez bien commencé, mais ils n'ont pas achevé de mesme. C'estoit un bon commencement d'avoir fait des dieux et des demons autheurs de leur science, d'avoir pris un langage à part, une escriture à part[436]; quoy qu'en sente la philosophie, que c'est folie de conseiller un homme pour son profit par maniere non intelligible : « *Ut si quis medicus imperet ut sumat :*

---

a. « Car le Père tout-puissant [des dieux], indigné qu'un mortel ait été rappelé des ombres infernales à la lumière de la vie, frappa de la foudre l'inventeur d'un tel art, le fils de Phébus, et le précipita sur les bords du Styx. » Virgile, *Énéide,* VII, 770. — *b.* Mon art.

Terrigenam, herbigradam, domiportam, sanguine cassam [a]. »

C'estoit une bonne regle en leur art, et qui accompaigne toutes les arts fantastiques, vaines et supernaturelles, qu'il faut que la foy du patient preoccupe [b] par bonne esperance et asseurance leur effect et operation. Laquelle reigle ils tiennent jusques là que le plus ignorant et grossier medecin, ils le trouvent plus propre à celuy qui a fiance [c] en luy que le plus experimenté inconnu. Le chois mesmes de la pluspart de leurs drogues est aucunement mysterieux et divin : le pied gauche d'une tortue, l'urine d'un lezart, la fiante d'un Elephant, le foye d'une taupe, du sang tiré soubs l'aile droite d'un pigeon blanc; et pour nous autres coliqueux (tant ils abusent desdaigneusement de nostre misere), des crotes de rat pulverisées, et telles autres singeries qui ont plus le visage d'un enchantement magicien que de science solide. Je laisse à part le nombre imper de leurs pillules, la destination de certains jours et festes de l'année, la distinction des heures à cueillir les herbes de leurs ingrediens, et cette grimace rebarbative et prudente de leur port et contenance, dequoy Pline mesme se moque[437]. Mais ils ont failly, veux je dire, de ce qu'à beau commancement ils n'ont adjousté cecy, de rendre leurs assemblées et consultations plus religieuses et secretes : aucun homme profane n'y devoit avoir accez, non plus qu'aux secretes ceremonies d'Æsculape. Car il advient de cette faute que leur irresolution, la foiblesse de leurs argumens, divinations et fondemens, l'âpreté de leurs contestations, pleines de haine, de jalousie et de consideration particuliere, venant à estre descouverts à un chacun, il faut estre merveilleusement aveugle si on ne se sent bien hazardé entre leurs mains. Qui veid jamais medecin se servir de la recepte de son compaignon sans en retrancher ou y adjouster quelque chose. Ils trahissent assez par là leur art, et nous font voir qu'ils y considerent plus leur reputation, et par consequent leur profit, que l'interest de leurs patiens. Celuy là de leurs docteurs est plus sage, qui leur a anciennement prescript qu'un seul

---

a. « Comme si un médecin ordonnait de prendre un enfant de la terre, marchant dans l'herbe, portant sa maison et dépourvu de sang. » (Au lieu de dire : un colimaçon.) Cicéron, *De divinatione*, II, 64. — *b.* Imagine d'avance. — *c.* Confiance.

se mesle de traiter un malade : car, s'il ne fait rien qui vaille, le reproche à l'art de la medecine n'en sera pas fort grand pour la faute d'un homme seul; et, au rebours, la gloire en sera grande, s'il vient à bien rencontrer; là où, quand ils sont beaucoup, ils descrient tous les coups le mestier, d'autant qu'il leur advient de faire plus souvent mal que bien. Ils se devoyent contenter du perpetuel desaccord qui se trouve ès opinions des principaux maistres et autheurs anciens de cette science, lequel n'est conneu que des hommes versez aux livres, sans faire voir encore au peuple les controverses et inconstances de jugement qu'ils nourrissent et continuent entre eux.

Voulons nous un exemple de l'ancien debat de la medecine? Hierophilus loge la cause originelle des maladies aux humeurs; Erasistratus, au sang des arteres; Asclepiades, aux atomes invisibles s'escoulants en nos pores; Alcmæon, en l'exuperance[a] ou defaut des forces corporelles; Diocles, en l'inequalité[b] des elemens du corps et en la qualité de l'air que nous respirons; Strato, en l'abondance, crudité et corruption de l'aliment que nous prenons; Hippocrates la loge aux esprits[438]. Il y a l'un de leurs amis[439], qu'ils connoissent mieux que moy, qui s'escrie à ce propos que la science la plus importante qui soit en nostre usage, comme celle qui a charge de nostre conservation et santé, c'est, de mal'heur, la plus incertaine, la plus trouble et agitée de plus de changemens. Il n'y a pas grand danger de nous mesconter[c] à la hauteur du soleil, ou en la fraction de quelque supputation astronomique; mais icy, où il va de tout nostre estre, ce n'est pas sagesse de nous abandonner à la mercy de l'agitation de tant de vents contraires.

Avant la guerre Peloponesiaque, il n'y avoit pas grands nouvelles de cette science; Hippocrates la mit en credit. Tout ce que cettuy-cy avoit estably, Chrysippus le renversa; depuis, Erasistratus, petit fils d'Aristote, tout ce que Chrysippus en avoit escrit. Après ceux cy survindrent les Empiriques, qui prindrent une voye toute diverse des anciens au maniement de cet art. Quand le credit de ces derniers commença à s'envieillir, Herophilus mit en usage une autre sorte de medecine, que Asclepiades vint à

a. Excès. — *b.* Inégalité. — *c.* Méprendre.

combattre et aneantir à son tour. A leur reng vindrent aussi en authorité les opinions de Themison, et depuis de Musa, et, encore après, celles de Vexius Valens, medecin fameux par l'intelligence qu'il avoit avecques Messalina. L'Empire de la medecine tomba du temps de Neron à Tessalus, qui abolit et condamna tout ce qui en avoit esté tenu jusques à luy. La doctrine de cettuy-cy fut abatue par Crinas de Marseille, qui apporta de nouveau de regler toutes les operations medecinales aux ephemerides et mouvemens des astres, manger, dormir et boire à l'heure qu'il plairoit à la Lune et à Mercure. Son auctorité feut bien tost après supplantée par Charinus, medecin de cette mesme ville de Marseille. Cettuy-cy combattoit non seulement la medecine ancienne, mais encore le publique et, tant de siecles auparavant, accoustumé usage des bains chauds. Il faisoit baigner les hommes dans l'eau froide, en hiver mesme, et plongeoit les malades dans l'eau naturelle des ruisseaux. Jusques au temps de Pline, aucun Romain n'avoit encore daigné exercer la medecine; elle se faisoit par des estrangers et Grecs, comme elle se fait entre nous, François, par des Latineurs [a] : car, comme dict un trèsgrand medecin, nous ne recevons pas aiséement la medecine que nous entendons, non plus que la drogue que nous cueillons. Si les nations desquelles nous retirons le gayac, la salseperille [b] et le bois desquine [c] ont des medecins, combien pensons nous, par cette mesme recommandation de l'estrangeté, la rareté et la cherté, qu'ils facent feste de nos choux et de nostre persil? car qui oseroit mespriser les choses recherchées de si loing, au hazard d'une si longue peregrination et si perilleuse? Depuis ces anciennes mutations de la medecine, il y en a eu infinies autres jusques à nous, et le plus souvent mutations entieres et universelles, comme sont celles que produisent de nostre temps Paracelse[440], Fioravanti[441] et Argenterius[442]; car ils ne changent pas seulement une recepte, mais, à ce qu'on me dict, toute la contexture et police du corps de la medecine, accusant d'ignorance et de piperie ceux qui en ont faict profession jusques à eux. Je vous laisse à penser où en est le pauvre patient!

a. Des gens qui parlent latin. — *b.* La salsepareille. — *c.* Le bois de squine.

Si encor nous estions asseurez, quand ils se mescontent[a], qu'il ne nous nuisist pas s'il ne nous profite, ce seroit une bien raisonnable composition de se hazarder d'acquerir du bien sans se mettre en danger de perte.

Æsope faict ce conte[443], qu'un qui avoit achepté un More esclave, estimant que cette couleur luy fust venue par accident et mauvais traictement de son premier maistre, le fit medeciner de plusieurs bains et breuvages avec grand soing; il advint que le More n'en amenda aucunement sa couleur basanée, mais qu'il en perdit entierement sa premiere santé.

Combien de fois nous advient il de voir les medecins imputans les uns aux autres la mort de leurs patiens! Il me souvient d'une maladie populaire qui fut aux villes de mon voisinage, il y a quelques années, mortelle et très-dangereuse; cet orage estant passé, qui avoit emporté un nombre infini d'hommes, l'un des plus fameux medecins de toute la contrée vint à publier un livret touchant cette matiere, par lequel il se ravise de ce qu'ils avoient usé de la seignée, et confesse que c'est l'une des causes principales du dommage qui en estoit advenu. Davantage, leurs autheurs[444] tiennent qu'il n'y a aucune medecine qui n'ait quelque partie nuisible, et si celles mesmes qui nous servent nous offencent aucunement, que doivent faire celles qu'on nous applique du tout hors de propos?

De moy, quand il n'y auroit autre chose, j'estime qu'à ceux qui hayssent le goust de la medecine, ce soit un dangereux effort, et de prejudice, de l'aller avaller à une heure si incommode avec tant de contre-cœur; et croy que cela essaye merveilleusement le malade en une saison où il a tant besoin de repos. Outre ce que, à considerer les occasions surquoy ils fondent ordinairement la cause de nos maladies, elles sont si legeres et si delicates que j'argumente par là qu'une bien petite erreur en la dispensation de leurs drogues peut nous apporter beaucoup de nuisance.

Or, si le mesconte du medecin est dangereux, il nous va bien mal, car il est bien mal aisé qu'il n'y retombe souvent; il a besoing de trop de pieces, considerations et circonstances pour affuter justement son dessein; il faut

a. Méprennent.

qu'il connoisse la complexion du malade, sa temperature, ses humeurs, ses inclinations, ses actions, ses pensements mesmes et ses imaginations[a]; il faut qu'il se responde des circonstances externes, de la nature du lieu, condition de l'air et du temps, assiette[b] des planettes et leurs influances; qu'il sçache en la maladie les causes, les signes, les affections, les jours critiques; en la drogue, le poix, la force, le pays, la figure, l'aage, la dispensation[c]; et faut que toutes ces pieces, il les sçache proportionner et raporter l'une à l'autre pour en engendrer une parfaicte symmetrie. A quoy s'il faut tant soit peu, si de tant de ressorts il y en a un tout seul qui tire à gauche, en voylà assez pour nous perdre. Dieu sçait de quelle difficulté est la connoissance de la pluspart de ces parties : car, pour exemple, comment trouvera il le signe propre de la maladie, chacune estant capable d'un infiny nombre de signes? Combien ont ils de debats entr'eux et de doubtes sur l'interpretation des urines[445]! Autrement d'où viendroit cette altercation continuelle que nous voyons entr'eux sur la connoissance du mal? Comment excuserions nous cette faute, où ils tombent si souvent, de prendre martre pour renard? Aux maux que j'ay eu, pour peu qu'il y eut de difficulté, je n'en ay jamais trouvé trois d'accord. Je remarque plus volontiers les exemples qui me touchent. Dernierement, à Paris, un gentil-homme fust taillé[d] par l'ordonnance des medecins, auquel on ne trouva de pierre non plus à la vessie qu'à la main; et là mesmes, un Evesque qui m'estoit fort amy avoit esté instamment sollicité, par la pluspart des medecins qu'il appelloit à son conseil, de se faire tailler; j'aydoy moy mesme, soubs la foy d'autruy, à le luy suader : quand il fust trespassé et qu'il fust ouvert, on trouva qu'il n'avoit mal qu'aux reins. Ils sont moins excusables en cette maladie, d'autant qu'elle est aucunement palpable. C'est par là que la chirurgie me semble beaucoup plus certaine, par ce qu'elle voit et manie ce qu'elle fait; il y a moins à conjecturer et à deviner, là où les medecins n'ont point de *speculum matricis* qui leur découvre nostre cerveau, nostre poulmon et nostre foye[446].

Les promesses mesmes de la medecine sont incroiables :

---

a. Idées. — *b.* Position. — *c.* Application. — *d.* Subit l'opération de la taille.

car, ayant à prouvoir ᵃ à divers accidents et contraires ᵇ qui nous pressent souvent ensemble, et qui ont une relation quasi necessaire, comme la chaleur du foye et froideur de l'estomach, ils nous vont persuadant que, de leurs ingrediens, cettuy-cy eschaufera l'estomach, cet autre refreschira le foye; l'un a sa charge d'aller droit aux reins, voire jusques à la vessie, sans estaler ailleurs ses operations, et conservant ses forces et sa vertu, en ce long chemin et plein de destourbiers ᶜ, jusques au lieu au service duquel il est destiné par sa propriété occulte; l'autre assechera le cerveau; celuy là humectera le poulmon. De tout cet amas ayant faict une mixtion de breuvage, n'est ce pas quelque espece de resverie d'esperer que ces vertus s'aillent divisant et triant de cette confusion et meslange, pour courir à charges si diverses? Je craindrois infiniement qu'elles perdissent ou eschangeassent leurs ethiquetes et troublassent leurs quartiers. Et qui pourroit imaginer que, en cette confusion liquide, ces facultez ne se corrompent, confondent et alterent l'une l'autre? Quoy, que ᵈ l'execution de cette ordonnance dépend d'un autre officier ᵉ, à la foy et mercy duquel nous abandonnons encore un coup nostre vie?

Comme nous avons des prepointiers ᶠ, des chaussetiers ᵍ pour nous vestir, et en sommes d'autant mieux servis que chacun ne se mesle que de son subject et a sa science plus restreinte et plus courte que n'a un tailleur qui embrasse tout; et comme, à nous nourrir, les grands, pour plus de commodité, ont des offices distinguez de potagiers et de rostisseurs, de quoy un cuisinier qui prend la charge universelle ne peut si exquisement venir à bout; de mesme, à nous guerir, les Ægyptiens avoient raison de rejetter ce general mestier de medecin et descoupper cette profession : à chaque maladie, à chaque partie du corps, son ouvrier; car elle en estoit bien plus propremant et moins confuséement traictée de ce qu'on ne regardoit qu'à elle specialement. Les nostres ne s'advisent pas que qui pourvoid à tout, ne pourvoid à rien; que la totale police de ce petit monde leur est indigestible. Cependant qu'ils craignent

---

a. Pourvoir. — *b.* Contrariétés, désagréments. — *c.* Obstacles. — *d.* Que dire que ceci que. — *e.* Agent (ici l'apothicaire). — *f.* Fabricants de pourpoints. — *g.* Fabricants de chausses.

d'arrester le cours d'un dysenterique pour ne luy causer la fiévre, ils me tuerent un amy[447] qui valoit mieux que tous, tant qu'ils sont. Ils mettent leurs divinations au poids, à l'encontre des maux presens, et, pour ne guerir le cerveau au prejudice de l'estomac, offencent l'estomac et empirent le cerveau par ces drogues tumultuaires et dissentieuses [a].

Quant à la varieté et foiblesse des raisons de cet art, elle est plus apparente qu'en aucun autre art. Les choses aperitives sont utiles à un homme coliqueus [b], d'autant qu'ouvrant les passages et les dilatant, elles acheminent cette matiere gluante de laquelle se bastit la grave [c] et la pierre, et conduisent contre-bas ce qui se commence à durcir et amasser aux reins. Les choses aperitives sont dangereuses à un homme coliqueus, d'autant qu'ouvrant les passages et les dilatant, elles acheminent vers les reins la matiere propre à bastir la grave, lesquels s'en saisissant volontiers pour cette propension qu'ils y ont, il est malaisé qu'ils n'en n'arrestent beaucoup de ce qu'on y aura charrié; d'avantage, si de fortune il s'y rencontre quelque corps un peu plus grosset qu'il ne faut pour passer tous ces destroicts qui restent à franchir pour l'expeller [d] au dehors, ce corps estant esbranlé par ces choses aperitives et, jetté dans ces canaus estroits, venant à les boucher, acheminera une certaine mort et très-doloreuse.

Ils ont une pareille fermeté aux conseils qu'ils nous donnent de notre regime de vivre : Il est bon de tomber souvent de l'eau, car nous voyons par experience qu'en la laissant croupir nous lui donnons loisir de se descharger de ses excremens et de sa lye, qui servira de matiere à bastir la pierre en la vessie; — il est bon de ne tomber point souvent de l'eau, car les poisans [e] excremens qu'elle traine quant et elle, ne s'emporteront poinct s'il n'y a de la violence, comme on void par experience qu'un torrent qui roule avecques roideur baloye bien plus nettement le lieu où il passe, que ne faict le cours d'un ruisseau mol et lâche. Pareillement, il est bon d'avoir souvent affaire aux femmes, car cela ouvre les passages et achemine la grave [c] et le sable; — il est bien aussi mauvais, car cela eschaufe les reins, les lasse et affoiblit. Il est bon de se

---

a. Qui troublent et bouleversent. — *b.* Atteint de la gravelle. — *c.* Le gravier. — *d.* Expulser. — *e.* Pesants.

baigner aux eaux chaudes, d'autant que cela relâche et amollit les lieux où se croupit le sable et la pierre ; — mauvais aussi est-il, d'autant que cette application de chaleur externe aide les reins à cuire, durcir et petrifier la matiere qui y est disposée. A ceux qui sont aux bains, il est plus salubre[448] de manger peu le soir, affin que le breuvage des eaux qu'ils ont à prendre lendemain matin, face plus d'operation, rencontrant l'estomac vuide et non empesché[a] ; — au rebours, il est meilleur de manger peu au disner pour ne troubler l'operation de l'eau, qui n'est pas encore parfaite, et ne charger l'estomac si soudain après cet autre travail, et pour laisser l'office de digerer à la nuict, qui le sçait mieux faire que ne faict le jour, où le corps et l'esprit sont en perpetuel mouvement et action.

Voilà comment ils vont bastelant et baguenaudant à nos despens en tous leurs discours ; et ne me sçauroient fournir proposition à laquelle je n'en rebatisse une contraire de pareille force.

Qu'on ne crie donq plus après ceux qui, en ce trouble, se laissent doucement conduire à leur appetit et au conseil de nature, et se remettent à la fortune commune.

J'ay veu, par occasion de mes voyages, quasi tous les bains fameux de Chrestienté, et depuis quelques années ay commencé à m'en servir ; car en general j'estime le baigner salubre, et croy que nous encourons non legeres incommoditez en nostre santé, pour avoir perdu cette coustume, qui estoit generalement observée au temps passé quasi en toutes les nations, et est encores en plusieurs, de se laver le corps tous les jours ; et ne puis imaginer que nous ne vaillions beaucoup moins de tenir ainsi nos membres encroutez et nos pores estouppés[b] de crasse. Et, quant à leur boisson, la fortune a faict premierement qu'elle ne soit aucunement ennemie de mon goust ; secondement, elle est naturelle et simple, qui aumoins n'est pas dangereuse, si elle est vaine ; dequoy je pren pour respondant cette infinité de peuples de toutes sortes et complexions qui s'y assemble. Et encores que je n'y aye apperceu aucun effet extraordinaire et miraculeux ; ains que, m'en informant un peu plus curieusement[c] qu'il ne se faict, j'aye trouvé mal fondez et faux tous les bruits de telles opera-

a. Embarrassé. — *b.* Bouchés. — *c.* Soigneusement.

tions qui se sement en ces lieux là et qui s'y croient (comme le monde va se pipant aiséement de ce qu'il desire) ; toutes-fois aussi n'ay-je veu guere de personnes que ces eaux ayent empiré, et ne leur peut-on sans malice refuser cela qu'elles n'esveillent l'appetit, facilitent la digestion et nous prestent quelque nouvelle allegresse, si on n'y va par trop abbatu de forces, ce que je desconseille de faire. Elles ne sont pas pour relever une poisante *a* ruyne ; elles peuvent appuyer *b* une inclination *c* legere, ou prouvoir *d* à la menace de quelque alteration. Qui n'y apporte assez d'allegresse pour pouvoir jouyr le plaisir des compagnies qui s'y trouvent, et des promenades et exercices à quoy nous convie la beauté des lieux où sont communément assises ces eaux, il perd sans doubte la meilleure piece et plus asseurée de leur effect. A cette cause, j'ay choisi jusques à cette heure à m'arrester et à me servir de celles où il y avoit plus d'amenité de lieu, commodité de logis, de vivres et de compaignies, comme sont en France les bains de Banieres ; en la frontière d'Allemaigne et de Lorraine, ceux de Plombières ; en Souysse, ceux de Bade ; en la Toscane, ceux de Lucques, et notamment ceux *della Villa*, desquels j'ay usé plus souvent et à diverses saisons.

Chaque nation a des opinions particulieres touchant leur usage, et des loix et formes de s'en servir toutes diverses et, selon mon experience, l'effect quasi pareil. Le boire n'est aucunement receu en Allemaigne ; pour toutes mala-dies, ils se baignent et sont à grenouiller dans l'eau quasi d'un soleil à l'autre. En Italie, quand ils boivent neuf jours, ils s'en beignent pour le moins trente, et communement boivent l'eau mixtionée d'autres drogues pour secourir son opération *e*. On nous ordonne icy de nous promener pour la digerer ; là on les arreste au lict, où ils l'ont prise, jusques à ce qu'ils l'ayent vuidée, leur eschauffant conti-nuellement l'estomach et les pieds. Comme les Allemans ont de particulier de se faire generallement tous corneter *f* et vantouser avec scarification dans le bain, ainsin ont les Italiens leurs *doccie* *g*, qui sont certaines gouttieres de cette eau chaude qu'ils conduisent par des cannes *h*, et vont

---

a. Pesante. — *b.* Étayer. — *c.* Inclinaison, déficience. — *d.* Pourvoir. — *e.* Augmenter son effet. — *f.* Ventouser à l'aide de cornes. — *g.* « Douches ». — *h.* Canaux.

baignant une heure le matin et autant l'aprèsdinée, par l'espace d'un mois, ou la teste, ou l'estomac, ou autre partie du corps à laquelle ils ont affaire. Il y a infinies autres differences de coustumes en chasque contrée; ou, pour mieux dire, il n'y a quasi aucune ressemblance des unes aux autres. Voilà comment cette partie de medecine à laquelle seule je me suis laissé aller, quoy qu'elle soit la moins artificielle, si a elle [a] sa bonne part de la confusion et incertitude qui se voit par tout ailleurs en cet art [b].

a. A pourtant. — *b.* Texte de l'édition de 1582. L'édition de 1580 donnait ici le texte ci-après, depuis *les lasse et affoiblit* (p. 189) : *Somme ils n'ont nul discours qui ne soit capable de telles oppositions. Quant au jugement de l'opération des drogues, il est autant ou plus incertain. J'ay esté deux fois boyre des eaux chaudes de noz montaignes : et m'y suis rangé, par ce que c'est une potion naturelle, simple et non mixtionnée, qui au moins n'est point dangereuse, si elle est vaine : et qui de fortune s'est rencontrée n'estre aucunement ennemie de mon goust (il est vray que je la prens selon mes regles, non selon celles des medecins), outre ce que le plaisir des visites de plusieurs parens et amis, que j'ay en chemin, et des compaignies qui s'y rendent, et de la beauté de l'assiete du pais, m'y attire. Ces eaux là ne font nul miracle sans doute, et tous les effectz estranges qu'on en rapporte, je ne les croy pas : car, pendant que j'y ay esté, il s'est semé plusieurs telz bruits que j'ay decouvers faus, m'en informant un peu curieusement. Mais le monde se pipe aiséement de ce qu'il desire. Il ne leur faut pas oster aussi qu'elles n'esveillent l'appetit et ne facilitent la digestion, et ne nous prestent quelque nouvelle alegresse, si on n'y va du tout abatu de forces. Mais moy, je n'y ay esté ny ne suis deliberé d'y aler que sain et avecques plaisir. Or quant à ce que je dis de la difficulté qui se presente au jugement de l'operation, en voicy l'exemple. Je fus premierement à Aiguescaudes : de celles là je n'en sentis nul effet, nulle purgation apparente; mais je fus un an entier, aprez en estre revenu, sans aucun ressentiment de colique, pour laquelle j'y estoy allé. Depuis je fus à Banieres; celles ci me firent vuyder force sable, et me tinrent le ventre long temps après fort lâche. Mais elles ne me garantirent ma santé que deux mois : car après cela j'ay esté trèsmal traicté de mon mal. Je demanderois sur ce tesmoignage, ausquelles mon medecin est d'avis que je me fie le plus, ayant ces divers argumentz et circonstances pour les unes et pour les autres. Qu'on ne crie pas donc plus après ceux qui, en cète incertitude, se laissent gouverner à leur appetit et au simple conseil de nature. Or ainsi, quand ils nous conseillent une chose plus tost qu'une autre, quand ils nous ordonnent les choses aperitives, comme sont les eaus chaudes, ou qu'ils nous les deffendent, ils le font d'une pareille incertitude, et remettent sans doubte à la mercy de la fortune l'evenement de leur conseil : n'estant en leur puissance ny de leur art de se respondre de la mesure des corps sableus, qui se couvent en nos reins; là ou une bien legiere difference de leur grandeur peut produire en l'effet de notre santé des conclusions contradictoires. Par cet exemple, l'on peut juger de la forme*

Les poëtes disent tout ce qu'ils veulent avec plus d'emphase et de grace, tesmoing ces deux epigrammes :

> *Alcon hesterno signum Jovis attigit. Ille,*
> *Quamvis marmoreus, vim patitur medici.*
> *Ecce hodie, jussus transferri ex æde vetusta*
> *Effertur, quamvis sit Deus atque lapis*[a].

Et l'autre :

> *Lotus nobiscum est hilaris, cœnavit et idem,*
> *Inventus mane est mortuus Ardragoras.*
> *Tam subitæ mortis causam, Faustine, requiris?*
> *In somnis medicum viderat Hermocratem*[b].

Sur quoy je veux faire deux contes.

Le baron de Caupene en Chalosse[449] et moy avons en commun le droict de patronage d'un benefice[450] qui est de grande estenduë, au pied de nos montaignes, qui se nomme Lahontan[451]. Il est des habitans de ce coin, ce qu'on dit de ceux de la valée d'Angrougne[452] : ils avoient une vie à part, les façons, les vestemens et les meurs à part; regis et gouvernez par certaines polices et coustumes particulieres, receuës de pere en fils, ausquelles ils s'obligeoient sans autre contrainte que de la reverence de leur usage. Ce petit estat s'estoit continué de toute ancienneté en une condition si heureuse que aucun juge voisin n'avoit esté en peine de s'informer de leur affaire, aucun advocat employé à leur donner advis, ny estranger appellé pour esteindre leurs querelles, et n'avoit on jamais veu aucun de ce destroict[c] à l'aumosne. Ils fuyoient les alliances et le commerce de l'autre monde, pour n'alterer la pureté de leur police : jusques à ce, comme ils recitent[d], que l'un d'entre eux, de la memoire de leurs peres, ayant l'ame

---

de leurs discours. Mais pour les presser plus vivement, il ne fauldrait pas un homme si ignorant comme je suis de leur art. Les poëtes... — *a.* « Alcon, hier, a touché la statue de Jupiter; et le dieu, quoique de marbre, éprouve la vertu du médecin. Voici qu'aujourd'hui on le fait sortir de son vieux temple et enterrer, tout dieu et pierre qu'il est. » Ausone, *Épigrammes,* 74. — *b.* « Andragoras s'est baigné joyeusement avec nous; il a soupé de même et ce matin on l'a trouvé mort. Voulez-vous savoir, Faustinus, quelle est la cause d'une mort si soudaine? En songe il avait vu le médecin Hermocrate. » Martial, VI, 53. — *c.* District. — *d.* A ce qu'on raconte.

espoinçonnée ª d'une noble ambition, s'alla adviser, pour mettre son nom en credit et reputation, de faire l'un de ses enfans maistre Jean ou maistre Pierre⁴⁵³; et, l'ayant faict instruire à escrire en quelque ville voisine⁴⁵⁴, en rendit en fin un beau notaire de village. Cettuy-cy, devenu grand, commença à desdaigner leurs anciennes coustumes et à leur mettre en teste la pompe des regions de deçà. Le premier de ses comperes à qui on escorna une chevre, il luy conseilla d'en demander raison aux juges Royaux d'autour de là, et de cettuy-cy à un autre, jusques à ce qu'il eust tout abastardy.

A la suite de cette corruption, ils disent ᵇ qu'il y en survint incontinent un'autre de pire consequence, par le moyen d'un medecin à qui il print envie d'espouser une de leurs filles et de s'habituer parmy eux. Cettuy-cy commença à leur apprendre premierement le nom des fiebvres, des reumes et des apostumes, la situation du cœur, du foye et des intestins, qui estoit une science jusques lors très esloignée de leur connoissance; et, au lieu de l'ail, dequoy ils avoyent apris à chasser toutes sortes de maux, pour aspres et extremes qu'ils fussent, il les accoustuma, pour une tous ou pour un morfondement ᶜ, à prendre les mixtions estrangeres, et commença à faire trafique, non de leur santé seulement, mais aussi de leur mort. Ils jurent que, dépuis lors seulement, ils ont aperçeu que le serain leur appesantissoit la teste, que le boyre, ayant chaut, apportoit nuisance, et que les vents de l'automne estoyent plus griefs ᵈ que ceux du printemps; que, dépuis l'usage de cette medecine, ils se trouvent accablez d'une legion de maladies inaccoustumées, et qu'ils apperçoivent un general deschet en leur ancienne vigueur, et leurs vies de moitié raccourcies. Voylà le premier de mes contes.

L'autre est qu'avant ma subjection graveleuse ᵉ, oyant faire cas du sang de bouc à plusieurs, comme d'une manne celeste envoyée en ces derniers siècles pour la tutelle et conservation de la vie humaine, et en oyant ᶠ parler à des gens d'entendement comme d'une drogue admirable et d'une operation infaillible ᵍ⁴⁵⁵; moy, qui ay tousjours pensé

---

a. Stimulée. — *b.* On dit. — *c.* Rhume (de cerveau). — *d.* Nocifs. — *e.* Avant d'être sujet à la gravelle. — *f.* Entendant. — *g.* D'un effet infaillible.

estre en bute à tous les accidens qui peuvent toucher tout autre homme, prins plaisir en pleine santé à me garnir de ce miracle, et commanday chez moy qu'on me nourrit un bouc selon la recepte : car il faut que ce soit aux mois les plus chaleureux de l'esté qu'on le retire, et qu'on ne luy donne à manger que des herbes aperitives, et à boire que du vin blanc. Je me rendis de fortune chez moy le jour qu'il devoit estre tué; on me vint dire que mon cuysinier trouvoit dans la panse deux ou trois grosses boules qui se choquoient l'une l'autre parmy sa mengeaille. Je fus curieux de faire apporter toute cette tripaille en ma presence, et fis ouvrir cette grosse et large peau; il en sortit trois gros corps, legiers comme des esponges, de façon qu'il semble qu'ils soient creuz, durs au demeurant par le dessus et fermez, bigarrez de plusieurs couleurs mortes; l'un perfect en rondeur, à la mesure d'une courte boule; les autres deux, un peu moindres, ausquels l'arrondissement est imperfect, et semble qu'il s'y acheminat. J'ay trouvé, m'en estant fait enquerir à ceux qui ont accoustumé d'ouvrir de ces animaux, que c'est un accident rare et inusité. Il est vraysemblable que ce sont des pierres cousines des nostres; et s'il est ainsi, c'est une esperance bien vaine aux graveleux de tirer leur guerison du sang d'une beste qui s'en aloit elle-mesme mourir d'un pareil mal. Car de dire que le sang ne se sent pas de cette contagion et n'en altere sa vertu accoustumée, il est plustost à croire qu'il ne s'engendre rien en un corps que par la conspiration et communication de toutes les parties; la masse agit tout'entiere, quoy que l'une piece y contribue plus que l'autre, selon la diversité des operations. Parquoy il y a grande apparence qu'en toutes les parties de ce bouc il y avoit quelque qualité petrifiante [a]. Ce n'estoit pas tant pour la crainte de l'advenir, et pour moy, que j'estoy curieux de cette experience; comme c'estoit qu'il advient chez moy, ainsi qu'en plusieurs maisons, que les femmes y font amas de telles menues drogueries pour en secourir le peuple, usant de mesme recepte à cinquante maladies, et de telle recepte qu'elles ne prennent pas pour elles; et si triomphent en bons evenemens.

---

a. *Et si cette beste est subjette à cette maladie, je trouve qu'elle a esté mal choisie pour nous y servir de medicament,* ajoutent les éditions publiées du vivant de Montaigne.

Au demeurant, j'honore les medecins, non pas, suyvant le precepte[456], pour la necessité (car à ce passage on en oppose un autre du prophete[457] reprenant le Roy Asa d'avoir eu recours au medecin), mais pour l'amour d'eux mesmes, en ayant veu beaucoup d'honnestes hommes et dignes d'estre aimez. Ce n'est pas à eux que j'en veux, c'est à leur art, et ne leur donne pas grand blasme de faire leur profit de nostre sotise, car la plus part du monde faict ainsi. Plusieurs vacations[a] et moindres et plus dignes que la leur n'ont fondement et appuy qu'aux abuz publiques. Je les appelle en ma compaignie quand je suis malade, s'ils se r'encontrent à propos, et demande à en estre entretenu, et les paye comme les autres. Je leur donne loy de me commander de m'abrier[b] chaudement, si je l'ayme mieux ainsi, que d'un autre sorte; ils peuvent choisir, d'entre les porreaux et les laictues, dequoy il leur plaira que mon bouillon se face, et m'ordonner le blanc ou le clairet; et ainsi de toutes autres choses qui sont indifferentes à mon appetit et usage.

J'entans bien que ce n'est rien faire pour eux, d'autant que l'aigreur et l'estrangeté sont accidans de l'essance propre de la medecine. Licurgus ordonnoit le vin aux Spartiates malades. Pourquoy? par ce qu'ils en haissoyent l'usage, sains : tout ainsi qu'un gentil'homme mon voisin s'en sert pour drogue trèssalutaire à ses fiebvres parce que de sa nature il en hait mortellement le goust.

Combien en voyons nous d'entr'eux estre de mon humeur? desdaigner la medecine pour leur service, et prendre une forme de vie libre et toute contraire à celle qu'ils ordonnent à autruy? Qu'est-ce cela, si ce n'est abuser tout destroussément[c] de nostre simplicité? Car ils n'ont pas leur vie et leur santé moins chere que nous, et accommoderoyent leurs effets à leur doctrine, s'ils n'en cognoissoyent eux mesmes la faucété.

C'est la crainte de la mort et de la douleur, l'impatience du mal, une furieuse et indiscrete soif de la guerison, qui nous aveugle ainsi : c'est pure lâcheté qui nous rend nostre croyance si molle et maniable.

La plus part pourtant ne croyent pas tant comme ils

---

a. Professions, métiers. — *b.* Abriter, couvrir. — *c.* Ouvertement.

LIVRE II, CHAPITRE XXXVII

souffrent[a]. Car je les oy[b] se plaindre et en parler comme nous; mais ils se resolvent en fin : « Que feroy-je donq? » Comme si l'impatience estoit de soy quelque meilleur remede que la patience.

Y a il aucun de ceux qui se sont laissez aller à cette miserable subjection qui ne se rende esgalement à toute sorte d'impostures? qui ne se mette à la mercy de quiconque a cette impudence de luy donner promesse de sa guerison?

Les Babyloniens portoient leurs malades en la place; le medecin, c'estoit le peuple, chacun des passants ayant par humanité et civilité à s'enquerir de leur estat et, selon son experience, leur donner quelque advis salutaire[458]. Nous n'en faisons guere autrement.

Il n'est pas une simple femmelette de qui nous n'employons les barbotages[c] et les brevets[d]; et, selon mon humeur, si j'avoy à en accepter quelqu'une, j'accepterois plus volontiers cette medecine qu'aucune autre, d'autant qu'aumoins il n'y a nul dommage à craindre.

Ce que Homere[459] et Platon[460] disoyent des Ægyptiens, qu'ils estoyent tous medecins, il se doit dire de tous peuples; il n'est personne qui ne se vante de quelque recette, et qui ne la hazarde sur son voisin, s'il l'en veut croire.

J'estoy l'autre jour en une compagnie, où je ne sçay qui de ma confrairie[e] aporta la nouvelle d'une sorte de pillules compilées de cent et tant d'ingrediens de conte fait; il s'en esmeut une feste et une consolation singuliere : car quel rocher soustiendroit l'effort d'une si nombreuse baterie? J'entens toutefois, par ceux qui l'essayerent, que la moindre petite grave[f] ne daigna s'en esmouvoir.

Je ne me puis desprendre de ce papier, que je n'en die encore ce mot sur ce qu'ils nous donnent, pour respondant de la certitude de leurs drogues, l'experience qu'ils ont faite. La plus part, et, ce croy-je, plus des deux tiers des vertus medecinales consistent en la quinte essence ou propriété occulte des simples, de laquelle nous ne pouvons

---

a. Laissent faire (usant de la médecine, non parce qu'ils y croient, mais pour se conformer à l'opinion). — *b*. Entends. — *c*. Marmottages. — *d*. Formules. — *e*. La confrérie de ceux qui sont atteints de la gravelle. — *f*. Gravier.

avoir autre instruction que l'usage : car quinte essence
n'est autre chose qu'une qualité de laquelle, par nostre
raison, nous ne sçavons trouver la cause. En telles preuves,
celles qu'ils disent avoir acquises par l'inspiration de
quelque Dæmon, je suis content de les recevoir (car, quant
aux miracles, je n'y touche jamais); ou bien encore les
preuves qui se tirent des choses qui, pour autre consideration, tombent souvent en nostre usage : comme si, en
la laine dequoy nous avons accoustumé de nous vestir, il
s'est trouvé par accident quelque occulte proprieté desicca-
tive qui guerisse les mules au talon, et si au reffort[a], que
nous mangeons pour la nourriture, il s'est rencontré
quelque operation apperitive. Galen recite qu'il advint à
un ladre[b] de recevoir guerison par le moyen du vin qu'il
beut, d'autant que de fortune une vipere s'estoit coulée
dans le vaisseau[c]. Nous trouvons en cet exemple le moyen
et une conduite vray-semblable à cette experience, comme
aussi en celles ausquelles les medecins disent avoir esté
acheminez par l'exemple d'aucunes bestes.

Mais en la pluspart des autres experiences à quoy ils
disent avoir esté conduis par la fortune et n'avoir eu autre
guide que le hazard, je trouve le progrez[d] de cette information incroyable. J'imagine l'homme regardant au tour
de luy le nombre infiny des choses, plantes, animaux,
metaux. Je ne sçay par où luy faire commencer son essay;
et quand sa première fantasie se jettera sur la corne d'un
elan, à quoy il faut prester une creance bien molle et aisée,
il se trouve encore autant empesché en sa seconde operation. Il luy est proposé tant de maladies et tant de circonstances, qu'avant qu'il soit venu à la certitude de ce point
où doit joindre la perfection de son experience, le sens
humain y perd son latin; et avant qu'il ait trouvé parmy
cette infinité de choses que c'est cette corne; parmy cette
infinité de maladies, l'epilepsie; tant de complexions, au
melancolique; tant de saisons, en hiver; tant de nations,
au François; tant d'aages, en la vieillesse; tant de mutations
celestes, en la conjonction de Venus et de Saturne; tant
de parties du corps, au doigt; à tout cela n'estant guidé ny
d'argument, ny de conjecture, ny d'exemple, ny d'inspiration divine, ains[e] du seul mouvement de la fortune, il

a. Raifort. — *b.* Lépreux. — *c.* Vase. — *d.* La marche. — *e.* Mais.

faudroit que ce fut par une fortune parfaitement artificielle, reglée et methodique. Et puis, quand la guerison fut faicte, comment se peut il asseurer que ce ne fut que le mal fut arrivé à sa periode, ou un effect du hazard, ou l'operation de quelque autre chose qu'il eust ou mangé, ou beu, ou touché ce jour-là, ou le merite des prieres de sa mere grand? Davantage, quand cette preuve auroit esté parfaicte, combien de fois fut elle reiterée? et cette longue cordée de fortunes et de r'encontres r'enfilée, pour en conclurre une regle?

Quand elle sera conclue, par qui est-ce? De tant de millions il n'y a que trois hommes qui se meslent d'enregistrer leurs experiences. Le sort aura il r'encontré à point nommé l'un de ceux cy? Quoy, si un autre et si cent autres ont faict des experiences contraires? A l'avanture[a], verrions nous quelque lumiere, si tous les jugements et raisonnements des hommes nous estoyent cogneuz. Mais que trois tesmoins et trois docteurs regentent l'humain genre, ce n'est pas la raison : il faudroit que l'humaine nature les eust deputez et choisis et qu'ils fussent declarez nos syndics par expresse procuration.

A Madame de Duras[461],

Madame, vous me trouvates sur ce pas dernierement que vous me vintes voir. Par ce qu'il pourra estre que ces inepties se rencontreront quelque fois entre vos mains, je veux aussi qu'elles portent tesmoignage que l'autheur se sent bien fort honoré de la faveur que vous leur ferez. Vous y reconnoistrez ce mesme port et ce mesme air que vous avez veu en sa conversation. Quand j'eusse peu prendre quelque autre façon que la mienne ordinaire et quelque autre forme plus honorable et meilleure, je ne l'eusse pas faict; car je ne veux tirer de ces escrits sinon qu'ils me representent à vostre memoire au naturel. Ces mesmes conditions et facultez que vous avez pratiquées et recueillies, Madame, avec beaucoup plus d'honneur et de courtoisie qu'elles ne meritent, je les veux loger (mais sans alteration et changement) en un corps solide qui

---

a. Peut-être.

puisse durer quelques années ou quelques jours après moy, où vous les retrouverez quand il vous plaira vous en refreschir la memoire, sans prendre autrement la peine de vous en souvenir; aussi ne le valent elles pas. Je desire que vous continuez en moy la faveur de vostre amitié, par ces mesmes qualitez par le moyen desquelles elle a esté produite. Je ne cherche aucunement qu'on m'ayme et estime mieux mort que vivant.

L'humeur de Tibere est ridicule, et commune pourtant, qui avoit plus de soin d'estendre sa renommée à l'advenir qu'il n'avoit de se rendre estimable et agreable aux hommes de son temps[462].

Si j'estoy de ceux à qui le monde peut devoir loüange, je l'en quitteroy et qu'il me la payast d'advance; qu'elle se hastast et ammoncelast tout autour de moy, plus espesse qu'alongée, plus pleine que durable; et qu'elle s'evanouist hardiment quand et ma cognoissance, et que ce doux son ne touchera plus mes oreilles.

Ce seroit une sotte humeur d'aller, à cette heure que je suis prest d'abandonner le commerce des hommes, me produire à eux par une nouvelle recommandation. Je ne fay nulle recepte des biens que je n'ay peu employer à l'usage de ma vie. Quel que je soye, je le veux estre ailleurs qu'en papier. Mon art et mon industrie ont esté employez à me faire valoir moy-mesme; mes estudes, à m'apprendre à faire, non pas à escrire. J'ay mis tous mes efforts à former ma vie. Voylà mon mestier et mon ouvrage. Je suis moins faiseur de livres que de nulle autre besoigne. J'ay desiré de la suffisance pour le service de mes commoditez presentes et essentielles, non pour en faire magasin et reserve à mes heritiers.

Qui a de la valeur, si le face paroistre en ses meurs, en ses propos ordinaires, à traicter l'amour ou des querelles, au jeu, au lict, à la table, à la conduite de ses affaires, et œconomie de sa maison. Ceux que je voy faire des bons livres sous des mechantes chausses, eussent premierement faict leurs chausses, s'ils m'en eussent creu. Demandez à un Spartiate s'il aime mieux estre bon Rhetoricien que bon soldat; non pas moy, que bon cuisinier, si je n'avoy qui m'en servist.

Mon Dieu! Madame, que je haïrois une telle recommandation d'estre habile homme par escrit, et estre un homme de neant et un sot ailleurs. J'ayme mieux encore estre un sot, et icy et là, que d'avoir si mal choisi où employer ma valeur. Aussi s'il s'en faut tant que j'attende à me faire quelque nouvel honneur par ces sotises, que je feray beaucoup si je n'y en pers point de ce peu que j'en avois aquis. Car, outre ce que cette peinture morte et muete desrobera à mon estre naturel, elle ne se raporte pas à mon meilleur estat, mais beaucoup descheu de ma premiere vigueur et allegresse, tirant sur le flestry et le rance. Je suis sur le fond du vaisseau[a], qui sent tantost le bas et la lye.

Au demeurant, Madame, je n'eusse pas osé remuer si hardiment les misteres de la medecine, attendu le credit que vous et tant d'autres luy donnez, si je n'y eusse esté acheminé par ses autheurs mesme. Je croy qu'ils n'en ont que deux anciens Latins, Pline et Celsus. Si vous les voyez quelque jour, vous trouverez qu'ils parlent bien plus rudement à leur art que je ne fay : je ne fay que la pincer, ils l'esgorgent. Pline se mocque[463] entre autres choses dequoy, quand ils sont au bout de leur corde, ils ont inventé cette belle deffaite de r'envoyer les malades qu'ils ont agitez et tormentez pour neant de leurs drogues et regimes, les uns au secours des vœuz et miracles, les autres aux eaux chaudes. (Ne vous courroussez pas, Madame, il ne parle pas de celles de deçà qui sont soubs la protection de vostre maison, et qui sont toutes Gramontoises[b][464].) Ils ont une tierce deffaite pour nous chasser d'auprès d'eux, et se descharger des reproches que nous leur pouvons faire du peu d'amendement à noz maux, qu'ils ont eu si long temps en gouvernement qu'il ne leur reste plus aucune invention à nous amuser : c'est de nous envoier cercher la bonté de l'air de quelque autre contrée. Madame, en voylà assez : vous me donnez bien congé de reprendre le fil de mon propos, duquel je m'estoy destourné pour vous entretenir.

Ce fut, ce me semble, Periclés[465], lequel estant enquis comme il se portoit : « Vous le pouvez, fit-il, juger par là », en montrant des brevets[c] qu'il avoit attachez au col et au bras. Il vouloit inferer qu'il estoit bien malade, puis

---

a. Vase. — *b. les montaignes où elles sont assises ne tonent et ne retentissent rien que Gramont,* ajoute l'édition de 1580. — *c.* Formules.

qu'il en estoit venu jusques-là d'avoir recours à choses si vaines et de s'estre laissé equipper en cette façon. Je ne dy pas que je ne puisse estre emporté un jour à cette opinion ridicule de remettre ma vie et ma santé à la mercy et gouvernement des medecins; je pourray tomber en cette resverie[a]; je ne me puis respondre de ma fermeté future; mais lors aussi, si quelqu'un s'enquiert à moy comment je me porte, je luy pourroy dire comme Periclés : « Vous le pouvez juger par là », montrant ma main chargée de six dragmes d'opiate[b] : ce sera un bien evident signe d'une maladie violente. J'auray mon jugement merveilleusement desmanché; si l'impatience[c] et la frayeur gaignent cela sur moy, on en pourra conclurre une bien aspre fiévre en mon ame.

J'ay pris la peine de plaider cette cause, que j'entens assez mal, pour appuyer un peu et conforter la propension naturelle contre les drogues et pratique de nostre medecine, qui s'est derivée en moy par mes ancestres, afin que ce ne fust pas seulement une inclination stupide et temeraire, et qu'elle eust un peu plus de forme; et aussi que ceux qui me voyent si ferme contre les enhortemens[d] et menaces qu'on me fait quand mes maladies me pressent, ne pensent pas que ce soit simple opiniastreté, ou qu'il y ait quelqu'un si facheux qui juge encore que ce soit quelque esguillon de gloire; qui[e] seroit un desir bien assené[f] de vouloir tirer honneur d'une action qui m'est commune avec mon jardinier et mon muletier. Certes, je n'ay point le cœur si enflé, ne si venteux, qu'un plaisir solide, charnu et moëleus comme la santé, je l'alasse eschanger pour un plaisir imaginaire, spirituel et aërée[g]. La gloire, voire celle des quatre fils Aymon, est trop cher achetée à un homme de mon humeur, si elle luy couste trois bons accez de cholique. La santé, de par Dieu!

Ceux qui ayment nostre medecine peuvent avoir aussi leurs considerations bonnes, grandes et fortes; je ne hay point les fantasies[h] contraires aux miennes. Il s'en faut tant que je m'effarouche de voir de la discordance de mes jugemens à ceux d'autruy, et que je me rende incompa-

---

a. Folie. — *b*. Opiat. — *c*. L'incapacité de souffrir. — *d*. Exhortations. — *e*. Ce qui. — *f*. Placé (le mot est employé ironiquement). — *g*. Fait de vent, en l'air. — *h*. Opinions.

tible à la société des hommes pour estre d'autre sens[a] et
party que le mien : qu'au rebours, comme c'est la plus
generale façon que nature aye suivy que la varieté, et plus
aux esprits qu'aux cors, d'autant qu'ils sont de substance
plus souple et susceptible de plus de formes, je trouve
bien plus rare de voir convenir nos humeurs et nos desseins. Et ne fut jamais au monde deux opinions pareilles
non plus que deux poils ou deux grains[466]. Leur plus
universelle qualité, c'est la diversité.

FIN DU SECOND LIVRE

---

a. Parce qu'ils ont une autre opinion.

LIVRE TROISIÈME

CHAPITRE PREMIER

DE L'UTILE ET DE L'HONNESTE

Personne n'est exempt de dire des fadaises. Le malheur est de les dire curieusement[a].

Næ iste magno conatu magnas nugas dixerit[b].

Cela ne me touche pas. Les miennes m'eschappent aussi nonchallamment qu'elles le valent. D'où bien leur prend. Je les quitterois soudain, à peu de coust qu'il y eust. Et ne les achette, ny les vens que ce qu'elles poisent[c]. Je parle au papier comme je parle au premier que je rencontre. Qu'il soit vray, voicy dequoy.

A qui ne doit estre la perfidie detestable, puis que Tybere la refusa à si grand interest[d]. On lui manda d'Allemaigne que, s'il le trouvoit bon, on le defferoit d'Ariminius par poison ; (c'estoit le plus puissant ennemy que les Romains eussent, qui les avoit si vilainement traictez soubs Varus, et qui seul empeschoit l'accroissement de sa domination en ces contrées-là). Il fit responce : que le peuple Romain avoit accoustumé de se venger de ses ennemis par voye ouverte, les armes en main, non par fraude et en cachette[467].

---

a. Avec soin. — *b*. « Bien sûr, cet homme va se donner un grand mal pour me dire de grandes sottises. » Térence, *Heautontimoroumenos*, III, v, 8. Le texte est : « *Næ ista Hercle magno jam conatu...* » — *c*. Pèsent. — *d*. Avec tant de détriment.

Il quitta l'utile pour l'honneste. « C'estoit, me direz-vous, un affronteur [a]. » Je le croy; ce n'est pas grand miracle à gens de sa profession. Mais la confession de la vertu ne porte pas moins en la bouche de celuy qui la hayt. D'autant que la verité la luy arrache par force, et que, s'il ne la veut recevoir en soy, au moins il s'en couvre pour s'en parer.

Nostre bastiment, et public et privé, est plain d'imperfection. Mais il n'y a rien d'inutile en nature; non pas l'inutilité mesmes; rien ne s'est ingeré en cet univers, qui n'y tienne place opportune. Nostre estre est simenté de qualitez maladives; l'ambition, la jalousie, l'envie, la vengeance, la superstition, le desespoir, logent en nous d'une si naturelle possession que l'image s'en reconnoist aussi aux bestes; voire et la cruauté, vice si dénaturé; car, au milieu de la compassion, nous sentons au dedans je ne sçay quelle aigre-douce poincte de volupté maligne à voir souffrir autruy; et les enfans le sentent;

> *Suave, mari magno, turbantibus æquora ventis,*
> *E terra magnum alterius spectare laborem* [b].

Desquelles qualitez qui osteroit les semences en l'homme, destruiroit les fondamentalles conditions de nostre vie. De mesme, en toute police [c], il y a des offices necessaires, non seulement abjects, mais encore vitieux; les vices y trouvent leur rang et s'employent à la cousture de nostre liaison [d], comme les venins [e] à la conservation de nostre santé. S'ils deviennent excusables, d'autant qu'ils nous font besoing et que la necessité commune efface leur vraye qualité [f], il faut laisser jouer cette partie [g] aux citoyens plus vigoureux et moins craintifs qui sacrifient leur honneur et leur conscience, comme ces autres antiens sacrifierent leur vie pour le salut de leur pays; nous autres, plus foibles, prenons des rolles et plus aisez et moins hasardeux. Le bien public requiert qu'on trahisse et qu'on mente et qu'on massacre; resignons cette commission à gens plus obeissans et plus souples.

Certes, j'ay eu souvent despit de voir des juges attirer

---

a. Impudent, hypocrite. — *b.* « Il est doux, quand sur la vaste mer les vents soulèvent les flots, de regarder de la côte les rudes épreuves d'autrui. » Lucrèce, II, 1. — *c.* Gouvernement. — *d.* Au maintien de la société. — *e.* Poisons. — *f.* Nature. — *g.* Ce rôle.

par fraude et fauces esperances de faveur ou pardon le criminel à descouvrir son fait, et y employer la piperie et l'impudence. Il serviroit bien à la justice, et à Platon mesmes, qui favorise cet usage, de me fournir d'autres moyens plus selon moy. C'est une justice malitieuse *a*; et ne l'estime pas moins blessée par soy-mesme que par autruy. Je respondy, n'y a pas long temps, qu'à peine *b* trahirois-je le Prince pour un particulier, qui *c* serois très marry de trahir aucun particulier pour le Prince; et ne hay pas seulement à piper, mais je hay aussi qu'on se pipe en moy *d*. Je n'y veux pas seulement fournir de matiere et d'occasion.

En ce peu que j'ay eu à negotier entre nos Princes[468], en ces divisions et subdivisions qui nous deschirent aujourd'huy, j'ay curieusement evité qu'ils se mesprinssent en moy et s'enferrassent en mon masque. Les gens du mestier se tiennent les plus couverts et se presentent et contrefont les plus moyens *e* et les plus voisins qu'ils peuvent. Moy, je m'offre par mes opinions les plus vives et par la forme plus mienne. Tendre negotiateur et novice, qui ayme mieux faillir à l'affaire qu'à moy! Ç'a esté pourtant jusques à cette heure avec tel heur (car certes la fortune y a principalle part) que peu ont passé de main à autre avec moins de soubçon, plus de faveur et de privauté. J'ay une façon ouverte, aisée à s'insinuer et à se donner credit aux premieres accointances. La naïfveté et la verité pure, en quelque siecle que ce soit, trouvent encore leur opportunité et leur mise. Et puis, de ceux-là est la liberté peu suspecte et peu odieuse, qui besoingnent sans aucun leur interest et qui peuvent veritablement employer la responce de Hipperides[469] aux Atheniens se plaignans de l'aspreté de son parler : « Messieurs, ne considerez pas si je suis libre, mais si je le suis sans rien prendre et sans amender par là mes affaires. » Ma liberté m'a aussi aiséement deschargé du soubçon de faintise par sa vigueur, n'espargnant rien à dire pour poisant *f* et cuisant qu'il fut, je n'eusse peu dire pis, absent, et qu'elle a une montre apparente de simplesse et de nonchalance. Je ne pretens autre fruict en agissant, que d'agir, et n'y attache longues

---

a. Méchante. — *b.* A grand-peine. — *c.* Moi qui. — *d.* A mon égard. — *e.* Ordinaires. — *f.* Pesant.

suittes[a] et propositions[b]; chasque action fait particulierement son jeu : porte s'il peut!

Au demeurant, je ne suis pressé de passion ou hayneuse ou amoureuse envers les grands; ny n'ay ma volonté garrotée d'offence ou obligation particuliere. Je regarde nos Roys d'une affection simplement legitime et civile[c], ny emeuë, ny demeuë[d] par interest privé. De quoy je me sçay bon gré. La cause generale et juste ne m'attache non plus que moderéement et sans fiévre. Je ne suis pas subjet à ces hypotheques et engagemens penetrans et intimes; la colere et la hayne sont au delà du devoir de la justice, et sont passions servans seulement à ceux qui ne tiennent pas assez à leur devoir par la raison simple; toutes intentions legitimes et equitables sont d'elles mesmes equables[e] et temperées, sinon elles s'alterent en seditieuses et illegitimes. C'est ce qui me faict marcher par tout la teste haute, le visage et le cœur ouvert.

A la verité, et ne crains point de l'advouer, je porterois facilement au besoin une chandelle à S. Michel, l'autre à son serpent, suivant le dessein de la vieille[470]. Je suivray le bon party jusques au feu, mais exclusivement si je puis[471]. Que Montaigne[472] s'engouffre quant et[f] la ruyne publique, si besoin est; mais, s'il n'est pas besoin, je sçauray bon gré à la fortune qu'il se sauve; et autant que mon devoir me donne de corde, je l'employe à sa conservation. Fut-ce pas Atticus, lequel se tenant au juste party, et au party qui perdit, se sauva par sa moderation en cet universel naufrage du monde, parmy tant de mutations et diversitez[473]?

Aux hommes, comme luy, privez, il est plus aisé; et en telle sorte de besongne, je trouve qu'on peut justement n'estre pas ambitieux à s'ingerer et convier soy-mesmes[474]. De se tenir chancelant et mestis[g], de tenir son affection immobile et sans inclination aus troubles de son pays et en une division publique, je ne le trouve ny beau ny honneste. « *Ea non media, sed nulla via est, velut eventum expectantium quo fortunæ consilia sua applicent*[h]. »

a. Conséquences. — *b.* Projets. — *c.* De bon citoyen. — *d.* Ni provoquée ni détournée. — *e.* Égales. — *f.* Avec. — *g.* Appartenant par moitié à chaque parti. — *h.* « Ce n'est pas prendre un chemin mitoyen, c'est n'en prendre aucun; c'est comme qui dirait attendre l'événement pour passer du côté de la fortune. » Tite-Live, XXXII, 21. Montaigne abrège le texte de Tite-Live.

Cela peut estre permis envers les affaires des voisins;
et Gelon, tyran de Syracuse, suspendit ainsi son inclination
en la guerre des Barbares contre les Grecs, tenant un'am-
basse[a] à Delphes, à tout[b] des presents, pour estre en
eschauguette à veoir de quel costé tomberoit la fortune,
et prendre l'occasion à poinct pour le concilier au victorieux[475]. Ce seroit une espece de trahison de le faire aux
propres et domestiques affaires, ausquels nécessairement
il faut prendre party par application de dessein. Mais
de ne s'embesongner point, à homme qui n'a ny charge,
ny commandement exprés qui le presse, je le trouve plus
excusable (et si[c] ne practique pour moy cette excuse)
qu'aux guerres estrangeres, desquelles pourtant, selon nos
loix, ne s'empesche qui ne veut. Toutesfois ceux encore
qui s'y engagent tout à faict, le peuvent avec tel ordre
et attrempance[d] que l'orage devra couler par dessus leur
teste sans offence[e][476]. N'avions-nous pas raison de l'esperer ainsi du feu Evesque d'Orleans, sieur de Morvilliers[477]?
Et j'en cognois, entre ceux qui y ouvrent valeureusement à
cette heure, de meurs ou si equables[f] ou si douces qu'ils
seront pour demeurer debout, quelque injurieuse mutation
et cheute que le ciel nous appreste. Je tiens que c'est aux
Roys proprement de s'animer contre les Roys, et me
moque de ces esprits qui de gayeté de cœur se presentent
à querelles si disproportionnées; car on ne prend pas
querelle particuliere avec un prince pour marcher contre
luy ouvertement et courageusement pour son honneur et
selon son devoir; s'il n'aime un tel personnage, il fait
mieux, il l'estime. Et notamment la cause des loix et
defence de l'ancien estat a tousjours cela que ceux mesmes,
qui pour leur dessein particulier le troublent, en excusent
les defenseurs, s'ils ne les honorent.

Mais il ne faut pas appeler devoir (comme nous faisons
tous les jours) une aigreur et aspreté intestine qui naist
de l'interest et passion privée; ny courage, une conduitte
traistresse et malitieuse. Ils nomment zele leur propension
vers la malignité et violence; ce n'est pas la cause qui les
eschauffe, c'est leur interest; ils attisent la guerre non par
ce qu'elle est juste, mais par ce que c'est guerre.

---

a. Ambassade. — *b.* Avec. — *c.* Pourtant. — *d.* Tempérance. —
e. Sans qu'ils en souffrent. — *f.* Égales.

Rien n'empéche qu'on ne se puisse comporter commodément entre des hommes qui se sont ennemis, et loyalement; conduisez vous y d'une, sinon par tout esgale affection (car elle peut souffrir differentes mesures), mais au moins temperée, et qui ne vous engage tant à l'un qu'il puisse tout requerir de vous; et vous contentez aussi d'une moienne mesure de leur grace et de couler en eau trouble sans y vouloir pescher.

L'autre manière, de s'offrir de toute sa force à ceux là et à ceux cy, tient encore moins de la prudence que de la conscience. Celuy envers qui vous en trahissez un, duquel vous estes pareillement bien venu, sçait-il pas que de soy vous en faites autant à son tour? Il vous tient pour un meschant homme; ce pendant il vous oit[a], et tire[b] de vous, et fait ses affaires de vostre desloyauté; car les hommes doubles sont utiles en ce qu'ils apportent; mais il se faut garder qu'ils n'emportent que le moins qu'on peut.

Je ne dis rien à l'un que je ne puisse dire à l'autre, à son heure, l'accent seulement un peu changé; et ne rapporte que les choses ou indifferentes ou cogneuës, ou qui servent en commun. Il n'y a point d'utilité pour laquelle je me permette de leur mentir. Ce qui a esté fié à mon silence, je le cele religieusement, mais je prens à celer le moins que je puis; c'est une importune garde, du secret des princes, à qui n'en a que faire. Je presente volontiers ce marché, qu'ils me fient peu, mais qu'ils se fient hardiment de ce que je leur apporte. J'en ay tousjours plus sçeu que je n'ay voulu.

Un parler ouvert ouvre un autre parler et le tire hors, comme faict le vin[478] et l'amour.

Philippides respondit sagement au Roy Lyzimachus[479], qui lui disoit : « Que veux-tu que je te communique de mes biens? — Ce que tu voudras, pourveu que ce ne soit de tes secrets. » Je vois que chacun se mutine si on luy cache le fons des affaires ausquels on l'emploie et si on luy en a desrobé quelque arriere sens. Pour moy, je suis contant qu'on ne m'en die non plus qu'on veut que j'en mette en besoigne, et ne desire pas que ma science outrepasse et contraigne ma parole. Si je dois servir d'instrument de

---

a. Entend. — *b.* Tire parti.

tromperie, que ce soit au moins sauve ma conscience. Je ne veus estre tenu serviteur ny si affectionné, ny si loyal, qu'on me treuve bon à trahir personne. Qui est infidelle à soy mesme, l'est excusablement à son maistre.

Mais ce sont Princes[480] qui n'acceptent pas les hommes à moytié et mesprisent les services limitez et conditionnez. Il n'y a remede; je leur dis franchement mes bornes; car esclave, je ne le doibts estre que de la raison, encore ne puis-je bien en venir à bout. Et eux aussi ont tort d'exiger d'un homme libre telle subjection à leur service et telle obligation que de celuy qu'ils ont faict et acheté, ou duquel la fortune tient particulierement et expressement à la leur. Les loix m'ont osté de grand peine; elles m'ont choisy party et donné un maistre; tout autre superiorité et obligation doibt estre relative à celle là et retrenchée. Si n'est pas à dire, quand mon affection me porteroit autrement, qu'incontinent j'y portasse la main. La volonté et les desirs se font loy eux mesmes; les actions ont à la recevoir de l'ordonnance publique.

Tout ce mien proceder est un peu bien dissonant à nos formes[a]; ce ne seroit pas pour produire grands effets, ny pour y durer; l'innocence mesme ne sçauroit ny negotier entre nous sans dissimulation, ny marchander sans manterie. Aussi ne sont aucunement de mon gibier les occupations publiques; ce que ma profession en requiert, je l'y fournis, en la forme que je puis la plus privée. Enfant, on m'y plongea jusques aux oreilles, et il succedoit[b]; si m'en desprins-je de belle heure. J'ay souvant depuis evité de m'en mesler, rarement accepté, jamais requis; tenant le dos tourné à l'ambition; mais sinon comme les tireurs d'aviron qui s'avancent ainsin à reculons, tellement toutesfois que, de ne m'y estre poinct embarqué, j'en suis moings obligé à ma resolution qu'à ma bonne fortune; car il y a des voyes moings ennemyes de mon goust et plus conformes à ma portée, par lesquelles si elle m'eut appelé autrefois au service public et à mon avancement vers le credit du monde, je sçay que j'eusse passé par dessus la raison de mes discours pour la suyvre.

Ceux qui disent communément contre ma profession que ce que j'appelle franchise, simplesse et nayfveté en

---

a. En désaccord avec nos usages. — *b.* Et avec succès.

mes mœurs, c'est art et finesse et plustost prudence que
bonté, industrie que nature, bon sens que bon heur, me
font plus d'honneur qu'ils ne m'en ostent. Mais certes
ils font ma finesse trop fine; et qui m'aura suyvi et espié
de près, je luy donray gaigné, s'il ne confesse qu'il n'y a
point de regle en leur escolle, qui sçeut raporter ce naturel
mouvement et maintenir une apparence de liberté et de
licence si pareille et inflexible parmy des routes si tortues
et diverses, et que toute leur attention et engin ne les y
sçauroit conduire. La voye de la verité est une et simple,
celle du profit particulier et de la commodité des affaires
qu'on a en charge, double, inegalle et fortuite. J'ay veu
souvant en usage ces libertez contrefaites et artificielles,
mais le plus souvant sans succez. Elles sentent volontiers
à l'asne d'Esope[481], lequel, par emulation du chien, vint
à se jetter tout gayement à deux pieds sur les espaules de
son maistre; mais autant que le chien recevoit de caresses
de pareille feste le pauvre asne en reçeut deux fois autant
de bastonnades. « *Id maximè quemque decet quod est cujusque
suum maximè*[a]. » Je ne veux pas priver la tromperie de son
rang, ce seroit mal entendre le monde; je sçay qu'elle a
servy souvant profitablement, et qu'elle maintient et nourrit la plus part des vacations[b] des hommes. Il y a des vices
legitimes, comme plusieurs actions, ou bonnes ou excusables, illegitimes.

La justice en soy, naturelle et universelle, est autrement
reiglée, et plus noblement, que n'est cette autre justice
speciale, nationale contrainte au besoing de nos polices[c] :
« *Veri juris germanæque justiciæ solidam et expressam effigiem
nullam tenemus; umbra et imaginibus utimur*[d] »; si que[e] le
sage Dandamys[482], oyant reciter les vies de Socrates,
Pythagoras, Diogenes, les jugea grands personnages en
toute autre chose, mais trop asservis à la reverence des
loix, pour lesquelles auctoriser et seconder, la vraye vertu
a beaucoup à se desmettre de sa vigueur originelle; et non
seulement par leur permission plusieurs actions vitieuses

---

a. « Ce qui nous sied le mieux, c'est ce qui est le plus conforme à
notre nature. » Cicéron, *De officiis*, I, 31. — *b*. Professions. — *c*. Sociétés. — *d*. « D'un véritable droit et d'une justice parfaite nous ne
possédons pas de modèle solide et exact; nous n'en avons pour notre
usage qu'une ombre, qu'une image. » Cicéron, *De officiis*, III, 17. —
e. Si bien que.

ont lieu, mais encores à leur suasion[a] : « *Ex senatusconsultis plebisquescitis scelera exercentur*[b]. » Je suy le langage commun, qui faict difference entre les choses utiles et les honnestes ; si que[c] d'aucunes actions naturelles, non seulement utiles, mais necessaires, il les nomme deshonnestes et sales.

Mais continuons nostre exemple de la trahison. Deux pretendans au Royaume de Thrace estoyent tombez en debat de leurs droicts. L'Empereur les empescha de venir aux armes ; mais l'un d'eux, sous couleur de conduire un accord amiable par leur entreveüe, ayant assigné son compagnon pour le festoyer en sa maison, le fit emprisonner et tuer. La justice requeroit que les Romains eussent raison de ce forfaict ; la difficulté en empêchoit les voyes ordinaires ; ce qu'ils ne peurent legitimement sans guerre et sans hazard, ils entreprindrent de le faire par trahison. Ce qu'ils ne peurent honnestement, ils le firent utilement. A quoy se trouva propre un Pomponius Flaccus ; cettuy-cy, soubs feintes parolles et asseurances, ayant attiré cet homme dans ses rets, au lieu de l'honneur et faveur qu'il luy promettoit, l'envoya pieds et poings liez à Rome. Un traistre y trahit l'autre, contre l'usage commun ; car ils sont pleins de deffiance, et est mal-aysé de les surprendre par leur art ; tesmoing la poisante[d] experience que nous venons d'en sentir[483].

Sera Pomponius Flaccus, qui voudra et en est assez qui le voudront ; quant à moy, et ma parolle et ma foy sont, comme le demeurant, pieces de ce commun corps ; leur meilleur effect, c'est le service public ; je tiens cela pour presupposé. Mais comme, si on me commandoit que je prinse la charge du Palais et des plaids, je responderoy : « Je n'y entens rien » ; ou la charge de conducteur de pioniers, je diroy : « Je suis appellé à un rolle plus digne » ; de mesmes qui me voudroit employer à mentir, à trahir et à me parjurer pour quelque service notable, non que d'assassiner ou empoisonner, je diroy : « Si j'ay volé ou desrobé quelqu'un, envoyez moy plustost en gallere. »

Car il est loisible à un homme d'honneur de parler ainsi

---

a. Persuasion. — *b.* « Il est des crimes commis à l'instigation des sénatus-consultes et des plébiscites. » Sénèque, *Épîtres,* 95. Le texte porte *sæva* au lieu de *scelera*. — *c.* Si bien que. — *d.* Pesante.

que firent les Lacedemoniens, ayans esté deffaicts par
Antipater[484], sur le poinct de leurs accords : « Vous nous
pouvez commander des charges poisantes[a] et dommageables
autant qu'il vous plaira; mais de honteuses et
deshonnestes, vous perdrez vostre temps de nous en
commander. » Chacun doit avoir juré à soy-mesme ce
que les Roys d'Ægypte faisoyent solemnellement jurer à
leurs juges : qu'ils ne se desvoyeroyent de leur conscience
pour quelque commandement qu'eux mesmes leur en
fissent[485]. A telles commissions, il y a notte evidente d'ignominie
et de condemnation; et qui vous la donne, vous
accuse, et vous la donne, si vous l'entendez bien, en charge
et en peine; autant que les affaires publiques s'amendent
de vostre exploit, autant s'en empirent les vostres; vous y
faictes d'autant pis que mieux vous y faites. Et ne sera
pas nouveau, ny à l'avanture sans quelque air de Justice,
que celuy mesmes vous en chastie, qui vous aura mis en
besoigne. La perfidie peut estre en quelque cas excusable;
lors seulement elle l'est, qu'elle s'employe à punir et trahir
la perfidie.

Il se trouve assez de trahisons non seulement refusées,
mais punies par ceux en faveur desquels elles avoyent esté
entreprises. Qui ne sçait la sentence de Fabritius à l'encontre
du Medecin de Pyrrhus[486]? Mais cecy encore se
trouve, que tel l'a commandée qui l'a vengée rigoureusement
sur celuy qu'il y avoit employé, refusant un credit
et pouvoir si effréné, et desadvouant un servage et une
obeïssance si abandonnée et si lâche.

Jaropelc, Duc de Russie, practiqua un gentil-homme de
Hongrie pour trahir le Roy de Poulongne Boleslaus en le
faisant mourir, ou donnant aux Russiens moyen de luy
faire quelque notable dommage. Cettuy cy s'y porta en
galand homme, s'adonna plus que devant au service de
ce Roy, obtint d'estre de son conseil et de ses plus feaux.
Avec ces advantages et choisissant à point l'opportunité
de l'absence de son maistre, il trahit[b] aux Russiens Vislicie,
grande et riche cité, qui fut entierement saccagée et arse[c]
par eux, avec occision totale non seulement des habitans
d'icelle de tout sexe et aage, mais de grand nombre de
noblesse de là autour qu'il y avoit assemblé à ces fins.

a. Pesantes. — *b.* Livra. — *c.* Brûlée.

Jaropelc, assouvy de sa vengeance et de son courroux, qui pourtant n'estoit pas sans titre[a] (car Boleslaus l'avoit fort offencé et en pareille conduitte), et saoul du fruict de cette trahison, venant à en considerer la laideur nue et seule, et la regarder d'une veuë saine et non plus troublée par sa passion, la print à un tel remors et contrecueur, qu'il en fit crever les yeux et couper la langue et les parties honteuses à son executeur[487].

Antigonus persuada les soldats Argyraspides de luy trahir[b] Eumenes, leur capitaine general, son adversaire; mais l'eust-il faict tuer, après qu'ils le luy eurent livré, il desira estre luymesme commissaire de la Justice divine pour le chastiement d'un forfaict si detestable et les consigna entre les mains du gouverneur de la Province, luy donnant très exprès commandement de les perdre et mettre à malefin, en quelque maniere que ce fut. Tellement que, de ce grand nombre qu'ils estoyent, aucun ne vit onques puis[c] l'air de Macedoine. Mieux il en avoit esté servy, d'autant le jugea il avoir esté plus meschamment et punissablement[488].

L'esclave qui trahit la cachette de P. Sulpicius, son maistre, fut mis en liberté, suivant la promesse de la proscription de Sylla; mais suivant la promesse de la raison publique, tout libre, il fut précipité du roc Tarpeien[489]. Ils les font pendre avec la bourse de leur payement au col. Ayant satisfaict à leur seconde foy et speciale, ils satisfont à la generale et premiere. Mahumet second, se voulant deffaire de son frere, pour la jalousie de la domination, suivant le stile de leur race, y employa l'un de ses officiers, qui le suffoqua, l'engorgeant de quantité d'eau prinse trop à coup. Cela faict, il livra pour l'expiation de ce meurtre le meurtrier entre les mains de la mere du trepassé (car ils n'estoient freres que de pere); elle, en sa presence, ouvrit à ce meurtrier l'estomach, et, tout chaudement, de ses mains fouillant et arrachant son cœur, le jetta à manger aux chiens[490]. Et nostre Roy Clovis fit pendre les trois serviteurs de Cannacre après qu'ils luy eurent trahi leur maistre; à quoi il les avoit pratiquez[d][491].

Et à ceux mesme qui ne valent rien, il est si doux, ayant tiré l'usage d'une action vicieuse, y pouvoir hormais

---

a. Raison. — *b.* Livrer. — *c.* Jamais depuis. — *d.* Subornés.

coudre en toute seurté quelque traict de bonté et de justice, comme par compensation et correction conscientieuse.

Joint qu'ils regardent les ministres[a] de tels horribles malefices[b] comme gents qui les leur reprochent. Et cherchent par leur mort d'estouffer la connoissance et tesmoignage de telles menées.

Or, si par fortune on vous en recompence pour ne frustrer la necessité publique de cet extreme et desesperé remede, celuy qui le faict ne laisse pas de vous tenir, s'il ne l'est luy-mesme, pour un homme maudit et execrable; et vous tient plus traistre que ne faict celuy contre qui vous l'estes; car il touche la malignité de vostre courage par voz mains, sans desadveu, sans object. Mais il vous y employe, tout ainsi qu'on faict les hommes perdus, aux executions de la haute justice, charge autant utile comme elle est peu honeste. Outre la vilité de telles commission[c], il y a de la prostitution de conscience. La fille à Seyanus[492], ne pouvant estre punie à mort en certaine forme de jugement à Romme, d'autant qu'elle estoit Vierge, fut, pour donner passage aux lois, forcée par le bourreau avant qu'il l'estranglat; non sa main seulement, mais son ame est esclave à la commodité publique.

Quant le premier Amurath, pour aigrir la punition contre ses subjects, qui avoient donné support à la parricide rebellion de son fils contre luy, ordonna que leurs plus proches parents presteroient la main à cette execution, je trouve très-honeste à aucuns d'avoir choisi plustost estre iniquement tenus coulpables du parricide d'un autre, que de servir la justice de leur propre parricide[493]. Et où[d], en quelques bicoques forcées de mon temps, j'ay veu des coquins, pour garantir leur vie, accepter de pendre leurs amis et consorts, je les ay tenus de pire condition que les pendus. On dict que Vuitolde, prince des Lituaniens, fit autresfois cette loy que les criminels condamnez eussent à executer eux mesmes de leurs mains la sentence capitale contre eux donnée, trouvant estrange qu'un tiers, innocent de la faute, fust employé et chargé d'un homicide[494].

Le Prince, quand une urgente circonstance et quelque impetueux et inopiné accident du besoing de son estat

---

a. Agents. — *b.* Crimes. — *c.* La bassesse de telles charges. — *d.* Quand.

LIVRE III, CHAPITRE I

luy faict gauchir sa parolle et sa foy, ou autrement le jette hors de son devoir ordinaire, doibt attribuer cette necessité à un coup de la verge divine; vice n'est-ce pas, car il a quitté sa raison à une plus universelle et puissante raison, mais certes c'est mal'heur. De maniere qu'à quelqu'un qui me demandoit : « Quel remede ? — Nul remede, fis je : s'il fut veritablement geiné entre ces deux extremes (« *sed videat ne quæratur latebra perjurio* [a] »), il le falloit faire; mais s'il le fit sans regret, s'il ne luy greva[b] de le faire, c'est signe que sa conscience est en mauvais termes. »

Quand il s'en trouveroit quelqu'un de si tendre conscience, à qui nulle guarison ne semblast digne d'un si poisant[c] remede, je ne l'en estimeroy pas moins. Il ne se sçauroit perdre plus excusablement et decemment. Nous ne pouvons pas tout. Ainsi comme ainsi[d], nous faut il souvent, comme à la derniere ancre, remettre la protection de nostre vaisseau à la pure conduitte du ciel. A quelle plus juste necessité se reserve il ? Que luy est-il moins possible à faire que ce qu'il ne peut faire qu'aux despens de sa foy et de son honneur, choses qui à l'aventure luy doivent estre plus cheres que son propre salut, ouy, et que le salut de son peuple ? Quand, les bras croisez, il appellera Dieu simplement à son aide, n'aura-il pas à esperer que la divine bonté n'est pour refuser la faveur de sa main extraordinaire à une main pure et juste ?

Ce sont dangereux exemples, rares et maladifves exceptions à nos reigles naturelles. Il y faut ceder, mais avec grande moderation et circonspection; aucune utilité privée n'est digne pour laquelle nous facions cet effort à nostre conscience; la publique, bien, lors qu'elle est et très-apparente et très-importante[495].

Timoleon se garantit à propos de l'estrangeté de son exploit par les larmes qu'il rendit, se souvenant que c'estoit d'une main fraternelle qu'il avoit tué le tyran[496]; et cela pinça justement sa conscience, qu'il eust été nécessité d'acheter l'utilité publique à tel prix de l'honnesteté de ses meurs. Le senat mesme, delivré de servitude par son moyen, n'osa rondement decider d'un si haut faict et

---

a. « Mais qu'il se garde bien de chercher un prétexte à son parjure. » Cicéron, *De officiis*, III, 29. — *b.* Pesa. — *c.* Pesant. — *d.* De toute façon.

deschiré en deus si poisants *a* et contraires visages. Mais les Syracusains ayant tout à point, à l'heure mesmes, envoyé requerir les Corinthiens de leur protection et d'un chef digne de restablir leur ville en sa premiere dignité et nettoyer la Sicille de plusieurs tyranneaus qui l'oppressoient, il y deputa Timoleon avec cette nouvelle deffaitte et declaration que, selon ce qu'il se porteroit bien ou mal en sa charge, leur arrest prendroit party à la faveur du liberateur de son païs ou à la desfaveur du meurtrier de son frere. Cette fantastique conclusion a pourtant quelque excuse sur le danger de l'exemple et importance d'un faict si divers. Et feirent bien d'en descharger leur jugement ou de l'appuier ailleurs et en des considerations tierces. Or les deportements de Timoleon en ce voyage rendirent bien tost sa cause plus claire, tant il s'y porta dignement et vertueusement en toutes façons; et le bon heur qui l'accompagna aux aspretez qu'il eut à vaincre en cette noble besongne, sembla luy estre envoyé par les Dieux conspirants et favorables à sa justification[497].

La fin de cettuy cy est excusable, si aucune le pouvoit estre. Mais l'utilité de l'augmentation du revenu publique, qui servit de pretexte au senat romain à cette orde *b* conclusion *c* que je m'en vay reciter *d*, n'est pas assez forte pour mettre à garant une telle injustice. Certaines citez s'estoient rachetées à pris d'argent et remises en liberté, avec l'ordonnance et permission du Senat, des mains de L. Sylla. La chose estant tombée en nouveau jugement, le Senat les condamne à estre taillables comme auparavant et que l'argent qu'elles avoyent employé pour se racheter, demeureroit perdu pour elles[498]. Les guerres civiles produisent souvent ces vilains exemples, que nous punissons les privez *e* de ce qu'ils nous ont creu quand nous estions autres *f*; et un mesme magistrat faict porter la peine de son changement à qui n'en peut mais; le maistre foitte son disciple de sa docilité; et la guide, son aveugle. Horrible image de justice! Il y a des regles en la philosophie et fausses et molles. L'exemple qu'on nous propose, pour faire prevaloir l'utilité privée à la foy donnée, ne reçoit pas assez de poids par la circonstance qu'ils y meslent. Des voleurs vous ont

---

a. Pesants. — *b*. Vilaine. — *c*. Détermination. — *d*. Conter. — *e*. Particuliers. — *f*. D'un autre parti.

prins; ils vous ont remis en liberté, ayant tiré de vous serment du paiement de certaine somme; on a tort de dire qu'un homme de bien sera quitte de sa foy sans payer, estant hors de leurs mains. Il n'en est rien. Ce que la crainte m'a faict une fois vouloir, je suis tenu de le vouloir encore sans crainte; et quand elle n'aura forcé que ma langue sans la volonté, encore suis je tenu de faire la maille bonne de ma parolle[a]. Pour moy, quand par fois elle a inconsiderément devancé ma pensée, j'ay faict conscience de la desadvouer pourtant. Autrement, de degré en degré, nous viendrons à renverser tout le droit qu'un tiers prend de nos promesses et sermens. « *Quasi vero forti viro vis possit adhiberi*[b]. » En cecy seulement a loy l'interest privé, de nous excuser de faillir à nostre promesse, si nous avons promis chose meschante et inique de soy; car le droit de la vertu doibt prevaloir le droit de nostre obligation.

J'ay autrefois[499] logé Epaminondas au premier rang des hommes excellens, et ne m'en desdy pas. Jusques où montoit il la consideration de son particulier devoir! qui ne tua jamais homme qu'il eust vaincu; qui, pour ce bien inestimable de rendre la liberté à son pays, faisoit conscience de tuer un Tyran ou ses complices sans les formes de la justice; et qui jugeoit meschant homme, quelque bon Citoyen qu'il fut, celuy qui, entre les ennemys et en la bataille, n'espargnoit son amy et son hoste. Voylà une ame de riche composition. Il marioit aux plus rudes et violentes actions humaines la bonté et l'humanité, voire la plus delicate qui se treuve en l'escole de la Philosophie. Ce courage si gros, enflé et obstiné contre la douleur, la mort, la pauvreté, estoit ce nature ou art qui l'eust attendry jusques au poinct d'une si extreme douceur et debonnaireté de complexion? Horrible de fer et de sang, il va fracassant et rompant une nation[500] invincible contre tout autre que contre luy seul, et gauchit[c], au milieu d'une telle meslée, au rencontre de son hoste et de son amy. Vrayement celuy là proprement commandoit bien à la guerre, qui luy faisoit souffrir le mors de la benignité sur le poinct de sa plus forte chaleur, ainsin enflammée qu'elle estoit et escumeuse de

---

a. Tenir scrupuleusement sa parole. — *b.* « Comme si l'on pouvait faire violence à un homme de cœur. » Cicéron, *De officiis*, III, 30. — *c.* Se détourne.

fureur et de meurtre. C'est miracle de pouvoir mesler à telles actions quelque image de justice; mais il n'appartient qu'à la roideur d'Epaminondas d'y pouvoir mesler la douceur et la facilité des meurs les plus molles et la pure innocence. Et où l'un[501] dict aux Mammertins que les statuts[a] n'avoyent point de mise envers les hommes armez; l'autre[502], au Tribun du peuple, que le temps de la justice et de la guerre estoyent deux; le tiers[503], que le bruit des armes l'empeschoit d'entendre la voix des loix, cettuy-cy n'estoit pas seulement empesché d'entendre celles de la civilité et pure courtoisie. Avoit il pas emprunté de ses ennemis[504] l'usage de sacrifier aux Muses, allant à la guerre, pour destremper par leur douceur et gayeté cette furie et aspreté martiale?

Ne craignons point, après un si grand precepteur, d'estimer qu'il y a quelque chose illicite contre les ennemis mesmes, que l'interest commun ne doibt pas tout requerir de tous contre l'interest privé, « *manente memoria etiam in dissidio publicorum fœderum privati juris*[b] » :

*et nulla potentia vires
Præstandi, ne quid peccet amicus, habet*[c];

et que toutes choses ne sont pas loisibles à un homme de bien pour le service de son Roy ny de la cause generale et des loix. « *Non enim patria præstat omnibus officiis, et ipsi conducit pios habere cives in parentes*[d]. » C'est une instruction propre au temps; nous n'avons que faire de durcir nos courages par ces lames de fer; c'est assez que nos espaules le soyent; c'est assez de tramper nos plumes en ancre, sans les tramper en sang. Si c'est grandeur de courage et l'effect d'une vertu rare et singuliere de mespriser l'amitié, les obligations privées, sa parolle et la parenté pour le bien commun et obeïssance du magistrat, c'est assez vrayement, pour nous en excuser, que c'est une grandeur qui ne peut loger en la grandeur du courage d'Epaminondas.

a. Lois établies. — *b.* « Le souvenir du droit privé demeurant même au milieu de dissensions publiques. » Tite-Live, XXV, 18. — *c.* « Nulle puissance n'a la force de permettre la violation des droits de l'amitié. » Ovide, *Pontiques,* I, VII, 37. — *d.* « Car les devoirs envers la patrie n'étouffent pas tous les autres devoirs, et il lui importe à elle-même que les citoyens se conduisent bien envers leurs parents. » Cicéron, *De officiis,* III, 23.

J'abomine les enhortemens enragez de cette autre ame des-reiglée,

> *dum tela micant, non vos pietatis imago*
> *Ulla, nec adversa conspecti fronte parentes*
> *Commoveant; vultus gladio turbate verendos*[a].

Ostons aux meschants naturels, et sanguinaires, et traistres, ce pretexte de raison; laissons là cette justice enorme et hors de soy, et nous tenons aus plus humaines imitations. Combien peut le temps et l'exemple! En une rencontre de la guerre Civile contre Cynna, un soldat de Pompeius, ayant tué sans y penser son frere qui estoit au party contraire, se tua sur le champ soy-mesme de honte et de regret, et, quelques années après, en une autre guerre civile de ce mesme peuple, un soldat, pour avoir tué son frere, demanda recompense à ses capitaines[505].

On argumente mal l'honnesteté et la beauté d'une action par son utilité, et conclud on mal d'estimer que chacun y soit obligé et qu'elle soit honneste à chacun, si elle est utile :

> *Omnia non pariter errum sunt omnibus apta*[b].

Choisissons la plus necessaire et plus utile de l'humaine societé, ce sera le mariage; si est-ce que[c] le conseil des saincts trouve le contraire party plus honneste et en exclut la plus venerable vacation[d] des hommes, comme nous assignons au haras les bestes qui sont de moindre estime.

---

a. Discours de Jules César : « Tant que les épées brillent, qu'aucun spectacle n'émeuve votre pitié, pas même la vue de vos pères en face de vous : défigurez de votre glaive ces visages vénérables. » Lucain, *Pharsale*, VII, 320. — *b*. « Toutes choses ne conviennent pas également à tous. » Properce, III, ix, 7. — *c*. Pourtant. — *d*. Profession (celle des prêtres).

CHAPITRE II

DU REPENTIR

Les autres forment[a] l'homme; je le recite[b] et en represente un particulier bien mal formé, et lequel, si j'avoy à façonner de nouveau, je ferois vrayement bien autre qu'il n'est. Mes-huy[c] c'est fait. Or les traits de ma peinture ne forvoyent[d] point, quoy qu'ils se changent et diversifient. Le monde n'est qu'une branloire perenne[e]. Toutes choses y branlent sans cesse : la terre, les rochers du Caucase, les pyramides d'Ægypte, et du branle public et du leur[506]. La constance mesme n'est autre chose qu'un branle plus languissant. Je ne puis asseurer mon object. Il va trouble et chancelant, d'une yvresse naturelle. Je le prens en ce point, comme il est, en l'instant que je m'amuse à luy. Je ne peints pas l'estre. Je peints le passage : non un passage d'aage en autre, ou, comme dict le peuple, de sept en sept ans, mais de jour en jour, de minute en minute. Il faut accommoder mon histoire à l'heure. Je pourray tantost changer, non de fortune seulement, mais aussi d'intention. C'est un contrerolle de divers et muables accidens[f] et d'imaginations irresoluës et, quand il y eschet, contraires; soit que je sois autre moymesme, soit que je saisisse les subjects par autres circonstances et considerations. Tant y a que je me contredits bien à l'adventure, mais la vérité, comme disoit Demades[507], je ne la contredy point. Si mon ame pouvoit prendre pied, je ne m'essaierois pas, je me resoudrois ; elle est tousjours en apprentissage et en espreuve.

Je propose[g] une vie basse et sans lustre, c'est tout un. On attache aussi bien toute la philosophie morale à une vie populaire et privée que à une vie de plus riche estoffe; chaque homme porte la forme entiere de l'humaine condition.

---

a. Éduquent. — *b.* Raconte, décris. — *c.* Désormais. — *d.* Se fourvoient. — *e.* Un branle éternel. — *f.* Événements. — *g.* J'expose.

LIVRE III, CHAPITRE II

Les autheurs se communiquent au peuple par quelque marque particuliere et estrangere ; moy, le premier, par mon estre universel, comme Michel de Montaigne, non comme grammairien, ou poëte, ou jurisconsulte. Si le monde se plaint de quoy je parle trop de moy, je me plains de quoy il ne pense seulement pas à soy.

Mais est-ce raison que, si particulier en usage [a], je pretende me rendre public en cognoissance [b] ? Est-il aussi raison que je produise au monde, où la façon et l'art ont tant de credit et de commandement, des effects de nature crus et simples, et d'une nature encore bien foiblette ? Est-ce pas faire une muraille sans pierre, ou chose semblable, que de bastir des livres sans science et sans art ? Les fantasies de la musique sont conduictes par art, les miennes par sort. Au moins j'ay cecy selon la discipline, que jamais homme ne traicta subject qu'il entendit ne cognust mieux que je fay celuy que j'ay entrepris, et qu'en celuy-là je suis le plus sçavant homme qui vive ; secondement, que jamais aucun ne penetra en sa matiere plus avant, ny en esplucha plus particulierement les membres et suites ; et n'arriva plus exactement et plainement à la fin qu'il s'estoit proposé à sa besoingne. Pour la parfaire, je n'ay besoing d'y apporter que la fidelité ; celle-là y est, la plus sincere et pure qui se trouve. Je dy vray, non pas tout mon saoul, mais autant que je l'ose dire ; et l'ose un peu plus en vieillissant[508], car il semble que la coustume concede à cet aage plus de liberté de bavasser et d'indiscretion à parler de soy. Il ne peut advenir icy ce que je voy advenir souvent, que l'artizan et sa besoingne se contrarient : un homme de si honneste conversation a-il faict un si sot escrit ? ou, des escrits si sçavans sont-ils partis d'un homme de si foible conversation, qui a un entretien commun et ses escrits rares, c'est à dire que sa capacité est en lieu d'où il l'emprunte, et non en luy ? Un personnage sçavant n'est pas sçavant par tout ; mais le suffisant [c] est par tout suffisant, et à ignorer mesme.

Icy, nous allons conformément et tout d'un trein, mon livre et moy. Ailleurs, on peut recommander et accuser l'ouvrage à part de l'ouvrier ; icy, non : qui touche l'un,

---

a. Menant une vie si privée. — *b.* Me faire connaître de tout le monde. — *c.* L'homme de talent.

touche l'autre. Celuy qui en jugera sans le connoistre, se fera plus de tort qu'à moy; celuy qui l'aura conneu, m'a du tout satisfaict. Heureux outre mon merite, si j'ay seulement cette part à l'approbation publique, que je face sentir aux gens d'entendement que j'estoy capable de faire mon profit de la science, si j'en eusse eu, et que je meritoy que la memoire me secourut mieux.

Excusons icy ce que je dy souvent, que je me repens rarement et que ma conscience se contente de soy, non comme de la conscience d'un ange ou d'un cheval, mais comme de la conscience d'un homme[509], adjoustant tousjours ce refrein[510], non un refrein de ceremonie, mais de naifve et essentielle submission : que je parle enquerant et ignorant, me rapportant de la resolution, purement et simplement, aux creances communes et legitimes. Je n'enseigne poinct, je raconte.

Il n'est vice veritablement vice qui n'offence, et qu'un jugement entier n'accuse; car il a de la laideur et incommodité si apparente, qu'à l'adventure ceux-là ont raison qui disent qu'il est principalement produict par bestise et ignorance[511]. Tant est-il malaisé d'imaginer qu'on le cognoisse sans le haïr. La malice hume la plus part de son propre venin et s'en empoisonne[512]. Le vice laisse, comme un ulcere en la chair, une repentance en l'ame, qui, tousjours s'egratigne et s'ensanglante elle mesme[513]. Car la raison efface les autres tristesses et douleurs; mais elle engendre celle de la repentance, qui est plus griefve[a], d'autant qu'elle naist au dedans; comme le froid et le chaut des fiévres est plus poignant que celuy qui vient du dehors. Je tiens pour vices (mais chacun selon sa mesure) non seulement ceux que la raison et la nature condamnent, mais ceux aussi que l'opinion des hommes a forgé, voire fauce et erronée, si les loix et l'usage l'auctorise.

Il n'est, pareillement, bonté qui ne resjouysse une nature bien née. Il y a certes je ne sçay quelle congratulation de bien faire qui nous resjouit en nous mesmes et une fierté genereuse qui accompagne la bonne conscience. Une ame courageusement vitieuse se peut à l'adventure garnir de securité, mais de cette complaisance et satisfaction elle ne s'en peut fournir. Ce n'est pas un leger plaisir de se

---

a. Grave.

LIVRE III, CHAPITRE II

sentir preservé de la contagion d'un siecle si gasté, et de dire en soy : « Qui me verroit jusques dans l'ame, encore ne me trouveroit-il coulpable, ny de l'affliction et ruyne de personne, ny de vengence ou d'envie[a], ny d'offence publique des loix, ny de nouvelleté[b] et de trouble, ny de faute à ma parole, et quoy que la licence du temps permit et apprinst à chacun, si n'ay-je mis la main ny és biens, ny en la bourse d'homme François, et n'ay vescu que sur la mienne, non plus en guerre qu'en paix, ny ne me suis servy du travail de personne, sans loyer[c]. » Ces tesmoignages de la conscience plaisent; et nous est grand benefice que cette esjouyssance naturelle, et le seul payement qui jamais ne nous manque.

De fonder la recompense des actions vertueuses sur l'approbation d'autruy, c'est prendre un trop incertain et trouble fondement. Signamment[d] en un siecle corrompu et ignorant comme cettuy-cy, la bonne estime du peuple est injurieuse; à qui vous fiez vous de veoir ce qui est louable? Dieu me garde d'estre homme de bien selon la description que je voy faire tous les jours par honneur à chacun de soy. *« Quæ fuerant vitia, mores sunt*[e]. » Tels de mes amis ont par fois entreprins de me chapitrer et mercurializer à cœur ouvert, ou de leur propre mouvement, ou semons[f] par moy, comme d'un office qui, à une ame bien faicte, non en utilité seulement, mais en douceur aussi surpasse tous les offices de l'amitié. Je l'ay tousjours accueilli des bras de la courtoisie et reconnoissance les plus ouverts. Mais à en parler asteure[g] en conscience, j'ay souvent trouvé en leurs reproches et louanges tant de fauce mesure que je n'eusse guere failly de faillir plus tost que de bien faire à leur mode. Nous autres principalement, qui vivons une vie privée qui n'est en montre qu'à nous, devons avoir estably un patron au dedans, auquel toucher nos actions, et, selon iceluy, nous caresser tantost, tantost nous chastier. J'ay mes loix et ma courth[h] pour juger de moy, et m'y adresse plus qu'ailleurs. Je restrains bien selon autruy mes actions, mais je ne les entends que selon moy. Il n'y a que vous qui sçache si vous estes lâche et cruel,

---

a. Haine. — *b.* Révolution. — *c.* Salaire. — *d.* Notamment. — *e.* « Les vices d'autrefois sont passés dans les mœurs. » Sénèque, *Épîtres*, 39. — *f.* Invités. — *g.* A cette heure. — *h.* Mon tribunal.

ou loyal et devotieux; les autres ne vous voyent poinct; ils vous devinent par conjectures incertaines; ils voyent non tant vostre nature que vostre art. Par ainsi ne vous tenez pas à leur sentence; tenez vous à la vostre. « *Tuo tibi judicio est utendum* [a]. — *Virtutis et vitiorum grave ipsius conscientiæ pondus est : qua sublata, jacent omnia* [b]. »

Mais ce qu'on dit, que la repentance suit de près le peché, ne semble pas regarder le peché qui est en son haut appareil, qui loge en nous comme en son propre domicile. On peut desavouër et desdire les vices qui nous surprennent et vers lesquels les passions nous emportent; mais ceux qui par longue habitude sont enracinés et ancrés, en une volonté forte et vigoureuse, ne sont subjects à contradiction. Le repentir n'est qu'une desditte de nostre volonté et opposition de nos fantasies, qui nous pourmene à tout sens. Il faict desavouër à celuy-là sa vertu passée et sa continence :

> *Quæ mens est hodie, cur eadem non puero fuit?*
> *Vel cur his animis incolumes non redeunt genæ* [c]?

C'est une vie exquise, celle qui se maintient en ordre jusques en son privé. Chacun peut avoir part au battelage et representer un honneste personnage en l'eschaffaut [d], mais au dedans et en sa poictrine, où tout nous est loisible, où tout est caché, d'y estre reglé, c'est le poinct. Le voisin degré, c'est de l'estre en sa maison, en ses actions ordinaires, desquelles nous n'avons à rendre raison à personne; où il n'y a point d'estude, point d'artifice. Et pourtant Bias, peignant un excellent estat de famille : « De laquelle, dit-il, le maistre soit tel au dedans, par luy-mesme, comme il est au dehors par la crainte de la loy et du dire des hommes[514]. » Et fut une digne parole de Julius Drusus aux ouvriers qui luy offroient pour trois mille escus mettre sa maison en tel poinct que ses voisins n'y auroient plus

---

a. « C'est de votre propre jugement que vous devez faire usage. » Cicéron, *Tusculanes*, I, XXIII. — *b.* « Il est d'un grand poids, le témoignage que la conscience se rend elle-même du vice et de la vertu : supprimez-la, tout est par terre. » Cicéron, *De natura deorum*, III, 35. — *c.* « Pourquoi mes sentiments d'aujourd'hui ne furent-ils pas ceux de ma jeunesse, ou pourquoi maintenant que j'ai la sagesse, mes joues ne retrouvent-elles pas leur beauté d'autrefois? » Horace, *Odes*, x, 7. — *d.* Sur l'estrade.

la veuë qu'ils y avoient : « Je vous en donneray, dit-il, six mille, et faictes que chacun y voye de toutes parts[515]. » On remarque avec honneur l'usage d'Agesilaus, de prendre en voyageant son logis dans les Eglises, affin que le peuple et les dieux mesmes vissent dans ses actions privées[516]. Tel a esté miraculeux au monde, auquel sa femme et son valet n'ont rien veu seulement de remercable[517]. Peu d'hommes ont esté admirez par leurs domestiques[a].

Nul a esté prophete non seulement en sa maison[518], mais en son païs, dict l'experience des histoires. De mesmes aux choses de neant. Et en ce bas exemple se void l'image des grands. En mon climat de Gascongne, on tient pour drolerie de me veoir imprimé. D'autant que la connoissance qu'on prend de moy s'esloigne de mon giste, j'en vaux d'autant mieux. J'achette les imprimeurs en Guiene, ailleurs ils m'achettent. Sur cet accident[b] se fondent ceux qui se cachent, vivants et presents, pour se mettre en credit, trespassez et absents. J'ayme mieux en avoir moins. Et ne me jette au monde que pour la part que j'en tire. Au partir de là, je l'en quitte.

Le peuple reconvoye[c] celuy-là, d'un acte public, avec estonnement[d], jusqu'à sa porte; il laisse avec sa robbe ce rolle, il en retombe d'autant plus bas qu'il s'estoit plus haut monté; au dedans, chez luy, tout est tumultuaire[e] et vile. Quand le reglement s'y trouveroit, il faut un jugement vif et bien trié pour l'appercevoir en ces actions basses et privées. Joint que l'ordre est une vertu morne et sombre. Gaigner une bresche, conduire une ambassade, regir un peuple, ce sont actions esclatantes. Tancer, rire, vendre, payer, aymer, hayr et converser avec les siens et avec soymesme doucement et justement, ne relâcher point, ne se desmentir poinct, c'est chose plus rare, plus difficile et moins remerquable. Les vies retirées soustiennent par là, quoy qu'on die, des devoirs autant ou plus aspres et tendus que ne font les autres vies. Et les privez, dict Aristote[519], servent la vertu plus difficilement et hautement que ne font ceux qui sont en magistrats. Nous nous preparons aux occasions eminentes plus par gloire que par conscience. La plus courte façon d'arriver à la gloire, ce

---

a. Les gens de leur maison. — *b.* Particularité. — *c.* Reconduit. — *d.* Admiration. — *e.* Troublé.

seroit faire par conscience ce que nous faisons pour la gloire. Et la vertu d'Alexandre me semble representer assez ᵃ moins de vigueur en son theatre, que ne fait celle de Socrates en cette exercitation ᵇ basse et obscure. Je conçois aisément Socrates en la place d'Alexandre; Alexandre en celle de Socrates, je ne puis. Qui demandera à celuy-là ce qu'il sçait faire, il respondra : « Subjuguer le monde »; qui le demandera à cettuy-cy, il dira : « Mener l'humaine vie conformément à sa naturelle condition »; science bien plus generale, plus poisante ᶜ et plus legitime. Le pris de l'ame ne consiste pas à aller haut, mais ordonnéement.

Sa grandeur ne s'exerce pas en la grandeur, c'est en la mediocrité ᵈ. Ainsi que ceux qui nous jugent et touchent au dedans, ne font pas grand recette de la lueur de noz actions publiques et voyent que ce ne sont que filets et pointes d'eau fine rejaillies d'un fond au demeurant limonneux et poisant ᵉ, en pareil cas, ceux qui nous jugent par cette brave apparance, concluent de mesmes de nostre constitution interne, et ne peuvent accoupler des facultez populaires et pareilles aux leurs à ces autres facultez qui les estonnent, si loin de leur visée. Ainsi donnons nous aux demons des formes sauvages. Et qui non, à Tamburlan des sourcils eslevez, des nazeaux ouverts, un visage affreux et une taille desmesurée, comme est la taille de l'imagination qu'il en a conçeuë par le bruit de son nom? Qui m'eut faict veoir Erasme autrefois, il eust esté malaisé que je n'eusse prins pour adages et apophthegmes tout ce qu'il eust dict à son valet et à son hostesse. Nous imaginons bien plus sortablement ᶠ un artisan sur sa garderobe ou sur sa femme qu'un grand President, venerable par son maintien et suffisance. Il nous semble que de ces hauts thrones ils ne s'abaissent pas jusques à vivre.

Comme les ames vicieuses sont incitées souvent à bien faire par quelque impulsion estrangere, aussi sont les vertueuses à faire mal. Il les faut doncq juger par leur estat rassis, quand elles sont chez elles, si quelque fois elles y sont; ou au moins quand elles sont plus voisines du repos et de leur naïfve assiette. Les inclinations naturelles

---

a. Beaucoup. — *b.* Action. — *c.* Pesante. — *d.* Mesure. — *e.* Pesant. — *f.* Commodément, facilement.

s'aident et fortifient par institution ; mais elles ne se changent guiere et surmontent. Mille natures, de mon temps, ont eschappé vers la vertu ou vers le vice au travers d'une discipline contraire :

> *Sic ubi desuetæ silvis in carcere clausæ*
> *Mansuevere feræ, et vultus posuere minaces,*
> *Atque hominem didicere pati, si torrida parvus*
> *Venit in ora cruor, redeunt rabiésque furorque,*
> *Admonitæque tument gustato sanguine fauces;*
> *Fervet, et à trepido vix abstinet ira magistro* [a].

On n'extirpe pas ces qualitez originelles, on les couvre, on les cache. Le langage latin m'est comme naturel, je l'entens mieux que le François [520] ; mais il y a quarante ans que je ne m'en suis du tout poinct servy à parler, ny à escrire ; si est-ce que [b] à des extremes et soudaines esmotions où je suis tombé deux ou trois fois en ma vie, et l'une, voyent mon pere tout sain se renverser sur moy, pasmé, j'ay tousjours eslancé du fond des entrailles les premieres paroles Latines ; nature se sourdant [c] et s'exprimant à force, à l'encontre d'un long usage. Et cet exemple se dict d'assez d'autres.

Ceux qui ont essaié de r'aviser [d] les meurs du monde, de mon temps, par nouvelles opinions, reforment les vices de l'apparence ; ceux de l'essence, ils les laissent là, s'ils ne les augmentent ; et l'augmentation y est à craindre : on se sejourne volontiers de tout autre bien faire sur ces reformations externes arbitraires, de moindre coust et de plus grand merite ; et satisfait-on par là à bon marché les autres vices naturels consubstantiels et intestins. Regardez un peu comment s'en porte nostre experience : il n'est personne, s'il s'escoute, qui ne descouvre en soy une forme sienne, une forme maistresse, qui luicte contre l'institution [e], et contre la tempeste des passions qui luy

---

a. « Ainsi, quand, déshabituées des bois, les bêtes se sont apprivoisées dans une étroite prison, ont quitté leurs regards menaçants et ont appris à subir l'homme, si un filet de sang pénètre dans leur gueule brûlante, la rage et la fureur reviennent et leur gosier se dilate, averti par le sang qu'elles ont goûté ; la colère bouillonne et s'abstient à grand-peine du dompteur tremblant. » Lucain, *Pharsale*, IV, 237. — *b.* Si bien que. — *c.* S'échappant. — *d.* Revoir et corriger. — *e.* L'éducation.

sont contraires. De moy, je ne me sens guere agiter par secousse, je me trouve quasi tousjours en ma place, comme font les corps lourds et poisans. Si je ne suis chez moy, j'en suis tousjours bien près. Mes débauches ne m'emportent pas loing. Il n'y a rien d'extreme et d'estrange; et si[a] ay des ravisemens sains et vigoureux.

La vraie condamnation et qui touche la commune façon de nos hommes, c'est que leur retraicte mesme est pleine de corruption et d'ordure; l'idée de leur amendement, chafourrée[b]; leur penitence, malade et en coulpe[c], autant à peu près que leur peché. Aucuns, ou pour estre colléz au vice d'une attache naturelle, ou par longue accoustumance, n'en trouvent plus la laideur. A d'autres (duquel regiment je suis) le vice poise[d], mais ils le contrebalancent avec le plaisir ou autre occasion, et le souffrent et s'y prestent à certain prix; vitieusement pourtant et lâchement. Si, se pourroit-il à l'adventure imaginer si esloignée disproportion de mesure où avec justice le plaisir excuseroit le peché, comme nous disons de l'utilité; non seulement s'il estoit accidental[e] et hors du peché, comme au larrecin, mais en l'exercice mesme d'iceluy, comme en l'accointance des femmes, où l'incitation est violente et, dit-on, par fois invincible.

En la terre d'un mien parent, l'autre jour que j'estois en Armaignac, je vy un paisan que chacun surnomme le larron. Il faisoit ainsi le conte de sa vie : qu'estant né mendiant, et trouvant que à gaigner son pain au travail de ses mains il n'arriveroit jamais à se fortifiez assez contre l'indigence, il s'advisa de se faire larron; et avoit employé à ce mestier toute sa jeunesse en seureté, par le moyen de sa force corporelle; car il moissonnoit et vendangeoit des terres d'autruy, mais c'estoit au loing et à si gros monceaux qu'il estoit inimaginable qu'un homme en eust tant rapporté en une nuict sur ses espaules; et avoit soing outre cela d'egaler et disperser le dommage qu'il faisoit, si que la foule[f] estoit moins importable à chaque particulier. Il se trouve à cette heure, en sa vieillesse, riche pour un homme de sa condition, mercy à[g] cette trafique, dequoy il se confesse ouvertement; et, pour s'accommoder avèc Dieu

---

a. Et pourtant. — *b.* Confuse. — *c.* Faute. — *d.* Pèse. — *e.* Accessoire. — *f.* Les dégâts. — *g.* Grâce à.

LIVRE III, CHAPITRE II

de ses acquets, il dict estre tous les jours après à satisfaire par bienfaicts aux successeurs de ceux qu'il a desrobez ; et, s'il n'acheve (car d'y pourvoir tout à la fois il ne peut), qu'il en chargera ses heritiers, à la raison de la science qu'il a luy seul du mal qu'il a faict à chacun. Par cette description, soit vraye ou fauce, cettuy-cy regarde le larrecin comme action des-honneste et le hayt, mais moins que l'indigence ; s'en repent bien simplement, mais, en tant qu'elle estoit ainsi contrebalancée et compencée, il ne s'en repent pas. Cela, ce n'est pas cette habitude qui nous incorpore au vice et y conforme nostre entendement mesme, ny n'est ce vent impetueux qui va troublant et aveuglant à secousses nostre ame et nous precipite pour l'heure, jugement et tout, en la puissance du vice.

Je fay coustumierement entier ce que je fay et marche tout d'une piece ; je n'ay guere de mouvement qui se cache et desrobe à ma raison, et qui ne se conduise à peu près par le consentement de toutes mes parties, sans division, sans sedition intestine ; mon jugement en a la coulpe [a] ou la louange entiere ; et la coulpe qu'il a une fois, il l'a tousjours, car quasi dès sa naissance il est un : mesme inclination, mesme route, mesme force. Et en matiere d'opinions universelles, dès l'enfance je me logeay au poinct où j'avois à me tenir.

Il y a des pechez impetueux, prompts et subits ; laissons les à part. Mais en ces autres pechez à tant de fois reprins, deliberez et consultez, ou pechez de complexion, voire pechez de profession et de vacation [b], je ne puis pas concevoir qu'ils soient plantez si long temps en mesme courage sans que la raison et la conscience de celuy qui les possede, le veuille constamment et l'entende ainsi ; et le repentir qu'il se vante luy en venir à certain instant prescript, m'est un peu dur à imaginer et former.

Je ne suy pas la secte de Pythagoras, « que les hommes prennent une ame nouvelle quand ils approchent les simulacres [c] des Dieux pour recueuillir leurs oracles. » Si non qu'il voulust dire cela mesme, qu'il faut bien qu'elle soit estrangere, nouvelle et prestée pour le temps, la leur montrant si peu de signe de purification et netteté condigne à cet office [521].

---

a. Faute. — *b.* Occupation. — *c.* Statues.

Ils font tout à l'opposite des preceptes Stoïques, qui nous ordonnent bien de corriger les imperfections et vices que nous reconnoissons en nous, mais nous deffendent d'en estre marris et desplaisants. Ceux-cy nous font à croire qu'ils en ont grand regret et remors au dedans. Mais d'amendement et correction, ny d'interruption, ils ne nous en font rien apparoir[a]. Si[b] n'est-ce pas guerison si on ne se descharge du mal. Si la repentance pesoit sur le plat de la balance, elle en-porteroit le peché. Je ne trouve aucune qualité si aysée à contrefaire que la devotion, si on n'y conforme les meurs et la vie; son essence est abstruse et occulte; les apparences, faciles et pompeuses.

Quant à moy, je puis desirer en general estre autre; je puis condamner et me desplaire de ma forme universelle[c], et supplier Dieu pour mon entiere reformation et pour l'excuse de ma foiblesse naturelle. Mais cela, je ne le doits nommer repentir, ce me semble, non plus que le desplaisir de n'estre ny Ange, ny Caton. Mes actions sont reglées et conformes à ce que je suis et à ma condition. Je ne puis faire mieux. Et le repentir ne touche pas proprement les choses qui ne sont pas en nostre force, ouy bien le regretter. J'imagine infinies natures plus hautes et plus reglées que la mienne; je n'amande pourtant mes facultez; comme ny mon bras, ny mon esprit ne deviennent plus vigoreux pour en concevoir un autre qui le soit. Si d'imaginer et desirer un agir plus noble que le nostre produisoit la repentance du nostre, nous aurions à nous repentir de nos operations plus innocentes; d'autant que nous jugeons bien qu'en la nature plus excellente elles auroyent esté conduites d'une plus grande perfection et dignité; et voudrions faire de mesme. Lors que je consulte des deportemens[d] de ma jeunesse avec ma vieillesse, je trouve que je les ay communement conduits avec ordre, selon moy; c'est tout ce que peut ma resistance. Je ne me flatte pas; à circonstances pareilles, je seroy tousjours tel. Ce n'est pas macheure[e], c'est plustost une teinture universelle qui me tache. Je ne cognoy pas de repentance superficielle, moyenne et de ceremonie. Il faut qu'elle me touche de toutes pars avant que je la nomme ainsin, et qu'elle pinse

---

a. Paraître. — *b.* Pourtant. — *c.* Ma manière d'être en général. — *d.* La façon d'agir. — *e.* Tache.

mes entrailles et les afflige autant profondement que Dieu me voit, et autant universellement.

Quant aux negoces, il m'est eschappé plusieurs bonnes avantures à faute d'heureuse conduitte. Mes conseils ont pourtant bien choisi, selon les occurrences qu'on leur presentoit; leur façon est de prendre toujours le plus facile et seur party. Je trouve qu'en mes deliberations passées j'ay, selon ma regle, sagement procedé pour l'estat du subject qu'on me proposoit; et en ferois autant d'icy à mille ans en pareilles occasions. Je ne regarde pas quel il est à cette heure, mais quel il estoit quand j'en consultois.

La force de tout conseil gist au temps; les occasions et les matieres roulent et changent sans cesse. J'ay encouru quelques lourdes erreurs en ma vie et importantes, non par faute de bon advis, mais par faute de bon heur. Il y a des parties secretes aux objects qu'on manie et indivinables[a], signamment[b] en la nature des hommes, des conditions muettes, sans montre[c], inconnues par fois du possesseur mesme, qui se produisent et esveillent par des occasions survenantes. Si ma prudence ne les a peu penetrer et prophetizer, je ne luy en sçay nul mauvais gré; sa charge se contient en ses limites; l'evenement me bat; et s'il favorise le party que j'ay refusé, il n'y a remede; je ne m'en prens pas à moy; j'accuse ma fortune, non pas mon ouvrage; cela ne s'appelle pas repentir.

Phocion avoit donné aux Atheniens certain advis qui ne fut pas suyvi. L'affaire pourtant se passant contre son opinion avec prosperité, quelqu'un luy dict : « Et bien, Phocion, es tu content que la chose aille si bien ? — Bien suis-je content, fit-il, qu'il soit advenu cecy, mais je ne me repens point d'avoir conseillé cela[522]. » Quand mes amis s'adressent à moy pour estre conseillez, je le fay librement et clairement, sans m'arrester, comme faict quasi tout le monde, à ce que, la chose estant hazardeuse, il peut advenir au rebours de mon sens, par où ils ayent à me faire reproche de mon conseil; dequoy il ne me chaut. Car ils auront tort, et je n'ay deu[d] leur refuser cet office.

Je n'ay guere à me prendre de mes fautes ou infortunes à autre qu'à moy. Car, en effect, je me sers rarement des

---

a. Imprévisibles. — *b.* Notamment. — *c.* Invisibles. — *d.* Je ne devais pas.

advis d'autruy, si ce n'est par honneur de ceremonie, sauf où j'ay besoing d'instruction de science ou de la connoissance du faict. Mais, és choses où je n'ay à employer que le jugement, les raisons estrangeres peuvent servir à m'appuyer, mais peu à me destourner. Je les escoute favorablement et decemment toutes; mais, qu'il m'en souvienne[a], je n'en ay creu jusqu'à cette heure que les miennes. Selon moy, ce ne sont que mousches et atomes qui promeinent ma volonté. Je prise peu mes opinions, mais je prise aussi peu celles des autres. Fortune me paye dignement. Si je ne reçoy pas de conseil, j'en donne encores moins. J'en suis fort peu enquis; mais j'en suis encore moins creu; et ne sache nulle entreprinse publique ny privée que mon advis aie redressée et ramenée. Ceux mesmes que la fortune y avoit aucunement attachez, se sont laissez plus volontiers manier à toute autre cervelle. Comme celuy qui suis bien autant jaloux des droits de mon repos que des droits de mon auctorité, je l'ayme mieux ainsi; me laissant là, on faict selon ma profession, qui est de m'establir et contenir tout en moy; ce m'est plaisir d'estre desinteressé des affaires d'autruy et desgagé de leur gariement[b].

En tous affaires, quand ils sont passés, comment que ce soit, j'y ay peu de regret. Car cette imagination me met hors de peine, qu'ils devoyent ainsi passer; les voylà dans le grand cours de l'univers et dans l'encheineure des causes Stoïques; vostre fantasie n'en peut, par souhait et imagination, remuer un point, que tout l'ordre des choses ne renverse, et le passé, et l'advenir.

Au demeurant, je hay cet accidental[c] repentir que l'aage apporte. Celuy[523] qui disoit anciennement estre obligé aux années dequoy elles l'avoyent deffaict de la volupté, avoit autre opinion que la mienne; je ne sçauray jamais bon gré à l'impuissance de bien qu'elle me face. « *Nec tam aversa unquam videbitur ab opere suo providentia, ut debilitas inter optima inventa sit*[d]. » Nos appetits sont rares en la vieillesse; une profonde satieté nous saisit après; en cela je ne voy rien de conscience; le chagrin et la foiblesse nous impriment

---

a. Autant qu'il m'en souvienne. — *b.* Garde. — *c.* Accessoire. — *d.* « Et on ne verra jamais la providence si ennemie de son œuvre que la faiblesse soit mise au rang des meilleures choses. » Quintilien, *Institution oratoire*, V, XII.

une vertu lâche et catarreuse. Il ne nous faut pas laisser emporter si entiers aux alterations naturelles, que d'en abastardir nostre jugement. La jeunesse et le plaisir n'ont pas faict autrefois que j'aie mescogneu le visage du vice en la volupté; ny ne faict à cette heure le degoust que les ans m'apportent, que je mescognoisse celuy de la volupté au vice. Ores*a* que je n'y suis plus, j'en juge comme si j'y estoy. Moy qui la secouë vivement et attentivement, trouve que ma raison est celle mesme que j'avoy en l'aage plus licencieux, sinon, à l'avanture, d'autant qu'elle s'est affoiblie et empirée en vieillissant; et trouve que ce qu'elle refuse de m'enfourner à ce plaisir en consideration de l'interest de ma santé corporelle, elle ne le feroit non plus qu'autrefois pour la santé spirituelle. Pour la voir hors de combat, je ne l'estime pas plus valeureuse. Mes tentations sont si cassées et mortifiées qu'elles ne valent pas qu'elle s'y oppose. Tandant seulement les mains audevant, je les conjure. Qu'on luy remette en presence cette ancienne concupiscence, je crains qu'elle auroit moins de force à la soustenir, qu'elle n'avoit autrefois. Je ne luy voy rien juger apar soy, que lors elle ne jugeast; ny aucune nouvelle clarté. Parquoy, s'il y a convalescence, c'est une convalescence maleficiée*b*.

Miserable sorte de remede, devoir à la maladie sa santé! Ce n'est pas à nostre malheur de faire cet office; c'est au bon heur de nostre jugement. On ne me faict rien faire par les offenses et afflictions, que les maudire. C'est aux gents qui ne s'esveillent qu'à coup de fouët. Ma raison a bien son cours plus delivre*c* en la prosperité. Elle est bien plus distraitte et occupée à digerer les maux que les plaisirs. Je voy bien plus clair en temps serain. La santé m'advertit, comme plus alaigrement, aussi plus utilement que la maladie. Je me suis avancé le plus que j'ay peu vers ma reparation et reglement lors que j'avoy à en jouir. Je seroy honteux et envieux que la misere et desfortune de ma decrepitude eut à se preferer à mes bonnes années saines, esveillées, vigoureuses; et qu'on eust à m'estimer non par où j'ay esté, mais par où j'ay cessé d'estre. A mon advis, c'est le vivre heureusement, non, comme disoit Antisthenes, le mourir heureusement qui faict l'humaine felicité[524]. Je

---

a. Maintenant. — *b.* Gâtée. — *c.* Libre.

ne me suis pas attendu d'attacher monstrueusement la
queuë d'un philosophe à la teste et au corps d'un homme
perdu ; ny que ce chetif bout eust à desadvouër et desmentir
la plus belle, entiere et longue partie de ma vie. Je me veux
presenter et faire veoir par tout uniformément. Si j'avois
à revivre, je revivrois comme j'ay vescu ; ny je ne pleins[a]
le passé, ny je ne crains l'advenir. Et si je ne me deçoy, il
est allé du dedans environ comme du dehors. C'est une
des principales obligations que j'aye à ma fortune, que le
cours de mon estat corporel ayt esté conduit chasque
chose en sa saison. J'en ay veu l'herbe et les fleurs et le fruit ; et
en vois la secheresse. Heureusement, puisque c'est naturellement. Je porte bien plus doucement les maux que j'ay,
d'autant qu'ils sont en leur poinct et qu'ils me font aussi
plus favorablement souvenir de la longue felicité de ma
vie passée.

Pareillement ma sagesse peut bien estre de mesme taille
en l'un et en l'autre temps ; mais elle estoit bien de plus
d'exploit et de meilleure grace, verte, gaye, naïve, qu'elle
n'est à present : croupie, grondeuse, laborieuse. Je renonce
donc à ces reformations casuelles[b] et douloureuses.

Il faut que Dieu nous touche le courage[c]. Il faut que
nostre conscience s'amende d'elle mesme par renforcement
de nostre raison, non par l'affoiblissement de nos appetits.
La volupté n'en est en soy ny pasle ny descolorée, pour
estre aperceuë par des yeux chassieux et troubles. On doibt
aymer la temperance par elle mesme et pour le respect
de Dieu, qui nous l'a ordonnée, et la chasteté ; celle que
les catarres nous prestent et que je doibts au benefice de
ma cholique ce n'est ny chasteté, ny temperance. On ne
peut se vanter de mespriser et combattre la volupté, si on
ne la voit, si on l'ignore, et ses graces, et ses forces, et sa
beauté, plus attrayante. Je cognoy l'une et l'autre, c'est à
moy à le dire. Mais il me semble qu'en la vieillesse nos
ames sont subjectes à des maladies et imperfections plus
importunes qu'en la jeunesse. Je le disois estant jeune ;
lors on me donnoit de mon menton par le nez. Je le dis
encores à cette heure que mon poil gris m'en donne le
credit. Nous appellons sagesse la difficulté de nos humeurs,
le desgoust des choses presentes. Mais, à la verité, nous

---

a. Regrette. — *b.* Amendements fortuits. — *c.* Cœur.

ne quittons pas tant les vices, comme nous les changeons, et, à mon opinion, en pis. Outre une sotte et caduque fierté, un babil ennuyeux, ces humeurs espineuses et insociables, et la superstition, et un soin ridicule des richesses lors que l'usage en est perdu, j'y trouve plus d'envie, d'injustice et de malignité. Elle nous attache plus de rides en l'esprit qu'au visage; et ne se void point d'ames, ou fort rares, qui en vieillissant ne sentent à l'aigre et au moisi. L'homme marche entier vers son croist et vers son décroist.

A voir la sagesse de Socrates et plusieurs circonstances de sa condamnation, j'oseroy croire qu'il s'y presta aucunement luy mesme par prevarication, à dessein, ayant de si près, aagé de soixante et dix ans, à souffrir l'engourdissement des riches allures de son esprit et l'esblouissement de sa clarté accoustumée.

Quelles Metamorphoses luy voy-je faire tous les jours en plusieurs de mes cognoissans[a]! C'est une puissante maladie et qui se coule naturellement et imperceptiblement. Il y faut grande provision d'estude et grande precaution pour eviter les imperfections qu'elle nous charge, ou aumoins affoiblir leurs progrets. Je sens que, nonobstant tous mes retranchemens, elle gaigne pied à pied sur moy. Je soustien[b] tant que je puis. Mais je ne sçay en fin où elle me menera moy-mesme. A toutes avantures, je suis content qu'on sçache d'où je seray tombé.

CHAPITRE III

DE TROIS COMMERCES

Il ne faut pas se clouër si fort à ses humeurs et complexions. Nostre principalle suffisance[c], c'est sçavoir s'appliquer à divers usages. C'est estre, mais ce n'est pas vivre, que se tenir attaché et obligé par necessité à un seul train. Les plus belles ames sont celles qui ont plus de *variété et de souplesse*.

---

a. Connaissances. — b. Résiste, tiens bon. — c. Talent.

MONTAIGNE. — ESSAIS. T. II.

Voylà un honorable tesmoignage du vieus Caton : « *Huic versatile ingenium sic pariter ad omnia fuit, ut natum ad id unum diceres, quodcumque ageret* [a]. »

Si c'estoit à moy à me dresser à ma mode, il n'est aucune si bonne façon où je vouleusse estre fiché pour ne m'en sçavoir desprendre. La vie est un mouvement inegal, irregulier et multiforme. Ce n'est pas estre amy de soy et moins encore maistre, c'est en estre esclave, de se suivre incessamment et estre si pris à ses inclinations qu'on n'en puisse fourvoyer, qu'on ne les puisse tordre. Je le dy à cette heure, pour ne me pouvoir facilement despestrer de l'importunité de mon ame, en ce qu'elle ne sçait communément s'amuser sinon où elle s'empeche, ny s'employer que bandée [b] et entiere. Pour leger subject qu'on luy donne, elle le grossit volontiers et l'estire jusques au poinct où elle ait à s'y embesongner de toute sa force. Son oysifveté m'est à cette cause une penible occupation, et qui offence ma santé. La plus part des esprits ont besoing de matiere estrangere pour se desgourdir et exercer; le mien en a besoing pour se rassoir plustost et sejourner, « *vitia otii negotio discutienda sunt* [c] », car son plus laborieux et principal estude, c'est s'estudier à soy. Les livres sont pour luy du genre des occupations qui le desbauchent de son estude. Aux premieres pensées qui lui viennent, il s'agite et faict preuve de sa vigueur à tout sens, exerce son maniement tantost vers la force, tantost vers l'ordre et la grace, se range, modere et fortifie. Il a de quoy esveiller ses facultez par luy mesme. Nature luy a donné, comme à tous, assez de matiere sienne pour son utilité, et de subjects siens assez où inventer et juger.

Le mediter est un puissant estude et plein, à qui sçait se taster et employer vigoureusement : j'aime mieux forger mon ame que la meubler. Il n'est point d'occupation ny plus foible, ny plus forte, que celle d'entretenir ses pensées selon l'ame que c'est. Les plus grandes en font leur vacation, « *quibus vivere est cogitare* [d] ». Aussi l'a nature favorisée de ce privilege qu'il n'y a rien que nous puissions faire si

---

a. « Il avait l'esprit si enclin à se plier également à tout faire, quoi que ce fût qu'il entreprît, on eût dit qu'il était uniquement né pour cela. » Tite-Live, XXXIX, 40. — *b.* Tendue. — *c.* « Les vices de l'oisiveté doivent être dissipés par le travail. » Sénèque, *Épîtres,* 56. — *d.* « Pour qui vivre, c'est penser. » Cicéron, *Tusculanes,* V, XXXVIII.

LIVRE III, CHAPITRE III

long temps, ny action à la quelle nous nous addonons plus ordinairement et facilement. « C'est la besongne des Dieus, dict Aristote[525], de laquelle nait et leur beatitude et la nostre. » La lecture me sert specialement à esveiller par divers objects mon discours, à embesongner[a] mon jugement, non ma memoyre.

Peu d'entretiens doncq m'arretent sans vigueur et sans effort. Il est vray que la gentillesse et la beauté me remplissent et occupent autant ou plus que le pois et la profondeur. Et d'autant que je sommeille en toute autre communication et que je n'y preste que l'escorce de mon attention, il m'advient souvent, en telle sorte de propos abatus et laches, propos de contenance, de dire et respondre des songes et bestises indignes d'un enfant et ridicules, ou de me tenir obstiné en silence, plus ineptement encore et incivilement. J'ay une façon resveuse qui me retire à moy, et d'autre part une lourde ignorance et puerile de plusieurs choses communes. Par ces deux qualitez j'ay gaigné qu'on puisse faire au vray cinq ou six contes de moy aussi niais que d'autre, quel qu'il soit.

Or, suyvant mon propos, cette complexion difficile me rend delicat à la pratique des hommes (il me les faut trier sur le volet) et me rend incommode aux actions communes. Nous vivons et negotions[b] avec le peuple; si sa conversation nous importune, si nous desdaignons à nous appliquer aux ames basses et vulguaires, et les basses et vulguaires sont souvent aussi reglées que les plus desliées (est toute sapience insipide, qui ne s'accommode à l'insipience commune), il ne nous faut plus entremettre ny de nos propres affaires ny de ceux d'autruy; et les publiques et les privez se demeslent avec ces gens là. Les moins tandues et plus naturelles alleures de nostre ame sont les plus belles; les meilleures occupations, les moins efforcées. Mon Dieu, que la sagesse faict un bon office à ceux de qui elle renge les desirs à leur puissance! il n'est point de plus utile science. « Selon qu'on peut », c'estoit le refrein et le mot favory de Socrates, mot de grande substance. Il faut addresser et arrester nos desirs aux choses plus les aysées et voisines. Ne m'est-ce pas une sotte humeur de disconvenir avec un millier à qui ma fortune me joint, de qui je ne me

---

[a]. Faire travailler. — [b]. Agissons, avons affaire.

puis passer, pour me tenir à un ou deux, qui sont hors de mon commerce, ou plustost à un desir fantastique de chose que je ne puis recouvrer? Mes meurs molles, ennemies de toute aigreur et aspreté, peuvent aysément m'avoir deschargé d'envies et d'inimitiez; d'estre aimé, je ne dy, mais de n'estre point hay, jamais homme n'en donna plus d'occasion. Mais la froideur de ma conversation m'a desrobé, avec raison, la bien-veillance de plusieurs, qui sont excusables de l'interpreter à autre et pire sens.

Je suis très-capable d'acquerir et maintenir des amitiez rares et exquises. D'autant que je me harpe avec si grande faim aux accointances qui reviennent à mon goust, je m'y produis, je m'y jette si avidement, que je ne faux[a] pas aysément de m'y attacher et de faire impression où je donne. J'en ay faict souvant heureuse preuve. Aux amitiez communes je suis aucunement stérile et froid, car mon aller n'est pas naturel s'il n'est à pleine voile; outre ce que ma fortune, m'ayant duit[b] et affriandy dès jeunesse à une amitié seule et parfaicte[526], m'a, à la verité, aucunement desgouté des autres et trop imprimé en la fantasie qu'elle est beste de compaignie, non pas de troupe, comme disoit cet antien[527]. Aussi, que j'ay naturellement peine à me communiquer à demy et avec modification, et cette servile prudence et soupçonneuse qu'on nous ordonne en la conversation de ces amitiés nombreuses et imparfaictes; et nous l'ordonne l'on principalement en ce temps, qu'il ne se peut parler du monde que dangereusement ou faucement.

Si[c] voy-je bien pourtant que, qui a, comme moy, pour sa fin les commoditez de sa vie (je dy les commoditez essentielles), doibt fuyr comme la peste ces difficultez et delicatesse d'humeur. Je louerois un' ame à divers estages, qui sçache et se tendre et se desmonter, qui soit bien par tout où sa fortune la porte, qui puisse deviser avec son voisin de son bastiment, de sa chasse et de sa querelle, entretenir avec plaisir un charpentier et un jardinier; j'envie ceux qui sçavent s'aprivoiser au moindre de leur suitte et dresser de l'entretien en leur propre train[d].

Et le conseil de Platon[528] ne me plaist pas, de parler tousjours d'un langage maistral[e] à ses serviteurs, sans jeu,

---

a. Manque. — *b.* Formé. — *c.* Néanmoins. — *d.* Suite, domesticité. — *e.* De maître.

sans familiarité, soit envers les masles, soit envers les femelles. Car, outre ma raison, il est inhumain et injuste de faire tant valoir cette telle quelle prerogative de la fortune; et les polices[a] où il se souffre moins de disparité entre les valets et les maistres, me semblent les plus equitables.

Les autres s'estudient à eslancer et guinder leur esprit; moy, à le baisser et coucher. Il n'est vicieux qu'en extantion.

> *Narras, et genus Æaci,*
> *Et pugnata sacro bella sub Ilio :*
>   *Quo Chium pretio cadum*
> *Mercemur, quis aquam temperet ignibus,*
>   *Quo præbente domum, et quota,*
> *Pelignis caream frigoribus, taces*[b].

Ainsi, comme la vaillance Lacedemonienne avoit besoing de moderation et du son doux et gratieux du jeu des flutes pour la flatter en la guerre, de peur qu'elle ne se jettat à la temerité et à la furie, là où toutes autres nations ordinairement employent des sons et des voix aiguës et fortes qui esmouvent et qui eschauffent à outrance le courage des soldats[529], il me semble de mesme, contre la forme ordinaire, qu'en l'usage de nostre esprit nous avons, pour la plus part, plus besoing de plomb que d'ailes, de froideur et de repos que d'ardeur et d'agitation. Sur tout, c'est à mon gré bien faire le sot que de faire l'entendu entre ceux qui ne le sont pas, parler tousjours bandé, *favellar in punta di forchetta*[c]. Il faut se desmettre au train de ceux avec qui vous estes, par fois affecter l'ignorance. Mettez à part la force et la subtilité; en l'usage commun, c'est assez d'y reserver l'ordre. Trainez vous au demeurant à terre, s'ils veulent.

Les sçavans chopent[d] volontiers à cette pierre. Ils font tousjours parade de leur magistere et sement leurs livres par tout. Ils en ont en ce temps entonné si fort les

---

a. Sociétés. — *b.* « Tu racontes la descendance d'Éaque et les luttes livrées sous la sainte Ilion; mais quel prix nous payons une jarre de vin de Chio, qui est-ce qui fait chauffer l'eau, dans la maison de quel hôte et à quelle heure je suis à l'abri d'un froid digne des Pélignes, motus. » Horace, *Odes,* III, xix, 3. — *c.* « Parler sur la pointe d'une fourchette » (locution proverbiale italienne : parler avec recherche). — *d.* Achoppent.

cabinets et oreilles des dames que, si elles n'en ont retenu
la substance, au moins elles en ont la mine ; à toute sorte
de propos et matiere, pour basse et populaire qu'elle soit,
elles se servent d'une façon de parler et d'escrire nouvelle
et sçavante,

> *Hoc sermone pavent, hoc iram, gaudia, curas,*
> *Hoc cuncta effundunt animi secreta ; quid ultra ?*
> *Concumbunt docte* [a] *;*

et alleguent Platon et Sainct Thomas aux choses ausquelles
le premier rencontré serviroit aussi bien de tesmoing. La
doctrine qui ne leur a peu arriver en l'ame, leur est demeurée en la langue.

Si les bien-nées me croient, elles se contenteront de faire
valoir leurs propres et naturelles richesses. Elles cachent
et couvrent leurs beautez soubs des beautez estrangeres.
C'est grande simplesse d'estouffer sa clarté pour luire d'une
lumière empruntée ; elles sont enterrées et ensevelies soubs
l'art. « *De capsula totâ* [b]. » C'est qu'elles ne se cognoissent
point assez ; le monde n'a rien de plus beau ; c'est à elles
d'honnorer les arts et de farder le fard. Que leur faut-il,
que vivre aymées et honnorées ? Elles n'ont et ne sçavent
que trop pour cela. Il ne faut qu'esveiller un peu et rechauffer les facultez qui sont en elles. Quand je les voy attachées
à la rhetorique, à la judiciaire [c], à la logique et semblables
drogueries si vaines et inutiles à leur besoing, j'entre en
crainte que les hommes qui le leur conseillent, le facent
pour avoir loy de les regenter soubs ce tiltre. Car quelle
autre excuse leur trouverois-je ? Baste [d] qu'elles peuvent,
sans nous, renger la grace de leurs yeux à la gaieté, à la
severité et à la douceur, assaisonner un nenny de rudesse,
de doubte et de faveur, et qu'elles ne cherchent point
d'interprete aux discours qu'on faict pour leur service.
Avec cette science, elles commandent à baguette et regentent les regens et l'eschole. Si toutesfois il leur fache de
nous ceder en quoy que ce soit, et veulent par curiosité

---

a. « Frayeurs, colères, joies, soucis, tous les secrets de leur cœur,
c'est doctement qu'elles les exhalent. » Le texte de Juvénal, VI, 189,
dit *græce*, « en grec », et non *docte*, « doctement ». — *b.* « Elles semblent
sortir tout entières d'une boîte. » D'après Sénèque, *Épîtres*, 115. —
c. L'astrologie judiciaire. — *d.* Suffit.

avoir part aux livres, la poësie est un amusement propre à leur besoin; c'est un art follastre et subtil, desguisé, parlier, tout en plaisir, tout en montre, comme elles. Elles tireront aussi diverses commoditez de l'histoire. En la philosophie, de la part qui sert à la vie, elles prendront les discours qui les dressent à juger de nos humeurs et conditions, à se deffendre de nos trahisons, à regler la temerité de leurs propres desirs, à ménager leur liberté, alonger les plaisirs de la vie, et à porter humainement l'inconstance d'un serviteur, la rudesse d'un mary et l'importunité des ans et des rides; et choses semblables. Voilà, pour le plus, la part que je leur assignerois aux sciences.

Il y a des naturels particuliers, retirez et internes. Ma forme essentielle est propre à la communication et à la production; je suis tout au dehors et en evidence, nay à la societé et à l'amitié. La solitude que j'ayme et que je presche, ce n'est principalement que ramener à moy mes affections et mes pensées, restreindre et resserrer non mes pas, ains mes desirs et mon soucy, resignant la solicitude estrangere et fuyant mortellement la servitude et l'obligation, et non tant la foule des hommes que la foule des affaires. La solitude locale, à dire verité, m'estand plustost et m'eslargit au dehors; je me jette aux affaires d'estat et à l'univers plus volontiers quand je suis seul. Au Louvre et en la foule, je me resserre et contraincts en ma peau; la foule me repousse à moy, et ne m'entretiens jamais si folement, si licentieusement et particulierement qu'aux lieux de respect et de prudence ceremonieuse. Nos folies ne me font pas rire, ce sont nos sapiences. De ma complexion, je ne suis pas ennemy de l'agitation des cours; j'y ay passé partie de la vie, et suis faict à me porter allegrement aux grandes compaignies, pourveu que ce soit par intervalles et à mon poinct[a]. Mais cette mollesse de jugement, dequoy je parle, m'attache par force à la solitude; voire chez moy, au milieu d'une famille peuplée et maison des plus fréquentées. J'y voy des gens assez, mais rarement ceux avecq qui j'ayme à communiquer; et je reserve là, et pour moy et pour les autres, une liberté inusitée. Il s'y faict trefve de ceremonie, d'assistance et convoiemens, et telles autres ordonnances penibles de

---

a. A mon heure.

nostre courtoisie (ô la servile et importune usance!); chacun s'y gouverne à sa mode; y entretient qui veut ses pensées; je m'y tiens muet, resveur et enfermé, sans offence de mes hostes.

Les hommes de la société et familiarité desquels je suis en queste, sont ceux qu'on appelle honnestes et habiles hommes; l'image de ceux cy me degouste des autres. C'est, à le bien prendre, de nos formes la plus rare, et forme qui se doit principallement à la nature. La fin de ce commerce, c'est simplement la privauté, frequentation et conference[a] : l'exercice des ames, sans autre fruit. En nos propos, tous subjets me sont égaux; il ne me chaut qu'il y ait ny poix, ny profondeur; la grace et la pertinence y sont tousjours; tout y est teinct d'un jugement meur et constant, et meslé de bonté, de franchise, de gayeté et d'amitié. Ce n'est pas au subject des substitutions seulement que nostre esprit montre sa beauté et sa force, et aux affaires des Roys; il la montre autant aux confabulations[b] privées. Je connois mes gens au silence mesme et à leur soubsrire, et les descouvre mieux, à l'advanture, à table qu'au conseil. Hyppomachus disoit bien qu'il connoissoit les bons luicteurs à les voir simplement marcher par une ruë[530]. S'il plaist à la doctrine de se mesler à nos devis, elle n'en sera point refusée : non magistrale, imperieuse et importune comme de coustume, mais suffragante et docile elle mesme. Nous n'y cherchons qu'à passer le temps; à l'heure d'estre instruicts et preschez, nous l'irons trouver en son throsne. Qu'elle se demette à nous pour ce coup, s'il luy plaist; car, toute utile et desirable qu'elle est, je presuppose qu'encore au besoing nous en pourrions nous bien du tout passer, et faire nostre effect sans elle. Une ame bien née et exercée à la praticque des hommes se rend pleinement aggreable d'elle mesme. L'art n'est autre chose que le controlle et le registre des productions de telles ames.

C'est aussi pour moy un doux commerce que celuy des belles et honnestes femmes : « *Nam nos quoque oculos eruditos habemus*[c]. » Si l'ame n'y a pas tant à jouyr qu'au premier, les sens corporels, qui participent aussi plus à cettuy-cy,

---

a. Conversation. — *b.* Conversations. — *c.* « Car, nous aussi, nous avons des yeux avertis. » Cicéron, *Paradoxes,* V, 2.

le ramenent à une proportion voisine de l'autre, quoy que, selon moy, non pas esgalle. Mais c'est un commerce où il se faut tenir un peu sur ses gardes, et notamment ceux en qui le corps peut beaucoup, comme en moy. Je m'y eschauday en mon enfance et y souffris toutes les rages que les poëtes disent advenir à ceux qui s'y laissent aller sans ordre et sans jugement. Il est vray que ce coup de fouet m'a servy depuis d'instruction,

Quicunque Argolica de classe Capharea fugit,
Semper ab Euboicis vela retorquet aquis[a].

C'est folie d'y attacher toutes ses pensées et s'y engager d'une affection furieuse et indiscrette. Mais, d'autre part, de s'y mesler sans amour et sans obligation de volonté, en forme de comediens, pour jouer un rolle commun de l'aage et de la coustume et n'y mettre du sien que les parolles, c'est de vray pourvoyer à sa seureté, mais bien lâchement, comme celuy qui abandonneroit son honneur, ou son proffit, ou son plaisir, de peur du danger; car il est certain que, d'une telle pratique, ceux qui la dressent n'en peuvent esperer aucun fruict qui touche ou satisface une belle ame. Il faut avoir en bon escient desiré ce qu'on veut prendre en bon èscient plaisir de jouyr; je dy quand injustement fortune favoriseroit leur masque, ce qui advient souvent à cause de ce qu'il n'y a aucune d'elles, pour malotruë qu'elle soit, qui ne pense estre bien aymable, et qui ne se recommande pas son aage ou par son ris, ou par son mouvement; car de laides universellement il n'en est, non plus que de belles; et les filles Brachmanes qui ont faute d'autre recommandation, le peuple assemblé à cri publiq pour cet effect, vont en la place, faisant montre de leurs parties matrimoniales, veoir si par là aumoins elles ne valent pas d'acquerir un mary.

Par consequent il n'est pas une qui ne se laisse facilement persuader au premier serment qu'on luy faict de la servir. Or de cette trahison commune et ordinaire des hommes d'aujourd'huy, il faut qu'il advienne ce que desjà nous montre l'experience, c'est qu'elles se r'alient et rejettent à elles mesmes, ou entre elles, pour nous fuyr;

---

a. « Quiconque de la flotte d'Argos a échappé à Capharée détourne toujours ses voiles des eaux de l'Eubée. » Ovide, *Tristes*, I, 1, 83.

ou bien qu'elles se rengent aussi de leur costé à cet exemple que nous leur donnons, qu'elles jouent leur part de la farce et se prestent à cette negotiation, sans passion, sans soing et sans amour. « *Neque affectui suo aut alieno obnoxiæ* [a] »; estimans, suivant la persuasion de Lysias en Platon[531], qu'elles se peuvent addonner utilement et commodéement à nous, d'autant que moins nous les aymons.

Il en ira comme des comedies; le peuple y aura autant ou plus de plaisir que les comediens.

De moy, je ne connois non plus Venus sans Cupidon qu'une maternité sans engence[b]; ce sont choses qui s'entreprestent et s'entredoivent leur essence. Ainsi cette pipperie rejallit sur celuy qui la faict. Il ne luy couste guiere, mais il n'acquiert aussi rien qui vaille. Ceux qui ont faict Venus Deesse, ont regardé que sa principale beauté estoit incorporelle et spirituelle; mais celle que ces gens cy cerchent n'est pas seulement humaine, ny mesme brutale. Les bestes ne la veulent si lourde et si terrestre! Nous voyons que l'imagination et le desir les eschauffe souvent et solicite avant le corps; nous voyons en l'un et l'autre sexe qu'en la presse elles ont du chois et du triage en leurs affections, et qu'elles ont entre-elles des accointances de longue bienveuillance. Celles mesmes à qui la vieillesse refuse la force corporelle, fremissent encores, hannissent[c] et tressaillent d'amour. Nous les voyons avant le faict pleines d'esperance et d'ardeur; et, quand le corps a joué son jeu, se chatouiller encor de la douceur de cette souvenance; et en voyons qui s'enflent de fierté au partir de là et qui en produisent des chants de feste et de triomphe : lasses et saoules. Qui n'a qu'à descharger le corps d'une necessité naturelle, n'a que faire d'y embesongner autruy à tout des appresaient si curieux; ce n'est pas viande à une grosse et lourde faim.

Comme celuy qui ne demande point qu'on me tienne pour meilleur que je suis, je diray cecy des erreurs de ma jeunesse. Non seulement pour le danger qu'il y a de la santé (si n'ay je sceu si bien faire que je n'en aye eu deux atteintes, legeres toutesfois et preambulaires[d]), mais encores

---

a. « Inaccessibles à toute passion, qu'elle vienne d'elles ou qu'elle vienne d'autrui. » Tacite, *Annales*, XIII, 45. — *b.* Enfants. — *c.* Hennissent. — *d.* Brèves (n'allant pas au-delà du préambule).

par mespris, je ne me suis guere addonné aux accointances
venales et publiques; j'ay voulu esguiser ce plaisir par la
difficulté, par le desir et par quelque gloire; et aymois la
façon de l'Empereur Tibere, qui se prenoit en ses amours
autant par la modestie et noblesse que par autre qualité[532]
et l'humeur de la courtisane Flora, qui ne se prestoit à
moins que d'un dictateur ou consul ou censeur, et prenoit
son déduit[a] en la dignité de ses amoureux[533]. Certes les
perles et le brocadel[b] y conferent quelque chose, et les
tiltres et le trein. Au demeurant, je faisois grand conte de
l'esprit, mais pourveu que le corps n'en fut pas à dire;
car, à respondre en conscience, si l'une ou l'autre des deux
beautez devoit necessairement y faillir, j'eusse choisi de
quitter plustost la spirituelle; elle a son usage en meilleures choses; mais, au subject de l'amour, subject qui
principallement se rapporte à la veue et à l'atouchement,
on faict quelque chose sans les graces de l'esprit, rien sans
les graces corporelles. C'est le vray avantage des dames
que la beauté. Elle est si leur que la nostre, quoy qu'elle
desire des traicts un peu autres, n'est en son point sans
confuse avec la leur, puerile et imberbe. On dict que chez
le grand Seigneur ceux qui le servent sous titre de beauté,
qui sont en nombre infini, ont leur congé, au plus loin,
à vingt et deux ans[534].

Les discours, la prudence et les offices d'amitié se
trouvent mieux chez les hommes; pourtant gouvernent-ils
les affaires du monde.

Ces deux commerces sont fortuites et despendans d'autruy. L'un est ennuyeux par sa rareté; l'autre se flestrit avec
l'aage; ainsin ils n'eussent pas assez prouveu au besoing
de ma vie. Celuy des livres, qui est le troisiesme, est bien
plus seur et plus à nous. Il cede aux premiers les autres
avantages, mais il a pour sa part la constance et facilité
de son service. Cettuy-cy costoie tout mon cours et m'assiste par tout. Il me console en la vieillesse et en la solitude. Il me descharge du pois d'une oisiveté ennuyeuse;
et me deffaict à toute heure des compaignies qui me faschent. Il emousse les pointures[c] de la douleur, si elle n'est
du tout extreme et maistresse. Pour me distraire d'une
imagination importune, il n'est que de recourir aux livres;

a. Plaisir. — *b.* Brocatelle, brocart. — *c.* Piqûres.

ils me destournent facilement à eux et me la desrobent. Et si[a], ne se mutinent point pour voir que je ne les recherche qu'au deffaut de ces autres commoditez, plus reelles, vives et naturelles; ils me reçoivent tousjours de mesme visage.

Il a beau[b] aller à pied, dit-on, qui meine son cheval par la bride; et nostre Jacques, Roy de Naples et de Sicile, qui, beau, jeune et sain, se faisoit porter par pays en civiere, couché sur un meschant oreiller de plume, vestu d'une robe de drap gris et un bonnet de mesme, suyvy cependant d'une grande pompe royale, lictieres, chevaux à main de toutes sortes, gentils-hommes et officiers[535], representoit une austerité tendre encores et chancellante; le malade n'est pas à plaindre qui a la guarison en sa manche. En l'experience et usage de cette sentence, qui est très-veritable, consiste tout le fruict que je tire des livres. Je ne m'en sers, en effect, quasi non plus que ceux qui ne les cognoissent poinct. J'en jouys, comme les avaritieux des tresors pour sçavoir que j'en jouyray quand il me plaira; mon ame se rassasie et contente de ce droict de possession. Je ne voyage sans livres ny en paix, ny en guerre. Toutesfois il se passera plusieurs jours, et des mois, sans que je les employe : « Ce sera tantost, fais-je, ou demain, ou quand il me plaira. » Le temps court et s'en va, ce pendant, sans me blesser. Car il ne se peut dire combien je me repose et sejourne en cette consideration, qu'ils sont à mon costé pour me donner du plaisir à mon heure, et à reconnoistre combien ils portent de secours à ma vie. C'est la meilleure munition que j'aye trouvé à cet humain voyage, et plains extremement les hommes d'entendement qui l'ont à dire[c]. J'accepte plustost toute autre sorte d'amusement, pour leger qu'il soit, d'autant que cettuy-cy ne me peut faillir.

Chez moy, je me destourne un peu plus souvent à ma librairie, d'où tout d'une main je commande à mon mesnage[536]. Je suis sur l'entrée et vois soubs moy mon jardin, ma basse court, ma court, et dans la pluspart des membres de ma maison. Là, je feuillette à cette heure un livre, à cette heure un autre, sans ordre et sans dessein, à pieces descousues; tantost je resve, tantost j'enregistre et dicte, en me promenant, mes songes que voicy.

a. Et pourtant. — *b.* Il est commode de. — *c.* Qui en sont privés.

Elle est au troisiesme estage d'une tour. Le premier, c'est ma chapelle, le second une chambre et sa suite, où je me couche souvent, pour estre seul. Au dessus, elle a une grande garderobe. C'estoit au temps passé le lieu plus inutile de ma maison. Je passe là et la plus part des jours de ma vie, et la plus part des heures du jour. Je n'y suis jamais la nuict. A sa suite est un cabinet assez poli, capable à recevoir du feu pour l'hyver, très-plaisamment percé. Et, si je ne craignoy non plus le soing que la despense, le soing qui me chasse de toute besongne, je pourroy facilement coudre à chaque costé une gallerie de cent pas de long et douze de large, à plein pied, ayant trouvé tous les murs montez, pour autre usage, à la hauteur qu'il me faut. Tout lieu retiré requiert un proumenoir. Mes pensées dorment si je les assis. Mon esprit ne va, si les jambes ne l'agitent. Ceux qui estudient sans livre, en sont tous là.

La figure en est ronde et n'a de plat que ce qu'il faut à ma table et à mon siege, et vient m'offrant en se courbant, d'une veuë, tous mes livres, rengez à cinq degrez tout à l'environ. Elle a trois veuës de riche et libre prospect[a], et seize pas de vuide en diametre. En hyver, j'y suis moins continuellement; car ma maison est juchée sur un tertre, comme dict son nom, et n'a point de piece plus esventée que cette cy; qui me plaist d'estre un peu penible et à l'esquart, tant pour le fruit de l'exercice que pour reculer de moy la presse. C'est là mon siege. J'essaie à m'en rendre la domination pure, et à soustraire ce seul coin à la communauté et conjugale, et filiale, et civile. Par tout ailleurs je n'ay qu'une auctorité verbale : en essence, confuse. Miserable à mon gré, qui n'a chez soy où estre à soy, où se faire particulièrement la cour, où se cacher! L'ambition paye bien ses gens de les tenir tousjours en montre, comme la statue d'un marché : « *Magna servitus est magna fortuna*[b]. » Ils n'ont pas seulement leur retraict[c] pour retraitte! Je n'ay rien jugé de si rude en l'austerité de vie que nos religieux affectent, que ce que je voy en quelqu'une de leurs compagnies, avoir pour regle une perpetuelle societé de lieu et assistance nombreuse entre eux, en quelque

---

a. Perspective. — *b.* « Une grande fortune est une grande servitude. » Sénèque, *Consolation à Polybe*, 26. — *c.* Cabinet d'aisances.

action que ce soit. Et trouve aucunement plus supportable d'estre tousjours seul, que ne le pouvoir jamais estre.

Si quelqu'un me dict que c'est avillir les muses de s'en servir seulement de jouet et de passetemps, il ne sçait pas, comme moy, combien vaut le plaisir, le jeu et le passetemps. A peine que je ne die toute autre fin estre ridicule. Je vis du jour à la journée; et, parlant en reverence, ne vis que pour moy : mes desseins se terminent là. J'estudiay, jeune, pour l'ostentation; depuis, un peu, pour m'assagir; à cette heure, pour m'esbatre; jamais pour le quest[a]. Une humeur vaine et despensiere que j'avois après cette sorte de meuble, non pour en pourvoir seulement mon besoing, mais de trois pas au delà pour m'en tapisser et parer, je l'ay pieça[b] abandonnée.

Les livres ont beaucoup de qualitez aggreables, à ceux qui les sçavent choisir; mais aucun bien sans peine : c'est un plaisir qui n'est pas net et pur, non plus que les autres; il a ses incommoditez, et bien poisantes[c]; l'ame s'y exerce, mais le corps, duquel je n'ay non plus oublié le soing, demeure ce pendant sans action, s'atterre et s'attriste. Je ne sçache excez plus dommageable pour moy, ny plus à eviter en cette declinaison d'aage.

Voilà mes trois occupations favories et particulieres. Je ne parle point de celles que je doibs au monde par obligation civile.

CHAPITRE IV

DE LA DIVERSION

J'AY autresfois esté emploié à consoler une dame vraiement affligée; car la plus part de leurs deuils sont artificiels et ceremonieux :

Uberibus semper lachrimis, sempérque paratis
In statione sua, atque expectantibus illam,
Quo jubeat manare modo[d].

---

a. Gain. — b. Il y a longtemps. — c. Pesantes. — d. « Elle a des larmes toujours abondantes et toujours prêtes qui attendent à leur poste qu'elle leur prescrive de quelle façon couler. » Juvénal, VI, 272.

On y procede mal quand on s'oppose à cette passion, car l'opposition les pique et les engage plus avant à la tristesse; on exaspere le mal par la jalousie du debat. Nous voyons, des propos communs, que ce que j'auray dict sans soing, si on vient à me le contester, je m'en formalise, je l'espouse; beaucoup plus ce à quoy j'aurois interest. Et puis, en ce faisant, vous vous presentés à vostre operation d'une entrée rude, là où les premiers accueils du medecin envers son patient doivent estre gracieux, gays et aggreables; et jamais medecin laid et rechigné n'y fit œuvre. Au contraire doncq, il faut ayder d'arrivée et favoriser leur plaincte, et en tesmoigner quelque approbation et excuse. Par cette intelligence vous gaignez credit à passer outre, et, d'une facile et insensible inclination, vous vous coulez aus discours plus fermes et propres à leur guerison.

Moy, qui ne desirois principalement que de piper l'assistance qui avoit les yeux sur moy, m'advisay de plastrer le mal. Aussi me trouvé je par experience avoir mauvaise main et infructueuse à persuader. Ou je presente mes raisons trop pointues et trop seiches, ou trop brusquement, ou trop nonchalamment. Après que je me fus appliqué un temps à son tourment, je n'essayai pas de le guarir par fortes et vives raisons, par ce que j'en ay faute, ou que je pensois autrement faire mieux mon effect; ny n'allay choisissant les diverses manieres que la philosophie prescrit à consoler : « Que ce qu'on plaint n'est pas mal », comme Cleanthes; « Que c'est un leger mal », comme les Peripateticiens; « Que ce plaindre n'est action ny juste ny louable », comme Chrysippus; ny cette cy d'Epicurus, plus voisine à mon style, de transferer la pensée des choses fascheuses aux plaisantes; ny faire une charge de tout cet amas, le dispensant par occasion, comme Cicero[537]; mais, declinant[a] tout mollement noz propos et les gauchissant[b] peu à peu aus subjects plus voisins, et puis un peu plus esloingnez, selon qu'elle se prestoit plus à moy, je luy desrobay imperceptiblement cette pensée douleureuse[c], et la tins en bonne contenance et du tout r'apaisée autant que j'y fus. J'usay de diversion. Ceux qui me suyvirent à ce mesme service n'y trouverent aucun amendement, car je n'avois pas porté la coignée aux racines.

a. Détournant. — *b.* Déviant. — *c.* Douloureuse.

A l'adventure ay-je touché ailleurs[538] quelque espece de diversions publiques. Et l'usage des militaires[a], de quoy se servit Pericles en la guerre Peloponnesiaque, et mille autres ailleurs, pour revoquer de leurs païs les forces contraires, est trop frequent aux histoires.

Ce fut un ingenieux destour, dequoy le Sieur de Himbercourt sauva et soy et d'autres, en la ville du Liege, où le Duc de Bourgoigne, qui la tenoit assiegée, l'avoit fait entrer pour executer les convenances de leur reddition accordée. Ce peuple, assemblé de nuict pour y pourvoir, print à se mutiner contre ces accords passez; et delibererent plusieurs de courre sus aux negotiateurs qu'ils tenoyent en leur puissance. Luy, sentant le vent de la premiere ondée de ces gens qui venoyent se ruer en son logis, lâcha soudain vers eux deux des habitans de la ville (car il y en avoit aucuns avec luy), chargez de plus douces et nouvelles offres à proposer en leur conseil, qu'il avoit forgées sur le champ pour son besoing. Ces deux arresterent la premiere tempeste, ramenant cette tourbe esmeuë[b] en la maison de ville pour ouyr leur charge et y deliberer. La deliberation fut courte; voicy desbonder un second orage, autant animé que l'autre; et luy à leur despecher en teste quatre nouveaux et semblables intercesseurs, protestans avoir à leur declarer à ce coup des presentations plus grasses, du tout[c] à leur contentement et satisfaction, par où ce peuple fut derechef repoussé dans le conclave. Somme que[d], par telle dispensation d'amusemens, divertissant leur furie et la dissipant en vaines consultations, il l'endormit en fin et gaigna le jour, qui estoit son principal affaire[539].

Cet autre compte est aussi de ce predicament[e]. Atalante, fille de beauté excellente et de merveilleuse disposition, pour se deffaire de la presse de mille poursuivants qui la demandoient en mariage, leur donna cette loy, qu'elle accepteroit celuy qui l'egaleroit à la course, pourveu que ceux qui y faudroient en perdissent la vie. Il s'en trouva assez qui estimerent ce pris digne d'un tel hazard et qui encoururent la peine de ce cruel marché. Hyppomenes, ayant à faire son essay après les autres, s'adressa à la deesse tutrisse de cette amoureuse ardeur, l'appellant à

---

a. Diversions militaires. — *b.* Foule excitée. — *c.* Tout à fait. — *d.* Si bien que finalement. — *e.* Sujet.

son secours ; qui, exauçant sa priere, le fournit de trois pommes d'or et de leur usage. Le champ de la course ouvert, à mesure que Hippomenes sent sa maistresse luy presser les talons, il laisse eschapper, comme par inadvertance, l'une de ces pommes. La fille, amusée de sa beauté, ne faut[a] point de se destourner pour l'amasser.

> *Obstupuit virgo, nitidique cupidine pomi*
> *Declinat cursus, aurumque volubile tollit*[b].

Autant en fit-il, à son poinct[c], et de la seconde et de la tierce, jusques à ce que, par ce fourvoyement et divertissement, l'advantage de la course luy demeura.

Quand les medecins ne peuvent purger le catarre, ils le divertissent et le desvoyent à une autre partie moins dangereuse. Je m'apperçoy que c'est aussi la plus ordinaire recepte aux maladies de l'ame. « *Abducendus etiam nonnunquam animus est ad alia studia, solicitudines, curas, negotia; loci denique mutatione, tanquam ægroti non convalescentes, sæpe curandus est*[d]. » On luy faict peu choquer les maux de droit fil ; on ne luy en faict ny soustenir ni rabattre l'ateinte, on la luy faict decliner et gauchir[e].

Cette autre leçon est trop haute et trop difficile. C'est à faire à ceux de la premiere classe de s'arrester purement à la chose, la considerer, la juger. Il apartient à un seul Socrates d'accointer la mort d'un visage ordinaire, s'en aprivoiser et s'en jouer. Il ne cherche point de consolation hors de la chose ; le mourir luy semble accident naturel et indifferent ; il fiche[f] là justement sa veuë, et s'y resoult, sans regarder ailleurs. Les disciples de Hegesias, qui se font mourir de faim, eschauffez des beaux discours de ses leçons, et si dru que le Roy Ptolemée luy fit defendre d'entretenir plus son escole de ces homicides discours[540], ceux-là ne considerent point la mort en soy, ils ne la jugent point : ce n'est pas là où ils arrestent leur pensée ; ils courent, ils

---

a. Manque. — *b.* « La vierge est saisie d'étonnement et, séduite par le fruit brillant, elle se détourne de sa course et ramasse l'or qui roule à ses pieds. » Ovide, *Métamorphoses*, X, 666. — *c.* A son heure. — *d.* « Il faut même parfois détourner l'âme vers d'autres goûts, d'autres préoccupations, d'autres soins, d'autres travaux ; souvent enfin c'est par le changement de lieu, comme les malades qui ne reprennent point leur force, qu'il faut le soigner. » Cicéron, *Tusculanes*, IV, xxxv. — *e.* Détourner et éviter. — *f.* Fixe.

visent à un estre nouveau. Ces pauvres gens qu'on void sur un eschafaut, remplis d'une ardente devotion, y occupant tous leurs sens autant qu'ils peuvent, les aureilles aux instructions qu'on leur donne, les yeux et les mains tendues au ciel, la voix à des prieres hautes, avec une esmotion aspre et continuelle, font certes chose louable et convenable à une telle necessité. On les doibt louer de religion, mais non proprement de constance. Ils fuyent la luicte; ils destournent de la mort leur consideration, comme on amuse les enfans pendant qu'on leur veut donner le coup de lancette. J'en ay veu, si par fois leur veuë se ravaloit à ces horribles aprests de la mort qui sont autour d'eux, s'en transir et rejetter avec furie ailleurs leur pensée. A ceux qui passent une profondeur effroyable, on ordonne de clorre ou destourner leurs yeux.

Subrius Flavius, ayant par le commandement de Neron à estre deffaict, et par les mains de Niger, tous deux chefs de guerre, quand on le mena au champ où l'execution devoit estre faicte, voyant le trou que Niger avoit faict caver pour le mettre, inegal et mal formé : « Ny cela mesme, dict-il, se tournant aux soldats qui y assistoyent, n'est selon la discipline militaire. » Et à Niger qui l'exhortoit de tenir la teste ferme : « Frapasses tu seulement aussi ferme! » Et devina bien, car, le bras tremblant à Niger, il la luy coupa à divers coups[541]. Cettuy-cy semble bien avoir eu sa pensée droittement et fixement au subject.

Celuy qui meurt en la meslée, les armes à la main, il n'estudie pas lors la mort, il ne la sent ny ne la considere; l'ardeur du combat l'emporte. Un honneste homme de ma cognoissance, estant tombé en combatant en estacade[a], et se sentant daguer à terre par son ennemy de neuf ou dix coups, chacun des assistans luy criant qu'il pensat à sa conscience, me dict depuis, qu'encore que ces voix luy vinsent aux oreilles, elles ne l'avoient aucunement touché, et qu'il ne pensa jamais qu'à se descharger et à se venger. Il tua son homme en ce mesme combat.

Beaucoup fit pour L. Syllanus celuy qui luy apporta sa condamnation, de ce qu'ayant ouy sa responce qu'il estoit bien preparé à mourir, mais non pas de mains scelérées[b],

---

a. En champ clos, dans la lice. — La leçon *estocade* de l'édition de 1595 semble fautive. — *b.* Criminelles.

se ruant sur luy, avec ses soldats pour le forcer, et luy, tout desarmé, se defandant obstinéement de poings et de pieds, le fit mourir en ce débat[a] : dissipant en prompte cholere et tumultuaire[b] le sentiment penible d'une mort longue et preparée, à quoy il estoit destiné[542].

Nous pensons tousjours ailleurs; l'esperance d'une meilleure vie nous arreste et appuye, ou l'esperance de la valeur de nos enfans, ou la gloire future de nostre nom, ou la fuite des maux de cette vie, ou la vengeance qui menasse ceux qui nous causent la mort,

> *Spero equidem mediis, si quid pia numina possunt,*
> *Supplicia hausurum scopulis, et nomine Dido*
> *Sæpe vocaturum...*
> *Audiam, et hæc manes veniet mihi fama sub imos*[c].

Xenophon sacrifioit couroné, quand on luy vint annoncer la mort de son fils Gryllus en la bataille de Mantinée. Au premier sentiment de cette nouvelle, il jette à terre sa couronne; mais, par la suite du propos, entendant la forme d'une mort très-valeureuse, il l'amassa et remit sur sa teste[543].

Epicurus mesme se console en sa fin sur l'eternité et utilité de ses escrits. « *Omnes clari et nobilitati labores fiunt tolerabiles*[d]. » Et la mesme playe, le mesme travail ne poise pas, dict Xenophon, à un general d'armée, comme à un soldat[544]. Epaminondas print sa mort bien plus alaigrement, ayant esté informé que la victoire estoit demeurée de son costé. « *Hæc sunt solatia, hæc fomenta summorum dolorum*[e]. » Et telles autres circonstances nous amusent, divertissent et destournent de la consideration de la chose en soy.

Voire les arguments de la philosophie vont à tous coups costoians et gauchissans[f] la matiere, et à peine essuians sa crouste. Le premier homme de la premiere eschole philosophique et surintendante des autres, ce grand Zenon,

---

a. Combat. — *b.* Confusion. — *c.* « J'espère pour moi que, si les justes divinités ont quelque pouvoir, tu épuiseras tous les supplices au milieu des écueils en prônonçant souvent le nom de Didon... Je le saurai et la nouvelle en viendra jusqu'à moi sous les profondeurs des mânes. » Virgile, *Énéide,* IV, 382, 387. — *d.* Tous les travaux glorieux et réputés deviennent supportables. » Cicéron, *Tusculanes,* II, xxiv. — *e.* « Voilà les consolations, voilà les baumes des plus grandes douleurs. » Sentence tirée, comme la précédente, des *Tusculanes,* II, xxiv — *f.* Évitant.

contre la mort : « Nul mal n'est honorable; la mort l'est, elle n'est doncq pas mal »; contre l'yvrongnerie : « Nul ne fie son secret à l'yvrongne; chacun le fie au sage; le sage ne sera doncq pas yvrongne[545]. » Cela est-ce donner au blanc[a]? J'ayme à veoir ces ames principales ne se pouvoir desprendre de nostre consorce. Tant parfaicts hommes qu'ils soyent, ce sont tousjours bien lourdement des hommes.

C'est une douce passion que la vengeance, de grande impression et naturelle; je le voy bien, encore que je n'en aye aucune experience. Pour en distraire dernierement un jeune prince[546], je ne luy allois pas disant qu'il falloit prester la jouë à celuy qui vous avoit frappé l'autre, pour le devoir de charité; ny ne luy allois representer les tragiques evenements que la poësie attribue à cette passion. Je la laissay là et m'amusay à luy faire gouster la beauté d'une image contraire; l'honneur, la faveur, la bien-veillance qu'il acquerroit par clemence et bonté; je le destournay à l'ambition. Voylà comment on en faict.

« Si votre affection en l'amour est trop puissante, dissipez la », disent ils; et disent vray, car je l'ay souvant essayé avec utilité; rompez la à divers desirs, desquels il y en ayt un regent et un maistre, si vous voulez; mais, depeur qu'il ne vous gourmande et tyrannise, affoiblissez le, sejournez le, en le divisant et divertissant :

> *Cum morosa vago singultiet inguine vena*[b]...
>
> *Conjicito humorem collectum in corpora quæque*[c].

Et pourvoyez y de bonne heure, de peur que vous n'en soyez en peine, s'il vous a une fois saisi,

> *Si non prima novis conturbes vulnera plagis,*
> *Volgivagaque vagus venere ante recentia cures*[d].

Je fus autrefois touché d'un puissant desplaisir[e], selon ma complexion, et encores plus juste que puissant; je m'y

---

a. Dans le but. — *b.* « Lorsque l'aine est tourmentée par un désir violent... » Perse, VI, 73. — *c.* « Jetez dans le premier corps venu la liqueur amassée en vous. » Lucrèce, IV, 1065. — *d.* « Si vous n'effacez pas de nouvelles plaies les premières blessures, si au hasard des rencontres vous ne les confiez encore fraîches aux soins de la Vénus vagabonde. » Lucrèce, IV, 1070. — *e.* Chagrin.

fusse perdu à l'avanture si je m'en fusse simplement fié à mes forces[547]. Ayant besoing d'une vehemente diversion pour m'en distraire, je me fis, par art, amoureux, et par estude, à quoy l'aage m'aidoit. L'amour me soulagea et retira du mal qui m'estoit causé par l'amitié. Par tout ailleurs de mesme : une aigre imagination me tient; je trouve plus court, que de la dompter, la changer; je luy en substitue, si je ne puis une contraire, aumoins un'autre. Tousjours la variation soulage, dissout et dissipe. Si je ne puis la combatre, je luy eschape, et en la fuyant je fourvoye, je ruse; muant de lieu, d'occupation, de compaignie, je me sauve dans la presse d'autres amusemens et pensées, où elle perd ma trace et m'esgare.

Nature procede ainsi par le benefice de l'inconstance; car le temps, qu'elle nous a donné pour souverain medecin de nos passions, gaigne son effaict principalement par là, que, fournissant autres et autres affaires à nostre imagination, il demesle et corrompt cette premiere apprehension, pour forte qu'elle soit. Un sage ne voit guiere moins son amy mourant, au bout de vint et cinq ans qu'au premier an; et, suivant Epicurus, de rien moins, car il n'attribuoit aucun leniment[a] des fascheries, ny à la prevoyance, ny à la vieillesse d'icelles[548]. Mais tant d'autres cogitations[b] traversent cette-cy qu'elle s'alanguit et se lasse en fin.

Pour destourner l'inclination des bruits communs, Alcibiades coupa les oreilles et la queue à son beau chien et le chassa en la place, afin que, donnant ce subject pour babiller au peuple, il laissat en paix ses autres actions[549]. J'ay veu aussi, pour cet effect de divertir les opinions et conjectures du peuple et desvoyer les parleurs, des femmes couvrir leurs vrayes affections par des affections contrefaictes. Mais j'en ay veu telle qui, en se contrefaisant, s'est laissée prendre à bon escient, et a quitté la vraye et originelle affection pour la feinte; et aprins par elle que ceux qui se trouvent bien logez sont des sots de consentir à ce masque. Les accueils et entretiens publiques estans reservez à ce serviteur aposté[c], croyez qu'il n'est guere habile s'il ne se met en fin en vostre place et vous envoye en la sienne. Cela, c'est proprement tailler et coudre un soulier pour qu'un autre le chausse.

---

a. Adoucissement. — *b.* Pensées. — *c.* Placé là à dessein.

Peu de chose nous divertit et destourne, car peu de chose nous tient [a]. Nous ne regardons gueres les subjects en gros et seuls; ce sont des circonstances ou des images menues et superficieles qui nous frapent, et des vaines escorces qui rejalissent des subjects,

*Folliculos ut nunc teretes æstate cicadæ
Linquunt* [b];

Plutarque mesme regrette sa fille par des singeries de son enfance[550]. Le souvenir d'un adieu, d'une action, d'une grace particuliere, d'une recommandation derniere, nous afflige. La robe de Cæsar[551] troubla toute Romme, ce que sa mort n'avoit pas faict. Le son mesme des noms, qui nous tintoüine aux oreilles : « Mon pauvre maistre! » ou « Mon grand amy! » « Hélas! mon cher père! » ou, « Ma bonne fille! » quand ces redites me pinsent et que j'y regarde de près, je trouve que c'est une plainte grammairiene et voyelle [c]. Le mot et le ton me blessent (comme les exclamations des prescheurs esmouvent leur auditoire souvant plus que ne font leurs raisons et comme nous frappe la voix piteuse d'une beste qu'on tue pour nostre service); sans que je poise [d], ou penetre cependant la vraye essence et massive de mon subject;

His se stimulis dolor ipse lacessit [e];

ce sont les fondemens de nostre deuil.

L'opiniastreté de mes pierres, specialement en la verge, m'a par fois jetté en longues suppressions d'urine, de trois, de quatre jours, et si avant en la mort que c'eust esté follie d'esperer l'eviter, voyre desirer, veu les cruels efforts que cet estat apporte. O que ce bon Empereur[552] qui faisoit lier la verge à ses criminels pour les faire mourir à faute de pisser, estoit grand maistre en la science de bourrellerie! Me trouvant là, je consideroy par combien legeres causes et objects l'imagination nourrissoit en moy le regret de la vie; de quels atomes se bastissoit en mon ame le poids et la difficulté de ce deslogement; à combien

---

a. Retient. — *b.* « Comme de nos jours les cigales l'été abandonnent leurs rondes tuniques. » Lucrèce, V, 803. — *c.* Vocale. — *d.* Pèse. — *e.* « Par ces aiguillons la douleur s'excite elle-même. » Lucain, *Pharsale*, II 42.

frivoles pensées nous donnions place en un si grand affaire ;
un chien, un cheval, un livre, un verre, et quoy non ?
tenoient compte en ma perte. Aux autres leurs ambitieuses
esperances, leur bourse, leur science, non moins sottement
à mon gré. Je voyois nonchalamment la mort, quand je
la voyois universellement, comme fin de la vie ; je la gourmande en bloc ; par le menu, elle me pille. Les larmes
d'un laquais, la dispensation de ma desferre[a], l'attouchement d'une main connue, une consolation commune
me desconsole et m'attendrit.

Ainsi nous troublent l'ame les plaintes des fables ; et les
regrets de Didon et d'Ariadné passionnent ceux mesmes
qui ne les croyent point en Virgile et en Catulle. C'est
un exemple de nature obstinée et dure n'en sentir aucune
emotion, comme on recite pour miracle de Polemon ; mais
aussi ne pallit il pas seulement à la morsure d'un chien
enragé qui lui emporta le gras de la jambe[553]. Et nulle
sagesse ne va si avant de concevoir la cause d'une tristesse si vive et entiere par jugement, qu'elle ne souffre
accession par la presence, quand les yeux et les oreilles
y ont part, parties qui ne peuvent estre agitées que par
vains accidens.

Est-ce raison que les arts mesmes se servent et facent
leur proufit de nostre imbecilité et bestise naturelle ? L'Orateur, dict la rethorique, en cette farce de son plaidoier
s'esmouvera par le son de sa voix et par ses agitations
feintes, et se lairra piper à la passion qu'il représente. Il
s'imprimera un vray deuil et essentiel, par le moyen de
ce battelage qu'il joüe, pour le transmettre aux juges, à
qui il touche encore moins : comme font ces personnes
qu'on loüe aus mortuaires pour ayder à la ceremonie du
deuil, qui vendent leurs larmes à pois et à mesure et leur
tristesse ; car, encore qu'ils s'esbranlent en forme empruntée, toutesfois, en habituant et rengeant la contenance, il
est certain qu'ils s'emportent souvant tous entiers et
reçoivent en eux une vraye melancholie.

Je fus, entre plusieurs autres de ses amis, conduire à
Soissons le corps de monsieur de Gramont, du siege de
La Fere, où il fut tué[554]. Je consideray que, par tout où
nous passions, nous remplissions de lamentation et de

---

a. La distribution de mes hardes.

pleurs le peuple que nous rencontrions, par la seule montre de l'appareil de nostre convoy; car seulement le nom du trepassé n'y estoit pas cogneu.

Quintilian dict[555] avoir veu des comediens si fort engagez en un rolle de deuil qu'ils en pleuroient encores au logis; et de soy mesmes qu'ayant prins à esmouvoir quelque passion en autruy, il l'avoit espousée jusques à se trouver surprins non seulement de larmes, mais d'une palleur de visage et port d'homme vrayement accablé de douleur.

En une contrée près de nos montaignes, les femmes font le prestre martin[556]; car, comme elles agrandissent le regret du mary perdu par la souvenance des bonnes et agreables conditions qu'il avoit, elles font tout d'un trein[a] aussi recueil et publient ses imperfections, comme pour entrer d'elles mesmes en quelque compensation et se divertir de la pitié au desdain, de bien meilleure grace encore que nous qui, à la perte du premier connu, nous piquons à luy prester des louanges nouvelles et fauces, et à le faire tout autre, quand nous l'avons perdu de veuë, qu'il ne nous sembloit estre quand nous le voyions; comme si le regret estoit une partie instructive; ou que les larmes, en lavant nostre entendement, l'esclaircissent. Je renonce dès à present aux favorables tesmoignages qu'on me voudra donner, non par ce que j'en seray digne, mais par ce que je seray mort.

Qui demandera à celuy là : « Quel interest avez vous à ce siege? — L'interest de l'exemple, dira il, et de l'obeyssance commune du prince; je n'y pretens proffit quelconque; et de gloire, je sçay la petite part qui en peut toucher un particulier comme moy; je n'ay icy ny passion, ny querelle. » Voyez le pourtant le lendemain, tout changé, tout bouillant et rougissant de cholere en son ranc de bataille pour l'assaut; c'est la lueur de tant d'acier et le feu et tintamarre de nos canons et de nos tambours qui luy ont jetté cette nouvelle rigueur et hayne dans les veines. « Frivole cause! » me direz vous. Comment cause? Il n'en faut point pour agiter nostre ame; une resverie sans corps et sans suject la regente et l'agite. Que je me jette à faire des chasteaux en Espaigne, mon imagination m'y forge des commoditez et des plaisirs desquels mon

---

a. Tout de suite.

ame est réellement chatouillée et resjouye. Combien de fois embrouillons nous nostre esprit de cholere ou de tristesse par telles ombres, et nous inserons en des passions fantastiques qui nous alterent et l'ame et le corps! Quelles grimaces estonnées, riardes, confuses excite la resverie en nos visages! Quelles saillies et agitations de membres et de voix! Semble-il pas de cet homme seul qu'il aye des visions fauces d'une presse d'autres hommes avec qui il negocie, ou quelque demon interne qui le persecute? Enquerez vous à vous où est l'object de cette mutation : est il rien, sauf nous, en nature, que l'inanité sustante, sur quoy elle puisse?

Cambises, pour avoir songé en dormant que son frere devoit devenir Roy de Perse, le fit mourir[557]; un frere qu'il aimoit et duquel il s'estoit tousjours fié! Aristodemus, Roy des Messeniens, se tua pour une fantasie qu'il print de mauvais augure de je ne sçay quel hurlement de ses chiens[558]. Et le Roy Midas en fit autant, troublé et faché de quelque mal plaisant songe qu'il avoit songé. C'est priser sa vie justement ce qu'elle est, de l'abandonner pour un songe.

Oyez pourtant nostre ame triompher de la misere du corps, de sa foiblesse, de ce qu'il est en butte à toutes offences et alterations; vrayement elle a raison d'en parler :

O prima infœlix fingenti terra Prometheo!
Ille parum cauti pectoris egit opus.
Corpora disponens, mentem non vidit in arte;
Recta animi primum debuit esse via [a].

---

a. « Oh! le malheur du premier argile que pétrit Prométhée; il ne prit pas assez garde au cœur en faisant son œuvre; en ordonnant le corps, il n'a pas vu l'esprit dans son art; pour bien faire il aurait dû commencer par l'âme. » Properce, III, v, 7.

CHAPITRE V

SUR DES VERS DE VIRGILE

A mesure que les pensemens utiles sont plus plains et solides, ils sont aussi plus empeschans et plus onereux. Le vice, la mort, la pauvreté, les maladies, sont subjets graves et qui grevent. Il faut avoir l'ame instruite des moyens de soustenir et combatre les maux, et instruite des reigles de bien vivre et de bien croire, et souvent l'esveiller et exercer en cette belle estude; mais à une ame de commune sorte il faut que ce soit avec relâche et moderation : elle s'affole d'estre trop continuellement bandée.

J'avoy besoing en jeunesse de m'advertir et solliciter pour me tenir en office; l'alegresse et la santé ne conviennent pas tant bien, dict-on, avec ces discours serieux et sages. Je suis à present en un autre estat; les conditions de la vieillesse ne m'advertissent que trop, m'assagissent et me preschent. De l'excez de la gayeté je suis tombé en celuy de la severité, plus fâcheus. Parquoy je me laisse à cette heure aller un peu à la desbauche par dessein; et emploie quelque fois l'ame à des pensemens folastres et jeunes, où elle se sejourne. Je ne suis meshuy[a] que trop rassis, trop poisant[b] et trop meur[c]. Les ans me font leçon, tous les jours, de froideur et de temperance. Ce corps fuyt le desreiglement et le craint. Il est à son tour[d] de guider l'esprit vers la reformation. Il regente à son tour, et plus rudement et imperieusement. Il ne me laisse pas une heure, ny dormant ny veillant, chaumer d'instruction, de mort, de patience et de pœnitence. Je me deffens de la temperance comme j'ay faict autresfois de la volupté. Elle me tire trop arriere, et jusques à la stupidité. Or je veus estre maistre de moy, à tout sens. La sagesse a ses excés et n'a pas moins besoin de moderation que la folie. Ainsi, de peur que je ne seche, tarisse

---

a. Désormais. — *b.* Pesant. — *c.* Mûr. — *d.* C'est son tour.

et m'aggrave de prudence, aus intervalles que mes maux me donnent,

> *Mens intenta suis ne siet usque malis*[a],

je gauchis[b] tout doucement, et desrobe ma veuë de ce ciel orageux et nubileux que j'ay devant moy : lequel, Dieu mercy, je considere bien sans effroy, mais non pas sans contention et sans estude; et me vois amusant[c] en la recordation[d] des jeunesses passées,

> *animus quod perdidit optat,*
> *Atque in præterita se totus imagine versat*[e].

Que l'enfance regarde devant elle, la vieillesse derriere : estoit-ce pas ce que signifioit le double visage de Janus? Les ans m'entrainent s'ils veulent, mais à reculons! Autant que mes yeux peuvent reconnoistre cette belle saison expirée, je les y destourne à secousses. Si elle eschappe de mon sang et de mes veines, aumoins n'en veus-je desraciner l'image de la memoire,

> *hoc est*
> *Vivere bis, vita posse priore frui*[f].

Platon ordonne[559] aux vieillards d'assister aux exercices, danses et jeux de la jeunesse, pour se rejouir en autruy de la souplesse et beauté du corps qui n'est plus en eux, et rappeller en leur souvenance la grace et faveur de cet aage fleurissant, et veut qu'en ces esbats ils attribuent l'honneur de la victoire au jeune homme qui aura le plus esbaudi et resjoui, et plus grand nombre d'entre eux.

Je merquois autresfois les jours poisans[g] et tenebreux comme extraordinaires : ceux-là sont tantost les miens ordinaires; les extraordinaires sont les beaux et serains. Je m'en vay au train de tressaillir comme d'une nouvelle faveur quand aucune chose ne me deult[h]. Que je me chatouille, je ne puis tantost plus arracher un pauvre rire

---

a. « De peur que mon âme ne soit toujours attentive à ses maux. » Ovide, *Tristes*, IV, 1, 4. — *b.* Détourne. — *c.* Je vais m'amusant. — *d.* Au rappel. — *e.* « L'âme désire ce qu'elle a perdu, et se tourne tout entière en imagination dans le passé. » Pétrone, *Satyricon,* 128. — *f.* « C'est vivre deux fois que de pouvoir jouir de la vie passée. » Martial, *Épigrammes,* X, XXIII, 7. — *g.* Pesants. — *h.* Ne m'afflige, ne me fait mal.

de ce meschant corps. Je ne m'esgaye qu'en fantasie et en songe, pour destourner par ruse le chagrin de la vieillesse. Mais certes il y faudroit autre remede qu'en songe : foible luicte de l'art contre la nature. C'est grand simplesse d'alonger et anticiper, comme chacun faict, les incommoditez humaines; j'ayme mieux estre moins long temps vieil que d'estre vieil avant que de l'estre. Jusques aux moindres occasions de plaisir que je puis rencontrer, je les empoigne. Je connois bien par ouir dire plusieurs especes de voluptez prudentes, fortes et glorieuses; mais l'opinion ne peut pas assez sur moy pour m'en mettre en appetit. Je ne les veux pas tant magnanimes, magnifiques et fastueuses, comme je les veux doucereuses, faciles et prestes. « *A natura discedimus; populo nos damus, nullius rei bono auctori* [a]. »

Ma philosophie est en action, en usage naturel et present, peu en fantasie. Prinsse je [b] plaisir à jouer aux noisettes et à la toupie!

Non ponebat enim rumores ante salutem [c].

La volupté est qualité peu ambitieuse : elle s'estime assez riche de soy sans y mesler le pris de la reputation, et s'ayme mieux à l'ombre. Il faudroit donner le fouët à un jeune homme qui s'amuseroit à choisir le goust du vin et des sauces. Il n'est rien que j'aye moins sceu et moins prisé. A cette heure je l'apprens. J'en ay grand honte, mais qu'y feroy-je? J'ay encore plus de honte et de despit des occasions qui m'y poussent. C'est à nous à resver et baguenauder et à la jeunesse de se tenir sur la reputation et sur le bon bout : elle va vers le monde, vers le credit; nous en venons. « *Sibi arma, sibi equos, sibi hastas, sibi clavam, sibi pilam, sibi natationes et cursus habeant; nobis senibus, ex lusionibus multis, talos relinquant et tesseras* [d]. »

---

a. « Nous nous éloignons de la nature; nous faisons comme le peuple qui n'est en aucune chose un bon guide. » Sénèque, *Épîtres*, 99. — *b.* Puissé-je prendre. — *c.* « Il ne mettait pas les rumeurs [du peuple] au-dessus du salut [de l'État]. » Ennius, cité par Cicéron, *De officiis*, I, 24. — *d.* « A eux les armes, à eux les chevaux, à eux les lances, à eux la massue, à eux la paume, à eux la nage et la course; à nous, vieillards, parmi tant de jeux, qu'ils nous laissent les dés et les osselets. » Cicéron, *De senectute*, XVI.

Les loix mesme nous envoyent au logis. Je ne puis moins, en faveur de cette chetive condition où mon aage me pousse, que de luy fournir de jouets et d'amusoires, comme à l'enfance : aussi y retombons nous. Et la sagesse et la folie auront prou à faire à m'estayer et secourir par offices alternatifs, en cette calamité d'aage :

> *Misce stultitiam consiliis brevem*[a].

Je fuis de mesme les plus legeres pointures[b] ; et celles qui ne m'eussent pas autres-fois esgratigné, me transpercent à cette heure : mon habitude commence de s'appliquer si volontiers au mal ! « *In fragili corpore odiosa omnis offensio est*[c]. »

> *Ménsque pati durum sustinet ægra nihil*[d].

J'ay esté tousjours chatouilleux et delicat aux offences ; je suis plus tendre à cette heure, et ouvert par tout,

> *Et minimæ vires frangere quassa valent*[e].

Mon jugement m'empesche bien de regimber et gronder contre les inconvenients que nature m'ordonne à souffrir, mais non pas de les sentir. Je courrois d'un bout du monde à l'autre chercher un bon an de tranquillité plaisante et enjouée, moy qui n'ay autre fin que vivre et me resjouyr. La tranquillité sombre et stupide se trouve assez pour moy, mais elle m'endort et enteste : je ne m'en contente pas. S'il y a quelque personne, quelque bonne compaignie aux champs, en la ville, en France ou ailleurs, resseante ou voyagere, à qui mes humeurs soient bonnes, de qui les humeurs me soient bonnes, il n'est que de siffler en paume, je leur iray fournir des essays en cher et en os.

Puisque c'est le privilege de l'esprit de se r'avoir de la vieillesse, je luy conseille, autant que je puis, de le faire ;

---

a. « Mêle à ta sagesse un grain de folie. » Horace, *Odes*, IV, xii, 27. — b. Piqûres, atteintes (de la douleur). — c. « Dans un corps frêle, toute atteinte est insupportable. » Cicéron, *De senectute*, XVIII. — d. « Et une âme malade ne peut rien endurer. » Ovide, *Pontiques*, I, v, 18. — e. « Et le moindre effort suffit à briser ce qui est déjà fêlé. » Ovide, *Tristes*, III, xi, 22.

qu'il verdisse, qu'il fleurisse ce pendant, s'il peut, comme le guy sur un arbre mort. Je crains que c'est un traistre : il s'est si estroittement afferé au corps qu'il m'abandonne à tous coups pour le suyvre en sa necessité. Je le flatte à part, je le practique pour neant. J'ay beau essayer de le destourner de cette colligeance, et luy presenter et Seneque et Catulle, et les dames, et les dances royales ; si son compagnon a la cholique, il semble qu'il l'ait aussi. Les operations mesmes qui luy sont particulieres et propres ne se peuvent lors souslever; elles sentent evidemment au morfondu [a]. Il n'y a poinct d'allegresse en ses productions, s'il n'en y a quand et quand [b] au corps.

Noz maistres ont tort dequoy, cherchant les causes des eslancements extraordinaires de nostre esprit, outre ce qu'ils en attribuent à un ravissement divin, à l'amour, à l'aspreté guerriere, à la poësie, au vin [560], ils n'en ont donné sa part à la santé; une santé bouillante, vigoureuse, pleine, oisifve, telle qu'autrefois la verdeur des ans et la securité me la fournissoient par venuës. Ce feu de gayeté suscite en l'esprit des eloises [c] vives et claires, outre nostre portée naturelle et entre les enthousiasmes les plus gaillards, si non les plus esperdus. Or bien ce n'est pas merveille si un contraire estat affesse mon esprit, le clouë et faict un effect contraire.

Ad nullum consurgit opus, cum corpore languet [d].

Et veut encores que je luy sois tenu dequoy il preste, comme il dict, beaucoup moins à ce consentement que ne porte l'usage ordinaire des hommes. Aumoins, pendant que nous avons trefves, chassons les maux et difficultez de nostre commerce :

Dum licet, obducta solvatur fronte senectus [e];

« *tetrica sunt amœnanda jocularibus* [f] ». J'ayme une sagesse

---

a. Catarrheux. — b. En même temps. — c. Éclairs, flammes. — d. « Il ne se redresse pour aucune besogne et languit avec le corps. » Pseudo-Gallus, I, 125. — e. « Tandis qu'elle le peut, que la vieillesse déride son front sourcilleux. » Horace, *Épodes*, XIII, 7. — f. « Il est bon d'égayer la tristesse par des facéties. » Sidoine Apollinaire, *Épîtres*, I, 9.

gaye et civile, et fuis l'aspreté des meurs et l'austerité, ayant pour suspecte toute mine rebarbative :

> *Tristemque vultus tetrici arrogantiam* [a].
> *Et habet tristis quoque turba cynædos* [b].

Je croy Platon de bon cœur, qui dict[561] les humeurs faciles ou difficiles estre un grand prejudice à la bonté ou mauvaistié de l'ame. Socrates eut un visage constant, mais serein et riant, non constant comme le vieil Crassus qu'on ne veit jamais rire[562].

La vertu est qualité plaisante et gaye.

Je sçay bien que fort peu de gens rechigneront à la licence de mes esprits, qui n'ayent plus à rechigner à la licence de leur pensée. Je me conforme bien à leur courage, mais j'offence leurs yeux.

C'est une humeur bien ordonnée de pinser les escrits de Platon et couler ses negotiations pretendues avec Phedon, Dion, Stella, Archeanassa[563]. « *Non pudeat dicere quod non pudeat sentire* [c]. »

Je hay un espri hargneux et triste qui glisse par dessus les plaisirs de sa vie et s'empoigne et paist aux malheurs; comme les mouches, qui ne peuvent tenir contre un corps bien poly et bien lissé, et s'attachent et reposent aux lieux scabreux et raboteux ; et comme les vantouses qui ne hument et appetent[d] que le mauvais sang[564].

Au reste, je me suis ordonné d'oser dire tout ce que j'ose faire, et me desplais des pensées mesmes impubliables. La pire de mes actions et conditions ne me semble pas si laide comme je trouve laid et lâche de ne l'oser avouer. Chacun est discret en la confession, on le devoit estre en l'action; la hardiesse de faillir est aucunement[e] compensée et bridée par la hardiesse de le confesser. Qui s'obligeroit à tout dire, s'obligeroit à ne rien faire de ce qu'on est contraint de taire. Dieu veuille que cet excès de ma licence attire nos hommes jusques à la liberté, par dessus ces

---

a. « Et la triste arrogance d'un visage renfrogné. » Vers 31 du Prologue du *Joannes Baptista* de Buchanan, une de ces tragédies qui se jouaient au collège de Guyenne. — *b.* « Cette triste foule a, elle aussi ses débauchés. » Martial, *Épigrammes,* VII, LVII, 8. — *c.* « N'ayons pas honte de dire ce que nous n'avons pas honte de penser. » Auteur inconnu. — *d.* Désirent. — *e.* Un peu.

vertus couardes et mineuses nées de nos imperfections;
qu'aux despens de mon immoderation je les attire jusques
au point de la raison! Il faut voir son vice et l'estudier
pour le redire. Ceux qui le celent à autruy, le celent ordinairement à eux mesmes. Et ne le tiennent pas pour assés
couvert, s'ils le voyent; ils le soustrayent et desguisent à
leur propre conscience. « *Quare vitia sua nemo confitetur?
Quia etiam nunc in illis est; somnium narrare vigilantis est*[a]. »
Les maux du cors s'esclaircissent en augmentant. Nous
trouvons que c'est goutte que nous nommions rheume[b]
ou foulure. Les maux de l'ame s'obscurcissent en leur force;
le plus malade les sent le moins. Voilà pourquoy il les
faut souvant remanier au jour, d'une main impiteuse[c], les
ouvrir et arracher du creus de nostre poitrine. Comme en
matiere de bienfaicts, de mesme en matiere de mesfaicts,
c'est par fois satisfaction que la seule confession. Est-il
quelque laideur au faillir, qui nous dispense de nous en
devoir confesser[565]?

Je souffre peine à me feindre, si que[d] j'evite de prendre
les secrets d'autruy en garde, n'ayant pas bien le cœur
de desadvouer ma science. Je puis la taire; mais la nyer,
je ne puis sans effort et desplaisir. Pour estre bien secret,
il le faut estre par nature, non par obligation. C'est peu,
au service des princes, d'estre secret, si on n'est menteur
encore. Celuy qui s'enquestoit à Thales Milesius[566] s'il
devoit solennellement nier d'avoir paillardé, s'il se fut
addressé à moy, je lui eusse respondu qu'il ne le devoit
pas faire, car le mentir me semble encore pire que la
paillardise. Thales conseilla tout autrement, et qu'il jurast,
pour garentir le plus par le moins. Toutesfois ce conseil
n'estoit pas tant election de vice que multiplication.

Sur quoy, disons ce mot en passant, qu'on faict bon
marché à un homme de conscience quand on luy propose
quelque difficulté au contrepois du vice[e]; mais, quand on
l'enferme entre deux vices, on le met à un rude chois,
comme on fit Origene[567] : ou qu'il idolatrast, ou qu'il

---

a. « D'où vient qu'on n'avoue ses vices? Parce qu'on en est encore
esclave. Il faut être éveillé pour raconter ses songes. » Sénèque,
Épîtres, 53. — *b.* Rhume. — *c.* Impitoyable. — *d.* Si bien que. —
e. Quand on lui offre de mettre en balance le vice et quelque difficulté.

se souffrit jouyr charnellement à un grand vilain Æthiopien qu'on luy presenta. Il subit la premiere condition, et vitieusement, dict on. Pourtant ne seroient pas sans goust, selon leur erreur, celles qui nous protestent, en ce temps, qu'elles aymeroient mieux charger leur conscience de dix hommes que d'une messe.

Si c'est indiscretion de publier ainsi ses erreurs, il n'y a pas grand danger qu'elle passe en exemple et usage; car Ariston disoit que les vens que les hommes craignent le plus sont ceux qui les descouvrent[568]. Il faut rebrasser[a] ce sot haillon qui couvre nos meurs. Ils envoyent leur conscience au bordel et tiennent leur contenance en regle. Jusques aux traistres et assassins, ils espousent les loix de la ceremonie et attachent là leur devoir; si n'est ce[b] ny à l'injustice de se plaindre de l'incivilité, ny à la malice de l'indiscretion. C'est dommage qu'un meschant homme ne soit encore un sot et que la decence pallie son vice. Ces incrustations n'apartiennent qu'à une bonne et saine paroy, qui merite d'estre conservée ou blanchie.

En faveur des Huguenots, qui accusent nostre confession privée et auriculaire, je me confesse en publiq, religieusement et purement. S. Augustin, Origene et Hippocrates ont publié les erreurs de leurs opinions; moy, encore, de mes meurs. Je suis affamé de me faire connoistre; et ne me chaut[c] à combien, pourveu que ce soit veritablement; ou, pour dire mieux, je n'ay faim de rien, mais je crains mortellement d'estre pris en eschange par ceux à qui il arrive de connoistre mon nom.

Celuy qui faict tout pour l'honneur et pour la gloire, que pense-il gaigner en se produisant au monde en masque, desrobant son vray estre à la connoissance du peuple? Louez un bossu de sa belle taille, il le doit recevoir à injure. Si vous estes couard et qu'on vous honnore pour un vaillant homme, est-ce de vous qu'on parle? on vous prend pour un autre. J'aymeroy aussi cher que celuy-là se gratifiast des bonnetades qu'on luy faict, pensant qu'il soit maistre de la trouppe, luy qui est des moindres de la suitte. Archelaus, Roy de Macedoine, passant par la ruë, quelqu'un versa de l'eau sur luy; les assistans disoient qu'il devoit le punir : « Ouy mais, dict-il, il n'a pas versé l'eau sur moy,

---

a. Retrousser. — *b.* Ce n'est pourtant. — *c.* Il ne m'importe.

mais sur celuy qu'il pensoit que je fusse[569]. » Socrates, à celuy qui l'advertissoit qu'on mesdisoit de luy : « Point, fit-il, il n'y a rien en moy de ce qu'ils disent[570]. » Pour moy, qui me louëroit d'estre bon pilote, d'estre bien modeste, ou d'estre bien chaste, je ne luy en devrois nul grammercy[a]. Et pareillement, qui m'appelleroit traistre, voleur ou yvrongne, je me tiendroy aussi peu offencé. Ceux qui se mescognoissent, se peuvent paistre de fauces approbations; non pas moy, qui me voy et qui me recherche jusques aux entrailles, qui sçay bien ce qui m'appartient. Il me plaist d'estre moins loué, pourveu que je soy mieux conneu. On me pourroit tenir pour sage en telle condition de sagesse que je tien pour sottise.

Je m'ennuie que mes *Essais* servent les[b] dames de meuble commun seulement, et de meuble de sale. Ce chapitre me fera du cabinet[c]. J'ayme leur commerce un peu privé. Le publique est sans faveur et saveur. Aux adieus, nous eschauffons outre l'ordinaire l'affection envers les choses que nous abandonnons. Je prens l'extreme congé des jeux du monde, voicy nos dernieres accolades. Mais venons à mon theme.

Qu'a faict l'action genitale aux hommes, si naturelle, si necessaire et si juste, pour n'en oser parler sans vergongne et pour l'exclurre des propos serieux et reglez ? Nous prononçons hardiment : tuer, desrober, trahir; et cela, nous n'oserions qu'entre les dents ? Est-ce à dire que moins nous en exhalons en parole, d'autant nous avons loy d'en grossir la pensée ?

Car il est bon que les mots qui sont le moins en usage, moins escrits et mieus teus[d], sont les mieux sceus et plus generalement connus. Nul aage, nulles meurs l'ignorent non plus que le pain. Ils s'impriment en chascun sans estre exprimez et sans voix et sans figure[e]. Il est bon aussi que c'est une action que nous avons mis en la franchise[f] du silence, d'où c'est crime de l'arracher, non pas mesme pour l'accuser et juger. Ny n'osons la fouëtter qu'en periphrase et peinture. Grand faveur à un criminel d'estre si execrable que la justice estime injuste de le toucher et de

---

a. Grand merci. — *b.* Aux. — *c.* Me fera mettre dans leur cabinet privé. — *d.* Tus. — *e. et le sexe qui le fait le plus a charge de la taille,* ajoute l'édition de 1595. — *f.* Sous la sauvegarde.

de le veoir; libre et sauvé par le benefice de l'aigreur de sa condamnation. N'en va-il pas comme en matiere de livres, qui se rendent d'autant plus venaux et publiques de ce qu'ils sont supprimez ? Je m'en vay pour moy prendre au mot l'advis d'Aristote, qui dict[571] l'estre honteus servir d'ornement à la jeunesse, mais de reproche à la vieillesse.

Ces vers se preschent en l'escole ancienne, escole à laquelle je me tiens bien plus qu'à la moderne (ses vertus me semblent plus grandes, ses vices moindres) :

> *Ceux qui par trop fuyant Venus estrivent* [a],
> *Faillent autant que ceux qui trop la suivent* [b].

> *Tu, Dea, tu rerum naturam sola gubernas*
> *Nec sine te quicquam dias in luminis oras*
> *Exoritur, neque fit lætum nec amabile quicquam* [c].

Je ne sçay qui a peu mal mesler Pallas et les Muses avec Venus, et les refroidir envers l'Amour; mais je ne voy aucunes deitez qui s'aviennent mieux, ny qui s'entredoivent plus. Qui ostera aux muses les imaginations amoureuses, leur desrobera le plus bel entretien qu'elles ayent et la plus noble matiere de leur ouvrage; et qui fera perdre à l'amour la communication et service de la poësie, l'affoiblira de ses meilleures armes; par ainsin on charge le Dieu d'accointance et de bien-veillance et les deesses protectrices d'humanité et de justice, du vice d'ingratitude et de mesconnoissance.

Je ne suis pas de si long temps cassé de l'estat et suitte de ce Dieu que je n'aye la memoire informée de ses forces et valeurs,

> *agnosco veteris vestigia flammæ* [d].

Il y a encore quelque demeurant d'emotion et chaleur après la fiévre,

---

a. Luttent. — *b.* Vers traduits par Amyot de Plutarque : *Qu'il faut qu'un philosophe converse avec le prince.* — *c.* « Toi, déesse, tu suffis à gouverner toute seule la nature, et sans toi rien n'aborde aux rivages divins de la lumière, rien ne se fait de gai ni d'aimable. » Lucrèce, I, 21. — *d.* « Je reconnais les traces de la flamme ancienne. » Virgile, *Énéide*, IV, 23.

Nec mihi deficiat calor hic, hiemantibus annis [a].

Tout asseché que je suis et appesanty, je sens encore quelques tiedes restes de cette ardeur passée :

> *Qual l'alto Ægeo, per che Aquilone o Noto*
> *Cessi, che tutto prima il vuolse et scosse,*
> *Non s'accheta ei pero : ma'l sono e'l moto,*
> *Ritien de l'onde anco agitate è grosse* [b].

Mais de ce que je m'y entends, les forces et valeur de ce Dieu se trouvent plus vives et plus animées en la peinture de la poësie qu'en leur propre essence,

> *Et versus digitos habet* [c].

Elle represente je ne sçay quel air plus amoureux que l'amour mesme. Venus n'est pas si belle toute nue, et vive, et haletante, comme elle est icy chez Virgile :

> *Dixerat, et niveis hinc atque hinc diva lacertis*
> *Cunctantem amplexu molli fovet. Ille repente*
> *Accepit solitam flammam, notusque medullas*
> *Intravit calor, et labefacta per ossa cucurrit.*
> *Non secus atque olim tonitru cum rupta corusco*
> *Ignea rima micans percurrit lumine nimbos.*
> *. . . . . Ea verba loquutus,*
> *Optatos dedit amplexus, placidumque petivit*
> *Conjugis infusus gremio per membra soporem* [d].

---

a. « Et que cette chaleur ne m'abandonne pas dans l'hiver de mes ans. » Jean Second, *Élégies*, I, III,29. — *b.* « Ainsi la mer Égée, lorsque l'Aquilon ou le Notus se calment après l'avoir secouée et bouleversée, ne s'apaise pas pourtant tout de suite, mais, longtemps tourmentée, elle s'agite et gronde encore. » Le Tasse, *Jérusalem délivrée*, chant XII, stance 63. — *c.* « Et le vers a des doigts. » Juvénal, VI, 196. — *d.* « Elle avait dit, et comme il hésitait, la déesse noue autour de lui ses bras de neige et le réchauffe d'une douce étreinte. Lui, brusquement, est envahi de la flamme accoutumée ; une ardeur qu'il connaît bien le pénètre jusqu'aux moelles et court dans ses os frissonnants. C'est ainsi qu'au bruit du tonnerre un sillon de feu ouvert dans le ciel parcourt les nuages illuminés... Ayant dit ces paroles, il donna à Vénus l'étreinte désirée et, couché sur le sein de son épouse, s'abandonna aux charmes d'un sommeil apaisé. » Virgile, *Énéide*, VIII, 387, 404.

Ce que j'y trouve à considerer, c'est qu'il la peinct un peu bien esmeue pour une Venus maritale. En ce sage marché, les appetits ne se trouvent pas si follastres; ils sont sombres et plus mousses[a]. L'amour hait qu'on se tienne par ailleurs que par luy, et se mesle lâchement aux accointances qui sont dressées et entretenues soubs autre titre, comme est le mariage : l'aliance, les moyens, y poisent[b] par raison, autant ou plus que les graces et la beauté. On ne se marie pas pour soy, quoi qu'on die; on se marie autant ou plus pour sa posterité, pour sa famille. L'usage et interest du mariage touche nostre race bien loing par delà nous. Pourtant me plait cette façon, qu'on le conduise plustost par mains tierces que par les propres, et par le sens d'autruy que par le sien. Tout cecy, combien à l'opposite des conventions amoureuses! Aussi est ce une espece d'inceste d'aller employer à ce parentage venerable et sacré les efforts et les extravagances de la licence amoureuse, comme il me semble avoir dict ailleurs[572]. Il faut, dict Aristote, toucher sa femme prudemment et severement, de peur qu'en la chatouillant trop lascivement le plaisir la face sortir hors des gons de raison. Ce qu'il dict pour la conscience, les medecins le disent pour la santé; qu'un plaisir excessivement chaut, voluptueux et assidu altere la semence et empesche la conception; disent d'autrepart, qu'à une congression[c] languissante, comme celle là est de sa nature, pour la remplir d'une juste et fertile chaleur, il s'y faut presenter rarement et à notables intervalles,

Quo rapiat sitiens venerem interiúsque recondat[d].

Je ne vois point de mariages qui faillent[e] plustost et se troublent que ceux qui s'acheminent par la beauté et desirs amoureux. Il y faut des fondemens plus solides et plus constans, et y marcher d'aguet[f]; cette bouillante allegresse n'y vaut rien.

Ceux qui pensent faire honneur au mariage pour y joindre l'amour, font, ce me semble, de mesme ceux qui,

---

a. Émoussés. — *b.* Pèsent. — *c.* Commerce. — *d.* « Afin qu'elle saisisse avidement les dons de Vénus, et qu'elle les recèle profondément. » Virgile, *Géorgiques*, III, 137. — *e.* Échouent. — *f.* Avec précaution.

pour faire faveur à la vertu, tiennent que la noblesse n'est autre chose que vertu. Ce sont choses qui ont quelque cousinage; mais il y a beaucoup de diversité : on n'a que faire de troubler leurs noms et leurs titres; on faict tort à l'une ou à l'autre de les confondre. La noblesse est une belle qualité, et introduite avec raison; mais d'autant que c'est une qualité dependant d'autruy et qui peut tomber en un homme vicieux et de neant, elle est en estimation bien loing au dessoubs de la vertu : c'est une vertu, si ce l'est, artificiele et visible; dependant du temps et de la fortune; diverse en forme selon les contrées; vivante et mortelle; sans naissance non plus que la riviere du Nil; genealogique et commune; de suite et de similitude; tirée par consequence, et consequence bien foible. La science, la force, la bonté, la beauté, la richesse, toutes autres qualitez, tombent en communication et en commerce; cette-cy se consomme en soi, de nulle en-ploite au service d'autruy. On proposoit à l'un de nos Roys le chois de deux competiteurs en une mesme charge, desquels l'un estoit gentil'homme, l'autre ne l'estoit point. Il ordonna que, sans respect de cette qualité, on choisist celuy qui auroit le plus de merite; mais, où la valeur seroit entierement pareille, qu'en ce cas on eust respect à la noblesse : c'estoit justement luy donner son rang. Antigonus, à un jeune homme incogneu qui lui demandoit la charge de son pere, homme de valeur, qui venoit de mourir : « Mon amy, fit-il, en tels bien faicts je ne regarde pas tant la noblesse de mes soldats comme je fais leur prouësse [573]. »

De vray, il n'en doibt pas aller comme des officiers des Roys de Sparte [574], trompettes, menestriers, cuisiniers, à qui en leur charge succedoient les enfans, pour ignorans qu'ils fussent, avant des mieux experimentez du mestier. Ceux de Callicut font des nobles une espece par dessus l'humaine. Le mariage leur est interdict et toute autre vacation que bellique[a]. De concubines, ils en peuvent avoir leur saoul, et les femmes autant de ruffiens, sans jalousie les uns des autres : mais c'est un crime capital et irremissible, de s'accoupler à personne d'autre condition que la leur. Et se tiennent pollus[b], s'ils en sont seulement touchez en

---

a. Tout autre métier que le métier de soldat. — *b.* Souillés.

passant, et, comme leur noblesse en estant merveilleusement injuriée et interessée [a], tuent ceux qui seulement ont approché un peu trop près d'eus; de maniere que les ignobles [b] sont tenus de crier en marchant, comme les gondoliers de Venise au contour des ruës pour ne s'entreheurter; et les nobles leur commandent de se jetter au quartier [c] qu'ils veulent. Ceux cy evitent par là cette ignominie qu'ils estiment perpetuelle; ceux-là, une mort certaine. Nulle durée de temps, nulle faveur de prince, nul office ou vertu ou richesse peut faire qu'un roturier devienne noble. A quoy ayde cette coustume que les mariages sont defendus de l'un mestier à l'autre; ne peut une de race cordonniere espouser un charpentier; et sont les parents obligez de dresser les enfans à la vacation [d] des peres, precisement, et non à autre vacation, par où se maintient la distinction et constance de leur fortune[575].

Ung bon mariage, s'il en est, refuse la compaignie et conditions de l'amour. Il tache à representer celles de l'amitié. C'est une douce société de vie, pleine de constance, de fiance [e] et d'un nombre infiny d'utiles et solides offices et obligations mutuelles. Aucune femme qui en savoure le goust,

optato quam junxit lumine tæda [f],

ne voudroit tenir lieu de maistresse et d'amye à son mary. Si elle est logée en son affection comme femme, elle y est bien plus honorablement et seurement logée. Quand il faira l'esmeu ailleurs et l'empressé, qu'on luy demande pourtant lors à qui il aymeroit mieux arriver une honte, ou à sa femme ou à sa maistresse; de qui la desfortune l'affligeroit le plus; à qui il desire plus de grandeur; ces demandes n'ont aucun doubte en un mariage sain. Ce qu'il s'en voit si peu de bons, est signe de son pris et de sa valeur. A le bien façonner et à le bien prendre, il n'est point de plus belle piece en nostre société. Nous ne nous en pouvons passer, et l'allons avilissant. Il en advient ce qui se voit aux cages : les oyseaux qui en sont hors, desesperent d'y entrer; et d'un pareil soing en sortir, ceux qui sont au

---

a. Endommagée. — *b.* Non nobles. — *c.* Du côté. — *d.* Profession. — *e.* Confiance. — *f.* « Celle que le flambeau désiré de l'hymen a unie. » Catulle, LXIV, 79.

dedans. Socrates, enquis [a] qui estoit plus commode prendre ou ne prendre point de femme : « Lequel des deux on face, dict-il, on s'en repentira[576]. » C'est une convention à laquelle se raporte bien à point ce qu'on dict, « *homo homini* » ou « *Deus* », ou « *lupus* »[b]. Il faut le rencontre de beaucoup de qualitez à le bastir. Il se trouve en ce temps plus commode aux ames simples et populaires, où les delices, la curiosité et l'oysiveté ne le troublent pas tant. Les humeurs desbauchées, comme est la mienne, qui hay toute sorte de liaison et d'obligation, n'y sont pas si propres,

Et mihi dulce magis resoluto vivere collo[c].

De mon dessein, j'eusse fuy d'espouser la sagesse mesme, si elle m'eust voulu. Mais, nous avons beau dire, la coustume et l'usage de la vie commune nous emporte. La plus part de mes actions se conduisent par exemple, non par chois. Toutesfois je ne m'y conviay pas proprement, on m'y mena, et y fus porté par des occasions estrangeres. Car non seulement les choses incommodes, mais il n'en est aucune si laide et vitieuse et evitable qui ne puisse devenir acceptable par quelque condition et accident : tant l'humaine posture est vaine! Et y fus porté certes plus mal preparé lors et plus rebours[d] que je ne suis à présent après l'avoir essayé. Et, tout licencieux qu'on me tient, j'ay en verité plus severement observé les loix de mariage que je n'avois ny promis, ny esperé. Il n'est plus temps de regimber quand on s'est laissé entraver. Il faut prudemment mesnager sa liberté; mais depuis qu'on s'est submis à l'obligation, il s'y faut tenir soubs les loix du debvoir commun, aumoins s'en efforcer. Ceux qui entreprennent ce marché pour s'y porter avec haine et mespris, font injustement et incommodéement; et cette belle reigle que je voy passer de main en main entre elles, comme un sainct oracle,

Sers ton mary comme ton maistre,
Et t'en guarde comme d'un traistre,

a. Interrogé. — *b.* « L'homme est à l'homme » ou « un dieu » ou « un loup ». La première sentence est du poète comique Cécilius, cité par Symmaque. *Epist.*, X, 114; l'autre de Plaute, *Asinaria*, II, IV, 88. — *c.* « Et à moi aussi il m'est plus agréable de vivre sans cette chaîne au cou. » Pseudo-Gallus, I, 61. — *d.* Hostile.

qui est à dire : « Porte toy envers luy d'une reverence contrainte, ennemie et deffiante », cry de guerre et deffi, est pareillement injurieuse et difficile. Je suis trop mol pour desseins si espineux. A dire vray, je ne suis pas encore arrivé à cette perfection d'habileté et galantise d'esprit, que de confondre la raison avec l'injustice, et mettre en risée tout ordre et reigle qui n'accorde à mon appetit : pour hayr la superstition, je ne me jette pas incontinent à l'irreligion. Si on ne fait tousjours son debvoir, aumoins le faut il tousjours aymer et recognoistre. C'est trahison de se marier sans s'espouser. Passons outre.

Nostre poëte[577] represente un mariage plein d'accord et de bonne convenance, auquel pourtant il n'y a pas beaucoup de loyauté. A il voulu dire qu'il ne soit pas impossible de se rendre aux efforts de l'amour, et ce neantmoins reserver quelque devoir envers le mariage, et qu'on le peut blesser sans le rompre tout à faict? Tel valet ferre la mule [a] au maistre qu'il ne hayt pas pourtant. La beauté, l'opportunité, la destinée (car la destinée y met aussi la main),

> *fatum est in partibus illis*
> *Quas sinus abscondit : nam, si tibi sidera cessent,*
> *Nil faciet longi mensura incognita nervi* [b],

l'ont attachée à un estranger, non pas si entiere peut estre, qu'il ne luy puisse rester quelque liaison par où elle tient encore à son mary. Ce sont deux desseins qui ont des routes distinguées et non confondues. Une femme se peut rendre à tel personnage, que nullement elle ne voudroit avoir espousé; je ne dy pas pour les conditions de la fortune, mais pour celles mesmes de la personne. Peu de gens ont espousé des amies qui ne s'en soyent repentis. Et jusques en l'autre monde. Quel mauvais mesnage a faict Jupiter avec sa femme qu'il avoit premierement pratiquée et jouye par amourettes? C'est ce qu'on dict : Chier dans le panier pour après le mettre sur sa teste.

J'ay veu de mon temps, en quelque bon lieu, guerir

---

a. Fait des gains illicites (locution proverbiale). — *b.* « Il y a une fatalité attachée à ces parties que cachent nos vêtements : car, si les astres ne travaillent point pour toi, tu ne gagneras rien à posséder un membre d'une longueur inouïe. » Juvénal, IX, 32.

honteusement et deshonnestement l'amour par le mariage;
les considerations sont trop autres. Nous aimons, sans nous
empescher, deux choses diverses et qui se contrarient.
Isocrates disoit que la ville d'Athenes plaisoit, à la mode
que font les dames qu'on sert par amour; chacun aimoit
à s'y venir promener et y passer son temps; nul ne l'aymoit
pour l'espouser, c'est à dire pour s'y habituer et domici-
lier[578]. J'ay avec despit veu des maris hayr leurs femmes
de ce seulement qu'ils leur font tort; aumoins ne les faut il
pas moins aymer de nostre faute; par repentance et compassion aumoins, elles nous en devoyent estre plus cheres.

Ce sont fins differentes et pourtant compatibles, dict
il[579], en quelque façon. Le mariage a pour sa part l'utilité,
la justice, l'honneur et la constance : un plaisir plat, mais
plus universel. L'amour se fonde au seul plaisir, et l'a de
vray plus chatouillant, plus vif et plus aigu; un plaisir attizé
par la difficulté. Il y faut de la piqueure et de la cuison. Ce
n'est plus amour s'il est sans fleches et sans feu. La liberalité
des dames est trop profuse au mariage et esmousse la
poincte de l'affection et du desir. Pour fuïr à cet inconvenient voyez la peine qu'y prennent en leurs loix Lycurgus[580]
et Platon.

Les femmes n'ont pas tort du tout quand elles refusent
les reigles de vie qui sont introduites au monde, d'autant
que ce sont les hommes qui les ont faictes sans elles. Il y
a naturellement de la brigue et riotte[a] entre elles et nous;
le plus estroit consentement que nous ayons avec elles,
encore est-il tumultuaire et tempestueux. A l'advis de
nostre autheur, nous les traictons inconsideréement en
cecy : après que nous avons cogneu qu'elles sont, sans
comparaison, plus capables et ardentes aux effects de
l'amour que nous, et que ce prestre ancien l'a ainsi tesmoigné, qui avoit esté tanstost homme, tantost femme,

Venus huic erat utraque nota[b];

et, en outre, que nous avons apris de leur propre bouche
la preuve qu'en firent autrefois en divers siecles un Empereur[581] et une Emperiere[582] de Romme, maistres ouvriers

---

a. Dispute. — *b.* « Il connaissait l'une et l'autre Vénus. » Ovide,
Métamorphoses, III, 323. (Il s'agit de Tirésias, à qui Junon ravit la vue
pour avoir ainsi témoigné au préjudice de l'honneur des femmes.)

et fameux en cette besongne (luy despucela bien en une nuit dix vierges Sarmates, ses captives; mais elle fournit reelement en une nuit à vint et cinq entreprinses, changeant de compaignie selon son besoing et son goust,

adhuc ardens rigidâ tentigine vulvæ,
Et lassata viris, nondum satiata, recessit [a]*);*

et que, sur le different advenu à Cateloigne [b] entre une femme se plaignant des efforts trop assiduelz de son mary, non tant, à mon advis, qu'elle en fut incommodée (car je ne crois les miracles qu'en foy), comme pour retrancher soubs ce pretexte et brider, en cela mesme qui est l'action fondamentale du mariage, l'authorité des maris envers leurs femmes, et pour montrer que leurs hergnes [c] et leur malignité passe outre la couche nuptiale et foule aus pieds les graces et douceurs mesmes de Venus; à laquelle plainte le mary respondoit, homme vrayement brutal et desnaturé, qu'aux jours mesme de jeusne il ne s'en sçauroit passer à moins de dix, intervint ce notable arrest de la Royne d'Aragon, par lequel, après meure deliberation de conseil, cette bonne Royne, pour donner reigle et exemple à tout temps de la moderation et modestie requise en un juste mariage, ordonna pour bornes legitimes et necessaires le nombre de six par jour; relâchant et quitant beaucoup du besoing et desir de son sexe, pour establir, disoit elle, une forme aysée et par consequent permanante et immuable[583]. En quoy s'escrient les docteurs : quel doit estre l'appetit et la concupiscence feminine, puisque leur raison, leur reformation et leur vertu se taille à ce pris? considerans le divers jugement de nos appetits, et que Solon, chef de l'eschole juridique, ne taxe qu'à trois fois par mois, pour ne faillir point, cette hantise conjugale[584]. Après avoir creu et presché cela, nous sommes allez leur donner la continence peculierement [d] en partage, et sur peines dernieres et extremes.

Il n'est passion plus pressante que cette cy, à laquelle nous voulons qu'elles resistent seules, non simplement comme à un vice de sa mesure, mais comme à l'abomina-

---

a. « Brûlante encore de l'effervescence de sa vulve tendue, elle se retira épuisée, mais non pas assouvie des hommes. » Juvénal, VI, 128. — *b.* En Catalogne. — *c.* Hargnes. — *d.* Particulièrement.

tion et execration, plus qu'à l'irreligion et au parricide; et nous nous y rendons cependant sans coulpe et reproche. Ceux mesme d'entre nous qui ont essayé d'en venir à bout ont assez avoué quelle difficulté ou plustost impossibilité il y avoit, usant de remedes materiels, à mater, affoiblir et refroidir le corps. Nous, au contraire, les voulons saines, vigoreuses, en bon point, bien nourries, et chastes ensemble, c'est à dire et chaudes et froides : car le mariage, que nous disons avoir charge de les empescher de bruler, leur apporte peu de rafreschissement, selon nos meurs. Si elles en prennent un à qui la vigueur de l'aage boulst encores, il faira gloire de l'espandre ailleurs :

> *Sit tandem pudor, aut eamus in jus :*
> *Multis mentula millibus redempta,*
> *Non est hæc tua, Basse; vendidisti* [a].

Le philosophe Polemon fut justement appelé en justice par sa femme de ce qu'il alloit semant en un champ sterile le fruit deu au champ genital[585]. Si c'est de ces autres cassez[b], les voylà, en plain mariage, de pire condition que vierges et vefves. Nous les tenons pour bien fournies, parce qu'elles ont un homme auprès, comme les Romains tindrent pour violée Clodia Læta, vestale, que Calligula[586] avoit approchée encores qu'il fut averé qu'il ne l'avoit qu'aprochée; mais, au rebours, on recharge par là leur necessité, d'autant que l'atouchement et la compaignie de quelque masle que ce soit esveille leur chaleur, qui demeureroit plus quiete en la solitude. Et, à cette fin, comme il est vray-semblable, de rendre par cette circonstance et consideration leur chasteté plus meritoire, Boleslaus et Kinge, sa femme, Roys de Poulongne, la vouërent d'un commun accord, couchez ensemble, le jour mesme de leurs nopces, et la maintindrent à la barbe des commoditez maritales[587].

Nous les dressons dès l'enfance aus entremises de l'amour: leur grace, leur atiffeure[c], leur science, leur parole, toute leur instruction ne regarde qu'à ce but. Leurs gouvernantes

---

a. « Aie enfin de la pudeur ou allons en justice; j'ai acheté des millions d'écus ta mentule; elle n'est plus à toi, Bassus; tu me l'as vendue. » Martial, XII, XCVII, 10, 7, 11. — b. Si elles prennent un de ces maris cassés. — c. Leur toilette.

ne leur impriment autre chose que le visage de l'amour, ne fut qu'en le leur representant continuellement pour les en desgouster. Ma fille (c'est tout ce que j'ay d'enfans) est en l'aage auquel les loix excusent les plus eschauffées de se marier[588] ; elle est d'une complexion tardive, mince et molle, et a esté par sa mere eslevée de mesme d'une forme[a] retirée et particuliere : si qu'elle[b] ne commence encore qu'à se desniaiser de la nayfveté de l'enfance. Elle lisoit un livre françois devant moy. Le mot de *fouteau*[c] s'y rencontra, nom d'un arbre cogneu ; la femme qu'ell'a pour sa conduitte l'arresta tout court un peu rudement, et la fit passer par dessus ce mauvais pas. Je la laissay faire pour ne troubler leurs reigles, car je ne m'empesche aucunement de ce gouvernement ; la police féminine[d] a un trein mysterieux, il faut le leur quitter. Mais, si je ne me trompe, le commerce de vingt laquays n'eust sçeu imprimer en sa fantasie, de six moys, l'intelligence et usage et toutes les consequences du son de ces syllabes scelerées[e], comme fit cette bonne vieille par sa reprimande et interdiction.

> *Motus doceri gaudet Ionicos*
> *Matura virgo, et frangitur artubus*
> *Jam nunc, et incestos amores*
> *De tenero meditatur ungui*[f].

Qu'elles se dispensent un peu de la ceremonie, qu'elles entrent en liberté de discours, nous ne sommes qu'enfans au pris d'elles en cette science. Oyez leur[g] representer nos poursuittes et nos entretiens, elles vous font bien cognoistre que nous ne leur apportons rien qu'elles n'ayent sçeu et digéré sans nous. Seroit-ce ce que dict Platon[589], qu'elles ayent esté garçons desbauchez autresfois ? Mon oreille se rencontra un jour en lieu où elle pouvoit desrober aucun des discours faicts entre elles sans soubçon : que ne puis-je le dire ? « Nostredame ! (fis-je) allons à cette heure estudier des frases d'*Amadis* et des registres[h] de Boccace et de l'Aretin pour faire les habiles ; nous employons vrayement

---

a. Manière. — *b.* Si bien qu'elle. — *c.* Hêtre. — *d.* Le gouvernement des femmes. — *e.* Criminelles. — *f.* « La vierge nubile se plaît à apprendre des danses ioniennes et elle s'en brise les membres ; depuis sa tendre enfance elle rêve à d'impures amours. » Horace, *Odes*, III, VI, 21. — *g.* Écoutez-les. — *h.* Recueils.

bien nostre temps! Il n'est ny parole, ny exemple, ny
démarche qu'elles ne sçachent mieux que nos livres :
c'est une discipline qui naist dans leurs veines,

> *Et mentem Venus ipsa dedit* [a],

que ces bons maistres d'escole, nature, jeunesse et santé,
leur soufflent continuellement dans l'ame; elles n'ont que
faire de l'apprendre, elles l'engendrent. »

> *Nec tantum niveo gavisa est ulla columbo*
> *Compar, vel si quid dicitur improbius,*
> *Oscula mordenti semper decerpere rostro,*
> *Quantum præcipuè multivola est mulier* [b].

Qui n'eut tenu un peu en bride cette naturelle violence
de leur desir par la crainte et honneur dequoy on les a
pourveues, nous estions diffamez. Tout le mouvement du
monde se resoult et rend à cet accouplage : c'est une
matiere infuse par tout, c'est un centre où toutes choses
regardent. On void encore des ordonnances de la vieille
et sage Romme faictes pour le service de l'amour, et les
preceptes de Socrates à instruire les courtisanes :

> *Nec non libelli Stoici inter sericos*
> *Jacere pulvillos amant* [c].

Zenon, parmy ses loix, regloit aussi les escarquillemens [d]
et les secousses du depucelage [590]. De quel sens estoit le
livre du philosophe Strato, *De la conjonction charnelle* [591]?
et de quoy traittoit Theophraste en ceux qu'il intitula,
l'un *L'Amoureux*, l'autre *De l'Amour* [592]? De quoy Aristippus au sien *Des antiennes delices* [593]? Que veulent pretendre les descriptions si estendues et vives en Platon,
des amours de son temps plus hardies? Et le livre *De*

---

a. « Et Vénus elle-même les a inspirées. » Virgile, *Géorgiques*, III, 267.
— *b.* « La compagne du neigeux coulon ou tel autre oiseau plus
impur n'a jamais goûté avec lui autant de plaisir, lorsqu'en le mordillant sans cesse de son bec, elle prend des baisers beaucoup plus avides,
dit-on, que ceux de la femme la plus passionnée. » Catulle, LXVIII b,
125. — *c.* « Et ils sont dus à des stoïciens, ces petits livres qui traînent
volontiers sur des coussins de soie. » Horace, *Épodes*, VIII, 15. —
d. Écartements.

l'Amoureux de Demetrius Phalereus[594] ; et *Clinias* ou *L'Amoureux forcé* de Heraclides Ponticus[595]? Et d'Antisthenes celuy *De faire les enfans* ou *Des nopces*, et l'autre *Du Maistre* ou *De l'Amant*[596]? et d'Aristo celuy *Des exercices amoureux*[597]? de Cleanthes, un *De l'Amour*, l'autre *De l'art d'aymer*[598]? Les *Dialogues amoureux* de Spherus[599]? et la fable de *Jupiter et Juno* de Chrysippus, eshontée au delà de toute souffrance[600], et ses cinquante *Epistres*[601], si lascives? Car il faut laisser à part les escrits des philosophes qui ont suivy la secte Epicurienne. Cinquante deitez estoient, au temps passé, asservies à cet office; et s'est trouvé nation où, pour endormir la concupiscence de ceux qui venoient à la devotion, on tenoit aux Eglises des garses et des garsons à jouyr, et estoit acte de ceremonie de s'en servir avant venir à l'office.

« *Nimirum propter continentiam incontinentia necessaria est; incendium ignibus extinguitur*[a]. »

En la plus part du monde, cette partie de nostre corps estoit deifiée. En mesme province, les uns se l'escorchoient pour en offrir et consacrer un lopin, les autres offroient et consacroient leur semence. En une autre, les jeunes hommes se le perçoient publiquement et ouvroient en divers lieux entre chair et cuir, et traversoient[b] par ces ouvertures des brochettes, les plus longues et grosses qu'ils pouvoient souffrir; et de ces brochettes faisoient après du feu pour offrande à leurs dieux, estimez peu vigoureux et peu chastes s'ils venoient à s'estonner par la force de cette cruelle douleur. Ailleurs, le plus sacré magistrat estoit reveré et reconneu par ces parties là, et en plusieurs ceremonies l'effigie en estoit portée en pompe à l'honneur de diverses divinitez.

Les dames Egyptiennes, en la feste des Bacchanales, en portoient au col un de bois, exquisement formé, grand et pesant, chacune selon sa force, outre ce que la statue de leur Dieu en representoit, qui surpassoit en mesure le reste du corps[602].

Les femmes mariées, icy près, en forgent de leur couvrechef une figure sur leur front pour se glorifier de la

---

a. « Évidemment l'incontinence est nécessaire en vue de la continence, et l'incendie s'éteint au moyen du feu. » Auteur inconnu. —
b. Faisaient passer.

jouyssance qu'elles en ont; et, venant à estre vefves, le couchent en arriere et ensevelissent soubs leur coiffure.

Les plus sages matrones, à Romme, estoient honnorées d'offrir des fleurs et des couronnes au Dieu Priapus; et sur ses parties moins honnestes faisoit-on soir les vierges au temps de leurs nopces[603]. Encore ne sçay-je si j'ay veu en mes jours quelque air de pareille devotion. Que vouloit dire cette ridicule piece de la chaussure[a] de nos peres, qui se voit encore en nos Souysses? A quoy faire la montre que nous faisons à cette heure de nos pieces en forme, soubs nos gregues[b], et souvent, qui pis est, outre leur grandeur naturelle, par faucelé et imposture?

Il me prend envie de croire que cette sorte de vestement fut inventée aux meilleurs et plus conscientieux siecles pour ne piper le monde, pour que chacun rendist en publiq et galamment conte de son faict. Les nations plus simples l'ont encore aucunement rapportant au vray. Lors on instruisoit la science de l'ouvrier, comme il se faict de la mesure du bras ou du pied.

Ce bon homme[604], qui en ma jeunesse, chastra tant de belles et antiques statues en sa grande ville pour ne corrompre la veue, suyvant l'advis de cet autre antien bon homme:

Flagitii principium est nudare inter cives corpora[c],

se devoit adviser, comme aux misteres de la Bonne Deesse toute apparence masculine en estoit forclose, que ce n'estoit rien avancer[d], s'il ne faisoit encore chastrer et chevaux et asnes, et nature en fin.

Omne adeo genus in terris hominúmque ferarúmque,
Et genus æquoreum, pecudes, pictæque volucres,
In furias ignémque ruunt[e].

Les Dieux, dict Platon[605], nous ont fourni d'un membre

---

a. Du haut-de-chausses (La « ridicule pièce » est la braguette). — *b.* Culottes (à la grecque). — *c.* « C'est un principe de dérèglement que d'étaler des nudités sous les yeux des citoyens. » Ennius chez Cicéron, *Tusculanes,* IV, xxxiii. — *d.* Cela ne servait à rien. — *e.* «Tous les êtres qui vivent sur la terre, les hommes, les bêtes, la gent des mers, les troupeaux, les oiseaux aux couleurs variées se lancent éperdument dans ces transports et dans ce feu. » Virgile, *Géorgiques,* III, 242.

inobedient [a] et tyrannique, qui, comme un animal furieux, entreprend, par la violence de son appetit, sousmettre tout à soy. De mesme aux femmes, un animal glouton et avide, auquel si on refuse aliments en sa saison, il forcene [b], impatient de delai, et, soufflant sa rage en leurs corps, empesche les conduits, arreste la respiration, causant mille sortes de maux, jusques à ce qu'ayant humé le fruit de la soif commune, il en ayt largement arrosé et ensemencé le fond de leur matrice.

Or se devoit aviser aussi mon legislateur, qu'à l'avanture est-ce un plus chaste et fructueux usage de leur faire de bonne heure connoistre le vif que de le leur laisser deviner selon la liberté et chaleur de leur fantasie. Au lieu des parties vrayes, elles en substituent, par desir et par esperance, d'autres extravagantes au triple. Et tel de ma connoissance s'est perdu pour avoir faict la descouverte des sienes en lieu où il n'estoit encore au propre de les mettre en possession de leur plus serieux usage.

Quel dommage ne font ces enormes pourtraicts que les enfans vont semant aux passages et escaliers des maisons Royalles? De là leur vient un cruel mespris de nostre portée naturelle. Que sçait on si Platon ordonnant [606], après d'autres republiques bien instituées, que les hommes, et femmes, vieux, jeunes, se presentent nuds à la veuë les uns des autres en ses gymnastiques, n'a pas regardé à cela? Les Indiennes, qui voyent les hommes à crudt, ont au moins refroidy le sens de la veuë. Et quoy que dient les femmes de ce grand royaume du Pegu, qui, audessous de la ceinture, n'ont à se couvrir qu'un drap fendu par le devant et si estroit que, quelque ceremonieuse decence qu'elles y cherchent, à chaque pas on les void toutes, que c'est une invention trouvée aux fins d'attirer les hommes à elles et les retirer des masles à quoy cette nation est du tout abandonnée, il se pourroit dire qu'elles y perdent plus qu'elles n'avancent et qu'une faim entiere est plus aspre que celle qu'on a rassasiée au moins par les yeux [607]. Aussi disoit Livia [608] qu'à une femme de bien un homme nud n'est non plus qu'une image. Les Lacedemonienes, plus vierges, femmes, que ne sont nos filles, voyoyent tous les jours les jeunes hommes de leur ville

---

a. Désobéissant. — b. Ne se contient plus.

despouillez en leurs exercices, peu exactes elles mesmes à couvrir leurs cuisses en marchant, s'estimants, comme dict Platon[609], assez couvertes de leur vertu sans vertugade. Mais ceux là desquels tesmoigne S. Augustin[610], ont donné un merveilleux effort de tentation à la nudité, qui ont mis en doute si les femmes au jugement universel resusciteront en leur sexe, et non plustost au nostre, pour ne nous tenter encore en ce sainct estat.

On les leurre, en somme, et acharne par tous moyens ; nous eschauffons et incitons leur imagination sans cesse, et puis nous crions au ventre ! Confessons le vray : il n'en est guere d'entre nous qui ne craingne plus la honte qui luy vient des vices de sa femme que des siens ; qui ne se soigne plus (charité esmerveillable) de la conscience de sa bonne espouse que de la sienne propre ; qui n'aymast mieux estre voleur et sacrilege, et que sa femme fust meurtriere et heretique, que si elle n'estoit plus chaste que son mary.

Et elles offriront volontiers d'aller au palais[a] querir du gain, et à la guerre de la reputation, plustost que d'avoir, au milieu de l'oisiveté et des delices, à faire une si difficile garde. Voyent-elles pas qu'il n'est ny marchant, ny procureur, ny soldat, qui ne quitte sa besoigne pour courre à cette autre, et le crocheteur, et le savetier, tous harassez et hallebrenez[b] qu'ils sont de travail et de faim ?

> *Num tu, quæ tenuit dives Achæmenes,*
> *Aut pinguis Phrygiæ Mygdonias opes,*
> *Permutare velis crine Licinniæ,*
> *Plenas aut Arabum domos,*
>
> *Dum fragrantia detorquet ad oscula*
> *Cervicem, aut facili sævitia negat,*
> *Quæ poscente magis gaudeat eripi,*
> *Interdum rapere occupet*[c] *?*

Inique estimation de vices ! Nous et elles sommes capables de mille corruptions plus dommageables et desna-

---

a. Au palais de justice. — b. Fourbus. — c. « Est-ce que toi, pour toutes les richesses d'Achéménès ou pour les ressources de Mygdon, roi de la grasse Phrygie, ou pour les trésors de l'Arabie, tu voudrais donner un cheveu de Licynnie quand elle se penche vers tes baisers embaumés, quand par une complaisante rigueur, elle les refuse, elle qui désire plus que toi se les laisser ravir, quitte parfois à te devancer ? » Horace, *Odes*, II, XII, 21.

turées que n'est la lasciveté; mais nous faisons et poisons ^a les vices non selon nature, mais selon nostre interest, par où ils prennent tant de formes inegales. L'aspreté de nos decretz rend l'application des femmes à ce vice plus aspre et vicieuse que ne porte sa condition, et l'engage à des suites pires que n'est leur cause. Je ne sçay si les exploicts de Cæsar et d'Alexandre surpassent en rudesse la resolution d'une belle jeune femme, nourrie ^b à nostre façon, à la lumiere et commerce du monde, battue de tant d'exemples contraires, se maintenant entiere au milieu de mille continuelles et fortes poursuittes. Il n'y a poinct de faire plus espineux qu'est ce non faire, ny plus actif. Je treuve plus aisé de porter une cuirasse toute sa vie qu'un pucelage; et est le vœu de la virginité le plus noble de tous les vœus, comme estant le plus aspre : « *Diaboli virtus in lumbis est* ^c », dict S. Jerosme.

Certes, le plus ardu et le plus vigoureus des humains devoirs, nous l'avons resigné aux dames, et leur en quittons la gloire. Cela leur doit servir d'un singulier esguillon à s'y opiniastrer; c'est une belle matiere à nous braver et à fouler aux pieds cette vaine præeminence de valeur et de vertu que nous pretendons sur elles. Elles trouveront, si elles s'en prennent garde, qu'elles en seront non seulement très-estimées, mais aussi plus aymées. Un galant homme n'abandonne point sa poursuitte pour estre refusé, pourveu que ce soit un refus de chasteté, non de chois. Nous avons beau jurer et menasser, et nous plaindre : nous mentons, nous les en aymons mieux; il n'est point de pareil leurre que la sagesse non rude et renfroignée. C'est stupidité et lâcheté de s'opiniatrer contre la haine et le mespris; mais contre une resolution vertueuse et constante, meslée d'une volonté recognoissante, c'est l'exercice d'une ame noble et genereuse. Elles peuvent reconnoistre nos services jusques à certaine mesure, et nous faire sentir honnestement qu'elles ne nous desdaignent pas.

Car cette loy qui leur commande de nous abominer par ce que nous les adorons, et nous hayr de ce que nous les aimons, elle est certes cruelle, ne fust que de sa difficulté. Pourquoy n'orront ^d elles noz offres et noz demandes

---

a. Pesons. — *b.* Élevée. — *c.* « La force du diable est dans les reins. » Saint Jérôme, *Contre Jovinien,* 11. — *d.* Entendront.

autant qu'elles se contienent sous le devoir de la modestie ? Que va lon devinant qu'elles sonnent au dedans quelque sens plus libre ? Une Royne de nostre temps disoit ingenieusement que de refuser ces abbors, c'estoit tesmoignage de foiblesse et accusation de sa propre facilité, et qu'une dame non tentée ne se pouvoit vanter de sa chasteté.

Les limites de l'honneur ne sont pas retranchez du tout si court : il a dequoy se relacher, il peut se dispenser aucunement sans se forfaire. Au bout de sa frontiere il y a quelque estendue libre, indifferente et neutre. Qui l'a peu chasser et acculer à force, jusques dans son coin et son fort, c'est un mal habile homme s'il n'est satisfaict de sa fortune. Le pris de la victoire se considere par la difficulté. Voulez vous sçavoir quelle impression a faict en son cœur vostre servitude et vostre merite ? mesurez le à ses meurs. Telle peut donner plus, qui ne donne pas tant. L'obligation du bien-faict se rapporte entierement à la volonté de celuy qui donne. Les autres circonstances qui tombent au bien faire, sont muettes, mortes et casuelles[a]. Ce peu luy couste plus à donner, qu'à sa compaigne son tout. Si en quelque chose la rareté sert d'estimation, ce doit estre en cecy ; ne regardez pas combien peu c'est, mais combien peu l'ont. La valeur de la monnoye se change selon le coin et la merque du lieu.

Quoy que le despit et indiscretion d'aucuns leur puisse faire dire sur l'excez de leur mescontentement, tousjours la vertu et la verité regaigne son avantage. J'en ay veu, desquelles la reputation a esté long temps interessée[b] par injure, s'estre remises en l'approbation universelle des hommes par leur seule constance, sans soing et sans artifice : chacun se repent et se desment de ce qu'il en a creu ; de filles un peu suspectes, elles tiennent le premier rang entre les dames de bien et d'honneur. Quelqu'un disoit à Platon : « Tout le monde mesdit de vous. — Laissez les dire, fit-il, je vivray de façon que je leur feray changer de langage[611]. » Outre la crainte de Dieu et le pris d'une gloire si rare qui les doibt inciter à se conserver, la corruption de ce siecle les y force ; et, si j'estois en leur place, il n'est rien que je ne fisse plustost que de commettre ma reputation en mains si dangereuses. De

---

[a]. Fortuites. — [b]. Endommagée.

mon temps, le plaisir d'en compter (plaisir qui ne doit guere
en douceur à celuy mesme de l'effect) n'estoit permis qu'à
ceux qui avoient quelque amy fidelle et unique ; à present
les entretiens ordinaires des assemblées et des tables, ce
sont les vanteries des faveurs receuës et liberalité secrette
des dames. Vrayement c'est trop d'abjection et de bassesse
de cœur de laisser ainsi fierement persecuter, pestrir et
fourrager ces tendres graces à des personnes ingrates,
indiscrettes et si volages.

Cette nostre exasperation immoderée et illegitime contre
ce vice naist de la plus vaine et tempestueuse maladie qui
afflige les ames humaines, qui est la jalousie.

> *Quis vetat apposito lumen de lumine sumi?*
> *Dent licet assiduè, nil tamen inde perit*[a].

Celle-là et l'envie, sa sœur, me semblent des plus ineptes
de la trouppe. De cette-cy je n'en puis guere parler : cette
passion, qu'on peinct si forte et si puissante, n'a de sa
grace aucune addresse en moy. Quand à l'autre, je la
cognois, aumoins de veuë. Les bestes en ont ressentiment :
le pasteur Cratis estant tombé en l'amour d'une chevre,
son bouc, ainsi qu'il dormoit, luy vint par jalousie choquer
la teste de la sienne et la luy escraza[612]. Nous avons monté
l'excez de cette fiévre à l'exemple d'aucunes nations barbares; les mieux disciplinées en ont esté touchées, c'est
raison, mais non pas transportées :

> *Ense maritali nemo confossus adulter*
> *Purpureo stygias sanguine tinxit aquas*[b].

Lucullus[613], Cæsar[614], Pompeius[615], Antonius[616], Caton[617]
et d'autres braves hommes furent cocus, et le sceurent
sans en exciter tumulte. Il n'y eust, en ce temps là, qu'un
sot de Lepidus qui en mourut d'angoisse[618].

---

a. « Qui empêche d'allumer un flambeau à un autre flambeau proche?
Elles ont beau donner sans cesse, le fonds ne diminue jamais. » Ovide,
Art d'aimer, III, 93. — *b.* « Aucun adultère percé de l'épée d'un
mari n'a teint de son sang les eaux du Styx. » Jean Second, *Élégies*,
I, vii, 71.

> *Ah! tum te miserum malique fati,*
> *Quem attractis pedibus, patente porta,*
> *Percurrent mugilesque raphanique* [a].

Et le Dieu de nostre poëte, quand il surprint avec sa femme l'un de ses compaignons, se contenta de leur en faire honte,

> *atque aliquis de Diis non tristibus optat*
> *Sic fieri turpis* [b];

et ne laisse pourtant pas de s'eschauffer des douces caresses qu'elle luy offre, se plaignant qu'elle soit pour cela entrée en deffiance de son affection :

> *Quid causas petis ex alto, fiducia cessit*
> *Quo tibi, diva, mei* [c] *?*

Voire elle luy faict requeste pour un sien bastard,

> *Arma rogo genitrix nato* [d],

qui luy est liberalement accordée; et parle Vulcan d'Æneas avec honneur,

> *Arma acri facienda viro* [e].

D'une humanité à la verité plus qu'humaine! Et cet excez de bonté, je consens qu'on le quitte aux Dieux :

> *nec divis homines componier æquum est* [f].

Quant à la confusion des enfans, outre ce que les plus graves legislateurs l'ordonnent et l'affectent en leurs repu-

---

a. « Ah! malheureux, quel triste sort! On te tirera par les pieds et par la porte ouverte on fera courir les muges et les raves. » Catulle, XV, 17. (Allusion au supplice infligé dans la Rome antique à l'homme pris en flagrant délit d'adultère.) — *b.* « Et l'un des dieux, non des plus austères, exprime le désir d'être exposé à un pareil déshonneur. » Ovide, *Métamorphoses*, IV, 187. — *c.* « Pourquoi chercher des raisons de si loin? Où est passée, déesse, ta confiance en moi? » Virgile, *Énéide*, VIII, 395. — *d.* « C'est une mère qui demande des armes pour son fils. » Virgile, *Énéide*, VIII, 383. — *e.* « Il s'agit de fabriquer des armes pour un vaillant homme. » *Énéide*, VIII, 441. — *f.* « Aussi n'est-il pas juste de comparer les hommes aux dieux. » Catulle, LXVIII b, 141.

bliques, elle ne touche pas les femmes, où cette passion est, je ne sçay comment, encore mieux en son siege :

> *Sæpe etiam Juno, maxima cælicolum,*
> *Conjugis in culpa flagravit quotidiana* [a].

Lorsque la jalousie saisit ces pauvres ames foibles et sans resistance, c'est pitié comme elle les tirasse et tyrannise cruellement; elle s'y insinue sous tiltre d'amitié; mais depuis qu'elle les possede, les mesmes causes qui servoient de fondement à la bienvueillance servent de fondement de hayne capitale. C'est des maladies d'esprit celle à qui plus de choses servent d'aliment, et moins de choses de remede. La vertu, la santé, le merite, la reputation du mary sont les boutefeus de leur maltalent [b] et de leur rage :

> *Nullæ sunt inimicitiæ, nisi amoris, acerbæ* [c].

Cette fiévre laidit [d] et corrompt tout ce qu'elles ont de bel et de bon d'ailleurs [e], et d'une femme jalouse, quelque chaste qu'elle soit et mesnagere, il n'est action qui ne sente à l'aigre et à l'importun. C'est une agitation enragée, qui les rejecte à une extremité du tout contraire à sa cause. Il fut bon d'un Octavius à Romme : ayant couché avec Pontia Posthumia, il augmenta son affection par la jouyssance, et poursuyvit à toute instance de l'espouser; ne la pouvant persuader, cet amour extreme le precipita aux effects de la plus cruelle et mortelle inimitié; il la tua [619]. Pareillement, les symptomes ordinaires de cette autre maladie amoureuse, ce sont haynes intestines, monopoles [f], conjurations,

> *notumque furens quid fœmina possit* [g],

et une rage qui se ronge d'autant plus qu'elle est contraincte de s'excuser du pretexte de bien-vueillance.

Or le devoir de chasteté a une grande estendue. Est-ce

---

a. « Souvent Junon elle-même, la plus grande des habitantes du ciel, a dissimulé la colère qui l'enflammait contre son coupable époux. » Catulle, LXVIII b, 138. — b. Haine. — c. « Il n'y a de haines cruelles que celles de l'amour. » Properce, II, VIII, 3. — d. Enlaidit. — e. Par ailleurs. — f. Complots. — g. « Et l'on sait ce que peut une femme en fureur. » Virgile, *Énéide*, V, 6.

la volonté que nous voulons qu'elles brident? C'est une
piece bien souple et active; elle a beaucoup de promptitude pour la pouvoir arrester. Comment? si les songes les
engagent par fois si avant qu'elles ne s'en puissent desdire.
Il n'est pas en elles, ny à l'advanture en la chasteté mesme,
puis qu'elle est femelle, de se deffendre des concupiscences
et du desirer. Si leur volonté seule nous interesse, où
en sommes nous? Imaginez la grand presse, à qui auroit
ce privilege d'estre porté tout empenné, sans yeux et sans
langue, sur le poinct de chacune qui l'accepteroit.

Les femmes Scythes crevoyent les yeux à tous leurs
esclaves et prisonniers de guerre pour s'en servir plus
librement et couvertement[620].

O le furieux advantage que l'opportunité! Qui me
demanderoit la premiere partie en l'amour, je responderois
que c'est sçavoir prendre le temps; la seconde de mesme,
et encore la tierce : c'est un poinct qui peut tout. J'ay eu
faute de fortune souvant, mais par fois aussi d'entreprise;
Dieu gard de mal qui peut encores s'en moquer! Il y
faut en ce siecle plus de temerité, laquelle nos jeunes gens
excusent sous pretexte de chaleur : mais, si elles y regar-
doyent de près, elles trouveroyent qu'elle vient plustost
de mespris. Je craignois superstitieusement d'offenser, et
respecte volontiers ce que j'ayme. Outre ce qu'en cette
marchandise, qui en oste la reverence en efface le lustre.
J'ayme qu'on y face un peu l'enfant, le craintif et le serviteur. Si ce n'est du tout en cecy, j'ay d'ailleurs quelques
airs de la sotte honte dequoy parle Plutarque[621], et en a esté
la cours de ma vie blessé et taché diversement; qualité
bien mal-avenante à ma forme universelle[a]; qu'est-il de
nous aussi que sedition et discrepance[b]? J'ay les yeux
tendres à soustenir un refus, comme à refuser; et me
poise[c] tant de poiser à autruy que, és occasions où le
devoir me force d'essayer la volonté de quelqu'un en chose
doubteuse et qui luy couste, je le fois maigrement et envis[d].
Mais si c'est pour mon particulier (quoy que die veritablement Homere[622] qu'à un indigent, c'est une sotte vertu
que la honte) j'y commets ordinairement un tiers qui
rougisse en ma place. Et escondis ceux qui m'emploient

---

a. Mon caractère en général. — *b.* Discordance. — *c.* Pèse. —
d. Malgré moi.

LIVRE III, CHAPITRE V

de pareille difficulté, si qu'il [a] m'est advenu par fois d'avoir la volonté de nier, que je n'en avois pas la force.

C'est donc folie d'essayer à brider aux femmes un desir qui leur est si cuysant et si naturel. Et, quand je les oy se vanter d'avoir leur volonté si vierge et si froide, je me moque d'elles; elles se reculent trop arriere. Si c'est une vieille esdentée et decrepite, ou une jeune seche et pulmonique, s'il n'est du tout croyable, au moins elles ont apparence de le dire. Mais celles qui se meuvent et qui respirent encores, elles en empirent leur marché, d'autant que les excuses inconsiderées servent d'accusation. Comme un gentil'homme de mes voisins, qu'on soubçonnoit d'impuissance,

> *Languidior tenera cui pendens sicula beta*
> *Nunquam se mediam sustulit ad tunicam* [b],

trois ou quatre jours après ses nopces, alla jurer tout hardiment, pour se justifier, qu'il avoit faict vingt postes la nuict precedente; dequoy on s'est servy depuis à le convaincre de pure ignorance et à le desmarier. Outre que ce n'est rien dire qui vaille, car il n'y a ny continence ny vertu, s'il n'y a de l'effort au contraire.

« Il est vray, faut-il dire, mais je ne suis pas preste à me rendre. » Les saincts mesme parlent ainsi. S'entend de celles qui se vantent en bon escient de leur froideur et insensibilité et qui veulent en estre creües d'un visage serieux. Car, quand c'est d'un visage affeté, où les yeux dementent leurs parolles, et du jargon de leur profession qui porte coup à contrepoil [c], je le trouve bon. Je suis fort serviteur de la nayfveté et de la liberté; mais il n'y a remede; si elle n'est du tout niaise ou enfantine, elle est inepte aus dames, et messeante en ce commerce; elle gauchit incontinent sur [d] l'impudence. Leurs desguisements et leurs figures ne trompent que les sots. Le mentir y est en siege d'honneur; c'est un destour qui nous conduit à la verité par une fauce porte.

Si nous ne pouvons contenir leur imagination, que vou-

---

a. Au point qu'il. — *b.* « Et dont le sexe, qui pend plus languide que la tige molle d'une bette, ne s'est jamais dressé au milieu de sa tunique. » Catulle, LXVII, 21. — *c.* Qui fait entendre le contraire de ce qu'elles disent. — *d.* Elle prend immédiatement le chemin de.

lons nous d'elles? Les effects? il en est assez qui eschappent à toute communication estrangere, par lesquels la chasteté peut estre corrompue,

> *Illud sæpe facit quod sine teste facit* [a].

Et ceux que nous craignons le moins sont à l'avanture les plus à craindre; leurs pechez muets sont les pires :

> *Offendor mœcha simpliciore minus* [b].

Il est des effects qui peuvent perdre sans impudicité leur pudicité et, qui plus est, sans leur sceu [c] : « *Obstetrix, virginis cujusdam integritatem manu velut explorans, sive malevolentia, sive inscitia, sive casu, dum inspicit, perdidit* [d]. » Telle a esdiré [e] sa virginité pour l'avoir cherchée; telle, s'en esbatant, l'a tuée.

Nous ne sçaurions leur circonscrire precisement les actions que nous leur deffendons. Il faut concevoir nostre loy soubs parolles generales et incertaines. L'idée mesme que nous forgeons à leur chasteté est ridicule; car, entre les extremes patrons que j'en aye, c'est Fatua, femme de Faunus, qui ne se laissa voir oncques puis [f] ses nopces à masle quelconque[623], et la femme de Hieron, qui ne sentoit pas son mary punais, estimant que ce fut une commune qualité à tous hommes[624]. Il faut qu'elles deviennent insensibles et invisibles pour nous satisfaire.

Or, confessons que le neud du jugement de ce devoir gist principalement en la volonté. Il y a eu des maris qui ont souffert cet accident, non seulement sans reproche et offence envers leurs femmes, mais avec singuliere obligation et recommandation de leur vertu. Telle, qui aymoit mieux son honneur que sa vie, l'a prostitué à l'appetit forcené d'un mortel ennemy pour sauver la vie à son mary, et a faict pour luy ce qu'elle n'eust aucunement faict pour soy. Ce n'est pas icy le lieu d'estendre ces exemples : ils sont

---

a. « Elle fait souvent ce qu'elle fait sans témoin. » Martial, VII, LXI, 6. — *b.* « Une débauchée plus simplette me scandalise moins. » Martial, VI, VII, 6. — *c.* A leur insu. — *d.* « Parfois une sage-femme, en inspectant de la main la virginité d'une jeune fille, soit malice, ou maladresse, ou malheur, la lui a fait perdre. » Saint Augustin, *Cité de Dieu*, I, 18. — *e.* Supprimé. — *f.* Jamais depuis.

trop hauts et trop riches pour estre representez en ce lustre, gardons les à un plus noble siege.

Mais, pour des exemples de lustre plus vulgaire, est il pas tous les jours des femmes qui, pour la seule utilité de leurs maris, se prestent, et par leur expresse ordonnance et entremise? Et anciennement Phaulius l'Argien offrit la sienne au Roy Philippus par ambition; tout ainsi que par civilité ce Galba, qui avoit donné à souper à Mecenas, voyant que sa femme et luy commençoient à comploter par œillades et signes, se laissa couler sur son coussin, representant un homme aggravé[a] de sommeil, pour faire espaule à leur intelligence[b]. Et l'advoua d'assez bonne grace; car, sur ce point, un valet ayant pris la hardiesse de porter la main sur les vases qui estoient sur la table, il lui cria : « Vois tu pas, coquin, que je ne dors que pour Mecenas[625]? »

Telle a les meurs desbordées, qui a la volonté plus reformée que n'a cet'autre qui se conduit soubs une apparence reiglée. Comme nous en voyons qui se plaignent d'avoir esté vouées à chasteté avant l'aage de cognoissance, j'en ay veu aussi se plaindre veritablement d'avoir esté vouées à la desbauche avant l'aage de cognoissance; le vice des parens en peut estre cause, ou la force du besoing, qui est un rude conseillier. Aus Indes orientales, la chasteté y estant en singuliere recommandation, l'usage pourtant souffroit qu'une femme mariée se peut abandonner à qui luy presentoit un elephant; et cela avec quelque gloire d'avoir esté estimée à si haut pris[626].

Phedon le philosophe, homme de maison[c], après la prinse de son païs d'Elide, fit mestier de prostituer, autant qu'elle dura, la beauté de sa jeunesse à qui en voulut à pris d'argent, pour en vivre[627]. Et Solon fut le premier en la Grece, dict on, qui, par ses loix, donna liberté aux femmes aux despens de leur pudicité de pourvoir au besoing de leur vie[628], coustume que Herodote dict[629] avoir esté receuë avant luy en plusieurs polices[d].

Et puis quel fruit de cette penible solicitude? car, quelque justice qu'il y ait en cette passion, encores faudroit il voir si elle nous charrie[e] utilement. Est-il quelqu'un qui les pense boucler par son industrie[f]?

a. Alourdi. — *b.* Entente, accord. — *c.* De bonne maison, gentilhomme. — *d.* États. — *e.* Emporte. — *f.* Habileté.

*Pone seram, cohibe; sed quis custodiet ipsos
Custodes? Cauta est, et ab illis incipit uxor* [a].

Quelle commodité ne leur est suffisante en un siecle si sçavant?

La curiosité est vicieuse par tout, mais elle est pernicieuse icy. C'est folie de vouloir s'esclaircir d'un mal auquel il n'y a point de medecine qui ne l'empire et le rengrege [b]; duquel la honte s'augmente et se publie principalement par la jalousie; duquel la vanjance blesse plus nos enfans qu'elle ne nous guerit? Vous assechez et mourez à la queste d'une si obscure verification. Combien piteusement y sont arrivez ceux de mon temps qui en sont venus à bout! Si l'advertisseur n'y presente quand et quand le remede et son secours, c'est un advertissement injurieux et qui merite mieux un coup de poignard que ne faict un dementir. On ne se moque pas moins de celuy qui est en peine d'y pourvoir que de celuy qui l'ignore. Le caractere de la cornardise est indelebile: à qui il est une fois attaché, il l'est tousjours; le chastiement l'exprime plus que la faute. Il faict beau voir arracher de l'ombre et du doubte nos malheurs privés, pour les trompeter en eschaffaux [c] tragiques; et mal'heurs qui ne pinsent que par le raport. Car bonne femme et bon mariage se dict non de qui l'est, mais duquel on se taist. Il faut estre ingenieux à eviter cette ennuyeuse et inutile cognoissance. Et avoyent les Romains en coustume, revenans de voyage, d'envoyer au devant en la maison faire sçavoir leur arrivée aus femmes, pour ne les surprendre [630]. Et pourtant a introduit certaine nation que le prestre ouvre le pas à l'espousée, le jour des nopces, pour oster au marié le doubte et la curiosité de cercher en ce premier essay si elle vient à luy vierge ou blessée d'un'amour estrangere [631].

« Mais le monde en parle. » Je sçay çant honestes hommes coqus, honnestement et peu indecemment. Un galant homme en est pleint, non pas desestimé. Faites que vostre vertu estouffe vostre mal'heur, que les gens de bien en maudissent l'occasion, que celuy qui vous offence

---

a. « Mets le verrou! Empêche-la de sortir! Mais les gardiens eux-mêmes, qui les gardera? Une femme prend ses précautions et c'est par eux qu'elle commence. » Juvénal, VI, 347. — *b*. Renforce, aggrave. — *c*. Scènes.

tremble seulement à le penser. Et puis, de qui ne parle on en ce sens, depuis le petit jusques au plus grand?

> *Tot qui legionibus, imperitavit,*
> *Et melior quàm tu multis fuit, improbe, rebus* [a].

Voys tu qu'on engage en ce reproche tant d'honnestes hommes en ta presence? Pense qu'on ne t'espargne non plus ailleurs. « Mais jusques aux dames, elles s'en moqueront! » — Et dequoy se moquent elles en ce temps plus volontiers que d'un mariage paisible et bien composé? Chacun de vous a faict quelqu'un coqu : or nature est toute en pareilles, en compensation et vicissitude. La frequence de cet accident en doibt meshuy [b] avoir moderé l'aigreur; le voilà tantost passé en coustume.

Miserable passion, qui a cecy encore, d'estre incommunicable,

> *Fors etiam nostris invidit questibus aures* [c] :

car à quel amy osez vous fier vos doleances, qui, s'il ne s'en rit, ne s'en serve d'acheminement et d'instruction pour prendre luy-mesme sa part à la curée?

Les aigreurs, comme les douceurs du mariage, se tiennent secrettes par les sages. Et, parmy les autres importunes conditions qui se trouvent en iceluy, cette cy, à un homme languager [d] comme je suis, est des principales : que la coustume rende indecent et nuisible qu'on communique à personne tout ce qu'on en sçait et qu'on en sent.

De leur donner mesme conseil à elles pour les desgouster de la jalousie, ce seroit temps perdu; leur essence est si confite en soubçon, en vanité et en curiosité, que de les guarir par voye legitime, il ne faut pas l'esperer. Elles s'amendent souvant de cet inconvénient par une forme de santé beaucoup plus à craindre que n'est la maladie mesme. Car, comme il y a des enchantemens qui ne sçavent pas oster le mal qu'en le rechargeant à un autre, elles rejettent ainsi volontiers cette fievre à leurs maris quand elles la

---

a. « [Jusqu'au général] qui a commandé à tant de légions et qui valait mieux que toi, misérable, à beaucoup d'égards. » Lucrèce, III, 1039 et 1041. — *b.* Désormais. — *c.* « Le sort nous refuse même des oreilles ouvertes à nos plaintes. » Catulle, LXIV, 170. — *d.* Bavard.

perdent. Toutesfois, à dire vray, je ne sçay si on peut souffrir d'elles pis que la jalousie ; c'est la plus dangereuse de leurs conditions, comme de leurs membres la teste. Pittacus disoit que chacun avoit son defaut ; que le sien estoit la mauvaise teste de sa femme ; hors cela, il s'estimeroit de tout poinct heureux[632]. C'est un bien poisant[a] inconvenient, duquel un personnage si juste, si sage, si vaillant sentoit tout l'estat de sa vie alteré : que devons nous faire, nous autres hommenetz[b] ?

Le senat de Marseille eut raison d'accorder la requeste à celuy qui demandoit permission de se tuer pour s'exempter de la tempeste de sa femme[633] ; car c'est un mal qui ne s'emporte jamais qu'en emportant la piece, et qui n'a autre composition qui vaille que la fuite ou la souffrance, quoy que toutes les deux très difficiles.

Celuy là s'y entendoit, ce me semble, qui dict qu'un bon mariage se dressoit d'une femme aveugle avec un mary sourd[634].

Regardons aussi que cette grande et violente aspreté d'obligation que nous leur enjoignons ne produise deux effects contraires à nostre fin : asçavoir qu'elle esguise les poursuyvants et face les femmes plus faciles à se rendre ; car, quand au premier point, montant le pris de la place, nous montons le pris et le desir de la conqueste. Seroit-ce pas Venus mesme qui eut ainsi finement haussé le chevet à sa marchandise par le maquerelage des loix, cognoissant combien c'est un sot desduit[c] qui ne le feroit valoir par fantasie et par cherté ? En fin c'est tout chair de porc que la sauce diversifie, comme disoit l'hoste de Flaminius[635]. Cupidon est un Dieu felon ; il faict son jeu à luitter la devotion et la justice ; c'est sa gloire, que sa puissance choque tout'autre puissance, et que tout autres regles cedent aux siennes.

Materiam culpæ prosequiturque suæ[d].

Et quant au second poinct : serions nous pas moins coqus si nous craignions moins de l'estre, suyvant la complexion des femmes, car la deffence les incite et convie ?

---

a. Pesant. — *b.* Petits hommes, homoncules. — *c.* Plaisir. — *d.* « Il cherche sans cesse l'occasion de sa faute. » Ovide, *Tristes*, IV, 1, 34.

LIVRE III, CHAPITRE V

Ubi velis, nolunt; ubi nolis, volunt ultro[a]...
Concessa pudet ire via[b].

Quelle meilleure interpretation trouverions nous au faict[c] de Messalina? Elle fit au commencement son mary coqu à cachetes, comme il se faict; mais, conduisant ses parties[d] trop ayséement, par la stupidité qui estoit en luy, elle desdaigna soudain cet usage. La voylà à faire l'amour à la descouverte, advoüer des serviteurs, les entretenir et les favoriser à la veüe d'un chacun. Elle vouloit qu'il s'en ressentit[e]. Cet animal ne se pouvant esveiller pour tout cela, et luy rendant ses plaisirs mols et fades par cette trop lâche facilité par laquelle il sembloit qu'il les authorisat et legitimat, que fit elle? Femme d'un Empereur sain et vivant, et à Romme, au theatre du monde, en plein midy, en feste et ceremonie publique et avec Silius, duquel elle jouyssoit long temps devant, elle se marie un jour que son mary estoit hors de la ville[636]. Semble il pas qu'elle s'acheminast à devenir chaste par la nonchallance de son mary, ou qu'elle cerchast un autre mary qui luy esguisast l'appetit par sa jalousie, et qui, en luy insistant[f], l'incitast? Mais la premiere difficulté qu'elle rencontra fut aussi la derniere. Cette beste s'esveilla en sursaut. On a souvent pire marché de ces sourdaus[g] endormis. J'ay veu par experience que cette extreme souffrance, quand elle vient à se desnoüer, produit des vengeances plus aspres; car, prenant feu tout à coup, la cholere et la fureur s'emmoncelant en un, esclate tous ses efforts à la premiere charge,

irarúmque omnes effundit habenas[h].

Il la fit mourir et grand nombre de ceux de son intelligence, jusques à tel qui n'en pouvoit mais et qu'elle avoit convié à son lit à coups d'escorgée[i].

Ce que Virgile dict de Venus et de Vulcan, Lucrece l'avoit dict plus sortablement[j] d'une jouissance desrobée d'elle et de Mars :

---

a. « Voulez-vous : elles refusent; refusez-vous, elles veulent. » Térence, *Eunuque*, IV, VIII, 43. — *b.* « C'est une honte pour elles que de suivre la route permise. » Lucain, *Pharsale*, II, 446. — *c.* Cas. — *d.* Parties de plaisir. — *e.* Qu'il le sût. — *f.* Résistant. — *g.* Sourds. — *h.* « Et lâche toute bride à sa fureur. » Virgile, *Énéide*, XII, 499. — *i.* De courroie, de lanière. — *j.* A propos.

> *belli fera mœnera Mavors*
> *Armipotens regit, in gremium qui sæpe tuum se*
> *Rejicit, æterno devinctus vulnere amoris :*
> *Pascit amore avidos inhians in te, Dea, visus,*
> *Eque tuo pendet resupini spiritus ore :*
> *Hunc tu, diva, tuo recubantem corpore sancto*
> *Circunfusa super, suaveis ex ore loquelas*
> *Funde* [a].

Quand je rumine ce « *rejicit, pascit, inhians, molli, fovet medullas, labefacta, pendet, percurrit* », et cette noble « *circunfusa* », mere du gentil « *infusus* », j'ay desdain de ces menues pointes et allusions verballes qui nasquirent depuis. A ces bonnes gens, il ne falloit pas d'aigüe et subtile rencontre; leur langage est tout plein et gros d'une vigueur naturelle et constante; ils sont tout epigramme, non la queuë seulement, mais la teste, l'estomac et les pieds. Il n'y a rien d'efforcé, rien de treinant, tout y marche d'une pareille teneur. « *Contextus totus virilis est; non sunt circa flosculos occupati* [b]. » Ce n'est pas une eloquence molle et seulement sans offence : elle est nerveuse et solide, qui ne plaict pas tant comme elle remplit et ravit; et ravit le plus les plus forts espris. Quand je voy ces braves formes de s'expliquer, si vifves, si profondes, je ne dicts pas que c'est bien dire, je dicts que c'est bien penser. C'est la gaillardise de l'imagination qui esleve et enfle les parolles. « *Pectus est quod disertum facit* [c]. » Nos gens appellent jugement, langage et beaux mots, les plaines [d] conceptions.

Cette peinture est conduitte non tant par dexterité de la main comme pour avoir l'object plus vifvement empreint en l'ame. Gallus parle simplement, parce qu'il conçoit simplement. Horace ne se contente point d'une superficielle expression, elle le trahiroit. Il voit plus cler et plus outre

---

a. « Mavors, puissant aux armes, vient souvent chercher asile sur tes genoux, vaincu à son tour par la blessure éternelle de l'amour. Là, levant les yeux vers toi, sans jamais se rassasier il repaît d'amour ses regards avides, ô Déesse; allongé sur le dos, il reste le souffle suspendu à tes lèvres. Comme il repose ainsi, ô divine, enlacée à lui et le couvrant de ton corps sacré, répands de ta bouche de douces paroles. » Lucrèce, I, 33. — *b.* « Leur discours est un tissu mâle; ils ne s'amusent pas à des fleurettes. » Sénèque, *Épîtres*, 33. — *c.* « C'est le cœur qui fait l'éloquence. » Quintilien, X, VII, 15. — *d.* Pleines, riches.

LIVRE III, CHAPITRE V

dans la chose; son esprit crochette et furette tout le magasin des mots et des figures pour se representer; et les luy faut outre l'ordinaire, comme sa conception est outre l'ordinaire. Plutarque dit[637] qu'il veid le langage latin par les choses; icy de mesme : le sens esclaire et produict les parolles; non plus de vent, ains de chair et d'os. Elles signifient plus qu'elles ne disent. Les imbecilles sentent encores quelque image de cecy : car, en Italie, je disois ce qu'il me plaisoit en devis communs; mais, aus propos roides, je n'eusse osé me fier à un Idiome que je ne pouvois plier, ny contourner outre son alleure commune. J'y veux pouvoir quelque chose du mien.

Le maniement et emploite des beaux esprs donne pris à la langue, non pas l'innovant[638] tant comme la remplissant de plus vigoureux et divers services, l'estirant et ployant. Ils n'y aportent point des mots, mais ils enrichissent les leurs, appesantissent et enfoncent leur signification et leur usage, luy aprenent des mouvements inaccoustumés, mais prudemment et ingenieusement. Et combien peu cela soit donné à tous, il se voit par tant d'escrivains françois de ce siecle. Ils sont assez hardis et dédaigneux pour ne suyvre la route commune; mais faute d'invention et de discretion les pert. Il ne s'y voit qu'une miserable affectation d'estrangeté, des déguisements froids et absurdes qui, au lieu d'eslever, abbattent la matiere. Pourveu qu'ils se gorgiasent[a] en la nouvelleté, il ne leur chaut de l'efficace[b]; pour saisir un nouveau mot, ils quittent l'ordinaire, souvent plus fort et plus nerveux.

En nostre langage je trouve assez d'estoffe, mais un peu faute de façon; car il n'est rien qu'on ne fit du jargon de nos chasses et de nostre guerre, qui est un genereux terrein à emprunter[639]; et les formes de parler, comme les herbes, s'amendent et fortifient en les transplantant. Je le trouve suffisamment abondant, mais non pas maniant et vigoureux suffisamment. Il succombe ordinairement à une puissante conception. Si vous allez tendu, vous sentez souvent qu'il languit soubs vous et fleschit, et qu'à son deffaut le Latin se presente au secours, et le Grec à d'autres. D'aucuns de ces mots que je viens de trier[640], nous en apercevons plus malaisément l'energie, d'autant que l'usage

---

a. Se complaisent. — *b.* Ils ne se soucient pas du résultat.

et la frequence nous en ont aucunement avily et rendu vulgaire la grace. Comme en nostre commun, il s'y rencontre des frases excellentes et des metaphores desquelles la beauté flestrit de vieillesse, et la couleur s'est ternie par maniement trop ordinaire. Mais cela n'oste rien du goust à ceux qui ont bon nez, ni ne desroge à la gloire de ces anciens autheurs qui, comme il est vraysemblable, mirent premièrement ces mots en ce lustre.

Les sciences traictent les choses trop finement, d'une mode trop artificielle et differente à la commune et naturelle. Mon page faict l'amour et l'entend. Lisez luy Leon Hébreu[641] et Ficin[642] : on parle de luy, de ses pensées et de ses actions, et si, il n'y entend rien. Je ne recognois pas chez Aristote la plus part de mes mouvemens ordinaires; on les a couverts et revestus d'une autre robbe pour l'usage de l'eschole. Dieu leur doint bien faire! Si j'estois du mestier, je[a] naturaliserois l'art autant comme ils artialisent la nature. Laissons là Bembo[643] et Equicola[644].

Quand j'escris, je me passe bien de la compaignie et souvenance des livres, de peur qu'ils n'interrompent ma forme. Aussi que, à la verité, les bons autheurs m'abattent par trop et rompent le courage. Je fais volontiers le tour de ce peintre, lequel, ayant miserablement representé des coqs, deffendoit à ses garçons qu'ils ne laissassent venir en sa boutique aucun coq naturel[645].

Et aurois plustost besoing, pour me donner un peu de lustre, de l'invention du musicien Antinonydes[646] qui, quand il avoit à faire la musique, mettoit ordre que, devant ou après luy, son auditoire fut abreuvé de quelques autres mauvais chantres.

Mais je me puis plus malaiséement deffaire de Plutarque. Il est si universel et si plain[b] qu'à toutes occasions, et quelque suject extravagant que vous ayez pris, il s'ingere à vostre besongne et vous tend une main liberale et inespuisable de richesses et d'embellissemens. Il m'en faict despit d'estre si fort exposé au pillage de ceux qui le hantent : je ne le puis si peu racointer[c] que je n'en tire cuisse ou aile.

Pour ce mien dessein[647], il me vient aussi à propos d'escrire chez moy, en pays sauvage, où personne ne m'ayde

---

a. L'édition de 1588 portait : *je traiteroy l'art le plus naturellement que je pourrois.* — *b.* Plein, riche. — *c.* Fréquenter.

ni me releve, où je ne hante communéement homme qui entende le latin de son patenostre, et de françois un peu moins. Je l'eusse faict meilleur ailleurs, mais l'ouvrage eust esté moins mien; et sa fin principale et perfection, c'est d'estre exactement mien. Je corrigerois bien une erreur accidentale, dequoy je suis plain, ainsi que je cours inadvertemment; mais les imperfections qui sont en moy ordinaires et constantes, ce seroit trahison de les oster. Quand on m'a dit ou que moy-mesme me suis dict : « Tu es trop espais en figures. Voilà un mot du creu ᵃ de Gascoingne[648]. Voilà une frase dangereuse (je n'en refuis aucune de celles qui s'usent emmy les rues françoises; ceux qui veulent combatre l'usage par la grammaire se moquent). Voilà un discours ᵇ ignorant. Voilà un discours paradoxe. En voilà un trop fol. Tu te joues souvent; on estimera que tu dies à droit ᶜ ce que tu dis à feinte. — Oui, fais-je; mais je corrige les fautes d'inadvertence, non celles de coustume. Est-ce pas ainsi que je parle par tout? me represente-je pas vivement? suffit! J'ay faict ce que j'ay voulu : tout le monde me reconnoit en mon livre, et mon livre en moy. »

Or j'ay une condition singeresse et imitatrice : quand je me meslois de faire des vers (et n'en fis jamais que des Latins), ils accusoient evidemment le poëte que je venois dernierement de lire; et, de mes premiers essays, aucuns puent un peu à l'estranger. A Paris, je parle un langage aucunement autre qu'à Montaigne. Qui que je regarde avec attention m'imprime facilement quelque chose du sien. Ce que je considere, je l'usurpe : une sotte contenance, une desplaisante grimace, une forme de parler ridicule. Les vices, plus; d'autant qu'ils me poingnent, ils s'acrochent à moy et ne s'en vont pas sans secouer. On m'a veu plus souvent jurer par similitude que par complexion.

Imitation meurtriere comme celle des singes horribles en grandeur et en force que le Roy Alexandre rencontra en certaine contrée des Indes. Desquels autrement il eust esté difficile de venir à bout. Mais ils en prestarent le moyen par cette leur inclination à contrefaire tout ce qu'ils voyoyent faire. Car par là les chasseurs apprindrent de se

---

a. Cru. — *b.* Développement. — *c.* Sérieusement, pour de bon.

chausser des souliers à leur veuë à tout force nœuds de
liens ; de s'affubler d'accoustrements de testes à tout des
lacs courants et oindre par semblant leurs yeux de glux.
Ainsi mettoit imprudemment à mal ces pauvres bestes
leur complexion singeresse. Ils s'engluoient, s'enchevestroyent et garrotoyent d'elles mesmes[649]. Cette autre faculté
de representer ingenieusement les gestes et parolles d'un
autre par dessein, qui apporte souvent plaisir et admiration, n'est en moy non plus qu'en une souche. Quand
je jure selon moy, c'est seulement « par Dieu! » qui est
le plus droit de tous les serments. Ils disent que Socrates
juroit le chien[650], Zenon cette mesme interjection qui sert
à cette heure aux Italiens, Gappari[651], Pythagoras l'eau
et l'air[652].

Je suis si aisé à recevoir, sans y penser, ces impressions
superficielles, qu'ayant eu en la bouche Sire ou Altesse
trois jours de suite, huict jours après ils m'eschappent pour
Excellence ou pour Seigneurie. Et ce que j'auray pris à
dire en battellant et en me moquant, je le diray lendemain
serieusement. Parquoy, à escrire, j'accepte plus envis[a] les
arguments battus, de peur que je les traicte aux despens
d'autruy. Tout argument m'est egallement fertile. Je les
prens sur une mouche ; et Dieu veuille que celuy que
j'ay icy en main n'ait pas esté pris par le commandement
d'une volonté autant volage ! Que je commence par celle
qu'il me plaira, car les matieres se tiennent toutes enchesnées les unes aux autres.

Mais mon ame me desplait de ce qu'elle produict ordinairement ses plus profondes resveries, plus folles et qui
me plaisent le mieux, à l'improuveu[b] et lors que je les
cerche moins ; lesquelles s'esvanouissent soudain, n'ayant
sur le champ où les attacher ; à cheval, à la table, au lit,
mais plus à cheval, où sont mes plus larges entretiens. J'ay
le parler un peu delicatement jaloux d'attention et de silence
si je parle de force : qui m'interrompt m'arreste. En voiage,
la necessité mesme des chemins couppe les propos ; outre
ce, que je voyage plus souvent sans compaignie propre à
ces entretiens de suite, par où je prens tout loisir de
m'entretenir moy-mesme. Il m'en advient comme de mes
songes ; en songeant je les recommande à ma memoire

a. Plus à contrecœur. — *b.* A l'improviste.

(car je songe volontiers que je songe), mais le lendemain je me represente bien leur couleur comme elle estoit, ou gaye, ou triste, ou estrange; mais quels ils estoient au reste, plus j'ahane à le trouver, plus je l'enfonce en l'oubliance. Aussi de ces discours fortuites qui me tombent en fantasie, il ne m'en reste en memoire qu'une vaine image, autant seulement qu'il m'en faut pour me faire ronger et despiter après leur queste, inutilement.

Or donc, laissant les livres à part, parlant plus materiellement et simplement, je trouve après tout que l'amour n'est autre chose que la soif de cette jouyssance en un subject desiré, ny Venus autre chose que le plaisir à descharger ses vases[a], qui devient vicieux ou par immoderation, ou indiscretion. Pour Socrates l'amour est appetit de generation par l'entremise de la beauté[653]. Et, considerant maintesfois la ridicule titillation de ce plaisir, les absurdes mouvemens escervelez et estourdis dequoy il agite Zenon et Cratippus, cette rage indiscrette, ce visage enflammé de fureur et de cruauté au plus doux effect de l'amour, et puis cette morgue grave, severe et ecstatique en une action si fole, et qu'on aye logé peslemesle nos delices et nos ordures ensemble, et que la supreme volupté aye du transy et du plaintif comme la douleur, je crois qu'il est vrai ce que dict Platon[654] que l'homme est le jouet des Dieux,

> *quænam ista jocandi*
> *Sævitia*[b] *!*

et que c'est par moquerie que nature nous a laissé la plus trouble de nos actions, la plus commune, pour nous esgaller par là, et apparier les fols et les sages, et nous et les bestes. Le plus contemplatif et prudent homme, quand je l'imagine en cette assiette, je le tiens pour un affronteur de faire le prudent et le contemplatif; ce sont les pieds du paon qui abbatent son orgueuil :

> *ridentem dicere verum*
> *Quid vetat*[c] *?*

a. comme le plaisir que nature nous donne à descharger d'autres parties, ajoute l'édition de 1595. — *b.* « Cruelle manière de se jouer! » Claudien, *In Eutropium*, I, 24. — *c.* « Qu'est-ce qui empêche de dire la vérité en riant? » Horace, *Satires*, I, 1, 24.

Ceux qui, parmi les jeux, refusent les opinions serieuses, font, dict quelqu'un, comme celui qui craint d'adorer la statuë d'un sainct, si elle est sans devantiere.

Nous mangeons bien et beuvons comme les bestes, mais ce ne sont pas actions qui empeschent les operations de nostre ame. En celles-là nous gardons nostre avantage sur elles; cette-cy met toute autre pensée soubs le joug, abrutit et abestit par son imperieuse authorité toute la theologie et philosophie qui est en Platon; et si [a], il ne s'en plaint pas. Partout ailleurs vous pouvez garder quelque decence; toutes autres operations souffrent des reigles d'honnesteté; cette-cy ne se peut pas seulement imaginer que vitieuse ou ridicule. Trouvez-y, pour voir, un proceder sage et discret? Alexandre disoit qu'il se connoissoit principallement mortel par cette action et par le dormir[655] : le sommeil suffoque et supprime les facultez de nostre ame; la besongne les absorbe et dissipe de mesme. Certes, c'est une marque non seulement de nostre corruption originelle, mais aussi de nostre vanité et deformité [b].

D'un costé, nature nous y pousse, ayant attaché à ce desir la plus noble, utile et plaisante de toutes ses operations; et la nous laisse, d'autre part, accuser et fuyr comme insolente et deshonneste, en rougir et recommander l'abstinence.

Sommes nous pas bien bruttes de nommer brutale l'operation qui nous faict?

Les peuples, ès religions, se sont rencontrez en plusieurs convenances [c], comme sacrifices, luminaires, encensements, jeunes, offrandes, et, entre autres, en la condemnation de cette action. Toutes les opinions y viennent, outre l'usage si estendu du tronçonnement du prepuce qui en est une punition. Nous avons à l'avanture raison de nous blasmer de faire une si sotte production que l'homme; d'appeller l'action honteuse, et honteuses les parties qui y servent (à cette heure sont les miennes proprement honteuses et peneuses [d]). Les Esseniens de quoy parle Pline[656], se maintenoient sans nourrice, sans maillot, plusieurs siecles, de l'abbord des estrangers qui, suivants cette belle humeur, se rangeoient continuellement à eux;

---

a. Et même. — *b.* Inanité et difformité. — *c.* Ressemblances. — *d.* Misérables.

ayant toute une nation hazardé de s'exterminer plustost que s'engager à un embrassement feminin, et de perdre la suite des hommes plustost que d'en forger un. Ils disent que Zenon n'eut affaire à femme qu'une fois en sa vie ; et que ce fut par civilité, pour ne sembler dedaigner trop obstinement le sexe[657]. Chacun fuit à le voir naistre, chacun suit à le voir mourir. Pour le destruire, on cerche un champ spacieux en pleine lumiere ; pour le construire, on se muse dans un creux tenebreux et contraint[a]. C'est le devoir de se cacher et rougir pour le faire ; et c'est gloire, et naissent plusieurs vertus, de le sçavoir deffaire. L'un est injure, l'autre est grace ; car Aristote dict que bonifier quelqu'un, c'est le tuer, en certaine frase de son pays[658].

Les Atheniens, pour appairer la deffaveur de ces deux actions, ayants à mundifier[b] l'isle de Delos et se justifier envers Appollo, defendirent au pourpris[c] d'icelle tout enterrement et tout enfantement ensemble[659].

Nostri nosmet pænitet[d].

Nous estimons à vice nostre estre.

Il y a des nations[660] qui se couvrent en mangeant. Je sçay une dame, et des plus grandes[661], qui a cette mesme opinion, que c'est une contenance desagreable de macher, qui rabat beaucoup de leur grace et de leur beauté ; et ne se presente pas volontiers en public avec appetit. Et sçay un homme qui ne peut souffrir de voir manger ny qu'on le voye, et fuyt toute assistance, plus quand il s'emplit que s'il se vuide.

En l'empire du Turc, il se void grand nombre d'hommes qui, pour exceller sur les autres, ne se laissent jamais veoir quand ils font leurs repas ; qui n'en font qu'un la sepmaine ; qui se dechiquetent et decoupent la face et les membres ; qui ne parlent jamais à personne ; toutes gens fanatiques qui pensent honnorer leur nature en se desnaturant, qui se prisent de leur mespris, et s'amendent de leur empirement[662].

Quel monstrueux animal qui se fait horreur à soy mesme, à qui ses plaisirs poisent[e] ; qui se tient à malheur !

---

a. Étroit. — *b.* Purifier. — *c.* Dans l'enceinte. — *d.* « Nous avons honte de nous-mêmes. » Térence, *Phormion*, I, III, 20. — *e.* Pèsent.

Il y en a qui cachent leur vie,

Exilióque domos et dulcia limina mutant [a],

et la desrobent de la veuë des autres hommes; qui evitent la santé et l'allegresse comme qualitez ennemies et dommageables. Non seulement plusieurs sectes, mais plusieurs peuples, maudissent leur naissance et benissent leur mort. Il en est où le soleil est abominé, les tenebres adorées.

Nous ne sommes ingenieux qu'à nous mal mener; c'est le vray gibbier de la force de nostre esprit, dangereux util en desreglement!

O miseri! quorum gaudia crimen habent [b].

« Hé! pauvre homme, tu as assez d'incommoditez necessaires, sans les augmenter par ton invention; et es assez miserable de condition, sans l'estre par art. Tu as des laideurs reelles et essentielles à suffisance, sans en forger d'imaginaires. Trouves tu que tu sois trop à ton aise, si ton aise ne te vient à desplaisir? Trouves tu que tu ayes remply tous les offices necessaires à quoy nature t'engage, et qu'elle soit manque et oisive chez toy, si tu ne t'obliges à nouveaux offices? Tu ne crains point d'offenser ses loix universelles et indubitables, et te piques aux tiennes, partisanes et fantastiques; et d'autant plus qu'elles sont particulieres, incertaines et plus contredictes, d'autant plus tu fais là ton effort. Les regles positives de ton invention t'occupent et attachent, et les regles de ta parroisse : celles de Dieu et du monde ne te touchent point. Cours un peu par les exemples de cette consideration, ta vie en est toute. »

Les vers de ces deux poetes[663], traitant ainsi reserveement et discrettement de la lasciveté comme ils font, me semblent la descouvrir et esclairer de plus près. Les dames couvrent leur sein d'un reseu[c], les prestres plusieurs choses sacrées; les peintres ombragent leur ouvrage, pour luy donner plus de lustre; et dict on que le coup du Soleil et du vent est plus poisant[d] par reflexion qu'à droit fil.

---

a. « Et pour l'exil abandonnent leurs demeures et leurs doux seuils. » Virgile, *Géorgiques*, II, 511. — *b.* « O malheureux, qui de leurs plaisirs se font un crime! » Pseudo-Gallus, I, 180. — *c.* Réseau. — *d.* Pesant.

L'Ægyptien respondit sagement à celuy qui luy demandoit :
« Que portes tu là, caché soubs ton manteau? — Il est
caché soubs mon manteau affin que tu ne sçaches pas que
c'est[664]. » Mais il y a certaines autres choses qu'on cache
pour les montrer. Oyez cettuy-là plus ouvert,

Et nudam pressi corpus adusque meum [a],

il me semble qu'il me chapone. Que Martial retrousse
Venus à sa poste [b], il n'arrive pas à la faire paroistre si
entiere. Celuy qui dict tout, il nous saoule et nous desgouste;
celuy qui craint à s'exprimer nous achemine à en penser
plus qu'il n'en y a. Il y a de la trahison en cette sorte de
modestie, et notamment nous entr'ouvrant, comme font
ceux cy, une si belle route à l'imagination. Et l'action et
la peinture doivent sentir le larrecin.

L'amour des Espagnols et des Italiens, plus respectueuse
et craintifve, plus mineuse [c] et couverte [d], me plaist. Je
ne sçay qui[665], anciennement, desiroit le gosier allongé
comme le col d'une gruë pour gouster plus longtemps
ce qu'il avalloit. Ce souhait est mieux à propos en cette
volupté viste et precipiteuse, mesmes à telles natures comme
est la mienne, qui suis vitieux en soudaineté. Pour arrester
sa fuitte et l'estendre en preambules, entre eux tout sert de
faveur et de recompense : une œillade, une inclination, une
parolle, un signe. Qui se pourroit disner de la fumée du
rost[666], feroit il pas une belle espargne? C'est une passion
qui mesle à bien peu d'essence solide beaucoup plus de
vanité et resverie fievreuse : il la faut payer et servir de
mesme. Apprenons aux dames à se faire valoir, à s'estimer,
à nous amuser et à nous piper. Nous faisons nostre charge
extreme la premiere; il y a tousjours de l'impetuosité
françoise. Faisant filer leurs faveurs et les estallant en detail,
chacun, jusques à la vieillesse miserable, y trouve quelque
bout de lisiere, selon son vaillant et son merite. Qui n'a
jouyssance qu'en la jouyssance, qui ne gaigne que du haut
poinct, qui n'aime la chasse qu'en la prinse, il ne luy
appartient pas de se mesler à nostre escole. Plus il y a de
marches et degrez, plus il y a de hauteur et d'honneur au
dernier siege. Nous nous devrions plaire d'y estre conduicts,

---

a. « Et toute nue je t'ai pressée sur mon corps. » Ovide, *Amours*,
I, v, 24. — *b.* A sa guise. — *c.* En mines. — *d.* Caché.

comme il se faict aux palais magnifiques, par divers portiques et passages, longues et plaisantes galleries, et plusieurs destours. Cette dispensation reviendroit à nostre commodité; nous y arresterions et nous y aymerions plus long temps; sans esperance et sans desir, nous n'allons plus qui vaille. Nostre maistrise et entiere possession leur est infiniement à craindre depuis qu'elles sont du tout rendues à la mercy de nostre foy et constance, elles sont un peu bien hasardées. Ce sont vertus rares et difficiles; soudain qu'elles sont à nous, nous ne sommes plus à elles :

> *postquam cupidæ mentis satiata libido est,*
> *Verba nihil metuere, nihil perjuria curant* [a].

Et Thrasonidez, jeune homme grec, fut si amoureux de son amour, qu'il refusa, ayant gaigné le cœur d'une maistresse, d'en jouyr pour n'amortir, rassasier et allanguir par la jouyssance cette ardeur inquiete, de laquelle il se glorifioit et paissoit [667].

La cherté donne goust à la viande. Voyez combien la forme des salutations, qui est particuliere à nostre nation, abastardit par sa facilité la grace des baisers, lesquels Socrates dit estre si puissans et dangereux à voler nos cueurs [668]. C'est une desplaisante coustume, et injurieuse aux dames, d'avoir à prester leurs lévres à quiconque a trois valets à sa suitte, pour mal plaisant qu'il soit.

> *Cujus livida naribus caninis*
> *Dependet glacies rigetque barba :*
> *Centum occurrere malo culilingis* [b].

Et nous mesme n'y gaignons guere : car, comme le monde se voit party [c], pour trois belles il nous en faut baiser cinquante laides; et à un estomas tendre, comme sont ceux de mon aage, un mauvais baiser en surpaie un bon.

Ils font les poursuyvans, en Italie, et les transis, de celles mesmes qui sont à vendre; et se defendent ainsi : « Qu'il

---

a. « Après qu'est assouvi le bon plaisir de leur âme avide, ils ne redoutent plus l'effet de leurs paroles, ils n'ont plus cure de leurs parjures. » Catulle, LXIV, 147. — *b.* « [A tel] qui a un nez de chien, d'où pendent des glaçons livides et la barbe toute raide, je préfère cent fois lécher le c.l. » Martial, VII, xcv, 10. — *c.* Partagé.

LIVRE III, CHAPITRE V

y a des degrez en la jouyssance, et que par services ils veulent obtenir pour eux celle qui est la plus entiere. Elles ne vendent que le corps; la volonté ne peut estre mise en vente, elle est trop libre et trop sienne. » Ainsi ceux cy disent que c'est la volonté qu'ils entreprennent, et ont raison. C'est la volonté qu'il faut servir et practiquer. J'ay horreur d'imaginer mien un corps privé d'affection; et me semble que cette forcenerie [a] est voisine à celle de ce garçon qui alla salir par amour la belle image de Venus que Praxiteles avoit faicte[669]; ou de ce furieux Ægyptien eschauffé après la charongne d'une morte qu'il embaumoit et ensuéroit[b] : lequel donna occasion à la loy, qui fut faicte depuis en Ægypte, que le corps des belles et jeunes femmes et de celles de bonne maison seroyent gardez trois jours avant qu'on les mit entre les mains de ceux qui avoyent charge de prouvoir à leur enterrement[670]. Periander fit plus monstrueusement, qui estendit l'affection conjugale (plus reiglée et legitime) à la jouyssance de Melissa, sa femme trespassée[671].

Ne semble ce pas estre une humeur lunatique de la Lune, ne pouvant autrement jouyr de Endymion, son mignon, l'aller endormir pour plusieurs mois, et se paistre de la jouissance d'un garçon qui ne se remuoit qu'en songe[672].

Je dis pareillement qu'on ayme un corps sans ame ou sans sentiment quand on ayme un corps sans son consentement et sans son desir. Toutes jouyssances ne sont pas unes; il y a des jouyssances ethiques et languissantes; mille autres causes que la bien-veuillance nous peuvent acquerir cet octroy des dames. Ce n'est suffisant tesmoignage d'affection; il y peut eschoir de la trahison comme ailleurs : elles n'y vont par fois que d'une fesse,

> *tanquam thura merumque parent :*
> *Absentem marmoreamve putes*[c].

J'en sçay qui ayment mieux prester cela que leur coche, et qui ne se communiquent que par là. Il faut regarder si vostre compaignie leur plaist pour quelque autre fin encores ou pour celle là seulement, comme d'un gros

---

[a]. Fureur insensée. — [b]. Ensuairait. — [c]. « Comme si elles préparaient le vin et l'encens. Vous diriez qu'elle est absente ou de marbre. » Martial, *Épigrammes*, XI, CIII, 12, et LIX, 8.

garson d'estable; en quel rang et à quel pris vous y etes logé,

> *tibi si datur uni,*
> *Quo lapide illa diem candidiore notet* [a].

Quoy, si elle mange vostre pain à la sauce d'une plus agreable imagination?

> *Te tenet, absentes alios suspirat amores* [b].

Comment? avons nous pas veu quelqu'un en nos jours s'estre servy de cette action à l'usage d'une horrible vengence, pour tuer par là et empoisonner, comme il fit, une honneste femme?

Ceux qui cognoissent l'Italie ne trouveront jamais estrange si, pour ce subject, je ne cerche ailleurs des exemples; car cette nation se peut dire regente du reste du monde en cela. Ils ont plus communement des belles femmes et moins de laydes que nous; mais des rares et excellentes beautez, j'estime que nous allons à pair. Et en juge autant des espris; de ceux de la commune façon, ils en ont beaucoup plus, et evidemment la brutalité y est sans comparaison plus rare; d'ames singulieres et du plus haut estage, nous ne leur en devons rien. Si j'avois à estendre cette similitude, il me sembleroit pouvoir dire de la vaillance qu'au rebours elle est, au pris d'eux, populaire chez nous et naturelle; mais on la voit par fois, en leurs mains, si plaine et si vigoreuse qu'elle surpasse tous les plus roides exemples que nous en ayons. Les mariages de ce pays là clochent en cecy : leur coustume donne communement la loy si rude aus femmes, et si serve, que la plus esloignée accointance avec l'estranger leur est autant capitale que la plus voisine. Cette loy faict que toutes les approches se rendent necessairement substantielles; et, puis que tout leur revient à mesme compte, elles ont le chois bien aysé. Et ont elles brisé ces cloisons, croyez qu'elles font feu : « *Luxuria ipsis vinculis, sicut fera bestia, irritata, deinde emissa* [c]. » Il leur faut un peu lâcher les resnes :

---

[a]. « Si elle se donne à vous seul, si elle marque ce jour-là d'une pierre blanche. » Catulle, LXVIII, 147. — [b]. « C'est toi qu'elle serre dans ses bras, mais elle soupire après des amours absentes. » Tibulle, I, vi, 35. — [c]. « La luxure est comme une bête féroce qui, après avoir été irritée par ses fers, est ensuite lâchée. » Tite-Live, XXIV, 4.

*Vidi ego nuper equum, contra sua frena tenacem,
Ore reluctanti fulminis ire modo* [a].

On alanguit le desir de la compaignie en luy donnant quelque liberté.

Nous courons à peu près mesme fortune. Ils sont trop extremes en contrainte, nous en licence. C'est un bel usage de nostre nation que, aux bonnes maisons, nos enfans soyent receuz pour y estre nourris et eslevez pages comme en une escole de noblesse. Et est discourtoisie, dict-on, et injure d'en refuser un gentil'homme. J'ay aperçeu (car autant de maisons, autant de divers stiles et formes) que les dames qui ont voulu donner aux filles de leur suite les reigles plus austeres, n'y ont pas eu meilleure advanture. Il y faut de la moderation; il faut laisser bonne partye de leur conduite à leur propre discretion : car, ainsi comme ainsi, n'y a il discipline qui les sçeut brider de toutes parts. Mais il est bien vray que celle qui est eschappée, bagues sauves, d'un escolage libre, aporte bien plus de fiance de soy [b] que celle qui sort saine d'une escole severe et prisonniere.

Nos peres dressoyent la contenance de leurs filles à la honte et à la crainte (les courages et les desirs estoyent pareils); nous, à l'asseurance : nous n'y entendons rien. C'est aux Sauromates, qui n'ont loy de coucher avec homme, que, de leurs mains, elles n'en ayent tué un autre en guerre[673]. A moy, qui n'y ay droit que par les oreilles, suffit si elles me retiennent pour le conseil, suyvant le privilege de mon aage. Je leur conseille donc, comme à nous, l'abstinence, mais, si ce siecle en est trop ennemy, aumoins la discretion et la modestie. Car, comme dict le compte d'Aristippus parlant à des jeunes gens qui rougissoient de le veoir entrer chez une courtisane : « Le vice est de n'en pas sortir, non pas d'y entrer[674]. » Qui ne veut exempter sa conscience, qu'elle exempte son nom; si le fons n'en vaut guiere, que l'apparence tienne bon.

Je louë la gradation et la longueur en la dispensation de leurs faveurs. Platon[675] montre qu'en toute espece d'amour la facilité et promptitude est interdicte aux tenants [c]. C'est un traict de gourmandise, laquelle il faut

---

a. « J'ai vu naguère un cheval rebelle au frein lutter de la bouche et s'élancer comme la foudre. » Ovide, *Amours*, III, IV, 13. — *b.* Inspire bien plus de confiance en soi. — *c.* Aux assiégés.

qu'elles couvrent de toute leur art, de se rendre ainsi temerairement[a] en gros et tumultuairement[b]. Se conduisant,
en leur dispensation, ordonéement et mesuréement, elles
pipent bien mieux nostre desir et cachent le leur. Qu'elles
fuyent tousjours devant nous, je dis celles mesmes qui ont
à se laisser atraper; elles nous battent mieux en fuyant,
comme les Scythes. De vray, selon la loy que nature leur
donne, ce n'est pas proprement à elles de vouloir et desirer;
leur rolle est souffrir, obeir, consentir; c'est pourquoy
nature leur a donné une perpetuelle capacité; à nous rare
et incertaine; elles ont tousjours leur heure, afin qu'elles
soyent tousjours prestes à la nostre : « *pati natæ*[c]. » Et où
elle a voulu que nos appetis eussent montre et declaration
prominante[d], ell'a faict que les leurs fussent occultes et
intestins et les a fournies de pieces impropres à l'ostentation et simplement pour la defensive.

Il faut laisser à la licence amazoniene pareils traits à
cettuy-cy. Alexandre passant par l'Hircanie, Thalestris,
Royne des Amazones, le vint trouver avec trois cents
gendarmes de son sexe, bien montez et bien armez, ayant
laissé le demeurant d'une grosse armée, qui la suyvoit au
delà des voisines montaignes; et luy dict, tout haut et en
publiq, que le bruit de ses victoires et de sa valeur l'avoit
menée là pour le veoir, luy offrir ses moyens et sa puissance
au secours de ses entreprinses; et que, le trouvant si beau,
jeune et vigoureux, qui estoit parfaicte en toutes ses
qualitez, luy conseilloit qu'ils couchassent ensemble, afin
qu'il nasquit de la plus vaillante femme du monde et du
plus vaillant homme qui fust lors vivant, quelque chose de
grand et de rare pour l'advenir. Alexandre la remercia du
reste; mais, pour donner temps à l'accomplissement de sa
derniere demande, arresta treize jours en ce lieu, lesquels
il festoya le plus alaigrement qu'il peut en faveur d'une si
courageuse princesse[676].

Nous sommes, quasi en tout, iniques juges de leurs
actions comme elles sont des nostres. J'advoüe la verité
lorsqu'elle me nuit, de mesme que si elle me sert. C'est un
vilain desreiglement qui les pousse si souvant au change et
les empesche de fermir leur affection en quelque subject

a. A la légère. — *b.* Confusément. — *c.* « Nées pour subir. » Sénèque, *Épîtres*, 95. — *d.* Manifestation saillante.

que ce soit, comme on voit de cette Deesse à qui l'on donne tant de changemens et d'amis ; mais si est-il vrai que c'est contre la nature de l'amour s'il n'est violant, et contre la nature de la violance s'il est constant. Et ceux qui s'en estonnent, s'en escrient et cerchent les causes de cette maladie en elles, comme desnaturée et incroyable, que ne voyent-ils combien souvent ils la reçoyvent en eux sans espouvantement et sans miracle ! Il seroit, à l'adventure, plus estrange d'y voir de l'arrest ; ce n'est pas une passion simplement corporelle : si on ne trouve point de bout en l'avarice et en l'ambition, il n'y en a non plus en la paillardise. Elle vit encore après la satieté ; et ne luy peut on prescrire ny satisfaction constante, ny fin ; elle va tousjours outre sa possession ; et si [a], l'inconstance leur est à l'adventure aucunement plus pardonnable qu'à nous.

Elles peuvent alleguer comme nous l'inclination, qui nous est commune, à la varieté et à la nouvelleté, et alleguer secondement, sans nous, qu'elles achetent chat en poche [b]. (Jeanne, Royne de Naples, feit estrangler Andreosse, son premier mary, aux grilles de sa fenestre à tout un laz d'or et de soye tissu de sa main propre, sur ce qu'aux corvées matrimoniales elle ne luy trouvoit ny les parties, ny les efforts assez respondants à l'esperance qu'elle en avoit conceuë à veoir sa taille, sa beauté, sa jeunesse et disposition, par où elle avoit esté prinse et abusée[677]) ; que l'action a plus d'effort que n'a la souffrance : ainsi, que de leur part tousjours au moins il est pourveu à la necessité, de nostre part il peut avenir autrement. Platon, à cette cause, establit sagement par ses loix[678], que, pour decider de l'opportunité des mariages, les juges voient les garçons qui pretandent, tous fins nuds, et les filles nuës jusques à la ceinture seulement. En nous essayant, elles ne nous trouvent, à l'adventure, pas dignes de leur chois,

> *experta latus, madidoque simillima loro*
> *Inguina, nec lassa stare coacta manu,*
> *Deserit imbelles thalamos* [c].

---

a. Et encore. — *b.* Sans avoir vu ce qu'elles prennent (locution proverbiale). — *c.* « Après avoir éprouvé la faiblesse de ses reins, la mollesse de son membre tout pareil à un cuir mouillé, et que sa main se lassait à rendre en vain plus ferme, elle renonce à cette coucherie inerte. » Martial, *Épigrammes,* VII, LVII, 3.

Ce n'est pas tout que la volonté charrie droict[a]. La foiblesse et l'incapacité rompent legitimement un mariage :

> *Et quærendum aliunde foret nervosius illud,*
> *Quod posset zonam solvere virgineam*[b],

pourquoy non? et, selon sa mesure, une intelligence[c] amoureuse plus licentieuse et plus active,

> *si blando nequeat superesse labori*[d].

Mais n'est ce pas grande imprudence d'apporter nos imperfections et foiblesses en lieu où nous desirons plaire, et y laisser bonne estime de nous et recommandation? Pour ce peu qu'il m'en faut à cette heure,

> *ad unum*
> *Mollis opus*[e],

je ne voudrois importuner une personne que j'ay à reverer et craindre :

> *Fuge suspicari,*
> *Cujus heu denum trepidavit ætas,*
> *Claudere lustrum*[f].

Nature se devoit contenter d'avoir rendu cet aage miserable, sans le rendre encore ridicule. Je hay de le voir, pour un pouce de chetive vigueur qui l'eschaufe trois fois la semaine, s'empresser et se gendarmer de pareille aspreté, comme s'il avoit quelque grande et legitime journée dans le ventre : un vray feu d'estoupe. Et admire sa cuisson si vive et fretillante, en un moment si lourdement congelée et esteinte. Cet appetit ne devroit appartenir qu'à la fleur d'une belle jeunesse. Fiez vous y, pour voir, à seconder cett' ardeur indefatigable, pleine, constante et magnanime qui est en vous, il vous la lairra[g]

---

a. Se comporte bien. — *b.* « Il aurait fallu chercher un homme doué d'un organe plus nerveux et capable de dénouer une ceinture virginale. » Catulle, LXVII, 27. — *c.* Entente. — *d.* « S'il ne peut venir à bout de son caressant labeur. » Virgile, *Géorgiques*, III, 127. — *e.* « Capable d'une seule besogne. » Horace, *Épodes*, XII, 15. — *f.* « Ne craignez rien d'un homme qui a, hélas! accompli son dixième lustre. » Horace, *Odes*, II, IV, 22. — *g.* Laissera.

LIVRE III, CHAPITRE V

vrayement en beau chemin! Renvoiez le hardiment plustost vers quelque enfance molle, estonnée et ignorante, qui tremble encore soubs la verge, et en rougisse

> *Indum sanguineo veluti violaverit ostro*
> *Si quis ebur, vel mista rubent ubi lilia multa*
> *Alba rosa*[a].

Qui peut attendre, le lendemain, sans mourir de honte, le desdain de ces beaux yeux consens[b] de sa lâcheté et impertinence,

> *Et taciti fecere tamen convitia vultus*[c],

il n'a jamais senty le contentement et la fierté de les leur avoir battus et ternis par le vigoreux exercice d'une nuict officieuse et active. Quand j'en ay veu quelqu'une s'ennuyer de moy, je n'en ay point incontinent accusé sa legereté; j'ay mis en doubte si je n'avois pas raison de m'en prendre à nature plustost. Certes, elle m'a traitté illegitimement et incivilement,

> *Si non longa satis, si non benè mentula crassa :*
> *Nimirum sapiunt, vidéntque parvam*
> *Matronæ quoque mentulam illibenter*[d],

et d'une lesion[e] enormissime.

Chacune de mes pieces me faict esgalement moy que toute autre. Et nulle autre ne me faict plus proprement homme que cette-cy. Je dois au publiq universellement mon pourtrait. La sagesse de ma leçon est en verité, en liberté, en essence, toute; desdeignant, au rolle de ses vrays devoirs, ces petites regles, feintes, usuelles, provinciales; naturelle toute, constante, universelle, de laquelle sont filles, mais bastardes, la civilité, la ceremonie. Nous aurons bien les vices de l'apparence, quand nous aurons eu ceux de l'essence. Quand nous aurons faict à ceux icy,

---

a. « Comme un ivoire de l'Inde teint de pourpre sanglante, ou comme des lis blancs qui, mêlés à des roses, en reflètent les vives couleurs. » Virgile, *Énéide*, XII, 67. — *b*. Témoins. — *c*. « Et ses regards accusèrent sans parler. » Ovide, *Amours*, I, VII, 21. — *d*. « Si ma mentule n'est pas bien longue ni drue, les matrones ont raison sans doute de la voir d'un mauvais œil. » *Priapées*, LXXX, 1. — *e*. En me causant un dommage.

nous courrons sus aux autres, si nous trouvons qu'il y faille courir. Car il y a danger que nous fantasions des offices nouveaux pour excuser nostre negligence envers les naturels offices et pour les confondre. Qu'il soit ainsin, il se void qu'és lieus où les fautes sont malefices, les malefices ne sont que fautes; qu'és nations où les loix de la bienseance sont plus rares et lasches, les loix primitives et communes sont mieux observées, l'innumerable multitude de tant de devoirs suffoquant nostre soin, l'allanguissant et dissipant. L'application aux menues choses nous retire des pressantes. O que ces hommes superficiels prennent une routte facile et plausible au pris de la nostre ! Ce sont ombrages de quoy nous nous plastrons et entrepayons; mais nous n'en payons pas, ainçois*a* en rechargeons nostre debte envers ce grand juge qui trousse nos panneaux*b* et haillons d'autour noz parties honteuses, et ne se feint point à nous veoir par tout, jusques à noz intimes et plus secretes ordures. Utile decence de nostre virginale pudeur, si elle luy pouvoit interdire cette descouverte.

En fin qui desniaiseroit l'homme d'une si scrupuleuse superstition verbale n'apporteroit pas grande perte au monde. Nostre vie est partie en folie, partie en prudence. Qui n'en escrit que reveremment et regulierement, il en laisse en arriere plus de la moitié. Je ne m'excuse pas envers moy; et si je le faisoy, ce seroit plustost de mes excuses que je m'excuseroy que de nulle autre partie. Je m'excuse à certaines humeurs, que je tiens plus fortes en nombre que celles qui sont de mon costé. En leur consideration, je diray encores cecy (car je desire de contenter chacun, chose pourtant très difficile *« esse unum hominem accommodatum ad tantam morum ac sermonum et volontatum varietatem*c *»*), qu'ils n'ont à se prendre proprement à moy de ce que je fay dire aux auctoritez receuës et approuvées de plusieurs siecles, et que ce n'est pas raison qu'à faute de rime ils me refusent la dispense que mesme des hommes ecclesiastiques[679] des nostres et plus crestez jouissent en ce siecle. En voici deux :

a. Mais au contraire. — *b.* Retrousse nos vêtements. — *c.* « Qu'un seul s'accommode à cette grande variété de mœurs, de discours et de volontés. » Quintus Cicéron, *De petitione consulatus*, XIV.

Rimula, dispeream, ni monogramma tua est[a].

Un vit d'amy la contente et bien traicte[680].

Quoy[b] tant d'autres? J'ayme la modestie; et n'est par jugement que j'ay choisi cette sorte de parler scandaleux: c'est Nature qui l'a choisi pour moy. Je ne le louë, non plus que toutes formes contraires à l'usage receu; mais je l'excuse et par particulieres et generales circonstances en allege l'accusation.

Suivons. Pareillement d'où peut venir cette usurpation d'authorité souveraine que vous prenez sur celles qui vous favorisent à leurs despens?

Si furtiva dedit nigra munuscula nocte[c],

que vous en investissez incontinent l'interest.[d], la froideur et une auctorité maritale? C'est une convention libre: que ne vous y prenez vous comme vous les y voulez tenir? Il n'y a point de prescription sur les choses volontaires.

C'est contre la forme[e]; mais il est vray pourtant que j'ay, en mon temps, conduict ce marché, selon que sa nature peut souffrir, aussi conscientieusement qu'autre marché et avec quelque air de justice, et que je ne leur ay tesmoigné de mon affection que ce que j'en sentois, et leur en ay representé naïvement la decadence, la vigueur et la naissance, les accez et les remises. On n'y va pas tousjours un train. J'ay esté si espargnant à promettre que je pense avoir plus tenu que promis ny deu. Elles y ont trouvé de la fidelité jusques au service de leur inconstance : je dis inconstance advouée et par foys multipliée. Je n'ay jamais rompu avec elles tant que j'y tenois, ne fut que par le bout d'un filet; et, quelques occasions qu'elles m'en ayent donné, n'ay jamais rompu jusques au mespris et à la haine; car telles privautez, lors mesme qu'on les acquiert par les plus honteuses conventions, encores m'obligent elles à quelque bien-veuillance. De cholere et d'impatience un peu indiscrete, sur le poinct de leurs ruses et desfuites[f] et de nos contestations, je leur en ay faict

---

a. « Que je meure si ta fente est autre chose qu'une ligne. » Théodore de Bèze, *Juvenilia*, Épigramme *Ad quandam*. — *b.* Que dire de. — *c.* « Si elle a accordé ses faveurs à la dérobée, par une nuit noire. » Catulle, LXVIII b, 147. — *d.* Vous en assumez immédiatement les droits. — *e.* L'usage. — *f.* Faux-fuyants.

voir par fois : car je suis, de ma complexion, subject à
des emotions brusques qui nuisent souvent à mes marchez, quoy qu'elles soyent legieres et courtes.

Si elles ont voulu essayer la liberté de mon jugement,
je ne me suis pas feint à leur donner des advis paternels
et mordans, et à les pinser où il leur cuysoit. Si je leur
ay laissé à se plaindre de moy, c'est plustost d'y avoir
trouvé un amour, au pris de l'usage moderne, sottement
consciencieux. J'ay observé ma parolle és choses dequoy
on m'eut ayséement dispensé; elles se rendoyent lors par
fois avec reputation, et soubs des capitulations qu'elles
souffroyent ayséement estre faucées par le vaincueur. J'ay
faict caler[a], soubs l'interest de leur honneur, le plaisir
en son plus grand effort[b] plus d'une fois; et, où la raison
me pressoit, les ay armées contre moy, si qu'elles[c] se
conduisoyent plus seurement et severement par mes reigles,
quand elles s'y estoyent franchement remises, qu'elles
n'eussent faict par les leurs propres.

J'ay, autant que j'ay peu, chargé sur moy seul le hazard
de nos assignations[d] pour les en descharger; et ay dressé
nos parties[e] tousjours par le plus aspre et inopiné, pour
estre moins en soupçon, et en outre, par mon advis, plus
accessible. Ils sont ouverts principalement par les endroits
qu'ils tiennent de soy couverts. Les choses moins craintes
sont moins defendues et observées : on peut oser plus
ayséement ce que personne ne pense que vous oserez, qui
devient facile par sa difficulté.

Jamais homme n'eust ses approches plus impertinemment genitales. Cette voye d'aymer est plus selon la discipline[f]; mais combien elle est ridicule à nos gens, et peu
effectuelle[g], qui le sçait mieux que moy? Si ne m'en
viendra point le repentir : je n'y ay plus que perdre;

me tabula sacer
Votiva paries indicat uvida
Suspendisse potenti
Vestimenta maris Deo[h].

a. Céder. — *b.* En sa plus grosse force. — *c.* Si bien qu'elles. —
d. Le risque de nos rendez-vous. — *e.* Parties de plaisir. — *f.* La
bonne règle. — *g.* Efficace. — *h.* « Le tableau votif que j'ai appendu
au mur du dieu de la mer indique à tous que je lui ai consacré mes
habits mouillés du naufrage. » Horace, *Odes*, I, v, 13.

Il est à cette heure temps d'en parler ouvertement. Mais tout ainsi comme à un autre je dirois à l'avanture : « Mon amy, tu resves; l'amour, de ton temps, a peu de commerce avec la foy et la preud'hommie »,

> *hæc si tu postules*
> *Ratione certa facere, nihilo plus agas,*
> *Quam si des operam, ut cum ratione insanias* [a];

aussi, au rebours, si c'estoit à moy à recommencer, ce seroit certes le mesme train et par mesme progrez, pour infructueux qu'il me peut estre. L'insuffisance et la sottise est loüable en une action meslouable. Autant que je m'esloingne de leur humeur en cela, je m'approche de la mienne.

Au demeurant, en ce marché, je ne me laissois pas tout aller; je m'y plaisois, mais je ne m'y oubliois pas; je reservois en son entier ce peu de sens et de discretion que nature m'a donné, pour leur service et pour le mien; un peu d'esmotion, mais point de resverie. Ma conscience s'y engageoit aussi, jusques à la desbauche et dissolution; mais jusques à l'ingratitude, trahison, malignité et cruauté, non. Je n'achetois pas le plaisir de ce vice à tout pris, et me contentois de son propre et simple coust : « *Nullum intra se vitium est* [b]. » Je hay quasi à pareille mesure une oysiveté croupie et endormie, comme un embesongnement espineux et penible. L'un me pince, l'autre m'assopit; j'ayme autant les blesseures comme les meurtrisseures, et les coups trenchans comme les coups orbes [c]. J'ay trouvé en ce marché, quand j'y estois plus propre, une juste moderation entre ces deux extremitez. L'amour est une agitation esveillée, vive et gaye; je n'en estois ny troublé, ny affligé, mais j'en estois eschauffé et encores alteré : il s'en faut arrester là; elle n'est nuisible qu'aux fols.

Un jeune homme demandoit au philosophe Panetius [681] s'il sieroit bien au sage d'estre amoureux : « Laissons là le sage, respondit-il; mais toy et moy, qui ne le sommes pas, ne nous engageons en chose si esmeuë [d] et violente,

---

a. « Prétendre l'assujettir à des règles, c'est tout simplement se donner pour tâche de déraisonner avec bon sens. » Térence, *Eunuque*, I, 1, 16. — *b.* « Nul vice ne s'est renfermé en lui-même. » Sénèque, *Épîtres*, 95. — *c.* Qui n'atteignent pas leur but, qui meurtrissent sans entamer. — *d.* Trouble.

qui nous escllave à autruy et nous rende contemptibles[a]
à nous. » Il disoit vray, qu'il ne faut pas fier[b] chose de
soy si precipiteuse à une ame qui n'aie dequoy en soustenir les venues, et dequoy rabatre par effect la parole
d'Agesilaus, que la prudence et l'amour ne peuvent
ensemble[682]. C'est une vaine occupation, il est vray,
messeante, honteuse et illegitime; mais, à la conduire en
cette façon, je l'estime salubre, propre à desgourdir un
esprit et un corps poisant[c]; et, comme medecin, l'or-
donnerois à un homme de ma forme et condition, autant
volontiers qu'aucune autre recepte, pour l'esveiller et tenir
en force bien avant dans les ans, et le retarder des prises
de la vieillesse. Pendant que nous n'en sommes qu'aux
fauxbourgs, que le pouls bat encores,

> *Dum nova canities, dum prima et recta senectus,*
> *Dum superest Lachesi quod torqueat, et pedibus me*
> *Porto meis, nullo dextram subeunte bacillo*[d],

nous avons besoing d'estre sollicitez et chatouillez par
quelque agitation mordicante comme est cette-cy. Voyez
combien elle a rendu de jeunesse, de vigueur et de gaieté
au sage Anacreon. Et Socrates, plus vieil que je ne suis,
parlant d'un object amoureux : « M'estant, dict-il, appuyé
contre son espaule de la mienne et approché ma teste à
la sienne, ainsi que nous regardions ensemble dans un
livre, je senty, sans mentir, soudain une piqueure dans
l'espaule comme de quelque morsure de beste, et fus plus
de cinq jours depuis qu'elle me fourmilloit, et m'escoula
dans le cœur une demangeaison continuelle[683]. » Un attouchement, et fortuite, et par une espaule, aller eschauffer
et alterer une ame refroidie et esnervée par l'aage, et la
premiere de toutes les humaines en reformation[e]! Pourquoy non, dea[f]? Socrates estoit homme; et ne vouloit ny
estre, ny sembler autre chose.

La philosophie n'estrive[g] point contre les voluptez

---

a. Méprisables. — *b.* Confier. — *c.* Pesant. — *d.* « Pendant que mes
cheveux blancs sont dans leur nouveauté, que ma vieillesse encore
vigoureuse ne fait que commencer, qu'il reste à Lachésis de quoi filer
pour moi, et que je me porte sur mes propres jambes sans m'appuyer
sur aucun bâton. » Juvénal, III, 26. — *e.* Bonnes mœurs. — *f.* Pourquoi donc pas? — *g.* Lutte.

LIVRE III, CHAPITRE V

naturelles, pourveu que la mesure y soit joincte, et en presche la moderation, non la fuite; l'effort de sa resistance s'employe contre les estrangeres et bastardes. Elle dict que les appetits du corps ne doivent pas estre augmentez par l'esprit, et nous advertit ingenieusement de ne vouloir point esveiller nostre faim par la saturité[a], de ne vouloir que farcir au lieu de remplir le ventre, d'eviter toute jouissance qui nous met en disette et toute viande et boisson qui nous altere et affame; comme, au service de l'amour, elle nous ordonne de prendre un object qui satisface simplement au besoing du corps; qui n'esmeuve point l'ame, laquelle n'en doit pas faire son faict, ains suyvre nuement et assister le corps. Mais ay-je pas raison d'estimer que ces preceptes, qui ont pourtant d'ailleurs, selon moy, un peu de rigueur, regardent un corps qui face son office, et qu'à un corps abattu, comme un estomac prosterné, il est excusable de le rechauffer et soustenir par art, et, par l'entremise de la fantasie, luy faire revenir l'appetit et l'allegresse, puis que de soy il l'a perdue?

Pouvons nous pas dire qu'il n'y a rien en nous, pendant cette prison terrestre, purement ny corporel ny spirituel, et que injurieusement nous dessirons un homme tout vif; et qu'il semble y avoir raison que nous nous portions, envers l'usage du plaisir aussi favorablement au moins que nous faisons envers la douleur? Elle estoit (pour exemple) vehemente jusques à la perfection en l'ame des saincts par la pœnitence; le corps y avoit naturellement part par le droict de leur colligance[b], et si[c], pouvoit avoir peu de part à la cause : si, ne se sont ils pas contentez qu'il suyvit nuement et assistat l'ame affligée; ils l'ont affligé luy-mesme de peines atroces et propres, affin qu'à l'envy l'un de l'autre l'ame et le corps plongeassent l'homme dans la douleur, d'autant plus salutaire que plus aspre.

En pareil cas, aux plaisirs corporels est-ce pas injustice d'en refroidir l'ame, et dire, qu'il l'y faille entrainer comme à quelque obligation et necessité contrainte et servile? C'est à elle plus tost de les couver et fomenter, de s'y presenter et convier, la charge de regir luy appartenant;

---

a. Satiété. — *b.* Alliance. — *c.* Et pourtant.

comme c'est aussi, à mon advis, à elle, aux plaisirs qui luy sont propres, d'en inspirer et infondre[a] au corps tout le ressentiment que porte leur condition, et de s'estudier qu'ils luy soient doux et salutaires. Car c'est bien raison, comme ils disent, que le corps ne suyve point ses appetits au dommage de l'esprit; mais pourquoy n'est-ce pas aussi raison que l'esprit ne suyve pas les siens au dommage du corps?

Je n'ay point autre passion qui me tienne en haleine. Ce que l'avarice, l'ambition, les querelles, les procés font à l'endroit des autres qui, comme moy, n'ont point de vacation[b] assignée, l'amour le feroit plus commodéement: il me rendroit la vigilance, la sobrieté, la grace, le soing de ma personne; r'asseureroit[c] ma contenance à ce que les grimaces de la vieillesse, ces grimaces difformes et pitoiables, ne vinssent à la corrompre; me remettroit aux estudes sains et sages, par où je me peusse randre plus estimé et plus aymé, ostant à mon esprit le desespoir de soy et de son usage, et le raccointant à soy; me divertiroit de mille pensées ennuyeuses, de mille chagrins melancholiques, que l'oisiveté nous charge en tel aage et le mauvais estat de nostre santé; reschauferoit au moins en songe, ce sang que nature abandonne; soustiendroit le menton et allongeroit un peu les nerfs et la vigueur et allegresse de l'ame à ce pauvre homme qui s'en va le grand train vers sa ruine.

Mais j'entens bien que c'est une commodité bien mal aisée à recouvrer; par foiblesse et longue experience, nostre goust est devenu plus tendre et plus exquis; nous demandons plus, lors que nous aportons moins; nous voulons le plus choisir, lors que nous meritons le moins d'estre acceptez; nous cognoissans tels, nous sommes moins hardis et plus 'deffians; rien ne nous peut asseurer d'estre aymez, sçachants nostre condition et la leur. J'ay honte de me trouver parmy cette verte et bouillante jeunesse,

Cujus in indomito constantior inguine nervus,
Quam nova collibus arbor inhæret[d].

a. Infuser, répandre. — *b.* Occupation. — *c.* Rendrait plus assurée. — *d.* « Dont le membre dans l'aine indomptée est plus ferme que l'arbre nouveau qui se dresse sur la colline. » Horace, *Épodes*, XII, 19.

Qu'irions nous presenter nostre misere parmy cette allegresse?

> *Possint ut juvenes visere fervidi,*
> *Multo non sine risu,*
> *Dilapsam in cineres facem* [a]?

Ils ont la force et la raison pour eux; faisons leur place, nous n'avons plus que tenir.

Et ce germe de beauté naissante ne se laisse manier à mains si gourdes et prattiquer à moyens purs [b] materiels. Car, comme respondit ce philosophe ancien à celuy qui se moquoit de quoy il n'avoit sçeu gaigner la bonne grace d'un tendron qu'il pourchassoit : « Mon amy, le hameçon ne mord pas à du fromage si frais [684]. »

Or c'est un commerce qui a besoin de relation et de correspondance; les autres plaisirs que nous recevons se peuvent recognoistre par recompenses de nature diverse; mais cettuy-cy ne se paye que de mesme espece de monnoye. En verité, en ce desduit [c], le plaisir que je fay chatouille plus doucement mon imagination que celuy que je sens. Or cil [d] n'a rien de genereux qui peut recevoir plaisir où il n'en donne point : c'est une vile ame, qui veut tout devoir, et qui se plaist de nourrir de la conference [e] avec les personnes ausquelles il est en charge. Il n'y a beauté, ny grace, ny privauté si exquise qu'un galant homme deut desirer à ce prix. Si elles ne nous peuvent faire du bien que par pitié, j'ayme bien plus cher ne vivre point, que de vivre d'aumosne. Je voudrois avoir droit de le leur demander, au stile auquel j'ay veu quester en Italie : « *Fate ben per voi* [f] »; ou à la guise que Cyrus enhortoit [g] ses soldats : « Qui s'aymera, si me suive [685]. »

« Raliez vous, me dira l'on, à celles de vostre condition que la compaignie de mesme fortune vous rendra plus aisées. » — O la sotte composition et insipide!

> *Nolo*
> *Barbam vellere mortuo leoni* [h].

---

a. « Pour que ces jeunes gens bouillants rient aux éclats en voyant notre flambeau réduit en cendres. » Horace, *Odes*, IV, XIII, 26. — *b.* Purement. — *c.* Plaisir. — *d.* Celui-là. — *e.* Relations. — *f.* « Faites-moi du bien pour vous-même. » — *g.* Exhortait. — *h.* « Je ne veux pas arracher la barbe à un lion mort. » Martial, *Épigrammes*, X, XC, 10.

Xenophon[686] employe pour objection et accusation, à l'encontre de Menon, qu'en son amour il embesongna[a] des objects passants fleur. Je trouve plus de volupté à seulement voir le juste et doux meslange de deus jeunes beautés ou à le seulement considerer par fantasie, qu'à faire moy mesme le second d'un meslange triste et informe. Je resigne cet appetit fantastique à l'Empereur Galba, qui ne s'adonnoit qu'aux chairs dures et vieilles[687]; et à ce pauvre miserable,

> *O ego di' faciant talem te cernere possim,*
> *Charáque mutatis oscula ferre comis,*
> *Amplectique meis corpus non pingue lacertis*[b]*!*

Et, entre les premieres laideurs, je compte les beautés artificielles et forcées. Emonez, jeunes gars de Chio, pensant par des beaux attours acquerir la beauté que nature luy ostoit, se presenta au philosophe Arcesilaus, et luy demanda si un sage se pourroit veoir amoureux : « Ouy dea, respondit l'autre, pourveu que ce ne soit pas d'une beauté parée et sophistiquée comme la tienne[688]. » Une laideur et une vieillesse advouée est moins vieille et moins laide à mon gré qu'une autre peinte et lissée.

Le diray-je, pourveu qu'on ne m'en prenne à la gorge? l'amour ne me semble proprement et naturellement en sa saison qu'en l'aage voisin de l'enfance,

> *Quem si puellarum insereres choro,*
> *Mille sagaces falleret hospites*
> *Discrimen obscurum, solutis*
> *Crinibus ambiguóque vultu*[c]*.*

Et la beauté non plus.

Car ce que Homere l'estend jusques à ce que le menton commence à s'ombrager, Platon mesme[689] l'a remarqué pour rare fleur. Et est notoire la cause pour laquelle si

---

a. Eut commerce avec. — *b.* « Oh! les dieux fassent que je puisse te voir telle [que, dans mon exil, je me représente ton image], que je puisse baiser tendrement tes cheveux blanchis par le chagrin et presser dans mes bras ton corps maigri. » Ovide, *Pontiques*, I, iv, 49. — *c.* « Un jeune homme, qui, introduit dans un chœur de jeunes filles, avec ses cheveux flottants et ses traits ambigus, pourrait tromper sur son sexe les yeux sagaces des personnes qui ne le connaissent point. » Horace, *Odes*, II, v, 21.

plaisamment le sophiste Dion appelloit les poils follets de l'adolescence Aristogitons et Harmodiens[690]. En la virilité, je le trouve desjà hors de son siege. Non qu'en[a] la vieillesse :

> *Importunus enim transvolat aridas*
> *Quercus*[b].

Et Marguerite, Royne de Navarre[691], alonge, en femme, bien loing l'avantage des femmes, ordonant qu'il est saison, à trente ans, qu'elles changent le titre de belles en bonnes.

Plus courte possession nous luy donnons sur nostre vie, mieux nous en valons. Voyez son port : c'est un menton puerile. Qui ne sçait, en son eschole, combien on procede au rebours de tout ordre? L'estude, l'exercitation, l'usage, sont voies à l'insuffisance : les novices y regentent. « *Amor ordinem nescit*[c]. » Certes, sa conduicte a plus de garbe[d], quand elle est meslée d'inadvertance et de trouble; les fautes, les succez contraires, y donnent poincte et grace; pourveu qu'elle soit aspre et affamée, il chaut[e] peu qu'elle soit prudente. Voyez comme il va chancelant, chopant et folastrant; on le met au ceps quand on le guide par art et sagesse, et contraint on sa divine liberté quand on le submet à ces mains barbues et calleusés.

Au demeurant, je leur oy souvent peindre cette intelligence toute spirituelle, et desdaigner de mettre en consideration l'interest que les sens y ont. Tout y sert; mais je puis dire avoir veu souvent que nous avons excusé la foiblesse de leurs esprits en faveur de leurs beautez corporelles; mais que je n'ay point encore veu qu'en faveur de la beauté de l'esprit, tant prudent et meur soit-il, elles veuillent prester la main à un corps qui tombe tant soit peu en decadence. Que ne prend il envie à quelqu'une de cette noble harde Socratique du corps à l'esprit, achetant au pris de ses cuisses une intelligence et generation philosofique et spirituelle, le plus haut pris où elle les puisse monter? Platon ordonne en ses loix[692] que celuy qui aura

---

a. A plus forte raison dans. — *b*. « Car il n'arrête pas son vol sur des chênes dénudés. » Horace, *Odes,* IV, XIII, 9. — *c*. « L'amour ne connaît point l'ordre (la règle). » Saint Jérôme, *Lettre à Chromatius,* fin. — *d*. Élégance. — *e*. Importe.

faict quelque signalé et utile exploit en la guerre ne puisse
estre refusé durant l'expedition d'icelle, sans respect de sa
laideur ou de son aage, du baiser ou autre faveur amoureuse de qui il la vueille. Ce qu'il trouve si juste en recomandation de la valeur militaire, ne le peut il pas estre
aussi en recomandation de quelque autre valeur? Et que
ne prend il envie à une de præoccuper sur ses compaignes
la gloire de cet amour chaste? chaste, dis-je bien,

> *nam si quando ad prælia ventum est,*
> *Ut quondam in stipulis magnus sine viribus ignis*
> *Incassum furit* [a].

Les vices qui s'estouffent en la pensée ne sont pas des
pires.

Pour finir ce notable commentaire, qui m'est eschappé
d'un flux de caquet, flux impetueux par fois et nuisible,

> *Ut missum sponsi furtivo munere malum*
> *Procurrit casto virginis è gremio,*
> *Quod miseræ oblitæ molli sub veste locatum,*
> *Dum adventu matris prosilit, excutitur,*
> *Atque illus prono præceps agitur decursu;*
> *Huic manat tristi conscius ore rubor* [b];

je dis que les masles et femelles sont jettez en mesme
moule; sauf l'institution et l'usage, la difference n'y est pas
grande.

Platon appelle indifferemment les uns et les autres à la
société de tous estudes, exercices, charges, vacations [c]
guerrieres et paisibles, en sa republique [693] et le philosophe Antisthenes ostoit toute distinction entre leur vertu
et la nostre [694].

---

a. « Si, par hasard, on en vient à l'assaut, il en est de lui comme
parfois d'un grand feu qui flambe dans une paille, mais sans force. »
Virgile, *Géorgiques*, III, 98. — *b.* « Comme une pomme, présent
furtif envoyé par un promis, roule du chaste giron d'une vierge,
lorsque, sans songer qu'elle l'avait placée sous sa tunique moelleuse,
la pauvre enfant se levant d'un bond à l'approche de sa mère, la laisse
tomber à ses pieds; la pomme roule en avant d'une course rapide; la
jeune fille sent une rougeur monter à son visage désolé. » Catulle,
LXV, 19. — *c.* Occupation.

Il est bien plus aisé d'accuser l'un sexe, que d'excuser l'autre. C'est ce qu'on dict : le fourgon se moque de la poele[a].

CHAPITRE VI

DES COCHES

Il est bien aisé à verifier que les grands autheurs, escrivant des causes, ne se servent pas seulement de celles qu'ils estiment estre vraies, mais de celles encores qu'ils ne croient pas, pourveu qu'elles ayent quelque invention et beauté. Ils disent assez veritablement et utilement, s'ils disent ingenieusement. Nous ne pouvons nous asseurer de la maistresse cause; nous en entassons plusieurs, voir si par rencontre elle se trouvera en ce nombre,

*namque unam dicere causam
Non satis est, verum plures, unde una tamen sit*[b].

Me demandez vous d'où vient cette coustume de benire ceux qui estrenuent[c]? Nous produisons trois sortes de vent : celuy qui sort par embas est trop sale; celuy qui sort par la bouche porte quelque reproche de gourmandise; le troisiesme est l'estrenuement; et, parce qu'il vient de la teste et est sans blasme, nous luy faisons cet honneste recueil[d]. Ne vous moquez pas de cette subtilité; elle est (dict-on) d'Aristote[695].

Il me semble avoir veu en Plutarque[696] (qui est de tous les autheurs que je cognoisse celuy qui a mieux meslé l'art à la nature et le jugement à la science), rendant la cause du souslevement d'estomac qui advient à ceux qui voyagent en mer, que cela leur arrive de crainte, ayant trouvé quelque raison par laquelle il prouve que la crainte peut produire un tel effect. Moy, qui y suis fort subject, sçay bien que cette

---

a. Le tisonnier se moque de la pelle (à charbon). — b. « Car il ne suffit pas d'assigner une seule cause; mais il en faut énumérer plusieurs dont une seule pourtant sera la vraie. » Lucrèce, VI, 703. — c. Éternuent. — d. Accueil.

cause ne me touche pas, et le sçay non par argument, mais par necessaire experience. Sans alleguer ce qu'on m'a dict, qu'il en arrive de mesme souvent aux bestes, et notamment aux pourceaux, hors de toute apprehension de danger; et ce qu'un mien connoissant m'a tesmoigné de soy, qu'y estant fort subject, l'envie de vomir luy estoit passée deux ou trois fois, se trouvant pressé de fraieur en grande tourmente, comme à cet ancien : « *Pejus vexabar quam ut periculum mihi succurreret*[a] »; je n'eus jamais peur sur l'eau, comme je n'ay aussi ailleurs (et s'en est assez souvent offert de justes, si la mort l'est) qui m'ait aumoins troublé ou esblouy. Elle naist par fois de faute de jugement, comme de faute de cœur. Tous les dangers que j'ay veu, ç'a esté les yeux ouverts, la veuë libre, saine et entiere; encore faut-il du courage à craindre. Il me servit autrefois, au pris d'autres, pour conduire et tenir en ordre ma fuite, qu'elle fut, sinon sans crainte, toutesfois sans effroy et sans estonnement; elle estoit esmeue, mais non pas estourdie ny esperdue.

Les grandes ames vont bien plus outre, et representent[b] des fuites non rassises seulement et saines, mais fieres. Disons celle qu'Alcibiade recite[c][697] de Socrates, son compagnon d'armes : « Je le trouvay (dict-il) après la route de nostre armée, luy et Lachez, des derniers entre les fuyans; et le consideray tout à mon aise et en seureté, car j'estois sur un bon cheval et luy à pied, et avions ainsi combatu. Je remerquay premierement combien il montroit d'avisement et de resolution au pris de Lachez, et puis la braverie de son marcher, nullement different du sien ordinaire, sa veuë ferme et reglée, considerant et jugeant ce qui se passoit autour de luy, regardant tantost les uns, tantost les autres, amis et ennemis, d'une façon qui encourageoit les uns et signifioit aux autres qu'il estoit pour vendre bien cher son sang et sa vie à qui essayeroit de la luy oster; et se sauverent ainsi : car volontiers on n'ataque pas ceux-cy; on court après les effraiez. » Voilà le tesmoignage de ce grand capitaine, qui nous apprend, ce que nous essayons tous les jours, qu'il n'est rien qui nous jette tant aux dangers qu'une faim inconsideree de nous en mettre hors.

---

a. « J'étais trop incommodé pour songer au péril. » Sénèque, *Épîtres*, 53. — *b.* Présentent. — *c.* Rapporte.

« *Quo timoris minus est, eo minus fermè periculi est* [a]. » Nostre peuple a tort de dire : celuy-là craint la mort, quand il veut exprimer qu'il y songe et qu'il la prevoit. La prevoyance convient egallement à ce qui nous touche en bien et en mal. Considerer et juger le danger est aucunement le rebours de s'en estonner.

Je ne me sens pas assez fort pour soustenir le coup et l'impetuosité de cette passion de la peur, ny d'autre vehemente. Si j'en estois un coup vaincu et atterré, je ne m'en releverois jamais bien entier. Qui auroit fait perdre pied à mon ame, ne la remettroit jamais droicte en sa place ; elle se retaste et recherche trop vifvement et profondement, et pourtant, ne lairroit [b] jamais ressouder et consolider la plaie qui l'auroit percée. Il m'a bien pris qu'aucune maladie ne me l'ayt encore desmise. A chaque charge qui me vient, je me presente et oppose en mon haut appareil ; ainsi, la premiere qui m'emporteroit me mettroit sans resource. Je n'en faicts poinct à deux ; par quelque endroict que le ravage fauçast ma levée [c], me voylà ouvert et noyé sans remede. Epicurus dict que le sage ne peut jamais passer à un estat contraire[698]. J'ay quelqu'opinion de l'envers de cette sentence, que, qui aura esté une fois bien fol, ne sera nulle autre fois bien sage.

Dieu donne le froid selon la robe, et me donne les passions selon le moien que j'ay de les soustenir. Nature, m'ayant descouvert d'un costé, m'a couvert de l'autre ; m'ayant desarmé de force, m'a armé d'insensibilité et d'une apprehension reiglée ou mousse [d].

Or je ne puis souffrir long temps (et les souffrois plus difficilement en jeunesse) ny coche, ny littiere, ny bateau ; et hay toute autre voiture [e] que de cheval, et en la ville et aux champs. Mais je puis souffrir la lictiere moins qu'un coche et, par mesme raison, plus aiséement une agitation rude sur l'eau, d'où se produict la peur, que le mouvement qui se sent en temps calme. Par cette legere secousse que les avirons donnent, desrobant le vaisseau soubs nous, je me sens brouiller, je ne sçay comment, la teste et l'estomac, comme je ne puis souffrir soubs moy un siege tremblant.

---

a. « Moins on a peur, moins d'ordinaire on court de risques. » Tite-Live, XXII, 5. — *b.* Pour ce motif, ne laisserait. — *c.* Brisât ma digue. — *d.* Émoussée. — *e.* Moyen de transport.

Quand la voile ou le cours de l'eau nous emporte esgalement ou qu'on nous touë[a], cette agitation unie ne me blesse aucunement : c'est un remuement interrompu qui m'offence, et plus quand il est languissant. Je ne sçaurois autrement peindre sa forme. Les medecins m'ont ordonné de me presser et sangler d'une serviette le bas du ventre pour remedier à cet accident; ce que je n'ay point essayé, ayant accoustumé de luicter[b] les deffauts qui sont en moy et les dompter par moymesme.

Si j'en avoy la memoire suffisamment informée, je ne pleindroy mon temps à dire icy l'infinie varieté que les histoires nous presentent de l'usage des coches au service de la guerre, divers selon les nations, selon les siecles, de grand effect, ce me semble, et necessité; si que c'est merveille que nous en ayons perdu toute connoissance. J'en diray seulement cecy, que tout freschement, du temps de nos peres, les Hongres les mirent très-utilement en besongne contre les Turcs, en chacun y ayant un rondellier[c] et un mousquetaire, et nombre de harquebuzes rengées, prestes et chargées : le tout couvert d'une pavesade[d] à la mode d'une galliotte[699]. Ils faisoient front à leur bataille de trois mille tels coches, et, après que le canon avoit joué, les faisoient tirer avant et avaller aux ennemys cette salve avant que de taster le reste, qui n'estoit pas un leger avancement; ou les descochoient dans leurs escadrons pour les rompre et y faire jour, outre le secours qu'ils en pouvoient tirer pour flanquer en lieu chatouilleux les troupes marchant en la campagne, ou à couvrir un logis à la haste et le fortifier. De mon temps, un Gentil-homme, en l'une de nos frontieres, impost[e] de sa personne et ne trouvant cheval capable de son poids, ayant une querelle, marchoit par païs en coche de mesme cette peinture, et s'en trouvoit très-bien. Mais laissons ces coches guerriers. Les Roys de nostre premiere race[700] marchoient en païs sur un charriot trainé par quatre bœufs.

Marc Antoine fut le premier qui se fit mener à Romme, et une garse menestriere[f] quand et[g] luy, par des lyons

---

a. Remorque. — *b.* Combattre. — *c.* Soldat armé d'une rondache. — *d.* Rangée de *pavois* ou boucliers (mis autour d'un vaisseau en guise de rempart). — *e.* Impotent. — *f.* Une femme jouant d'un instrument de musique. — *g.* Avec.

attelez à un coche. Heliogabalus en fit depuis autant, se
disant Cibelé, la mere des dieux, et aussi par des tigres,
contrefaisant le Dieu Bacchus; il attela aussi par fois deux
cerfs à son coche, et une autre fois quattre chiens, et
encore quattre garses nues, se faisant trainer par elles en
pompe tout nud. L'empereur Firmus fit mener son coche
à des autruches de merveilleuse grandeur, de maniere qu'il
sembloit plus voler que rouler[701]. L'estrangeté de ces inventions me met en teste cett'autre fantasie : que c'est une
espece de pusillanimité aux monarques, et un tesmoignage
de ne sentir point assez ce qu'ils sont, de travailler à se faire
valoir et paroistre par despences excessives. Ce seroit chose
excusable en pays estranger; mais, parmy ses subjects, où
il peut tout, il tire de sa dignité le plus extreme degré
d'honneur où il puisse arriver. Comme à un gentil-homme
il me semble qu'il est superflu de se vestir curieusement
en son privé; sa maison, son trein, sa cuysine, respondent
assez de luy.

Le conseil qu'Isocrates donne à son Roy[702] ne me
semble sans raison : « Qu'il soit splendide en meubles et
ustensiles, d'autant que c'est une despence de durée, qui
passe jusques à ses successeurs; et qu'il fuye toutes magnificences qui s'escoulent incontinent et de l'usage et de la
memoire. »

J'aymois à me parer, quand j'estoy cabdet, à faute d'autre
parure, et me sioit[a] bien; il en est sur qui les belles robes
pleurent. Nous avons des comptes merveilleux de la frugalité de nos Roys au tour de leur personne et en leurs dons;
grands Roys en credit, en valeur et en fortune. Demostenes
combat à outrance[703] la loy de sa ville qui assignoit les
deniers publics aux pompes des jeux et de leurs festes; il
veut que leur grandeur se montre en quantité de vaisseaux
bien equipez et bonnes armées bien fournies.

Et a l'on[704] raison d'accuser Theophrastus d'avoir establi, en son livre *Des richesses,* un advis contraire, et maintenu
telle nature de despence estre le vray fruit de l'opulence.
Ce sont plaisirs, dict Aristote[705], qui ne touchent que la
plus basse commune, qui s'evanouissent de memoire aussi
tost qu'on en est rassasié et desquels nul homme judicieux
et grave ne peut faire estime. L'emploitte[b] me sembleroit

a. Seyait. — *b.* Emplette.

bien plus royale comme plus utile, juste et durable en ports, en havres, fortifications et murs, en bastiments somptueux, en eglises, hospitaux, colleges, reformation de ruës et chemins. En quoy le pape Gregoire treziesme a laissé sa memoire recommandable de mon temps[706], et en quoy nostre Royne Catherine tesmoigneroit à longues années sa liberalité naturelle et munificence, si ses moyens suffisoient à son affection. La Fortune m'a faict grand desplesir d'interrompre la belle structure du Pont-neuf de nostre grande ville et m'oster l'espoir avant de mourir d'en veoir en train l'usage[707].

Outre ce, il semble aus subjects, spectateurs de ces triomphes, qu'on leur faict montre de leurs propres richesses et qu'on les festoye à leurs despens. Car les peuples presument volontiers des Roys, comme nous faisons de nos valets, qu'ils doivent prendre soing de nous aprester en abondance tout ce qu'il nous faut, mais qu'ils n'y doyvent aucunement toucher de leur part. Et pourtant l'Empereur Galba, ayant pris plaisir à un musicien pendant son souper, se fit aporter sa boëte et luy donna en sa main une poignée d'escus qu'il y pescha avec ces paroles : « Ce n'est pas du public, c'est du mien[708]. » Tant y a qu'il advient le plus souvent que le peuple a raison, et qu'on repaist ses yeux de ce dequoy il avoit à paistre son ventre. La liberalité mesme n'est pas bien en son lustre en mains souveraines; les privez y ont plus de droict; car, à le prendre exactement, un Roy n'a rien proprement sien; il se doibt soy-mesmes à autruy.

La jurisdiction ne se donne point en faveur du juridiciant, c'est en faveur du juridicié[709]. On faict un superieur, non jamais pour son profit, ains [a] pour le profit de l'inferieur, et un medecin pour le malade, non pour soy. Toute magistrature, comme toute art jette sa fin hors d'elle : « *nulla ars in se versatur* [b]. »

Parquoy les gouverneurs de l'enfance des princes, qui se piquent à leur imprimer cette vertu de largesse, et les preschent de ne sçavoir rien refuser et n'estimer rien si bien employé que ce qu'ils donneront (instruction que j'ay veu en mon temps fort en credit), ou ils regardent

---

a. Mais. — *b.* « Nul art n'est enfermé en lui-même. » Cicéron, *De finibus*, V, 6.

plus à leur proufit qu'à celuy de leur maistre, ou ils entendent mal à qui ils parlent. Il est trop aysé d'imprimer la liberalité en celuy qui a dequoy y fournir autant qu'il veut, aus despens d'autruy. Et son estimation se reglant non à la mesure du present, mais à la mesure des moyens de celuy qui l'exerce, elle vient à estre vaine en mains si puissantes. Ils se trouvent prodigues avant qu'ils soient liberaux. Pourtant est elle de peu de recommandation, au pris d'autres vertus royalles, et la seule, comme disoit le tyran Dionysius, qui se comporte bien avec la tyrannie mesme[710]. Je luy apprendroy plustost ce verset du laboureur ancien :

Τῇ Χειρὶ δεῖ σπείρειν, ἀλλὰ μὴ ὅλῳ τῷ θυλακῷ [a]

qu'il faut, à qui en veut retirer fruict, semer de la main, non pas verser du sac (il faut espandre le grain, non pas le respandre); et qu'ayant à donner ou, pour mieux dire, à paier et rendre à tant de gens selon qu'ils l'ont deservy, il en doibt estre loyal et avisé dispensateur. Si la liberalité d'un prince est sans discretion et sans mesure, je l'aime mieux avare.

La vertu Royalle semble consister le plus en la justice; et de toutes les parties de la justice celle là remarque mieux les Roys, qui accompaigne la liberalité; car ils l'ont particulierement reservée à leur charge, là où toute autre justice, ils l'exercent volontiers par l'entremise d'autruy. L'immoderée largesse est un moyen foible à leur acquerir bien-veuillance; car elle rebute plus de gens qu'elle n'en practique : « *Quo in plures usus sis, minus in multos uti possis. Quid autem est stultius quam quod libenter facias, curare ut id diutius facere non possis*[b]? » Et, si elle est employée sans respect du merite, fait vergongne à qui la reçoit; et se reçoit sans grace. Des tyrans ont esté sacrifiez à la hayne du peuple par les mains de ceux mesme lesquels ils avoyent iniquement avancez, telle maniere d'hommes estimans asseurer la possession des biens indeurement reçeuz en

---

a. Ce vers, que Montaigne traduit après l'avoir cité, est de Corinne, et tiré du *De amphitheatro* de Juste Lipse (VII, fin). — *b.* « On peut d'autant moins l'exercer qu'on l'a déjà plus exercée. Or qu'y a-t-il de plus fou que de se mettre dans l'impossibilité de faire longtemps ce qu'on fait avec plaisir?» Cicéron, *De officiis*, II, 15.

montrant avoir à mespris et hayne celuy de qui ils les tenoyent, et se raliant au jugement et opinion commune en cela.

Les subjects d'un prince excessif en dons se rendent excessifs en demandes; ils se taillent non à la raison, mais à l'exemple. Il y a certes souvant de quoy rougir de nostre impudence; nous sommes surpayez selon justice quand la recompense esgalle nostre service, car n'en devons nous rien à nos princes d'obligation naturelle? S'il porte nostre despence, il faict trop; c'est assez qu'il l'ayde; le surplus s'appelle bienfaict, lequel ne se peut exiger, car le nom mesme de liberalité sonne liberté. A nostre mode, ce n'est jamais faict; le reçeu ne se met plus en compte; on n'ayme la liberalité que future : parquoy plus un Prince s'espuise en donnant, plus il s'apouvrit d'amys.

Comment assouviroit il des envies qui croissent à mesure qu'elles se remplissent? Qui a sa pensée à prendre, ne l'a plus à ce qu'il a prins. La convoitise n'a rien si propre que d'estre ingrate[711]. L'exemple de Cyrus ne duira[a] pas mal en ce lieu pour servir aux Roys de ce temps de touche à reconnoistre leurs dons bien ou mal employez, et leur faire veoir combien cet Empereur les assenoit plus heureusement qu'ils ne font. Par où ils sont reduits de faire leurs emprunts sur les subjects inconnus, et plustost sur ceux à qui ils ont faict du mal, que sur ceux à qui ils ont faict du bien; et n'en reçoivent aydes où il y aye rien de gratuit que le nom. Crœsus luy reprochoit sa largesse et calculoit à combien se monteroit son thresor, s'il eust eu les mains plus restreintes. Il eut envie de justifier sa liberalité; et, despeschant de toutes parts vers les grands de son estat, qu'il avoit particulierement avancez, pria chacun de le secourir d'autant d'argent qu'il pourroit à une sienne necessité, et le luy envoyer par declaration. Quand tous ces bordereaux luy furent apportez, chacun de ses amis, n'estimant pas que ce fut assez faire de luy en offrir autant seulement qu'il en avoit receu de sa munificence, y en meslant du sien plus propre beaucoup, il se trouva que cette somme se montoit bien plus que l'espargne de Crœsus. Sur quoy luy dict Cyrus : « Je ne suis pas moins amoureux des richesses que les autres Princes et en suis

---

a. Siéra.

plus-tost plus mesnager. Vous voyez à combien peu de mise j'ay acquis le thresor inestimable de tant d'amis; et combien ils me sont plus fideles thresoriers que ne seroient des hommes mercenaires sans obligation, sans affection, et ma chevance[a] mieux logée qu'en des coffres, appellant sur moy la haine, l'envie et le mespris des autres princes[712]. »

Les Empereurs tiroient excuse à la superfluité de leurs jeux et montres[b] publiques, de ce que leur authorité dependoit aucunement (aumoins par apparence) de la volonté du peuple Romain, lequel avoit de tout temps accoustumé d'estre flaté par telle sorte de spectacles et excez. Mais c'estoyent particuliers qui avoyent nourry cette coustume de gratifier leurs concitoyens et compaignons principallement sur leur bourse par telle profusion et magnificence : elle eust tout autre goust quand ce furent les maistres qui vindrent à l'imiter.

« *Pecuniarum translatio a justis dominis ad alienos non debet liberalis videri*[c]. » Philippus, de ce que son fils essayoit par presents de gaigner la volonté des Macedoniens, l'en tança par une lettre en cette maniere : « Quoy? as tu envie que tes subjects te tiennent pour leur boursier, non pour leur Roy? Veux tu les prattiquer? prattique les des bienfaicts de ta vertu, non des bien-faicts de ton coffre[713]. »

C'estoit pourtant une belle chose, d'aller faire apporter et planter en la place aus arenes une grande quantité de gros arbres, tous branchus et tous verts, representans une grande forest ombrageuse, despartie en belle symmetrie, et, le premier jour, jetter là dedans mille austruches, mille cerfs, mille sangliers et mille dains, les abandonnant à piller au peuple; le lendemain, faire assomer en sa presence cent gros lions, cent leopards, et trois cens ours, et, pour le troisiesme jour, faire combatre à outrance trois cens pairs de gladiateurs, comme fit l'Empereur Probus[714]. C'estoit aussi belle chose à voir ces grands amphitheatres encroustez[d] de marbre au dehors, labouré[e] d'ouvrages et statues, le dedans reluisant de plusieurs rares enrichissemens,

---

a. Mon bien. — *b.* Spectacles. — *c.* « Enlever de l'argent aux légitimes propriétaires pour le donner à des étrangers ne doit pas être regardé comme une libéralité. » Sentence de Cicéron, *De officiis*, I, 14. — *d.* Incrustés. — *e.* Orné.

Baltheus en gemmis, en illita porticus auro [a]*;*

tous les coustez de ce grand vuide remplis et environnez, depuis le fons jusques au comble, de soixante ou quattre vingts rangs d'eschelons [b], aussi de marbre, couvers de carreaus [c],

exeat, inquit,
Si pudor est, et de pulvino surgat equestri,
Cujus res legi non sufficit [d]*;*

où se peut renger cent mille hommes assis à leur aise; et la place du fons, où les jeux se jouoyent, la faire premierement, par art, entr'ouvrir et fendre en crevasses representant des antres qui vomissoient les bestes destinées au spectacle; et puis secondement l'innonder d'une mer profonde, qui charrioit force monstres marins, chargée de vaisseaux armez, à representer une bataille navalle; et, tiercement, l'aplanir et assecher de nouveau pour le combat des gladiateurs; et, pour la quatriesme façon, la sabler de vermillon et de storax, au lieu d'arene [e], pour y dresser un festin solemne [f] à tout ce nombre infiny de peuple, le dernier acte d'un seul jour[715];

quoties nos descendentis arenæ
Vidimus in partes, ruptáque voragine terræ
Emersisse feras, et iisdem sæpe latebris
Aurea cum croceo creverunt arbuta libro.
Nec solum nobis silvestria cernere monstra
Contigit, æquoreos ego cum certantibus ursis
Spectavi vitulos, et equorum nomine dignum,
Sed deforme pecus [g].

---

a. « Voici la ceinture du théâtre ornée de pierres précieuses, voici le portique revêtu d'or. » Calpurnius, *Églogues*, VII, 47. — *b.* Gradins. — *c.* Coussins. — *d.* « Hors d'ici! s'il a quelque pudeur! allons qu'il se lève des banquettes réservées aux chevaliers, celui qui n'a pas le cens voulu par la loi! » Juvénal, III, 153. — *e.* Sable. — *f.* Solennel. — *g.* « Que de fois avons-nous vu une partie de l'arène s'abaisser et du gouffre entrouvert surgir des bêtes féroces et toute une forêt d'arbres d'or à l'écorce de safran! Non seulement j'ai pu voir dans nos amphithéâtres les monstres des forêts, mais aussi des veaux marins (phoques) au milieu de combats d'ours et le hideux troupeau des chevaux de mer. » Calpurnius, *Églogues*, VII, 64, cité par Juste Lipse, *De amphitheatro*, X.

Quelquefois on y a faict naistre une haute montaigne plaine de fruitiers et arbres verdoyans, rendans par son feste un ruisseau d'eau, comme de la bouche d'une vive fontaine. Quelquefois on y promena un grand navire qui s'ouvroit et desprenoit de soy-mesmes, et, après avoir vomy de son ventre quatre ou cinq cens bestes à combat, se resserroit et s'esvanouissoit, sans ayde [716]. Autresfois, du bas de cette place, ils faisoyent eslancer des surgeons et filets d'eau qui rejalissoyent contremont [a], et, à cette hauteur infinie, alloyent arrousant et embaumant cette infinie multitude [717]. Pour se couvrir de l'injure du temps, ils faisoient tendre cette immense capacité, tantost de voiles de pourpre labourez [b] à l'eguille, tantost de soye d'une ou autre couleur, et les avançoyent et retiroyent en un moment, comme il leur venoit en fantasie [718] :

> *Quamvis non modico caleant spectacula sole,*
> *Vela reducuntur, cum venit Hermogenes* [c].

Les rets aussi qu'on mettoit au devant du peuple, pour le defendre de la violence de ces bestes eslancées, estoyent tyssus d'or [719] :

> *auro quoque torta refulgent*
> *Retia* [d].

S'il y a quelque chose qui soit excusable en tels excez, c'est où l'invention et la nouveauté fournit d'admiration, non pas la despence.

En ces vanitez mesme nous descouvrons combien ces siecles estoyent fertiles d'autres esprits que ne sont les nostres. Il va de cette sorte de fertilité comme il faict de toutes autres productions de la nature. Ce n'est pas à dire qu'elle y ayt lors employé son dernier effort. Nous n'allons point, nous rodons plustost, et tournoions çà et là. Nous nous promenons sur nos pas. Je crains que nostre cognoissance soit foible en tous sens, nous ne voyons ny gueres loin, ny guere arriere; elle embrasse peu et vit

---

a. En l'air. — *b.* Travaillés, ornés. — *c.* « Bien qu'un soleil formidable calcine l'amphithéâtre, on retire les voiles dès qu'arrive Hermogène. » Martial, *Épigrammes*, XII, XXIX, 15. — *d.* « Les rets aussi brillent de l'or dont ils sont tissus. » Calpurnius, *Églogues*, VII, 53, cité par Juste Lipse, *De amphitheatro*, XII.

peu, courte et en estandue de temps et en estandue de matiere :

> *Vixere fortes ante Agamemnona*
> *Multi, sed omnes illachrimabiles*
> *Urgentur ignotique longa*
> *Nocte* [a].

> *Et supera bellum Trojanum et funera Trojæ,*
> *Multi alias alii quoque res cecinere poetæ* [b].

Et la narration de Solon, sur ce qu'il avoit apprins des prestres d'Ægypte de la longue vie de leur estat et maniere d'apprendre et conserver les histoires estrangeres[720], ne me semble tesmoignage de refus en cette consideration. « *Si interminatam in omnes partes magnitudinem regionum videremus et temporum, in quam se injiciens animus et intendens ita late longeque peregrinatur ut nullam oram ultimi videat in qua possit insistere : in hac immensitate infinita vis innumerabilium appareret formarum* [c]. »

Quand tout ce qui est venu par rapport du passé jusques à nous seroit vray et seroit sçeu par quelqu'un, ce seroit moins que rien au pris de ce qui est ignoré. Et de cette mesme image du monde qui coule pendant que nous y sommes, combien chetive et racourcie est la cognoissance des plus curieux! Non seulement des evenemens particuliers que fortune rend souvant exemplaires et poisans, mais de l'estat des grandes polices et nations, il nous en eschappe cent fois plus qu'il n'en vient à nostre science. Nous nous escriïons du miracle de l'invention de nostre artillerie, de nostre impression[d]; d'autres hommes, un autre bout du monde à la Chine, en jouyssoit mille ans auparavant. Si nous voyons autant du monde comme nous n'en voyons pas, nous apercevrions, comme il est à croire,

---

a. « Il y a eu bien des braves avant Agamemnon; mais nous ne les pleurons pas et une nuit profonde nous les cache. » Horace, *Odes*, IV, ix, 25. — *b.* « Et par-delà la guerre de Troie et la mort de Troie, il y a eu d'autres poètes pour chanter d'autres événements. » Lucrèce, V, 326. — *c.* « Si nous pouvions voir l'infini sans bornes de l'espace et du temps, où, se plongeant et s'étendant de toutes parts, l'esprit se promène en tous sens sans jamais rencontrer un terme à sa course, dans cette immensité nous découvririons une quantité innombrable de formes. » Cicéron, *De natura deorum*, I, 20. Le texte original est un peu altéré par Montaigne. — *d.* Imprimerie.

une perpetuele multiplication et vicissitude de formes. Il n'y a rien de seul et de rare eu esgard à nature, ouy bien eu esgard à nostre cognoissance, qui est un miserable fondement de nos regles et qui nous represente volontiers une très-fauce image des choses. Comme vainement nous concluons aujourd'hui l'inclination et la decrepitude du monde par les arguments que nous tirons de nostre propre foiblesse et decadence,

> *Jamque adeo affecta est ætas, affectàque tellus* [a];

ainsi vainement concluoit cettuy-là sa naissance et jeunesse, par la vigueur qu'il voyoit aux espris de son temps, abondans en nouvelletez et inventions de divers arts :

> *Verùm, ut opinor, habet novitatem summa, recénsque*
> *Natura est mundi, neque pridem exordia cœpit :*
> *Quare etiam quædam nunc artes expoliuntur,*
> *Nunc etiam augescunt, nunc addita navigiis sunt*
> *Multa* [b].

Nostre monde vient d'en trouver un autre (et qui nous respond si c'est le dernier de ses freres, puis que les Dæmons, les Sybilles et nous, avons ignoré cettuy-cy jusqu'asture [c]?) non moins grand, plain [d] et membru que luy, toutesfois si nouveau et si enfant qu'on luy aprend encore son a, b, c ; il n'y a pas cinquante ans qu'il ne sçavoit ny lettres, ny pois, ny mesure, ny vestements, ny bleds, ny vignes. Il estoit encore tout nud au giron, et ne vivoit que des moyens de sa mere nourrice. Si nous concluons bien de nostre fin, et ce poëte de la jeunesse de son siecle, cet autre monde ne faira qu'entrer en lumiere quand le nostre en sortira. L'univers tombera en paralisie ; l'un membre sera perclus, l'autre en vigueur.

Bien crains-je que nous aurons bien fort hasté sa

---

a. « Tant désormais notre âge est affaibli, et la terre affaiblie. » Lucrèce, II, 1136. — *b.* « Mais non, tout est nouveau dans ce monde, tout est récent ; il a pris naissance il n'y a guère. Voilà pourquoi encore aujourd'hui certains arts se perfectionnent et aujourd'hui encore vont en progressant ; c'est ainsi qu'à notre époque maints agrès sont venus s'ajouter aux navires. » Lucrèce, V, 330. — *c.* A cette heure. — *d.* Plein.

declinaison ª et sa ruyne par nostre contagion, et que nous luy aurons bien cher vendu nos opinions et nos arts. C'estoit un monde enfant; si ne l'avons nous pas foité ᵇ et soubmis à nostre discipline par l'avantage de nostre valeur et forces naturelles, ny ne l'avons practiqué ᶜ par nostre justice et bonté, ny subjugué par nostre magnanimité. La plus part de leurs responces et des negotiations faictes avec eux tesmoignent qu'ils ne nous devoyent rien ᵈ en clarté d'esprit naturelle et en pertinence. L'espouventable magnificence des villes de Cusco et de Mexico, et, entre plusieurs choses pareilles, le jardin de ce Roy, où tous les arbres, les fruicts et toutes les herbes, selon l'ordre et grandeur qu'ils ont en un jardin, estoyent excellemment formez en or; comme, en son cabinet, tous les animaux qui naissoient en son estat et en ses mers; et la beauté de leurs ouvrages en pierrerie, en plume, en cotton, en la peinture, montrent qu'ils ne nous cedoient non plus en l'industrie[721]. Mais, quant à la devotion, observance des loix, bonté, liberalité, loyauté, franchise, il nous a bien servy de n'en avoir pas tant qu'eux; ils se sont perdus par cet advantage, et vendus, et trahis eux mesme.

Quant à la hardiesse et courage, quant à la fermeté, constance, resolution contre les douleurs et la faim et la mort, je ne craindrois pas d'opposer les exemples que je trouverois parmy eux aux plus fameux exemples anciens que nous ayons aus memoires de nostre monde par deçà. Car, pour ceux qui les ont subjuguez, qu'ils ostent les ruses et batelages dequoy ils se sont servis à les piper, et le juste estonnement qu'aportoit à ces nations là de voir arriver si inopinéement des gens barbus, divers en langage, religion, en forme et en contenance, d'un endroict du monde si esloigné et où ils n'avoyent jamais imaginé qu'il y eust habitation quelconque, montez sur des grands monstres incogneuz, contre ceux qui n'avoyent non seulement jamais veu de cheval, mais beste quelconque duicte ᵉ à porter et soustenir homme ny autre charge; garnis d'une peau luysante et dure et d'une arme trenchante et resplendissante, contre ceux qui, pour le miracle de la lueur d'un miroir ou d'un cousteau, alloyent eschangeant une grande richesse

---

a. Déclin. — *b.* Fouetté. — *c.* Séduit. — *d.* Ils n'étaient pas en retard sur nous. — *e.* Formée.

en or et en perles, et qui n'avoient ny science ny matiere par où tout à loisir ils sçeussent percer nostre acier ; adjoustez y les foudres et tonnerres de nos pieces et harquebouses^a, capables de troubler Cæsar mesme, qui l'en eust surpris autant inexperimenté, et à cett'heure, contre des peuples nuds, si ce n'est où l'invention estoit arrivée de quelque tissu de cotton, sans autres armes pour le plus que d'arcs, pierres, bastons et boucliers de bois; des peuples surpris, soubs couleur d'amitié et de bonne foy, par la curiosité de veoir des choses estrangeres et incogneues : contez, dis-je, aux conquerans cette disparité, vous leur ostez toute l'occasion de tant de victoires[722].

Quand je regarde céte ardeur indomptable dequoy tant de milliers d'hommes, femmes et enfans, se presentent et rejettent à tant de fois aux dangers inevitables, pour la deffence de leurs dieux et de leur liberté; céte genereuse obstination de souffrir toutes extremitez et difficultez, et la mort, plus volontiers que de se soubmettre à la domination de ceux de qui ils ont esté si honteusement abusez, et aucuns choisissans plustost de se laisser defaillir par faim et par jeune, estans pris, que d'accepter le vivre des mains de leurs ennemis[723], si vilement victorieuses, je prevois que, à qui les eust attaquez pair à pair, et d'armes, et d'experience, et de nombre, il y eust faict aussi dangereux, et plus, qu'en autre guerre que nous voyons.

Que n'est tombée soubs Alexandre ou soubs ces anciens Grecs et Romains une si noble conqueste, et une si grande mutation et alteration de tant d'empires et de peuples soubs des mains qui eussent doucement poly et defriché ce qu'il y avoit de sauvage, et eussent conforté^b et promeu les bonnes semences que nature y avoit produit, meslant non seulement à la culture des terres et ornement des villes les arts de deçà, en tant qu'elles y eussent esté necessaires, mais aussi meslant les vertus Grecques et Romaines aux originelles du pays! Quelle reparation eust-ce esté, et quel amendement à toute cette machine, que les premiers exemples et deportemens nostres qui se sont presentés par delà eussent appellé ces peuples à l'admiration et imitation de la vertu et eussent dressé entre eux et nous une fraternele societé et intelligence! Combien il eust esté aisé de faire son

a. Arquebuses. — *b.* Fortifié.

profit d'ames si neuves, si affamées d'apprentissage, ayant pour la plus part de si beaux commencemens naturels!

Au rebours, nous nous sommes servis de leur ignorance et inexperience à les plier plus facilement vers la trahison, luxure, avarice et vers toute sorte d'inhumanité et de cruauté, à l'exemple et patron de nos meurs. Qui mit jamais à tel pris le service de la mercadence et de la trafique? Tant de villes rasées, tant de nations exterminées, tant de millions de peuples passez au fil de l'espée, et la plus riche et belle partie du monde bouleversée pour la negotiation des perles et du poivre! mechaniques[a] victoires. Jamais l'ambition, jamais les inimitiez publiques ne pousserent les hommes les uns contre les autres à si horribles hostilitez et calamitez si miserables.

En costoyant la mer à la queste[b] de leurs mines, aucuns Espagnols prindrent terre en une contrée fertile et plaisante, fort habitée, et firent à ce peuple leurs remonstrances accoustumées : « Qu'ils estoient gens paisibles, venans de loingtains voyages, envoyez de la part du Roy de Castille, le plus grand Prince de la terre habitable, auquel le Pape, representant Dieu en terre, avoit donné la principauté de toutes les Indes; que, s'ils vouloient luy estre tributaires, ils seroient très-benignement traictez; leur demandoient des vivres pour leur nourriture et de l'or pour le besoing de quelque medecine; leur remontroient au demeurant la creance d'un seul Dieu et la verité de nostre religion, laquelle ils leur conseilloient d'accepter, y adjoustans quelques menasses. »

La responce fut telle : « Que, quand à estre paisibles, ils n'en portoient pas la mine, s'ils l'estoient; quand à leur Roy, puis qu'il demandoit, il devoit estre indigent et necessiteux; et celuy qui luy avoit faict cette distribution, homme aymant dissention, d'aller donner à un tiers chose qui n'estoit pas sienne, pour le mettre en debat contre les anciens possesseurs; quant aux vivres, qu'ils leur en fourniroient; d'or, ils en avoient peu, et que c'estoit chose qu'ils mettoient en nulle estime, d'autant qu'elle estoit inutile au service de leur vie, là où tout leur soin regardoit seulement à la passer heureusement et plaisamment; pourtant, ce qu'ils en pourroient trouver, sauf ce qui estoit employé

---

[a]. Viles. — [b]. Conquête.

au service de leurs dieux, qu'ils le prinssent hardiment ; quant à un seul Dieu, le discours leur en avoit pleu, mais qu'ils ne vouloient changer leur religion, s'en estans si utilement servis si long temps, et qu'ils n'avoient accoustumé prendre conseil que de leurs amis et connoissans ; quant aux menasses, c'estoit signe de faute de jugement d'aller menassant ceux desquels la nature et les moyens estoient inconneuz ; ainsi qu'ils se despeschassent promptement de vuyder leur terre, car ils n'estoient pas accoustumez de prendre en bonne part les honnestetez et remonstrances de gens armez et estrangers ; autrement, qu'on feroit d'eux comme de ces autres », leur montrant les testes d'aucuns hommes justiciez autour de leur ville [724]. Voilà un exemple de la balbucie de cette enfance. Mais tant y a que ny en ce lieu-là, ny en plusieurs autres, où les Espagnols ne trouverent les marchandises qu'ils cerchoient, ils ne feirent arrest ny entreprise, quelque autre commodité qu'il y eust, tesmoing mes Cannibales [725].

Des deux les plus puissans monarques de ce monde là, et, à l'avanture, de cettuy-cy, Roys de tant de Roys, les derniers qu'ils en chasserent, celuy du Peru [a], ayant esté pris en une bataille et mis à une rançon si excessive qu'elle surpasse toute creance, et celle là fidellement payée, et avoir donné par sa conversation signe d'un courage franc, liberal et constant, et d'un entendement net et bien composé, il print envie aux vainqueurs après en avoir tiré un million trois cens vingt cinq mille cinq cens poisant [b] d'or, outre l'argent et autres choses qui ne monterent pas moins, si que [c] leurs chevaux n'alloient plus ferrez que d'or massif, de voir encores, au pris de quelque desloyauté que ce fut, quel pouvoit estre le reste des thresors de ce Roy [726], et jouyr librement de ce qu'il avoit reservé. On luy apposta [d] une fauce accusation et preuve, qu'il desseignoit [e] de faire souslever ses provinces pour se remettre en liberté. Surquoy, par beau jugement de ceux mesme qui luy avoient dressé cette trahison, on le condemna à estre pendu et estranglé publiquement, luy ayant faict racheter le tourment d'estre bruslé tout vif par le baptesme qu'on luy donna au supplice mesme.

---

a. Pérou. — *b.* Besants. — *c.* Si bien que. — *d.* Machina. — *e.* Projetait.

Accident horrible et inouy, qu'il souffrit pourtant sans se démentir ny de contenance, ny de parole, d'une forme et gravité vrayement royale. Et puis, pour endormir les peuples estonnez et transis de chose si estrange, on contrefit un grand deuil de sa mort, et luy ordonna l'on des somptueuses funerailles.

L'autre, Roy de Mexico, ayant long temps defendu sa ville assiegée et montré en ce siege tout ce que peut et la souffrance et la perseverance, si onques prince et peuple le montra, et son malheur l'ayant rendu vif entre les mains des ennemis, avec capitulation d'estre traité en Roy (aussi ne leur fit-il rien voir, en la prison, indigne de ce tiltre); ne trouvant poinct après cette victoire tout l'or qu'ils s'estoient promis, après avoir tout remué et tout fouillé, se mirent à en cercher des nouvelles par les plus aspres geines[a] dequoy ils se peurent adviser, sur les prisonniers qu'ils tenoient. Mais, n'ayant rien profité, trouvant des courages plus forts que leurs torments, ils en vindrent en fin à telle rage que, contre leur foy et contre tout droict des gens, ils condamnerent le Roy mesme et l'un des principaux seigneurs de sa court à la geine en presence l'un de l'autre. Ce seigneur, se trouvant forcé de la douleur, environné de braziers ardens, tourna sur la fin piteusement sa veue vers son maistre, comme pour luy demander mercy de ce qu'il n'en pouvoit plus. Le Roy, plantant fierement et rigoureusement les yeux sur luy, pour reproche de sa lascheté et pusillanimité, luy dict seulement ces mots, d'une voix rude et ferme : « Et moy, suis-je dans un bain ? suis-je pas plus à mon aise que toy ? » Celuy-là, soudain après, succomba aux douleurs et mourut sur la place. Le Roy, à demy rosty, fut emporté de là, non tant par pitié (car quelle pitié toucha jamais des ames qui, pour la doubteuse information de quelque vase d'or à piller, fissent griller devant leurs yeux un homme, non qu'un[b] Roy si grand et en fortune et en merite?) mais ce fut que sa constance rendoit de plus en plus honteuse leur cruauté. Ils le pendirent depuis, ayant courageusement entrepris de se delivrer par armes d'une si longue captivité et subjection, où il fit sa fin digne d'un magnanime prince[727].

A une autre fois, ils mirent brusler pour un coup, en

---

a. Géhennes, tortures. — *b.* Bien plus, un.

mesme feu, quatre cens soixante hommes tous vifs, les quatre cens du commun peuple, les soixante des principaux seigneurs d'une province, prisonniers de guerre simplement[728]. Nous tenons d'eux-mesmes ces narrations, car ils ne les advouent pas seulement, ils s'en ventent et les preschent. Seroit-ce pour tesmoignage de leur justice? ou zele envers la religion? Certes, ce sont voyes trop diverses et ennemies d'une si saincte fin. S'ils se fussent proposés d'estendre nostre foy, ils eussent considéré que ce n'est pas en possession de terres qu'elle s'amplifie, mais en possession d'hommes, et se fussent trop contentez des meurtres que la necessité de la guerre apporte, sans y mesler indifferemment une boucherie, comme sur des bestes sauvages, universelle, autant que le fer et le feu y ont peu atteindre, n'en ayant conservé par leur dessein qu'autant qu'ils en ont voulu faire de miserables esclaves pour l'ouvrage et service de leurs minieres; si que [a] plusieurs des chefs ont esté punis à mort[729], sur les lieux de leur conqueste, par ordonnance des Rois de Castille, justement offencez de l'horreur de leurs deportemens et quasi tous desestimez et mal-voulus [b]. Dieu a meritoirement [c] permis que ces grands pillages se soient absorbez par la mer en les transportant, ou par les guerres intestines dequoy ils se sont entremangez entre eux, et la plus part s'enterrerent sur les lieux, sans aucun fruict de leur victoire.

Quant à ce que la recepte, et entre les mains d'un prince mesnager et prudent[730], respond si peu à l'esperance qu'on en donna à ses predecesseurs, et à cette premiere abondance de richesses qu'on rencontra à l'abord de ces nouvelles terres (car, encore qu'on en retire beaucoup, nous voyons que ce n'est rien au pris de ce qui s'en devoit attendre), c'est que l'usage de la monnoye estoit entierement inconneu, et que par consequent leur or se trouva tout assemblé, n'estant en autre service que de montre et de parade, comme un meuble reservé de pere en fils par plusieurs puissants Roys, qui espuisoient tousjours leurs mines pour faire ce grand monceau de vases et statues à l'ornement de leurs palais et de leurs temples, au lieu que nostre or est tout en emploite [d] et en commerce. Nous le menuisons et

---

a. Si bien que. — *b.* Haïs, mal vus. — *c.* A juste titre. — *d.* Emplette, donc : monnaie.

alterons en mille formes, l'espandons et dispersons. Imaginons que nos Roys amoncelassent ainsi tout l'or qu'ils pourroient trouver en plusieurs siecles, et le gardassent immobile.

Ceux du Royaume de Mexiço estoient aucunement plus civilisez et plus artistes que n'estoient les autres nations de là. Aussi jugeoient-ils, ainsi que nous, que l'univers fut proche de sa fin, et en prindrent pour signe la desolation que nous y apportames. Ils croyoyent que l'estre du monde se depart en cinq aages et en la vie de cinq soleils consecutifs, desquels les quatre avoient desjà fourny leur temps, et que celuy qui leur esclairoit estoit le cinquiesme. Le premier perit avec toutes les autres creatures par universelle inondation d'eaux; le second, par la cheute du ciel sur nous, qui estouffa toute chose vivante, auquel aage ils assignent les geants, et en firent voir aux Espagnols des ossements à la proportion desquels la stature des hommes revenoit à vingt paumes de hauteur; le troisiesme, par feu qui embrasa et consuma tout; le quatriesme, par une émotion d'air et de vent qui abbatit jusques à plusieurs montaignes; les hommes n'en mourrurent poinct, mais ils furent changez en magots (quelles impressions ne souffre la lâcheté de l'humaine creance!); après la mort de ce quatriesme Soleil, le monde fut vingt-cinq ans en perpetuelles tenebres, au quinziesme desquels fut creé un homme et une femme qui refeirent l'humaine race; dix ans après, à certain de leurs jours, le Soleil parut nouvellement creé; et commence, depuis, le compte de leurs années par ce jour là. Le troisiesme jour de sa creation, moururent les Dieux anciens; les nouveaux sont nays depuis, du jour à la journée. Ce qu'ils estiment de la maniere que ce dernier Soleil perira, mon autheur[731] n'en a rien appris. Mais leur nombre de ce quatriesme changement rencontre à cette grande conjonction des astres qui produisit, il y a huict cens tant d'ans, selon que les Astrologiens estiment, plusieurs grandes alterations et nouvelletez au monde.

Quant à la pompe et magnificence, par où je suis entré en ce propos, ny Græce, ny Romme, ny Ægypte ne peut, soit en utilité, ou difficulté, ou noblesse, comparer aucun de ses ouvrages au chemin qui se voit au Peru[a], dressé par les

---

a. Pérou.

Roys du pays, depuis la ville de Quito jusques à celle de Cusco (il y a trois cens lieuës), droict, uny, large de vingt-cinq pas, pavé, revestu de costé et d'autre de belles et hautes murailles, et le long d'icelles, par le dedans, deux ruisseaux perennes [a], bordez de beaux arbres qu'ils nomment molly. Où ils ont trouvé des montaignes et rochers ils les ont taillez et applanis, et comblé les fondrieres de pierre et chaux. Au chef de chasque journée, il y a de beaux palais fournis de vivres, de vestements et d'armes, tant pour les voyageurs que pour les armées qui ont à y passer. En l'estimation de cet ouvrage, j'ay compté la difficulté, qui est particulierement considerable en ce lieu là. Ils ne bastissoient poinct de moindres pierres que de dix pieds en carré; ils n'avoient autre moyen de charrier qu'à force de bras, en traînant leur charge; et pas seulement l'art d'eschafauder, n'y sçachant autre finesse que de hausser autant de terre contre leur bastiment, comme il s'esleve, pour l'oster après[732].

Retombons à nos coches. En leur place, et de toute autre voiture, ils se faisoient porter par les hommes et sur leurs espaules[733]. Ce dernier Roy du Peru [b], le jour qu'il fut pris, estoit ainsi porté sur des brancars d'or, et assis dans une cheze d'or, au milieu de sa bataille. Autant qu'on tuoit de ces porteurs pour le faire choir à bas, (car on le vouloit prendre vif), autant d'autres, et à l'envy, prenoient la place des morts, de façon qu'on ne le peut onques abbatre, quelque meurtre qu'on fit de ces gens là, jusques à ce qu'un homme de cheval[734] l'alla saisir au corps, et l'avalla [c] par terre.

CHAPITRE VII

DE L'INCOMMODITÉ DE LA GRANDEUR

PUISQUE nous ne la pouvons aveindre [d], vengeons nous à en mesdire. (Si, n'est pas entierement mesdire de quelque chose, d'y trouver des deffauts; il s'en trouve en toutes choses, pour belles et desirables qu'elles soyent). En general, elle a cet évident avantage qu'elle se ravalle [e] quand il luy

a. Perpétuels, intarissables. — *b.* Pérou. — *c.* Abattit. — *d.* Atteindre. — *e.* Rabaisse.

plaist, et qu'à peu près elle a le chois de l'une et l'autre condition; car on ne tombe pas de toute hauteur; il en est plus desquelles on peut descendre sans tomber. Bien me semble il que nous la faisons trop valoir, et trop valoir aussi la resolution de ceux que nous avons ou veu, ou ouy dire l'avoir mesprisée, ou s'en estre desmis de leur propre dessein. Son essence n'est pas si evidemment commode, qu'on ne la puisse refuser sans miracle. Je trouve l'effort bien difficile à la souffrance des maux; mais, au contentement d'une mediocre mesure de fortune et fuite de la grandeur, j'y trouve fort peu d'affaire. C'est une vertu, ce me semble, où moy, qui ne suis qu'un oyson, arriverois sans beaucoup de contention. Que doivent faire ceux qui mettroyent encores en consideration la gloire qui accompaigne ce refus, auquel il peut escheoir plus d'ambition qu'au desir mesme et jouyssance de la grandeur; d'autant que l'ambition ne se conduit jamais mieux selon soy que par une voye esgarée et inusitée?

J'esguise mon courage vers la patience, je l'affoiblis vers le desir. Autant ay-je à souhaiter qu'un autre, et laisse à mes souhaits autant de liberté et d'indiscretion; mais pourtant, si ne m'est-il jamais advenu de souhaiter ny empire ny Royauté, ny l'eminence de ces hautes fortunes et commenderesses. Je ne vise pas de ce costé là, je m'ayme trop. Quand je pense à croistre, c'est bassement, d'une accroissance contrainte et coüarde, proprement pour moy, en resolution, en prudence, en santé, en beauté, et en richesse encore. Mais ce credit, cette auctorité si puissante foule mon imagination. Et, tout à l'opposite de l'autre[735], m'aimerois à l'avanture mieux deuxiesme ou troisiesme à Perigeux que premier à Paris; au moins, sans mentir, mieux troisiesme à Paris, que premier en charge. Je ne veux ny debattre avec un huissier de porte, miserable inconnu, ny faire fendre en adoration les presses[a] où je passe. Je suis duit[b] à un estage moyen, comme par mon sort, aussi par mon goust. Et ay montré, en la conduitte de ma vie et de mes entreprinses, que j'ay plustost fuy qu'autrement d'enjamber par dessus le degré de fortune auquel Dieu logea ma naissance. Toute constitution naturelle est pareillement juste et aisée.

a. Foules. — *b.* Formé.

J'ay ainsi l'ame poltrone, que je ne mesure pas la bonne fortune selon sa hauteur; je la mesure selon sa facilité.

Mais si je n'ay point le cœur gros assez, je l'ay à l'équipollent[a] ouvert, et qui m'ordonne de publier hardiment sa foiblesse. Qui me donneroit à conferer[b] la vie de L. Thorius Balbus, gallant homme, beau, sçavant, sain, entendu et abondant en toute sorte de commoditez et plaisirs, conduisant une vie tranquille et toute sienne, l'ame bien preparée contre la mort, la superstition, les douleurs et autres encombriers[c] de l'humaine necessité, mourant en fin en bataille, les armes à la main, pour la defense de son païs, d'une part; et d'autre part la vie de M. Regulus, ainsi grande et hautaine que chacun la connoit, et sa fin admirable; l'une sans nom, sans dignité, l'autre exemplaire et glorieuse à merveilles; j'en diroy certes ce qu'en dict Cicero[736], si je sçavoy aussi bien dire que luy. Mais s'il me les falloit coucher sur la mienne, je diroy aussi que la premiere est autant selon ma portée et selon mon desir que je conforme à ma portée, comme la seconde est loing au delà; qu'à cette cy je ne puis advenir que par veneration, j'adviendroy volontiers à l'autre par usage.

Retournons à nostre grandeur temporelle, d'où nous sommes partis.

Je suis desgousté de maistrise et active et passive. Otanez, l'un des sept qui avoient droit de pretendre au royaume de Perse, print un party que j'eusse prins volontiers; c'est qu'il quitta à ses compagnons son droit d'y pouvoir arriver par election ou par sort, pourveu que luy et les siens vescussent en cet empire hors de toute subjection et maistrise, sauf celle des loix antiques, et y eussent toute liberté qui ne porteroit prejudice à icelles, impatient de commander comme d'estre commandé[737].

Le plus aspre et difficile mestier du monde, à mon gré, c'est faire dignement le Roy. J'excuse plus de leurs fautes qu'on n'en faict communéement, en consideration de l'horrible poix de leur charge, qui m'estonne. Il est difficile de garder mesure à une puissance si desmesurée. Si est-ce[d] que c'est, envers ceux mesme qui sont de moins excellente nature, une singuliere incitation à la vertu d'estre logé

---

a. En compensation. — *b.* Comparer. — *c.* Entraves. — *d.* Encore est-il.

en tel lieu où vous ne faciez aucun bien qui ne soit mis en registre et en conte[a], et où le moindre bien faire porte sur tant de gens, et où vostre suffisance, comme celle des prescheurs, s'adresse principalement au peuple, juge peu exacte, facile à piper, facile à contenter. Il est peu de choses ausquelles nous puissions donner le jugement syncere, parce qu'il en est peu ausquelles, en quelque façon, nous n'ayons particulier interest. La superiorité et inferiorité, la maistrise et la subjection, sont obligées à une naturelle envie et contestation; il faut qu'elles s'entrepillent perpetuellement. Je ne crois ny l'une, ny l'autre des droicts de sa compaigne; laissons en dire à la raison, qui est inflexible et impassible, quand nous en pourrons finer[b]. Je feuilletois, il n'y a pas un mois, deux livres escossois[738] se combattans sur ce subject; le populaire rend le Roy de pire condition qu'un charretier; le monarchique le loge quelques brasses au dessus de Dieu en puissance et souveraineté.

Or l'incommodité de la grandeur, que j'ay pris icy à remarquer par quelque occasion qui vient de m'en advertir, est cette cy. Il n'est à l'avanture rien plus plaisant au commerce des hommes que les essays que nous faisons les uns contre les autres, par jalousie d'honneur et de valeur, soit aux exercices du corps, ou de l'esprit, ausquels la grandeur souveraine n'a aucune vraye part. A la verité, il m'a semblé souvent qu'à force de respect, on y traicte les Princes desdaigneusement et injurieusement. Car ce dequoy je m'offençois infiniment en mon enfance, que ceux qui s'exerçoyent avec moy espargnassent de s'y employer à bon escient, pour me trouver indigne contre qui ils s'efforçassent, c'est ce qu'on voit leur advenir tous les jours, chacun se trouvant indigne de s'efforcer contre eux. Si on recognoist qu'ils ayent tant soit peu d'affection à la victoire, il n'est celuy qui ne se travaille à la leur prester, et qui n'aime mieux trahir sa gloire que d'offenser la leur; on n'y employe qu'autant d'effort qu'il en faut pour servir à leur honneur. Quelle part ont-ils à la meslée, en laquelle chacun est pour eux? Il me semble voir ces paladins du temps passé se presentans aus joustes et aus combats avec des corps et des armes faëes[c]. Brisson, courant contre Alexandre, se feingnit en la course; Alexandre l'en tança,

---

a. Compte. — *b.* Venir à bout. — *c.* Fées.

mais il luy en devoit faire donner le foet[739]. Pour cette consideration, Carneades disoit que les enfans des Princes n'apprennent rien à droict[a] qu'à manier des chevaux, d'autant que en tout autre exercice chacun fleschit soubs eux et leur donne gaigné; mais un cheval, qui n'est ny flateur ny courtisan, verse le fils du Roy à terre comme il feroit le fils d'un crocheteur[740]. Homere[741] a esté contrainct de consentir que Venus fut blessée au combat de Troye, une si douce saincte, et si delicate, pour luy donner du courage et de la hardiesse, qualitez qui ne tombent aucunement en ceux qui sont exempts de danger. On faict courroucer, craindre, fuyr les dieux, s'enjalouser, se douloir[b] et se passionner, pour les honorer des vertus qui se bastissent entre nous de ces imperfections.

Qui ne participe au hazard et difficulté, ne peut pretendre interest à l'honneur et plaisir qui suit les actions hazardeuses. C'est pitié de pouvoir tant, qu'il advienne que toutes choses vous cedent. Vostre fortune rejecte trop loing de vous la societé et la compaignie, elle vous plante trop à l'escart. Cette aysance et lâche facilité de faire tout baisser soubs soy est ennemye de toute sorte de plaisir; c'est glisser, cela, ce n'est pas aller; c'est dormir, ce n'est pas vivre. Concevez l'homme accompaigné d'omnipotence, vous l'abismez; il faut qu'il vous demande par aumosne de l'empeschement et de la resistance; son estre et son bien est en indigence.

Leurs bonnes qualitez sont mortes et perdues, car elles ne se sentent que par comparaison, et on les en met hors; ils ont peu de cognoissance de la vraye loüange, estans batus d'une si continuele approbation et uniforme. Ont ils affaire au plus sot de leurs subjects, ils n'ont aucun moyen de prendre advantage sur luy; en disant : « C'est pour ce qu'il est mon Roy », il luy semble avoir assez dict qu'il a presté la main à se laisser vaincre. Cette qualité estouffe et consomme les autres qualitez vrayes et essentielles : elles sont enfoncées dans la Royauté, et ne leur laisse à eux faire valoir que les actions qui la touchent directement et qui luy servent, les offices de leur charge. C'est tant estre Roy qu'il n'est que par là. Cette lueur estrangere qui l'environne, le cache et nous le desrobe, nostre veuë s'y

a. Bien. — *b.* Souffrir.

rompt et s'y dissipe, estant remplie et arrestée par cette forte lumiere. Le Senat ordonna le pris d'eloquence à Tybere ; il le refusa, n'estimant pas que, d'un jugement si peu libre, quand bien il eust esté veritable, il s'en peut ressentir [a][742].

Comme on leur cede tous avantages d'honneur, aussi conforte[b] l'on et auctorise les deffauts et vices qu'ils ont, non seulement par approbation, mais aussi par imitation. Chacun des suyvans d'Alexandre portoit comme luy la teste à costé[743] ; et les flateurs de Dionysius s'entrehurtoyent en sa presence, poussoyent et versoyent ce qui se rencontroit à leurs pieds, pour dire qu'ils avoyent la veuë aussi courte que luy[744]. Les greveures[c] ont aussi par fois servy de recommandation et faveur. J'en ay veu la surdité en affectation ; et, par ce que le maistre hayssoit sa femme, Plutarque a veu les courtisans repudier les leurs, qu'ils aymoyent[745]. Qui plus est, la paillardise s'en est veuë en credit, et toute dissolution ; comme aussi la desloyauté, les blasphemes, la cruauté ; comme l'heresie ; comme la superstition, l'irreligion, la mollesse ; et pis, si pis il y a : par un exemple encores plus dangereux que celuy des flateurs de Mithridates, qui, d'autant que leur maistre envioit l'honneur de bon medecin, luy portoyent à inciser et cautheriser leurs membres ; car ces autres souffrent cautheriser leur ame, partie plus delicate et plus noble[746].

Mais, pour achever par où j'ay commencé, Adrian l'Empereur debatant avec le philosophe Favorinus de l'interpretation de quelque mot, Favorinus luy en quicta bien tost la victoire. Ses amys se plaignans à luy : « Vous vous moquez, fit-il ; voudriez vous qu'il ne fut pas plus sçavant que moy, luy qui commande à trente legions[747] ? » Auguste escrivit des vers contre Asinius Pollio : « Et moy, dict Pollio, je me tais ; ce n'est pas sagesse d'escrire à l'envy de celuy qui peut proscrire[748]. » Et avoyent raison. Car Dionysius, pour ne pouvoir esgaller Philoxenus en la poësie, et Platon en discours[d], en condemna l'un aus carrieres, et envoya vendre l'autre esclave en l'isle d'Ægine[749].

---

a. Il en put avoir du plaisir. — *b.* Fortifie. — *c.* Infirmités. — *d.* Prose.

CHAPITRE VIII

DE L'ART DE CONFERER [a][750]

C'EST un usage de nostre justice, d'en condamner aucuns pour l'advertissement des autres.

De les condamner par ce qu'ils ont failly, ce seroit bestise, comme dict Platon[751]. Car, ce qui est faict, ne se peut deffaire; mais c'est affin qu'ils ne faillent plus de mesmes, ou qu'on fuye l'exemple de leur faute.

On ne corrige pas celuy qu'on pend, on corrige les autres par luy. Je faicts de mesmes. Mes erreurs sont tantost naturelles et incorrigibles; mais, ce que les honnestes hommes profitent au public en se faisant imiter, je le profiteray à l'avanture à me faire eviter :

Nonne vides Albi ut malè vivat filius, utque
Barrus inops? magnum documentum, ne patriam rem
Perdere quis velit [b].

Publiant[c] et accusant mes imperfections, quelqu'un apprendra de les craindre. Les parties que j'estime le plus en moy, tirent plus d'honneur de m'accuser que de me recommander. Voilà pourquoi j'y retombe et m'y arreste plus souvant. Mais, quand tout est conté, on ne parle jamais de soy sans perte. Les propres condamnations[d] sont tousjours accruës, les louanges mescruës.

Il en peut estre aucuns de ma complexion, qui m'instruis mieux par contrarieté que par exemple, et par fuite que par suite. A cette sorte de discipline regardoit le vieux Caton, quand il dict que les sages ont plus à apprendre des fols que les fols des sages[752]; et cet ancien joueur de lyre, que Pausanias recite[e] avoir accoustumé contraindre ses disciples d'aller ouyr un mauvais sonneur[f] qui logeoit

---

a. Converser. — *b.* « Ne vois-tu pas comme le fils d'Albius vit mal et comme Barrus est indigent? Grand exemple, pour nous détourner de dissiper notre patrimoine. » Horace, *Satires,* I, IV, 109. — *c.* Si je publie. — *d.* Les condamnations qu'on porte contre soi-même. — *e.* Rapporte. — *f.* Joueur d'instrument.

vis à vis de luy, où ils apprinsent à hayr ses desaccords et fauces mesures. L'horreur de la cruauté me rejecte plus avant en la clemence qu'aucun patron de clemence ne me sçauroit attirer. Un bon escuyer ne redresse pas tant mon assiete, comme faict un procureur ou un Venitien à cheval ; et une mauvaise façon de langage reforme mieux la mienne que ne faict la bonne. Tous les jours la sotte contenance d'un autre m'advertit et m'advise. Ce qui poind, touche et esveille mieux que ce qui plaist. Ce temps n'est propre à nous amender qu'à reculons, par disconvenance plus que par accord, par difference que par similitude. Estant peu aprins par les bons exemples, je me sers des mauvais, desquels la leçon est ordinaire. Je me suis efforcé de me rendre autant aggreable comme j'en voyoy de fascheux, aussi ferme que j'en voyoy de mols, aussi doux que j'en voyoy d'aspres. Mais je me proposoy des mesures invincibles.

Le plus fructueux et naturel exercice de nostre esprit, c'est à mon gré la conference[a]. J'en trouve l'usage plus doux que d'aucune autre action de nostre vie ; et c'est la raison pourquoy, si j'estois asture[b] forcé de choisir, je consentirois plustost, ce crois-je, de perdre la veuë que l'ouir ou le parler[753]. Les Atheniens, et encore les Romains, conservoient en grand honneur cet exercice en leurs Academies. De nostre temps, les Italiens[754] en retiennent quelques vestiges, à leur grand profict, comme il se voit par la comparaison de nos entendemens aux leurs. L'estude des livres, c'est un mouvement languissant et foible qui n'eschauffe poinct ; là où la conference[c] apprend et exerce en un coup[755]. Si je confere avec une ame forte et un roide jousteur, il me presse les flancs, me pique à gauche et à dextre ; ses imaginations eslancent les miennes. La jalousie, la gloire, la contention me poussent et rehaussent au dessus de moy-mesmes. Et l'unisson est qualité du tout ennuyeuse en la conference.

Comme nostre esprit se fortifie par la communication des esprits vigoureux et reiglez, il ne se peut dire combien il perd et s'abastardit par le continuel commerce et frequentation que nous avons avec les esprits bas et maladifs. Il n'est contagion qui s'espande comme celle-là. Je sçay

---

a. Conversation. — *b.* A cette heure. — *c.* Conversation.

par assez d'experience combien en vaut l'aune. J'ayme à contester et à discourir, mais c'est avec peu d'hommes et pour moy. Car de servir de spectacle aux grands[756] et faire à l'envy parade de son esprit et de son caquet, je trouve que c'est un mestier très-messeant, à un homme d'honneur.

La sottise est une mauvaise qualité ; mais de ne la pouvoir supporter, et s'en despiter et ronger, comme il m'advient, c'est une autre sorte de maladie qui ne doit guere à la sottise en importunité ; et est ce qu'à present je veux accuser du mien.

J'entre en conference[a] et en dispute avec grande liberté et facilité, d'autant que l'opinion trouve en moy le terrain mal propre à y penetrer et y pousser de hautes racines. Nulles propositions m'estonnent, nulle creance me blesse, quelque contrarieté qu'elle aye à la mienne. Il n'est si frivole et si extravagante fantasie qui ne me semble bien sortable à la production de l'esprit humain. Nous autres, qui privons nostre jugement du droict de faire des arrests, regardons mollement les opinions diverses, et, si nous n'y prestons le jugement, nous y prestons aiséement l'oreille. Où l'un plat est vuide du tout en la balance, je laisse vaciller l'autre, sous les songes d'une vieille. Et me semble estre excusable si j'accepte plustost le nombre impair ; le jeudy au pris du vendredy ; si je m'aime mieux douziesme ou quatorziesme que treziesme à table ; si je vois plus volontiers un liévre costoyant que traversant mon chemin quand je voyage, et donne plustost le pied gauche que le droict à chausser. Toutes telles ravasseries, qui sont en credit autour de nous, meritent aumoins qu'on les escoute. Pour moy, elles emportent seulement l'inanité[b], mais elles l'emportent. Encores sont en poids les opinions vulgaires et casuelles[c] autre chose que rien en nature. Et, qui ne s'y laisse aller jusques là, tombe à l'avanture au vice de l'opiniastreté pour eviter celuy de la superstition.

Les contradictions donc des jugemens ne m'offencent, ny m'alterent ; elles m'esveillent seulement et m'exercent. Nous fuyons à la correction, il s'y faudroit presenter et produire, notamment quand elle vient par forme de conferance[d], non de rejance[e]. A chaque opposition, on

---

a. Conversation. — *b.* Elles emportent seulement le vide (elles sont plus lourdes que rien). — *c.* Fortuites. — *d.* Conversation. — *e.* Leçon de régent (professeur).

ne regarde pas si elle est juste, mais, à tort ou à droit, comment on s'en deffera. Au lieu d'y tendre les bras, nous y tendons les griffes. Je souffrirois estre rudement heurté par mes amis : « Tu es un sot, tu resves. » J'ayme, entre les galans hommes, qu'on s'exprime courageusement, que les mots aillent où va la pensée. Il nous faut fortifier l'ouie et la durcir contre cette tandreur du son ceremonieux des parolles. J'ayme une société et familiarité forte et virile, une amitié qui se flatte en l'aspreté et vigueur de son commerce, comme l'amour, és morsures et esgratigneures sanglantes.

Elle n'est pas assez vigoureuse et genereuse, si elle n'est querelleuse, si elle est civilisée et artiste, si elle craint le hurt[a] et a ses allures contreintes.

Neque enim disputari sine reprehensione potest[b].

Quand on me contrarie, on esveille mon attention, non pas ma cholere; je m'avance vers celuy qui me contredit, qui m'instruit. La cause de la verité devroit estre la cause commune à l'un et à l'autre. Que respondra-il? la passion du courroux luy a desjà frappé le jugement. Le trouble s'en est saisi avant la raison. Il seroit utile qu'on passast par gageure la decision de nos disputes[c], qu'il y eut une marque materielle de nos pertes, affin que nous en tinssions estat, et que mon valet me peut dire : « Il vous costa, l'année passée, cent escus à vingt fois d'avoir esté ignorant et opiniastre. »

Je festoye et caresse la verité en quelque main que je la trouve, et m'y rends alaigrement, et luy tends mes armes vaincues, de loing que je la vois approcher. Et, pourveu qu'on n'y procede d'une troigne trop imperieuse et magistrale[d], je preste l'espaule aux reprehensions que l'on faict en mes escrits; et les ay souvent changez plus par raison de civilité que par raison d'amendement; aymant à gratifier et nourrir la liberté de m'advertir par la facilité de ceder; ouy, à mes despans. Toutefois il est certes malaisé d'y attirer les hommes de mon temps; ils n'ont pas le courage

---

a. Heurt. — *b.* « Car il n'est pas possible de disputer sans contradiction. » Cicéron, *De finibus*, I, 8. — *c.* Qu'on fît des paris à propos de nos disputes (qui aurait tort donnerait un *gage*). — *d.* D'une mine trop impérieuse de maître d'école.

de corriger, par ce qu'ils n'ont pas le courage de souffrir à l'estre, et parlent tousjours avec dissimulation en presence les uns des autres. Je prens si grand plaisir d'estre jugé et cogneu, qu'il m'est comme indifferent en quelle des deux formes je le soys. Mon imagination se contredit elle mesme si souvent et condamne, que ce m'est tout un qu'un autre le face : veu principalement que je ne donne à sa reprehension que l'authorité que je veux. Mais je romps paille[a] avec celuy qui se tient si haut à la main[b], comme j'en cognoy quelqu'un qui plaint[c] son advertissement, s'il n'en est creu, et prend à injure si on estrive[d] à le suivre. Ce que Socrates recueilloit, tousjours riant, les contradictions qu'on faisoit à son discours, on pourroit dire que sa force en estoit cause, et que, l'avantage ayant à tomber certainement de son costé, il les acceptoit comme matiere de nouvelle gloire. Mais nous voyons au rebours qu'il n'est rien qui nous y rende le sentiment si delicat, que l'opinion de la preeminence et desdaing de l'adversaire ; et que, par raison, c'est au foible plustost d'accepter de bon gré les oppositions qui le redressent et rabillent. Je cerche à la verité plus la frequentation de ceux qui me gourment que de ceux qui me craignent. C'est un plaisir fade et nuisible d'avoir affaire à gens qui nous admirent et facent place. Antisthenes commanda à ses enfans de ne sçavoir jamais gré ny grace à homme qui les louat[757]. Je me sens bien plus fier de la victoire que je gaigne sur moy quand, en l'ardeur mesme du combat, je me faicts plier soubs la force de la raison de mon adversaire, que je ne me sens gré de la victoire que je gaigne sur luy par sa foiblesse.

En fin, je reçois et advoue toutes sortes d'atteinctes qui sont de droict fil pour foibles qu'elles soient, mais je suis par trop impatient de celles qui se donnent sans forme. Il me chaut peu de la matiere, et me sont les opinions unes, et la victoire du subject à peu prés indifferente. Tout un jour je contesteray paisiblement, si la conduicte du debat se suit avec ordre. Ce n'est pas tant la force et la subtilité que je demande, comme l'ordre. L'ordre qui se voit tous les jours aux altercations des bergers et des enfans de boutique, jamais entre nous. S'ils se detraquent, c'est en

---

a. Je me brouille (locution proverbiale). — *b.* Si altier. — *c.* Regrette. — *d.* Résiste.

incivilité; si faisons nous bien *a*. Mais leur tumulte et impatiance ne les devoye pas de leur theme : leur propos suit son cours. S'ils previennent l'un l'autre *b*, s'ils ne s'attendent pas, au moins ils s'entendent. On respond tousjours trop bien pour moy, si on respond à propos. Mais quand la dispute est trouble et des-reglée, je quitte la chose et m'attache à la forme avec despit et indiscretion, et me jette à une façon de debattre testue, malicieuse et imperieuse, dequoy j'ay à rougir après.

Il est impossible de traitter de bonne foy avec un sot. Mon jugement ne se corrompt pas seulement à la main d'un maistre si impetueux, mais aussi ma conscience.

Noz disputes devoient estre defendues et punies comme d'autres crimes verbaux. Quel vice n'esveillent elles et n'amoncellent, tousjours regies et commandées par la cholere! Nous entrons en inimitié, premierement contre les raisons, et puis contre les hommes. Nous n'aprenons à disputer que pour contredire, et, chascun contredisant et estant contredict, il en advient que le fruit du disputer c'est perdre et aneantir la verité. Ainsi Platon, en sa *Republique*[758], prohibe cet exercice aux esprits ineptes et mal nays.

A quoy faire vous mettez vous en voie de quester ce qui est avec celuy qui n'a ny pas, ny alleure qui vaille? On ne faict poinct tort au subject, quand on le quicte pour voir du moyen de le traicter; je ne dis pas moyen scholastique et artiste *c*[759], je dis moyen naturel, d'un sain entendement. Que sera-ce en fin? L'un va en orient, l'autre en occident; ils perdent le principal, et l'escartent dans la presse des incidens. Au bout d'une heure de tempeste, ils ne sçavent ce qu'ils cerchent; l'un est bas, l'autre haut, l'autre costié *d*. Qui se prend à un mot et une similitude; qui ne sent plus ce qu'on luy oppose, tant il est engagé en sa course; et pense à se suyvre, non pas à vous. Qui, se trouvant foible de reins, craint tout, refuse tout, mesle dès l'entrée et confond le propos; ou, sur l'effort du debat, se mutine à se faire tout plat; par une ignorance despite, affectant un orgueilleux mespris, ou une sottement modeste fuite de contention. Pourveu que cettuy-cy frappe, il ne luy chaut combien il se descouvre. L'autre compte ses mots, et les

---

a. Nous faisons de même. — *b.* Parlent avant leur tour. — *c.* Artificiel. — *d.* De côté.

poise[a] pour raisons. Celuy-là n'y emploie que l'advantage de sa voix et de ses poulmons. En voilà qui conclud contre soy-mesme. Et cettuy-cy, qui vous assourdit de prefaces et digressions inutiles! Cet autre s'arme de pures injures[b] et cherche une querelle d'Alemaigne pour se deffaire de la societé et conference d'un esprit qui presse le sien. Ce dernier ne voit rien en la raison, mais il vous tient assiegé sur la closture dialectique de ses clauses et sur les formules de son art.

Or qui n'entre en deffiance des sciences, et n'est en doubte s'il s'en peut tirer quelque solide fruict au besoin de la vie, à considerer l'usage que nous en avons : « *nihil sanantibus litteris*[c] »? Qui a pris de l'entendement en la logique? où sont ses belles promesses? « *Nec ad melius vivendum nec ad commodius disserendum*[d]. » Voit-on plus de barbouillage au caquet des harengeres qu'aux disputes publiques des hommes de cette profession? J'aimeroy mieux que mon fils apprint aux tavernes à parler, qu'aux escholes de la parlerie. Ayez un maistre és arts, conferez avec luy : que ne nous faict-il sentir cette excellence artificielle[e], et ne ravit les femmes et les ignorans, comme nous sommes, par l'admiration de la fermeté de ses raisons, de la beauté de son ordre? que ne nous domine-il et persuade comme il veut? Un homme si avantageux en matiere et en conduicte[f], pourquoy mesle-il à son escrime les injures, l'indiscretion et la rage? Qu'il oste son chapperon[g], sa robbe et son latin; qu'il ne batte pas nos aureilles d'Aristote tout pur et tout cru, vous le prendrez pour l'un d'entre nous, ou pis. Il me semble, de cette implication et entrelasseure de langage, par où ils nous pressent, qu'il en va comme des joueurs de passe-passe : leur souplesse combat et force nos sens, mais elle n'esbranle aucunement nostre creance;

---

a. Pèse. — *b.* Sur l'exemplaire de Bordeaux, Montaigne avait donné à cette pensée un développement plus étendu : *aimant mieux être en querelle qu'en dispute* (c.-à-d. : être brouillé que discuter), *se trouvant plus fort de poings que de raisons, se fiant plus de son poing (?) que de sa langue, ou aimant mieux céder par le corps que par l'esprit; et cherche.* — *c.* « De ces lettres qui ne guérissent rien. » Sénèque, *Épîtres*, 59. — *d.* « Ni à mieux vivre, ni à raisonner plus aisément. » Cicéron, *De finibus*, I, 19. — *e.* Due à son art. — *f.* Manière de conduire la discussion. — *g.* Petit bourrelet garni d'hermine que portent les docteurs sur l'épaule gauche.

hors ce bastelage, ils ne font rien qui ne soit commun et vile. Pour estre plus sçavants, ils n'en sont pas moins ineptes.

J'ayme et honore le sçavoir autant que ceux qui l'ont; et, en son vray usage, c'est le plus noble et puissant acquest des hommes. Mais en ceux là (et il en est un nombre infiny de ce genre) qui en establissent leur fondamentale suffisance et valeur, qui se raportent de leur entendement à leur memoire, « *sub aliena umbra latentes* [a] », et ne peuvent rien que par livre, je le hay, si je l'ose dire, un peu plus que la bestise. En mon pays, et de mon temps, la doctrine amande assez les bourses, rarement [b] les ames. Si elle les rencontre mousses [c], elle les aggrave [d] et suffoque, masse crue et indigeste; si desliées, elle les purifie volontiers, clarifie et subtilise jusques à l'exinanition [e]. C'est chose de qualité à peu près indifférente; très-utile accessoire à une ame bien née, pernicieux à une autre ame et dommageable; ou plustost chose de très pretieux usage, qui ne se laisse pas posseder à vil pris; en quelque main, c'est un sceptre; en quelque autre, une marotte. Mais suyvons.

Quelle plus grande victoire attendez-vous, que d'apprendre à vostre ennemy qu'il ne vous peut combatre? Quand vous gaignez l'avantage de vostre proposition, c'est la verité qui gaigne; quand vous gaignez l'avantage de l'ordre et de la conduite, c'est vous qui gaignez. Il m'est advis qu'en Platon et en Xenophon Socrates dispute plus en faveur des disputants qu'en faveur de la dispute, et, pour instruire Euthydemus et Protagoras [760] de la connoissance de leur impertinence, plus que de l'impertinence de leur art. Il empoigne la premiere matiere comme celui qui a une fin plus utile que de l'esclaircir, assavoir esclaircir les esprits qu'il prend à manier et exercer. L'agitation et la chasse est proprement de nostre gibier : nous ne sommes pas excusables de la conduire mal et impertinemment; de faillir à la prise, c'est autre chose. Car nous sommes nais à quester la verité; il appartient de la posseder à une plus grande puissance. Elle n'est pas, comme disoit Democritus, cachée dans le fons des abismes, mais plustost eslevée

---

a. « Qui se cachent sous l'ombre d'autrui. » Sénèque, *Épîtres,* 33. — *b. nullement,* porte l'édition de 1595. — *c.* Émoussées, obtuses. — *d.* Alourdit. — *e.* Anéantissement.

en hauteur infinie en la cognoissance divine[761]. Le monde n'est qu'une escole d'inquisition[a]. Ce n'est pas à qui mettra dedans[b], mais à qui faira les plus belles courses. Autant peut faire le sot celuy qui dict vray, que celuy qui dict faux : car nous sommes sur la maniere, non sur la matiere du dire. Mon humeur est de regarder autant à la forme qu'à la substance, autant à l'advocat qu'à la cause, comme Alcibiades ordonnoit qu'on fit.

Et tous les jours m'amuse à lire en des autheurs, sans soin de leur science, y cherchant leur façon, non leur subject. Tout ainsi que je poursuy la communication de quelque esprit fameux, non pour qu'il m'enseigne, mais pour que je le cognoisse[c].

Tout homme peut dire veritablement; mais dire ordonnéement, prudemment et suffisamment, peu d'hommes le peuvent. Par ainsi, la fauceté qui vient d'ignorance ne m'offence point, c'est l'ineptie. J'ay rompu plusieurs marchez qui m'estoyent utiles, par l'impertinence de la contestation de ceux avec qui je marchandois. Je ne m'esmeus pas une fois l'an des fautes de ceux sur lesquels j'ay puissance; mais, sur le point de la bestise et opiniastreté de leurs allegations, excuses et defences asnieres et brutales, nous sommes tous les jours à nous en prendre à la gorge. Ils n'entendent ny ce qui se dict ny pourquoy, et respondent de mesme; c'est pour desesperer. Je ne sens heurter rudement ma teste que par une autre teste, et entre plustost en composition avec le vice de mes gens qu'avec leur temerité, importunité, et leur sottise. Qu'ils facent moins, pourveu qu'ils soyent capables de faire : vous vivez en esperance d'eschauffer leur volonté; mais d'une souche il n'y a ny qu'esperer, ny que jouyr qui vaille.

Or quoi, si je prens les choses autrement qu'elles ne sont? Il peut estre; et pourtant j'accuse mon impatience, et tiens premierement qu'elle est également vitieuse en celuy qui a droict comme en celuy qui a tort (car c'est tousjours un'aigreur tyrannique de ne pouvoir souffrir une forme diverse à la sienne); et puis, qu'il n'est, à la verité, point de plus grande fadese, et plus constante, que de s'esmou-

---

a. Recherche. — *b.* Atteindra le but (image tirée du carrousel des bagues). — *c. et que le cognoissant, s'il le vaut, je l'imite,* ajoute l'édition de 1595.

voir et piquer des fadeses du monde, ny plus heteroclite. Car elle nous formalise principalement contre nous; et ce philosophe du temps passé[762] n'eust jamais eu faute d'occasion à ses pleurs, tant qu'il se fût considéré. Myson[763], l'un des sept sages, d'une humeur Timoniene[764] et Democritiene, interrogé dequoy il rioit tout seul : « De ce mesmes que je ris tout seul », respondit-il.

Combien de sottises dis-je et respons-je tous les jours, selon moy; et volontiers donq combien plus frequentes, selon autruy! Si je m'en mors les levres, qu'en doivent faire les autres? Somme, il faut vivre entre les vivants, et laisser courre la riviere sous le pont sans nostre soing, ou à tout le moins, sans nostre alteration. Voyre mais, pourquoy, sans nous esmouvoir, rencontrons nous quelqu'un qui ayt le corps tortu et mal basty, et ne pouvons souffrir le rencontre d'un esprit mal rengé sans nous mettre en cholere[765]? Cette vitieuse aspreté tient plus au juge qu'à la faute. Ayons tousjours en la bouche le mot de Platon[766] : « Ce que je treuve mal sain, n'est-ce pas pour estre moy mesme mal sain? » Ne suis-je pas moy mesmes en coulpe[a]? Mon advertissement se peut-il pas renverser contre moy? Sage et divin refrein, qui fouete la plus universelle et commune erreur des hommes. Non seulement les reproches que nous faisons les uns aux autres, mais nos raisons aussi et nos arguments ès matieres controverses[b] sont ordinerement contournables vers nous, et nous enferrons de nos armes. Dequoy l'ancienneté m'a laissé assez de graves exemples. Ce fut ingenieusement bien dict et très à propos par celuy qui l'inventa :

Stercus cuisque suum bene olet[c].

Noz yeux ne voient rien en derriere. Cent fois du jour, nous nous moquons de nous sur le subject de nostre voisin et detestons en d'autres les defauts qui sont en nous plus clairement, et les admirons, d'une merveilleuse impudence et inadvertance. Encores hier je fus à mesmes de veoir un homme d'entendement et gentil personnage se

---

a. Faute. — *b.* Dans les matières à discussion. — *c.* « Pour chacun son fumier sent bon. » Cette sentence a dans les *Adages* d'Érasme, III, IV, 2, cette autre forme: *Suus cuique crepitus bene olet*, « Son pet sent bon pour chacun ».

moquant aussi plaisamment que justement de l'inepte façon d'un autre qui rompt la teste à tout le monde de ses genealogies et alliances plus de moitié fauces (ceux-là se jettent plus volontiers sur tels sots propos qui ont leurs qualitez plus doubteuses et moins seures); et luy, s'il eust reculé sur soy, se fut trouvé non guere moins intemperant et ennuyeus à semer et faire valoir les prerogatives de la race de sa femme. O importune presomption de laquelle la femme se voit armée par les mains de son mary mesme! S'ils entendoient latin, il leur faudroit dire:

Age! si hæc non insanit satis sua sponte, instiga [a].

Je n'entens pas que nul n'accuse qui ne soit net, car nul n'accuseroit; voire ny net en mesme sorte de coulpe [b]. Mais j'entens que nostre jugement, chargeant sur un autre duquel pour lors il est question, ne nous espargne pas d'une interne jurisdiction. C'est office de charité que qui ne peut oster un vice en soy cherche à l'oster ce neantmoins en autruy, où il peut avoir moins maligne et revesche semence. Ny ne me semble responce à propos à celuy qui m'advertit de ma faute, dire qu'elle est aussi en luy. Quoy pour cela? Tousjours l'advertissement est vray et utile. Si nous avions bon nez, nostre ordure nous devroit plus puir [c] d'autant qu'elle est nostre. Et Socrates est d'advis [767] que qui se trouveroit coulpable, et son fils, et un estranger, de quelque violence et injure [d], devroit comancer par soy à se presenter à la condamnation de la justice et implorer, pour se purger, le secours de la main du bourreau, secondement pour son fils et dernierement pour l'estranger. Si ce precepte prend le ton un peu plus haut, au moins se doibt-il presenter le premier à la punition de sa propre conscience.

Les sens sont nos propres et premiers juges, qui n'apperçoivent les choses que par les accidents externes; et n'est merveille si, en toutes les pieces du service de nostre societé, il y a un si perpetuel et universel meslange de ceremonies et apparences superficielles; si que la meilleure et plus effectuelle part des polices consiste en cela. C'est

---

a. « Courage! si elle n'est pas assez folle par elle-même, irrite-la! » Térence, *Andrienne*, IV, ii, 9. — *b.* Je ne dis même pas sans tache dans ce genre de faute. — *c.* Puer. — *d.* Injustice.

tousjours à l'homme que nous avons affaire, duquel la condition est merveilleusement corporelle. Que ceux qui nous ont voulu bastir, ces années passées, un exercice de religion si contemplatif et immateriel[768], ne s'estonnent point s'il s'en trouve qui pensent qu'elle fut eschapée et fondue entre leurs doigts, si elle ne tenoit parmy nous comme marque, tiltre et instrument de division et de part[a], plus que par soy-mesmes. Comme en la conference[b] : la gravité, la robbe et la fortune de celuy qui parle donne souvent credit à des propos vains et ineptes; il n'est pas à presumer qu'un monsieur si suivy, si redouté n'aye au-dedans quelque suffisance autre que populaire, et qu'un homme à qui on donne tant de commissions et de charges, si desdaigneux et si morguant, ne soit plus habile que cet autre qui le salue de si loing et que personne n'employe. Non seulement les mots, mais aussi les grimaces de ces gens là se considerent et mettent en compte, chacun s'appliquant à y donner quelque belle et solide interpretation. S'ils se rabaissent à la conference[c] commune et qu'on leur presente autre chose qu'aprobation et reverence, ils vous assomment de l'authorité de leur experience : ils ont ouy, ils ont veu, ils ont faict; vous estes accablé d'exemples. Je leur dirois volontiers que le fruict de l'experience d'un chirurgien n'est pas l'histoire de ses practiques, et se souvenir qu'il a guery quatre empestez et trois gouteux, s'il ne sçait de cet usage tirer dequoy former son jugement, et ne nous sçait faire sentir qu'il en soit devenu plus sage à l'usage de son art. Comme, en un concert d'instruments, on n'oit[d] pas un lut, une espinette et la flutte, on oyt une harmonie en globe, l'assemblage et le fruict de tout cet amas. Si les voyages et les charges les ont amendez, c'est à la production de leur entendement de le faire paroistre. Ce n'est pas assez de compter les experiences, il les faut poiser[e] et assortir et les faut avoir digerées et alambiquées[f], pour en tirer les raisons et conclusions qu'elles portent. Il ne fut jamais tant d'historiens. Bon est il tousjours et utile de les ouyr, car ils nous fournissent tout plain de belles instructions et louables du magasin de leur memoire; grande partie, certes, au secours de la vie; mais nous ne

---

a. Parti. — *b.* Conversation. — *c.* Conversation. — *d.* Entend. — *e.* Peser. — *f.* Distillées, filtrées.

cerchons pas cela pour cette heure, nous cerchons si ces recitateurs et recueilleurs sont louables eux mesme.

Je hay toute sorte de tyrannie, et la parliere, et l'effectuelle[a]. Je me bande volontiers contre ces vaines circonstances qui pipent nostre jugement par les sens; et, me tenant au guet de ces grandeurs extraordinaires, ay trouvé que ce sont, pour le plus, des hommes comme les autres.

> *Rarus enim fermè sensus communis in illa*
> *Fortuna*[b].

A l'avanture, les estime l'on et aperçoit moindres qu'ils ne sont, d'autant qu'ils entreprennent plus et se montrent plus : ils ne respondent point au faix qu'ils ont pris. Il faut qu'il y ayt plus de vigueur et de pouvoir au porteur qu'en la charge. Celuy qui n'a pas remply sa force, il vous laisse deviner s'il a encore de la force au delà, et s'il a esté essayé jusques à son dernier poinct; celuy qui succombe à sa charge, il descouvre sa mesure et la foiblesse de ses espaules. C'est pourquoy on voit tant d'ineptes ames entre les sçavantes, et plus que d'autres : il s'en fut faict des bons hommes de mesnage, bons marchans, bons artizans; leur vigueur naturelle estoit taillée à cette proposition. C'est chose de grand poix que la science; ils fondent dessoubs. Pour estaller et distribuer cette noble et puissante matiere, pour l'employer et s'en ayder, leur engin n'a ny assez de vigueur, ny assez de maniement : elle ne peut qu'en une forte nature; or elles sont bien rares. « Et les foibles, dict Socrates[769], corrompent la dignité de la philosophie en la maniant. » Elle paroist et inutile et vicieuse quand elle est mal estuyée. Voilà comment ils se gastent et affolent,

> *Humani qualis simulator simius oris,*
> *Quem puer arridens pretioso stamine serum*
> *Velavit, nudàsque nates ac terga reliquit,*
> *Ludibrium mensis*[c].

A ceux pareillement qui nous regissent et commandent,

---

a. En paroles et en réalité. — b. « D'ordinaire, rare est le sens commun dans cette haute fortune. » Juvénal, VIII, 73. — c. « Tel ce singe, imitateur du visage humain, qu'un enfant a habillé pour rire d'une précieuse étoffe de soie, en lui laissant les fesses et la croupe découvertes, à la grande joie des convives. » Claudien, *In Eutropium*, I, 303.

qui tiennent le monde en leur main, ce n'est pas assez d'avoir
un entendement commun, de pouvoir ce que nous pouvons ;
ils sont bien loing au dessoubs de nous, s'ils ne sont bien
loing au dessus. Comme ils promettent plus, ils doivent
aussi plus ; et pourtant leur est le silence non seulement
contenance de respect et gravité, mais encore souvent de
profit et de mesnage : car Megabysus, estant allé voir
Appelles en son ouvrouer [a], fut long temps sans mot dire,
et puis commença à discourir de ses ouvrages, dont il
receut cette rude reprimende : « Tandis que tu as gardé
silence, tu semblois quelque grande chose à cause de tes
cheines [b] et de ta pompe ; mais maintenant qu'on t'a ouy
parler, il n'est pas jusques aux garsons de ma boutique qui
ne te mesprisent [770]. » Ces magnifiques atours, ce grand
estat, ne luy permettoient point d'estre ignorant d'une
ignorance populaire, et de parler impertinemment de la
peinture : il devoit maintenir, muet, cette externe et præ-
somptive suffisance [c]. A combien de sottes ames, en mon
temps, a servy une mine froide et taciturne de tiltre de
prudence et de capacité!

Les dignitez, les charges, se donnent necessairement
plus par fortune que par merite ; et a l'on tort souvent de
s'en prendre aux Roys. Au rebours, c'est merveille qu'ils
y aient tant d'heur, y ayant si peu d'adresse [d] :

Principis est virtus maxima nosse suos [e]*;*

car la nature ne leur a pas donné la veuë qui se puisse
estendre à tant de peuples, pour discerner de la precellence,
et perser nos poitrines, où loge la cognoissance de nostre
volonté et de nostre meilleure valeur. Il faut qu'ils nous
trient par conjecture et à tastons, par la race, les richesses,
la doctrine [f], la voix du peuple : très-foibles argumens.
Qui pourroit trouver moien qu'on en peut juger par
justice, et choisir les hommes par raison, establiroit de ce
seul trait une parfaite forme de police [g].

« Ouy, mais il a mené à point ce grand affaire. » C'est
dire quelque chose, mais ce n'est pas assez dire : car cette

---

a. Atelier. — *b.* Colliers. — *c.* Capacité. — *d.* De directives, d'indi-
cations. — *e.* « Le plus grand mérite d'un prince est de connaître
ses sujets. » Martial, VIII, xv, cité par Juste Lipse, *Politiques*, IV, 5.
— *f.* Science, savoir. — *g.* Gouvernement.

sentence est justement receuë, qu'il ne faut pas juger les conseils par les evenemens. Les Carthaginois punissoient les mauvais advis de leurs capitaines, encore qu'ils fussent corrigez par une heureuse issue[771]. Et le peuple Romain a souvent refusé le triomphe à des grandes et très utiles victoires par ce que la conduitte du chef ne respondoit point à son bon heur. On s'aperçoit ordinairement aux actions du monde que la fortune, pour nous apprendre combien elle peut en toutes choses, et qui prent plaisir à rabatre nostre presomption, n'aiant peu faire les malhabiles sages, elle les fait heureux, à l'envy de la vertu. Et se mesle volontiers à favoriser les executions où la trame est plus purement sienne. D'où il se voit tous les jours que les plus simples d'entre nous mettent à fin de très grandes besongnes, et publiques et privées. Et, comme Siranez le Persien respondit à ceux qui s'estonnoient comment ses affaires succedoient si mal, veu que ses propos estoient si sages, qu'il estoit seul maistre de ses propos, mais du succez de ses affaires, c'estoit la fortune[772], ceux-cy peuvent respondre de mesme, mais d'un contraire biais. La plus part des choses du monde se font par elles mesmes,

Fata viam inveniunt [a].

L'issuë authorise souvent une très inepte conduite. Nostre entremise n'est quasi qu'une routine, et plus communéement consideration d'usage et d'exemple que de raison. Estonné de la grandeur de l'affaire, j'ay autrefois sceu par ceux qui l'avoient mené à fin leurs motifs et leur addresse [b] : je n'y ay trouvé que des advis vulgaires ; et les plus vulgaires et usitez sont aussi peut estre les plus seurs [c] et plus commodes à la pratique, sinon à la montre.

Quoy, si les plus plattes raisons sont les mieux assises ? les plus basses et lasches, et les plus battues, se couchent mieux aux affaires ? Pour conserver l'authorité du Conseil des Roys, il n'est pas besoing que les personnes profanes y participent et y voyent plus avant que de la première barriere. Il se doibt reverer à credit et en bloc, qui en veut nourrir la reputation. Ma consultation esbauche un peu la matiere, et la considere legierement par ses premiers

---

a. « Les destins trouvent leur voie. » Virgile, *Énéide*, III, 395. Le texte de Virgile porte : *invenient*. — *b.* Leurs procédés. — *c.* Sûrs.

visages ; le fort et principal de la besongne, j'ay accoustumé de le resigner au ciel :

Permitte divis cætera[a].

L'heur et le mal'heur sont à mon gré deux souveraines puissances. C'est imprudence d'estimer que l'humaine prudence puisse remplir le rolle de la fortune. Et vaine est l'entreprise de celuy qui presume d'embrasser et causes et consequences, et mener par la main le progrez de son faict ; vaine sur tout aux deliberations guerrieres. Il ne fut jamais plus de circonspection et prudence militaire qu'il s'en voit par fois entre nous : seroit ce qu'on crainct de se perdre en chemin, se reservant à la catastrophe de ce jeu ?

Je dis plus ; que nostre sagesse mesme et consultation suit pour la plus part la conduicte du hazard. Ma volonté et mon discours se remue tantost d'un air, tantost d'un autre, et y a plusieurs de ces mouvemens qui se gouvernent sans moy. Ma raison a des impulsions et agitations journallieres et casuelles :

Vertuntur species animorum, et pectora motus
Nunc alios, alios dum nubila ventus agebat,
Concipiunt[b].

Qu'on regarde qui sont les plus puissans aus villes, et qui font mieux leurs besongnes : on trouvera ordinairement que ce sont les moins habiles. Il est advenu aux femmes, aux enfans et aux insensez, de commander des grands estats, à l'esgal des plus suffisans Princes. Et y rencontrent, dict Thucydides[773], plus ordinairement les grossiers que les subtils. Nous attribuons les effects de leur bonne fortune à leur prudence.

Ut quisque fortuna utitur
Ita præcellet, atque exinde sapere illum omnes dicimus[c].

---

a. « Abandonne le reste aux dieux. » Horace, *Odes,* I, IX, 9. — *b.* « Les dispositions des âmes changent ; tantôt une émotion les agite, tantôt une autre, avec la mobilité des nuées que le vent pousse. » Virgile, *Géorgiques,* I, 420. — *c.* « C'est seulement à la faveur de la fortune qu'un homme s'élève, et son élévation nous fait proclamer à tous son habileté. » Plaute, *Pseudolus,* II, III, 15, cité par Juste Lipse, *Politiques,* IV, 9.

LIVRE III, CHAPITRE VIII

Parquoy je dis bien, en toutes façons, que les evenemens sont maigres tesmoings de nostre pris et capacité.

Or, j'estois sur ce point, qu'il ne faut que voir un homme eslevé en dignité : quand nous l'aurions cogneu trois jours devant homme de peu, il coule insensiblement en nos opinions une image de grandeur, de suffisance, et nous persuadons que, croissant de trein et de credit, il est creu de merite. Nous jugeons de luy, non selon sa valeur, mais à la mode des getons [a], selon la prerogative de son rang. Que la chanse tourne aussi, qu'il retombe et se remesle à la presse [b], chacun s'enquiert avec admiration de la cause qui l'avoit guindé si haut. « Est-ce luy? faict on; n'y sçavoit il autre chose quand il y estoit? les Princes se contentent ils de si peu? nous estions vrayment en bonnes mains. » C'est chose que j'ay vu souvant de mon temps. Voyre et le masque des grandeurs, qu'on represente aux comedies, nous touche aucunement et nous pipe. Ce que j'adore moy-mesmes aus Roys, c'est la foule de leurs adorateurs. Toute inclination et soubmission leur est deuë, sauf celle de l'entendement. Ma raison n'est pas duite [c] à se courber et flechir, ce sont mes genoux.

Melanthius, interrogé ce qu'il luy sembloit de la tragedie de Dionysius : « Je ne l'ay, dict-il, point veuë, tant elle est offusquée de langage. » Aussi la pluspart de ceux qui jugent les discours des grans debvroient dire : « Je n'ay point entendu son propos, tant il estoit offusqué de gravité, de grandeur et de majesté [774]. »

Antisthenes suadoit [d] un jour aus Atheniens qu'ils commandassent que leurs asnes fussent aussi bien employez au labourage des terres, comme estoyent les chevaux; surquoy il luy fut respondu que cet animal n'estoit pas nay à un tel service : « C'est tout un, repliqua il, il n'y va que de vostre ordonnance; car les plus ignorans et incapables hommes que vous employez aus commandemens de vos guerres, ne laissent pas d'en devenir incontinent très-dignes, parce que vous les y employez [775]. »

A quoy touche l'usage de tant de peuples, qui canonizent le Roy qu'ils ont faict d'entre eux, et ne se contentent point de l'honnorer s'ils ne l'adorent. Ceux de Mexico,

---

a. Jetons placés sur un abaque et dont la valeur varie suivant leur place. — *b.* Foule. — *c.* Formée. — *d.* Persuadait.

depuis que les ceremonies de son sacre sont parachevées, n'osent plus le regarder au visage : ains[a], comme s'ils l'avoyent deifié par sa royauté, entre les serments qu'ils luy font jurer de maintenir leur religion, leurs loix, leurs libertez, d'estre vaillant, juste et debonnaire, il jure aussi de faire marcher le soleil en sa lumiere accoustumée, desgouster les nuées en temps oportun, courir aux rivieres leurs cours, et faire porter à la terre toutes choses necessaires à son peuple[776].

Je suis divers[b] à cette façon commune, et me deffie plus de la suffisance quand je la vois accompaignée de grandeur de fortune et de recommandation populaire. Il nous faut prendre garde combien c'est de parler à son heure, de choisir son point, de rompre le propos ou le changer d'une authorité magistrale, de se deffendre des oppositions d'autruy par un mouvement de teste, un sous-ris ou un silence, devant une assistance qui tremble de reverence et de respect.

Un homme de monstrueuse fortune, venant mesler son advis à certain leger propos qui se demenoit tout lâchement en sa table, commença justement ainsi : « Ce ne peut estre qu'un menteur ou ignorant qui dira autrement que, etc... » Suyvez cette pointe philosophique, un pouignart à la main.

Voicy un autre advertissement duquel je tire grand usage : c'est qu'aus disputes et conferences, tous les mots qui nous semblent bons ne doivent pas incontinent estre acceptez. La plus part des hommes sont riches d'une suffisance[c] estrangere. Il peut advenir à tel de dire un beau traict, une bonne responce et sentence, et la mettre en avant sans en cognoistre la force. Qu'on ne tient pas tout ce qu'on emprunte, à l'adventure se pourra il verifier par moy mesme. Il n'y faut point tousjours ceder, quelque verité ou beauté qu'elle ait. Ou il la faut combatre à escient, ou se tirer arriere, soubs couleur de ne l'entendre pas, pour taster de toutes parts comment elle est logée en son autheur. Il peut advenir que nous nous enferrons, et aidons au coup outre sa portée. J'ay autrefois employé à la necessité et presse du combat des revirades qui ont faict faucée outre mon dessein et mon esperance[d] ; je ne les donnois qu'en

---

a. Mais. — *b*. Opposé. — *c*. Capacité. — *d*. Des ripostes qui ont porté plus que je ne croyais et espérais.

nombre, on les recevoit en pois. Tout ainsi comme quand je debats contre un homme vigoureux, je me plais d'anticiper ses conclusions, je luy oste la peine de s'interpreter, j'essaye de prevenir son imagination imparfaicte encores et naissante (l'ordre et la pertinence de son entendement m'advertit et menace de loing), de ces autres je faicts tout le rebours; il ne faut rien entendre que par eux, ny rien presupposer. S'ils jugent en parolles universelles : « Cecy est bon, cela ne l'est pas », et qu'ils rencontrent, voyez si c'est la fortune qui rencontre pour eux.

Qu'ils circonscrivent et restreignent un peu leur sentence : pourquoy c'est, par où c'est. Ces jugements universels que je vois si ordinaires ne disent rien. Ce sont gents qui saluent tout un peuple en foulle et en troupe[777]. Ceux qui en ont vraye cognoissance le saluent et remarquent nomméement et particulierement. Mais c'est une hazardeuse entreprinse. D'où j'ay veu, plus souvent que tous les jours, advenir que les esprits foiblement fondez, voulant faire les ingenieux à remarquer en la lecture de quelque ouvrage le point de la beauté, arrestent leur admiration d'un si mauvais choix qu'au lieu de nous apprendre l'excellence de l'autheur, ils nous apprennent leur propre ignorance. Cette exclamation est seure : « Voylà qui est beau! » ayant ouy une entiere page de Vergile. Par là se sauvent les fins. Mais d'entreprendre à le suivre par espauletés[a], et de jugement exprès et trié vouloir remarquer par où un bon autheur se surmonte, par où se rehausse, poisant[b] les mots, les phrases[c], les inventions[d] une après l'autre, ostez vous de là! « *Videndum est non modo quid quisque loquatur, sed etiam quid quisque sentiat, atque etiam qua de causa quisque sentiat*[e]. » J'oy[f] journellement dire à des sots des mots non sots : ils disent une bonne chose; sçachons jusques où ils la cognoissent, voyons par où ils la tiennent. Nous les aydons à employer ce beau mot et cette belle raison qu'ils ne possedent pas; ils ne l'ont qu'en garde; ils l'auront produicte à l'avanture et à tastons; nous la leur mettons en credit et en pris.

a. Point par point, ou, plus exactement, cran à cran (image empruntée au métier de menuisier). — *b.* Pesant. — *c.* Expressions. — *d.* Idées. — *e.* « Il faut examiner non seulement les propos de chacun, mais encore ses opinions et même les fondements de ses opinions. » Cicéron, *De officiis*, I, 41. — *f.* J'entends.

Vous leur prestez la main. A quoy faire? Ils ne vous en sçavent nul gré, et en deviennent plus ineptes. Ne les secondez pas, laisses les aller; ils manieront cette matiere comme gens qui ont peur de s'eschauder; ils n'osent luy changer d'assiete et de jour, ny l'enfoncer. Croslez la tant soit peu, elle leur eschappe; ils vous la quittent, toute forte et belle qu'elle est. Ce sont belles armes, mais elles sont mal emmanchées. Combien de fois en ay-je veu l'experience? Or, si vous venez à les esclaircir et confirmer, ils vous saisissent et desrobent incontinent cet avantage de vostre interpretation : « C'estoit ce que je voulois dire; voylà justement ma conception; si je ne l'ay ainsin exprimé, ce n'est que faute de langue. » Souflez[a]. Il faut employer la malice mesme à corriger cette fiere bestise. Le dogme[b] d'Hegesias, qu'il ne faut ny haïr ny accuser, ains instruire, a de la raison ailleurs[778]; mais icy c'est injustice et inhumanité de secourir et redresser celuy qui n'en a que faire, et qui en vaut moins. J'ayme à les laisser embourber et empestrer encore plus qu'ils ne sont, et si avant, s'il est possible, qu'en fin ils se recognoissent.

La sottise et desreglement de sens n'est pas chose guerissable par un traict d'advertissement. Et pouvons proprement dire de cette reparation[c] ce que Cyrus[779] respond à celuy qui le presse d'enhorter[d] son ost[e] sur le point d'une bataille : « Que les hommes ne se rendent pas courageux et belliqueux sur le champ par une bonne harangue, non plus qu'on ne devient incontinent musicien pour ouyr une bonne chanson. » Ce sont apprentissages qui ont à estre faicts avant la main, par longue et constante institution.

Nous devons ce soing aux nostres, et cette assiduité de correction et d'instruction; mais d'aller prescher le premier passant et regenter l'ignorance ou ineptie du premier rencontré, c'est un usage auquel je veux grand mal. Rarement le fais-je, aus propos mesme qui se passent avec moy, et quite plustost tout que de venir à ces instructions reculées[f] et magistrales[g]. Mon humeur n'est propre, non plus à parler qu'à escrire, pour les principians[h].

---

a. Enlevez-leur l'argument (terme du jeu de dames). — *b.* L'opinion. — *c.* Avertissement, correction. — *d.* Exhorter. — *e.* Armée. — *f.* Artificielles. — *g.* Qui sentent le *magister*. — *h.* Les débutants, les ignorants.

Mais aux choses qui se disent en commun ou entre autres, pour fauces et absurdes que je les juge, je ne me jette jamais à la traverse ny de parolle, ny de signe. Au demeurant, rien ne me despite tant en la sottise que dequoy elle se plaist plus que aucune raison ne se peut raisonnablement plaire.

C'est mal'heur que la prudence vous deffend de vous satisfaire et fier de vous et vous en envoye tousjours mal content et craintif, là où l'opiniastreté et la temerité[a] remplissent leurs hostes d'esjouïssance et d'asseurance. C'est aux plus mal habiles de regarder les autres hommes par dessus l'espaule, s'en retournans tousjours du combat plains de gloire et d'allegresse. Et le plus souvent encore cette outrecuidance de langage et gayeté de visage leur donne gaigné à l'endroit de l'assistance, qui est communément foible et incapable de bien juger et discerner les vrays avantages. L'obstination et ardeur d'opinion est la plus seure preuve de bestise. Est il rien certain, resolu, desdeigneux, contemplatif, grave, serieux, comme l'asne?

Pouvons nous pas mesler au tiltre de la conference[b] et communication[c] les devis[d] pointus et coupez que l'alegresse et la privauté introduict entre les amis, gossans[e] et gaudissans plaisamment et vifvement les uns les autres? Exercice auquel ma gayeté naturelle me rend assez propre; et s'il n'est aussi tendu et serieux que cet autre exercice que je viens de dire, il n'est pas moins aigu et ingenieux, ny moins profitable, comme il sembloit à Lycurgus[780]. Pour mon regard, j'y apporte plus de liberté que d'esprit, et y ay plus d'heur que d'invention; mais je suis parfaict en la souffrance, car j'endure la revanche, non seulement aspre, mais indiscrete aussi sans alteration. Et à la charge qu'on me faict, si je n'ay dequoy repartir brusquement sur le champ, je ne vay pas m'amusant à suivre cette pointe, d'une contestation ennuyeuse et lasche, tirant à l'opiniastreté : je la laisse passer et, baissant joyeusement les oreilles, remets d'en avoir ma raison à quelque heure meilleure. N'est pas marchant qui tousjours gaigne. La plus part changent de visage et de voix où la force leur fault[f], et par une importune cholere, au lieu de se venger, accusent leur

---

a. L'aveuglement. — *b.* Au sujet de la conversation. — *c.* Commerce. — *d.* Propos. — *e.* Se gaussant. — *f.* Manque.

foiblesse ensemble et leur impatience. En cette gaillardise nous pinçons par fois des cordes secretes de nos imperfections, lesquelles, rassis, nous ne pouvons toucher sans offence; et nous entreadvertissons utillement de nos deffauts.

Il y a d'autres jeux de main, indiscrets et aspres, à la Françoise, que je hay mortellement : j'ay la peau tendre et sensible; j'en ay veu en ma vie enterrer deux Princes de nostre sang royal[781]. Il faict laid se battre en s'esbatant.

Au reste, quand je veux juger de quelqu'un, je luy demande combien il se contente de soy, jusques où son parler et sa besongne luy plaist. Je veux eviter ces belles excuses : « Je le fis en me joüant;

Ablatum mediis opus est incudibus istud[a];

je n'y fus pas une heure; je ne l'ay reveu depuis. » — « Or, fais-je, laissons donc ces pieces, donnez m'en une qui vous represente bien entier, par laquelle il vous plaise qu'on vous mesure. » Et puis : « Que trouvez vous le plus beau en vostre ouvrage? Est-ce ou cette partie, ou cette cy? la grace, ou la matiere, ou l'invention, ou le jugement, ou la science? » Car ordinairement je m'aperçoy qu'on faut autant à juger de sa propre besongne que de celle d'autruy; non seulement pour l'affection qu'on y mesle, mais pour n'avoir la suffisance[b] de la cognoistre et distinguer. L'ouvrage, de sa propre force et fortune, peut seconder l'ouvrier outre son invention et connoissance et le devancer. Pour moy, je ne juge la valeur d'autre besongne plus obscurement que de la mienne; et loge les *Essais* tantost bas, tantost haut, fort inconstamment et doubteusement.

Il y a plusieurs livres utiles à raison de leurs subjects, desquels l'autheur ne tire aucune recommandation, et des bons livres, comme les bons ouvrages, qui font honte à l'ouvrier. J'escriray la façon de nos convives et de nos vestemens, et l'escriray de mauvaise grace; je publieray les edits de mon temps et les lettres des Princes qui passent és mains publiques; je feray un abbregé sur un bon livre (et tout abbregé sur un bon livre est un sot abregé), lequel livre viendra à se perdre, et choses semblables. La posterité

---

a. « Cet ouvrage a été ôté, moitié fait, de l'enclume. » Ovide, *Tristes*, I, VII, 29. — *b*. Capacité.

retirera utilité singuliere de telles compositions; moy, quel honneur, si n'est de ma bonne fortune? Bonne part des livres fameux sont de cette condition.

Quand je leus Philippe de Comines, il y a plusieurs années, tresbon autheur certes, j'y remarquay ce mot pour non vulgaire : qu'il se faut bien garder de faire tant de service à son maistre, qu'on l'empesche d'en trouver la juste recompence[782]. Je devois louer l'invention, non pas luy; je la r'encontray en Tacitus, il n'y a pas long temps : « *Beneficia eo usque læta sunt dum videntur exolvi posse; ubi multum antevenere, pro gratia odium redditur*[a]. » Et Seneque vigoureusement : « *Nam qui putat esse turpe non reddere, non vult esse cui reddat*[b]. » Q. Cicero d'un biais plus lâche : « *Qui se non putat satisfacere, amicus esse nullo modo potest*[c]. »

Le suject, selon qu'il est, peut faire trouver un homme sçavant et memorieux[d], mais pour juger en luy les parties plus siennes et plus dignes, la force et beauté de son ame, il faut sçavoir ce qui est sien et ce qui ne l'est point, et en ce qui n'est pas sien combien on luy doibt en consideration du chois, disposition, ornement et langage qu'il y a fourny. Quoy? s'il a emprunté la matiere et empiré la forme, comme il advient souvent. Nous autres, qui avons peu de practique avec les livres, sommes en cette peine que, quand nous voyons quelque belle invention en un poëte nouveau, quelque fort argument en un prescheur, nous n'osons pourtant les en louer que nous n'ayons prins instruction de quelque sçavant si cette piece leur est propre ou si elle est estrangere; jusques lors je me tiens tousjours sur mes gardes.

Je viens de courre d'un fil l'histoire de Tacitus (ce qui ne m'advient guere : il y a vint ans que je ne mis en livre une heure de suite), et l'ay faict à la suasion[e] d'un gentilhomme que la France estime beaucoup, tant pour sa valeur propre que pour une constante forme de suffisance[f]

---

a. « Les bienfaits sont agréables tant qu'il semble qu'on peut s'en acquitter : mais s'ils dépassent de beaucoup cette limite, au lieu de gratitude nous les payons de haine. » Tacite, *Annales*, IV, 18. — *b.* « Car celui qui trouve honteux de ne pas rendre voudrait ne rencontrer personne à qui rendre. » Sénèque, *Épîtres*, 81. — *c.* « Celui qui ne se croit pas quitte envers vous ne saurait en aucune façon être votre ami. » Quintus Cicéron, *De petitione consulatus*, ix. — *d.* Doué de mémoire. — *e.* Sur le conseil. — *f.* Capacité.

et bonté qui se voit en plusieurs freres qu'ils sont[783]. Je ne sçache point d'autheur qui mesle à un registre public tant de consideration des meurs et inclinations particulieres [a]. Et me semble le rebours de ce qu'il luy semble à luy[784], que, ayant specialement à suivre les vies des Empereurs de son temps, si diverses et extremes en toute sorte de formes, tant de notables actions que nommément leur cruauté produisit en leurs subjects, il avoit matiere plus forte et attirante à discourir et à narrer que s'il eust eu à dire des batailles et agitations universelles; si que souvent je le trouve sterile, courant par dessus ces belles morts comme s'il craignoit nous fascher de leur multitude et longueur.

Cette forme d'Histoire est de beaucoup la plus utile. Les mouvemens publics dependent plus de la conduicte de la fortune, les privez de la nostre. C'est plustost un jugement que deduction d'Histoire; il y a plus de preceptes que de contes. Ce n'est pas un livre à lire, c'est un livre à estudier et apprendre; il est si plain de sentences qu'il y en a à tort et à droict; c'est une pepiniere de discours ethiques [b] et politiques, pour la provision et ornement de ceux qui tiennent rang au maniement du monde. Il plaide tousjours par raisons solides et vigoreuses, d'une façon pointue et subtile, suyvant le stile affecté du siecle; ils aymoyent tant à s'enfler qu'où ils ne trouvoyent de la pointe et subtilité aux choses, ils l'empruntoyent des parolles. Il ne retire pas mal à l'escrire de Seneque; il me semble plus charnu, Seneque plus aigu. Son service est plus propre à un estat trouble et malade, comme est le nostre present : vous diriez souvent qu'il nous peinct et qu'il nous pinse. Ceux qui doubtent de sa foy s'accusent assez de luy vouloir mal d'ailleurs. Il a les opinions saines et pend du bon party aux affaires Romaines. Je me plains un peu toutesfois dequoy il a jugé de Pompeius plus aigrement que ne porte l'advis des gens de bien qui ont vescu et traicté avec luy, de l'avoir estimé du tout pareil à Marius et à Sylla, sinon d'autant qu'il estoit plus couvert [c][785]. On n'a pas exempté d'ambition son intention au gouver-

---

a. Il n'est pas en cela moins curieux et diligent que Plutarque qui en a fait expresse profession, ajoutait ici l'édition de 1588. — *b.* Réflexions morales. — *c.* Dissimulé.

nement des affaires, ny de vengeance, et ont crainct ses
amis mesme que la victoire l'eust emporté outre les bornes
de la raison, mais non pas jusques à une mesure si effrenée :
il n'y a rien en sa vie qui nous ayt menassé d'une si expresse
cruauté et tyrannie. Encores ne faut-il pas contrepoiser[a]
le soubçon à l'evidence : ainsi je ne l'en crois pas. Que ses
narrations soient naifves et droictes, il se pourroit à l'avanture argumenter de cecy mesme qu'elles ne s'appliquent
pas tousjours exactement aux conclusions de ses jugemens,
lesquels il suit selon la pente qu'il y a prise, souvent outre
la matiere qu'il nous montre, laquelle il n'a daigné incliner
d'un seul air. Il n'a pas besoing d'excuse d'avoir approuvé
la religion de son temps, selon les loix qui luy comman-
doient, et ignoré la vraye. Cela, c'est son malheur, non pas
son defaut.

    J'ay principalement consideré son jugement, et n'en
suis pas bien esclarcy par tout. Comme ces mots de la
lettre que Tibere vieil et malade envoyoit au Senat[786] :
« Que vous escriray-je, messieurs, ou comment vous escriray-je, ou que ne vous escriray-je poinct en ce temps?
Les dieux et les deesses me perdent[b] pirement que je ne
me sens tous les jours perir, si je le sçay », je n'apperçois
pas pourquoy il les applique si certainement à un poignant
remors qui tourmente la conscience de Tibere; au moins
lors que j'estois à mesme, je ne le vis point.

    Cela m'a semblé aussi un peu lâche, qu'ayant eu à dire
qu'il avoit exercé certain honorable magistrat à Romme,
il s'aille excusant que ce n'est point par ostentation qu'il
l'a dit[787]. Ce traict me semble bas de poil[c] pour une ame de
sa sorte. Car le n'oser parler rondement de soy a quelque
faute de cœur. Un jugement roide et hautain et qui juge
sainement et seurement, il use à toutes mains des propres
exemples ainsi que de chose estrangere, et tesmoigne
franchement de luy comme de chose tierce. Il faut passer
par dessus ces regles populaires de la civilité en faveur de
la verité et de la liberté. J'ose non seulement parler de moy,
mais parler seulement de moy; je fourvoye quand j'escry
d'autre chose et me desrobe à mon subject. Je ne m'ayme
pas si indiscretement et ne suis si attaché et meslé à moy que

---

    a. Égaler. — *b.* Que les dieux et les déesses me fassent périr. —
c. De peu de valeur (comme un velours à poil ras).

je ne me puisse distinguer et considerer à quartier, comme
un voisin, comme un arbre. C'est pareillement faillir de ne
veoir pas jusques où on vaut, ou d'en dire plus qu'on n'en
void. Nous devons plus d'amour à Dieu qu'à nous et le
coignoissons moins, et si[a], en parlons tout nostre saoul.

Si ses escris rapportent aucune chose de ses conditions,
c'estoit un grand personnage, droicturier et courageux,
non d'une vertu superstitieuse, mais philosophique et genereuse. On le pourra trouver hardy en ses tesmoignages ;
comme où il tient qu'un soldat portant un fais de bois, ses
mains se roidirent de froid et se collerent à sa charge, si
qu'elles[b] y demeurent et atachées et mortes, s'estants
departies[c] des bras[788]. J'ay accoustumé en telles choses
de plier soubs l'authorité de si grands tesmoings.

Ce qu'il dict aussi que Vespasian, par la faveur du Dieu
Serapis, guarit en Alexandrie une femme aveugle en luy
oignant les yeux de sa salive[789], et je ne sçay quel autre
miracle, il le faict par l'exemple et devoir de tous bons
historiens : ils tiennent registre des evenements d'importance ; parmy les accidens publics sont aussi les bruits et
opinions populaires. C'est leur rolle de reciter[d] les communes creances, non pas de les regler. Cette part touche les
Theologiens et les philosophes directeurs des consciences.
Pourtant tressagement, ce sien compaignon et grand
homme comme luy : « *Equidem plura transcribo quam credo :
nam nec affirmare sustineo, de quibus dubito, nec subducere quæ
accepi*[e] » ; et l'autre... « *Hæc neque affirmare, neque refellere
operæ pretium est... Famæ rerum standum est*[f] » ; et escrivant
en un siecle auquel la creance des prodiges commençoit
à diminuer, il dict ne vouloir pourtant laisser d'inserer en
ses annales et donner pied à chose receuë de tant de gens
de bien et avec si grande reverence de l'antiquité. C'est
trèsbien dict. Qu'ils nous rendent l'histoire plus selon
qu'ils reçoivent que selon qu'ils estiment. Moy qui suis
Roy de la matiere que je traicte, et qui n'en dois conte[g]
à personne, ne m'en crois pourtant pas du tout ; je hasarde

---

a. Et pourtant. — *b.* Si bien qu'elles. — *c.* Détachées. — *d.* Rapporter. — *e.* « A la vérité, j'en transcris plus que je n'en crois, car je
ne puis ni affirmer ce dont je doute, ni supprimer ce que m'a appris
la tradition. » Quinte-Curce, IX, 1. — *f.* « Voilà des choses qu'on
ne doit se mettre en peine ni d'affirmer, ni de réfuter... Il faut s'en
tenir à la renommée. » Tite-Live, I, Préface, et VIII, 6. — *g.* Compte.

souvent des boutades de mon esprit, desquelles je me deffie, et certaines finesses verbales, dequoy je secoue les oreilles; mais je les laisse courir à l'avanture. Je voys qu'on s'honore de pareilles choses. Ce n'est pas à moy seul d'en juger. Je me presente debout et couché, le devant et le derriere, à droite et à gauche, et en tous mes naturels plis. Les esprits, voire pareils en force, ne sont pas toujours pareils en application et en goust.

Voilà ce que la memoire m'en represente en gros, et assez incertainement. Tous jugemens en gros sont lâches[a] et imparfaicts.

CHAPITRE IX

DE LA VANITÉ

IL n'en est à l'avanture[b] aucune plus expresse que d'en escrire si vainement. Ce que la divinité nous en a si divinement exprimé[790] devroit estre soingneusement et continuellement medité par les gens d'entendement.

Qui ne voit que j'ay pris une route par laquelle, sans cesse et sans travail, j'iray autant qu'il y aura d'ancre et de papier au monde? Je ne puis tenir registre de ma vie par mes actions : fortune les met trop bas; je le tiens par mes fantasies[c]. Si[d] ay-je veu un Gentil-homme qui ne communiquoit sa vie que par les operations de son ventre; vous voyez chez luy, en montre, un ordre de bassins de sept ou huict jours; c'estoit son estude, ses discours; tout autre propos luy puoit. Ce sont icy, un peu plus civilement, des excremens d'un vieil esprit, dur tantost, tantost lâche, et tousjours indigeste. Et quand seray-je à bout de representer une continuelle agitation et mutation de mes pensées, en quelque matiere qu'elles tombent, puisque Diomedes remplit six mille livres du seul subject de la grammaire[791]? Que doit produire le babil, puisque le begaiement et desnouement de la langue estouffa le monde d'une si horrible charge de volumes? Tant de paroles pour les

---

a. Vagues. — *b.* Peut-être. — *c.* Pensées. — *d.* Ainsi.

paroles seules! O Pythagoras, que n'esconjuras-tu ª cette tempeste [792] !

On accusoit un Galba du temps passé de ce qu'il vivoit oiseusement; il respondit que chacun devoit rendre raison de ses actions, non pas de son sejour [b][793]. Il se trompoit : car la justice a cognoissance et animadversion [c] aussi sur ceux qui chaument.

Mais il y devroit avoir quelque coërction [d] des loix contre les escrivains ineptes et inutiles, comme il y a contre les vagabons et faineants. On banniroit des mains de nostre peuple et moy et cent autres. Ce n'est pas moquerie. L'escrivaillerie semble estre quelque simptome d'un siecle desbordé. Quand escrivismes nous tant que depuis que nous sommes en trouble [794] ? Quand les Romains tant, que lors de leur ruyne? Outre ce, que l'affinement des esprits, ce n'en est pas l'assagissement en une police, cet embesoingnement oisif naist de ce que chacun se prent lachement à l'office de sa vacation [e] et s'en desbauche. La corruption du siecle se faict par la contribution particuliere de chacun de nous : les uns y conferent [f] la trahison, les autres l'injustice, l'irreligion, la tyrannie, l'avarice, la cruauté, selon qu'ils sont plus puissans; les plus foibles y apportent la sottise, la vanité, l'oisiveté, desquels je suis. Il semble que ce soit la saison des choses vaines quand les dommageables nous pressent. En un temps où le meschamment faire est si commun, de ne faire qu'inutilement il est comme louable. Je me console que je seray des derniers sur qui il faudra mettre la main. Ce pendant qu'on pourvoira aux plus pressans, j'auray loy de m'amender. Car il me semble que ce seroit contre raison de poursuyvre les menus inconvenients, quand les grands nous infestent. Et le medecin Philotimus, à un qui luy presentoit le doit à penser [g], à qui il recoignoissoit au visage et à l'haleine un ulcere aux poulmons : « Mon amy, fit-il, ce n'est pas à cette heure le temps de t'amuser à tes ongles [795]. »

Je vis pourtant sur ce propos, il y a quelques années, qu'un personnage duquel j'ay la memoire en recommendation singuliere [796], au milieu de nos grands maux, qu'il

---

a. Conjuras. — *b.* Repos. — *c.* Réprimande. — *d.* Coercition. — *e.* Au devoir de sa charge. — *f.* Apportent en contribution. — *g.* Panser.

n'y avoit ny loy, ny justice, ny magistrat qui fît son office non plus qu'à cette heure, alla publier je ne sçay quelles chetives reformations sur les habillemens, la cuisine et la chicane. Ce sont amusoires dequoy on paist un peuple mal-mené, pour dire qu'on ne l'a pas du tout mis en oubly. Ces autres font de mesme, qui s'arrestent à deffendre à toute instance des formes de parler, les dances et les jeux, à un peuple perdu de toute sorte de vices execrables. Il n'est pas temps de se laver et decrasser, quand on est atteint d'une bonne fiévre. C'est à faire aux seuls Spartiates de se mettre à se peigner et testonner[a] sur le poinct qu'ils se vont jetter à quelque extreme hazard de leur vie[797].

Quand à moy, j'ay cette autre pire coustume, que si j'ay un escarpin de travers, je laisse encores de travers et ma chemise et ma cappe : je desdaigne de m'amender à demy. Quand je suis en mauvais estat, je m'acharne au mal; je m'abandonne par desespoir et me laisse aller vers la cheute et jette, comme on dict, le manche après la coignée; je m'obstine à l'empirement et ne m'estime plus digne de mon soing : ou tout bien, ou tout mal.

Ce m'est faveur que la desolation de cet estat se rencontre à la desolation de mon aage : je souffre plus volontiers que mes maux en soient rechargez, que si mes biens en eussent esté troublez. Les paroles que j'exprime au malheur sont paroles de despit; mon courage se herisse au lieu de s'applatir. Et, au rebours, des autres, je me trouve plus devot en la bonne qu'en la mauvaise fortune, suyvant le precepte de Xenophon[798], si non suyvant sa raison; et faicts plus volontiers les doux yeux au ciel pour le remercier que pour le requerir. J'ay plus de soing d'augmenter la santé quand elle me rit, que je n'ay de la remettre quand je l'ay escartée. Les prosperitez me servent de discipline et d'instruction, comme aux autres les adversitez et les verges. Comme si la bonne fortune estoit incompatible avec la bonne conscience, les hommes ne se rendent gens de bien qu'en la mauvaise. Le bon heur m'est un singulier esguillon à la moderation et modestie. La priere me gaigne, la menace me rebute; la faveur me ploye, la crainte me roydit.

Parmy les conditions humaines, cette cy est assez com-

---

a. Soigner leur tête.

mune : de nous plaire plus des choses estrangeres que des nostres et d'aymer le remuement et le changement.

> *Ipsa dies ideo nos grato perluit haustu*
> *Quod permutatis hora recurrit equis* [a].

J'en tiens ma part. Ceux qui suyvent l'autre extremité, de s'aggreer en eux-mesmes, d'estimer ce qu'ils tiennent [b] au dessus du reste et de ne reconnoistre aucune forme plus belle que celle qu'ils voyent, s'ils ne sont plus advisez que nous, ils sont à la verité plus heureux. Je n'envie poinct leur sagesse, mais ouy leur bonne fortune.

Cette humeur avide des choses nouvelles et inconnues ayde bien à nourrir en moy le desir de voyager, mais assez d'autres circonstances y conferent [c]. Je me destourne volontiers du gouvernement de ma maison. Il y a quelque commodité à commander, fût ce dans une grange, et à estre obey des siens; mais c'est un plaisir trop uniforme et languissant. Et puis il est par necessité meslé de plusieurs pensemens fascheux : tantost l'indigence et oppression de vostre peuple, tantost la querelle d'entre vos voisins, tantost l'usurpation qu'ils font sur vous, vous afflige;

> *Aut verberatæ grandine vineæ,*
> *Fundusque mendax, arbore nunc aquas*
> *Culpante, nunc torrentia agros*
> *Sidera, nunc hyemes iniquas* [d],

et que à peine en six mois envoiera Dieu une saison dequoy vostre receveur [e] se contente bien à plain, et que, si elle sert aux vignes, elle ne nuise aux prez :

> *Aut nimiis torret ferborivus ætherius sol,*
> *Aut subiti perimunt imbres, gelidæque pruinæ,*
> *Flabrâque ventorum violento turbine vexant* [f].

---

a. « La lumière même du jour ne nous plaît que parce que l'heure repart en changeant de coursiers. » Pétrone, fragment 42. — *b.* Détiennent, possèdent. — *c.* Contribuent. — *d.* « Ou ce sont vos vignes que la grêle a ravagées, ou c'est votre domaine qui trompe vos espérances; les arbres se plaignent tantôt de pluies, tantôt de sécheresses qui brûlent les champs, tantôt des rigueurs de l'hiver. » Horace, *Odes*, III, 1, 29. — *e.* Intendant, régisseur. — *f.* « Ou brûlés par l'excessive ardeur du soleil éthéré, ou bien détruits par des pluies soudaines et par la gelée blanche, ou enfin emportés par les vents soufflant en tourbillons violents. » Lucrèce, V, 216.

Joinct le soulier neuf et bien formé de cet homme du temps passé[799], qui vous blesse le pied ; et que l'estranger n'entend pas combien il vous couste et combien vous prestez à maintenir l'apparence de cet ordre qu'on voit en vostre famille, et qu'à l'avanture l'achetez vous trop cher.

Je me suis pris tard au mesnage. Ceux que nature avoit faict naistre avant moy m'en ont deschargé long temps. J'avois desjà pris un autre ply, plus selon ma complexion. Toutesfois, de ce que j'en ay veu, c'est un'occupation plus empeschante que difficile ; quiconque est capable d'autre chose le sera bien aiséement de celle-là. Si je cherchois à m'enrichir, cette voye me sembleroit trop longue ; j'eusse servy les Roys, trafique plus fertile que toute autre. Puis que je ne pretens acquerir que la reputation de n'avoir rien acquis, non plus que dissipé, conforméement au reste de ma vie, impropre à faire bien et à faire mal, et que je ne cerche qu'à passer, je le puis faire, Dieu mercy, sans grande attention.

Au pis aller, courez tousjours par retranchement de despence devant la pauvreté. C'est à quoy je m'attends, et de me reformer avant qu'elle m'y force. J'ay estably au demeurant en mon ame assez de degrez à me passer de moins que ce que j'ay ; je dis passer avec contentement. « *Non æstimatione census, verùm victu atque cultu, terminatur pecuniæ modus*[a]. » Mon vray besoing n'occupe pas si justement tout mon avoir que, sans venir au vif, fortune n'ait où mordre sur moy.

Ma presence, toute ignorante et desdaigneuse qu'elle est, preste grande espaule à mes affaires domestiques ; je m'y employe, mais despiteusement[b]. Joinct que j'ay cela chez moy que, pour brusler à part la chandelle par mon bout, l'autre bout ne s'espargne de rien.

Les voyages ne me blessent que par la despence, qui est grande et outre mes forces ; ayant accoustumé d'y estre avec equippage non necessaire seulement, mais encores honneste, il me les en faut faire d'autant plus courts et moins frequents, et n'y employe que l'escume et ma reserve,

---

a. « Ce n'est point par les revenus de chacun, mais par son train de vie qu'il faut estimer sa fortune. » Cicéron, *Paradoxes*, VI, 3. — *b.* De mauvais gré.

temporisant et differant selon qu'elle vient. Je ne veux pas
que le plaisir du promener corrompe le plaisir du repos;
au rebours, j'entens qu'ils se nourrissent et favorisent l'un
l'autre. La Fortune m'a aydé en cecy que, puis que ma
principale profession en cette vie estoit de la vivre mollement et plustost laschement[a] qu'affaireusement, elle m'a
osté le besoing de multiplier en richesses pour pourvoir
à la multitude de mes heritiers. Pour un[800], s'il n'a assez
de ce dequoy j'ay eu si plantureusement assez, à son
dam! Son imprudence ne merite pas que je luy en desire
davantage. Et chacun, selon l'exemple de Phocion, pourvoit suffisamment à ses enfans, qui leur pourvoit entant
qu'ils ne luy sont dissemblables[801]. Nullement seroys-je
d'advis du faict de Crates. Il laissa son argent chez un
banquier avec cette condition : si ses enfans estoient des
sots, qu'il le leur donnast; s'ils estoient habiles, qu'il le
distribuast aus plus simples du peuple[802]. Comme si les
sots, pour estre moins capables de s'en passer, estoient
plus capables d'user des richesses.

Tant y a que le dommage qui vient de mon absence
ne me semble point meriter, pendant que j'auray dequoy
le porter, que je refuse d'accepter les occasions qui se
presentent de me distraire de cette assistance penible. Il
y a tousjours quelque piece qui va de travers. Les negoces,
tantost d'une maison, tantost d'une autre, vous tirassent.
Vous esclairez toutes choses de trop près; vostre perspicacité vous nuit icy, comme si faict elle assez ailleurs. Je
me desrobe aux occasions de me fascher et me destourne
de la connoissance des choses qui vont mal; et si[b], ne puis
tant faire, qu'à toute heure je ne heurte chez moy en quelque
rencontre qui me desplaise. Et les fripponneries qu'on me
cache le plus sont celles que je sçay le mieux. Il en est que,
pour faire moins mal, il faut ayder soy mesme à cacher.
Vaines pointures[c], vaines par fois, mais toujours pointures. Les plus menus et graisles empeschemens sont les
plus persans; et comme les petites lettres offencent et
lassent plus les yeux[803], aussi nous piquent plus les petits
affaires. La tourbe des menus maux offence plus que violence d'un, pour grand qu'il soit. A mesure que ces espines

---

a. Avec relâchement, oisivement. — *b.* Et pourtant. — *c.* Piqûres,
atteintes.

domestiques sont drues et desliées, elles nous mordent plus aigu et sans menace, nous surprenant facilement à l'impourveu [a].

Je ne suis pas philosophe; les maux me foullent selon qu'ils poisent [b]; et poisent selon la forme comme selon la matiere, et souvent plus. J'en ay plus de cognoissance que le vulgaire, si j'ay plus de patience. En fin, s'ils ne me blessent, ils m'offencent. C'est chose tendre que la vie et aysée à troubler. Depuis que j'ay le visage tourné vers le chagrin « *nemo enim resistit sibi cum cœperit impelli* [c] », pour sotte cause qui m'y aye porté j'irrite l'humeur de ce costé là, qui se nourrit après et s'exaspere de son propre branle; attirant et emmoncellant une matiere sur autre, de quoy se paistre.

Stillicidi casus lapidem cavat [d].

Ces ordinaires goutieres me mangent. Les inconvenients ordinaires ne sont jamais legiers. Ils sont continuels et irreparables, nomméement quand ils naissent des membres du mesnage, continuels et inseparables.

Quand je considere mes affaires de loing et en gros, je trouve, soit pour n'en avoir la memoire guere exacte, qu'ils sont allez jusques à cette heure en prosperant outre mes contes et mes raisons [e]. J'en retire, ce me semble, plus qu'il n'y en a; leur bon heur me trahit. Mais suis-je au dedans de la besongne, voy-je marcher toutes ces parcelles,

Tum veró in curas animum diducimur omnes [f],

mille choses m'y donnent à desirer et craindre. De les abandonner du tout il m'est très-facile; de m'y prendre

---

a. L'édition de 1588 ajoutait ici une réminiscence de Plutarque (*De la tranquillité de l'âme,* XVII) : *Or, nous montre assez Homere, combien la surprise donne d'avantage, qui faict Ulisse pleurant de la mort de son chien et ne pleurant point des pleurs de sa mere : le premier accident, tout legier qu'il estoit, l'emporta, d'autant qu'il en fut inopinéement assailly; il soutint le second, plus impétueux, parce qu'il y estoit preparé. Ce sont legieres occasions qui pourtant troublent la vie; c'est chose tendre* — *b.* Pèsent. — *c.* « Nul ne résiste, qui a cédé à la première impulsion. » Sénèque, *Épîtres,* 13. — *d.* « L'eau qui tombe goutte à goutte perce le rocher. » Lucrèce, I, 314. — *e.* Mes comptes et mes calculs. — *f.* « Alors mon âme se partage entre mille soucis. » Virgile, *Énéide,* V, 720.

sans m'en peiner, très-difficile. C'est pitié d'estre en lieu où tout ce que vous voyez vous embesongne et vous concerne. Et me semble jouyr plus gayement les plaisirs d'une maison estrangiere, et y apporter le goust plus naïf. Diogenes respondit selon moy, à celuy qui luy demanda quelle sorte de vin il trouvoit le meilleur : « L'estranger », feit-il[804].

Mon pere aymoit à bastir Montaigne, où il estoit nay; et en toute cette police[a] d'affaires domestiques, j'ayme à me servir de son exemple et de ses reigles, et y attacheray mes successeurs autant que je pourray. Si je pouvois mieux pour luy, je le feroys. Je me glorifie que sa volonté s'exerce encores et agisse par moy. Jà, à Dieu ne plaise que je laisse faillir entre mes mains aucune image de vie que je puisse rendre à un si bon pere! Ce que je me suis meslé d'achever quelque vieux pan de mur et de renger quelque piece de bastiment mal dolé[b], ç'a esté certes plus regardant à son intention qu'à mon contentement. Et accuse ma faineance de n'avoir passé outre à parfaire les beaux commencemens qu'il a laissez en sa maison; d'autant plus que je suis en grands termes d'en estre le dernier possesseur de ma race[805] et d'y porter la derniere main. Car quant à mon application particuliere, ny ce plaisir de bastir qu'on dict estre si attrayant, ny la chasse, ny les jardins, ny ces autres plaisirs de la vie retirée, ne me peuvent beaucoup amuser. C'est chose dequoy je me veux mal, comme de toutes autres opinions qui me sont incommodes. Je ne me soucie pas tant de les avoir vigoreuses et doctes, comme je me soucie de les avoir aisées et commodes à la vie; elles sont assez vrayes et saines, si elles sont utiles et aggreables.

Ceux qui, en m'oyant dire mon insuffisance aux occupations du mesnage, vont me soufflant aux oreilles que c'est desdain, et que je laisse de sçavoir les instrumens du labourage, ses saisons, son ordre, comment on faict mes vins, comme on ente, et de sçavoir le nom et la forme des herbes et des fruicts et l'aprest des viandes de quoy je vis, le nom et le pris des estoffes de quoy je m'habille, pour avoir à cueur quelque plus haute science, ils me font mourir. Cela c'est sottise et plustost bestise que gloire. Je m'aimerois mieux bon escuyer que bon logitien :

---

a. Administration. — *b.* Mal raboté (inachevé).

> *Quin tu aliquid saltem potius quorum indiget usus,*
> *Viminibus molli-que paras detexere junco*[a]*?*

Nous empeschons[b] noz pensées du general et des causes et conduittes universelles, qui se conduisent très bien sans nous, et laissons en arrière nostre faict et Michel[806], qui nous touche encore de plus près que l'homme. Or j'arreste bien chez moy le plus ordinairement, mais je voudrois m'y plaire plus qu'ailleurs.

> *Sit meæ sedes utinam senectæ,*
> *Sit modus lasso maris, et viarum,*
> *Militiæque*[c].

Je ne sçay si j'en viendray à bout. Je voudrois qu'au lieu de quelque autre piece de sa succession, mon pere m'eust resigné cette passionnée amour qu'en ses vieux ans il portoit à son mesnage. Il estoit bien heureux de ramener ses desirs à sa fortune, et de se sçavoir plaire de ce qu'il avoit. La philosophie politique aura bel accuser la bassesse et sterilité de mon occupation, si j'en puis une fois prendre le goust comme luy. Je suis de cet avis, que la plus honnorable vacation[d] est de servir au publiq et estre utile à beaucoup. « *Fructus enim ingenii et virtutis omnique præstantiæ tum maximus accipitur, cum in proximum quemque confertur*[e]. » Pour mon regard je m'en despars[f] : partie par conscience (car par où je vois le pois qui touche telles vacations, je vois aussi le peu de moyen que j'ay d'y fournir; et Platon, maistre ouvrier en tout gouvernement politique, ne laissa de s'en abstenir[807]), partie par poltronerie. Je me contente de jouïr le monde sans m'en empresser, de vivre une vie seulement excusable, et qui seulement ne poise[g] ny à moy, ny à autruy.

---

a. « Pourquoi ne pas t'occuper plutôt à quelque chose d'utile, à tresser des corbeilles avec de l'osier ou de souples joncs? » Virgile, *Églogues*, II, 71. — *b.* Embarrassons. — *c.* « Puissé-je y passer ma vieillesse! Las de tant de voyages par mer et par terre et de la vie militaire, puissé-je y trouver le terme! » Horace, *Odes*, II, VI, 6. — *d.* Occupation. — *e.* « Nous ne jouissons jamais mieux des fruits du génie, de la vertu et de toute supériorité qu'en les partageant avec le prochain. » Cicéron, *De amicitia*, XIX. — *f.* En ce qui me concerne, je m'en abstiens. — *g.* Pèse.

Jamais homme ne se laissa aller plus plainement et plus lâchement[a] au soing et gouvernement d'un tiers que je fairois, si j'avois à qui. L'un de mes souhaits pour cette heure, ce seroit de trouver un gendre qui sçeut appaster commodéement mes vieux ans et les endormir, entre les mains de qui je deposasse en toute souveraineté la conduite et usage de mes biens, qu'il en fit ce que j'en fais et gaignat sur moy ce que j'y gaigne, pourveu qu'il y apportat un courage vrayement reconnoissant et amy. Mais quoy? nous vivons en un monde où la loyauté des propres enfans est inconnue.

Qui a la garde de ma bourse en voyage, il l'a pure et sans contre-role; aussi bien me tromperoit il en contant[b]; et, si ce n'est un diable, je l'oblige à bien faire par une si abandonnée confiance. « *Multi fallere docuerunt, dum timent falli, et aliis jus peccandi suspicando fecerunt*[c]. » La plus commune seureté que je prens de mes gens, c'est la mesconnoissance. Je ne presume les vices qu'après les avoir veux, et m'en fie plus aux jeunes, que j'estime moins gastez par mauvais exemple. J'oi[d] plus volontiers dire, au bout de deux mois, que j'ai despandu quatre cens escus que d'avoir les oreilles battues tous les soirs de trois, cinq, sept. Si ay-je esté desrobé aussi peu qu'un autre de cette sorte de larrecin. Il est vray que je preste la main à l'ignorance; je nourris à escient[e] aucunement[f] trouble et incertaine la science[g] de mon arjant; jusques à certaine mesure je suis content d'en pouvoir doubter. Il faut laisser un peu de place à la desloyauté ou imprudence de vostre valet. S'il nous en reste en gros de quoy faire nostre effect, cet excez de la liberalité de la fortune, laissons le un peu plus courre à sa mercy; la portion du glaneur. Après tout, je ne prise pas tant la foy[h] de mes gens comme je mesprise leur injure[i]. O le vilein et sot estude d'estudier son argent, se plaire à le manier, poiser[j] et reconter[k]! C'est par là que l'avarice faict ses aproches.

Dépuis dix huict ans que je gouverne des biens[803], je

a. Avec plus de relâchement. — *b.* Si je comptais. — *c.* « Beaucoup de gens ont enseigné à les tromper par leur crainte d'être trompés et ont par leur défiance autorisé des infidélités. » Sénèque, *Épîtres*, 3. — *d.* J'entends. — *e.* J'entretiens à dessein. — *f.* Un peu. — *g.* Connaissance. — *h.* Fidélité. — *i.* Le dommage qu'ils me causent. — *j.* Peser. — *k.* Recompter.

n'ai sçeu gaigner sur moy de voir ny tiltres, ny mes principaux affaires, qui ont necessairement à passer par ma science [a] et par mon soing. Ce n'est pas un mespris philosophique des choses transitoires et mondaines; je n'ay pas le goust si espuré, et les prise pour le moins ce qu'elles valent; mais certes c'est paresse et negligence inexcusable et puerile. Que ne ferois je plustost que de lire un contract, et plustot que d'aller secoüant ces paperasses poudreuses, serf de mes negoces? ou encore pis de ceux d'autruy, comme font tant de gens, à pris d'argent? Je n'ay rien cher que le soucy et la peine, et ne cherche qu'à m'anonchalir et avachir.

J'estoy, ce croi-je, plus propre à vivre de la fortune d'autruy, s'il se pouvoit sans obligation et sans servitude. Et si [b] ne sçay, à l'examiner de près, si, selon mon humeur et mon sort, ce que j'ay à souffrir des affaires et des serviteurs et des domestiques n'a point plus d'abjection, d'importunité et d'aigreur que n'auroit la suitte d'un homme, nay plus grand que moy, qui me guidat un peu à mon aise. « *Servitus obedientia est fracti animi et abjecti, arbitrio carentis suo* [c]. » Crates fit pis, qui se jetta en la franchise [d] de la pauvreté pour se deffaire des indignitez et cures [e] de la maison. Cela ne fairois-je pas (je hay la pauvreté à pair de la douleur), mais ouy bien changer cette sorte de vie à une autre moins brave et moins affaireuse.

Absent, je me despouille de tous tels pensemens; et sentirois moins lors la ruyne d'une tour que je ne faicts present la cheute d'une ardoyse. Mon ame se démesle bien ayséement à part, mais en presence elle souffre comme celle d'un vigneron. Une rene de travers à mon cheval, un bout d'estriviere qui batte ma jambe, me tiendront tout un jour en humeur. J'esleve assez mon courage à l'encontre des inconveniens, les yeux je ne puis.

Sensus, ô superi, sensus [f].

Je suis, chez moy, respondant de tout ce qui va mal. Peu de maistres, je parle de ceux de moienne condition

---

a. Connaissance. — b. Et encore. — c. « L'esclavage est la sujétion d'un esprit lâche et faible, qui n'est point maître de sa propre volonté. » Cicéron, *Paradoxes*, V, 1. — d. Liberté. — e. Soins. — f. « Les sens! ô dieux du ciel! les sens! » Auteur inconnu.

comme est la mienne, et, s'il en est, ils sont plus heureux, se peuvent tant reposer sur un second qu'il ne leur reste bonne part de la charge. Cela oste volontiers quelque chose de ma façon au traittement des survenants (et en ay peu arrester quelqu'un par adventure, plus par ma cuisine que par ma grace, comme font les fascheux), et oste beaucoup du plaisir que je devrois prendre chez moy de la visitation et assemblée de mes amis. La plus sotte contenance d'un gentilhomme en sa maison, c'est de le voir empesché du train de sa police, parler à l'oreille d'un valet, en menacer un autre des yeux; elle doit couler insensiblement et representer un cours ordinaire. Et treuve laid qu'on entretienne ses hostes du traictement qu'on leur faict, autant à l'excuser qu'à le vanter. J'ayme l'ordre et la netteté,

> *et cantharus et lanx*
> *Ostendunt mihi me* [a],

au pris de l'abondance; et regarde chez moy exactement à la necessité, peu à la parade. Si un valet se bat chez autruy, si un plat se verse, vous n'en faites que rire; vous dormez, ce pendant que monsieur renge avec son maistre d'hostel son faict pour vostre traitement du lendemain.

J'en parle selon moy, ne laissant pas en general d'estimer combien c'est un doux amusement à certaines natures qu'un mesnage paisible, prospere, conduict par un ordre reglé, et ne voulant attacher à la chose mes propres erreurs et inconvenients, ny desdire Platon[809], qui estime la plus heureuse occupation à chascun faire ses propres affaires sans injustice.

Quand je voyage, je n'ay à penser qu'à moy et à l'emploicte [b] de mon argent; cela se dispose d'un seul precepte. Il est requis trop de parties à amasser : je n'y entens rien. A despendre [c], je m'y entens un peu, et à donner jour à ma despence, qui est de vray son principal usage. Mais je m'y attens trop ambitieusement, qui [d] la rend inegalle et difforme, et en outre immoderée en l'un et l'autre visage [e]. Si elle paroit, si elle sert, je m'y laisse indiscrettement aller,

---

a. « Les plats et les verres me renvoient ma propre image. » Horace, *Épîtres*, I, v, 23. — *b.* Dépense. — *c.* Dépenser. — *d.* Ce qui. — *e.* Entendez : en économie et en prodigalité.

et me resserre autant indiscrettement si elle ne luit et si elle ne me rit.

Qui que ce soit, ou art ou nature, qui nous imprime cette condition de vivre par la relation à autruy, nous faict beaucoup plus de mal que de bien. Nous nous defraudons[a] de nos propres utilitez pour former les apparences à l'opinion commune. Il ne nous chaut pas tant quel soit nostre estre en nous et en effaict, comme quel il soit en la cognoissance publique. Les biens mesmes de l'esprit et la sagesse nous semble sans fruict, si elle n'est jouie que de nous, si elle ne se produict à la veuë et approbation estrangere. Il y en a de qui l'or coulle à gros bouillons par des lieux sousterreins, imperceptiblement; d'autres l'estendent tout en lames et en feuille; si qu'aus uns des liars valent escuz, aux autres le rebours, le monde estimant l'emploite[b] et la valeur selon la montre. Tout soing curieus autour des richesses sent son avarice, leur dispensation mesme, et la liberalité trop ordonnée et artificielle : elles ne valent pas une advertance et sollicitude penible. Qui veut faire sa despence juste, la faict estroitte et contrainte. La garde ou l'emploite[c] sont de soy choses indifferentes, et ne prennent couleur de bien ou de mal que selon l'application de nostre volonté.

L'autre cause qui me convie à ces promenades, c'est la disconvenance aux meurs presentes de nostre estat. Je me consolerois ayséement de cette corruption pour le regard de l'interest public,

pejoraque sæcula ferri
Temporibus, quorum sceleri non invenit ipsa
Nomen, et à nullo posuit natura metallo[d],

mais pour le mien, non. J'en suis en particulier trop pressé[e]. Car en mon voisinage, nous sommes tantost, par la longue licence de ces guerres civiles, envieillis, en une forme d'estat si desbordée,

Quippe ubi fas versum atque nefas[f],

a. Frustrons. — *b.* La dépense. — *c.* L'économie ou la dépense. — *d.* « Siècles pires que l'âge du fer, si criminels que la nature elle-même n'a pu trouver de noms pour eux et n'a pas eu de métal pour les désigner. » Juvénal, XIII, 28. — *e.* Accablé. — *f.* « Où le juste et l'injuste sont confondus. » Virgile, *Géorgiques*, I, 505.

qu'à la verité c'est merveille qu'elle se puisse maintenir.

> *Armati terram exercent, sempérque recentes*
> *Convectare juvat prædas et vivere rapto* [a].

En fin je vois par nostre exemple que la société des hommes se tient et se coust, à quelque pris que ce soit. En quelque assiete qu'on les couche, ils s'appilent et se rengent en se remuant et s'entassant, comme des corps mal unis qu'on empoche sans ordre trouvent d'eux mesme la façon de se joindre et s'emplacer les uns parmy les autres, souvant mieux que l'art ne les eust sçeu disposer. Le Roy Philippus fit un amas des plus meschans hommes et incorrigibles qu'il peut trouver, et les logea tous en une ville qu'il leur fit bastir, qui en portoit le nom[810]. J'estime qu'ils dressarent des vices mesmes une contexture politique entre eux et une commode et juste societé.

Je vois, non une action, ou trois, ou cent, mais des meurs en usage commun et receu si monstrueuses en inhumanité sur tout et desloyauté, qui est pour moy la pire espece des vices, que je n'ay point le courage de les concevoir sans horreur; et les admire quasi autant que je les deteste. L'exercice de ces meschancetez insignes porte marque de vigueur et force d'ame autant que d'erreur et desreglement. La necessité compose les hommes et les assemble. Cette cousture fortuite se forme après en loix; car il en a esté d'aussi farouches qu'aucune opinion humaine puisse enfanter, qui toutesfois ont maintenu leurs corps avec autant de santé et longueur de vie que celles de Platon et Aristote sçauroyent faire.

Et certes toutes ces descriptions de police, feintes par art, se trouvent ridicules et ineptes à mettre en practique. Ces grandes et longues altercations de la meilleure forme de société et des reigles plus commodes à nous attacher, sont altercations propres seulement à l'exercice de nostre esprit; comme il se trouve és arts plusieurs subjects qui ont leur essence en l'agitation et en la dispute, et n'ont aucune vie hors de là. Telle peinture de police seroit de

---

a. « En armes on laboure la terre et on ne pense sans cesse qu'à faire de nouveaux pillages, et à vivre de rapines. » Virgile, *Énéide*, VII, 748.

LIVRE III, CHAPITRE IX

mise en un nouveau monde, mais nous prenons les hommes obligez desjà et formez à certaines coustumes; nous ne les engendrons pas, comme Pyrrah[811] ou comme Cadmus[812]. Par quelque moyen que nous ayons loy de les redresser et renger de nouveau, nous ne pouvons guieres les tordre de leur ply accoustumé que nous ne rompons tout. On demandoit à Solon s'il avoit estably les meilleures loys qu'il avoit peu aux Atheniens : « Ouy bien, respondit-il, de celles qu'ils eussent receuës[813]. »

Varro s'excuse de pareil air : que s'il avoit tout de nouveau à escrire de la religion, il diroit ce qu'il en croid, mais, estant desjà receuë et formée, il en dira selon l'usage plus que selon la nature[814].

Non par opinion mais en verité, l'excellente et meilleure police[a] est à chacune nation celle soubs laquelle elle s'est maintenuë. Sa forme et commodité essentielle despend de l'usage. Nous nous desplaisons volontiers de la condition presente. Mais je tiens pourtant que d'aller desirant le commandement de peu en un estat populaire, ou en la monarchie une autre espece de gouvernement, c'est vice et folie.

> *Ayme l'estat tel que tu le vois estre :*
> *S'il est royal, ayme la royauté;*
> *S'il est de peu, ou bien communauté,*
> *Ayme l'aussi, car Dieu t'y a faict naistre.*

[Ainsi en parloit][815] le bon monsieur de Pibrac, que nous venons de perdre[816], un esprit si gentil, les opinions si saines, les meurs si douces; cette perte, et celle qu'en mesme temps nous avons faicte de monsieur de Foix[817], sont pertes importantes à nostre couronne. Je ne sçay s'il reste à la France dequoy substituer un autre coupple pareil à ces deux gascons en syncerité et en suffisance[b] pour le conseil de nos Roys. C'estoyent ames diversement belles et certes, selon le siecle, rares et belles, chacune en sa forme. Mais qui les avoit logées en cet aage, si disconvenables et si disproportionnées à nostre corruption et à nos tempestes?

Rien ne presse[c] un estat que l'innovation : le changement donne seul forme à l'injustice et à la tyrannie. Quand

---

a. Administration. — *b.* Capacité. — *c.* Accable.

quelque piece se démanche, on peut l'estayer : on peut
s'opposer à ce que l'alteration et corruption naturelle à
toutes choses ne nous esloingne trop de nos commencemens et principes. Mais d'entreprendre à refondre une si
grande masse et à changer les fondements d'un si grand
bastiment, c'est à faire à ceux qui pour descrasser effacent,
qui veulent amender les deffauts particuliers par une
confusion universelle et guarir les maladies par la mort,
« *non tam commutandarum quam evertendarum rerum cupidi*[a] ».
Le monde est inepte à se guarir; il est si impatient de ce qui
le presse qu'il ne vise qu'à s'en deffaire, sans regarder à
quel pris. Nous voyons par mille exemples qu'il se guarit
ordinairement à ses despens; la descharge du mal present
n'est pas guarison, s'il n'y a en general amendement de
condition.

La fin du chirurgien n'est pas de faire mourir la mauvaise chair; ce n'est que l'acheminement de sa cure. Il
regarde au delà, d'y faire renaistre la naturelle et rendre
la partie à son deu estre. Quiconque propose seulement
d'emporter ce qui le masche, il demeure court, car le bien
ne succede pas necessairement au mal; un autre mal luy
peut succeder, et pire, comme il advint aux tueurs de Cesar,
qui jetterent la chose publique à tel poinct qu'ils eurent à
se repentir de s'en estre meslez. A plusieurs depuis, jusques à nos siecles, il est advenu de mesmes. Les François
mes contemporanées[b] sçavent bien qu'en dire. Toutes
grandes mutations esbranlent l'estat et le desordonnent.

Qui viseroit droit à la guérison et en consulteroit avant
toute œuvre se refroidiroit volontiers d'y mettre la main.
Pacuvius Calavius corrigea le vice de ce proceder par un
exemple insigne. Ses concitoyens estoient mutinez contre
leurs magistrats. Luy, personnage de grande authorité en
la ville de Capouë, trouva un jour moyen d'enfermer le
Senat dans le palais et, convoquant le peuple en la place,
leur dict que le jour estoit venu auquel en pleine liberté
ils pouvoient prendre vengeance des tyrans qui les avoyent
si long temps oppressez, lesquels il tenoit à sa mercy seuls
et desarmez. Fut d'avis qu'au sort on les tirast hors l'un
après l'autre, et de chacun on ordonnast particulierement,

---

a. « Désireux non point tant de changer le gouvernement que de
le détruire. » Cicéron, *De officiis*, II, 1. — *b.* Contemporains.

faisant sur le champ executer ce qui en seroit decreté,
pourveu aussi que tout d'un train ils advisassent d'establir
quelque homme de bien en la place du condamné, affin
qu'elle ne demeurast vuide d'officier. Ils n'eurent pas plus
tost ouy le nom d'un Senateur qu'il s'esleva un cri de mescontentement universel à l'encontre de luy. « Je voy bien,
dict Pacuvius, il faut demettre cettuy-cy : c'est un meschant;
ayons en un bon en change. » Ce fut un prompt silence,
tout le monde se trouvant bien empesché au choix; au
premier plus effronté qui dict le sien, voylà un consentement de voix encore plus grand à refuser celuy la, cent
imperfections et justes causes de le rebuter. Ces humeurs
contradictoires s'estans eschauffées, il advint encore pis du
second Senateur, et du tiers; autant de discorde à l'election que de convenance à la demission. S'estans inutilement lassez à ce trouble, ils commencent, qui deçà, qui
delà, à se desrober peu à peu de l'assemblée, raportant
chacun cette resolution en son ame que le plus viel et mieux
cogneu mal est tousjours plus supportable que le mal
recent et inexperimenté[818].

Pour nous voir bien piteusement agitez, car que n'avons
nous faict?

> *Eheu cicatricum et sceleris pudet,*
> *Fratrumque : quid nos dura refugimus*
> *Ætas! quid intactum nefasti*
> *Liquimus! unde manus juventus*
> *Metu Deorum continuit! quibus*
> *Pepercit aris*[a]*!*

je ne vay pas soudain me resolvant[b] :

> *ipsa si velit salus,*
> *Servare prorsus non potest hanc familiam*[c]*.*

Nous ne sommes pas pourtant, à l'avanture[d], à nostre

---

a. « Hélas! nos cicatrices, notre crime, nos guerres fratricides nous
couvrent de honte! Enfants d'un siècle rude, devant quelle atrocité
avons-nous reculé? Où n'avons-nous point porté nos attentats? Est-il
une chose sainte qu'ait respectée notre jeunesse? des autels qu'elle
ait épargnés? » Horace, *Odes,* I, xxxv, 33. — *b.* Me résumant, con-
cluant. — *c.* « [La déesse] Salus elle-même, le voulût-elle, serait
impuissante à sauver cette famille. » Térence, *Adelphes,* IV, vii, 42.
— *d.* Peut-être.

dernier periode. La conservation des estats est chose qui vray-semblablement surpasse nostre intelligence. C'est, comme dict Platon[819], chose puissante et de difficile dissolution qu'une civile police[a]. Elle dure souvent contre des maladies mortelles et intestines, contre l'injure des loix injustes, contre la tyrannie, contre le desbordement et ignorance des magistrats, licence et sedition des peuples.

En toutes nos fortunes, nous nous comparons à ce qui est au-dessus de nous et regardons vers ceux qui sont mieux; mesurons nous à ce qui est au dessous : il n'en est point de si malotru qui ne trouve mille exemples où se consoler. C'est nostre vice, que nous voyons plus mal volontiers ce qui est davant nous que volontiers ce qui est après. « Si[b], disoit Solon[820], qui dresseroit un tas de tous les maux ensemble, qu'il n'est aucun qui ne choisit plustost de raporter avec soy les maus qu'il a, que de venir à division legitime avec tous les autres hommes de ce tas de maux et en prendre sa quotte part. « Nostre police se porte mal; il en a esté pourtant de plus malades sans mourir. Les dieux s'esbattent de nous à la pelote[c], et nous agitent à toutes mains :

Enimvero Dii nos homines quasi pilas habent[d].

Les astres ont fatalement destiné l'estat de Romme pour exemplaire de ce qu'ils peuvent en ce genre. Il comprend en soy toutes les formes et avantures qui touchent un estat; tout ce que l'ordre y peut et le trouble, et l'heur et le malheur. Qui se doit desesperer de sa condition, voyant les secousses et mouvemens dequoy celuy-là fut agité et qu'il supporta? Si l'estendüe de la domination est la santé d'un estat (dequoy je ne suis aucunement d'avis et me plaist Isocrates qui instruit Nicoclès[821], non d'envier les Princes qui ont des dominations larges, mais qui sçavent bien conserver celles qui leur sont escheuës), celuy-là ne fut jamais si sain que quand il fut le plus malade. La pire de ses formes luy fut la plus fortunée. A peine reconnoit on l'image d'aucune police soubs les premiers Empereurs; c'est la plus horrible et espesse confusion qu'on puisse

---

a. Un État policé. — *b.* Pourtant. — *c.* Jouent avec nous à la balle. — *d.* « Car les dieux se servent de nous autres, hommes, comme de balles. » Plaute, Prologue des *Captifs,* 22. Cité par Juste Lipse, *Saturnalium sermonum libri,* I, 1.

concevoir. Toutesfois il la supporta et y dura, conservant non pas une monarchie resserrée en ses limites, mais tant de nations si diverses, si esloignées, si mal affectionnées, si desordonnéement commandées et injustement conquises;

> *nec gentibus ullis*
> *Commodat in populum terræ pelagique potentem,*
> *Invidiam fortuna suam*[a].

Tout ce qui branle ne tombe pas. La contexture d'un si grand corps tient à plus d'un clou. Il tient mesme par son antiquité; comme les vieux bastimens, ausquels l'aage a desrobé le pied, sans crouste et sans cyment, qui pourtant vivent et se soustiennent en leur propre poix,

> *nec jam validis radicibus hærens,*
> *Pondere tuta suo est*[b].

D'avantage ce n'est pas bien procedé de reconnoistre seulement le flanc et le fossé : pour juger de la seureté d'une place, il faut voir par où on y peut venir, en quel estat est l'assaillant. Peu de vaisseaux fondent de leur propre poix et sans violence estrangere. Or, tournons les yeux par tout, tout crolle autour de nous; en tous les grands estats, soit de Chrestienté, soit d'ailleurs, que nous cognoissons, regardez y; vous y trouverez une evidente menasse de changement et de ruyne;

> *Et sua sunt illis incommoda, parque per omnes*
> *Tempestas*[c].

Les astrologues ont beau jeu à nous advertir, comme ils font, de grandes alterations et mutations prochaines; leurs devinations sont presentes et palpables, il ne faut pas aller au ciel pour cela.

Nous n'avons pas seulement à tirer consolation de cette société universelle de mal et de menasse, mais encores quelque esperance pour la durée de nostre estat; d'autant

---

a. « Contre un peuple maître de la terre et de la mer la fortune ne prête à aucune nation l'appui de sa jalousie. » Lucain, *Pharsale*, I, 82. — *b*. « Il ne tient plus par de solides racines; son propre poids le fixe au sol. » Lucain, *Pharsale*, I, 138. — *c*. « Ils ont aussi leurs infirmités et une égale tempête les menace tous. » D'après Virgile, *Énéide*, XI, 422.

que naturellement rien ne tombe là où tout tombe. La maladie universelle est la santé particuliere; la conformité est qualité ennemie à la dissolution. Pour moy, je n'en entre point au desespoir, et me semble y voir des routes à nous sauver;

> *Deus hæc fortasse benigna*
> *Reducet in sedem vice* [a].

Qui sçait si Dieu voudra qu'il en advienne comme des corps qui se purgent et remettent en meilleur estat par longues et griefves maladies, lesquelles leur rendent une santé plus entiere et plus nette que celle qu'elles leur avoient osté?

Ce qui me poise [b], le plus, c'est qu'à compter les simptomes de nostre mal, j'en vois autant de naturels et de ceux que le ciel nous envoye et proprement siens, que de ceux que nostre desreglement et l'imprudence humaine y conferent. Il semble que les astres mesme ordonnent que nous avons assez duré outre les termes ordinaires. Et cecy aussi me poise [c], que le plus voysin mal qui nous menace n'est pas alteration en la masse entiere et solide, mais sa dissipation et divulsion [d], l'extreme de noz craintes.

Encores en ces ravasseries icy [e] crains-je la trahison de ma memoire, que par inadvertance elle m'aye faict enregistrer une chose deux fois. Je hay à me reconnoistre, et ne retaste jamais qu'envis [f] ce qui m'est une fois eschappé. Or, je n'apporte icy rien de nouvel apprentissage. Ce sont imaginations communes; les ayant à l'avanture conceuës cent fois, j'ay peur de les avoir desjà enrollées. La redicte est partout ennuyeuse, fut ce dans Homere, mais elle est ruineuse aux choses qui n'ont qu'une montre superficielle et passagiere; je me desplais de l'inculcation, voire aux choses utiles, comme en Seneque, et l'usage de son escole Stoïque me desplait, de redire sur chasque matiere tout au long et au large les principes et presuppositions qui servent en general, et realleguer tousjours de nouveau les argumens et raisons communes et universelles. Ma memoire s'empire cruellement tous les jours,

---

a. « Peut-être un dieu, par un retour favorable, nous rendra-t-il notre premier état. » Horace, *Épodes,* XIII, 7. — *b.* Pèse. — *c.* Pèse. — *d.* Action d'arracher violemment. — *e.* Les *Essais.* — *f.* A contrecœur.

*Pocula Lethæos ut si ducentia somnos
Arente fauce traxerim* [a].

Il faudra doresnavant (car, Dieu mercy, jusques à cette heure il n'en est pas advenu de faute), que, au lieu que les autres cerchent temps et occasion de penser à ce qu'ils ont à dire, je fuye à me preparer, de peur de m'attacher à quelque obligation de laquelle j'aye à despendre. L'estre tenu et obligé me fourvoie, et le despendre [b] d'un si foible instrument qu'est ma memoire.

Je ne lis jamais cette histoire[822] que je ne m'en offence, d'un ressentiment propre et naturel : Lyncestez, accusé de conjuration contre Alexandre, le jour qu'il fut mené en la presence de l'armée, suyvant la coustume, pour estre ouy en ses deffences, avoit en sa teste une harangue estudiée, de laquelle tout hesitant et begayant il prononça quelques paroles. Comme il se troubloit de plus en plus, ce pendant qu'il luicte avec sa memoire et qu'il la retaste, le voilà chargé et tué à coups de pique par les soldats qui luy estoient plus voisins, le tenant pour convaincu. Son estonnement et son silence leur servit de confession; ayant eu en prison tant de loisir de se preparer, ce n'est à leur advis plus la memoire qui luy manque, c'est la conscience qui luy bride la langue et luy oste la force. Vrayment c'est bien dict! Le lieu estonne, l'assistance, l'expectation [c], lors mesme qu'il n'y va que de l'ambition de bien dire. Que peut-on faire quand c'est une harangue qui porte la vie en consequence?

Pour moy, cela mesme que je sois lié à ce que j'ay à dire sert à m'en desprendre. Quand je me suis commis et assigné entierement à ma memoire, je prends si fort sur elle que je l'accable : elle s'effraye de sa charge. Autant que je m'en rapporte à elle, je me mets hors de moy, jusques à essaier ma contenance; et me suis veu quelque jour en peine de celer la servitude en laquelle j'estois entravé, là où mon dessein est de representer en parlant une profonde nonchalance et des mouvemens fortuites et impremeditez, comme naissans des occasions presentes : aymant aussi cher ne rien

---

a. « Comme si, la gorge sèche, j'avais bu à longs traits le sommeil du Léthé. » Horace, *Épodes*, XIV, 3. — *b.* Le fait de dépendre. — *c.* L'attente.

dire qui vaille que de montrer estre venu preparé pour bien dire, chose messeante, sur tout à gens de ma profession, et chose de trop grande obligation à qui ne peut beaucoup tenir; l'apprest donne plus à esperer qu'il ne porte. On se met souvent sottement en pourpoinct pour ne sauter pas mieux qu'en saye. « *Nihil est his qui placere volunt tam adversarium quam expectatio*[a]. »

Ils ont laissé par escrit[823] de l'orateur Curio que, quand il proposoit la distribution des pieces de son oraison[b] en trois ou en quatre, ou le nombre de ses arguments et raisons, il luy advenoit volontiers, ou d'en oublier quelqu'un, ou d'y en adjouster un ou deux de plus. Je me suis tousjours bien gardé de tomber en cet inconvenient, ayant hay ces promesses et prescriptions; non seulement pour la deffiance de ma memoire, mais aussi pour ce que cette forme retire trop à l'artiste. « *Simpliciora militares decent*[c]. » Baste[d] que je me suis meshuy[e] promis de ne prendre plus la charge de parler en lieu de respect[f]. Car quant à parler en lisant son escript, outre ce qu'il est monstrueux, il est de grand desavantage à ceux qui par nature pouvoient quelque chose en l'action. Et de me jetter à la mercy de mon invention presente, encore moins; je l'ay lourde et trouble, qui ne sçauroit fournir à soudaines necessitez, et importantes.

Laisse, lecteur, courir encore ce coup d'essay et ce troisiesme alongeail[824] du reste des pieces de ma peinture. J'adjouste, mais je ne corrige pas[825]. Premierement, par ce que celuy qui a hypothecqué au monde son ouvrage, je trouve apparence qu'il n'y aye plus de droict. Qu'il die, s'il peut, mieux ailleurs, et ne corrompe la besongne qu'il a venduë. De telles gens il ne faudroit rien acheter qu'après leur mort. Qu'ils y pensent bien avant que de se produire. Qui les haste?

Mon livre est tousjours un. Sauf qu'à mesure qu'on se met à le renouveller afin que l'acheteur ne s'en aille les mains du tout vuides, je me donne loy d'y attacher (comme ce n'est qu'une marqueterie mal jointe), quelque embleme supernuméraire. Ce ne sont que surpoids, qui ne condam-

---

[a]. « Rien n'est plus défavorable à ceux qui veulent plaire que de laisser beaucoup attendre d'eux. » Cicéron, *Académiques,* II, 4. — [b]. Des parties de son discours. — [c]. « Aux soldats convient moins d'apprêts. » Quintilien, *Instit. orat.,* XI, 1. — [d]. Suffit. — [e]. Désormais. — [f]. Cérémonie.

nent point la premiere forme, mais donnent quelque pris particulier à chacune des suivantes par une petite subtilité ambitieuse. De là toutesfois il adviendra facilement qu'il s'y mesle quelque transposition de chronologie, mes contes prenans place selon leur opportunité, non tousjours selon leur aage.

Secondement que, pour mon regard, je crains de perdre au change; mon entendement ne va pas tousjours avant, il va à reculons aussi. Je ne me deffie guiere moins de mes fantasies[a] pour estre secondes ou tierces que premieres, ou presentes que passées. Nous nous corrigeons aussi sottement souvent comme nous corrigeons les autres. Mes premieres publications furent l'an mille cinq cens quatre vingts[b]. Depuis d'un long traict de temps je suis envieilli, mais assagi je ne le suis certes pas d'un pouce. Moy à cette heure et moy tantost, sommes bien deux; mais, quand meilleur? je n'en puis rien dire. Il feroit beau estre vieil si nous ne marchions que vers l'amendement. C'est un mouvement d'yvrogne titubant, vertigineux[c], informe, ou des jonchets que l'air manie casuellement[d] selon soy.

Antiochus avoit vigoreusement escrit en faveur de l'Academie; il print sur ses vieux ans un autre party[826]. Lequel des deux je suyvisse, seroit pas tousjours suivre Antiochus? Après avoir establi le double, vouloir establir la certitude des opinions humaines, estoit ce pas establir le doubte, non la certitude, et promettre, qui luy eust donné encore un aage à durer, qu'il estoit tousjours en terme de nouvelle agitation, non tant meilleure qu'autre?

La faveur publique m'a donné un peu plus de hardiesse que je n'esperois, mais ce que je crains le plus, c'est de saouler; j'aymerois mieux poindre[e] que lasser, comme a faict un sçavant homme de mon temps[827]. La louange est tousjours plaisante, de qui et pourquoy elle vienne; si faut il, pour s'en aggréer justement, estre informé de sa cause. Les imperfections mesme ont leur moyen de se recommander. L'estimation vulgaire et commune se voit peu heureuse en rencontre; et, de mon temps, je suis trompé si les pires escrits ne sont ceux qui ont gaigné le dessus du vent populaire. Certes je rends graces à des honnestes

---

a. Pensées. — *b. Je suis envielly de huit ans depuis mes premières publications; mais je fais doute que je sois amandé d'un pouce.* (Texte de l'éd. de 1588.) — *c.* Pris de vertige. — *d.* Au hasard. — *e.* Piquer, irriter.

hommes qui daignent prendre en bonne part mes foibles efforts. Il n'est lieu où les fautes de la façon paroissent tant qu'en une matiere qui de soy n'a point de recommendation. Ne te prens point à moy, Lecteur, de celles qui se coulent icy par la fantasie ou inadvertance d'autruy[828]; chaque main, chaque ouvrier y apporte les siennes. Je ne me mesle ny d'ortografe, et ordonne seulement qu'ils suivent l'ancienne, ny de la punctuation[829]; je suis peu expert en l'un et en l'autre. Où ils rompent du tout le sens, je m'en donne peu de peine, car aumoins ils me deschargent; mais où ils en substituent un faux, comme ils font si souvent, et me destournent à leur conception ils me ruynent. Toutesfois, quand la sentence n'est forte à ma mesure, un honeste homme la doit refuser pour mienne. Qui connoistra combien je suis peu laborieux, combien je suis faict à ma mode, croira facilement que je redicterois plus volontiers encore autant d'essais que de m'assujettir à resuivre ceux-cy, pour cette puerile correction.

Je disois donc tantost, qu'estant planté en la plus profonde miniere de ce nouveau metal[a], non seulement je suis privé de grande familiarité avec gens d'autres mœurs que les miennes et d'autres opinions, par lesquelles ils tiennent ensemble d'un neud qui fuit à tout autre neud, mais encore je ne suis pas sans hazard parmy ceux à qui tout est également loisible, et desquels la plus part ne peut meshuy[b] empirer son marché envers nostre justice, d'où naist l'extreme degré de licence. Contant toutes les particulieres circonstances qui me regardent, je ne trouve homme des nostres à qui la deffence des loix couste, et en guain cessant et en dommage emergeant, disent les clercs, plus qu'à moy. Et tels font bien les braves de leur chaleur et aspreté qui font beaucoup moins que moy, en juste balance.

Comme maison de tout temps libre, de grand abbord, et officieuse à chacun (car je ne me suis jamais laissé induire d'en faire un outil de guerre[830], à laquelle je me mesle plus volontiers où elle est la plus esloingnée de mon voisinage), ma maison a merité assez d'affection populaire, et seroit bien malaisé de me gourmander sur mon fumier[831]; et estime à un merveilleux chef d'œuvre,

a. De ce métal d'un nouvel âge. — *b.* Désormais.

et exemplaire, qu'elle soit encore vierge de sang et de sac[832], soubs un si long orage, tant de changemens et agitations voisines. Car, à dire vray, il estoit possible à un homme de ma complexion d'eschaper à une forme constante et continue, quelle qu'elle fut; mais les invasions et incursions contraires et alternations et vicissitudes de la fortune autour de moy ont jusqu'à cette heure plus exasperé que amolly l'humeur du pays, et me rechargent de dangers et difficultez invincibles. J'eschape; mais il me desplait que ce soit plus par fortune, voire et par ma prudence, que par justice, et me desplait d'estre hors la protection des loix et soubs autre sauvegarde que la leur. Comme les choses sont, je vis plus qu'à demy de la faveur d'autruy, qui est une rude obligation. Je ne veux debvoir ma seureté, ny à la bonté et benignité des grands, qui s'aggréent de ma legalité et liberté, ny à la facilité des meurs de mes predecesseurs et miennes. Car quoy, si j'estois autre? Si mes deportemens et la franchise de ma conversation obligent mes voisins ou la parenté, c'est cruauté qu'ils s'en puissent acquiter en me laissant vivre, et qu'ils puissent dire : « Nous luy condonnons la libre continuation du service divin en la chapelle de sa maison, toutes les esglises d'autour estant par nous desertées et ruinées, et luy condonnons l'usage de ses biens, et sa vie, comme il conserve nos femmes et nos beufs au besoing[833]. » De longue main chez moy, nous avons part à la louange de Licurgus Athenien[834], qui estoit general depositaire et gardien des bourses de ses concitoyens.

Or je tiens qu'il faut vivre par droict et par auctorité, non par recompence ny par grace. Combien de galans hommes ont mieux aimé perdre la vie que la devoir! Je fuis à me submettre à toute sorte d'obligation, mais sur tout à celle qui m'attache par devoir d'honneur. Je ne trouve rien si cher que ce qui m'est donné et ce pourquoy ma volonté demeure hypothequée par tiltre de gratitude, et reçois plus volontiers les offices qui sont à vendre. Je croy bien; pour ceux-cy je ne donne que de l'argent; pour les autres je me donne moy-mesme. Le neud qui me tient par la loy d'honnesteté me semble bien plus pressant et plus poisant[a] que n'est celuy de la contrainte civile.

a. Pesant.

On me garrote plus doucement par un notaire que par moy. N'est-ce pas raison, que ma conscience soit beaucoup plus engagée à ce en quoy on s'est simplement fié d'elle? Ailleurs ma foy ne doit rien, car on ne luy a rien presté; qu'on s'ayde de la fiance et asseurance qu'on a prise hors de moy. J'aymeroy bien plus cher rompre la prison d'une muraille et des loix que de ma parole. Je suis delicat à l'observation de mes promesses jusques à la superstition, et les fay en tous subjets volontiers incertaines et conditionnelles. A celles qui sont de nul poids je donne poids de la jalousie de ma regle; elle me gehenne[a] et charge de son propre interest. Ouy, ès entreprinses toutes miennes et libres, si j'en dy le poinct[b], il me semble que je me le prescry, et que le donner à la science[c] d'autruy c'est le preordonner à soy; il me semble que je le promets quand je le dy. Ainsi j'evente peu mes propositions.

La condamnation que je faits de moy est plus vifve et plus roide que n'est celle des juges, qui ne me prennent que par le visage de l'obligation commune, l'estreinte de ma conscience plus serrée et plus severe. Je suy lâchement les debvoirs ausquels on m'entraineroit si je n'y allois. « *Hoc ipsum ita justum est quod recte fit, si est voluntarium*[d]. » Si l'action n'a quelque splendeur de liberté, elle n'a point de grace ni d'honneur.

Quod me jus cogit, vix voluntate impetrent[e].

Où la necessité me tire, j'ayme à lâcher la volonté, « *quia quicquid imperio cogitur, exigenti magis quam præstanti acceptum refertur*[f] ». J'en sçay qui suyvent cet air jusques à l'injustice, donnent plustost qu'ils ne rendent, prestent plustost qu'ils ne payent, font plus escharsement[g] bien à celuy à qui ils en sont tenus. Je ne vois pas là[h], mais je touche contre.

J'ayme tant à me descharger et desobliger que j'ay par fois compté à profit les ingratitudes, offences et indignitez

---

a. Tourmente. — *b.* Le degré où je les veux mener. — *c.* Connaissance. — *d.* « L'action la plus juste n'est telle qu'autant qu'elle est volontaire. » Cicéron, *De officiis*, I, 9. — *e.* « Je ne fais guère volontairement les choses auxquelles m'oblige le devoir. » Térence, *Adelphes*, III, v, 44. — *f.* « Parce que dans les choses imposées on sait plus de gré à celui qui commande qu'à celui qui obéit. » Valère Maxime, II, II, 6. — *g.* Chichement. — *h.* Je ne vais pas jusque-là.

que j'avois receu de ceux à qui, ou par nature ou par accident, j'avois quelque devoir d'amitié, prenant cette occasion de leur faute à autant d'acquit et descharge de ma debte. Encore que je continue à leur payer les offices apparents de la raison publique [a], je trouve grande espargne pourtant à faire par justice ce que je faisois par affection et à me soulager un peu de l'attention et sollicitude de ma volonté au dedans « *est prudentis sustinere ut cursum, sic impetum benevolentiæ* [b] », laquelle j'ay un peu bien urgente et pressante, où je m'adonne [c], aumoins pour un homme qui ne veut aucunement estre en presse [d], et me sert cette mesnagerie [e] de quelque consolation aux imperfections de ceux qui me touchent. Je suis bien desplaisant qu'ils en vaillent moins, mais tant y a que j'en espargne aussi quelque chose de mon application et engagement envers eux. J'approuve celuy qui ayme moins son enfant d'autant qu'il est ou teigneux ou bossu, et non seulement quand il est malicieux, mais aussi quand il est malheureux et mal nay (Dieu mesme en a rabbatu cela de son pris et estimation naturelle), pourveu qu'il se porte en ce refroidissement avec moderation et exacte justice. En moy, la proximité n'allege pas les deffaults, elle les aggrave plustost.

Après tout, selon que je m'entends en la science du bien-faict et de recognoissance, qui est une subtile science et de grand usage, je ne vois personne plus libre et moins endebté que je suis jusques à cette heure. Ce que je doibts, je le doibts aux obligations communes et naturelles. Il n'en est point qui soit plus nettement quitte d'ailleurs,

*nec sunt mihi nota potentum
Munera* [f].

Les princes me donnent prou s'ils ne m'ostent rien, et me font assez de bien quand ils ne me font point de mal; c'est tout ce que j'en demande. O combien je suis tenu à Dieu de ce qu'il luy a pleu que j'aye receu immediatement

---

a. Les devoirs aparents que la société impose. — *b*. « Il est prudent de retenir, comme un char qui s'emporte, le premier élan de l'amitié. » Cicéron, *De l'amitié*, XVII. Le texte de Cicéron habituel porte *currum*. — *c*. Quand je me donne. — *d*. Avoir d'ennuis. — *e*. Cette façon de ménager ma volonté. — *f*. « Et les présents des grands ne me sont pas connus. » Virgile, *Énéide* XII, 519.

de sa grace tout ce que j'ay, qu'il a retenu particulierement à soy toute ma debte! Combien je supplie instamment sa saincte misericorde que jamais je ne doive un essentiel grammercy à personne! Bienheureuse franchise, qui m'a conduit si loing. Qu'elle acheve!

J'essaye à n'avoir exprès besoing de nul.

« *In me omnis spes est mihi*[a]. » C'est chose que chacun peut en soy, mais plus facilement ceux que Dieu a mis à l'abry des necessitez naturelles et urgentes. Il fait bien piteux et hazardeux despendre d'un autre. Nous mesmes, qui est la plus juste adresse et la plus seure[b], ne nous sommes pas assez asseurez. Je n'ay rien mien que moy; et si, en est la possession en partie manque et empruntée. Je me cultive et en courage, qui est le plus fort, et encores en fortune, pour y trouver de quoy me satisfaire, quand ailleurs tout m'abandonneroit.

Eleus Hippias[835] ne se fournit pas seulement de science, pour au giron des Muses se pouvoir joyeusemant escarter de toute autre compaignie au besoing, ny seulement de la cognoissance de la philosophie, pour apprendre à son ame de se contenter d'elle et se passer virilement des commoditez qui luy viennent du dehors, quand le sort l'ordonne; il fut si curieux d'apprendre encore à faire sa cuisine et son poil[c], ses robes, ses souliers, ses bagues[d], pour se fonder en soy autant qu'il pourroit et soustraire au secours estranger.

On jouit bien plus librement et plus gayement des biens empruntez quand ce n'est pas une jouyssance obligée et contrainte par le besoing, et qu'on a, et en sa volonté et en sa fortune, la force et les moiens de s'en passer[e].

Je me connoy bien. Mais il m'est malaisé d'imaginer nulle si pure liberalité de personne, nulle hospitalité si franche et gratuite, qui ne me semblast disgratiée, tyrannique et teinte de reproche, si la necessité m'y avoit enchevestré. Comme le donner est qualité ambitieuse et de prerogative, aussi est l'accepter qualité de summission. Tesmoin

---

a. « C'est en moi qu'est tout mon espoir. » Térence, *Adelphes*, III, v, 9. — *b.* Qui sommes le point où nous pouvons nous adresser avec le plus d'adresse et de sûreté. — *c.* Sa barbe et ses cheveux. — *d.* Ses vêtements. — *e. J'ay très volontiers cerché l'occasion de bien faire, et d'attacher les autres à moy : et me semble qu'il n'est point de plus doux usage de nos moyens; mais...* (Texte de l'éd. de 1588.)

l'injurieux et querelleux refus que Pajazet feit des presents que Temir luy envoyoit[836]. Et ceux qu'on offrit de la part de l'Empereur Solyman à l'Empereur de Calicut le mirent en si grand despit que, non seulement il les refusa rudement, disant que ny luy ny ses predecesseurs n'avoient à coustume de prendre et que c'estoit leur office de donner, mais en outre feit mettre en un cul de fosse les ambassadeurs envoyez à cet effect[837].

Quand Thetis, dict Aristote[838], flatte Jupiter, quand les Lacedemoniens flattent les Atheniens, ils ne vont pas leur rafreschissant la memoire des biens qu'ils leur ont faicts, qui est tousjours odieuse, mais la memoire des bienfaicts qu'ils ont receuz d'eux. Ceux que je voy si familierement employer tout chacun et s'y engager ne le fairoient pas, s'ils[a] poisoient[b] autant que doit poiser à un sage homme l'engageure d'une obligation ; elle se paye à l'adventure quelquefois, mais elle ne se dissout jamais. Cruel garrotage à qui ayme affranchir les coudées de sa liberté en tous sens. Mes cognoissants, et au dessus et au dessous de moy, sçavent s'ils en ont jamais veu de moins[c] chargeant sur autruy. Si je le puis au delà de tout exemple moderne, ce n'est pas grande merveille, tant de pieces de mes mœurs y contribuants : un peu de fierté naturelle, l'impatiance du refus, contraction de mes desirs et desseins, inhabileté à toute sorte d'affaires, et mes qualitez plus favories, l'oisifveté, la franchise. Par tout cela j'ay prins à haine mortelle d'estre tenu ny à autre, ny par autre que moy. J'employe bien vifvement tout ce que je puis à me passer[d], avant que j'employe la beneficence d'un autre en quelque, ou legere, ou poisante occasion que ce soit.

Mes amis m'importunent estrangement quand ils me requierent de requerir un tiers. Et ne me semble guere moins de coust desengager celuy qui me doibt, usant de luy, que m'engager pour eux envers celuy qui ne me doibt rien. Cette condition ostée, et cet'autre qu'ils ne veuillent de moy chose negotieuse et soucieuse, (car j'ay

---

a. s'ils savouroient comme moi la douceur d'une pure liberté et s'ils, ajoute l'éd. de 1595. — *b.* Pesaient. — *c. sollicitant, requérant, suppliant, ny moins* (Éd. de 1595.) — *d. à m'abstenir. J'exerce outre tout exemple moderne, la leçon de me passer pour fuir à celle de demander.* (Éd. de 1595.)

denoncé à tout soing guerre capitale), je suis commodéement facile au besoing de chacun. Mais j'ay encore plus fuy à recevoir que je n'ay cerché à donner; aussi est il bien plus aysé selon Aristote[839]. Ma fortune m'a peu permis de bien faire à autruy, et ce peu qu'elle m'en a permis, elle l'a assez maigrement logé. Si elle m'eust faict naistre pour tenir quelque rang entre les hommes, j'eusse esté ambitieux de me faire aymer, non [a] de me faire craindre ou admirer. L'exprimeray je plus insolamment? j'eusse autant regardé au plaire que au prouffiter. Cyrus, très-sagement, et par la bouche d'un très bon capitaine, et meilleur philosophe encores, estime sa bonté et ses bienfaicts loing au delà de sa vaillance et belliqueuses conquestes[840]. Et le premier Scipion, par tout où il se veut faire valoir, poise sa debonnaireté et humanité au dessus de son hardiesse et de ses victoires, et a tousjours en la bouche ce glorieux mot : qu'il a laissé aux ennemis autant à l'aymer qu'aux amis[841].

Je veux donc dire que, s'il faut ainsi debvoir quelque chose, ce doibt estre à plus legitime titre que celuy dequoy je parle, auquel la loy de cette miserable guerre m'engage, et non d'un si gros debte comme celuy de ma totale conservation : il m'accable. Je me suis couché mille foys chez moy, imaginant qu'on me trahiroit et assommeroit cette nuict là, composant avec la fortune que ce fut sans effroy et sans langueur. Et me suis escrié après mon patenostre :

Impius hæc tam culta novalia miles habebit [b]!

Quel remede? c'est le lieu de ma naissance, et de la pluspart de mes ancestres[842]; ils y ont mis leur affection et leur nom[843]. Nous nous durcissons à tout ce que nous accoustumons. Et à une miserable condition, comme est la nostre, ç'a esté un trèsfavorable present de nature que l'accoustumance, qui endort nostre sentiment à la souffrance de plusieurs maux. Les guerres civiles ont cela de pire que les autres guerres, de nous mettre chacun en eschauguette en sa propre maison.

---

a. *peu,* disait l'éd. de 1588. — b. « Un soldat impie s'emparera donc de ces terres si bien cultivées! » Virgile, *Églogues,* I, 71.

> *Quàm miserum porta vitam muroque tueri,*
> *Vixque suæ tutum viribus esse domus*[a].

C'est grande extremité d'estre pressé jusques dans son mesnage et repos domestique. Le lieu où je me tiens est tousjours le premier et le dernier à la batterie de nos troubles, et où la paix n'a jamais son visage entier,

> *Tum quoque cum pax est, trepidant formidine belli*[b].

> *...Quoties pacem fortuna lacessit.*
> *Hac iter est bellis.*
> *Melius, fortuna, dedisses*
> *Orbe sub Eoo sedem, gelidàque sub Arcto,*
> *Errantésque domos*[c].

Je tire par foys le moyen de me fermir contre ces considerations, de la nonchalance et lâcheté; elles nous menent aussi aucunement à la resolution. Il m'advient souvant d'imaginer avec quelque plaisir les dangiers mortels et les attendre; je me plonge la teste baissée stupidement dans la mort, sans la considerer et recognoistre, comme dans une profondeur muette et obscure, qui m'engloutit d'un saut et accable en un instant d'un puissant sommeil, plein d'insipidité et indolence[844]. Et en ces morts courtes et violentes, la consequence que j'en prevoy me donne plus de consolation que l'effait de trouble. Ils disent, comme la vie n'est pas la meilleure pour estre longue, que la mort est la meilleure pour n'estre pas longue. Je ne m'estrange[d] pas tant de l'estre mort comme j'entre en confidence avec le mourir. Je m'envelope et me tapis en cet orage, qui me doibt aveugler et ravir de furie, d'une charge prompte et insensible.

Encore s'il advenoit, comme disent aucuns jardiniers[845] que les roses et violettes naissent plus odoriferantes près

---

a. « Combien il est misérable d'avoir une porte et une muraille pour protéger sa vie et de se fier à peine à la solidité de sa maison. » Ovide, *Tristes*, IV, 1, 69. — *b.* « Même en temps de paix, on est troublé par la peur de la guerre. » Ovide, *Tristes*, III, x, 67. — *c.* « Chaque fois que la Fortune a rompu la paix, c'est par ici qu'elle fraye un chemin aux guerres. Tu aurais mieux fait, Fortune, de nous donner une demeure dans le monde oriental ou sous l'Ourse glacée, et des maisons errantes. » Lucain, *Pharsale*, I, 256, 251. — *d.* M'éloigne.

des aux et des oignons, d'autant qu'ils sucent et tirent à eux ce qu'il y a de mauvaise odeur en la terre, aussi que ces dépravées natures humassent tout le venin de mon air et du climat et m'en rendissent d'autant meilleur et plus pur par leur voisinage que je ne perdisse pas tout. Cela n'est pas; mais de cecy il en peut estre quelque chose; que la bonté est plus belle et plus attraiante quand elle est rare, et que la contrarieté et diversité roidit et resserre en soy le bien faire, et l'enflamme par la jalousie de l'opposition et par la gloire.

Les voleurs, de leur grace [a], ne m'en veulent pas particulierement. Fay je pas moy à eux [b]? Il m'en faudroit à trop de gents. Pareilles consciences logent sous diverse sorte de fortunes [c], pareille cruauté, desloyauté, volerie, et d'autant pire qu'elle est plus lasche, plus seure et plus obscure, sous l'ombre des loix. Je hay moins l'injure professe que trahitresse, guerrière que pacifique [d]. Nostre fiévre est survenuë en un corps qu'elle n'a de guere empiré : le feu estoit, la flamme s'y est prinse; la bruit est plus grand, le mal de peu.

Je respons ordinairement à ceux qui me demandent raison de mes voyages : que je sçay bien ce que je fuis, mais non pas ce que je cerche. Si on me dict que parmy les estrangers il y peut avoir aussi peu de santé, et que leurs meurs ne valent pas mieux que les nostres, je respons : premierement, qu'il est mal-aysé,

Tam multæ scelerum facies [e] *!*

Secondement, que c'est tousjours gain de changer un mauvais estat à un estat incertain, et que les maux d'autruy ne nous doivent pas poindre comme les nostres.

Je ne veux pas oublier cecy, que je ne me mutine jamais tant contre la France que je ne regarde Paris de bon œil; elle a mon cueur dès mon enfance. Et m'en est advenu comme des choses excellentes; plus j'ay veu dépuis d'autres villes belles, plus la beauté de cette-cy peut et gaigne sur mon affection. Je l'ayme par elle mesme, et plus en son estre

---

a. De leur premier mouvement. — *b.* N'en fais-je pas autant avec eux? — *c.* Dans des partis différents. — *d.* L'édition de 1595 ajoute ici : *et juridique*. — *e.* « Tant le crime a de nombreux visages. » Virgile, *Géorgiques*, I, 506.

seul que rechargée de pompe estrangiere. Je l'ayme tendrement, jusques à ses verrues et à ses taches. Je ne suis françois que par cette grande cité; grande en peuples, grande en felicité de son assiette, mais sur tout grande et incomparable en variété et diversité de commoditez, la gloire de la France, et l'un des plus nobles ornemens du monde. Dieu en chasse loing nos divisions[846]! Entiere et unie, je la trouve deffendue de toute autre violence. Je l'advise que de tous les partis le pire sera celuy qui la mettra en discorde. Et ne crains pour elle qu'elle mesme. Et crains pour elle autant certes que pour autre piece[a] de cet estat. Tant qu'elle durera, je n'auray faute de retraicte où rendre mes abboys, suffisante à me faire perdre le regret de tout'autre retraicte.

Non parce que Socrates l'a dict[847], mais parce qu'en verité c'est mon humeur, et à l'avanture[b] non sans quelque excez, j'estime tous les hommes mes compatriotes[848], et embrasse un Polonois comme un François, postposant[c] cette lyaison nationale à l'universelle et commune. Je ne suis guere feru de la douceur d'un air naturel[d]. Les cognoissances toutes neufves et toutes miennes me semblent bien valoir ces autres communes et fortuites cognoissances du voisinage. Les amitiez pures de nostre acquest emportent ordinairement celles ausquelles la communication du climat ou du sang nous joignent. Nature nous a mis au monde libres et desliez; nous nous emprisonnons en certains destroits[e]; comme les Roys de Perse, qui s'obligeoient de ne boire jamais autre eau que celle du fleuve de Choaspez, renonçoyent par sottise à leur droict d'usage en toutes les autres eaux, et asséchoient pour leur regard tout le reste du monde[849].

Ce que Socrates feit sur sa fin, d'estimer une sentence d'exil pire qu'une sentence de mort contre soy[850], je ne seray, à mon advis, jamais ny si cassé, ny si estroitement habitué en mon païs que je le feisse. Ces vies celestes ont assez d'images que j'embrasse par estimation plus que par affection. Et en ont aussi de si eslevées et extraordinaires, que par estimation mesme je ne puis embrasser, d'autant que je ne les puis concevoir. Cette humeur fut bien tendre

---

a. Partie. — *b.* Peut-être. — *c.* Subordonnant. — *d.* Du pays natal. — *e.* Districts.

à un homme qui jugeoit le monde sa ville. Il est vray qu'il desdaignoit les peregrinations et n'avoit gueres mis le pied hors le territoire d'Attique. Quoy? qu'il[a] plaignoit l'argent de ses amis à desengager sa vie[851], et qu'il refusa de sortir de prison par l'entremise d'autruy, pour ne desobéir aux loix, en un temps qu'elles estoient d'ailleurs si fort corrompuës[852]. Ces exemples sont de la premiere espece pour moy. De la seconde sont d'autres que je pourroy trouver en ce mesme personnage. Plusieurs de ces rares exemples surpassent la force de mon action, mais aucunes surpassent encore la force de mon jugement.

Outre ces raisons, le voyager me semble un exercice profitable. L'ame y a une continuelle exercitation à remarquer les choses incogneuës et nouvelles; et je ne sçache point meilleure escolle, comme j'ay dict souvent, à former la vie que de luy proposer incessamment la diversité de tant d'autres vies, fantasies et usances, et luy faire gouster une si perpetuelle varieté de formes de nostre nature. Le corps n'y est ny oisif ny travaillé et cette modérée agitation le met en haleine. Je me tien à cheval sans demonter, tout choliqueux que je suis, et sans m'y ennuyer, huit et dix heures,

Vires ultra sortémque senectæ[b].

Nulle saison m'est ennemye, que le chaut aspre d'un Soleil poignant; car les ombrelles, dequoy dépuis les anciens Romains l'Italie se sert, chargent plus les bras qu'ils ne deschargent la teste. Je voudroy sçavoir quelle industrie c'estoit aux Perses si anciennement et en la naissance de la luxure[c], de se faire du vent frais et des ombrages à leur poste[d], comme dit Xenophon[853]. J'ayme les pluyes et les crotes, comme les canes. La mutation d'air et de climat ne me touche point; tout Ciel m'est un. Je ne suis battu que des alterations internes que je produicts en moy, et celles là m'arrivent moins en voyageant.

Je suis mal-aisé à esbranler; mais, estant avoyé[e], je vay tant qu'on veut. J'estrive autant aux petites entreprises qu'aux grandes, et à m'equiper pour faire une journée et

---

a. Que dire de ce qu'il. — *b.* « Plus que ne le comportent les forces et le lot de la vieillesse. » Virgile, *Énéide*, VI, 114. — *c.* Du luxe. — *d.* A leur guise. — *e.* Mis en route.

visiter un voisin que pour un juste voyage. J'ay apris à faire mes journées à l'Espagnole, d'une traicte : grandes et raisonnables journées; et aux extremes chaleurs, les passe de nuit, du Soleil couchant jusques au levant. L'autre façon de repaistre en chemin, en tumulte et haste, pour la disnée, notamment aux jours cours, est incommode. Mes chevaux en valent mieux. Jamais cheval ne m'a failli, qui a sçeu faire avec moy la premiere journée. Je les abreuve par tout, et regarde seulement qu'ils ayent assez de chemin de reste pour battre leur eau. La paresse à me lever donne loisir à ceux qui me suyvent de disner à leur ayse avant partir. Pour moy je ne mange jamais trop tard; l'appetit me vient en mangeant, et point autrement; je n'ay point de faim qu'à table.

Aucuns se plaignent dequoy je me suis agreé à continuer cet exercice, marié et vieil. Ils ont tort. Il est mieux temps d'abandonner sa famille quand on l'a mise en train de continuer sans nous, quand on y a laissé de l'ordre qui ne demente point sa forme passée. C'est bien plus d'imprudence de s'esloigner, laissant en sa maison une garde moins fidelle et qui ayt moins de soing de pourvoir à vostre besoing.

La plus utile et honnorable science et occupation à une femme, c'est la science du mesnage. J'en vois quelcune avare, et qu'on doibt chercher avant tout autre, comme le seul doire[a] qui sert à ruyner ou sauver nos maisons. Qu'on ne m'en parle pas : selon que l'experience m'en a apprins, je requiers d'une femme mariée, au dessus de toute autre vertu, la vertu œconomique[b]. Je l'en mets au propre[c], luy laissant par mon absence tout le gouvernement en main. Je vois avec despit en plusieurs mesnages monsieur revenir maussade et tout marmiteux du tracas des affaires, environ midy, que madame est encore après à se coiffer et atiffer en son cabinet. C'est à faire aux Reynes; encores ne sçay-je. Il est ridicule et injuste que l'oysiveté de nos femmes soit entretenue de notre sueur et travail. Il n'adviendra que je puisse à personne d'avoir l'usage de mes biens plus liquide que moy, plus quiete et plus quitte[d]. Si le mary fournit de matiere, nature mesme veut qu'elles fournissent de forme.

Quant aux devoirs de l'amitié maritale qu'on pense estre

---

a. Douaire. — *b.* Ménagère. — *c.* A même de faire ses preuves. — *d.* Plus calme et plus gratuit.

interessez par cette absence, je ne le crois pas. Au rebours, c'est une intelligence qui se refroidit volontiers par une trop continuelle assistance, et que l'assiduité blesse. Toute femme estrangere nous semble honneste femme. Et chacun sent par experience que la continuation de se voir ne peut representer le plaisir que l'on sent à se desprendre et reprendre à secousses. Ces interruptions me remplissent d'une amour recente envers les miens et me redonnent l'usage de ma maison plus doux; la vicissitude eschauffe mon appetit vers l'un et puis vers l'autre party. Je sçay que l'amitié a les bras assez longs pour se tenir et se joindre d'un coin de monde à l'autre; et notamment cette-cy, où il y a une continuelle communication d'offices, qui en reveillent l'obligation et la souvenance. Les Stoïciens disent bien, qu'il y a si grande colligance [a] et relation entre les sages que celuy qui disne en France repaist son compaignon en Ægypte; et qui estend seulement son doigt, où que ce soit, tous les sages qui sont sur la terre habitable en sentent ayde[854]. La jouyssance et la possession appartiennent principalement à l'imagination. Elle embrasse plus chaudement ce qu'elle va querir que ce que nous touchons, et plus continuellement. Comptez vos amusements journaliers, vous trouverez que vous estes lors plus absent de vostre amy quand il vous est present : son assistance relasche vostre attention et donne liberté à vostre pensée de s'absenter à toute heure pour toute occasion.

De Romme en hors, je tiens et regente ma maison et les commoditez que j'y ay laissé; je voy croistre mes murailles, mes arbres, et mes rentes, et descroistre, à deux doigts près, comme quand j'y suis :

Ante oculos errat domus, errat forma locorum [b].

Si nous ne jouyssons que ce que nous touchons, adieu nos escuz quand ils sont en nos coffres, et nos enfans s'ils sont à la chasse! Nous les voulons plus près. Au jardin, est-ce loing? A une demy journée? Quoy, dix lieuës, est-ce loing ou près? Si c'est près quoy onze, douze, treze? et ainsi pas à pas. Vraiment celle qui prescrira à son mary le quantiesme pas finyt le près, et le quantiesme pas

---

a. Connexion. — *b.* « Devant mes yeux flotte ma maison, flotte l'image de ces lieux [que j'ai quittés]. » Ovide, *Tristes,* III, IV, 57.

donne commencement au loin, je suis d'advis qu'elle l'arreste entre deux :

> *excludat jurgia finis.*
> *Utor permisso, caudæque pilos ut equinæ*
> *Paulatim vello, et demo unum, demo etiam unum,*
> *Dum cadat elusus ratione ruentis acervi*[a];

et qu'elles appellent hardiment la Philosophie à leur secours; à qui quelqu'un pourroit reprocher, puis qu'elles ne voit ny l'un ny l'autre bout de la jointure entre le trop et le peu, le long et le court, le leger et le poisant[b], le près et le loing, puis qu'elle n'en recognoist le commencement ny la fin, qu'elle juge bien incertainement du milieu. « *Rerum natura nullam nobis dedit cognitionem finium*[c]. » Sont elles pas encores femmes et amyes des trespassez, qui ne sont pas au bout de cettuy-cy, mais en l'autre monde? Nous embrassons et ceux qui ont esté et ceux qui ne sont point encore, non que les absens. Nous n'avons pas faict marché, en nous mariant, de nous tenir continuellement accouez[d] l'un à l'autre, comme je ne sçay quels petits animaux nous voyons, ou comme les ensorcelez de Karenty, d'une maniere chiennine[855]. Et ne doibt une femme avoir les yeux si gourmandement fichez sur le devant de son mari qu'elle n'en puisse voir le derriere, où besoing est.

Mais ce mot de ce peintre si excellent de leurs humeurs seroit-il point de mise en ce lieu, pour representer la cause de leurs plaintes :

> *Uxor, si cesses, aut te amare cogitat,*
> *Aut tete amari, aut potare, aut animo obsequi*
> *Et tibi bene esse soli, cum sibi sit malè*[e].

---

a. « Dites an chiffre pour exclure toute contestation, sinon j'use de la latitude que vous m'accordez et, de même que j'arrache crin à crin la queue d'un cheval, je retranche une unité, puis une autre, jusqu'à ce qu'il ne nous en reste plus et que vous soyez vaincu par la force de mon raisonnement. » Horace, *Épîtres*, II, 1, 38 et 45. — *b.* Pesant. — *c.* « La nature ne nous a pas permis de connaître les bornes des choses. » Cicéron, *Académiques*, II, 29. — *d.* Attachés. — *e.* « Si vous tardez à rentrer, votre épouse s'imagine que vous faites l'amour ou qu'on vous fait l'amour, ou que vous êtes en train de boire, ou de suivre votre fantaisie, enfin que vous êtes seul à vous amuser, tandis qu'elle se donne beaucoup de mal. » Térence, *Adelphes*, I, 1, 7.

Ou bien seroit ce pas que de soy l'opposition et contradiction les entretient et nourrit, et qu'elles s'accommodent assez, pourveu qu'elles vous incommodent?

En la vraye amitié, de laquelle je suis expert, je me donne à mon amy plus que je ne le tire à moy. Je n'ayme pas seulement mieux luy faire bien que s'il m'en faisoit, mais encore qu'il s'en face qu'à moy : il m'en faict lors le plus, quand il s'en faict. Et si l'absence luy est ou plaisante ou utile, elle m'est bien plus douce que sa presence; et ce n'est pas proprement absence, quand il y a moyen de s'entr'advertir. J'ay tiré autrefois usage de nostre esloignement, et commodité[856]. Nous remplissions mieux et estandions la possession de la vie en nous separant; il vivoit, il jouissoit, il voyoit pour moy, et moy pour luy, autant plainement que s'il y eust esté. L'une partie demeuroit oisifve quand nous estions ensemble : nous nous confondions. La separation du lieu rendoit la conjonction de nos volontez plus riche. Cette faim insatiable de la presence corporelle accuse un peu la foiblesse en la jouyssance des ames.

Quant à la vieillesse qu'on m'allegue, au rebours c'est à la jeunesse à s'asservir aus opinions communes et se contraindre pour autruy. Elle peut fournir à tous les deux, au peuple et à soy : nous n'avons que trop à faire à nous seuls. A mesure que les commoditez naturelles nous faillent, soustenons nous par les artificielles. C'est injustice d'excuser la jeunesse de suyvre ses plaisirs, et deffendre à la vieillesse d'en cercher. Jeune, je couvrois mes passions enjouées de prudence; vieil, je demesle les tristes de débauche. Si[a], prohibent les loix Platoniques[857] de peregriner avant quarante ans ou cinquante, pour rendre la peregrination plus utile et instructive; je consantirois plus volontiers à cet autre second article des mesmes loix, qui l'interdit après les soixante.

« Mais en tel aage, vous ne reviendrez jamais d'un si long chemin? » Que m'en chaut-il! Je ne l'entreprens ny pour en revenir, ny pour le parfaire; j'entreprens seulement de me branler, pendant que le branle me plaist. Et me proumeine pour me proumener. Ceux qui courent un benefice ou un lievre ne courent pas; ceux là courent qui courent aux barres, et pour exercer leur course.

a. Encore.

Mon dessein est divisible par tout; il n'est pas fondé en grandes esperances; chaque journée en faict le bout. Et le voyage de ma vie se conduict de mesme. J'ay veu pourtant assez de lieux esloignez, où j'eusse desiré qu'on m'eust arresté. Pourquoy non, si Chrysippus, Cleanthes, Diogenes, Zenon, Antipater, tant d'hommes sages de la secte plus refroingnée[858], abandonnerent bien leur pays, sans aucune occasion de s'en plaindre, et seulement pour la jouissance d'un autre air? Certes le plus grand desplaisir de mes peregrinations, c'est que je n'y puisse apporter cette resolution d'establir ma demeure où je me plairroy, et qu'il me faille tousjours proposer de revenir, pour m'accommoder aux humeurs communes.

Si je craingnois de mourir en autre lieu que celuy de ma naissance, si je pensois mourir moins à mon aise esloingné des miens, à peine sortiroy-je hors de France; je ne sortirois pas sans effroy hors de ma parroisse. Je sens la mort qui me pince continuellement la gorge ou les reins. Mais je suis autrement faict: elle m'est une partout. Si toutesfois j'avois à choisir, ce seroit, ce croy-je, plustost à cheval que dans un lict, hors de ma maison et esloigné des miens. Il y a plus de crevecœur que de consolation à prendre congé de ses amis. J'oublie volontiers ce devoir de nostre entregent, car des offices de l'amitié celuy-là est le seul desplaisant, et oublierois ainsi volontiers à dire ce grand et eternel adieu. S'il se tire quelque commodité de cette assistance, il s'en tire cent incommoditez. J'ay veu plusieurs mourans bien piteusement assiegez de tout ce train: cette presse les estouffe. C'est contre le devoir et est tesmoignage de peu d'affection et de peu de soing de vous laisser mourir en repos: l'un tourmente vos yeux, l'autre vos oreilles, l'autre la bouche; il n'y a sens ny membre qu'on ne vous fracasse. Le cœur vous serre de pitié d'ouyr les plaintes des amis, et de despit à l'avanture d'ouyr d'autres plaintes feintes et masquées. Qui a tousjours eu le goust tendre, affoibly, il l'a encore plus. Il luy faut en une si grande necessité une main douce et accommodée à son sentiment, pour le grater justement où il luy cuit; ou qu'on n'y touche point du tout. Si nous avons besoing de sage femme à nous mettre au monde, nous avons bien besoing d'un homme encore plus sage à nous en sortir. Tel, et amy, le faudroit-il achetter bien cherement, pour le service d'une telle occasion.

Je ne suis point arrivé à cette vigueur desdaigneuse qui
se fortifie en soy-mesme, que rien n'ayde, ny ne trouble;
je suis d'un point plus bas. Je cerche à coniller*a* et à me
desrober de ce passage, non par crainte, mais par art. Ce
n'est pas mon advis de faire en cette action preuve ou
montre de ma constance. Pour qui? Lors cessera tout le
droict et interest que j'ay à la reputation. Je me contente
d'une mort recueillie en soy, quiete et solitaire, toute
mienne, convenable à ma vie retirée et privée. Au rebours
de la superstition Romaine, où l'on estimoit malheureux
celuy qui mouroit sans parler et qui n'avoit ses plus proches
à luy clorre les yeux[859]; j'ay assez affaire à me consoler
sans avoir à consoler autruy, assez de pensées en la teste
sans que les circonstances m'en apportent de nouvelles,
et assez de matiere à m'entretenir sans l'emprunter. Cette
partie n'est pas du rolle de la société; c'est l'acte à un
seul personnage. Vivons et rions entre les nostres, allons
mourir et rechigner entre les inconneus. On trouve, en
payant, qui vous tourne la teste et qui vous frote les pieds,
qui ne vous presse qu'autant que vous voulez, vous presentant un visage indifferent, vous laissant vous entretenir
et plaindre à vostre mode.

Je me deffais tous les jours par discours de cette humeur
puerile et inhumaine, qui faict que nous desirons d'esmouvoir par nos maux la compassion et le deuil en nos amis.
Nous faisons valoir nos inconveniens outre leur mesure,
pour attirer leurs larmes. Et la fermeté que nous louons en
chacun à soustenir sa mauvaise fortune, nous l'accusons
et reprochons à nos proches, quand c'est en la nostre.
Nous ne nous contentons pas qu'ils se ressentent de nos
maux, si encores ils ne s'en affligent. Il faut estendre la
joye, mais retrencher autant qu'on peut la tristesse. Qui
se faict plaindre sans raison est homme pour n'estre pas
plaint quand la raison y sera. C'est pour n'estre jamais
plaint que se plaindre tousjours, faisant si souvent le piteux
qu'on ne soit pitoyable à personne. Qui se faict mort
vivant est subject d'estre tenu pour vif mourant. J'en ay
veu prendre la chevre*b* de ce qu'on leur trouvoit le visage
frais et le pouls posé, contraindre leur ris parce qu'il
trahissoit leur guerison, et haïr la santé de ce qu'elle

---

a. A me terrer comme un conil (lapin). — *b.* Se fâcher.

n'estoit pas regrettable. Qui bien plus est, ce n'estoyent pas femmes.

Je represente mes maladies, pour le plus, telles qu'elles sont, et evite les parolles de mauvais prognostique et exclamations composées. Sinon l'allegresse, aumoins la contenance rassise des assistans est propre près d'un sage malade. Pour se voir en un estat contraire, il n'entre point en querelle avec la santé; il luy plaist de la contempler en autruy forte et entiere, et en jouyr aumoings par compaignie. Pour se sentir fondre contre-bas, il ne rejecte pas du tout les pensées de la vie, ny ne fuyt les entretiens communs. Je veux estudier la maladie quand je suis sain; quand elle y est, elle faict son impression assez réele, sans que mon imagination l'ayde. Nous nous preparons avant la main aux voiages que nous entreprenons, et y sommes resolus : l'heure qu'il nous faut monter à cheval, nous la donnons à l'assistance et, en sa faveur, l'estendons.

Je sens ce proffit inesperé de la publication de mes meurs qu'elle me sert aucunement de regle. Il me vient par fois quelque consideration de ne trahir l'histoire de ma vie. Cette publique declaration m'oblige de me tenir en ma route, et à ne desmentir l'image de mes conditions, communéement moins desfigurées et contredites que ne porte la malignité et maladie des jugements d'aujourd'huy. L'uniformité et simplesse de mes meurs produict bien un visage d'aisée interpretation, mais, parce que la façon en est un peu nouvelle et hors d'usage, elle donne trop beau jeu à la mesdisance. Si est-il, qu'à qui me veut loyallement injurier il me semble fournir bien suffisamment où mordre en mes imperfections advouées et cogneuës, et dequoy s'y saouler, sans s'escarmoucher au vent. Si, pour en præoccuper moy-mesme l'accusation et la descouverte, il luy semble que je luy esdente sa morsure, c'est raison qu'il preigne son droict vers l'amplification et extention (l'offence a ses droicts outre la justice), et que les vices dequoy je luy montre des racines chez moy, il les grossisse en arbres, qu'il y employe non seulement ceux qui me possedent, mais ceux aussi qui ne font que me menasser. Injurieux vices, et en qualité et en nombre; qu'il me batte par là.

J'embrasserois franchement l'exemple du philosophe Dion[860]. Antigon le vouloit piquer sur le subject de son origine; il luy coupa broche[a] : « Je suis, dict-il, fils d'un serf, bouchier, stigmatisé, et d'une putain que mon père espousa par[b] la bassesse de sa fortune. Tous deux furent punis pour quelque mesfaict. Un orateur m'achetta enfant, me trouvant agreable, et m'a laissé mourant tous ses biens, lesquels ayant transporté en cette ville d'Athenes, me suis addonné à la philosophie. Que les historiens ne s'empeschent à chercher nouvelles de moy; je leur en diray ce qui en est. » La confession genereuse et libre enerve le reproche et desarme l'injure.

Tant y a que, tout conté, il me semble qu'aussi souvent on me louë qu'on me desprise outre la raison. Comme il me semble aussi que, dès mon enfance, en rang et degré d'honneur on m'a donné lieu plustost au dessus qu'au dessoubs de ce qui m'appartient.

Je me trouverois mieux en païs auquel ces ordres fussent ou reglez, ou mesprisez. Entre les hommes, depuis que l'altercation[c] de la prerogative au marcher ou à se seoir passe trois repliques, elle est incivile. Je ne crains point de ceder ou praeceder iniquement pour fuir à une si importune contestation; et jamais homme n'a eu envie de ma presseance à qui je ne l'aye quittée.

Outre ce profit que je tire d'escrire de moy, j'en espere cet autre que, s'il advient que mes humeurs plaisent et accordent à quelque honneste homme avant que je meure, il recerchera de nous joindre : je luy donne beaucoup de pays gaigné, car tout ce qu'une longue connoissance et familiarité luy pourroit avoir acquis en plusieurs années, il le voit en trois jours en ce registre, et plus seurement et exactement. Plaisante fantasie : plusieurs choses que je ne voudrois dire à personne, je les dis au peuple, et sur mes plus secretes sciences ou pensées renvoye à une boutique de libraire mes amis plus feaux[d].

Excutienda damus præcordia[e].

Si à si bonnes enseignes je sçavois quelqu'un qui me fut propre, certes je l'irois trouver bien loing; car la douceur d'une sortable et aggreable compaignie ne se peut assez

---

a. Cloua le bec. — *b.* A cause de, pour. — *c.* La discussion. — *d.* Fidèles. — *e.* « Nous livrons à leur examen les replis de notre âme. » Perse, V, 22.

acheter à mon gré. O un amy! Combien est vraye cette ancienne sentence[861], que l'usage en est plus necessaire et plus doux que des elemens de l'eau et du feu!

Pour revenir à mon conte, il n'y a donc pas beaucoup de mal de mourir loing et à part. Si estimons nous à devoir de nous retirer pour des actions naturelles moins disgratiées que cette-cy et moins hideuses. Mais encore, ceux qui en viennent là de trainer languissans un long espace de vie, ne debvroient à l'avanture[a] souhaiter d'empescher[b] de leur misere une grande famille. Pourtant les Indois[c], en certaine province, estimoient juste de tuer celuy qui seroit tumbé en telle necessité; en une autre province, ils l'abandonnoient seul à se sauver comme il pourroit[862]. A qui ne se rendent-ils en fin ennuyeux et insupportables? Les offices communs n'en vont point jusques là. Vous apprenez la cruauté par force à voz meilleurs amis, durcissant et femme et enfans, par long usage, à ne sentir et plaindre plus vos maux. Les souspirs de ma cholique n'apportent plus d'esmoy à personne. Et quand nous tirerions quelque plaisir de leur conversation, ce qui n'advient pas tousjours pour la disparité des conditions qui produict aysément mespris ou envie envers qui que ce soit, n'est-ce pas trop d'en abuser tout un aage? Plus je les verrois se contraindre de bon cœur pour moy, plus je plainderois leur peine. Nous avons loy de nous appuyer, non pas de nous coucher si lourdement sur autruy et nous estayer en leur ruyne; comme celuy qui faisoit esgorger des petits enfans pour se servir de leur sang à guarir une sienne maladie[863], ou cet autre, à qui on fournissoit des jeunes tendrons à couver la nuict ses vieux membres et mesler la douceur de leur haleine à la sienne aigre et poisante[d][864]. Je me conseillerois volontiers Venise pour la retraicte d'une telle condition et foiblesse de vie.

La decrepitude est qualité solitaire. Je suis sociable jusques à excez. Si me semble-il raisonnable que meshuy[e] je soustraye de la veuë du monde mon importunité, et la couve à moy seul, que je m'appile et me recueille en ma coque, comme les tortues. J'aprens à veoir les hommes

---

a. Peut-être. — *b.* Embarrasser. — *c.* Habitants de l'Inde. — *d.* Pesante. — *e.* Désormais.

sans m'y tenir : ce seroit outrage en un pas si pendant. Il est temps de tourner le dos à la compagnie.

« Mais en un si long voyage, vous serez arresté miserablement en un caignart[a], où tout vous manquera. » — La plus part des choses necessaires, je les porte quant et[b] moy. Et puis, nous ne sçaurions eviter la fortune si elle entreprend de nous courre sus. Il ne me faut rien d'extraordinaire quand je suis malade : ce que nature ne peut en moy, je ne veux pas qu'un bolus[865] le face. Tout au commencement de mes fiévres et des maladies qui m'atterrent, entier encores et voisin de la santé, je me reconcilie à Dieu par les derniers offices Chrestiens, et m'en trouve plus libre et deschargé, me semblant en avoir d'autant meilleure raison de la maladie. De notaire et de conseil, il m'en faut moins que de medecins. Ce que je n'auray establi de mes affaires tout sain, qu'on ne s'attende point que je le face malade. Ce que je veux faire pour le service de la mort est tousjours faict; je n'oserois le deslaier[c] d'un seul jour. Et s'il n'y a rien de faict, c'est à dire : ou que le doubte m'en aura retardé le choix (car par fois c'est bien choisir de ne choisir pas), ou que tout à fait je n'auray rien voulu faire.

J'escris mon livre à peu d'hommes et à peu d'années. Si ç'eust esté une matiere de durée, il l'eust fallu commettre à un langage plus ferme. Selon la variation continuelle qui a suivy le nostre jusques à cette heure, qui peut esperer que sa forme presente soit en usage, d'icy à cinquante ans? Il escoule tous les jours de nos mains et depuis que je vis s'est alteré de moitié. Nous disons qu'il est à cette heure parfaict. Autant en dict du sien chaque siecle. Je n'ay garde de l'en tenir là tant qu'il fuira et se difformera[d] comme il faict. C'est aux bons et utiles escrits de le clouer à eux, et ira son credit selon la fortune de nostre estat.

Pourtant ne crains-je poinct d'y inserer plusieurs articles privez, qui consument leur usage entre les hommes qui vivent aujourd'huy, et qui touchent la particuliere science d'aucuns, qui y verront plus avant que de la commune intelligence. Je ne veux pas après tout, comme je vois souvent agiter la memoire des trespassez, qu'on aille

---

a. Cagna, taudis. — *b.* Avec. — *c.* Lui accorder le délai. — *d.* Changera de forme.

debatant : « Il jugeoit, il vivoit ainsin; il vouloit cecy; s'il eust parlé sur sa fin, il eust dict, il eust donné; je le connoissois mieux que tout autre. » Or, autant que la bienseance me le permet, je faicts icy sentir mes inclinations et affections; mais plus librement et plus volontiers le faits-je de bouche à quiconque desire en estre informé. Tant y a qu'en ces memoires, si on y regarde, on trouvera que j'ay tout dict, ou tout designé. Ce que je ne puis exprimer, je le montre au doigt :

> *Verum animo satis hæc vestigia parva sagaci*
> *Sunt, per quæ possis cognoscere cetera tute* [a].

Je ne laisse rien à desirer et deviner de moy. Si on doibt s'en entretenir, je veux que ce soit veritablement et justement. Je reviendrois volontiers de l'autre monde pour démentir celuy qui me formeroit autre que je n'estois, fut-ce pour m'honorer. Des vivans mesme, je sens qu'on parle tousjours autrement qu'ils ne sont. Et si à toute force je n'eusse maintenu un amy que j'ay perdu, on me l'eust deschiré en mille contraires visages [b].

Pour achever de dire mes foibles humeurs, j'advoue qu'en voyageant je n'arrive gueres en logis où il ne me passe par la fantasie si j'y pourray estre et malade et mourant à mon aise. Je veus estre logé en lieu qui me soit bien particulier, sans bruict, non sale, ou fumeux, ou estouffé. Je cherche à flatter la mort par ces frivoles circonstances, ou, pour mieux dire, à me descharger de tout autre empeschement, affin que je n'aye qu'à m'attendre à elle, qui me poisera [c] volontiers assez sans autre recharge. Je veux qu'elle ayt sa part à l'aisance et commodité de ma vie. Ce en est un grand lopin, et d'importance, et espere meshuy [d] qu'il ne dementira pas le passé.

La mort a des formes plus aisées les unes que les autres, et prend diverses qualitez selon la fantasie de chacun. Entre les naturelles, celle qui vient d'affoiblissement et

---

a. « Mais à un esprit sagace comme le tien, ce peu de traits suffit pour découvrir seul et sans aide tout le reste. » Lucrèce, I, 403. — *b. Je sçay bien,* ajoutait l'édition de 1588, *que je ne lairray après moy aucun respondant si affectionné de bien loing et entendu en mon faict comme j'ay esté au sien. Il n'y a personne à qui je vousisse pleinement compromettre de ma peinture : luy seul jouyssoit de ma vraye image et l'emporta. C'est pourquoy je me deschiffre moy-mesme, si curieusement.* — *c.* Pèsera. — *d.* Désormais.

appesantissement me semble molle et douce. Entre les violentes, j'imagine plus mal aiséement un precipice qu'une ruine qui m'accable et un coup tranchant d'une espée qu'une harquebousade; et eusse plustost beu le breuvage de Socrates que de me fraper comme Caton. Et, quoy que ce soit un, si[a] sent mon imagination difference comme de la mort à la vie, à me jetter dans une fournaise ardente ou dans le canal d'une platte riviere. Tant sottement nostre crainte regarde plus au moyen qu'à l'effect. Ce n'est qu'un instant; mais il est de tel pois que je donneroy volontiers plusieurs jours de ma vie pour le passer à ma mode.

Puisque la fantasie d'un chacun trouve du plus et du moins en son aigreur, puisque chacun a quelque chois entre les formes de mourir, essayons un peu plus avant d'en trouver quelqu'une deschargée de tout desplaisir. Pourroit on pas la rendre encore voluptueuse, comme les commourans[866] d'Antonius et de Cleopatra? Je laisse à part les efforts que la philosophie et la religion produisent, aspres et exemplaires. Mais entre les hommes de peu, il s'en est trouvé, comme un Petronius[867] et un Tigillinus[868] à Romme, engazez à se donner la mort, qui l'ont comme endormie par la mollesse de leurs appresis. Ils l'ont faicte couler et glisser parmy la lâcheté de leurs passetemps accoustumés, entre des garses et bons compaignons; nul propos de consolation, nulle mention de testament, nulle affectation ambitieuse de constance, nul discours de leur condition future; mais entre les jeux, les festins, facecies, entretiens communs et populaires, et la musique, et des vers amoureux. Ne sçaurions nous imiter cette resolution en plus honneste contenance? Puis qu'il y a des mors bonnes aux fols, bonnes aux sages, trouvons en qui soyent bonnes à ceux d'entre deux. Mon imagination m'en presente quelque visage facile, et, puisqu'il faut mourir, desirable. Les tyrans Romains pensoient donner la vie au criminel à qui ils donnoient le chois de sa mort. Mais Théophraste, philosophe si delicat, si modeste, si sage, a-il pas esté forcé par la raison d'oser dire ce vers latinisé par Cicero :

Vitam regit fortuna, non sapientia[b].

a. Pourtant. — b. « La fortune gouverne notre vie, non la sagesse. » Cicéron, *Tusculanes*, V, ix.

Combien aide la fortune à la facilité du marché de ma vie, me l'ayant logée en tel poinct qu'elle ne faict meshuy[a] ny besoing à nul, ny empeschement. C'est une condition que j'eusse acceptée en toutes les saisons de mon aage, mais en cette occasion de trousser mes bribes et de plier bagage, je prens plus particulierement plaisir à ne faire guiere ny de plaisir, ny de desplaisir à personne en mourant. Elle a, d'une artiste compensation, faict que ceux qui peuvent pretendre quelque materiel fruict de ma mort en reçoivent d'ailleurs conjointement une materielle perte. La mort s'appesantit souvent en nous de ce qu'elle poise[b] aux autres, et nous interesse de leur interest quasi autant que du nostre, et plus et tout par fois.

En cette commodité de logis que je cerche, je n'y mesle pas la pompe et l'amplitude; je la hay plustost; mais certaine propriété simple, qui se rencontre plus souvent aux lieux où il y a moins d'art, et que nature honore de quelque grace toute sienne. « *Non ampliter sed munditer convivium*[c]... *Plus salis quam sumptus*[d]. »

Et puis, c'est à faire à ceux que les affaires entrainent en plain hyver par les Grisons, d'estre surpris en chemin en cette extremité. Moy, qui le plus souvent voyage pour mon plaisir, ne me guide pas si mal. S'il faict laid à droicte, je prens à gauche; si je me trouve mal propre à monter à cheval, je m'arreste. Et faisant ainsi, je ne vois à la verité rien qui ne soit aussi plaisant et commode que ma maison. Il est vray que je trouve la superfluité tousjours superflue, et remarque de l'empeschement en la delicatesse mesme et en l'abondance. Ay-je laissé quelque chose à voir derriere moy? J'y retourne; c'est tousjours mon chemin. Je ne trace aucune ligne certaine, ny droicte ny courbe. Ne trouve-je point où je vay, ce qu'on m'avoit dict? (Comme il advient souvent que les jugemens d'autruy ne s'accordent pas aux miens, et les ay trouvez plus souvent faux), je ne plains pas ma peine; j'ay apris que ce qu'on disoit n'y est point.

J'ay la complexion du corps libre et le goust commun autant qu'homme du monde. La diversité des façons d'une

a. Désormais. — *b.* Pèse. — *c.* « Un repas où règne non l'abondance, mais la propreté. » Juste Lipse, *Saturnalium sermonum libri*, I, 6. — *d.* « [Avec] plus d'esprit que de luxe. » Cornelius Nepos, *Vie d'Atticus*, XIII.

nation à autre ne me touche que par le plaisir de la varieté. Chaque usage a sa raison. Soyent des assiettes d'estain, de bois, de terre, bouilly ou rosty, beurre ou huyle de nois ou d'olive, chaut ou froit, tout m'est un, et si un que, vieillissant, j'accuse cette genereuse faculté, et auroy besoin que la delicatesse et le chois arrestat l'indiscretion de mon appetit et par fois soulageat mon estomac. Quand j'ay esté ailleurs qu'en France et que, pour me faire courtoisie, on m'a demandé si je voulois estre servy à la Françoise, je m'en suis mocqué et me suis tousjours jetté aux tables les plus espesses d'estrangers.

J'ay honte de voir noz hommes[869] enyvrez de cette sotte humeur, de s'effaroucher des formes contraires aux leurs : il leur semble estre hors de leur element quand ils sont hors de leur village. Où qu'ils aillent, ils se tiennent à leurs façons et abominent les estrangeres. Retrouvent ils un compatriote en Hongrie, ils festoyent cette avanture : les voylà à se ralier et à se recoudre ensemble, à condamner tant de meurs barbares qu'ils voient. Pourquoy non barbares, puis qu'elles ne sont françoises ? Encore sont ce les plus habiles qui les ont recogneuës, pour en mesdire. La plus part ne prennent l'aller que pour le venir. Ils voyagent couverts et resserrez d'une prudence taciturne et incommunicable, se defendans de la contagion d'un air incogneu.

Ce que je dis de ceux là me ramentoit[a], en chose semblable, ce que j'ay par fois aperçeu en aucunz de nos jeunes courtisans. Ils ne tiennent qu'aux hommes de leur sorte, nous regardent comme gens de l'autre monde, avec desdain ou pitié. Ostez leur les entretiens des mysteres de la court, ils sont hors de leur gibier, aussi neufs pour nous et malhabiles comme nous sommes à eux. On dict bien vray qu'un honneste homme, c'est un homme meslé.

Au rebours, je peregrine très saoul de nos façons, non pour cercher des Gascons en Sicile (j'en ay assez laissé au logis); je cerche des Grecs plustost, et des Persans; j'acointe[b] ceux-là, je les considere; c'est là où je me preste et où je m'employe. Et qui plus est, il me semble que je n'ay rencontré guere de manieres qui ne vaillent les nostres. Je couche de peu[c], car à peine ay-je perdu mes girouettes de veuë[870].

a. Rappelait. — *b.* J'aborde. — *c.* Je m'avance peu (terme de jeu).

LIVRE III, CHAPITRE IX

Au demeurant, la plus part des compaignies fortuites que vous rencontrez en chemin ont plus d'incommodité que de plaisir : je ne m'y attache point, moins asteure que la veillesse me particularise et sequestre aucunement des formes communes. Vous souffrez pour autruy, ou autruy pour vous; l'un et l'autre inconvenient est poisant, mais le dernier me semble encore plus rude. C'est une rare fortune, mais de soulagement inestimable, d'avoir un honneste homme, d'entendement ferme et de meurs conformes aux vostres, qui ayme à vous suyvre. J'en ay eu faute extreme en tous mes voyages. Mais une telle compaignie, il la faut avoir choisie et acquise dès le logis. Nul plaisir n'a goust pour moy sans communication. Il ne me vient pas seulement une gaillarde pensée en l'ame qu'il ne me fâche de l'avoir produite seul, et n'ayant à qui l'offrir. « *Si cum hac exceptione detur sapientia ut illam inclusam teneam nec enuntiem, rejiciam* [a]. » L'autre l'avoit monté d'un ton au dessus. « *Si contigerit ea vita sapienti ut, omnium rerum affluentibus copiis, quamvis omnia quæ cognitione digna sunt summo otio secum ipse consideret, et contempletur, tamen si solitudo tanta sit ut hominem videre non possit, excedat è vita* [b]. » L'opinion d'Architas m'agrée, qu'il feroit desplaisant au ciel mesme et à se promener dans ces grands et divins corps celestes sans l'assistance d'un compaignon [871].

Mais il vaut mieux encore estre seul qu'en compaignie ennuyeuse et inepte. Aristippus s'aymoit à vivre estrangier partout [872].

Me si fata meis paterentur ducere vitam
Auspiciis [c],

je choisirois à la passer le cul sur la selle :

visere gestiens,

---

a. « Si l'on me donnait la sagesse, à condition de la tenir renfermée, sans la communiquer à personne, je la refuserais. » Sénèque, *Épîtres*, 6. — *b.* « Supposez un sage dans une condition de vie telle qu'il vive dans l'abondance de tout, libre de contempler et d'étudier à loisir tout ce qui est digne d'être connu, même dans ces conditions, s'il était condamné à une solitude telle qu'il ne puisse voir personne, il quitterait la vie. » Cicéron, *De officiis*, I, 43. — *c.* « Quant à moi, si le destin me permettait de passer ma vie à ma guise. » Virgile *Énéide*, IV, 340.

> *Qua parte debacchentur ignes,*
> *Qua nebulæ pluviique rores*[a].

« Avez vous pas des passe-temps plus aysez? Dequoy avez-vous faute[b]? Vostre maison est elle pas en bel air et sain, suffisamment fournie, et capable plus que suffisamment? La majesté Royalle y a peu[c] plus d'une fois en sa pompe[873]. Vostre famille n'en laisse elle pas en reiglement plus au dessoubs d'elle qu'elle n'en a au dessus en eminence? Y a il quelque pensée locale qui vous ulcere, extraordinaire, indigestible?

> *Quæ te nunc coquat et vexet sub pectore fixa*[d]?

Où cuidez-vous pouvoir estre sans empeschement et sans destourbier? « *Nunquam simpliciter fortuna indulget*[e]. » Voyez donc qu'il n'y a que vous qui vous empeschez, et vous vous suyverez par tout, et vous plainderez par tout. Car il n'y a satisfaction cà bas que pour les ames, ou brutales ou divines. Qui n'a du contentement à une si juste occasion, où pense il le trouver? A combien de milliers d'hommes arreste une telle condition que la vostre le but de leurs souhaits? Reformez vous seulement, car en cela vous pouvez tout, là où vous n'avez droict que de patience envers la fortune. » « *Nulla placida quies est, nisi quam ratio composuit*[f]. »

Je voy la raison de cet advertissement, et la voy trèsbien; mais on auroit plustost faict, et plus pertinemment, de me dire en un mot : « Soyez sage. » Cette resolution est outre la sagesse : c'est son ouvrage et sa production. Ainsi faict le medecin qui va criaillant après un pauvre malade languissant, qu'il se resjouysse; il luy conseilleroit un peu moins ineptement s'il luy disoit : « Soyez sain. » Pour moy, je ne suis qu'homme de la basse forme. C'est un precepte

---

a. « Heureux de visiter les pays où les feux du soleil font rage et les pays des nuages et des frimas. » Horace, *Odes*, III, III, 54. — *b.* Qu'est-ce qui vous manque? — *c.* Y a pu tenir? Y a pu = s'y est repue? (Les deux sens sont possibles.) — *d.* « Qui, fichée dans votre cœur, vous consume et vous ronge. » Ennius, cité par Cicéron, *De senectute*, 1. — *e.* « Les faveurs de la fortune ne sont jamais sans mélange. » Quinte-Curce, IV, 14. — *f.* « Il n'y a de véritable tranquillité que celle que nous devons à la raison. » Sénèque, *Épîtres*, 56.

salutaire, certain et d'aisée intelligence : « Contentez vous du vostre, c'est à dire de la raison. » L'execution pourtant n'en est non plus aux plus sages qu'en moy. C'est une parolle populaire, mais elle a une terrible estandue. Que ne comprend elle? Toutes choses tombent en discretion[a] et modification.

Je sçay bien qu'à le prendre à la lettre, ce plaisir de voyager porte tesmoignage d'inquietude et d'irresolution. Aussi sont ce nos maistresses qualitez, et prædominantes. Ouy, je le confesse, je ne vois rien, seulement en songe et par souhait, où je me puisse tenir; la seule varieté me paye, et la possession de la diversité, au moins si aucune chose me paye. A voyager, cela mesme me nourrit que je me puis arrester sans interests, et que j'ay où m'en divertir commodéement. J'ayme la vie privée, par ce que c'est par mon chois que je l'ayme, non par disconvenance à la vie publique, qui est, à l'avanture, autant selon ma complexion. J'en sers plus gayement mon prince par ce que c'est par libre eslection de mon jugement et de ma raison, sans obligation particuliere, et que je n'y suis pas rejecté ny contrainct pour estre irrecevable à tout autre party et mal voulu. Ainsi du reste. Je hay les morceaux que la necessité me taille. Toute commodité me tiendroit à la gorge, de laquelle seule j'aurois à despendre :

Alter remus aquas, alter mihi radat arenas[b].

Une seule corde ne m'arreste jamais assis. — « Il y a de la vanité, dictes vous, en cet amusement. » — Mais où non? Et ces beaux preceptes sont vanité, et vanité toute la sagesse. « *Dominus novit cogitationes sapientium, quoniam vanæ sunt*[c]. » Ces exquises subtilitez ne sont propres qu'au presche : ce sont discours qui nous veulent envoyer tous bastez en l'autre monde. La vie est un mouvement materiel et corporel, action imparfaicte de sa propre essence, et desreglée; je m'emploie à la servir selon elle.

Quisque suos patimur manes[d].

---

a. Distinction. — *b.* « Qu'une de mes rames batte le flot et l'autre le sable [du rivage]. » Properce, III, II, 23. — *c.* « Le Seigneur connaît les pensées des sages et qu'elles ne sont que vanité. » *Psaumes,* XCIII, 11, et saint Paul, *I Corinthiens,* III, 20. — *d.* « Chacun de nous subit sa peine. » Virgile, *Énéide,* VI, 743.

« *Sic est faciendum ut contra naturam universam nihil contendamus; ea tamen conservata, propriam sequamur* [a]. »

A quoy faire ces pointes eslevées de la philosophie sur lesquelles aucun estre humain ne se peut rassoir, et ces regles qui excedent nostre usage et nostre force? Je voy souvent qu'on nous propose des images de vie, lesquelles ny le proposant, ny les auditeurs n'ont aucune esperance de suyvre ny, qui plus est, envie. De ce mesme papier où il vient d'escrire l'arrest de condemnation contre un adultere, le juge en desrobe un lopin pour en faire un poulet à la femme de son compaignon. Celle à qui vous viendrez de vous frotter illicitement, criera plus asprement tantost, en vostre presence mesme, à l'encontre d'une pareille faute de sa compaigne que ne feroit Porcie[874]. Et tel condamne des hommes à mourir pour des crimes qu'il n'estime point fautes. J'ay veu en ma jeunesse un galent homme[875] presenter d'une main au peuple des vers excellens et en beauté et en desbordement, et de l'autre main en mesme instant la plus quereleuse reformation theologienne de quoy le monde se soit desjeuné il y a long temps.

Les hommes vont ainsin. On laisse les loix et preceptes suivre leur voie; nous en tenons une autre, non par desreiglement de meurs seulement, mais par opinion souvent et par jugement contraire. Sentez lire un discours de philosophie; l'invention, l'eloquence, la pertinence frape incontinent vostre esprit et vous esmeut; il n'y a rien qui chatouille ou poigne vostre conscience; ce n'est pas à elle qu'on parle, est-il pas vray? Si[b] disoit Ariston que ny une esteuve[c], ny une leçon n'est d'aucun fruict si elle ne nettoye et ne descrasse. On peut s'arrester à l'escorce, mais c'est après qu'on en a retiré la mouele; comme, après avoir avalé le bon vin d'une belle coupe, nous en considerons les graveures et l'ouvrage[876].

En toutes les chambrées de la philosophie ancienne cecy se trouvera, qu'un mesme ouvrier y publie des reigles de temperance et publie ensemble des escris d'amour et

---

a. « Nous devons agir de manière à ne jamais contrevenir aux lois universelles de la nature; mais, ces lois sauvegardées, nous devons nous conformer à notre nature individuelle. » Cicéron, *De officiis*, I, 31. — *b.* Pourtant. — *c.* Étuve, bain.

desbauche. Et Xenophon, au giron de Clinias, escrivit contre la volupté Aristippique[877]. Ce n'est pas qu'il y ait une conversion miraculeuse qui les agite à ondées. Mais c'est que Solon se represente tantost soy-mesme, tantost en forme de legislateur : tantost il parle pour la presse, tantost pour soy; et prend pour soy les reigles libres et naturelles, s'asseurant d'une santé ferme et entiere.

Curentur dubii medicis majoribus ægri[a].

Antisthenes permet au sage d'aimer et faire à sa mode ce qu'il trouve estre opportun, sans s'attendre aux loix; d'autant qu'il a meilleur advis qu'elles, et plus de cognoissance de la vertu[878]. Son disciple Diogenes disoit opposer aux perturbations la raison, à fortune la confidence, aux loix nature[879].

Pour les estomacs tendres, il faut des ordonnances contraintes et artificielles. Les bons estomacs suivent simplement les prescriptions de leur naturel appetit. Ainsi font nos medecins, qui mangent le melon et boivent le vin fraiz, ce pendant qu'ils tiennent leur patient obligé au sirop et à la panade.

Je ne sçay quels livres, disoit la courtisane Lays, quelle sapience, quelle philosophie, mais ces gens là battent aussi souvent à ma porte que aucuns autres[880]. D'autant que nostre licence nous porte tousjours au delà de ce qui nous est loisible et permis, on a estressy souvant outre la raison universelle les preceptes et loys de nostre vie.

*Nemo satis credit tantum delinquere quantum
Permittas*[b].

Il seroit à desirer qu'il y eust plus de proportion du commandement à l'obeyssance; et semble la visée injuste, à laquelle on ne peut atteindre. Il n'est si homme de bien, qu'il mette à l'examen des lois toutes ses actions et pensées, qui ne soit pendable dix fois en sa vie, voire tel qu'il seroit très-grand dommage et très-injuste de punir et de perdre.

a. « Que les malades en danger fassent appel aux plus grands médecins. » Juvénal, XIII, 124. — *b.* « Personne ne croit suffisant de s'en tenir, dans la faute, à ce que tu as permis. » Juvénal, XIV, 233.

> *Olle, quid ad te*
> *De cute quid faciat ille, vel illa sua* [a]?

Et tel pourroit n'offenser point les loix, qui n'en meriteroit point la louange d'homme de vertu, et que la philosophie feroit trèsjustement foiter [b]. Tant cette relation est trouble et inegale. Nous n'avons garde d'estre gens de bien selon Dieu; nous ne le sçaurions estre selon nous. L'humaine sagesse n'arriva jamais aux devoirs qu'elle s'estoit elle mesme prescrit et, si elle y estoit arrivée, elle s'en prescriroit d'autres au delà, où elle aspirat tousjours et pretendit, tant nostre estat est ennemy de consistance. L'homme s'ordonne à soy mesme d'estre necessairement en faute. Il n'est guiere fin de tailler son obligation, à la raison d'un autre estre que le sien. A qui prescrit-il ce qu'il s'attend que personne ne face? Luy est-il injuste de ne faire point ce qu'il luy est impossible de faire? Les loix qui nous condamnent à ne pouvoir pas, nous accusent elles mesmes de ne pouvoir pas.

Au pis aller, cette difforme liberté de se presenter à deux endroicts, et les actions d'une façon, les discours de l'autre, soit loisible à ceux qui disent les choses; mais elle ne le peut estre à ceux qui se disent eux mesme, comme je fay; il faut que j'aille de la plume comme des pieds. La vie commune doibt avoir conferance aux autres vies. La vertu de Caton estoit vigoureuse outre la mesure de son siecle; et à un homme qui se mesloit de gouverner les autres, destiné au service commun, il se pourroit dire que c'estoit une justice, sinon injuste, au moins vaine et hors de saison[881]. Mes mœurs mesmes, qui ne disconviennent de celles qui courent à peine de la largeur d'un poulce, me rendent pourtant aucunement farouche à mon aage, et inassociable. Je ne sçay pas si je me trouve desgouté sans raison du monde que je hante, mais je sçay bien que ce seroit sans raison si je me plaignois qu'il fut desgouté de moy plus que je le suis de luy.

La vertu assignée aus affaires du monde est une vertu à plusieurs plis, encoigneures et couddes, pour s'apliquer et joindre à l'humaine foiblesse, meslée et artificielle, non

---

a. « Ollus, que t'importe comment tel ou telle dispose de sa peau ? » Martial, *Épigrammes*, VII, ix, 1. — *b.* Fouetter.

droitte, nette, constante, ny purement innocente. Les annales reprochent jusques à cette heure à quelqu'un de nos Roys[882] de s'estre trop simplement laissé aller aux consciencieuses persuasions de son confesseur. Les affaires d'estat ont des preceptes plus hardis :

> *Qui vult esse pius*[a]. *exeat aula*

J'ay autrefois essayé d'employer au service des maniemens publiques les opinions et reigles de vivre ainsi rudes, neufves, impolies ou impollues, comme je les ay nées chez moy ou raportées de mon institution, et desquelles je me sers sinon commodéement au moins seurement en particulier, une vertu scholastique et novice. Je les y ay trouvées ineptes et dangereuses. Celuy qui va en la presse, il faut qu'il gauchisse, qu'il serre ses couddes, qu'il recule ou qu'il avance, voire qu'il quitte le droict chemin, selon ce qu'il rencontre ; qu'il vive non tant selon soy que selon autruy, non selon ce qu'il se propose, mais selon ce qu'on luy propose, selon le temps, selon les hommes, selon les affaires[883].

Platon dict[884] que qui eschappe brayes nettes du maniement du monde, c'est par miracle qu'il en eschappe. Et dict aussi[885] que, quand il ordonne son philosophe chef d'une police[b], il n'entend pas le dire d'une police corrompue comme celle d'Athenes, et encore bien moins comme la nostre, envers lesquelles la sagesse mesme perdroit son Latin. Comme une herbe transplantée en solage[c] fort divers à[d] la condition, se conforme bien plustost à iceluy qu'elle ne le reforme à soy.

Je sens que, si j'avois à me dresser tout à faict à telles occupations, il m'y faudroit beaucoup de changement et de rabillage. Quand je pourrois cela sur moy (et pourquoy ne le pourrois je, avec le temps et le soing ?), je ne le voudrois pas. De ce peu que je me suis essayé en cette vacation, je m'en suis d'autant degousté. Je me sens fumer en l'ame par fois aucunes tentations vers l'ambition ; mais je me bande et obstine au contraire :

---

a. « Qu'il quitte la cour, celui qui veut rester sage ! » Lucain, *Pharsale*, VIII, 493. — *b.* Quand il place son philosophe à la tête d'un État. — *c.* En un sol. — *d.* Contraire à.

At tu, Catulled, obstinatus obdura [a].

On ne m'y appelle guieres, et je m'y convie aussi peu. La liberté et l'oisiveté, qui sont mes maistresses qualitez, sont qualitez diametralement contraires à ce mestier là.

Nous ne sçavons pas distinguer les facultez des hommes; elles ont des divisions et bornes mal-aysées à choisir et delicates. De conclurre par la suffisance d'une vie particuliere quelque suffisance à l'usage public, c'est mal conclud; tel se conduict bien qui ne conduict pas bien les autres et faict des *Essais* qui ne sauroit faire des effects; tel dresse bien un siege qui dresseroit mal une bataille, et discourt bien en privé qui harengueroit mal un peuple ou un prince. Voyre à l'aventure est-ce plustost tesmoignage à celuy qui peut l'un de ne pouvoir point l'autre, qu'autrement. Je treuve que les esprits hauts ne sont de guere moins aptes aux choses basses que les bas esprits aux hautes. Estoit-il à croire que Socrates eust appresté aux Atheniens matiere de rire à ses despens, pour n'avoir onques sçeu computer les suffrages de sa tribu et en faire raport au conseil[886]? Certes la veneration en quoy j'ay les perfections de ce personnage merite que sa fortune fournisse à l'excuse de mes principales imperfections un si magnifique exemple.

Nostre suffisance est detaillée à menues pieces. La mienne n'a point de latitude, et si est chetifve en nombre. Saturninus, à ceux qui lui avoyent deferé tout commandement : « Compaignons, fit-il, vous avez perdu un bon capitaine pour en faire un mauvais general d'armée[887]. » Qui se vante, en un temps malade comme cettuy-cy, d'employer au service du monde une vertu nayfve et sincere, ou il ne la cognoit pas, les opinions se corrompant avec les meurs (de vray, oyez la leur peindre, oyez la plus part se glorifier de leurs deportemens et former leurs reigles : au lieu de peindre la vertu, ils peignent l'injustice toute pure et le vice, et la presentent ainsi fauce à l'institution des princes[888]), ou, s'il la cognoist, il se vante à tort et, quoy qu'il die, faict mille choses dequoy sa conscience l'accuse. Je croirois volontiers Seneca de l'experience

---

a. « Mais toi, Catulle, persévère dans ton obstination. » Villey note que Montaigne cite ici Catulle dans le texte proposé par Turnèbe, *Adversaria*, XX, 21.

qu'il en fit en pareille occasion, pourveu qu'il m'en voulut parler à cœur ouvert. La plus honorable marque de bonté en une telle necessité, c'est recognoistre librement sa faute et celle d'autruy, appuyer et retarder de sa puissance l'inclination vers le mal, suyvre envis cette pente, mieux esperer et mieux desirer.

J'aperçois, en ces desmambremens de la France et divisions où nous sommes tombez, chacun se travailler à deffendre sa cause, mais, jusques aux meilleurs, avec desguisement et mensonge. Qui en escriroit rondement, en escriroit temererement et vitieusement. Le plus juste party, si est-ce encore le membre d'un corps vermoulu et vereux. Mais d'un tel corps le membre moins malade s'appelle sain; et à bon droit, d'autant que nos qualitez n'ont tiltre qu'en la comparaison. L'innocence civile se mesure selon les lieux et saisons. J'aymerois bien à voir en Xenophon une telle louange d'Agesilaus : estant prié par un prince voisin, avec lequel il avoit autresfois esté en guerre, de le laisser passer en ces terres, il l'octroya, luy donnant passage à travers le Peloponnesse; et non seulement ne l'emprisonna ou empoisonna, le tenant à sa mercy, mais l'accueillit courtoisement, sans luy faire offence[889]. A ces humeurs là, ce ne seroit rien dire; ailleurs et en autre temps, il se fera compte de la franchise et magnanimité d'une telle action. Ces babouyns capettes[890] s'en fussent moquez, si peu retire l'innocence spartaine[a] à la françoise.

Nous ne laissons pas d'avoir des hommes vertueux, mais c'est selon nous. Qui a ses meurs establies en reglement au dessus de son siecle, ou qu'il torde et émousse ses regles, ou, ce que je lui conseille plustost, qu'il se retire à quartier[b] et ne se mesle point de nous. Qu'y gaigneroit-il?

Egregium sanctúmque virum si cerno, bimembri
Hoc monstrum puero, et miranti jam sub aratro,
Piscibus inventis, et fœtæ comparo mulæ[c].

On peut regretter les meilleurs temps, mais non pas fuyr aux presens; on peut desirer autres magistrats, mais il

---

a. Tant l'innocence spartiate ressemble peu. — *b.* A l'écart. — *c.* « Si je vois un homme d'élite et d'honneur, c'est pour moi un phénomène tel qu'un enfant à deux corps, des poissons trouvés sous la charrue étonnée, une mule qui a mis bas. » Juvénal, XIII, 64.

faut, ce nonobstant, obeyr à ceux icy. Et à l'advanture y a il plus de recommendation d'obeyr aux mauvais qu'aux bons. Autant que l'image des loix receuës et antiennes de cette monarchie reluyra en quelque coin, m'y voilà planté. Si elles viennent par malheur à se contredire et empescher entr'elles, et produire deux pars de chois doubteux et difficile, mon election sera volontiers d'eschapper et me desrober à cette tempeste; nature m'y pourra prester, ce pendant la main, ou les hazards de la guerre. Entre Cesar et Pompeius je me fusse franchement declaré. Mais entre ces trois voleurs[891] qui vindrent depuis, ou il eust fallu se cacher, ou suyvre le vent; ce que j'estime loisible quand la raison ne guide plus.

Quo diversus abis[a]?

Cette farcisseure[892] est un peu hors de mon theme. Je m'esgare, mais plustot par licence que par mesgarde. Mes fantasies se suyvent, mais par fois c'est de loing, et se regardent, mais d'une veuë oblique.

J'ay passé les yeux sur tel dialogue de Platon mi party d'une fantastique bigarrure, le devant à l'amour, tout le bas à la rhetorique[893]. Ils ne creignent point ces muances, et ont une merveilleuse grace à se laisser ainsi rouler au vent, ou à le sembler. Les noms de mes chapitres n'en embrassent pas toujours la matiere[894]; souvent ils la denotent seulement par quelque marque, comme ces autres tiltres : l'*Andrie*, l'*Eunuche*[895], ou ces autres noms : *Sylla, Cicero, Torquatus*[896]. J'ayme l'alleure poetique, à sauts et à gambades. C'est une art, comme dict Platon[897], legere, volage, demoniacle[b]. Il est des ouvrages en Plutarque où il oublie son theme, où le propos de son argument ne se trouve que par incident, tout estouffé en matiere estrangere : voyez ses alleures au *Dæmon de Socrates*[898]. O Dieu, que ces gaillardes escapades, que cette variation a de beauté, et plus lors que plus elle retire au nonchalant et fortuite ! C'est l'indiligent lecteur qui pert mon subject, non pas moy; il s'en trouvera tousjours en un coing quelque mot qui ne laisse pas d'estre bastant, quoy qu'il soit serré. Je vois au change, indiscrettement et tumultuairement. Mon stile et

---

a. « Pourquoi ce détour ? » Virgile, *Énéide*, V, 166. — *b*. Divin.

mon esprit vont vagabondant de mesmes. Il faut avoir un peu de folie, qui ne veut avoir plus de sottise, disent et les preceptes de nos maistres et encores plus leurs exemples.

Mille poëtes trainent et languissent à la prosaïque; mais la meilleure prose ancienne (et je la seme ceans indifferemment pour vers) reluit par tout de la vigueur et hardiesse poëtique, et represente l'air de sa fureur. Il luy faut certes quitter la maistrise et preeminence en la parlerie. Le poëte, dict Platon[899], assis sur le trepied des Muses, verse de furie tout ce qui luy vient en la bouche, comme la gargouille d'une fontaine, sans le ruminer et poiser[a], et luy eschappe des choses de diverse couleur, de contraire substance et d'un cours rompu. Luy mesmes est tout poëtique, et la vieille theologie poësie, disent les sçavants[900], et la premiere philosophie.

C'est l'originel langage des Dieux.

J'entends que la matiere se distingue soy-mesmes. Elle montre assez où elle se change, où elle conclud, où elle commence, où elle se reprend, sans l'entrelasser de parolles de liaison et de cousture introduictes pour le service des oreilles foibles ou nonchallantes, et sans me gloser moy-mesme. Qui est celuy qui n'ayme mieux n'estre pas leu que de l'estre en dormant ou en fuyant?

« *Nihil est tam utile, quod in transitu prosit*[b]. » Si prendre des livres estoit les apprendre, et si les veoir estoit les regarder, et les parcourir les saisir, j'aurois tort de me faire du tout si ignorant que je dy.

Puisque je ne puis arrester l'attention du lecteur par le pois, « *manco male*[c] » s'il advient que je l'arreste par mon embrouilleure. — « Voire, mais il se repentira par après de s'y estre amusé. » — C'est mon[d], mais il s'y sera tousjours amusé. Et puis il est des humeurs comme cela, à qui l'intelligence porte desdain, qui m'en estimeront mieux de ce qu'ils ne sçauront ce que je dis: ils conclurront la profondeur de mon sens par l'obscurité, laquelle, à parler en bon escient[e], je hay bien fort, et l'éviterois si je me sçavois eviter. Aristote se vante en quelque lieu[901] de l'affecter; vitieuse affectation.

---

a. Peser. — *b*. « Il n'est rien de si utile que ce qui peut l'être en passant. » Sénèque, *Épîtres*, 2. — *c*. Pas si mal! (Locution italienne.) — *d*. Parfaitement. — *e*. Franchement.

Par ce que la coupure si frequente des chapitres, de quoy j'usois au commencement, m'a semblé rompre l'attention avant qu'elle soit née, et la dissoudre, dedeignant s'y coucher pour si peu et se recueillir, je me suis mis à les faire plus longs, qui requierent de la proposition et du loisir assigné. En telle occupation, à qui on ne veut donner une seule heure, on ne veut rien donner. Et ne faict on rien pour celuy pour qui on ne faict qu'autre chose faisant. Joint qu'à l'adventure ay-je quelque obligation particuliere à ne dire qu'à demy, à dire confusément, à dire discordamment.

J'avois à dire que je veus mal à cette raison troublefeste, et que ces projects extravagants qui travaillent la vie, et ces opinions si fines, si elles ont de la verité, je la trouve trop chere et incommode. Au rebours, je m'employe à faire valoir la vanité mesme et l'asnerie si elle m'apporte du plaisir, et me laisse aller après mes inclinations naturelles sans les contreroller de si près.

J'ay veu ailleurs des maisons ruynées, et des statues, et du ciel, et de la terre : ce sont tousjours des hommes. Tout cela est vray; et si pourtant je ne sçauroy revoir si souvent le tombeau de cette ville [902], si grande et si puissante, que je ne l'admire et revere. Le soing des mots nous est en recommandation. Or j'ay esté nourry dès mon enfance avec ceux icy [903]; j'ay eu connoissance des affaires de Romme, long temps avant que je l'aye eue de ceux de ma maison : je sçavois le Capitole et son plant[a] avant que je sceusse le Louvre, et le Tibre avant la Seine. J'ay eu plus en teste les conditions et fortunes de Lucullus, Metellus et Scipion, que je n'ay d'aucuns hommes des nostres. Ils sont trespassez. Si est bien mon pere, aussi entierement qu'eux, et s'est esloigné de moy et de la vie autant en dixhuict ans [904] que ceux-là ont faict en seize cens; duquel pourtant je ne laisse pas d'embrasser et practiquer la memoire, l'amitié et societé, d'une parfaicte union et très-vive.

Voire, de mon humeur, je me rends plus officieux envers les trespassez; ils ne s'aydent plus; ils en requierent, ce me semble, d'autant plus mon ayde. La gratitude est là justement en son lustre. Le bienfaict est moins richement assigné

---

a. Sa position.

où il y a retrogradation et reflexion. Arcesilaus, visitant Ctesibius[a] malade et le trouvant en pauvre estat, luy fourra tout bellement soubs le chevet du lict de l'argent qu'il luy donnoit; et, en le luy celant, luy donnoit en outre quittance de luy en sçavoir gré. Ceux qui ont merité de moy de l'amitié et de la reconnoissance ne l'ont jamais perdue pour n'y estre plus : je les ay mieux payez et plus soigneusement, absens et ignorans. Je parle plus affectueusement de mes amis quand il n'y a plus moyen qu'ils le sçachent.

Or j'ay attaqué cent querelles pour la deffence de Pompeius et pour la cause de Brutus. Cette accointance dure encore entre nous[905]; les choses presentes mesmes, nous ne les tenons que par la fantasie. Me trouvant inutile à ce siecle, je me rejecte à cet autre, et en suis si embabouyné[b] que l'estat de cette vieille Romme, libre, juste et florissante (car je n'en ayme ny la naissance, ny la vieillesse) m'interesse et me passionne. Parquoy je ne sçauroy revoir si souvent l'assiette de leurs rues et de leurs maisons, et ces ruynes profondes jusques aux Antipodes, que je ne m'y amuse. Est-ce par nature ou par erreur de fantasie que la veuë des places, que nous sçavons avoir esté hantées et habitées par personnes desquelles la memoire est en recommendation, nous esmeut aucunement plus qu'ouïr le recit de leurs faicts ou lire leurs escrits[906]?

« *Tanta vis admonitionis inest in locis. Et id quidem in hac urbe infinitum : quacunque enim ingredimur in aliquam historiam vestigium ponimus*[c]. » Il me plaist de considerer leur visage, leur port et leurs vestements : je remache ces grands noms entre les dents et les faicts retentir à mes oreilles. « *Ego illos veneror et tantis nominibus semper assurgo*[d]. » Des choses qui sont en quelque partie grandes et admirables, j'en admire les parties mesmes communes. Je les visse volontiers diviser, promener, et soupper! Ce seroit ingratitude

---

a. L'édition de 1588 disait *Appelles* (d'après Plutarque, *Comment discerner le flatteur d'avec l'amy*, XX). Montaigne, ayant lu Diogène Laërce (*Vie d'Arcésilas*, IV, 17), corrige en *Ctesibius*. — *b.* Entiché. — *c.* « Tant est grande la puissance d'évocation dans les lieux!... Et cette ville la possède à un degré immense, car on ne peut y marcher sans mettre le pied sur de l'histoire. » Cicéron, *De finibus*, V, 1 et 2. — *d.* « Je vénère ces grands hommes et toujours je me lève devant de tels noms. » Sénèque, *Épîtres*, 64.

de mespriser les reliques et images de tant d'honnestes hommes et si valeureux, que j'ay veu vivre et mourir, et qui nous donnent tant de bonnes instructions par leur exemple, si nous les sçavions suivre.

Et puis cette mesme Romme que nous voyons merite qu'on l'ayme, confederée de si long temps et par tant de tiltres à nostre couronne : seule ville commune et universelle. Le magistrat souverain qui y commande est reconneu pareillement ailleurs : c'est la ville metropolitaine de toutes les nations Chrestiennes; l'Espaignol et le François, chacun y est chez soy. Pour estre des princes de cet estat, il ne faut qu'estre de Chrestienté, où qu'elle soit. Il n'est lieu ça bas que le ciel ayt embrassé avec telle influence de faveur et telle constance. Sa ruyne mesme est glorieuse et enflée,

Laudandis preciosior ruinis [a].

Encore retient elle au tombeau des marques et image d'empire. « *Ut palam sit uno in loco gaudentis opus esse naturæ* [b]. » Quelqu'un se blasmeroit et se mutineroit en soy-mesme, de se sentir chatouiller d'un si vain plaisir. Nos humeurs ne sont pas trop vaines, qui sont plaisantes; quelles qu'elles soient qui contentent constamment un homme capable de sens commun, je ne sçaurois avoir le cœur de le pleindre.

Je doibs beaucoup à la fortune dequoy jusques à cette heure elle n'a rien fait contre moy outrageux, au moins au delà de ma portée. Seroit ce pas sa façon de laisser en paix ceux de qui elle n'est point importunée ?

> *Quanto quisque sibi plura negaverit,*
> *A Diis plura feret. Nil cupientium*
> *Nudus castra peto...*
>   *...Multa petentibus*
> *Desunt multa* [c].

Si elle continue, elle m'en envoyera très-content et satisfaict.

---

a. « Plus précieuse par ses ruines admirables. » Sidoine Apollinaire, *Poemata*, XXIII, 62. — b. « En sorte qu'il appert qu'en ce lieu unique la nature s'est complu dans son ouvrage. » Pline, *Hist. Nat.* III, 5. — c. « Plus nous nous privons, plus les dieux nous accordent. Dépourvu de tout, je ne m'en range pas moins au parti de ceux qui ne désirent rien... A qui demande beaucoup, il manque beaucoup. » Horace, *Odes*, III, XVI, 21 et 42.

> *nihil supra*
> Deos lacesso[a]

Mais gare le heurt! Il en est mille qui rompent au port.

Je me console aiséement de ce qui adviendra icy quand je n'y seray plus; les choses presentes m'embesoingnent assez,

> *Fortunæ cætera mando*[b].

Aussi n'ay-je poinct cette forte liaison qu'on dict attacher les hommes à l'advenir par les enfans qui portent leur nom et leur honneur, et en doibs desirer à l'avanture d'autant moins, s'ils sont si desirables. Je ne tiens que trop au monde et à cette vie par moy-mesme. Je me contente d'estre en prise de la fortune par les circonstances proprement necessaires à mon estre, sans luy alonger par ailleurs sa jurisdiction sur moy; et n'ay jamais estimé qu'estre sans enfans fut un defaut qui deut rendre la vie moins complete et moins contente. La vacation[c] sterile a bien aussi ses commoditez. Les enfans sont du nombre des choses qui n'ont pas fort dequoy estre desirées, notamment à cette heure qu'il seroit si difficile de les rendre bons. « *Bona jam nec nasci licet, ita corrupta sunt semina*[d] »; et si, ont justement dequoy estre regrettées à qui les perd après les avoir acquises.

Celuy qui me laissa ma maison en charge prognostiquoit que je la deusse ruyner, regardant à mon humeur si peu casaniere. Il se trompa; me voicy comme j'y entray, sinon un peu mieux; sans office pourtant et sans benefice.

Au demeurant, si la fortune ne m'a faict aucune offence violente et extraordinaire, aussi n'a-elle pas de grace. Tout ce qu'il y a de ses dons chez nous, il y est plus de cent ans avant moy. Je n'ay particulierement aucun bien essentiel et solide que je doive à sa liberalité. Elle m'a faict quelques faveurs venteuses, honnoraires et titulaires, sans substance; et me les a aussi à la verité, non pas accordées, mais offertes, Dieu sçait! à moy qui suis tout materiel, qui ne me paye que de la realité, encores bien massive, et qui, si je l'osois

---

a. « Je ne demande rien de plus aux dieux. » Horace, *Odes*, II, XVIII, 11. — *b.* « J'abandonne le reste à la Fortune. » Ovide, *Métamorphoses*, II, 140. — *c.* Condition. — *d.* « Il ne peut plus rien naître de bon, tant les germes sont corrompus. » Tertullien, *Apologétique*.

confesser, ne trouverois l'avarice [a] guere moins excusable
que l'ambition, ny la douleur moins evitable que la honte,
ny la santé moins desirable que la doctrine, ou la richesse
que la noblesse.

Parmy ses faveurs vaines, je n'en ay poinct qui plaise
tant à cette niaise humeur qui s'en paist chez moy, qu'une
bulle authentique de bourgeoisie Romaine, qui me fut
octroyée dernierement [907] que j'y estois, pompeuse en
seaux et lettres dorées, et octroyée avec toute gratieuse
liberalité. Et, par ce qu'elles se donnent en divers stile
plus ou moins favorable, et qu'avant que j'en eusse veu,
j'eusse esté bien aise qu'on m'en eust montré un formulaire,
je veux, pour satisfaire à quelqu'un, s'il s'en trouve malade
de pareille curiosité à la mienne, la transcrire ici en sa forme :

QUOD HORATIUS MAXIMUS, MARTIUS CECIUS, ALEXANDER
MUTUS, ALMÆ URBIS CONSERVATORES DE ILLUSTRISSIMO
VIRO MICHAELE MONTANO, EQUITE SANCTI MICHAELIS ET
A CUBICULO REGIS CHRISTIANISSIMI, ROMANA CIVITATE
DONANDO, AD SENATUM RETULERUNT, S. P. Q. R. DE EA
RE ITA FIERI CENSUIT :

*Cum veteri more et instituto cupide illi semper studioséque
suscepti sint, qui, virtute ac nobilitate præstantes, magno Reip.
nostræ usui atque ornamento fuissent vel esse aliquando possent.
Nos, majorum nostrorum exemplo atque auctoritate permoti,
præclaram hanc Consuetudinem nobis imitandam ac servandam
fore censemus. Quamobrem, cum Illustrissimus Michael Montanus,
Eques sancti Michaelis et à Cubiculo Regis Christianissimi,
Romani nominis studiosissimus, et familiæ laude atque splendore
et propriis virtutum meritis dignissimus sit, qui summo Senatus
Populique Romani judicio ac studio in Romanam Civitatem
adsciscatur, placere Senatui P. Q. R. Illustrissimum Michaelem
Montanum, rebus omnibus ornatissimum atque huic inclyto
populo charissimum, ipsum posterosque in Romanam Civitatem
adscribi ornarique omnibus et præmiis et honoribus quibus illi
fruuntur qui Cives Patritiique Romani nati aut jure optimo
facti sunt. In quo censere Senatum P. Q. R. se non tam illi
Jus Civitatis largiri quam debitum tribuere, neque magis bene-
ficium dare quam ab ipso accipere qui, hoc Civitatis munere*

---

a. La cupidité.

*accipiendo, singulari Civitatem ipsam ornamento atque honore
affecerit. Quam quidem S. C. auctoritatem iidem Conservatores
per Senatus P. Q. R. scribas in acta referri atque in Capitolii
curia servari, privilegiumque hujusmodi fieri, solitoque urbis sigillo
communiri curarunt. Anno ab urbe condita CXCCCCXXXI.
post Christum natum M. D. LXXXI., III. Idus Martii.*

Horatius Fuscus, sacri S. P. Q. R. scriba,
Vincen. Martholus, sacri S.P.Q.R. scriba[a].

N'estant bourgeois d'aucune ville, je suis bien aise de

[a]. Voici la traduction de cette bulle de bourgeoisie qui fut octroyée à Montaigne :

Sur le rapport fait au Sénat par Orazio Massimi, Marzo Cecio, Alessandro Muti, Conservateurs de la ville de Rome, sur le droit de cité romaine à accorder à l'illustrissime Michel de Montaigne, chevalier de l'ordre de Saint-Michel et gentilhomme ordinaire du Roi Très chrétien, le Sénat et le Peuple Romain ont décrété;

Considérant que par us et coutume antiques, ceux-là ont toujours été adoptés parmi nous avec ardeur et empressement qui, distingués en vertu et en noblesse, avaient servi et honoré grandement notre République ou pouvaient le faire un jour; Nous, pleins de respect pour l'exemple et l'autorité de nos ancêtres, nous croyons devoir imiter et conserver cette belle coutume. Pour ces raisons, l'illustrissime Michel de Montaigne, chevalier de l'ordre de Saint-Michel, et gentilhomme ordinaire de la chambre du Roi Très chrétien, fort zélé pour le nom romain, étant, par le rang, par l'éclat de sa famille et par ses qualités personnelles, très digne d'être admis au droit de cité romaine par le suprême jugement et les suffrages du Sénat et du Peuple Romain, il a plu au Sénat et au Peuple Romain que l'illustrissime Michel de Montaigne, orné de tous les genres de mérites et très cher à ce noble peuple, fût inscrit comme citoyen romain tant pour lui que pour sa postérité et appelé à jouir de tous les honneurs et avantages réservés à ceux qui sont nés citoyens et patriciens de Rome ou le sont devenus au meilleur titre. En quoi le Sénat et le Peuple Romain pense qu'il accorde moins un droit qu'il ne paie une dette et que c'est moins un service qu'il rend qu'un service qu'il reçoit de celui qui, en acceptant ce droit de cité, honore et illustre la cité même.

Les Conservateurs ont fait inscrire ce sénatus-consulte par les secrétaires du Sénat et du Peuple Romain, pour être déposé dans les archives du Capitole et en ont fait dresser cet acte muni du sceau ordinaire de la ville. L'an de la fondation de Rome 2331 et de la naissance de Jésus-Christ 1581, le 13 de mars.

Orazio Fosco, Secrétaire du Sacré Sénat et du Peuple Romain.
Vincente Martoli, Secrétaire du Sacré Sénat et du Peuple Romain.

l'estre de la plus noble qui fut et qui sera onques. Si les autres se regardoient attentivement, comme je fay, ils se trouveroient, comme je fay, pleins d'inanité et de fadaise. De m'en deffaire, je ne puis sans me deffaire moy-mesmes. Nous en sommes tous confits, tant les uns que les autres; mais ceux qui le sentent en ont un peu meilleur compte, encore ne sçay-je.

Cette opinion et usance commune de regarder ailleurs qu'à nous a bien pourveu à nostre affaire. C'est un objet plein de mescontentement; nous n'y voyons que misere et vanité. Pour ne nous desconforter, nature a rejetté bien à propos l'action de nostre veuë au dehors. Nous allons en avant à vau l'eau, mais de rebroussér vers nous nostre course c'est un mouvement penible : la mer se brouille et s'empesche ainsi quand elle est repoussée à soy. « Regardez, dict chacun, les branles du ciel, regardez au public, à la querelle de cettuy-là, au pouls d'un tel, au testament de cet autre; somme regardez tousjours haut ou bas, ou à costé, ou devant, ou derriere vous. » C'estoit un commandement paradoxe que nous faisoit anciennement ce Dieu à Delphes[903] : « Regardez dans vous, reconnoissez vous, tenez vous à vous; vostre esprit et vostre volonté, qui se consomme ailleurs, ramenez la en soy; vous vous escoulez, vous vous respandez; appilez vous[a], soutenez vous; on vous trahit, on vous dissipe, on vous desrobe à vous. Voy tu pas que ce monde tient toutes ses veues contraintes au dedans et ses yeux ouverts à se contempler soy-mesme? C'est tousjours vanité pour toy, dedans et dehors, mais elle est moins vanité quand elle est moins estendue. Sauf toy, ô homme, disoit ce Dieu, chaque chose s'estudie la premiere et a, selon son besoin, des limites à ses travaux et desirs. Il n'en est une seule si vuide et necessiteuse que toy, qui embrasses l'univers; tu es le scrutateur sans connoissance, le magistrat sans jurisdiction et, après tout, le badin de la farce. »

---

a. Resserrez-vous.

CHAPITRE X

DE MESNAGER SA VOLONTÉ

Au pris du commun des hommes, peu de choses me touchent, ou, pour mieux dire, me tiennent; car c'est raison qu'elles touchent, pourveu qu'elles ne nous possedent. J'ay grand soin d'augmenter par estude et par discours [a] ce privilege d'insensibilité, qui est naturellement bien avancé en moy. J'espouse, et me passionne par consequant, de peu de choses. J'ay la veuë clere, mais je l'attache à peu d'objects, le sens delicat et mol. Mais l'apprehension et l'application, je l'ay dure et sourde : je m'engage difficilement. Autant que je puis, je m'employe tout à moy; et en ce subject mesme, je briderois pourtant et soutiendrois volontiers mon affection qu'elle ne s'y plonge trop entiere, puis que c'est un subject que je possede à la mercy d'autruy, et sur lequel la fortune a plus de droict que je n'ay. De maniere que, jusques à la santé que j'estime tant, il me seroit besoing de ne la pas desirer et m'y adonner si furieusement que j'en trouve les maladies importables. On se doibt moderer entre la haine de la douleur et l'amour de la volupté; et ordonne Platon[909] une moyenne route de vie entre les deux.

Mais aux affections qui me distrayent de moy et attachent ailleurs, à celles là certes m'oppose-je de toute ma force. Mon opinion est qu'il se faut prester à autruy et ne se donner qu'à soy-mesme[910]. Si ma volonté se trouvoit aysée à se hypothequer et à s'appliquer, je n'y durerois pas : je suis trop tendre, et par nature et par usage,

fugax rerum, securaque in otia natus [b].

Les debats contestez et opiniastrez qui doneroyent en fin advantage à mon adversaire, l'issue qui rendroit honteuse ma chaude poursuite, me rongeroit à l'avanture bien

---

a. Réflexion. — *b.* « Fuyant les affaires et né pour les loisirs insoucieux. » Ovide, *Tristes,* III, II, 9.

cruellement. Si je mordois à mesme, comme font les autres, mon arme n'auroit jamais la force de porter les alarmes et emotions qui suyvent ceux qui embrassent tant; elle seroit incontinent disloquée par cette agitation intestine. Si quelquefois on m'a poussé au maniement d'affaires estrangieres, j'ay promis de les prendre en main, non pas au poulmon et au foye; de m'en charger, non de les incorporer; de m'en soigner, ouy, de m'en passionner nullement : j'y regarde, mais je ne les couve point. J'ay assez affaire à disposer et renger la presse domestique[a] que j'ay dans mes entrailles et dans mes veines, sans y loger, et me fouler d'une presse estrangere; et suis assez interessé de mes affaires essentiels, propres et naturels, sans en convier d'autres forains. Ceux qui sçavent combien ils se doivent et de combien d'offices ils sont obligez à eux, trouvent que nature leur a donné cette commission plaine assez et nullement oysifve. Tu as bien largement affaire chez toy, ne t'esloingne pas.

Les hommes se donnent à loüage. Leurs facultez ne sont pas pour eux, elles sont pour ceux à qui ils s'asservissent; leurs locataires sont chez eux, ce ne sont pas eux. Cette humeur commune ne me plaict pas : il faut mesnager la liberté de nostre ame et ne l'hypothequer qu'aux occasions justes; lesquelles sont en bien petit nombre, si nous jugeons sainement. Voyez les gens apris à se laisser emporter et saisir, ils le font par tout, aux petites choses comme aux grandes, à ce qui ne les touche point comme à ce qui les touche; ils s'ingerent indifferemment où il y a de la besongne et de l'obligation, et sont sans vie quand ils sont sans agitation tumultuaire. « *In negotiis sunt negotii causa*[b]. » Ils ne cherchent la besongne que pour embesongnement. Ce n'est pas qu'ils vueillent aller tant comme c'est qu'ils ne se peuvent tenir, ne plus ne moins qu'une pierre esbranlée en sa cheute, qui ne s'arreste jusqu'à tant qu'elle se couche. L'occupation est à certaine maniere de gens marque de suffisance[c] et de dignité. Leur esprit cerche son repos au branle, comme les enfans au berceau. Ils se peuvent dire autant serviables à leurs amys comme importuns à eux mesme. Personne ne distribue

---

a. La foule des soucis de chez moi. — *b.* Montaigne traduit ces mots après les avoir cités. Sénèque, *Épîtres*, 22. — *c.* Capacité.

son argent à autruy, chacun y distribue son temps et sa vie;
il n'est rien dequoy nous soyons si prodigues que de ces
choses là, desquelles seules l'avarice nous seroit utile et
louable[911].

Je prens une complexion toute diverse. Je me tiens sur
moy, et communéement desire mollement ce que je desire,
et desire peu; m'occupe et embesongne de mesme; rarement et tranquillement. Tout ce qu'ils veulent et conduisent,
ils le font de toute leur volonté et vehemence. Il y a tant
de mauvais pas que, pour le plus seur[a], il faut un peu
legierement et superficiellement couler ce monde. Il le
faut glisser, non pas s'y enfoncer. La volupté mesme est
douloureuse en sa profondeur :

incedis per ignes
Suppositos cineri doloso[b].

Messieurs de Bordeaux[912] m'esleurent maire de leur
ville, estant esloigné de France et encore plus esloigné
d'un tel pensement. Je m'en excusay, mais on m'aprint
que j'avois tort, le commandement du Roy aussi s'y
interposant[913]. C'est une charge qui en doibt sembler
d'autant plus belle, qu'elle n'a ny loyer, ny guain autre
que l'honneur de son execution. Elle dure deux ans; mais
elle peut estre continuée par seconde election, ce qui
advient très rarement. Elle le fut à moy; et ne l'avoit esté
que deux fois auparavant : quelques années y avoit, à
Monsieur de Lanssac[914]; et freschement à Monsieur de
Biron, Mareschal de France[915], en la place duquel je succe-
day; et laissay la mienne à Monsieur de Matignon, aussi
Mareschal de France[916], brave[c] de si noble assistance,

uterque bonus pacis bellique minister[d]!

La fortune voulut part à ma promotion, par cette particuliere circonstance qu'elle y mit du sien. Non vaine du
tout; car Alexandre desdaigna les Ambassadeurs Corinthiens qui lui offroyent la bourgeoisie de leur ville[917];
mais quand ils vindrent à luy deduire[e] comment Bacchus

---

a. Sûr. — *b.* « Tu marches sur un feu couvert d'une cendre trom-
peuse. » Horace, *Odes*, II, 1, 7. — *c.* Fier (se rapporte à « je », sous-
entendu). — *d.* « L'un et l'autre bons serviteurs de la paix et de la
guerre. » Virgile, *Énéide*, XI, 658. — *e.* Raconter.

et Hercules estoyent aussi en ce registre, il les en remercia gratieusement.

A mon arrivée, je me deschiffray fidelement et consciencieusement, tout tel que je me sens estre : sans memoire, sans vigilance, sans experience, et sans vigueur; sans hayne aussi, sans ambition, sans avarice et sans violence; à ce qu'ils fussent informez et instruicts de ce qu'ils avoyent à attendre de mon service. Et par ce que la cognoissance de feu mon pere les avoit seule incitez à cela, et l'honneur de sa memoire, je leur adjoustay bien clairement que je serois très marry que chose quelconque fit autant d'impression en ma volonté comme avoyent faict autrefois en la sienne leurs affaires et leur ville, pendant qu'il l'avoit en gouvernement, en ce mesme lieu auquel ils m'avoient appellé. Il me souvenoit de l'avoir veu vieil en mon enfance, l'ame cruellement agitée de cette tracasserie publique, oubliant le doux air de sa maison, où la foiblesse des ans l'avoit attaché long temps avant, et son mesnage et sa santé, et, en mesprisant certes sa vie qu'il y cuida[a] perdre, engagé pour eux à des longs et penibles voyages. Il estoit tel; et luy partoit cette humeur d'une grande bonté de nature; il ne fut jamais ame plus charitable et populaire. Ce train, que je louë en autruy, je n'aime point à le suivre, et ne suis pas sans excuse. Il avoit ouy dire qu'il se falloit oublier pour le prochain, que le particulier ne venoit en aucune consideration au pris du general.

La plus part des reigles et preceptes du monde prennent ce train de nous pousser hors de nous et chasser en la place, à l'usage de la societé publique. Ils ont pensé faire un bel effect de nous destourner et distraire de nous, presuposans que nous n'y tinsions que trop et d'une attache trop naturelle; et n'ont espargné rien à dire pour cette fin. Car il n'est pas nouveau aux sages de prescher les choses comme elles servent, non comme elles sont. La verité a ses empeschemens, incommoditez et incompatibilitez avec nous. Il nous faut souvant tromper afin que nous ne nous trompons, et siller nostre veuë, estourdir notre entendement pour les dresser et amender. « *Imperiti enim judicant, et qui frequenter in hoc ipsum fallendi sunt, ne errent*[b]. »

a. Pensa, faillit. — *b.* « Ce sont des ignorants qui jugent et il faut souvent les tromper, pour les empêcher de tomber dans l'erreur. » Quintilien, *Instit. orat.*, II, 17.

Quand ils nous ordonnent d'aymer avant nous trois, quatre et cinquante degrez de choses, ils representent[a] l'art des archiers qui, pour arriver au point, vont prenant leur visée grande espace au-dessus de la bute[b]. Pour dresser un bois courbe on le recourbe au rebours[918].

J'estime qu'au temple de Pallas, comme nous voyons en toutes autres religions, il y avoit des mysteres apparens pour estre montrez au peuple, et d'autres mysteres plus secrets et plus hauts, pour estre montrés seulement à ceux qui en estoyent profez. Il est vray-semblable que en ceux icy se trouve le vray point de l'amitié que chacun se doibt. Non une amitié faulce, qui nous faict embrasser la gloire, la science, la richesse et telles choses d'une affection principale et immoderée, comme membres de nostre estre, ny une amitié molle et indiscrete en laquelle il advient ce qui se voit au lierre, qu'il corrompt et ruyne la paroy qu'il accole; mais une amitié salutaire et reiglée, également utile et plaisante. Qui en sçait les devoirs et les exerce, il est vrayement du cabinet des muses; il a attaint le sommet de la sagesse humaine et de nostre bon heur. Cettuy-cy, sçachant exactement ce qu'il se doibt, trouve dans son rolle qu'il doibt appliquer à soy l'usage des autres hommes et du monde, et, pour ce faire, contribuer à la société publique les devoirs et offices qui le touchent. Qui ne vit aucunement à autruy, ne vit guere à soy. *« Qui sibi amicus est, scito hunc amicum omnibus esse*[c]. » La principale charge que nous ayons, c'est à chacun sa conduite; et est ce pour quoy nous sommes icy. Comme qui oublieroit de bien et saintement vivre, et penseroit estre quite de son devoir en y acheminant et dressant les autres, ce seroit un sot; tout de mesme, qui abandonne en son propre le sainement et gayement vivre pour en servir autruy, prent à mon gré un mauvais et desnaturé parti.

Je ne veux pas qu'on refuse aux charges qu'on prend l'attention, les pas, les parolles, et la sueur et le sang au besoing :

non ipse pro charis amicis
Aut patria timidus perire[d].

---

a. Imitent. — b. Du but. — c. « Qui est ami de soi-même est ami, sachez-le, de tout le monde. » Sénèque, *Épîtres,* 6. — d. « Moi-même je n'hésite pas à mourir pour mes amis chers et pour ma patrie. » Horace, *Odes,* IV, IX, 51.

Mais c'est par emprunt et accidentalement, l'esprit se tenant tousjours en repos et en santé, non pas sans action, mais sans vexation, sans passion. L'agir simplement luy coste si peu, qu'en dormant mesme il agit. Mais il luy faut donner le branle avec discretion; car le corps reçoit les charges qu'on luy met sus, justement selon qu'elles sont; l'esprit les estant et les appesantit souvant à ses despens, leur donnant la mesure que bon luy semble. On faict pareilles choses avec divers efforts et differente contention de volonté. L'un va bien sans l'autre. Car combien de gens se hazardent tous les jours aux guerres, dequoy il ne leur chaut, et se pressent aux dangers des batailles, desquelles la perte ne leur troublera pas le voisin sommeil? Tel en sa maison, hors de ce dangier, qu'il n'oseroit avoir regardé, est plus passionné de l'yssue de cette guerre et en a l'ame plus travaillée que n'a le soldat qui y employe son sang et sa vie. J'ay peu me mesler des charges publiques sans me despartir de moy de la largeur d'une ongle, et me donner à autruy sans m'oster à moy.

Cette aspreté et violence de desir empesche, plus qu'elle ne sert, à la conduitte de ce qu'on entreprend, nous remplit d'impatience envers les evenemens ou contraires ou tardifs, et d'aigreur et de soupçon envers ceux avec qui nous negotions. Nous ne conduisons jamais bien la chose de laquelle nous sommes possedez et conduicts :

> *male cuncta ministrat*
> *Impetus* [a].

Celuy qui n'y employe que son jugement et son adresse, il y procede plus gayement : il feinct, il ploye, il differe tout à son aise, selon le besoing des occasions; il faut d'atainte [b], sans tourment et sans affliction, prest et entier pour une nouvelle entreprise; il marche tousjours la bride à la main. En celuy qui est enyvré de cette intention violente et tyrannique, on voit par necessité beaucoup d'imprudence et d'injustice; l'impetuosité de son desir l'emporte; ce sont mouvemens temeraires, et, si fortune n'y preste beaucoup, de peu de fruict. La philosophie veut [919] qu'au chastiement

---

a. « La passion est toujours mauvais guide. » Stace, *Thébaïde*, X, 704; cité par Juste Lipse, *Politiques*, III, 6. — *b*. Il manque le but.

des offences receuës, nous en distrayons la cholere : non afin que la vengeance en soit moindre, ains au rebours afin qu'elle en soit d'autant mieux assenée et plus poisante; à quoy il luy semble que cette impetuosité porte empeschement. Non seulement la cholere trouble, mais de soy elle lasse aussi les bras de ceux qui chastient. Ce feu estourdit et consomme leur force. Comme en la precipitation « *festinatio tarda est*[a] », la hasttiveté se donne elle mesme la jambe, s'entrave et s'arreste. « *Ipsa se velocitas implicat*[b]. » Pour exemple, selon ce que j'en vois par usage ordinaire, l'avarice[c] n'a point de plus grand destourbier[d] que soy-mesme : plus elle est tendue et vigoreuse, moins elle en est fertile. Communement elle attrape plus promptement les richesses, masquée d'un'image de liberalité.

Un gentil'homme, très-homme de bien, et mon amy[920], cuyda[e] brouiller la santé de sa teste par une trop passionnée attention et affection aux affaires d'un prince, son maistre[921]. Lequel maistre s'est ainsi peinct soy-mesmes à moy : qu'il voit le pois des accidens comme un autre, mais qu'à ceux qui n'ont point de remede il se resout soudain à la souffrance; aux autres, après y avoir ordonné les provisions necessaires, ce qu'il peut faire promptement par la vivacité de son esprit, il attend en repos ce qui s'en peut suyvre. De vray, je l'ay veu à mesme, maintenant une grande nonchalance et liberté d'actions et de visage au travers de bien grands affaires et espineux. Je le trouve plus grand et plus capable en une mauvaise qu'en une bonne fortune : ses pertes luy sont plus glorieuses que ses victoires, et son deuil que son triomphe.

Considerez, qu'aux actions mesmes qui sont vaines et frivoles, au jeu des eschets[f], de la paume et semblables, cet engagement aspre et ardant d'un desir impetueus jette incontinent l'esprit et les membres à l'indiscretion[g] et au desordre : on s'esblouit, on s'embarrasse soy-mesme. Celuy qui se porte plus modereement envers le gain et la perte, il est tousjours chez soy; moins il se pique et pas-

---

a. « La précipitation est une cause de retard. » Quinte-Curce, IX, IX, 12. — *b*. « La hâte s'entrave elle-même. » Sénèque, *Épîtres,* 44. — *c*. La cupidité. — *d*. Empêchement. — *e*. Pensa, faillit. — *f*. Échecs. — *g*. Au manque de discernement.

sionne au jeu, il le conduict d'autant plus avantageusement et seurement.

Nous empeschons au demeurant la prise et la serre de l'ame à luy donner tant de choses à saisir. Les unes, il les luy faut seulement presenter, les autres attacher, les autres incorporer. Elle peut voir et sentir toutes choses, mais elle ne se doibt paistre que de soy, et doibt estre instruicte de ce qui la touche proprement, et qui proprement est de son avoir et de sa substance. Les loix de nature nous aprenent ce que justement il nous faut. Après que les sages[922] nous ont dict que selon elle personne n'est indigent et que chacun l'est selon l'opinion, ils distinguent ainsi subtilement les desirs qui viennent d'elle de ceux qui viennent du desreiglement de nostre fantasie; ceux desquels on voit le bout sont siens, ceux qui fuient devant nous et desquels nous ne pouvons joindre la fin sont nostres. La pauvreté des biens est aisée à guerir; la pauvreté de l'ame, impossible.

Nam si, quod satis est homini, id satis esse potesset,
Hoc sat erat : nunc, cum hoc non est, qui credimus porro
Divitias ullas animum mi explere potesse[a]*?*

Socrates, voyant porter en pompe par sa ville grande quantité de richesse, joyaux et meubles de pris : « Combien de choses, dict-il, je ne desire point[923]. » Metrodorus vivoit du pois de douze onces par jour[924]. Epicurus à moins. Metroclez dormoit en hyver avec les moutons, en esté aux cloistres des Eglises[925]. *« Sufficit ad id natura, quod poscit*[b]*. »* Cleanthes vivoit de ses mains et se vantoit que Cleanthes, s'il vouloit, nourriroit encores un autre Cleantes[926].

Si ce que nature exactement et originelement nous demande pour la conservation de nostre estre est trop peu (comme de vray combien ce l'est et combien à bon compte nostre vie se peut maintenir, il ne se doibt exprimer mieux que par cette consideration, que c'est si peu qu'il

---

a. « Car si l'homme pouvait se contenter de ce qui lui suffit, je serais assez riche; mais puisqu'il n'en est pas ainsi, comment supposer que des richesses, quelque grandes qu'elles soient, puissent jamais me satisfaire? » Lucilius, V; cité par Nonius Marcellus, V, 98. — *b.* « La nature pourvoit à ses exigences. » Sénèque, *Épîtres,* 90.

eschappe la prise et le choc de la fortune par sa petitesse),
dispensons nous de quelque chose plus outre : appelons
encore nature l'usage et condition de chacun de nous;
taxons nous, traitons nous à cette mesure, estandons nos
appartenances et nos comptes jusques là. Car jusques là il
me semble bien que nous avons quelque excuse. L'accoustumance est une seconde nature, et non moins puissante.
Ce qui manque à ma coustume, je tiens qu'il me manque.
Et aymerois quasi esgalement qu'on m'ostat la vie, que si
on me l'essimoit et retranchoit bien loing de l'estat auquel
je l'ay vescue si long temps.

Je ne suis plus en termes[a] d'un grand changement, et
de me jetter à un nouveau trein et inusité. Non pas mesme
vers l'augmentation. Il n'est plus temps de devenir autre.
Et, comme je plaindrois[b] quelque grande adventure, qui
me tombast à cette heure entre mains, de ce qu'elle ne
seroit venuë en temps que j'en peusse jouyr,

Quo mihi fortuna, si non conceditur uti[c] ?

je me plaindrois de mesme de quelque acquest interne. Il
faut quasi mieux jamais que si tard devenir honneste
homme, et bien entendu à vivre lorsqu'on n'a plus de vie.
Moy qui m'en vay, resignerois facilement à quelqu'un qui
vinst ce que j'apprens de prudence pour le commerce du
monde. Moustarde après disner. Je n'ay que faire du bien
duquel je ne puis rien faire. A quoy la science à qui n'a
plus de teste ? C'est injure et deffaveur de Fortune de nous
offrir des presents qui nous remplissent d'un juste despit
de nous avoir failly en leur saison. Ne me guidez plus; je
ne puis plus aller. De tant de membres qu'a la suffisance,
la patience nous suffit. Donnez la capacité d'un excellent
dessus au chantre qui a les poulmons pourris, et d'eloquence à l'eremite[d] relegué aux deserts d'Arabie. Il ne
faut point d'art à la cheute : la fin se trouve de soy au
bout de chaque besongne. Mon monde est failly, ma forme
est vuidée; je suis tout du passé, et suis tenu de l'autho-
rizer et d'y conformer mon issue.

Je veux dire cecy[e] : que l'eclipsement nouveau des dix

---

a. Mesures. — *b.* Regretterais. — *c.* « A quoi bon la fortune s'il
ne m'est pas possible d'en jouir ? » Horace, *Épîtres*, I, v, 12. —
d. Ermite. — *e.* L'édition de 1595 ajoute : *par manière d'exemple*

jours du Pape[927] m'ont prins si bas que je ne m'en puis bonnement accoustrer. Je suis des années ausquelles nous contions autrement. Un si ancien et long usage me vendique[a] et rappelle à soy. Je suis contraint d'estre un peu heretique par là, incapable de nouvelleté, mesme corrective; mon imagination, en despit de mes dents, se jette tousjours dix jours plus avant, ou plus arriere, et grommelle à mes oreilles. Cette regle touche ceux qui ont à estre. Si la santé mesme, si sucrée, vient à me retrouver par boutades, c'est pour me donner regret plustost que possession de soy; je n'ay plus où la retirer[b]. Le temps me laisse; sans luy rien ne se possede. O que je ferois peu d'estat de ces grandes dignitez electives que je voy au monde, qui ne se donnent qu'aux hommes prests à partir! ausquelles on ne regarde pas tant combien deuëment[c] on les exercera, que combien peu longuement on les exercera : dès l'entrée on vise à l'issue.

Somme, me voicy après à achever cet homme, non à en refaire un autre. Par long usage cette forme m'est passée en substance, et fortune en nature.

Je dis donc que chacun d'entre nous, foibletz, est excusable d'estimer sien ce qui est compris soubs cette mesure. Mais aussi, au delà de ces limites, ce n'est plus que confusion. C'est la plus large estandue que nous puissions octroier à nos droicts. Plus nous amplifions nostre besoing et possession, d'autant plus nous engageons nous aux coups de la fortune et des adversitez. La carriere de nos desirs doit estre circonscripte et restraincte à un court limite des commoditez les plus proches et contigües; et doit en outre leur course se manier, non en ligne droite qui face bout ailleurs, mais en rond, duquel les deux pointes se tiennent et terminent en nous par un brief contour. Les actions qui se conduisent sans cette reflexion, s'entend voisine reflexion et essentielle, comme sont celles des avaritieux, des ambitieux et tant d'autres qui courent de pointe[d], desquels la course les emporte tousjours devant eux, ce sont actions erronées et maladives.

La plus part de nos vacations[e] sont farcesques. « *Mundus universus exercet histrioniam*[f]. » Il faut jouer deuement[g]

a. Revendique. — *b.* Lui donner asile. — *c.* Dûment. — *d.* Droit devant eux (Montaigne explique l'expression aussitôt après). — *e.* Occupations. — *f.* « Le monde entier joue la comédie. » Fragment de Pétrone cité dans le *De constantia* de Juste Lipse, I, 8. — *g.* Dûment.

nostre rolle, mais comme rolle d'un personnage emprunté. Du masque et de l'apparence il n'en faut pas faire une essence réelle, ny de l'estranger le propre. Nous ne sçavons pas distinguer la peau de la chemise. C'est assés de s'enfariner le visage, sans s'enfariner la poictrine. J'en vois qui se transforment et se transsubstantient en autant de nouvelles figures et de nouveaux estres qu'ils entreprennent de charges, et qui se prelatent[a] jusques au foye et aux intestins, et entreinent leur office[b] jusques en leur garde-robe[c]. Je ne puis leur apprendre à distinguer les bonnetades[d] qui les regardent de celles qui regardent leur commission[e] ou leur suite, ou leur mule. « *Tantum se fortunæ permittunt, etiam ut naturam dediscant*[f]. » Ils enflent et grossissent leur ame et leur discours naturel à la hauteur de leur siege magistral. Le Maire et Montaigne ont tousjours esté deux, d'une separation bien claire. Pour estre advocat ou financier, il n'en faut pas mesconnoistre la fourbe qu'il y a en telles vacations. Un honneste homme n'est pas comptable du vice ou sottise de son mestier, et ne doibt pourtant en refuser l'exercice; c'est l'usage de son pays, et il y a du proffict. Il faut vivre du monde et s'en prevaloir tel qu'on le trouve. Mais le jugement d'un Empereur doit estre au dessus de son empire, et le voir et considerer comme accident estranger; et luy, doit sçavoir jouyr de soy à part et se communicquer comme Jacques et Pierre, au moins à soymesmes.

Je ne sçay pas m'engager si profondement et si entier. Quand ma volonté me donne à un party, ce n'est pas d'une si violente obligation[g] que mon entendement s'en infecte. Aus presens brouillis[h] de cet estat, mon interest ne m'a fait mesconnoistre ny les qualitez louables en nos adversaires, ny celles qui sont reprochables en ceux que j'ay suivy. Ils adorent tout ce qui est de leur costé; moy je n'excuse pas seulement la plus part des choses que je voy du mien. Un bon ouvrage ne perd pas ses graces pour plaider contre ma cause. Hors le neud du debat, je me suis maintenu en equanimité et pure indifference. « *Neque extra*

---

a. Font les prélats. — *b.* Charge. — *c.* Lieux d'aisances. — *d.* Coup de bonnet, salut. — *e.* Fonction. — *f.* « Ils s'abandonnent tellement à leur fortune qu'ils en oublient jusqu'à la nature. » Quinte-Curce, III, 11, 18. — *g.* Attache. — *h.* Troubles.

necessitates belli præcipuum odium gero[a]. » De quoy je me gratifie, d'autant que je voy communément faillir au contraire. « *Utatur motu animi qui uti ratione non potest*[b]. » Ceux qui alongent leur cholere et leur haine au delà des affaires, comme faict la plus part, montrent qu'elle leur part d'ailleurs, et de cause particuliere : tout ainsi comme à qui, estant guary de son ulcere, la fiévre demeure encore, montre qu'elle avoit un autre principe plus caché. C'est qu'ils n'en ont point à la cause en commun, et en tant qu'elle blesse l'interest de tous et de l'estat; mais luy en veulent seulement en ce qu'elle leur masche en privé[c]. Voylà pourquoy ils s'en picquent de passion particuliere et au delà de la justice et de la raison publique. « *Non tam omnia universi quam ea quæ ad quemque pertinent singuli carpebant*[d]. »

Je veux que l'avantage soit pour nous, mais je ne forcene point[e] s'il ne l'est. Je me prens fermement au plus sain des partis, mais je n'affecte pas qu'on me remarque specialement ennemy des autres, et outre la raison generale. J'accuse merveilleusement cette vitieuse forme d'opiner : « Il est de la Ligue, car il admire la grace de Monsieur de Guise. » « L'activeté du Roy de Navarre l'estonne : il est Huguenot. » « Il treuve cecy à dire aux mœurs du Roy : il est seditieux en son cœur. » Et ne concedy pas au magistrat mesme qu'il eust raison de condamner un livre pour avoir logé entre les meilleurs poëtes de ce siecle un heretique[928]. N'oserions nous dire d'un voleur qu'il a belle greve[f]? Et faut-il, si elle est putain, qu'elle soit aussi punaise? Aux siecles plus sages, revoqua-on le superbe tiltre de Capitolinus, qu'on avoit auparavant donné à Marcus Manlius comme conservateur de la religion et liberté publique? Estouffa-on la memoire de sa liberalité et de ses faicts d'armes et recompenses militaires ottroyées à sa vertu, par ce qu'il affecta[g] depuis la Royauté, au prejudice des loix de son pays[929]? S'ils ont prins en haine un advocat,

---

a. « Et hors les nécessités de la guerre, je ne nourris aucune haine capitale. » Auteur inconnu. — *b.* « Que celui-là s'abandonne à la passion qui ne peut suivre la raison. » Cicéron, *Tusculanes*, IV, XXV. — *c.* Les meurtrit dans leurs intérêts particuliers. — *d.* « Ils ne s'accordaient pas tous à blâmer l'ensemble, mais chacun critiquait les détails qui l'intéressaient personnellement. » Tite-Live, XXXIV, 36. — *e.* Je ne fais pas le forcené. — *f.* Jambe. — *g.* Chercha à établir.

l'endemain il leur devient ineloquent. J'ay touché ailleurs[930] le zele qui poussa des gens de bien à semblables fautes. Pour moy, je sçay bien dire : « Il faict meschamment cela, et vertueusemant cecy. »

De mesmes, aux prognostiques ou evenements sinistres des affaires, ils veulent que chacun, en son party, soit aveugle et hebeté, que nostre persuasion et jugement serve non à la verité, mais au project de nostre desir. Je faudrois plustost vers l'autre extremité, tant je crains que mon desir me suborne. Joint que je me deffie un peu tendrement des choses que je souhaite. J'ay veu de mon temps merveilles en l'indiscrete et prodigieuse facilité des peuples à se laisser mener et manier la creance et l'esperance où il a pleu et servy à leurs chefs, par dessus cent mescontes les uns sur les autres, par dessus les fantosmes et les songes. Je ne m'estonne plus de ceux que les singeries d'Apollonius et de Mehumet enbufflarent[a]. Leur sens et entandement est entièrement estouffé en leur passion. Leur discretion n'a plus d'autre chois que ce qui leur rit et qui conforte leur cause. J'avoy remarqué souverainement cela au premier de nos partis fiebvreux[931]. Cet autre qui est nay depuis[932], en l'imitant, le surmonte. Par où je m'advise que c'est une qualité inseparable des erreurs populaires. Après la premiere qui part, les opinions s'entrepoussent suivant le vent comme les flotz. On n'est pas du corps si on s'en peut desdire, si on ne vague le trein commun. Mais certes on faict tort aux partis justes quand on les veut secourir de fourbes[b]. J'y ay tousjours contredict. Ce moyen ne porte qu'envers les testes malades; envers les saines il y a des voyes plus seures, et non seulement plus honnestes, à maintenir les courages et excuser les accidents contraires.

Le ciel n'a point veu un si poisant[c] desaccord que celuy de Cesar et de Pompeius, ny ne verra pour l'advenir. Toutesfois il me semble reconnoistre en ces belles ames une grande moderation de l'un envers l'autre. C'estoit une jalousie d'honneur et de commandement, qui ne les emporta pas à haine furieuse et indiscrete, sans malignité et sans detraction[d]. En leurs plus aigres exploits je descouvre quelque demeurant de respect et de bien-veuillance, et

---

a. Trompèrent, blousèrent. — *b.* Par des fourberies. — *c.* Pesant. — *d.* Dénigrement.

juge ainsi que, s'il leur eust été possible, chacun d'eux eust desiré de faire son affaire sans la ruyne de son compaignon plustost qu'avec sa ruyne. Combien autrement il en va de Marius et de Sylla : prenez y garde.

Il ne faut pas se precipiter si eperduement après nos affections et interests. Comme, estant jeune, je m'opposois au progrez de l'amour que je sentoy trop avancer sur moy, et estudiois qu'il ne me fut si aggreable qu'il vint à me forcer en fin et captiver du tout à sa mercy, j'en use de mesme à toutes autres occasions où ma volonté se prend avec trop d'appetit : je me panche à l'opposite de son inclination, comme je la voy se plonger et enyvrer de son vin ; je fuis à nourrir son plaisir si avant que je ne l'en puisse plus r'avoir sans perte sanglante.

Les ames qui, par stupidité, ne voyent les choses qu'à demy jouyssent de cet heur que les nuisibles les blessent moins ; c'est une ladrerie spirituelle qui a quelque air de santé, et telle santé que la philosophie ne mesprise pas du tout. Mais pourtant n'est pas raison de la nommer sagesse, ce que nous faisons souvent. Et de cette maniere se moqua quelqu'un anciennement de Diogenes, qui alloit embrassant en plain hyver, tout nud, une image de neige pour l'essay de sa patience. Celuy-là le rencontrant en cette démarche : « As tu grand froid à cette heure ? luy dict il. — Du tout poinct, respond Diogenes. — Or, suyvit l'autre, que penses-tu donc faire de difficile et d'exemplaire à te tenir là[933] ? » Pour mesurer la constance, il faut necessairement sçavoir la souffrance.

Mais les ames qui auront à voir les evenements contraires et les injures de la fortune en leur profondeur et aspreté, qui auront à les poiser[a] et gouster selon leur aigreur naturelle et leur charge, qu'elles employent leur art à se garder d'en enfiler les causes, et en destournent les advenues. Ce que fit le Roy Cotys ; il paya liberalement la belle et riche vaisselle qu'on luy avoit presentée ; mais, parce qu'elle estoit singulierement fragile, il la cassa incontinent luy mesme, pour s'oster de bonne heure une si aisée matiere de courroux contre ses serviteurs[934]. Pareillement, j'ay volontiers evité de n'avoir mes affaires confus[b], et n'ay cherché que mes biens fussent contigus à mes proches et

---

a. Peser. — *b.* Confondues [avec celles des autres].

LIVRE III, CHAPITRE X

ceux à qui j'ay à me joindre d'une estroitte amitié, d'où naissent ordinairement matieres d'alienation[a] et dissention. J'aymois autresfois les jeux hazardeux des cartes et dets ; je m'en suis deffaict, il y a long temps, pour cela seulement que, quelque bonne mine que je fisse en ma perte, je ne laissois pas d'en avoir au dedans de la piqueure. Un homme d'honneur, qui doit sentir un desmentir et une offense jusques au cœur, qui n'est pour prendre une sottise en paiement et consolation de sa perte, qu'il evite le progrez des affaires doubteux et des altercations contentieuses. Je fuis les complexions tristes et les hommes hargneux comme les empestez, et, aux propos que je ne puis traicter sans interest et sans emotion, je ne m'y mesle, si le devoir ne m'y force. « *Melius non incipient, quam desinent*[b]. » La plus seure façon est donc se preparer avant les occasions.

Je sçay bien qu'aucuns sages ont pris autre voye, et n'ont pas crainct de se harper[c] et engager jusques au vif à plusieurs objects. Ces gens là s'asseurent de leur force, soubs laquelle ils se mettent à couvert en toute sorte de succez enemis, faisant luicter les maux par la vigueur de la patience :

> *velut rupes vastum quæ prodit in æquor,*
> *Obvia ventorum furiis, expostáque ponto,*
> *Vim cunctam atque minas perfert cælique marisque,*
> *Ipsa immota manens*[d].

N'ataquons pas ces exemples ; nous n'y arriverions poinct. Ils s'obstinent à voir resoluement et sans se troubler la ruyne de leur pays, qui possedoit et commandoit toute leur volonté. Pour nos ames communes, il y a trop d'effort et trop de rudesse à cela. Caton en abandonna la plus noble vie qui fut onques. A nous autres petis, il faut fuyr l'orage de plus loing ; il faut pourvoer au sentiment, non à la patience, et eschever aux coups que nous ne sçaurions parer. Zenon voyant approcher Chremonidez, jeune homme qu'il aymoit, pour se seoir auprès de luy, se leva soudain.

---

a. Inimitié. — *b.* « Ils auront moins de peine à ne pas commencer qu'à cesser. » Sénèque, *Épîtres,* 72. — *c.* S'attacher. — *d.* « Tel un rocher qui s'avance dans la vaste mer, en butte à la fureur des vents et exposé aux flots, il brave les menaces et tous les efforts du ciel et de la terre, restant lui-même inébranlable. » Virgile, *Énéide,* X, 693.

Et Cleanthez lui en demandant la raison : « J'entends, dict-il, que les medecins ordonnent le repos principalement, et deffendent l'emotion à toutes tumeurs[935]. » Socrates ne dit point : Ne vous rendez pas aux attraicts de la beauté, soustenez la, efforcez vous au contraire. Fuyez la, faict-il, courez hors de sa veuë et de son rencontre, comme d'une poison puissante qui s'eslance et frappe de loing[936]. Et son bon disciple, feignant[a] ou recitant[b], mais à mon advis recitant plustost que feignant, les rares perfections de ce grand Cyrus, le faict deffiant de ses forces à porter les attraicts de la divine beauté de cette illustre Panthée, sa captive, et en commettant la visite et garde à un autre qui eust moins de liberté que luy[937]. Et le sainct Esprit de mesme : « *Ne nos inducas in tentationem*[c]. » Nous ne prions pas que nostre raison ne soit combatue et surmontée par la concupiscence, mais qu'elle n'en soit pas seulement essayée, que nous ne soyons conduits en estat où nous ayons seulement à souffrir les approches, solicitations et tentations du peché; et supplions nostre seigneur de maintenir nostre conscience tranquille, plainement et parfectement delivrée du commerce du mal.

Ceux qui disent avoir raison de leur passion vindicative ou de quelqu'autre espece de passion penible, disent souvent vray comme les choses sont, mais non pas comme elles furent. Ils parlent à nous lors que les causes de leur erreur sont nourries et avancées par eux mesmes. Mais reculez plus arriere, r'appelez ces causes à leur principe : là, vous les prendrez sans vert. Veulent ils que leur faute soit moindre pour estre plus vieille, et que d'un injuste commencement la suitte soit juste?

Qui desirera du bien à son païs comme moy, sans s'en ulcerer ou maigrir, il sera desplaisant mais non pas transi, de le voir menassant ou sa ruyne, ou une durée non moins ruyneuse. Pauvre vaisseau, que les flots, les vents et le pilote tirassent à si contraires desseins!

> *in tam diversa magister,*
> *Ventus et unda trahunt*[d].

a. Imaginant. — *b.* Rapportant. — *c.* « Ne nous induisez pas en tentation. » Saint Mathieu, VI, 13. — *d.* On ignore de quel auteur sont empruntés ces vers que Montaigne traduit avant de les citer. Ils sont imités, dirait-on, de Buchanan, *Franciscanus,* 13 et 16.

Qui ne bée poinct après la faveur des princes comme après chose dequoy il ne se sçauroit passer, ne se pique pas beaucoup de la froideur de leur recueil et de leur visage, ny de l'inconstance de leur volonté. Qui ne couve poinct ses enfans ou ses honneurs d'une propension[a] esclave, ne laisse pas de vivre commodéement après leur perte. Qui fait bien principalement pour sa propre satisfaction, ne s'altere guere pour voir les hommes juger de ses actions contre son merite. Un quart d'once de patience pourvoit à tels inconveniens. Je me trouve bien de cette recepte, me rachetant des commencemens au meilleur conte que je puis, et me sens avoir eschapé par son moyen beaucoup de travail et de difficultez. Avec bien peu d'effort j'arreste ce premier branle de mes esmotions, et abandonne le subject qui me commence à poiser[b], et avant qu'il m'emporte. Qui n'arreste le partir n'a garde d'arrester la course. Qui ne sçait leur fermer la porte ne les chassera pas entrées. Qui ne peut venir à bout du commencement ne viendra pas à bout de la fin. Ny n'en soustiendra la cheute qui n'en a peu soustenir l'esbranlement. « *Etenim ipsæ se impellunt, ubi semel a ratione discessum est : ipsaque sibi imbecillitas indulget, in altúmque provehitur imprudens, nec reperit locum consistendi*[c]. » Je sens à temps les petits vents qui me viennent taster et bruire au dedans, avantcoureus de la tempeste : « *Animus, multo antequam opprimatur, quatitur*[d]. »

> *ceu flamina prima*
> *Cum deprensa fremunt sylvis, et cæca volutant*
> *Murmura, venturos nautis prodentia ventos*[e].

A combien de fois me suis-je faict une bien evidente injustice, pour fuir le hazard de la recepvoir encore pire des juges, après un siecle d'ennuys et d'ordes[f] et viles pratiques plus ennemies de mon naturel que n'est la geine

---

a. Inclination. — *b.* Peser. — *c.* « Car d'elles-mêmes les passions se poussent quand une fois on s'est écarté de la raison; la faiblesse humaine se fie en elle-même, elle s'avance étourdiment en pleine mer et ne trouve plus de refuge où s'abriter. » Cicéron, *Tusculanes*, IV, XVIII. — *d.* « L'âme, bien avant d'être vaincue, est ébranlée. » Auteur inconnu. — *e.* « Ainsi quand le vent, faible encore, s'agite dans la forêt; il frémit et ses sourds rugissements annoncent aux matelots les ouragans prochains. » Virgile, *Énéide*, X, 97. — *f.* Sales.

et le feu? « *Convenit à litibus quantum licet, et nescio an paulo
plus etiam quam licet, abhorrentem esse. Est enim non modo
liberale, paululum nonnunquam de suo jure decedere, sed interdum
etiam fructuosum* [a]. » Si nous estions bien sages, nous nous
devrions rejouir et vanter, ainsi que j'ouy un jour bien
naïvement un enfant de grande maison faire feste à chacun
de quoy sa mere venoit de perdre son procès, comme sa
toux, sa fiebvre ou autre chose d'importune garde. Les
faveurs mesmes que la fortune pouvoit m'avoir donné,
parentez et accointances envers ceux qui ont souveraine
authorité en ces choses là, j'ay beaucoup faict selon ma
conscience de fuir instamment de les employer au prejudice d'autruy et à ne monter par dessus leur droicte valeur
mes droicts. Enfin j'ay tant faict par mes journées (à la
bonne heure le puisse-je dire!), que me voicy encore vierge
de procès, qui n'ont pas laissé de se convier à plusieurs
fois à mon service par bien juste titre, si j'eusse voulu y
entendre, et vierge de querelles. J'ay sans offence de pois,
passive ou active [b], escoulé tantost une longue vie, et sans
avoir ouy pis que mon nom [c]; rare grace du ciel.

Nos plus grandes agitations ont des ressorts et causes
ridicules. Combien encourut de ruyne nostre dernier Duc
de Bourgongne pour la querelle d'une charretée de peaux
de mouton [938]? Et l'engraveure d'un cachet, fut-ce pas la
premiere et maistresse cause du plus horrible crollement [d]
que cette machine aye onques souffert [939]? Car Pompeius et
Cæsar, ce ne sont que les rejettons et la suitte des deux
autres. Et j'ay veu de mon temps les plus sages testes de
ce Royaume assemblées, avec grande ceremonie et publique
despence, pour des traitez et accords, desquels la vraye
decision despendoit ce pendant en toute souveraineté des
devis du cabinet des dames et inclination de quelque fammelette. Les poëtes ont bien entendu cela, qui ont mis
pour une pomme la Grece et l'Asie à feu et à sang [940].
Regardez pourquoy celuy là s'en va courre fortune de son
honneur et de sa vie, à tout [e] son espée et son poignart;

---

a. « On doit, pour éviter les procès, faire tout ce que l'on peut
et peut-être même un peu plus ; car il est non seulement bien,
mais aussi quelquefois profitable de se relâcher un petit peu de ses
droits. » Cicéron, *De officiis*, II, 18. — *b.* Subie ou infligée. — *c.* Sans
avoir été injurié (locution proverbiale). — *d.* Bouleversement. —
e. Avec.

qu'il vous die d'où vient la source de ce debat, il ne le peut faire sans rougir, tant l'occasion en est frivole.

A l'enfourner[a], il n'y va que d'un peu d'avisement; mais, depuis que vous estes embarqué, toutes les cordes tirent. Il y faict besoing grandes provisions, bien plus difficiles et importantes. De combien il est plus aisé de n'y entrer pas que d'en sortir! Or il faut proceder au rebours du roseau, qui produict une longue tige et droicte de la premiere venue; mais après, comme s'il s'estoit alanguy et mis hors d'haleine, il vient à faire des nœuds frequens et espais, comme des pauses, qui montrent qu'il n'a plus cette premiere vigueur et constance[941]. Il faut plustost commencer bellement et froidement, et garder son haleine et ses vigoureux eslans au fort et perfection de la besongne. Nous guidons les affaires en leurs commencemens et les tenons à nostre mercy : mais par après quand ils sont esbranlez, ce sont eux qui nous guident et emportent, et avons à les suyvre.

Pourtant n'est-ce pas à dire que ce conseil m'aye deschargé de toute difficulté, et que je n'aye eu de la peine souvent à gourmer et brider mes passions. Elles ne se gouvernent pas toujours selon la mesure des occasions, et ont leurs entrées mesmes souvent aspres et violentes. Tant y a qu'il s'en tire une belle espargne et du fruict, sauf pour ceux qui au bien faire ne se contentent de nul fruict, si la reputation est à dire[b]. Car, à la vérité, un tel effect n'est en conte qu'à chacun en soy. Vous en estes plus content, mais non plus estimé, vous estant reformé avant que d'estre en danse et que la matiere fut en veuë. Toutesfois aussi, non en cecy seulement mais en tous autres devoirs de la vie, la route de ceux qui visent à l'honneur est bien diverse à celle que tiennent ceux qui se proposent l'ordre et la raison.

J'en trouve qui se mettent inconsideréement et furieusement en lice, et s'alentissent en la course. Comme Plutarque dict[942] que ceux qui par le vice de la mauvaise honte sont mols et faciles à accorder, quoy qu'on leur demande, sont faciles après à faillir de parole et à se desdire; pareillement qui entre legerement en querelle est subject d'en sortir aussi legerement. Cette mesme difficulté, qui me garde

---

a. Au début. — *b.* Laisse à désirer.

de l'entamer, m'inciteroit quand je serois esbranlé et
eschauffé. C'est une mauvaise façon; depuis qu'on y est,
il faut aller ou crever. « Entreprenez lachement, disoit
Bias, mais poursuivez chaudement[943]. » De faute de prudence on retombe en faute de cœur, qui est encore moins
supportable.

La pluspart des accords de nos querelles du jourd'huy
sont honteux et menteurs; nous ne cerchons qu'à sauver
les apparences, et trahissons cependant et desadvouons nos
vrayes intentions. Nous plastrons le faict; nous sçavons
comment nous l'avons dict et en quel sens, et les assistans
le sçavent, et nos amis, à qui nous avons voulu faire sentir
nostre avantage. C'est aux despens de nostre franchise et
de l'honneur de nostre courage que nous desadvouons
nostre pensée, et cerchons des conillieres[a] en la faucèté
pour nous accorder. Nous nous desmentons nous mesmes,
pour sauver un desmentir que nous avons donné. Il ne
faut pas regarder si vostre action ou vostre parole peut
avoir autre interpretation; c'est vostre vraie et sincere
interpretation qu'il faut meshuy[b] maintenir, quoy qu'il vous
couste. On parle à vostre vertu et à vostre conscience; ce
ne sont pas parties à mettre en masque[c]. Laissons ces vils
moyens et ces expediens à la chicane du palais. Les excuses
et reparations que je voy faire tous les jours pour purger
l'indiscretion, me semblent plus laides que l'indiscretion
mesme. Il vaudroit mieux l'offencer encore un coup que de
s'offencer soy mesme en faisant telle amende à son adversaire. Vous l'avez bravé, esmeu de cholere, et vous l'allez
rapaiser et flatter en vostre froid et meilleur sens, ainsi vous
vous soubmettez plus que vous ne vous estiez advancé. Je
ne trouve aucun dire si vicieux à un gentil-homme comme
le desdire me semble luy estre honteux, quand c'est un
desdire qu'on luy arrache par authorité; d'autant que
l'opiniastreté luy est plus excusable que la pusillanimité.

Les passions me sont autant aisées à eviter comme elles
me sont difficiles à moderer. « *Abscinduntur facilius animo
quàm temperantur*[d]. » Qui ne peut atteindre à cette noble
impassibilité Stoïcque, qu'il se sauve au giron de cette

---

a. Des terriers de lapins (conils) en guise de refuges. — *b.* Doré-
navant. — *c.* Sous un masque. — *d.* « Il est plus facile de les arracher de l'âme que de les brider. » Auteur inconnu.

mienne stupidité populaire. Ce que ceux-là faisoient par vertu, je me duits^a à le faire par complexion. La moyenne region loge les tempestes ; les deux extremes, des hommes philosophes et des hommes ruraux, concurrent^b en tranquillité et en bon heur.

> *Fœlix qui potuit rerum cognoscere causas*
> *Atque metus omnes et inexorabile fatum*
> *Subjecit pedibus, strepitumque Acherontis avari.*
> *Fortunatus et ille Deos qui novit agrestes,*
> *Panâque, Sylvanûmque senem, nymphâsque sorores*^c.

De toutes choses les naissances sont foibles et tendres. Pourtant faut-il avoir les yeux ouverts aux commencements ; car comme lors en sa petitesse on n'en descouvre pas le dangier, quand il est accreu on n'en descouvre plus le remede. J'eusse rencontré un million de traverses tous les jours plus mal aysées à digerer, au cours de l'ambition, qu'il ne m'a esté mal aysé d'arrester l'inclination naturelle qui m'y portoit :

> *jure perhorrui*
> *Late conspicuum tollere verticem*^d.

Toutes actions publiques sont subjectes à incertaines et diverses interpretations, car trop de testes en jugent. Aucuns disent de cette mienne occupation de ville[944] (et je suis content d'en parler un mot, non qu'elle le vaille, mais pour servir de montre de mes meurs en telles choses), que je m'y suis porté en homme qui s'esmeut trop laschement et d'une affection languissante ; et ils ne sont pas du tout esloignez d'apparence. J'essaie à tenir mon ame et mes pensées en repos. « *Cum semper natura, tum etiam ætate jam quietus*^e. » Et si elles se desbauchent par fois à quelque

---

a. Je m'accoutume. — *b.* Se rencontrent. — *c.* « Heureux qui a pu connaître les raisons des choses et qui a foulé aux pieds toutes les craintes : le destin inexorable et le bruit fait autour de l'avare Achéron ! Fortuné aussi celui qui connaît les dieux champêtres, et Pan, et le vieux Sylvain, et les Nymphes sœurs ! » Virgile, *Géorgiques*, II, 490. — *d.* « C'est avec raison que j'ai détesté d'élever la tête et d'attirer de loin les regards. » Horace, *Odes*, III, XVI, 18. — *e.* « Toujours calme par nature, et plus encore à présent, par l'effet de l'âge. » Cf. Quintus Cicéron, *De petitione consulatus*, II.

impression rude et penetrante, c'est à la verité sans mon
conseil. De cette langueur naturelle on ne doibt pourtant
tirer aucune preuve d'impuissance (car faute de soing et
faute de sens, ce sont deux choses), et moins de mescognoissance et ingratitude envers ce peuple, qui employa
tous les plus extremes moyens qu'il eust en ses mains à
me gratifier, et avant m'avoir cogneu et après, et fit bien
plus pour moy en me redonnant ma charge qu'en me la
donnant premierement. Je luy veux tout le bien qui se peut,
et certes, si l'occasion y eust esté, il n'est rien que j'eusse
espargné pour son service. Je me suis esbranlé pour luy
comme je faicts pour moy. C'est un bon peuple, guerrier
et genereux, capable pourtant d'obeyssance et discipline,
et de servir à quelque bon usage s'il y est bien guidé. Ils
disent aussi cette mienne vacation[a] s'estre passée sans
marque et sans trace[b]. Il est bon[c] : on accuse ma cessation[d],
en un temps où quasi tout le monde estoit convaincu de
trop faire.

J'ay un agir trepignant où la volonté me charrie. Mais
cette pointe est ennemye de perseverance. Qui se voudra
servir de moy selon moy, qu'il me donne des affaires où
il face besoing de la vigueur et de la liberté, qui ayent une
conduitte droicte et courte, et encores hazardeuse; j'y
pourray quelque chose. S'il la faut longue, subtile, laborieuse, artificielle et tortue, il faira mieux de s'adresser à
quelque autre.

Toutes charges importantes ne sont pas difficiles. J'estois
preparé à m'embesongner plus rudement un peu, s'il en
eust este grand besoing. Car il est en mon pouvoir de faire
quelque chose plus que je ne fais et que je n'ayme à faire.
Je ne laissay, que je sçache, aucun mouvement que le
devoir requist en bon escient de moy[945]. J'ay facilement
oublié ceux que l'ambition mesle au devoir et couvre de
son titre. Ce sont ceux qui le plus souvent remplissent les
yeux et les oreilles, et contentent les hommes. Non pas
la chose, mais l'apparence les paye. S'ils n'oyent[e] du
bruict, il leur semble qu'on dorme. Mes humeurs sont
contradictoires aux humeurs bruyantes. J'arresterois bien
un trouble sans me troubler, je chastierois un desordre

---

a. Charge. — *b.* Sans laisser de trace. — *c.* C'est bon signe. —
d. Mon inaction. — *e.* Entendent.

sans alteration. Ay-je besoing de cholere et d'inflammation ?
Je l'emprunte et m'en masque. Mes meurs sont mousses ª,
plustost fades qu'aspres. Je n'accuse pas un magistrat qui
dorme, pourveu que ceux qui sont soubs sa main dorment
quand et luy; les loix dorment de mesme. Pour moy, je
louë une vie glissante, sombre et muette, « *neque submissam
et abjectam, neque se efferentem* ᵇ ». Ma fortune le veut ainsi.
Je suis nay d'une famille qui a coulé sans esclat et sans
tumulte, et de longue memoire particulierement ambitieuse
de preud'hommie.

Nos hommes sont si formez à l'agitation et ostentation
que la bonté, la moderation, l'equabilité ᶜ, la constance et
telles qualitez quietes et obscures ne se sentent plus. Les
corps raboteux se sentent, les polis se manient imperceptiblement; la maladie se sent, la santé peu ou point; ny
les choses qui nous oignent, au pris de celles qui nous
poignent. C'est agir pour sa reputation et proffit particulier, non pour le bien, de remettre à faire en la place ce
qu'on peut faire en la chambre du conseil, et en plain
midy ce qu'on eust faict la nuict precedente, et d'estre
jaloux de faire soy-mesme ce que son compaignon faict
aussi bien. Ainsi faisoyent aucuns chirurgiens de Grece
operations de leur art sur des eschauffaux ᵈ à la veuë des
passans, pour en acquerir plus de practique et de chalan-
dise ⁹⁴⁶. Ils jugent que les bons reiglemens ne se peuvent
entendre qu'au son de la trompette.

L'ambition n'est pas un vice de petis compagnons et de
tels efforts que les nostres. On disoit à Alexandre : « Vostre
pere vous lairra ᵉ une grande domination, aysée et pacifique. » Ce garçon estoit envieux des victoires de son pere
et de la justice de son gouvernement. Il n'eust pas voulu
jouyr l'empire du monde mollement et paisiblement ⁹⁴⁷.
Alcibiades, en Platon ⁹⁴⁸, ayme mieux mourir jeune, beau,
riche, noble, sçavant par excellence que de s'arrester en
l'estat de cette condition. Cette maladie est à l'avanture ᶠ
excusable en une ame si forte et si plaine. Quand ces ametes ᵍ
naines et chetives s'en vont enbabouynant, et pensent
espendre leur nom pour avoir jugé à droict un affaire ou

---

a. Émoussées, douces. — *b.* « Ni basse ni abjecte, ni outrecui-
dante. » Cicéron, *De officiis*, I, 34. — *c.* L'égalité d'âme. — *d.* Tré-
teaux. — *e.* Laissera. — *f.* Peut-être. — *g.* Amettes (petites âmes).

continué l'ordre des gardes d'une porte de ville, ils en montrent d'autant plus le cul qu'ils esperent en hausser la teste. Ce menu bien faire n'a ne corps ne vie : il va s'esvanouyssant en la premiere bouche, et ne se promeine que d'un carrefour de ruë à l'autre. Entretenez en hardiment vostre fils et vostre valet, comme cet antien[949] qui, n'ayant autre auditeur de ses loüanges, et consent de sa valeur, se bravoit avec sa chambriere, en s'escriant : « O Perrete, le galant et suffisant homme de maistre que tu as! » Entretenez vous en vous-mesme, au pis aller, comme un conseillier de ma connoissance[950] ayant desgorgé une battelée de paragrafes[951], d'une extreme contention et pareille ineptie, s'estant retiré de la chambre du conseil au pissoir du palais, fut ouy marmotant entre les dans tout conscientieusement : « *Non nobis, Domine, non nobis, sed nomini tuo da gloriam*[a]. » Qui ne peut d'ailleurs[b], si se paye[c] de sa bourse.

La renommée ne se prostitue pas à si vil conte. Les actions rares et exemplaires à qui elle est deuë ne souffriroient pas la compagnie de cette foule innumerable[d] de petites actions journalieres. Le marbre eslevera vos titres tant qu'il vous plaira, pour avoir faict rapetasser un pan de mur ou descroter un ruisseau public, mais non pas les hommes qui ont du sens. Le bruit ne suit pas toute bonté, si la difficulté et estrangeté n'y est joincte. Voyre ny la simple estimation n'est deuë à toute action qui nait de la vertu, selon les Stoïciens[952], et ne veulent qu'on sçache seulement gré à celuy qui par temperance s'abstient d'une vieille chassieuse. Ceux qui ont cognu les admirables qualitez de Scipion l'Africain refusent la gloire que Panætius luy donne d'avoir esté abstinent de dons, comme gloire non tant sienne propre comme de tout son siecle[953].

Nous avons les voluptez sortables[e] à nostre fortune; n'usurpons pas celles de la grandeur. Les nostres sont plus naturelles, et d'autant plus solides et seures qu'elles sont plus basses. Puis que ce n'est par conscience, aumoins par ambition refusons l'ambition. Desdaignons cette faim de renommée et d'honneur, basse et belistresse[f], qui

---

a. « Ce n'est pas à nous, Seigneur, ce n'est pas à nous, mais à ton nom qu'il en faut rapporter la gloire. » *Psaume* CXIII, 1. — *b.* D'une autre bourse. — *c.* Qu'il s'en paye. — *d.* Innombrable. — *e.* Convenant. — *f.* Mendiante.

nous le faict coquiner[a] de toute sorte de gens. « *Quæ est ista laus quæ possit è macello peti*[b] ? » par moyens abjects et à quelque vil pris que ce soit. C'est deshoneur d'estre ainsin honnoré. Aprenons à n'estre non plus avides que nous ne sommes capables de gloire. De s'enfler de toute action utile et innocente, c'est à faire à gens à qui elle est extraordinaire et rare; ils la veulent mettre pour le pris qu'elle leur couste. A mesure qu'un bon effect est plus esclatant, je rabats de sa bonté le soupçon en quoy j'entre qu'il soit produict plus pour estre esclatant que pour estre bon; estalé, il est à demy vendu. Ces actions là ont bien plus de grace qui eschapent de la main de l'ouvrier nonchalamment et sans bruict, et que quelque honneste homme choisit après et releve de l'ombre, pour les pousser en lumiere à cause d'elles mesmes. « *Mihi quidem laudabiliora videntur omnia, quæ sine venditatione et sine populo teste fiunt* », dict le plus glorieux homme du monde[c].

Je n'avois qu'à conserver et durer, qui sont effects sourds[d] et insensibles. L'innovation est de grand lustre, mais elle est interdite en ce temps, où nous sommes pressez et n'avons à nous deffendre que des nouvelletés. L'abstinence de faire est souvent aussi genereuse que le faire, mais elle est moins au jour; et ce peu que je vaux est quasi tout de ce costé là. En somme, les occasions, en cette charge, ont suivy ma complexion; dequoy je leur sçay très bon gré. Est-il quelqu'un qui desire estre malade pour voir son medecin en besoigne, et faudroit-il pas foyter le medecin qui nous desireroit la peste pour mettre son art en practique? Je n'ay point eu cett'humeur inique et assez commune, de desirer que le trouble et maladie des affaires de cette cité rehaussast et honnorat mon gouvernement: j'ay presté de bon cueur l'espaule à leur aysance et facilité. Qui ne me voudra sçavoir gré de l'ordre, de la douce et muette tranquillité qui a accompaigné ma conduitte, aumoins ne peut-il me priver de la part qui m'en appartient par le titre de ma bonne fortune. Et je suis ainsi faict, que

---

a. Demander l'aumône. — *b.* « Qu'est-ce que cette gloire qu'on peut trouver au marché? » Cicéron, *De finibus*, II, 15. — *c.* Cicéron, *Tusculanes,* II, xxvi : « Pour moi, je trouve bien plus louable ce qui se fait sans ostentation et pour les yeux du peuple. » — *d.* Actes feutrés.

j'ayme autant estre heureux que sage, et devoir mes succez purement à la grace de Dieu qu'à l'entremise de mon operation. J'avois assez disertement publié au monde mon insuffisance en tels maniemens publiques. J'ay encore pis que l'insuffisance : c'est qu'elle ne me desplaict guiere, et que je ne cerche guiere à la guerir, veu le train de vie que j'ay desseigné[a]. Je ne me suis en cette entremise non plus satisfaict à moy-mesme, mais à peu près j'en suis arrivé à ce que je m'en estois promis, et ay de beaucoup surmonté[b] ce que j'en avois promis à ceux à qui j'avois à faire : car je promets volontiers un peu moins de ce que je puis et de ce que j'espere tenir. Je m'asseure n'y avoir laissé ny offence, ny haine. D'y laisser regret et desir de moy, je sçay à tout le moins bien cela que je ne l'ay pas fort affecté :

> *me ne huic confidere monstro,*
> *Mene salis placidi vultum fluctúsque quietos*
> *Ignorare*[c]*?*

CHAPITRE XI

DES BOYTEUX

Il y a deux ou trois ans qu'on acoursit l'an de dix jours en France[954]. Combien de changemens devoient suyvre cette reformation! ce fut proprement remuer le ciel et la terre à la fois. Ce neantmoins, il n'est rien qui bouge de sa place : mes voisins trouvent l'heure de leurs semences, de leur recolte, l'opportunité de leurs negoces, les jours nuisibles et propices au mesme point justement où ils les avoyent assignez de tout temps. Ny l'erreur ne se sentoit en nostre usage, ny l'amendement ne s'y sent. Tant il y a d'incertitude par tout, tant nostre apercevance est grossiere, obscure et obtuse. On dict que ce reiglement se pouvoit conduire d'une façon moins incommode : soustraiant, à l'exemple d'Auguste, pour quelques années le jour du

---

a. Projeté. — *b.* Dépassé. — *c.* « Que je me confie à ce calme prodigieux? que j'oublie ce que peuvent cacher la face paisible de la mer et les flots tranquilles? » Virgile, *Énéide*, V, 849 et 848.

bissexte[a], qui ainsi comme ainsin est un jour d'empeschement et de trouble, jusques à ce qu'on fut arrivé à satisfaire exactement ce debte (ce que mesme on n'a pas faict par cette correction, et demeurons encores en arrerages de quelques jours). Et si, par mesme moyen, on pouvoit prouvoir à l'advenir, ordonnant qu'après la revolution de tel ou tel nombre d'années ce jour extraordinaire seroit tousjours eclipsé, si que[b] notre mesconte[c] ne pourroit dores en avant exceder vingt et quatre heures. Nous n'avons autre compte du temps que les ans. Il y a tant de siecles que le monde s'en sert; et si, c'est une mesure que nous n'avons encore achevé d'arrester, et telle, que nous doubtons tous les jours quelle forme les autres nations luy ont diversement donné, et quel en estoit l'usage. Quoy, ce que disent aucuns, que les cieux se compriment vers nous en vieillissant, et nous jettent en incertitude des heures mesme et des jours? et des moys, ce que dict Plutarque[955] qu'encore de son temps l'astrologie n'avoit sçeu borner le mouvement de la lune? Nous voylà bien accommodez pour tenir registre des choses passées.

Je ravassois presentement, comme je faicts souvant, sur ce, combien l'humaine raison est un instrument libre et vague. Je vois ordinairement que les hommes, aux faicts qu'on leur propose, s'amusent plus volontiers à en cercher la raison qu'à en cercher la verité : ils laissent là les choses, et s'amusent à traiter les causes. Plaisans causeurs. La cognoissance des causes appartient seulement à celuy qui a la conduite des choses, non à nous qui n'en avons que la souffrance, et qui en avons l'usage parfaictement plein, selon nostre nature, sans en penetrer l'origine et l'essence. Ny le vin n'en est plus plaisant à celuy qui en sçait les facultez premieres. Au contraire; et le corps et l'ame interrompent et alterent le droit qu'ils ont de l'usage du monde, y meslant l'opinion[d] de science. Le determiner et le sçavoir, comme le donner, appartient à la regence et à la maistrise; à l'inferiorité, subjection et apprentissage appartient le jouyr, l'accepter. Revenons à nostre coustume. Ils passent[e] par dessus les effects[f], mais ils en examinent

---

a. Le jour supplémentaire des années bissextiles. — *b.* Si bien que. — *c.* Notre erreur de compte. — *d.* La prétention. — *e.* On passe. — *f.* Faits.

curieusement les consequences. Ils commencent ordinairement ainsi : « Comment est-ce que cela se faict? » — Mais se fait-il? faudroit il dire. Nostre discours *a* est capable d'estoffer *b* cent autres mondes et d'en trouver les principes et la contexture. Il ne luy faut ny matiere, ny baze; laissez le courre : il bastit aussi bien sur le vuide que sur le plain, et de l'inanité que de matiere,

dare pondus idonea fumo *c*.

Je trouve quasi par tout qu'il faudroit dire : « Il n'en est rien »; et employerois souvant cette responce; mais je n'ose, car ils crient que c'est une deffaicte producte de foiblesse d'esprit et d'ignorance. Et me faut ordinairement bateler par compaignie à traicter des subjects et comptes frivoles, que je mescrois entierement. Joinct qu'à la verité il est un peu rude et quereleux de nier tout sec une proposition de faict. Et peu de gens faillent, notamment aux choses malaysées à persuader, d'affermer qu'ils l'ont veu, ou d'alleguer des tesmoins desquels l'autorité arreste nostre contradiction. Suyvant cet usage, nous sçavons les fondemens et les causes de mille choses qui ne furent onques; et s'escarmouche le monde en mille questions, desquelles et le pour et le contre est faux. *« Ita finitima sunt falsa veris, ut in præcipitem locum non debeat se sapiens committere* *d*. »

La verité et le mensonge ont leurs visages conformes, le port, le goust et les alleures pareilles; nous les regardons de mesme œil. Je trouve que nous ne sommes pas seulement lâches à nous defendre de la piperie, mais que nous cerchons et convions à nous y enferrer. Nous aymons à nous embrouiller en la vanité, comme conforme à nostre estre.

J'ay veu la naissance de plusieurs miracles de mon temps [956]. Encore qu'ils s'estouffent en naissant, nous ne laissons pas de prevoir le train qu'ils eussent pris s'ils eussent vescu leur aage. Car il n'est que de trouver le bout du fil, on en desvide tant qu'on veut. Et y a plus loing de rien à la plus petite chose du monde, qu'il n'y a de

---

a. Raison. — *b.* Bâtir. — *c.* « Capable de donner du poids à de la fumée. » Perse, V, 20. — *d.* « Le faux est si voisin du vrai que le sage ne doit pas s'aventurer dans un défilé aussi périlleux. » Cicéron, *Académiques* II, 21.

celle là jusques à la plus grande. Or les premiers qui vont sont abbreuvez de ce commencement d'estrangeté, venant à semer leur histoire, sentent par les oppositions qu'on leur fait où loge la difficulté de la persuasion, et vont calfeutrant cet endroict de quelque piece fauce. Outre ce, que, « *insita hominibus libidine alendi de industria rumores* [a] », nous faisons naturellement conscience de rendre ce qu'on nous a presté sans quelque usure et accession de nostre creu. L'erreur particuliere faict premierement l'erreur publique, et, à son tour, après, l'erreur publique faict l'erreur particuliere [957]. Ainsi va tout ce bastiment, s'estoffant et formant de main en main; de maniere que le plus esloigné tesmoin en est mieux instruict que le plus voisin, et le dernier informé mieux persuadé que le premier. C'est un progrez naturel. Car quiconque croit quelque chose, estime que c'est ouvrage de charité de la persuader à un autre; et pour ce faire, ne craint poinct d'adjouster de son invention, autant qu'il voit estre necessaire en son compte, pour suppleer à la resistance et au deffaut qu'il pense estre en la conception d'autruy.

Moy-mesme, qui faicts singuliere conscience de mentir et qui ne me soucie guiere de donner creance et authorité à ce que je dis, m'apperçoy toutesfois, aux propos que j'ay en main, qu'estant eschauffé ou par la resistance d'un autre, ou par la propre chaleur de la narration, je grossis et enfle mon subject par vois, mouvemens, vigueur et force de parolles, et encore par extension et amplification, non sans interest de la verité nayfve. Mais je le fais en condition pourtant, qu'au premier qui me rameine et qui me demande la verité nue et cruë, je quitte soudain mon effort et la luy donne, sans exaggeration, sans emphase et remplissage. La parole vive et bruyante, comme est la mienne ordinaire, s'emporte volontiers à l'hyperbole.

Il n'est rien à quoi communement les hommes soient plus tendus qu'à donner voye à leurs opinions; où le moyen ordinaire nous faut, nous y adjoustons le commandement, la force, le fer, et le feu. Il y a du malheur d'en estre là que la meilleure touche de la verité ce soit la multitude des croians, en une presse où les fols surpassent de tant

---

[a.] « Par la tendance innée aux hommes de donner cours à des rumeurs. » Tite-Live, XXVIII, 24.

les sages en nombre. « *Quasi verò quidquam sit tam valdè, quàm nil sapere vulgare*[a]. » « *Sanitatis patrocinium est, insanientium turba*[b]. » C'est chose difficile de resoudre son jugement contre les opinions communes. La premiere persuasion, prinse du subject mesme, saisit les simples ; de là elle s'espend aux habiles, soubs l'authorité du nombre et ancienneté des tesmoignages. Pour moy, de ce que je n'en croirois pas un, je n'en croirois pas cent uns, et ne juge pas les opinions par les ans.

Il y a peu de temps que l'un de nos princes[958], en qui la goute avoit perdu un beau naturel et une allegre composition, se laissa si fort persuader, au raport qu'on faisoit des merveilleuses operations d'un prestre, qui par la voie des parolles et des gestes guerissoit toutes maladies, qu'il fit un long voiage pour l'aller trouver, et par la force de son apprehension persuada et endormit ses jambes pour quelques heures, si qu[c]'il en tira du service qu'elles avoient desapris luy faire il y avoit long temps. Si la fortune eust laissé emmonceler cinq ou six telles advantures, elles estoient capables de mettre ce miracle en nature. On trouva depuis tant de simplesse et si peu d'art en l'architecte de tels ouvrages, qu'on le jugea indigne d'aucun chastiement. Comme si feroit on de la plus part de telles choses, qui les reconnoistroit[d] en leur giste. « *Miramur ex intervallo fallentia*[e]. » Nostre veuë represente ainsi souvent de loing des images estranges, qui s'esvanouissent en s'approchant. « *Nunquam ad liquidum fama perducitur*[f]. »

C'est merveille, de combien vains commencemens et frivoles causes naissent ordinairement si fameuses impressions. Cela mesmes en empesche l'information. Car, pendant qu'on cherche des causes et des fins fortes et poisantes[g] et dignes d'un si grand nom, on pert les vrayes; elles eschapent de nostre veuë par leur petitesse. Et à la verité, il est requis un bien prudent, attentif et subtil inquisiteur en telles recherches, indifferent, et non preoccupé.

---

a. « Comme s'il y avait rien de si répandu que le manque de jugement. » Cicéron, *De divinatione,* II, 39. — *b.* « Belle autorité pour la sagesse qu'une multitude de fous ! » Saint Augustin, *Cité de Dieu,* VI, 10. — *c.* Si bien que. — *d.* Si on les étudiait. — *e.* « Nous admirons les choses qui trompent par leur éloignement. » Sénèque, *Épîtres,* 118. — *f.* « Jamais la renommée ne s'en tient à l'évidence. » Quinte-Curce, IX, 2. — *g.* Pesantes.

Jusques à cette heure, tous ces miracles et evenemens
estranges se cachent devant moy. Je n'ay veu monstre et
miracle au monde plus exprès que moy-mesme. On s'ap-
privoise à toute estrangeté par l'usage et le temps; mais
plus je me hante et me connois, plus ma difformité m'estonne, moins je m'entens en moy.

Le principal droict d'avancer et produire tels accidens
est reservé à la fortune. Passant avant hier dans un vilage,
à deux lieues de ma maison, je trouvay la place encore toute
chaude d'un miracle qui venoit d'y faillir[a], par lequel le
voisinage avoit esté amusé plusieurs mois, et commençoient les provinces voisines de s'en esmouvoir et y
accourir à grosses troupes, de toutes qualitez. Un jeune
homme du lieu s'estoit joué à contrefaire une nuict en
sa maison la voix d'un esprit, sans penser à autre finesse
qu'à jouyr d'un badinage present. Cela luy ayant un peu
mieux succedé[b] qu'il n'esperoit, pour estendre sa farce à
plus de ressorts, il y associa une fille de village, du tout
stupide et niaise; et furent trois en fin, de mesme aage
et pareille suffisance; et de presches domestiques en firent
des presches publics, se cachans soubs l'autel de l'Église,
ne parlans que de nuict, et deffendans d'y apporter aucune
lumiere. De paroles qui tendoient à la conversion du
monde et menace du jour du jugement (car ce sont subjects
soubs l'authorité et reverence desquels l'imposture se tapit
plus aiséement), ils vindrent à quelques visions et mouvements si niais et si ridicules qu'à peine y a-il rien si grossier au jeu des petits enfans. Si toutesfois la fortune y eust
voulu prester un peu de faveur, qui sçait jusques où se fut
accreu ce battelage? Ces pauvres diables sont à cette heure
en prison, et porteront volontiers la peine de la sottise
commune; et ne sçay si quelque juge se vengera sur eux
de la sienne. On voit cler en cette cy, qui est descouverte;
mais en plusieurs choses de pareille qualité, surpassant
nostre connoissance, je suis d'advis que nous soustenons
nostre jugement aussi bien à rejetter qu'à recevoir.

Il s'engendre beaucoup d'abus au monde ou, pour le
dire plus hardiment, tous les abus du monde s'engendrent
de ce qu'on nous apprend à craindre de faire profession de
nostre ignorance, et que nous sommes tenus d'accepter
tout ce que nous ne pouvons refuter. Nous parlons de

---

[a]. Échouer. — [b]. Réussi.

toutes choses par precepte et resolution. Le stile *a* à Romme portoit que cela mesme qu'un tesmoin deposoit pour l'avoir veu de ses yeux, et ce qu'un juge ordonnoit de sa plus certaine science, estoit conceu en cette forme de parler : « Il me semble[959]. » On me faict hayr les choses vray-semblables quand on me les plante pour infaillibles. J'ayme ces mots, qui amollissent et moderent la temerité de nos propositions : *A l'avanture, Aucunement, Quelque, On dict, Je pense,* et semblables. Et si j'eusse eu à dresser des enfans, je leur eusse tant mis en la bouche cette façon de respondre enquesteuse, non resolutive : « Qu'est-ce à dire? Je ne l'entens pas. Il pourroit estre. Est-il vray? » qu'ils eussent plustost gardé la forme d'apprentis à soixante ans que de representer *b* les docteurs à dix ans, comme ils font. Qui veut guerir de l'ignorance, il faut la confesser. Iris est fille de Thaumantis[960]. L'admiration *c* est fondement de toute philosophie, l'inquisition *d* le progrez, l'ignorance le bout. Voire dea *e*, il y a quelque ignorance forte et genereuse qui ne doit rien en honneur et en courage à la science, ignorance pour laquelle concevoir il n'y a pas moins de science que pour concevoir la science.

Je vy en mon enfance un procés, que Corras, conseiller de Toulouse, fist imprimer, d'un accident estrange : de deux hommes qui se presentoient l'un pour l'autre[961]. Il me souvient (et ne me souvient aussi d'autre chose) qu'il me sembla avoir rendu l'imposture de celuy qu'il jugea coulpable si merveilleuse[962] et excedant de si loing nostre connoissance, et la sienne qui estoit juge, que je trouvay beaucoup de hardiesse en l'arrest qui l'avoit condamné à estre pendu. Recevons quelque forme d'arrest qui die : « La court n'y entend rien », plus librement et ingenuement que ne firent les Areopagites, lesquels, se trouvans pressez d'une cause qu'ils ne pouvoient desveloper, ordonnerent que les parties en viendroient à cent ans[963].

Les sorcieres de mon voisinage courent hazard de leur vie, sur l'advis de chaque nouvel autheur qui vient donner corps à leurs songes. Pour accommoder les exemples que la divine parolle nous offre de telles choses, très certains

---

a. La formule de procédure. — *b.* Imiter. — *c.* L'étonnement. — *d.* La recherche. — *e.* Mais en vérité.

et irrefragables exemples, et les attacher à nos evenemens modernes, puisque nous n'en voyons ny les causes, ny les moyens, il y faut autre engin que le nostre[964]. Il appartient à l'avanture [a] à ce seul très-puissant tesmoignage de nous dire : « Cettuy-cy en est, et celle-là, et non cet autre. » Dieu en doit estre creu, c'est vrayement bien raison ; mais non pourtant un d'entre nous, qui s'estonne de sa propre narration (et necessairement il s'en estonne s'il n'est hors de sens), soit qu'il l'employe au faict d'autruy, soit qu'il l'employe contre soy-mesme.

Je suis lourd, et me tiens un peu au massif et au vray-semblable[965], evitant les reproches anciens : « *Majorem fidem homines adhibent iis quæ non intelligunt* [b]. » — « *Cupidine humani ingenii libentius obscura creduntur* [c]. » Je vois bien qu'on se courrouce, et me deffend on d'en doubter, sur peine d'injures execrables. Nouvelle façon de persuader. Pour Dieu mercy, ma creance ne se manie pas à coups de poing[966]. Qu'ils gourmandent ceux qui accusent de fauceté leur opinion ; je ne l'accuse que de difficulté et de hardiesse, et condamne l'affirmation opposite, egalement avec eux, sinon si imperieusement. « *Videantur sanè, ne affirmentur modo* [d]. » Qui establit son discours par braverie et commandement montre que la raison y est foible. Pour une altercation verbale et scolastique, qu'ils ayent autant d'apparence que leurs contradicteurs ; mais en la consequence effectuelle qu'ils en tirent, ceux-cy ont bien de l'avantage. A tuer les gens, il faut une clarté lumineuse et nette ; et est notre vie trop réele et essentielle pour garantir ces accidens supernaturels et fantastiques. Quant aux drogues et poisons, je les mets hors de mon compte : ce sont homicides, et de la pire espece. Toutesfois, en cela mesme on dict qu'il ne faut pas tousjours s'arrester à la propre confession de ces gens icy, car on leur a veu par fois s'accuser d'avoir tué des personnes qu'on trouvoit saines et vivantes.

En ces autres accusations extravagantes, je dirois volontiers que c'est bien assez qu'un homme, quelque recommendation qu'il aye, soit creu de ce qui est humain ; de

---

a. Peut-être. — *b.* « Les hommes ajoutent plus de foi à ce qu'ils n'entendent pas. » Auteur inconnu. — *c.* « Les hommes sont ainsi faits qu'ils croient plus volontiers ce qui leur semble obscur. » Tacite, *Histoires*, I, 22. — *d.* « Qu'on propose ces choses comme vraisemblables, mais qu'on ne les affirme pas. » Cicéron, *Académiques*, II, 27.

ce qui est hors de sa conception et d'un effect supernaturel, il en doit estre creu lors seulement qu'une approbation supernaturelle l'a authorisé. Ce privilege qu'il a pleu à Dieu donner à aucuns de nos tesmoignages ne doibt pas estre avily et communiqué legerement. J'ay les oreilles battuës de mille tels comptes : « Trois le virent un tel jour en levant; trois le virent lendemain en occident, à telle heure, tel lieu, ainsi vestu. » Certes je ne m'en croirois pas moy mesme. Combien trouvé-je plus naturel et plus vray-semblable que deux hommes mentent, que je ne fay qu'un homme en douze heures passe, quand et[a] les vents, d'orient en occident? Combien plus naturel que nostre entendement soit emporté de sa place par la volubilité de nostre esprit detraqué, que cela, qu'un de nous soit envolé sur un balay, au long du tuiau de sa cheminée, en chair et en os, par un esprit estrangier? Ne cherchons pas des illusions du dehors et inconneuës, nous qui sommes perpetuellement agitez d'illusions domestiques et nostres. Il me semble qu'on est pardonnable de mescroire une merveille, autant au moins qu'on peut en destourner et elider[b] la verification par voie non merveilleuse. Et suis l'advis de sainct Augustin[967], qu'il vaut mieux pancher vers le doute que vers l'asseurance és choses de difficile preuve et dangereuse creance.

Il y a quelques années, que je passay par les terres d'un prince souverain, lequel, en ma faveur et pour rabatre mon incredulité, me fit cette grace de me faire voir en sa presence, en lieu particulier, dix ou douze prisonniers de cette nature, et une vieille entre autres, vraiment bien sorciere en laideur et deformité, très-fameuse de longue main en cette profession. Je vis des preuves et libres confessions et je ne sçay quelle marque insensible sur cette miserable vieille[968]; et m'enquis et parlay tout mon saoul, y apportant la plus saine attention que je peusse; et ne suis pas homme qui me laisse guiere garroter le jugement par preoccupation[c]. En fin et en conscience, je leur eusse plustost ordonné de l'ellebore[969] que de la cicue, « *Captisque res magis mentibus, quàm consceleratis similis visa*[d]. » La justice a ses propres corrections pour telles maladies.

---

a. Ainsi que. — *b.* Éviter. — *c.* Idée préconçue. — *d.* « Leur cas me semble plus voisin de la folie que du crime. » Tite-Live, VIII, 18.

Quant aux oppositions[a] et arguments que des honnestes hommes m'ont faict, et là et souvent ailleurs, je n'en ay poinct senty qui m'attachent et qui ne souffrent solution tousjours plus vray-semblable que leurs conclusions. Bien est vray que les preuves et raisons qui se fondent sur l'experience et sur le faict, celles là je ne les desnoue point; aussi n'ont-elles point de bout; je les tranche souvent, comme Alexandre son neud[970]. Après tout, c'est mettre ses conjectures à bien haut pris que d'en faire cuire un homme tout vif. On recite par divers exemples, et Prestantius de son pere, que, assoupy et endormy bien plus lourdement que d'un parfaict sommeil, il fantasia[b] estre jument et servir de sommier à des soldats[971]. Et ce qu'il fantasioit, il l'estoit. Si les sorciers songent ainsi materiellement, si les songes se peuvent ainsi par fois incorporer en effects, encore ne croy-je pas que nostre volonté en fust tenue à la justice.

Ce que je dis, comme celuy qui n'est ny juge ny conseiller des Roys, ny s'en estime de bien loing digne, ains homme du commun, nay et voué à l'obeissance de la raison publique et en ses faicts et en ses dicts. Qui mettroit mes resveries en compte au prejudice de la plus chetive loy de son village, ou opinion, ou coustume, il se feroit grand tort, et encores autant à moy. Car en ce que je dy, je ne pleuvis[c] autre certitude, sinon que c'est ce que lors j'en avoy en ma pensée, pensée tumultuaire et vacillante. C'est par maniere de devis[d] que je parle de tout, et de rien par maniere d'advis. « *Nec me pudet, ut istos, fateri nescire quod nesciam*[e]. » Je ne serois pas si hardy à parler s'il m'appartenoit d'en estre creu ; et fut ce que je respondis à un grand, qui se plaignoit de l'aspreté et contention de mes enhortemens. « Vous sentant bandé et préparé d'une part, je vous propose l'autre de tout le soing que je puis, pour esclarcir vostre jugement, non pour l'obliger ; Dieu tient vos courages et vous fournira de chois. » Je ne suis pas si presomptueux de desirer seulement que mes opinions donnassent pante à chose de telle importance ; ma fortune ne les a pas dressées à si puissantes et eslevées conclusions.

---

a. Objections. — *b.* S'imagina. — *c.* Garantis. — *d.* Causerie. — *e.* « Je n'ai pas honte, comme ces gens-là, d'avouer que j'ignore ce que j'ignore. » Cicéron, *Tusculanes*, I, XXV.

Certes, j'ay non seulement des complexions en grand nombre, mais aussi des opinions assez, desquelles je desgouterois volontiers mon fils, si j'en avois. Quoy? si les plus vrayes ne sont pas tousjours les plus commodes à l'homme, tant il est de sauvage composition!

A propos ou hors de propos, il n'importe, on dict en Italie, en commun proverbe, que celuy-là ne cognoit pas Venus en sa parfaicte douceur qui n'a couché avec la boiteuse. La fortune, ou quelque particulier accident, ont mis il y a long temps ce mot en la bouche du peuple; et se dict des masles comme des femelles. Car la Royne des Amazonnes respondit au Scyte qui la convioit à l'amour : « ἄριστα χολὸς οἰφεῖ [a], le boiteux le faict le mieux. » En cette republique feminine, pour fuir la domination des masles, elles les stropioient [b] dès l'enfance, bras, jambes et autres membres qui leur donnoient avantage sur elles, et se servoient d'eux à ce seulement à quoy nous nous servons d'elles par deçà. J'eusse dict que le mouvement detraqué [c] de la boiteuse apportast quelque nouveau plaisir à la besongne et quelque pointe de douceur à ceux qui l'essayent, mais je vien d'apprendre que mesme la philosophie ancienne [972] en a decidé; elle dict que, les jambes et cuisses des boiteuses ne recevant, à cause de leur imperfection, l'aliment qui leur est deu, il en advient que les parties genitales, qui sont au dessus, sont plus plaines, plus nourries et vigoureuses. Ou bien que, ce defaut empeschant l'exercice, ceux qui en sont entachez dissipent moins leurs forces et en viennent plus entiers aux jeux de Venus. Qui est aussi la raison pourquoy les Grecs descrioient les tisserandes d'estre plus chaudes que les autres femmes : à cause du mestier sedentaire qu'elles font, sans grand exercice du corps. Dequoy ne pouvons nous raisonner à ce pris là? De celles icy je pourrois aussi dire que ce tremoussement que leur ouvrage leur donne, ainsin assises, les esveille et sollicite, comme faict les dames le crolement [d] et tremblement de leurs coches.

Ces exemples servent-ils pas à ce que je disois au com-

---

a. Cette parole que Montaigne traduit après l'avoir citée procède d'Érasme, *Adages*, II, 9, 49. On la trouve aussi dans une scholie de Théocrite, *Idylles*, IV, v, 62. — *b.* Estropiaient. — *c.* Déhanché. — *d.* Mouvement, branle.

mencement[973] : que nos raisons anticipent souvent l'effect, et ont l'estendue de leur jurisdiction si infinie, qu'elles jugent et s'exercent en l'inanité mesme et au non estre? Outre la flexibilité de nostre invention à forger des raisons à toute sorte de songes, nostre imagination se trouve pareillement facile à recevoir des impressions de la fauceté par bien frivoles apparences. Car, par la seule authorité de l'usage ancien et publique de ce mot, je me suis autresfois faict à croire avoir reçeu plus de plaisir d'une femme de ce qu'elle n'estoit pas droicte, et mis cela en recepte de ses graces.

Torquato Tasso, en la comparaison qu'il faict de la France à l'Italie[974], dict avoir remarqué cela, que nous avons les jambes plus greles que les gentils-hommes Italiens, et en attribue la cause à ce que nous sommes continuellement à cheval; qui est celle mesmes de laquelle Suetone tire une toute contraire conclusion : car il dict au rebours[975] que Germanicus avoit grossi les siennes par continuation de ce mesme exercice. Il n'est rien si souple et erratique que nostre entendement; c'est le soulier de Theramenez[976], bon à tous pieds. Et il est double et divers et les matieres doubles et diverses. « Donne moy une dragme d'argent, disoit un philosophe Cynique à Antigonus. — Ce n'est pas present de Roy, respondit-il. — Donne moy donc un talent. — Ce n'est pas present pour Cynique[977]. »

> *Seu plures calor ille vias et cæca relaxat*
> *Spiramenta, novas veniat qua succus in herbas;*
> *Seu durat magis et venas astringit hiantes,*
> *Ne tenues pluviæ, rapidive potentia solis*
> *Acrior, aut Boreæ penetrabile frigus adurat*[a].

« *Ogni medaglia ha il suo riverso*[b]. » Voilà pourquoy Clitomachus disoit anciennement que Carneades avoit surmonté[c] les labeurs de Hercules, pour avoir arraché des

---

a. « Soit que la chaleur dilate maintes voies et ouvertures cachées, par où le suc arrive aux herbes nouvelles; ou bien qu'elle durcisse le sol et resserre ses veines trop béantes, pour empêcher les effets des pluies fines, des ardeurs épuisantes du soleil et les brûlures du froid pénétrant de Borée. » Virgile, *Géorgiques*, I, 89. — *b.* « Toute médaille a son revers. » (Dicton italien.) — *c.* Dépassé.

hommes le consentement, c'est à dire l'opinion et la temerité de juger[978]. Cette fantasie de Carneades, si vigoureuse, nasquit à mon advis anciennement de l'impudence de ceux qui font profession de sçavoir, et de leur outrecuidance desmesurée. On mit Æsope en vente avec deux autres esclaves. L'acheteur s'enquit du premier ce qu'il sçavoit faire; celuy là, pour se faire valoir, respondit monts et merveilles, qu'il sçavoit et cecy et cela; le deuxiesme en respondit de soy autant ou plus; quand ce fut à Æsope et qu'on luy eust aussi demandé ce qu'il sçavoit faire : « Rien, dict-il, car ceux cy ont tout preoccupé [a] : ils sçavent tout[979]. » Ainsin est-il advenu en l'escole de la philosophie : la fierté de ceux qui attribuoyent à l'esprit humain la capacité de toutes choses causa en d'autres, par despit et par emulation, cette opinion qu'il n'est capable d'aucune chose. Les uns tiennent en l'ignorance cette mesme extremité que les autres tiennent en la science. Afin qu'on ne puisse nier que l'homme ne soit immoderé par tout, et qu'il n'a point d'arrest que celuy de la necessité, et impuissance d'aller outre.

CHAPITRE XII

DE LA PHISIONOMIE

Quasi toutes les opinions que nous avons sont prinses par authorité et à credit. Il n'y a point de mal; nous ne sçaurions pirement choisir que par nous, en un siecle si foible. Cette image des discours de Socrates que ses amys nous ont laissée, nous ne l'approuvons que pour la reverence de l'approbation publique; ce n'est pas par nostre cognoissance : ils ne sont pas selon nostre usage. S'il naissoit à cette heure quelque chose de pareil, il est peu d'hommes qui le prisassent.

Nous n'apercevons les graces que pointues, bouffies et enflées d'artifice. Celles qui coulent soubs la nayfveté et la simplicité eschapent ayséement à une veuë grossière

[a]. Pris d'avance.

comme est la nostre; elles ont une beauté délicate et cachée;
il faut la veuë nette et bien purgée pour descouvrir cette
secrette lumière. Est pas la naifveté, selon nous, germeine
à la sottise, et qualité de reproche? Socrates faict mouvoir
son ame d'un mouvement naturel et commun. Ainsi dict
un paysan, ainsi dict une femme. Il n'a jamais en la bouche
que cochers, menuisiers, savetiers et maçons[980]. Ce sont
inductions et similitudes tirées des plus vulgaires et co-
gneues actions des hommes; chacun l'entend. Soubs une
si vile forme nous n'eussions jamais choisi la noblesse et
splendeur de ses conceptions admirables, nous, qui estimons
plates et basses toutes celles que la doctrine ne releve,
qui n'apercevons la richesse qu'en montre et en pompe.
Nostre monde n'est formé qu'à l'ostentation : les hommes
ne s'enflent que de vent, et se manient à bonds, comme
les balons. Cettuy-cy ne se propose point des vaines fantasies : sa fin fut nous fournir de choses et de preceptes
qui reelement et plus jointement servent à la vie,

> *servare modum, finemque tenere,*
> *Naturámque sequi* [a].

Il fut aussi tousjours un et pareil et se monta, non par
saillies mais par complexion, au dernier poinct de vigueur.
Ou, pour mieux dire, il ne monta rien, mais ravala plustost
et ramena à son point originel et naturel et lui soubmit
la vigueur, les aspretez et les difficultez. Car, en Caton,
on void bien à clair que c'est une alleure tenduë bien loing
au dessus des communes; aux braves exploits de sa vie,
et en sa mort, on le sent tousjours monté sur ses grands
chevaux. Cettuy-cy ralle à terre, et d'un pas mol et ordinaire traicte les plus utiles discours; et se conduict et à
la mort et aux plus espineuses traverses qui se puissent
presenter au trein de la vie humaine.

Il est bien advenu que le plus digne homme d'estre
cogneu et d'estre presenté au monde pour exemple[981], ce
soit celuy duquel nous ayons plus certaine cognoissance.
Il a esté esclairé par les plus clair voyans hommes qui
furent onques[982] : les tesmoins que nous avons de luy
sont admirables en fidelité et en suffisance.

---

a. « Garder la mesure, observer les limites, suivre la nature... »
C'étaient là les mœurs de Caton d'après Lucain, *Pharsale*, II, 381.

C'est grand cas d'avoir peu donner tel ordre aux pures imaginations d'un enfant, que, sans les alterer ou estirer, il en ait produict les plus beaux effects de nostre ame. Il ne la represente ny eslevée, ny riche; il ne la represente que saine, mais certes d'une bien allegre et nette santé. Par ces vulguaires ressorts et naturels, par ces fantasies ordinaires et communes, sans s'esmouvoir et sans se piquer, il dressa non seulement les plus reglées, mais les plus hautes et vigoreuses creances, actions et meurs qui furent onques. C'est luy qui ramena du ciel, où elle perdoit son temps, la sagesse humaine, pour la rendre à l'homme, où est sa plus juste et plus laborieuse besoigne, et plus utile[983]. Voyez le plaider devant ses juges, voyez par quelles raisons il esveille son courage aux hazards de la guerre, quels arguments fortifient sa patience contre la calomnie, la tyrannie, la mort et contre la teste de sa femme; il n'y a rien d'emprunté de l'art et des sciences; les plus simples y recognoissent leurs moyens et leur force; il n'est possible d'aller plus arriere et plus bas. Il a faict grand faveur à l'humaine nature de montrer combien elle peut d'elle mesme.

Nous sommes chacun plus riche que nous ne pensons; mais on nous dresse à l'emprunt et à la queste[a] : on nous duict[b] à nous servir plus de l'autruy[c] que du nostre. En aucune chose l'homme ne sçait s'arrester au point de son besoing : de volupté, de richesse, de puissance, il en embrasse plus qu'il n'en peut estreindre; son avidité est incapable de moderation. Je trouve qu'en curiosité de sçavoir il en est de mesme; il se taille de la besongne bien plus qu'il n'en peut faire et bien plus qu'il n'en a affaire, estendant l'utilité du sçavoir autant qu'est sa matiere. « *Ut omnium rerum, sic literarum quoque intemperantia laboramus*[d]. » Et Tacitus a raison[984] de louer la mere d'Agricola d'avoir bridé en son fils un appetit trop bouillant de science. C'est un bien, à le regarder d'yeux fermes, qui a, comme les autres biens des hommes, beaucoup de vanité et foiblesse propre et naturelle, et d'un cher coust.

---

a. Recherche. — *b.* Habitue. — *c.* Du bien d'autrui. — *d.* « Nous souffrons autant d'intempérance dans l'étude des lettres que dans tout le reste. » Sénèque, *Épîtres,* 106. Cité par Juste Lipse, *Politiques,* I, 10.

L'emploite[a] en est bien plus hasardeuse que de toute
autre viande ou boisson. Car au reste, ce que nous avons
acheté, nous l'emportons au logis en quelque vaisseau[b],
et là avons loy d'en examiner la valeur, combien et à quelle
heure nous en prendrons. Mais les sciences, nous ne les
pouvons d'arrivée mettre en autre vaisseau qu'en nostre
ame : nous les avallons en les achettans, et sortons du
marché ou infects desjà, ou amendez. Il y en a qui ne font
que nous empescher et charger au lieu de nourrir, et telles
encore qui, sous tiltre de nous guerir, nous empoisonnent.

J'ay pris plaisir de voir en quelque lieu des hommes,
par devotion, faire veu d'ignorance, comme de chasteté,
de pauvreté, de pœnitence. C'est aussi chastrer nos appetits
desordonnez, d'esmousser cette cupidité qui nous espoin-
çonne à l'estude des livres, et priver l'ame de cette complaisance voluptueuse qui nous chatouille par l'opinion de
science. Et est richement accomplir le vœu de pauvreté,
d'y joindre encore celle de l'esprit. Il ne nous faut guiere
de doctrine pour vivre à nostre aise. Et Socrates nous
aprend qu'elle est en nous, et la manière de l'y trouver et
de s'en ayder. Toute cette nostre suffisance, qui est au
delà de la naturelle, est à peu près vaine et superflue[985].
C'est beaucoup si elle ne nous charge et trouble plus qu'elle
ne nous sert. « *Paucis opus est litteris ad mentem bonam*[c]. »
Ce sont des excez fievreux de nostre esprit, instrument
brouillon et inquiete. Recueillez-vous; vous trouverez en
vous les arguments de la nature contre la mort vrais, et
les plus propres à vous servir à la necessité; ce sont ceux
qui font mourir un paisan et des peuples entiers aussi
constamment qu'un philosophe. Fussé je mort moins allegrement avant qu'avoir veu les *Tusculanes*? J'estime que
non. Et quand je me trouve au propre, je sens que ma
langue s'est enrichie, mon courage de rien; il est comme
Nature me le forgea, et se targue pour le conflict d'une
marche populaire et commune. Les livres m'ont servi non
tant d'instruction que d'exercitation. Quoy? si la science,
essayant de nous armer de nouvelles deffences contre les
inconveniens naturels, nous a plus imprimé en la fantasie
leur grandeur et leur pois, qu'elle n'a ses raisons et subti-

---

a. L'acquisition, porte l'édition de 1595. — *b.* Vase. — *c.* « Il faut
peu de lettres pour former une âme saine. » Sénèque, *Épîtres*, 106.

litez à nous en couvrir. Ce sont voirement subtilitez, par
où elle nous esveille souvent bien vainement. Les autheurs,
mesmes plus serrez et plus sages, voiez autour d'un bon
argument combien ils en sement d'autres legers, et qui y
regarde de près, incorporels. Ce ne sont qu'arguties verbales, qui nous trompent. Mais d'autant que ce peut estre
utilement, je ne les veux pas autrement esplucher. Il y en
a ceans assez de cette condition en divers lieux, ou par
emprunt, ou par imitation. Si[a] se faut-il prendre un peu
garde de n'appeler pas force ce qui n'est que gentillesse, et
ce qui n'est qu'aigu, solide, ou bon ce qui n'est que beau :
« *quæ magis gustata quàm potata delectant*[b] ». Tout ce qui plaist
ne paist pas. « *Ubi non ingenii, sed animi negotium agitur*[c]. »

A voir les efforts que Seneque se donne pour se preparer
contre la mort, à le voir suer d'ahan pour se roidir et pour
s'asseurer, et se desbatre si long temps en cette perche,
j'eusse esbranlé sa reputation, s'il ne l'eut en mourant tres-
vaillamment maintenuë. Son agitation si ardante, si frequente, montre qu'il estoit chaud et impetueux luy mesmes.
« *Magnus animus remissius loquitur et securius*[d]. » « *Non est
alius ingenio, alius animo color*[e]. » Il le faut convaincre à ses
despens. Et montre aucunement qu'il estoit pressé de son
adversaire. La façon de Plutarque, d'autant qu'elle est
plus desdaigneuse et plus destenduë, elle est, selon moy,
d'autant plus virile et persuasive; je croyrois aysément que
son ame avoit les mouvements plus asseurez et plus reiglés.
L'un, plus vif, nous pique et eslance en sursaut, touche
plus l'esprit. L'autre, plus rassis, nous informe, establit et
conforte constamment, touche plus l'entendement. Celuy
là ravit nostre jugement, cestuy-cy le gaigne.

J'ai veu pareillement d'autres escrits encore plus reverez
qui, en la peinture du conflit qu'ils soutiennent contre les
aiguillons de la chair, les representent si cuisants, si puissants et invincibles que nous mesmes, qui sommes de la
voirie[f] du peuple, avons autant à admirer l'estrangeté et
vigueur incognuë de leur tentation, que leur resistance.

---

a. Encore. — *b.* « Des choses plus agréables à déguster qu'à boire. »
Cicéron, *Tusculanes*, V, V. — *c.* « Dès qu'il s'agit de l'âme, non de
l'esprit. » Sénèque, *Épîtres*, 75. — *d.* « Une grande âme s'exprime
avec plus de calme et de sérénité. » Sénèque, *Épîtres*, 115. — *e.* « L'esprit n'a pas une teinte et l'âme une autre. » Sénèque, *Épîtres*, 114.
— *f.* Des déchets, de la lie.

A quoi faire nous allons nous gendarmant par ces efforts
de la science? Regardons à terre les pauvres gens que nous
y voyons espandus, la teste penchante après leur besongne,
qui ne sçavent ny Aristote ny Caton, ny exemple, ny
precepte; de ceux là tire nature tous les jours des effects
de constance et de patience, plus purs et plus roides que ne
sont ceux que nous estudions si curieusement en l'escole.
Combien en vois-je ordinairement, qui mescognoissent[a]
la pauvreté? combien qui desirent la mort, ou qui la passent
sans alarme et sans affliction? Celuy là qui fouyt mon jardin, il a ce matin enterré son pere ou son fils. Les noms
mesme de quoy ils appellent les maladies en adoucissent
et amollissent l'aspreté; la phtisie, c'est la tous pour eux;
la dysenterie, devoyement d'estomac; un pleuresis, c'est un
morfondement; et selon qu'ils les nomment doucement,
ils les supportent aussi. Elles sont bien griefves[b] quand
elles rompent leur travail ordinaire; ils ne s'allitent que
pour mourir. « *Simplex illa et aperta virtus in obscuram et
solertem scientiam versa est*[c]. »

J'escrivois cecy environ le temps qu'une forte charge de
nos troubles se croupit plusieurs mois, de tout son pois,
droict sur moy[986]. J'avois d'une part les ennemys à ma
porte, d'autre part les picoreurs, pires ennemys : « *non
armis sed vitiis certatur*[d] »; et essayois toute sorte d'injures
militaires à la fois.

Hostis adest dextra levâque à parte timendus,
Vicinoque malo terret utrumque latus[e].

Monstrueuse guerre : les autres agissent au dehors; cette-cy
encore contre soy se ronge et se desfaict par son propre
venin. Elle est de nature si maligne et ruineuse qu'elle se
ruine quand et quand[f] le reste, et se deschire et desmembre
de rage. Nous la voyons plus souvent se dissoudre par elle
mesme que par disette d'aucune chose necessaire, ou par
la force ennemye. Toute discipline la fuyt. Elle vient guarir

---

a. N'ont cure de. — *b.* Graves. — *c.* « Cette vertu simple et à la
portée de tous a été changée en science obscure et subtile. » Sénèque,
Épîtres, 95. — *d.* « Ce n'est pas par les armes que l'on combat, mais
par les vices. » Auteur inconnu. — *e.* « Un redoutable ennemi est à
ma droite, un autre à ma gauche, et de chaque côté menace un danger prochain. » Ovide, *Pontiques*, I, III, 57. — *f.* En même temps que.

la sedition et en est pleine, veut chastier la desobeyssance et en montre l'exemple, et, employée à la deffence des loix, faict sa part de rebellion à l'encontre des siennes propres. Où en sommes nous? Nostre medecine porte infection,

> Nostre mal s'empoisonne
> Du secours qu'on luy donne.

> Exuperat magis ægrescitque medendo [a].

> Omnia fanda, nefanda, malo permista furore,
> Justificam nobis mentem avertere Deorum [b].

En ces maladies populaires, on peut distinguer sur le commencement les sains des malades; mais quand elles viennent à durer, comme la nostre, tout le corps s'en sent, et la teste et les talons; aucune partye n'est exempte de corruption. Car il n'est air qui se hume si gouluement, qui s'espande et penetre, comme faict la licence. Nos armées ne se lient et tiennent plus que par simant [c] estranger; des françois, on ne sçait plus faire un corps d'armée constant [d] et reglé. Quelle honte! Il n'y a qu'autant de discipline que nous en font voir des soldats empruntez[987]; quant à nous, nous nous conduisons à discretion, et non pas du chef, chacun selon la sienne : il a plus affaire au dedans qu'au dehors. C'est au commandant de suivre, courtizer et plier, à luy seul d'obeir; tout le reste est libre et dissolu. Il me plaist de voir combien il y a de lascheté et de pusillanimité en l'ambition, par combien d'abjection et de servitude il luy faut arriver à son but. Mais cecy me deplaist il de voir des natures debonnaires et capables de justice se corrompre tous les jours au maniement et commandement de cette confusion. La longue souffrance engendre la coustume, la coustume le consentement et l'imitation. Nous avions assez d'ames mal nées sans gaster les bonnes et genereuses. Si que [e], si nous continuons, il restera malayséement à qui fier [f] la santé de cet estat, au cas que fortune nous la redonne.

---

a. « Le mal empire et s'aigrit par le remède. » Virgile, Énéide, XII, 46. — b. « Le juste et l'injuste confondus par notre fureur coupable ont détourné de nous la juste volonté des dieux. » Catulle, Épithalame de Thétis et de Pélée, v. 406. — c. Ciment (allusion aux mercenaires). — d. Solide. — e. Si bien que. — f. Confier.

> *Hunc saltem everso juvenem succurrere seclo*
> *Ne prohibite* [a][988].

Qu'est devenu cet ancien præcepte, que les soldats ont plus à craindre leur chef que l'ennemy[989] ? et ce merveilleux exemple, qu'un pommier s'estant trouvé enfermé dans le pourpris du camp de l'armée Romaine, elle fut veuë l'endemain en desloger, laissant au possesseur le conte entier de ses pommes, meures et delicieuses[990] ? J'aymerois bien que nostre jeunesse, au lieu du temps qu'elle employe à des peregrinations moins utiles et apprentissages moins honorables, elle le mist moitié à voir de la guerre sur mer, sous quelque bon capitaine commandeur de Rhodes[991], moitié à recognoistre la discipline des armées Turkesques, car elle a beaucoup de differences [b] et d'avantages sur la nostre. Cecy en est, que nos soldats deviennent plus licentieux aux expeditions, là plus retenus et craintifs; car les offenses ou larrecins sur le menu peuple, qui se punissent de bastonnades en la paix, sont capitales en guerre; pour un œuf prins sans payer, ce sont, de conte prefix, cinquante coups de baston; pour tout autre chose, tant legere soit elle, non propre à la nourriture, on les empale ou decapite sans deport[992]. Je me suis estonné en l'histoire de Selim, le plus cruel conquerant qui fut onques, veoir, lorsqu'il subjugua l'Ægypte, que les admirables jardins, qui sont autour de la ville de Damas en abondance et delicatesse, resterent vierges des mains de ses soldats, tous ouvers et non clos comme ils sont [c][993].

Mais est il quelque mal en une police qui vaille estre combatu par une drogue si mortelle ? Non pas, disoit Faonius[994], l'usurpation de la possession tyrannique d'un estat. Platon de mesme[995] ne consent pas qu'on face violence au repos de son pays pour le guerir, et n'accepte pas l'amendement qui [d] couste le sang et ruine des citoyens, establissant l'office d'un homme de bien, en ce cas, de

---

a. « Du moins n'empêchez pas ce jeune héros de secourir une génération qui menace ruine. » Virgile, *Géorgiques*, I, 500. — *b.* Supériorités. — *c. Les beaux jardins d'autour de la ville de Damas tous ouvers et en terre de conqueste, son armée campant sur le lieu mesmes, furent laissés vierges des mains des soldats, parce qu'ils n'avaient pas eu le signe de piller.* (Édition de 1595.) — *d. qui trouble et hazarde tout et* qui couste, ajoute l'édition de 1595.

laisser tout là; seulement de prier Dieu qu'il y porte sa main extraordinaire. Et semble sçavoir mauvais gré à Dion, son grand amy, d'y avoir un peu autrement procedé.

J'estois Platonicien de ce costé là, avant que je sceusse qu'il y eust de Platon au monde. Et si ce personnage doit purement estre refusé de nostre consorce [a], luy qui, par la sincerité de sa conscience, merita envers la faveur divine de penetrer si avant en la Chrestienne lumiere, au travers des tenebres publiques du monde de son temps, je ne pense pas qu'il nous siese bien de nous laisser instruire à [b] un payen. Combien c'est d'impieté de n'attendre de Dieu nul secours simplement sien et sans nostre cooperation. Je doubte souvent si, entre tant de gens qui se meslent de telle besoigne, nul s'est rencontré d'entendement si imbecille, à qui on aye en bon escient persuadé qu'il alloit vers la reformation par la derniere des difformations, qu'il tiroit [c] vers son salut par les plus expresses causes que nous ayons de très certaine damnation, que, renversant la police, le magistrat et les loix en la tutelle desquelles Dieu l'a colloquée desmembrant sa mere et en donnant à ronger les pieces à ses anciens enemis, remplissant des haines parricides les courages fraternels, appelant à son ayde les diables et les furies, il puisse apporter secours à la sacro-saincte douceur et justice de la parole divine. L'ambition, l'avarice, la cruauté, la vengeance n'ont point assez de propre et naturelle impetuosité; amorchons [d] les et les attisons par le glorieux titre de justice et devotion. Il ne se peut imaginer un pire visage des choses qu'où la meschanceté vient à estre legitime, et prendre, avec le congé du magistrat, le manteau de la vertu. « *Nihil in speciem fallacius quàm prava relligio, ubi deorum numen prætenditur sceleribus* [e]. » L'extreme espece d'injustice, selon Platon, c'est que ce qui est injuste soit tenu pour juste.

Le peuple y souffrit bien largement lors, non les dommages presens seulement,

undique totis
Usque adeo turbatur agris [f],

---

a. Société. — *b.* Par. — *c.* Marchait. — *d.* Enflammons. — *e.* « Rien de plus trompeur que la superstition, qui couvre ses crimes de l'intérêt des dieux. » Tite-Live, XXXIX, 16. — *f.* « Tant de toutes parts les champs sont partout troublés. » Virgile, *Bucoliques*, I, 11.

mais les futurs aussi. Les vivans y eurent à patir; si eurent ceux qui n'estoient encore nays. On le pilla, et à moy par consequent[996], jusques à l'esperance, luy ravissant tout ce qu'il avoit à s'aprester à vivre pour longues années.

> *Quæ nequeunt secum ferre aut abducere perdunt,*
> *Et cremat insontes turba scelesta casas*[a].

> *Muris nulla fides, squallent populatibus agri*[b].

Outre cette secousse, j'en souffris d'autres. J'encorus les inconveniens que la moderation aporte en telles maladies. Je fus pelaudé[c] à toutes mains : au Gibelin j'estois Guelphe, au Guelphe Gibelin[997]; quelqu'un de mes poetes dict bien cela, mais je ne sçay où c'est. La situation de ma maison et l'acointance des hommes de mon voisinage me presentoient d'un visage, ma vie et mes actions d'un autre [998]. Il ne s'en faisoit point des accusations formées, car il n'y avoit où mordre; je ne desempare[d] jamais les loix; et qui m'eust recerché m'en eust deu de reste. C'estoyent suspitions muettes qui couroient sous main, ausquelles il n'y a jamais faute d'apparence, en un meslange si confus, non plus que d'espris ou envieux, ou ineptes. J'ayde ordinairement aux presomptions injurieuses que la Fortune seme contre moy par une façon que j'ay dès tousjours de fuir à me justifier, excuser et interpreter, estimant que c'est mettre ma conscience en compromis de playder pour elle. « *Perspicuitas enim argumentatione elevatur*[e]. » Et comme si chacun voyoit en moy aussi clair que je fay, au lieu de me tirer arriere de l'accusation, je m'y avance et la renchery plustost par une confession ironique et moqueuse; si je ne m'en tais tout à plat, comme de chose indigne de response. Mais ceux qui le prennent pour une trop hautaine confiance ne m'en veulent gueres moins que ceux qui le prennent pour foiblesse d'une cause indefensible, nomméement les grands, envers lesquels faute[f] de summission est l'extreme faute, rudes à toute justice qui se cognoist, qui se sent, non

---

a. « Ce qu'ils ne peuvent emporter ou emmener, ils le détruisent, et leur tourbe scélérate incendie d'innocentes cabanes. » Ovide, *Tristes*, III, x, 65. — *b.* « Nulle sécurité derrière les murailles des villes, et les campagnes sont désolées par le pillage. » Claudien, *In Eutropium*, I, 244. — *c.* Étrillé. — *d.* Manque. — *e.* « Car l'évidence est affaiblie par la discussion. » *De natura deorum*, III, iv. — *f.* Le manque.

demise[a], humble et suppliante. J'ay souvent heurté à ce pilier. Tant y a que de ce qui m'advint lors, un ambitieux s'en fut pandu; si[b] eust faict un avaritieux.

Je n'ay soing quelconque d'acquerir.

> *Sit mihi quod nunc est, etiam minus, ut mihi vivam*
> *Quod superest ævi, si quid superesse volent dii*[c].

Mais les pertes qui me viennent par l'injure d'autruy, soit larrecin, soit violence, me pinsent environ comme à un homme malade et geiné[d] d'avarice. L'offence a, sans mesure, plus d'aigreur que n'a la perte.

Mille diverses sortes de maux accoureurent à moy à la file; je les eusse plus gaillardement souffers à la foule. Je pensay desjà, entre mes amys, à qui je pourrois commettre une vieillesse necessiteuse et disgratiée; après avoir rodé[e] les yeux partout, je me trouvay en pourpoint[f]. Pour se laisser tomber à plomb, et de si haut, il faut que ce soit entre les bras d'une affection solide, vigoreuse et fortunée; elles sont rares, s'il y en a. En fin, je cogneuz que le plus seur estoit de me fier à moy-meme de moy et de ma necessité, et s'il m'advenoit d'estre froidement en la grace de la fortune, que je me recommandasse de plus fort à la mienne, m'atachasse, regardasse de plus près à moy. En toutes choses les hommes se jettent aux appuis estrangers pour espargner les propres, seuls certains et seuls puissans, qui sçait s'en armer. Chacun court ailleurs et à l'advenir, d'autant que nul n'est arrivé à soy. Et me resolus que c'estoyent utiles inconveniens.

D'autant premierement qu'il faut avertir à coups de foyt[g] les mauvais disciples, quand la rayson n'y peut assez, comme par le feu et violence des coins nous ramenons un bois tortu à sa droiteur. Je me presche il y a si long temps de me tenir à moy, et separer des choses estrangeres; toutesfois je tourne encores tousjours les yeux à costé : l'inclination, un mot favorable d'un grand, un bon visage me tente. Dieu sçait s'il en est cherté en ce temps, et quel sens

---

a. Prosternée. — *b.* Ainsi. — *c.* « Que je conserve seulement ce qui m'appartient actuellement, même moins, s'il le faut, et que je puisse vivre pour moi ce qui me reste de jours, si les dieux veulent m'en accorder encore. » Horace, *Épîtres,* I, xviii, 107. — *d.* Tourmenté. — *e.* Promené. — *f.* Sans ressources (litt. : sans manteau). — *g.* Fouet.

il porte! J'oys encore, sans rider le front, les subornemens qu'on me faict pour me tirer en place marchande, et m'en deffens si mollement qu'il semble que je souffrisse plus volontiers d'en estre vaincu. Or à un esprit si indocile, il faut des bastonnades; et faut rebattre et resserrer à bons coups de mail ce vaisseau qui se desprent, se descourt, qui s'eschape et desrobe de soy.

Secondement, que cet accident me servoit d'exercitation pour me preparer à pis, si moy, qui, et par le benefice de la fortune et par la condition de mes meurs, esperois estre des derniers, venois à estre des premiers attrapé de cette tempeste: m'instruisant de bonne heure à contraindre ma vie et la renger pour un nouvel estat. La vraye liberté, c'est pouvoir toute chose sur soy. « *Potentissimus est qui se habet in potestate* [a]. »

En un temps ordinaire et tranquille, on se prepare à des accidens moderez et communs; mais en cette confusion où nous sommes depuis trente ans, tout homme françois, soit en particulier, soit en general, se voit à chaque heure sur le point de l'entier renversement de sa fortune. D'autant faut-il tenir son courage fourny de provisions plus fortes et vigoureuses. Sçachons gré au sort de nous avoir fait vivre en un siecle non mol, languissant ny oisif: tel, qui ne l'eut esté par autre moyen, se rendra fameux par son malheur.

Comme je ne ly guere és histoires ces confusions des autres estats que je n'aye regret de ne les avoir peu mieux considerer present, ainsi faict ma curiosité, que je m'aggrée aucunement de voir de mes yeux ce notable spectacle de nostre mort publique, ses symptomes et sa forme. Et puis que je ne la puis retarder, suis content d'estre destiné à y assister et m'en instruire.

Si cherchons nous avidement de recognoistre en ombre mesme et en la fable des Theatres la montre des jeux tragiques de l'humaine fortune.

Ce n'est pas sans compassion de ce que nous oyons [b], mais nous nous plaisons d'esveiller nostre desplaisir par la rareté de ces pitoyables evenemens. Rien ne chatouille qui ne pince. Et les bons historiens fuyent, comme un'

---

a. « L'homme le plus puissant est celui qui se possède lui-même. » Sénèque, *Épîtres*, 90. — *b.* Entendons.

eau dormante et mer morte, des narrations calmes, pour
regaigner les seditions, les guerres, où ils sçavent que nous
les appellons. Je doute si je puis assez honnestement
advouer à combien vil pris du repos et tranquillité de ma
vie, je l'ay plus de moitié passée en la ruine de mon pays.
Je me donne un peu trop bon marché de patience és accidens qui ne me saisissent au propre, et pour me plaindre
à moy regardé, non tant ce qu'on m'oste, que ce qui me
reste de sauve et dedans et dehors. Il y a de la consolation à eschever tantost l'un tantost l'autre des maux
qui nous guignent de suite et assenent ailleurs autour de
nous. Aussi qu'en matière d'interetz publiques, à mesure
que mon affection est plus universellement espandue, elle
en est plus foible. Joinct que certes à peu près « *tantum ex
publicis malis sentimus, quantum ad privatas res pertinet*[a] ». Et
que la santé d'où nous partismes estoit telle qu'elle soulage
elle mesme le regret que nous en devrions avoir. C'estoit
santé, mais non qu'à[b] la comparaison de la maladie qui l'a
suyvie. Nous ne sommes cheus de gueres haut. La corruption et le brigandage qui est en dignité et en ordre me
semble le moins supportable. On nous volle moins injurieusement dans un bois qu'en lieu de seureté. C'estoit une
jointure universelle de membres gastez en particulier à
l'envy les uns des autres, et la plus parts d'ulceres envieillis, qui ne recevoient plus, ny ne demandoient guerison.

Ce crollement[c] donq m'anima certes plus qu'il ne m'at-
terra, à l'aide de ma conscience qui se portoit non paisiblement seulement, mais fierement; et ne trouvois en quoy
me plaindre de moy. Aussi, comme Dieu n'envoie jamais
non plus les maux que les biens purs aux hommes, ma santé
tint bon ce temps là outre son ordinaire; et, ainsi que sans
elle je ne puis rien, il est peu de choses que je ne puisse
avec elle. Elle me donna moyen d'esveiller toutes mes provisions et de porter la main au devant de la playe qui eust
passé volontiers plus outre. Et esprouvay en ma patience
que j'avoys quelque tenue contre la fortune, et qu'à me
faire perdre mes arçons il me falloit un grand heurt. Je ne
le dis pas pour l'irriter à me faire une charge plus vigou-

---

a. « Nous sentons les maux publics seulement dans la mesure où ils
s'étendent à nos intérêts privés. » Tite-Live, XXX, 45. — *b.* Seulement à. — *c.* Croulement, branle.

reuse. Je suis son serviteur, je luy tends les mains; pour
Dieu qu'elle se contente! Si je sens ses assauts? Si fais.
Comme ceux que la tristesse accable et possede se laissent
pourtant par intervalles tastonner à quelque plaisir et leur
eschappe un soubsrire, je puis aussi assez sur moy pour
rendre mon estat ordinaire paisible et deschargé d'ennuyeuse
imagination; mais je me laisse pourtant, à boutades, surprendre des morsures de ces malplaisantes pensées, qui me
battent pendant que je m'arme pour les chasser ou pour
les luicter.

Voicy un autre rengregement[a] de mal qui m'arriva à
la suite du reste. Et dehors et dedans ma maison, je fus
accueilly d'une peste, vehemente au pris de toute autre[999].
Car, comme les corps sains sont subjects à plus griefves[b]
maladies, d'autant qu'ils ne peuvent estre forcez que par
celles-là, aussi mon air trèssalubre, où d'aucune memoire
la contagion, bien que voisine, n'avoit sceu prendre pied,
venant à s'empoisonner, produisit des effects estranges.

Mista senum et juvenum densantur funera, nullum
Sæva caput Proserpina fugit[c].

J'eus à souffrir cette plaisante condition que la veue de
ma maison m'estoit effroiable. Tout ce qui y estoit estoit
sans garde, et à l'abandon de qui en avoit envie. Moy qui
suis si hospitalier, fus en tres penible queste de retraicte
pour ma famille; une famille esgarée, faisant peur à ses
amis, et à soy-mesme, et horreur où qu'elle cerchast à se
placer, ayant à changer de demeure soudain qu'un[d] de la
troupe commençoit à se douloir[e] du bout du doigt. Toutes
maladies sont prises pour pestes; on ne se donne pas le
loisir de les reconnoistre. Et c'est le bon que, selon les
reigles de l'art, à tout danger qu'on approche il faut estre
quarante jours en transe de ce mal, l'imagination vous
exerceant ce pendant à sa mode et enfievrant vostre santé
mesme.

Tout cela m'eust beaucoup moins touché si je n'eusse
eu à me ressentir de la peine d'autruy, et servir six mois

---

a. Aggravation. — *b.* Graves. — *c.* « Vieillards et jeunes gens,
pêle-mêle, s'entassent dans le tombeau; nulle tête n'échappe à la
féroce Proserpine. » Horace, *Odes*, I, xxviii, 19. — *d.* Dès que quelqu'un. — *e.* Souffrir.

miserablement de guide à cette caravane. Car je porte en moy mes preservatifs, qui sont resolution et souffrance. L'apprehension ne me presse guere, laquelle on crainct particulierement en ce mal. Et si, estant seul, je l'eusse voulu prendre, c'eust esté une fuite bien plus gaillarde et plus esloingnée. C'est une mort qui ne me semble des pires : elle est communéement courte, d'estourdissement, sans douleur, consolée par la condition publique, sans ceremonie, sans deuil, sans presse[1000]. Mais quant au monde des environs, la centiesme partie des ames ne se peust sauver :

> *videas desertáque regna*
> *Pastorum, et longè saltus latéque vacantes* [a].

En ce lieu mon meilleur revenu est manuel : ce que cent hommes travailloient pour moy chaume pour longtemps.

Or lors, quel exemple de resolution ne vismes nous en la simplicité de tout ce peuple? Generalement chacun renonçoit au soing de la vie. Les raisins demeurerent suspendus aux vignes, le bien principal du pays, tout indifferemment se preparans et attendans la mort ce soir, ou au lendemain, d'un visage et d'une voix si peu effroyée qu'il sembloit qu'ils eussent compromis à cette necessité et que ce fut une condemnation universelle et inevitable. Elle est tousjours telle. Mais à combien peu tient la resolution au mourir? la distance et difference de quelques heures, la seule consideration de la compaignie nous en rend l'apprehension diverse. Voyez ceux cy : pour ce qu'ils meurent en mesme mois, enfans, jeunes, vieillards, ils ne s'estonnent plus, ils ne se pleurent plus. J'en vis qui craingnoient de demeurer derriere, comme en une horrible solitude; et n'y conneu communéement autre soing que des sepultures : il leur faschoit de voir les corps espars emmy les champs, à la mercy des bestes, qui y peuplerent incontinent. (Comment les fantasies humaines se decouppent : les Néorites, nation qu'Alexandre subjugua, jettent les corps des morts au plus profond de leurs bois pour y estre mangez, seule sepulture estimée entre eux heureuse[1001].) Tel, sain, faisoit desjà sa fosse; d'autres s'y couchoient encore vivans. Et un maneuvre des miens à tout ses mains et ses pieds attira

---

[a]. « On aurait vu es royaumes des pâtres déserts, les halliers vides en long et en large. » Virgile, *Géorgiques,* III, 476.

sur soy la terre en mourant : estoit ce pas s'abrier pour
s'endormir plus à son aise? D'une entreprise en hauteur
aucunement pareille à celle des soldats Romains qu'on
trouva, après la journée de Cannes, la teste plongée dans
des trous qu'ils avoient faicts et comblez de leurs mains
en s'y suffoquant[1002]. Somme, toute une nation fut incontinent, par usage, logée en une marche qui ne cede en roideur
à aucune resolution estudiée et consultée.

La plus part des instructions de la science à nous encourager ont plus de montre que de force, et plus d'ornement
que de fruict. Nous avons abandonné nature et luy voulons
apprendre sa leçon, elle qui nous menoit si heureusement
et si seurement. Et cependant les traces de son instruction
et ce peu qui, par le benefice de l'ignorance, reste de son
image empreint en la vie de cette tourbe rustique d'hommes
impolis, la science est contrainte de l'aller tous les jours
empruntant, pour en faire patron à ses disciples de constance, d'innocence et de tranquillité. Il faict beau voir que
ceux-cy plains de tant de belle cognoissance, ayent à imiter
cette sotte simplicité, et à l'imiter aux premieres actions de
la vertu, et que nostre sapience apreigne des bestes mesmes
les plus utiles enseignemens aux plus grandes et necessaires
parties de nostre vie : comme il nous faut vivre et mourir,
mesnager nos biens, aymer et eslever nos enfans, entretenir
justice; singulier tesmoignage de l'humaine maladie; et que
cette raison qui se manie à nostre poste, trouvant tousjours
quelque diversité et nouvelleté, ne laisse chez nous aucune
trace apparente de la nature. Et en ont faict les hommes
comme les parfumiers de l'huile[1003] : ils l'ont sophistiquée
de tant d'argumentations et de discours appellez du dehors,
qu'elle en est devenue variable et particuliere à chacun, et
a perdu son propre visage, constant et universel, et nous
faut en cercher tesmoignage des bestes, non subject à
faveur, corruption, ny à diversité d'opinions. Car il est
bien vray qu'elles mesmes ne vont pas tousjours exactement
dans la route de nature, mais ce qu'elles en desvoyent, c'est
si peu que vous en appercevez tousjours l'orniere. Tout
ainsi que les chevaux qu'on meine en main font bien des
bonds et des escapades, mais c'est la longueur de leurs
longes, et suyvent ce neantmoins toujours les pas de celuy
qui les guide; et comme l'oiseau prend son vol, mais sous
la bride de sa filiere.

« *Exilia, tormenta, bella, morbos, naufragia meditare*[a], *ut nullo sis malo tyro*[b]. » A quoy nous sert cette curiosité de preoccuper[c] tous les inconvenients de l'humaine nature, et nous preparer avec tant de peine à l'encontre de ceux mesme qui n'ont à l'avanture poinct à nous toucher? « *Parem passis tristitiam facit, pati posse*[d]. » Non seulement le coup, mais le vent et le pet nous frappe[1004]. Ou comme les plus fievreux, car certes c'est fiévre, aller dès à cette heure vous faire donner le fouet, parce qu'il peut advenir que fortune vous le fera souffrir un jour, et prendre vostre robe fourrée dès la S. Jean parce que vous en aurez besoing à Noel? « Jettez vous en l'experience des maux qui vous peuvent arriver, nommément des plus extremes : esprouvez vous là, disent-ils, asseurez vous là. » Au rebours, le plus facile et plus naturel seroit en descharger mesme sa pensée. Ils ne viendront pas assez tost, leur vray estre ne nous dure pas assez; il faut que nostre esprit les estende et alonge et qu'avant la main il les incorpore en soy et s'en entretienne, comme s'ils ne poisoient pas raisonnablement à nos sens. « Ils poiseront[e] assez quand ils y seront, dit un des maistres, non de quelque tendre secte, mais de la plus dure[1005]. Cependant favorise toy; croy ce que tu aimes le mieux. Que te sert il d'aller recueillant et prevenant ta male fortune, et de perdre le present par la crainte du futur, et estre à cette heure miserable par ce que tu le dois estre avec le temps? » Ce sont ses mots. La science nous faict volontiers un bon office de nous instruire bien exactement des dimentions des maux,

Curis acuens mortalia corda[f].

Ce seroit dommage si partie de leur grandeur eschapoit à nostre sentiment et cognoissance.

Il est certain qu'à la plus part, la preparation à la mort a donné plus de tourment que n'a faict la souffrance. Il fut

---

a. « Méditez l'exil, les tourments, la guerre, les maladies, les naufrages. » Sénèque, *Épîtres*, 91. — b. « Afin que nul malheur ne vous surprenne novice. » Sénèque, *Épîtres*, 107. — c. Imaginer à l'avance. — d. « Ceux qui ont souffert, l'éventualité de la souffrance les fait souffrir autant que la douleur même. » Sénèque, *Épîtres*, 74. — e. Pèseront. — f. « Aiguisant par des soucis l'esprit des mortels. » Virgile, *Géorgiques*, I, 123.

jadis veritablement dict, et par un bien judicieux autheur :
« *minus afficit sensus fatigatio quam cogitatio*[a]. »

    Le sentiment de la mort presente nous anime parfois de soy mesme d'une prompte resolution de ne plus eviter chose du tout inevitable. Plusieurs gladiateurs se sont veus, au temps passé, après avoir couardement combattu, avaller courageusement la mort, offrans leur gosier au fer de l'ennemy et le convians. La veue de la mort advenir a besoing d'une fermeté lente, et difficile par consequent à fournir[1003]. Si vous ne sçavez pas mourir, ne vous chaille[b] ; nature vous en informera sur le champ, plainement et suffisamment ; elle fera exactement cette besongne pour vous ; n'en empeschez vostre soing.

> *Incertam frustra, mortales, fumeris horam*
> *Quæritis, et qua sit mors aditura via*[c].

> *Pæna minor certam subito perferre ruinam,*
> *Quod timeas gravius sustinuisse diu*[d].

Nous troublons la vie par le soing de la mort, et la mort par le soing de la vie. L'une nous ennuye, l'autre nous effraye. Ce n'est pas contre la mort que nous nous preparons ; c'est chose trop momentanée. Un quart d'heure de passion sans consequence, sans nuisance, ne merite pas des preceptes particuliers. A dire vray, nous nous preparons contre les preparations de la mort. La philosophie nous ordonne d'avoir la mort tousjours devant les yeux, de la prevoir et considerer avant le temps, et nous donne après les reigles et les precautions pour prouvoir à ce que cette prevoiance et cette pensée ne nous blesse. Ainsi font les medecins qui nous jettent aux maladies, afin qu'ils ayent où employer leurs drogues et leur art. Si nous n'avons sçeu vivre, c'est injustice de nous apprendre à mourir, et de difformer la fin de son tout. Si nous avons sçeu vivre constamment et tranquillement, nous sçaurons mourir de mesme. Ils s'en venteront tant qu'il leur plaira. « *Tota philosoforum vita commen-*

---

    a. « La souffrance affecte moins nos sens que l'imagination. » Quintilien, *Instit. orat.*, I, 12. — *b.* N'en ayez cure. — *c.* « En vain, mortels, vous cherchez à connaître l'heure incertaine de vos funérailles et le chemin par où la mort doit venir. » Properce, II, XXVII, 1. — *d.* « Il est moins pénible de supporter un malheur soudain et certain que de souffrir longuement le supplice de la crainte. » Pseudo-Gallus, *Élégies*, I, 227.

tatio mortis est [a][1007]. » Mais il m'est advis que c'est bien le bout, non pourtant le but de la vie; c'est sa fin, son extremité, non pourtant son object. Elle doit estre elle mesme à soy sa visée, son dessein; son droit estude est se regler, se conduire, se souffrir. Au nombre de plusieurs autres offices que comprend ce general et principal chapitre de sçavoir vivre, est cet article de sçavoir mourir; et des plus legers si nostre crainte ne luy donnoit poids.

A les juger par l'utilité et par la verité naifve les leçons de la simplicité ne cedent gueres à celles que nous presche la doctrine, au contraire. Les hommes sont divers en goust et en force; il les faut mener à leur bien selon eux, et par routes diverses. « *Quo me cumque rapit tempestas, deferor hospes*[b]. » Je ne vy jamais paysan de mes voisins entrer en cogitation[c] de quelle contenance et asseurance il passeroit cette heure derniere. Nature luy apprend à ne songer à la mort que quand il se meurt. Et lors, il y a meilleure grace qu'Aristote, lequel la mort presse doublement, et par elle, et par une si longue prevoyance. Pourtant fut-ce l'opinion de Cæsar que la moins pourpensée[d] mort estoit la plus heureuse et plus deschargée[e][1008]. « *Plus dolet quàm necesse est, qui antè dolet quàm necesse est*[f]. » L'aigreur de cette imagination naist de nostre curiosité. Nous nous empeschons tousjours ainsi, voulans devancer et regenter les prescriptions naturelles. Ce n'est qu'aux docteurs d'en disner plus mal, tous sains, et se refroigner de l'image de la mort. Le commun n'a besoing ny de remede, ny de consolation qu'au coup, et n'en considere qu'autant justement qu'il en sent. Est-ce pas ce que nous disons, que la stupidité et faute d'apprehension du vulgaire luy donne cette patience aux maux presens et cette profonde nonchalance des sinistres accidens futurs? que leur ame, pour estre crasse et obtuse, est moins penetrable et agitable? Pour Dieu, s'il est ainsi, tenons d'ores en avant escolle de bestise. C'est l'extreme fruict que les sciences nous promettent, auquel cette-cy conduict si doucement ses disciples.

a. « Toute la vie des philosophes est une méditation de la mort. » Cicéron, *Tusculanes*, I, xxx. — *b.* « Sur quelque rivage que la tempête me jette, j'y aborde en hôte. » Horace, *Épîtres*, I, 1, 15. — *c.* Pensée. — *d.* Prévue. — *e.* Légère. — *f.* « C'est souffrir plus qu'il n'est nécessaire, que de souffrir avant que ce soit nécessaire. » Sénèque, *Épîtres*, 98.

LIVRE III, CHAPITRE XII

Nous n'aurons pas faute de bons regens, interpretes de la simplicité naturelle. Socrates en sera l'un. Car, de ce qu'il m'en souvient, il parle environ en ce sens aux juges qui deliberent de sa vie : « J'ay peur, messieurs, si je vous prie de ne me faire mourir, que je m'enferre en la delation de mes accusateurs, qui est que je fais plus l'entendu que les autres, comme ayant quelque cognoissance plus cachée des choses qui sont au dessus et au dessous de nous. Je sçay que je n'ay ny frequenté, ny recogneu la mort, ny n'ay veu personne qui ayt essayé ses qualitez pour m'en instruire. Ceux qui la craingnent presupposent la cognoistre. Quant à moy, je ne sçay ny quelle elle est, ny quel il faict en l'autre monde. A l'avanture[a] est la mort chose indifferente, à l'avanture desirable[1009]. (Il est à croire pourtant, si c'est une transmigration d'une place à autre, qu'il y a de l'amendement d'aller vivre avec tant de grands personnages trespassez, et d'estre exempt d'avoir plus à faire à juges iniques et corrompus. Si c'est un aneantissement de nostre estre, c'est encore amendement d'entrer en une longue et paisible nuit. Nous ne sentons rien de plus doux en la vie qu'un repos et sommeil tranquille et profond, sans songes[1010].) Les choses que je sçay estre mauvaises, comme d'offencer son prochain et desobeir au superieur, soit Dieu, soit homme, je les evite songneusement. Celles desquelles je ne sçay si elles sont bonnes ou mauvaises, je ne les sçauroy craindre[1011]... Si je m'en vay mourir et vous laisse en vie, les Dieux seuls voyent à qui, de vous ou de moy, il en ira mieux. Par quoy, pour mon regard vous en ordonnerez comme il vous plaira. Mais selon ma façon de conseiller les choses justes et utiles, je dy bien que, pour vostre conscience, vous ferez mieux de m'eslargir, si vous ne voyez plus avant que moy en ma cause[1012]; et, jugeant selon mes actions passées et publiques et privées, selon mes intentions, et selon le profit que tirent tous les jours de ma conversation tant de nos citoyens et jeunes et vieux, et le fruit que je vous fay à tous, vous ne pouvez duement vous descharger envers mon merite qu'en ordonnant que je sois nourry, attendu ma pauvreté, au Prytanée aux despens publiques, ce que souvent je vous ay veu à moindre raison ottroyer à d'autres[1013]... Ne prenez pas à

---

a. Peut-être.

obstination ou desdain que, suivant la coustume, je n'aille vous suppliant et esmouvant à commiseration. J'ay des amis et des parents (n'estant, comme dict Homere, engendré ny de bois, ny de pierre, non plus que les autres) capables de se presenter avec des larmes et le deuil, et ay trois enfans esplorez de quoy vous tirer à pitié. Mais je ferois honte à nostre ville, en l'aage que je suis et en telle reputation de sagesse que m'en voicy en prevention, de m'aller desmettre à si lasches contenances. Que diroit-on des autres Atheniens? J'ay tousjours admonesté[a] ceux qui m'ont ouy parler de ne racheter leur vie par une action deshoneste[1014]. Et aux guerres de mon pays, à Amphipolis, à Potidée, à Delie et autres où je me suis trouvé, j'ay montré par effect combien j'estois loing de garentir ma seureté par ma honte[1015]. D'avantage, j'interesserois vostre devoir et vous convierois à choses laydes; car ce n'est pas à mes prieres de vous persuader, c'est aux raïsons pures et solides de la justice. Vous avez juré aux Dieux d'ainsi vous maintenir : il sembleroit que je vous vousisse[b] soupçonner et recriminer[c] de ne croire pas qu'il y en aye. Et moy mesme tesmoignerois contre moy de ne croire point en eux comme je doy, me desfiant de leur conduicte et me remettant purement en leurs mains mon affaire. Je m'y fie du tout et tiens pour certain qu'ils feront en cecy selon qu'il sera plus propre à vous et à moy[1016]. Les gens de bien, ny vivans ny morts, n'ont aucunement à se craindre des Dieux[1017]. »

Voylà pas un plaidoyer sec et sain, mais quand et quand[d] naïf et bas, d'une hauteur inimaginable, veritable, franc et juste au delà de tout exemple, et employé en quelle necessité? Vrayement ce fut raison qu'il le preferast à celuy que ce grand orateur Lysias avoit mis par escrit pour luy, excellemment façonné au stile judiciaire, mais indigne d'un si noble criminel[1018]. Eust-on ouy de la bouche de Socrates une voix suppliante? Cette superbe vertu eust elle calé au plus fort de sa montre? Et sa riche et puissante nature eust elle commis à l'art sa defense, et en son plus haut essay renoncé à la verité et naïfveté, ornemens de son parler, pour se parer du fard des figures et feintes

---

a. Admonesté. — *b.* Voulusse. — *c.* Vous accuser par représailles. — *d.* En même temps.

d'une oraison apprinse? Il feit très-sagement, et selon luy, de ne corrompre une teneur de vie incorruptible et une si saincte image de l'humaine forme, pour allonger d'un an sa decrepitude et trahir l'immortelle memoire de cette fin glorieuse. Il devoit sa vie, non pas à soy, mais à l'exemple du monde; seroit ce pas dommage publique qu'il l'eust achevée d'une oisifve et obscure façon?

Certes une si nonchallante et molle consideration de sa mort meritoit que la posterité la consideråst d'autant plus pour luy : ce qu'elle fit. Et il n'y a rien en la justice si juste que ce que la fortune ordonna pour sa recommandation. Car les Atheniens eurent en telle abomination ceux qui en avoient esté cause qu'on les fuyoit comme personnes excommuniées; on tenoit pollu[a] tout ce à quoy ils avoient touché; personne à l'estuve[b] ne lavoit[c] avec eux; personne ne les saluoit, ny accointoit[d]; si qu'en fin[e], ne pouvant plus porter cette hayne publique, ils se pendirent eux-mesmes[1019].

Si quelqu'un estime que parmy tant d'autres exemples que j'avois à choisir pour le service de mon propos és dicts de Socrates, j'aye mal trié cettuy-cy, et qu'il juge ce discours estre eslevé au dessus des opinions communes, je l'ay faict à escient. Car je juge autrement, et tiens que c'est un discours en rang et en naifveté bien plus arriere et plus bas que les opinions communes : il represente en une hardiesse inartificielle et niaise, en une securité puérile, la pure et premiere impression et ignorance de nature. Car il est croyable que nous avons naturellement craincte de la douleur, mais non de la mort à cause d'elle mesmes : c'est une partie de nostre estre non moins essentielle que le vivre. A quoy faire nous en auroit nature engendré la hayne et l'horreur, veu qu'elle luy tient rang de très-grande utilité pour nourrir la succession et vicissitude de ses ouvrages, et qu'en cette republique universelle elle sert plus de naissance et d'augmentation que de perte ou ruyne?

Sic rerum summa novatur[f].

---

a. Tenait pour souillé. — *b.* Au bain. — *c.* Se baignait. — *d.* Abordait. — *e.* Si bien que finalement. — *f.* « Ainsi se renouvelle l'ensemble des choses. » Lucrèce, II, 74.

Mille animas una necata dedit[a].

La deffaillance d'une vie est le passage à mille autres vies. Nature a empreint aux bestes le soing d'elles et de leur conservation. Elles vont jusques là de craindre leur empirement, de se heurter et blesser que nous les enchevestrons et battons, accidents subjects à leurs sens et experience. Mais que nous les tuons, elles ne le peuvent craindre, ny n'ont la faculté d'imaginer et conclurre la mort. Si dict-on encore qu'on les voit non seulement la souffrir gayement (la plus part des chevaux hannissent en mourant, les cignes la chantent), mais de plus la rechercher à leur besoing, comme portent plusieurs exemples des elephans.

Outre ce, la façon d'argumenter de laquelle se sert icy Socrates est elle pas admirable esgalement en simplicité et en vehemence? Vrayment il est bien plus aisé de parler comme Aristote et vivre comme Cæsar, qu'il n'est aisé de parler et vivre comme Socrates. Là loge l'extreme degré de perfection et de difficulté : l'art n'y peut joindre. Or nos facultez ne sont pas ainsi dressées. Nous ne les essayons, ny ne les cognoissons; nous nous investissons de celles d'autruy, et laissons chomer les nostres.

Comme quelqu'un pourroit dire de moy que j'ay seulement faict icy un amas de fleurs estrangeres, n'y ayant fourny du mien que le filet à les lier. Certes j'ay donné à l'opinion publique que ces parements empruntez m'accompaignent. Mais je n'entends pas qu'ils me couvrent et qu'ils me cachent : c'est le rebours de mon dessein, qui ne veux faire montre que du mien, et de ce qui est mien par nature; et si je m'en fusse creu, à tout hazard, j'eusse parlé tout fin seul. Je m'en charge de plus fort tous les jours outre ma proposition et ma forme premiere, sur la fantasie du siecle et enhortemens d'autruy. S'il me messied à moy, comme je le croy, n'importe : il peut estre utile à quelque autre. Tel allegue Platon et Homere, qui ne les veid onques. Et moy ay prins des lieux assez ailleurs qu'en leur source[1020]. Sans peine et sans suffisance, ayant mille volumes de livres autour de moy en ce lieu où j'escris, j'emprunteray presentement s'il me plaist d'une douzaine

---

a. « Mille vies naissent d'une seule mort. » Ovide, *Fastes,* I, 380.

de tels ravaudeurs, gens que je ne feuillette guiere, de quoy esmailler le traicté de la phisionomie. Il ne faut que l'espitre liminaire d'un alemand pour me farcir d'allegations ; et nous allons quester par là une friande gloire, à piper le sot monde.

Ces pastissages de lieux communs, dequoy tant de gents mesnagent leur estude, ne servent guere qu'à subjects communs ; et servent à nous montrer, non à nous conduire, ridicule fruict de la science, que Socrates exagite si plaisamment contre Euthydeme[1021]. J'ay veu faire des livres de choses ny jamais estudiées, ny entenduës, l'autheur commettant à divers de ses amis sçavants la recherche de cette-cy et de cette autre matiere à le bastir, se contentant pour sa part d'en avoir projetté le dessein et empilé par son industrie ce fagot de provisions incogneuës ; au moins est sien l'ancre et le papier. Cela c'est en conscience achetter ou emprunter un livre, non pas le faire. C'est apprendre aux hommes, non qu'on sçait faire un livre, mais, ce dequoy ils pouvoient estre en doute, qu'on ne le sçait pas faire. Un president se vantoit, où j'estois, d'avoir amoncelé deux cens tant de lieux estrangers en un sien arrest presidental[1022]. En le preschant à chacun il me sembla effacer la gloire qu'on luy en donnoit. Pusillanime et absurde vanterie à mon gré pour un tel subject et telle personne. Parmy tant d'emprunts je suis bien aise d'en pouvoir desrober quelqu'un, les desguisant et difformant à[a] nouveau service. Au hazard que je laisse dire que c'est par faute d'avoir entendu leur naturel usage, je luy donne quelque particuliere adresse de ma main, à ce qu'ils en soient d'autant moins purement estrangers. Ceux-ci mettent leurs larrecins en parade et en conte : aussi ont-ils plus de credit aux loix que moy[b]. Nous autres naturalistes estimons qu'il y aie grande et incomparable preferance de l'honneur de l'invention à l'honneur de l'allegation.

Si j'eusse voulu parler par science, j'eus parlé plustost ; j'eusse escript du temps plus voisin de mes estudes, que j'avois plus d'esprit et de memoire ; et me fusse plus fié

---

a. Changeant leur forme en vue d'un. — b. L'édition de 1588 ajoute ici : *Comme ceux qui desrobent les chevaux, je leur peins le crin et la queue et parfois je les esborgne ; si le premier maistre s'en servait à bestes d'amble, je les mets au trot, et au bast, s'ils servoient à la selle.*

à la vigueur de cet aage là qu'a cettuy icy, si j'en eusse voulu faire mestier d'escrire. Davantage, telle faveur gratieuse que la fortune peut m'avoir offerte par l'entremise de cet ouvrage eust lors rencontré une plus propice saison[a]. Deux de mes cognoissans[b], grands hommes en cette faculté[c], ont perdu par moitié, à mon advis, d'avoir refusé de se mettre au jour[d] à quarante ans, pour attendre les soixante. La maturité a ses deffauts, comme la verdeur, et pires. Et autant est la vieillesse incommode à cette nature de besongne qu'à toute autre. Quiconque met sa decrepitude soubs la presse[e] faict folie s'il espere en espreindre des humeurs qui ne sentent le disgratié, le resveur et l'assopi. Nostre esprit se constipe et se croupit en vieillissant. Je dis pompeusement et opulemment l'ignorance, et dys la science megrement et piteusement; accessoirement cette-cy et accidentalement, celle là expressément et principalement. Et ne traicte à point nommé de rien que du rien, ny d'aucune science que de celle de l'inscience[f]. J'ay choisi le temps où ma vie, que j'ay à peindre, je l'ay toute devant moy : ce qui en reste tient plus de la mort. Et de ma mort seulement, si je la rencontrois babillarde, comme font d'autres, donrrois je[g] encore volontiers advis au peuple en deslogeant.

Socrates, qui a esté un exemplaire parfaict en toutes grandes qualitez, j'ay despit qu'il eust rencontré un corps et un visage si vilain, comme ils disent, et disconvenable à la beauté de son ame, luy si amoureux et si affolé de la beauté. Nature luy fit injustice. Il n'est rien plus vraysemblable que la conformité et relation du corps à l'esprit[h]. *« Ipsi animi magni refert quali in corpore locati sint : multa enim è corpore existunt quæ acuant mentem, multa quæ obtundant[i]. »* Cettuy-cy[1023] parle d'une laideur desnaturée et

a. Texte de 1595 : *Et quoy, si cette faveur gratieuse que la fortune m'a n'aguere offerte par l'entremise de cet ouvrage, m'eust peu rencontrer en belle saison au lieu de celle-ci; où elle est également désirable à posséder, et preste à perdre.* — *b.* Connaissances. — *c.* La science. — *d.* Publier. — *e.* A l'imprimerie et aussi à se presser (jeu de mots). — *f.* Ignorance. — *g.* Donnerais-je. — *h.* L'édition de 1588 ajoutait : *Il n'est pas à croire que cette dissonance advienne sans quelque accident, qui a interrompu le cours ordinaire :* come — *i.* « Il importe beaucoup à l'âme d'être dans un corps disposé de telle ou telle façon; car beaucoup de qualités corporelles contribuent à aiguiser l'esprit et beaucoup d'autres à l'émousser. » Cicéron, *Tusculanes,* I, xxxiii.

difformité de membres. Mais nous appellons laideur aussi une mesavenance au premier regard, qui loge principalement au visage, et souvent nous desgoute par bien legeres causes : du teint, d'une tache, d'une rude contenance, de quelque cause inexplicable sur des membres bien ordonnez et entiers. La laideur qui revestoit une ame très belle en La Boitie estoit de ce predicament [a]. Cette laideur superficielle, qui est pourtant très imperieuse, est de moindre prejudice à l'estat de l'esprit et a peu de certitude en l'opinion des hommes. L'autre, qui d'un plus propre nom s'appelle difformité, est plus substantielle, porte plus volontiers coup jusques au dedans. Non pas tout soulier de cuir bien lissé, mais tout soulier bien formé montre l'interieure forme du pied.

Come Socrates disoit de la sienne[1024] qu'elle en accusoit justement autant en son ame, s'il ne l'eust corrigée par institution. Mais en le disant je tiens qu'il se mocquoit suivant son usage, et jamais ame si excellente ne se fit elle mesme.

Je ne puis dire assez souvent combien j'estime la beauté qualité puissante et advantageuse. Il l'appelloit une courte tyrannie[1025], et Platon le privilege de nature[1026]. Nous n'en avons point qui la surpasse en credit. Elle tient le premier rang au commerce des hommes; elle se presente au devant, seduict et preoccupe nostre jugement avec grande authorité et merveilleuse impression. Phryné perdoit sa cause entre les mains d'un excellent advocat si, ouvrant sa robbe, elle n'eust corrompu ses juges par l'esclat de sa beauté[1027]. Et je trouve que Cyrus, Alexandre, Cæsar, ces trois maistres du monde, ne l'ont pas oubliée à faire leurs grands affaires. N'a pas le premier Scipion. Un mesme mot embrasse en Grec le bel et le bon[1028]. Et le S. Esprit appelle souvent bons ceux qu'il veut dire beaux. Je maintiendrois volontiers le rang des biens selon que portoit la chanson, que Platon dict[1029] avoir esté triviale, prinse de quelque ancien poëte : la santé, la beauté, la richesse. Aristote dict[1030] aux beaux appartenir le droict de commander, et quand il en est de qui la beauté approche celle des images des Dieux, que la veneration leur est pareillement deuë. A celuy qui luy demandoit pourquoy plus longtemps et plus

---

[a]. De cette sorte.

souvent on hantoit les beaux : « Cette demande, dict-il, n'appartient à estre faicte que par un aveugle[1031]. » La pluspart et les plus grands philosophes payarent leur escholage et acquirent la sagesse par l'entremise et faveur de leur beauté.

Non seulement aux hommes qui me servent, mais aux bestes aussi, je la considere à deux doits près de la bonté. Si me semble il que ce traict et façon de visage, et ces lineaments par lesquels on argumente aucunes complexions internes et nos fortunes à venir, est chose qui ne loge pas bien directement et simplement soubs le chapitre de beauté et de laideur. Non plus que toute bonne odeur et serenité d'air n'en promet pas la santé, ny toute espesseur et puanteur l'infection en temps pestilent. Ceux qui accusent les dames de contre-dire leur beauté par leurs meurs ne rencontrent pas tousjours [a]; car en une face qui ne sera pas trop bien composée, il peut loger quelque air de probité et de fiance, comme au rebours, j'ay leu par fois entre deux beaux yeux des menasses d'une nature maligne et dangereuse. Il y a des phisionomies favorables; et en une presse [b] d'ennemys victorieux, vous choisirés incontinent, parmy des hommes incogneus, l'un plustost que l'autre, à qui vous rendre et fier vostre vie; et non proprement par la consideration de la beauté.

C'est une foible garantie que la mine; toutesfois elle a quelque consideration [c]. Et si j'avois à les foyter [d], ce seroit plus rudement les meschans qui demendent et trahissent les promesses que nature leur avoit plantées au front : je punirois plus aigrement la malice en une apparence debonnaire. Il semble qu'il y ait aucuns visages heureux, d'autres malencontreux. Et crois qu'il y a quelque art à distinguer les visages debonnaires des nyais, les severes des rudes, les malicieux des chagrins, les desdaigneux des melancholiques, et telles autres qualitez voisines. Il y a des beautez non fieres seulement, mais aygres; il y en a d'autres douces, et encores au delà fades. D'en prognostiquer les avantures futures, ce sont matieres que je laisse indecises.

J'ay pris, comme j'ay dict ailleurs, bien simplement et cruement pour mon regard ce precepte ancien : que nous

---

a. Ne tombent pas toujours bien (ne voient pas toujours juste). — *b.* Foule. — *c.* Importance. — *d.* A fouetter les méchants.

ne sçaurions faillir à suivre nature, que le souverain precepte c'est de se conformer à elle. Je n'ay pas corrigé, comme Socrates, par force de la raison mes complexions naturelles, et n'ay aucunement troublé par art mon inclination. Je me laisse aller, comme je suis venu, je ne combats rien; mes deux maistresses pieces vivent de leur grace en pais et bon accord; mais le lait de ma nourriture a esté, Dieu mercy, mediocrement sain et temperé.

Diray-je cecy en passant : que je voy tenir en plus de prix qu'elle ne vaut, qui est seule quasi en usage entre nous, certaine image de preud'homie scholastique, serve des preceptes, contraincte soubs l'esperance et la crainte? Je l'aime telle que les loix et religions non facent, mais parfacent et authorisent, qui se sente de quoy se soustenir sans aide, née en nous de ses propres racines par la semence de la raison universelle empreinte ou tout homme non desnaturé. Cette raison, qui redresse Socrates de son vicieux ply, le rend obeïssant aux hommes et aux Dieux qui commandent en sa ville, courageux en la mort, non parce que son ame est immortelle, mais par ce qu'il est mortel. Ruineuse instruction à toute police[a], et bien plus dommageable qu'ingenieuse et subtile, qui persuade aux peuples la religieuse creance[b] suffire, seule et sans les mœurs, à contenter la divine justice. L'usage nous faict voir une distinction enorme entre la devotion et la conscience.

J'ay un port favorable et en forme et en interpretation[c],

Quid dixi habere me? Imo habui, Chreme[d]!

Heu tantum attriti corporis ossa vides[e],

et qui faict une contraire montre à celuy de Socrates. Il m'est souvant advenu que, sur le simple credit de ma presence et de mon air, des personnes qui n'avoyent aucune cognoissance de moy s'y sont grandement fiées, soit pour leurs propres affaires, soit pour les miennes; et en ay tiré és pays estrangiers des faveurs singulieres et rares. Mais

---

a. Gouvernement. — *b.* La croyance religieuse. — *c.* Par l'opinion qu'il donne de moi. — *d.* « Qu'ai-je dit? J'ai! C'est : *j'ai eu* que je devais dire, Chrémès! » Térence, *Heautontimoroumenos,* I, 1, 42. — *e.* « Hélas! vous ne voyez plus en moi que les os d'un corps usé. » Pseudo-Gallus, I, 238.

ces deux experiences valent, à l'avanture [a], que je les recite particulierement.

Un quidam delibera de surprendre ma maison et moy. Son art fut d'arriver seul à ma porte et d'en presser un peu instamment l'entrée; je le cognoissois de nom, et avois occasion de me fier de luy, comme de mon voisin et aucunement mon alié. Je luy fis ouvrir, comme je fais à chacun. Le voicy tout effroyé, son cheval hors d'haleine, fort harassé. Il m'entretint de cette fable : « Qu'il venoit d'estre rencontré à une demie lieuë de là par un sien ennemy, lequel je cognoissois aussi, et avois ouy parler de leur querelle; que cet ennemy luy avoit merveilleusement chaussé les esperons et, qu'ayant esté surpris en désarroy et plus foible en nombre, il s'estoit jetté à ma porte à sauveté; qu'il estoit en grand peine de ses gens, lesquels il disoit tenir pour morts ou prins [b]. » J'essayay tout nayfvement de le conforter, asseurer et rafreschir [c]. Tantost après, voylà quatre ou cinq de ses soldats qui se presentent, en mesme contenance et effroy, pour entrer; et puis d'autres et d'autres encores après, bien equipez et bien armez, jusques à vingt cinq ou trante, feignnants avoir leur ennemy aux talons. Ce mystere commençoit à taster ma soupçon. Je n'ignorois pas en quel siecle je vivois, combien ma maison pouvoit estre enviée, et [d] avois plusieurs exemples d'autres de ma cognoissance à qui il estoit mesadvenu de mesme. Tant y a que, trouvant qu'il n'y avoit point d'acquest d'avoir commencé à faire plaisir si je n'achevois, et ne pouvant me desfaire sans tout rompre, je me laissay aller au party le plus naturel et le plus simple, comme je faicts toujours, commendant qu'ils entrassent. — Aussi à la verité, je suis peu deffiant et soubçonneus de ma nature; je penche volontiers vers l'excuse et interpretation plus douce; je prends les hommes selon le commun ordre, et ne croy pas ces inclinations perverses et desnaturées si je n'y suis forcé par grand tesmoignage, non plus que les monstres et miracles. Et suis homme, en outre, qui me commets volontiers à la fortune et me laisse aller à corps perdu entre ses bras. De quoy, jusques à cette heure, j'ay eu plus d'occasion de me louër

---

a. Peut-être. — *b. ayans esté rencontrez en désordre et fort escartés les uns des autres.* (Éd. de 1588.) — *c.* Réconforter, rassurer et faire prendre du repos. — *d. nonobstant ce vain intervalle de guerre, auquel lors nous estions.* (Éd. de 1588.)

que de me plaindre; et l'ay trouvée et plus avisée et plus amie de mes affaires que je ne suis. Il y a quelques actions en ma vie, desquelles on peut justement nommer la conduite difficile ou, qui voudra, prudente; de celles là mesmes, posez que la tierce partie soit du mien, certes les deux tierces sont richement à elle. Nous faillons, ce me semble, en ce que nous ne nous fions pas assez au ciel de nous, et pretendons plus de nostre conduite qu'il ne nous appartient. Pourtant fourvoyent si souvent nos desseins. Il [a] est jaloux de l'estenduë que nous attribuons aux droicts de l'humaine prudence, au prejudice des siens, et nous les racourcit d'autant que nous les amplifions.

Ceux-cy se tindrent à cheval dans ma cour, le chef avec moy en ma sale, qui n'avoit voulu qu'on establat [b] son cheval, disant avoir à se retirer incontinent qu'il auroit eu nouvelles de ses hommes. Il se veid maistre de son entreprise, et n'y restoit sur ce poinct que l'execution. Souvant depuis, il a dict, car il ne craingnoit pas de faire ce compte, que mon visage et ma franchise luy avoient arraché la trahison des poincts [c]. Il remonta à cheval, ses gens ayants continuellement les yeux sur luy pour voir quel signe il leur donneroit, bien estonnez de le voir sortir et abandonner son avantage.

Une autrefois, me fiant à je ne sçay quelle treve qui venoit d'estre publiée en nos armées, je m'acheminai à un voyage, par pays estrangement chatouilleux. Je ne fus pas si tost esventé que voylà trois ou quatre cavalcades de divers lieux pour m'attraper; l'une me joingnit à la troisiesme journée, où je fus chargé par quinze ou vingt gentils-hommes masquez, suyvis d'une ondée d'argolets [d]. Me voylà pris et rendu, retiré dans l'espais d'une forest voisine, desmonté, devalizé, mes cofres fouilletz, ma boyte [e] prise, chevaux et esquipage desparty à nouveaux maistres. Nous fumes long temps à contester dans ce halier sur le faict de ma rançon, qu'ils me tailloyent si haute qu'il paroissoit bien que je ne leur estois guere cogneu. Ils entrerent en grande contestation de ma vie. De vray, il y avoit plusieurs circonstances qui me menassoyent du dangier où j'en estois.

a. Le ciel. — *b.* Mît à l'étable. — *c.* Poings. — *d.* Archers. — *e.* Coffre, caisse.

Tunc animis opus, Ænea, tunc pectore firmo[a].

Je me maintins tousjours sur le tiltre de[b] ma trefve, à leur quitter[c] seulement le gain qu'ils avoyent faict de ma despouille, qui n'estoit pas à mespriser, sans promesse d'autre rançon. Après deux ou trois heures que nous eusmes esté là et qu'ils m'eurent faict monter sur un cheval qui n'avoit garde de leur eschaper, et commis ma conduitte particuliere à quinze ou vingt harquebousiers, et dispersé mes gens à d'autres, ayant ordonné qu'on nous menast prisonniers diverses routes, et moy déjà acheminé à deux ou trois harquebousades de là,

Jam prece Pollucis, jam Castoris implorata[d],

voicy une soudaine et très-inopinée mutation qui leur print. Je vis revenir à moy le chef avec parolles plus douces, se mettant en peine de recercher en la troupe mes hardes escartées, et m'en faisant rendre selon qu'il s'en pouvoit recouvrer, jusques à ma boyte[1032]. Le meilleur present qu'ils me firent ce fut en fin ma liberté; le reste ne me touchoit guieres en ce temps-là. La vraye cause d'un changement si nouveau et de ce ravisement, sans aucune impulsion apparente, et d'un repentir si miraculeux, en tel temps, en une entreprinse pourpensée[e] et deliberée, et devenue juste par l'usage (car d'arrivée je leur confessay ouvertement le party duquel j'estois, et le chemin que je tenois), certes je ne sçay pas bien encores quelle elle est. Le plus apparent, qui se demasqua et me fit cognoistre son nom[f], me redict lors plusieurs fois que je devoy cette delivrance à mon visage, liberté et fermeté de mes parolles, qui me rendoyent indigne d'une telle mes-adventure, et me demanda asseurance d'une pareille. Il est possible que la bonté divine se voulut servir de ce vain instrument pour ma conservation. Elle me deffendit encore l'endemain d'autres pires embusches, desquelles ceux cy mesme m'avoyent adverty. Le dernier est encore en pieds pour en

---

a. « C'est alors qu'il te fallut du courage, Énée, alors qu'il te fallut un cœur ferme. » Virgile, *Énéide,* VI, 261. — *b.* En faisant état de. — *c.* Laisser. — *d.* « Ayant déjà imploré et Pollux et Castor. » Catulle, LXVI, 65. — *e.* Préméditée. — *f. (j'essayerais volontiers à mon tour, quelle mine il feroit en un pareil accident),* ajoutait l'édition de 1588.

faire le compte; le premier fut tué, il n'y a pas long temps.

Si mon visage ne respondoit pour moy, si on ne lisoit en mes yeux et en ma voix la simplicité de mon intention, je n'eusse pas duré sans querelle et sans offence si long temps, avec cette liberté indiscrete de dire à tort et à droict[a] ce qui me vient en fantasie, et juger temerairement des choses. Cette façon peut paroistre avec raison incivile et mal accommodée à nostre usage; mais outrageuse et malitieuse, je n'ay veu personne qui l'en ayt jugée, ne qui se soit piqué de ma liberté s'il l'a receuë de ma bouche. Les paroles redictes ont, comme autre son, autre sens. Aussi ne hay-je personne; et suis si lâche à offencer que, pour le service de la raison mesme, je ne le puis faire. Et lors que l'occasion m'a convié aux condemnations criminelles, j'ay plustost manqué à la justice. « *Ut magis peccari nolim quàm satis animi ad vindicanda peccata habeam*[b]. » On reprochoit, dict-on, à Aristote d'avoir esté trop misericordieux envers un meschant homme. « J'ay esté de vray, dict-il, misericordieux envers l'homme, non envers la meschanceté[1033]. » Les jugements ordinaires s'exasperent à la vengeance par l'horreur du meffaict. Cela mesme refroidit le mien : l'horreur du premier meurtre m'en faict craindre un second, et la haine de la premiere cruauté m'en faict hayr toute imitation. A moy, qui ne suis qu'escuyer de trefles[c], peut toucher[d] ce qu'on disoit de Charillus, roy de Sparte : « Il ne sçauroit estre bon, puis qu'il n'est pas mauvais aux meschants[1034]. » Ou bien ainsi, car Plutarque le presente en ces deux sortes, comme mille autres choses, diversement et contrairement : « Il faut bien qu'il soit bon, puisqu'il l'est aux meschants mesme[1035]. » Comme aux actions legitimes je me fasche de m'y employer quand c'est envers ceux qui s'en desplaisent, aussi, à dire verité, aux illegitimes je ne fay pas assez de conscience de m'y employer quand c'est envers ceux qui y consentent.

---

a. A tort et à raison. — *b.* « Je voudrais qu'on n'eût pas commis de fautes; mais je n'ai pas le courage de punir celles qui sont commises. » Tite-Live, XXIX, 21. — *c. valet de trèfle,* portait l'édition de 1588, c.-à-d. personnage sans importance. — *d.* S'appliquer.

CHAPITRE XIII

DE L'EXPERIENCE

Il n'est desir plus naturel que le desir de connoissance. Nous essayons tous les moyens qui nous y peuvent mener. Quand la raison nous faut, nous y employons l'experience,

> *Per varios usus artem experientia fecit :*
> *Exemplo monstrante viam* [a],

qui est un moyen plus foible et moins digne; mais la verité est chose si grande, que nous ne devons desdaigner aucune entremise qui nous y conduise. La raison a tant de formes, que nous ne sçavons à laquelle nous prendre; l'experience n'en a pas moins. La consequence que nous voulons tirer de la ressemblance des evenemens est mal seure, d'autant qu'ils sont tousjours dissemblables : il n'est aucune qualité si universelle en cette image des choses que la diversité et varieté. Et les Grecs, et les Latins, et nous, pour le plus exprès exemple de similitude, nous servons de celuy des œufs. Toutefois il s'est trouvé des hommes, et notamment un en Delphes, qui recognoissoit des marques de difference entre les œufs, si qu'il n'en prenoit jamais l'un pour l'autre; et y ayant plusieurs poules, sçavoit juger de laquelle estoit l'œuf[1036]. La dissimilitude s'ingere d'elle mesme en nos ouvrages; nul art peut arriver à la similitude. Ny Perrozet[1037], ny autre ne peut si soigneusement polir et blanchir l'envers de ses cartes qu'aucuns joueurs ne les distinguent à les voyr seulement couler par les mains d'un autre. La ressemblance ne faict pas tant un comme la difference faict autre[1038]. Nature s'est obligée à ne rien faire autre, qui ne fust dissemblable[1039].

Pourtant, l'opinion de celuy-là[1040] ne me plaist guiere, qui pensoit par la multitude des loix brider l'authorité des juges, en leur taillant leurs morceaux : il ne sentoit

---

[a]. « C'est par différentes épreuves que l'expérience a produit l'art, l'exemple nous montrant le chemin. » Manilius, I, 59; cité par Juste Lipse, *Politiques,* I, 8.

point qu'il y a autant de liberté et d'estendue à l'interpretation des loix qu'à leur façon. Et ceux là se moquent, qui pensent appetisser[a] nos debats et les arrester en nous r'appellant à l'expresse parolle de la Bible. D'autant que nostre esprit ne trouve pas le champ moins spatieux à contreroller le sens d'autruy qu'à representer le sien, et comme s'il y avoit moins d'animosité et d'aspreté à gloser qu'à inventer. Nous voyons combien il se trompoit. Car nous avons en France plus de loix que tout le reste du monde ensemble[1041], et plus qu'il n'en faudroit à reigler tous les mondes d'Epicurus, « *ut olim flagitiis, sic nunc legibus laboramus*[b] »; et si, avons tant laissé à opiner et decider à nos juges, qu'il ne fut jamais liberté si puissante et si licencieuse. Qu'ont gaigné nos legislateurs à choisir cent mille espèces et faicts particuliers, et y attacher cent mille loix? Ce nombre n'a aucune proportion avec l'infinie diversité des actions humaines. La multiplication de nos inventions n'arrivera pas à la variation des exemples. Adjoustez y en cent fois autant : il n'adviendra pas pourtant que, des evenemens à venir, il s'en trouve aucun qui, en tout ce grand nombre de milliers d'evenemens choisis et enregistrez, en rencontre un auquel il se puisse joindre et apparier si exactement, qu'il n'y reste quelque circonstance et diversité qui requiere diverse consideration de jugement. Il y a peu de relation de nos actions, qui sont en perpetuelle mutation, avec les loix fixes et immobiles. Les plus desirables, ce sont les plus rares, plus simples et generales; et encore crois-je qu'il vaudroit mieux n'en avoir point du tout que de les avoir en tel nombre que nous avons.

Nature les donne tousjours plus heureuses que ne sont celles que nous nous donnons. Tesmoing la peinture de l'aage doré des poëtes, et l'estat où nous voyons vivre les nations qui n'en ont point d'autres. En voylà qui, pour tous juges, employent en leurs causes le premier passant qui voyage le long de leurs montaignes[1042]. Et ces autres eslisent le jour du marché quelqu'un d'entre eux, qui sur le champ decide tous leurs procès. Quel danger y auroit-il que les plus sages vuidassent ainsi les nostres, selon les occurrences et à l'œil, sans obligation d'exemple et de

---

a. Rapetisser. — *b.* « De même qu'autrefois les scandales, maintenant les lois sont un fléau. » Tacite, *Annales*, III, 25.

consequence? A chaque pied son soulier. Le Roy Ferdinand[1043], envoyant des colonies aux Indes, prouveut[a] sagement qu'on n'y menast aucuns escholiers de la jurisprudence, de crainte que les procès ne peuplassent en ce nouveau monde, comme estant science, de sa nature, generatrice d'altercation et division[1044]; jugeant avec Platon[1045], que c'est une mauvaise provision de pays que jurisconsultes et medecins.

Pourquoy est-ce que nostre langage commun, si aisé à tout autre usage, devient obscur et non intelligible en contract et testament, et que celuy qui s'exprime si clairement, quoy qu'il die et escrive, ne trouve en cela aucune maniere de se declarer qui ne tombe en doubte et contradiction? Si ce n'est que les princes de cet art, s'appliquans d'une peculiere[b] attention à trier des mots solemnes[c] et former des clauses artistes[d] ont tant poisé[e] chaque sillabe, espluché si primement[f] chaque espece de cousture[g], que les voilà enfrasquez[h] et embrouillez en l'infinité des figures et si menuës partitions, qu'elles ne peuvent plus tomber soubs aucun reiglement et prescription ny aucune certaine intelligence. « *Confusum est quidquid usque in pulverem sectum est*[i]. » Qui a veu des enfans essayans de renger à certain nombre une masse d'argent-vif : plus ils le pressent et pestrissent et s'estudient à le contraindre à leur loy, plus ils irritent la liberté de ce genereux metal : il fuit à leur art et se va menuisant et esparpillant au delà de tout compte. C'est de mesme, car, en subdivisant ces subtilitez, on apprend aux hommes d'accroistre les doubtes; on nous met en trein d'estendre et diversifier les difficultez, on les alonge, on les disperse. En semant les questions et les retaillant, on faict fructifier et foisonner le monde en incertitude et en querelles, comme la terre se rend fertile plus elle est esmiée[j] et profondément remuée. « *Difficultatem facit doctrina*[k]. » Nous doubtions sur Ulpian[1046], redoutons encore sur Bartolus[1047] et Baldus[1048]. Il falloit effacer la trace de cette diversité innumerable[l] d'opi-

---

a. Pourvut, prescrivit. — *b.* Particulière. — *c.* Solennels. — *d.* Des formules artificielles. — *e.* Pesé. — *f.* Exactement. — *g.* Manière d'assembler les mots. — *h.* Embringués. — *i.* « Tout ce qui est divisé jusqu'à n'être que poussière devient confus. » Sénèque, *Épîtres*, 89. — *j.* Émiettée. — *k.* « C'est la science qui crée la difficulté. » Quintilien, *Instit. orat.*, X, 3. — *l.* Innombrable.

nions, non poinct s'en parer et en entester la posterité.

Je ne sçay qu'en dire, mais il se sent par experience que tant d'interprétations dissipent la verité et la rompent. Aristote a escrit pour estre entendu; s'il ne l'a peu, moins le fera un moins habile et un tiers que celuy qui traite sa propre imagination. Nous ouvrons la matiere et l'espandons en la destrempant; d'un subject nous en faisons mille, et retombons, en multipliant et subdivisant, à l'infinité des atomes d'Epicurus. Jamais deux hommes ne jugerent pareillement de mesme chose, et est impossible de voir deux opinions semblables exactement, non seulement en divers hommes, mais en mesme homme à diverses heures. Ordinairement je trouve à doubter en ce que le commentaire n'a daigné toucher. Je bronche plus volontiers en pays plat, comme certains chevaux que je connois, qui chopent[a] plus souvent en chemin uny.

Qui ne diroit que les glosses augmentent les doubtes et l'ignorance[1049], puis qu'il ne se voit aucun livre, soit humain, soit divin, auquel le monde s'embesongne, duquel l'interpretation face tarir la difficulté? Le centiesme commentaire le renvoye à son suivant, plus espineux et plus scabreux que le premier ne l'avoit trouvé. Quand est-il convenu entre nous : ce livre en a assez, il n'y a meshuy[b] plus que dire? Cecy se voit mieux en la chicane. On donne authorité de loy à infinis docteurs, infinis arrests, et à autant d'interpretations. Trouvons nous pourtant quelque fin au besoin d'interpreter? s'y voit-il quelque progrès et advancement vers la tranquillité? nous faut-il moins d'advocats et de juges que lors que cette masse de droict estoit encore en sa premiere enfance? Au rebours, nous obscurcissons et ensevelissons l'intelligence; nous ne la descouvrons plus qu'à la mercy de tant de clostures et barrieres. Les hommes mescognoissent la maladie naturelle de leur esprit : il ne faict que fureter et quester, et va sans cesse tournoiant, bastissant et s'empestrant en sa besongne, comme nos vers de soye, et s'y estouffe. *« Mus in pice*[c]. *»* Il pense remarquer de loing je ne sçay quelle apparence de clarté et verité imaginaire; mais, pendant qu'il y court, tant de difficultez luy traversent la voye,

---

a. Bronchent. — *b.* Désormais. — *c.* « Une souris dans la poix. » Dicton latin, recueilli par Érasme, *Adages,* II, III, 68.

d'empeschemens et de nouvelles questes, qu'elles l'esgarent et l'enyvrent. Non guiere autrement qu'il advint aux chiens d'Esope, lesquels, descouvrant quelque apparence de corps mort floter en mer, et ne le pouvant approcher, entreprindrent de boire cette eau, d'assecher le passage, et s'y estouffarent[1050]. A quoy se rencontre ce qu'un Crates disoit des escrits de Heraclitus, « qu'ils avoient besoin d'un lecteur bon nageur », afin que la profondeur et pois de sa doctrine ne l'engloutist et suffocast[1051].

Ce n'est rien que foiblesse particuliere qui nous faict contenter de ce que d'autres ou que nous-mesmes avons trouvé en cette chasse de cognoissance; un plus habile ne s'en contentera pas. Il y a tousjours place pour un suyvant, ouy et pour nous mesmes, et route par ailleurs. Il n'y a point de fin en nos inquisitions; nostre fin est en l'autre monde. C'est signe de racourciment d'esprit quand il se contente, ou de lasseté. Nul esprit genereux ne s'arreste en soy : il pretend tousjours et va outre ses forces; il a des eslans au delà de ses effects; s'il ne s'avance et ne se presse et ne s'accule et ne se choque, il n'est vif qu'à demy; ses poursuites sont sans terme, et sans forme; son aliment c'est admiration, chasse, ambiguité. Ce que declaroit assez Apollo, parlant tousjours à nous doublement, obscurement et obliquement[1052], ne nous repaissant pas, mais nous amusant et embesongnant. C'est un mouvement irregulier, perpetuel, sans patron, et sans but. Ses inventions s'eschauffent, se suyvent, et s'entreproduisent l'une l'autre.

> *Ainsi voit l'on, en un ruisseau coulant,*
> *Sans fin l'une eau après l'autre roulant,*
> *Et tout de rang, d'un eternel conduict,*
> *L'une suit l'autre, et l'une l'autre fuyt.*
> *Par cette-cy celle-là est poussée,*
> *Et cette-cy par l'autre est devancée :*
> *Tousjours l'eau va dans l'eau, et tousjours est-ce*
> *Mesme ruisseau, et toujours eau diverse*[1053].

Il y a plus affaire à interpreter les interpretations qu'à interpreter les choses, et plus de livres sur les livres que sur autre subject : nous ne faisons que nous entregloser.

Tout fourmille de commentaires; d'auteurs, il en est grand cherté.

LIVRE III, CHAPITRE XIII

Le principal et plus fameux sçavoir de nos siecles, est-ce pas sçavoir entendre les sçavans ? Est-ce pas la fin commune et derniere de tous estudes ?

Nos opinions s'entent les unes sur les autres. La premiere sert de tige à la seconde, la seconde à la tierce. Nous eschellons ainsi de degré en degré. Et advient de là que le plus haut monté a souvent plus d'honneur que de merite; car il n'est monté que d'un grain sur les espaules du penultime [a].

Combien souvent, et sottement à l'avanture, ay-je estandu mon livre à parler de soy ? Sottement; quand ce ne seroit que pour cette raison qu'il me devoit souvenir de ce que je dy des autres qui en font de mesmes : « Que ces œillades si frequentes à leur ouvrage tesmoignent que le cœur leur frissonne de son amour, et les rudoyements mesmes desdaigneus, dequoy ils le battent, que ce ne sont que mignardises et affetteries d'une faveur maternelle », suivant Aristote[1054], à qui et se priser et se mespriser naissent souvent de pareil air d'arrogance. Car mon excuse, que je doy avoir en cela plus de liberté que les autres, d'autant qu'à poinct nommé j'escry de moy et de mes escrits comme de mes autres actions, que mon theme se renverse en soy, je ne sçay si chacun la prendra.

J'ay veu en Alemagne que Luther a laissé autant de divisions et d'altercations sur le doubte de ses opinions, et plus, qu'il n'en esmeut sur les escritures sainctes. Nostre contestation est verbale. Je demande que c'est que nature, volupté, cercle, et substitution. La question est de parolles, et se paye de mesme. Une pierre c'est un corps. Mais qui presseroit : « Et corps qu'est-ce ? — Substance. — Et substance quoy ? » ainsi de suitte, acculeroit en fin le respondant au bout de son calepin. On eschange un mot pour un autre mot, et souvent plus incogneu. Je sçay mieux que c'est qu'homme que je ne sçay que c'est animal, ou mortel, ou raisonnable. Pour satisfaire à un doubte, ils m'en donnent trois : c'est la teste de Hydra. Socrates demandoit à Memnon que c'estoit que vertu : « Il y a, fit Memnon, vertu d'homme et de femme, de magistrat et d'homme privé, d'enfant et de vieillart. — Voicy qui va bien ! s'escria Socrates : nous estions en cherche d'une

---

a. Pénultième, avant-dernier.

vertu, en voicy un exaim[1055]. » Nous communiquons une question, on nous en redonne une ruchée. Comme nul evenement et nulle forme ressemble entierement à une autre, aussi ne differe nulle de l'autre entierement. Ingenieux meslange de nature. Si nos faces n'estoient semblables, on ne sçauroit discerner l'homme de la beste; si elles n'estoient dissemblables, on ne sçauroit discerner l'homme de l'homme[1056]. Toutes choses se tiennent par quelque similitude, tout exemple cloche, et la relation qui se tire de l'experience est tousjours defaillante et imparfaicte; on joinct toutesfois les comparaisons par quelque coin. Ainsi servent les loix, et s'assortissent ainsin à chacun de nos affaires, par quelque interpretation destournée, contrainte et biaise.

Puisque les loix ethiques, qui regardent le devoir particulier de chacun en soy, sont si difficiles à dresser, comme nous voyons qu'elles sont, ce n'est pas merveille si celles qui gouvernent tant de particuliers le sont davantage. Considerez la forme de cette justice qui nous regit : c'est un vray tesmoignage de l'humaine imbecillité, tant il y a de contradiction et d'erreur. Ce que nous trouvons faveur et rigueur en la justice, et y en trouvons tant que je ne sçay si l'entredeux s'y trouve si souvent, ce sont parties maladives et membres injustes du corps mesmes et essence de la justice. Des paysans viennent de m'advertir en haste qu'ils ont laissé presentement en une forest qui est à moy un homme meurtry de cent coups, qui respire encores et qui leur a demandé de l'eau par pitié et du secours pour le soubslever. Disent qu'ils n'ont osé l'approcher et s'en sont fuis, de peur que les gens de la justice ne les y attrapassent, et, comme il se faict de ceux qu'on rencontre près d'un homme tué, ils n'eussent à rendre compte de cet accident à leur totale ruyne, n'ayant ny suffisance, ny argent, pour deffendre leur innocence. Que leur eussé-je dict? Il est certain que cet office d'humanité les eust mis en peine.

Combien avons-nous descouvert d'innocens avoir esté punis, je dis sans la coulpe des juges; et combien en y a-il eu que nous n'avons pas descouvert? Cecy est advenu de mon temps : certains sont condamnez à la mort pour un homicide; l'arrest, sinon prononcé, au moins concluld et arresté. Sur ce poinct, les juges sont advertis par les

officiers d'une court subalterne voisine, qu'ils tiennent
quelques prisonniers, lesquels advouent disertement cet
homicide, et apportent à tout ce faict une lumiere indubitable. On delibere si pourtant on doit interrompre et
differer l'exécution de l'arrest donné contre les premiers.
On considere la nouvelleté de l'exemple, et sa consequence
pour accrocher les jugemens ; que la condamnation est
juridiquement passée, les juges privez de repentance.
Somme, ces pauvres diables sont consacrez aux formules
de la justice. Philippus, ou quelque autre, prouveut à un
pareil inconvenient en cette maniere : il avoit condamné
en grosses amendes un homme envers un autre, par un
jugement resolu. La verité se descouvrant quelque temps
après, il se trouva qu'il avoit iniquement jugé. D'un costé
estoit la raison de la cause, de l'autre costé la raison des
formes judiciaires. Il satisfit aucunement à toutes les deux,
laissant en son estat la sentence, et recompensant de sa
bourse l'interest du condamné[1057]. Mais il avoit affaire à
un accident reparable; les miens furent pendus irrepara-
blement. Combien ay-je veu de condemnations, plus cri-
mineuses que le crime?

Tout cecy me faict souvenir de ces anciennes opinions :
qu'il est forcé de faire tort en detail qui veut faire droict
en gros, et injustice en petites choses qui veut venir à
chef de faire justice és grandes[1058]; que l'humaine justice
est formée au modelle de la medecine, selon laquelle tout
ce qui est utile est aussi juste et honneste[1059]; et de ce que
tiennent les Stoïciens, que nature mesme procede contre
justice, en la plus part de ses ouvrages; et de ce que tiennent
les Cyrenaïques, qu'il n'y a rien juste de soy, que les
coustumes et loix forment la justice[1060]; et des Theodoriens,
qui trouvent juste au sage le larrecin, le sacrilege, toute
sorte de paillardise, s'il connoit qu'elle luy soit profitable[1061].

Il n'y a remede. J'en suis là, comme Alcibiades[1062],
que je ne me representeray jamais, que je puisse, à homme
qui decide de ma teste, où mon honneur et ma vie depende
de l'industrie et soing de mon procureur plus que de mon
innocence. Je me hazarderois à une telle justice qui me
reconneut du bien faict comme du malfaict, où j'eusse
autant à esperer que à craindre. L'indemnité n'est pas
monnoye suffisante à un homme qui faict mieux que de
ne faillir point. Nostre justice ne nous presente que l'une

de ses mains, et encore la gauche. Quiconque il soit, il en sort avecques perte.

En la Chine, duquel royaume la police et les arts, sans commerce et cognoissance des nostres, surpassent nos exemples en plusieurs parties d'excellence, et duquel l'histoire m'apprend combien le monde est plus ample et plus divers que ny les anciens, ny nous ne penetrons, les officiers deputez par le Prince pour visiter l'estat de ses provinces, comme ils punissent ceux qui malversent en leur charge, ils remunerent aussi de pure liberalité ceux qui s'y sont bien portez, outre la commune sorte et outre la necessité de leur devoir. On s'y presente, non pour garantir seulement, mais pour y acquerir, ny simplement pour estre payé, mais pour y estre aussi estrené [a][1063].

Nul juge n'a encore, Dieu mercy, parlé à moy comme juge, pour quelque cause que ce soit, ou mienne ou tierce, ou criminelle ou civile. Nulle prison m'a receu, non pas seulement pour m'y promener. L'imagination m'en rend la veue, mesme du dehors, desplaisante. Je suis si affady après la liberté, que qui me deffenderoit l'accez de quelque coin des Indes, j'en vivroys aucunement plus mal à mon aise. Et tant que je trouveray terre ou air ouvert ailleurs, je ne croupiray en lieu où il me faille cacher. Mon Dieu! que mal pourroy-je souffrir la condition où je vois tant de gens, clouez à un quartier de ce royaume, privés de l'entrée des villes principalles et des courts et de l'usage des chemins publics, pour avoir querellé nos loix! Si celles que je sers me menassoient seulement le bout du doigt, je m'en irois incontinent en trouver d'autres, où que ce fut. Toute ma petite prudence, en ces guerres civiles où nous sommes, s'employe à ce qu'elles n'interrompent ma liberté d'aller et venir.

Or les loix se maintiennent en credit, non par ce qu'elles sont justes, mais par ce qu'elles sont loix. C'est le fondement mystique de leur authorité; elles n'en ont poinct d'autre. Qui bien leur sert. Elles sont souvent faictes par des sots, plus souvent par des gens qui, en haine d'equalité, ont faute d'équité, mais tousjours par des hommes, autheurs vains et irresolus.

Il n'est rien si lourdement et largement fautier que les

---

a. Gratifié de cadeaux.

loix, ny si ordinairement. Quiconque leur obeyt parce qu'elles sont justes, ne leur obeyt pas justement par où il doibt. Les nostres françoises prestent aucunement la main, par leur desreiglement et deformité, au desordre et corruption qui se voit en leur dispensation et execution. Le commandement est si trouble et inconstant qu'il excuse aucunement et la desobeyssance et le vice de l'interpretation, de l'administration et de l'observation. Quel que soit donq le fruict que nous pouvons avoir de l'experience, à peine servira beaucoup à nostre institution celle que nous tirons des exemples estrangers, si nous faisons si mal nostre proffict de celle que nous avons de nous mesme, qui nous est plus familiere, et certes suffisante à nous instruire de ce qu'il nous faut.

Je m'estudie plus qu'autre subject. C'est ma metaphisique, c'est ma phisique.

> *Qua Deus hanc mundi temperet arte domum,*
> *Qua venit exoriens, qua deficit, unde coactis*
>   *Cornibus in plenum menstrua luna redit;*
> *Unde salo superant venti, quid flamine captet*
>   *Eurus, et in nubes unde perennis aqua.*
> *Sit ventura dies mundi quæ subruat arces* [a].

> *Quærite quos agitat mundi labor* [b].

En cette université, je me laisse ignoramment et negligemment manier à la loy generale du monde. Je la sçauray assez quand je la sentiray. Ma science ne luy sçauroit faire changer de route; elle ne se diversifiera pas pour moi. C'est folie de l'esperer, et plus grand folie de s'en mettre en peine, puis qu'elle est necessairement semblable, publique et commune.

La bonté et capacité du gouverneur nous doit à pur et à plein descharger du soing de son gouvernement.

---

a. « Par quel art Dieu gouverne cette maison du monde; par où s'élève la lune et par où elle se retire et comment réunissant ses cornes elle se retrouve chaque mois dans son plein; d'où viennent les vents qui commandent la mer et quelle est l'influence du souffle de l'Eurus; par quelles eaux sont formées incessamment les nuages; s'il doit venir un jour qui détruira les citadelles du monde. » Properce, III, V, 26. — *b.* « Cherchez, vous que tourmente le labeur de l'univers. » Lucain, *Pharsale*, I, 417.

Les inquisitions et contemplations philosophiques ne servent que d'aliment à nostre curiosité. Les philosophes, avec grand raison, nous renvoyent aux regles de Nature; mais elles n'ont que faire de si sublime cognoissance; ils les falsifient et nous presentent son visage peint trop haut en couleur et trop sophistiqué, d'où naissent tant de divers pourtraits d'un subject si uniforme. Comme elle nous a fourni de pieds à marcher, aussi a elle de prudence à nous guider en la vie; prudence, non tant ingenieuse, robuste et pompeuse comme celle de leur invention, mais à l'advenant facile et salutaire, et qui faict trèsbien ce que l'autre dict, en celuy qui a l'heur de sçavoir s'employer naïvement et ordonnément, c'est à dire naturellement. Le plus simplement se commettre à nature, c'est s'y commettre le plus sagement. O que c'est un doux et mol chevet, et sain, que l'ignorance et l'incuriosité, à reposer une teste bien faicte!

J'aymerois mieux m'entendre bien en moy qu'en Ciceron[a]. De l'experience que j'ay de moy, je trouve assez dequoy me faire sage, si j'estoy bon escholier. Qui remet en sa memoire l'excez de sa cholere passée, et jusques où cette fiévre l'emporta, voit la laideur de cette passion mieux que dans Aristote, et en conçoit une haine plus juste. Qui se souvient des maux qu'il a couru, de ceux qui l'ont menassé, des legeres occasions qui l'ont remué d'un estat à autre, se prepare par là aux mutations futures et à la recognoissance de sa condition. La vie de Cæsar n'a poinct plus d'exemple que la nostre pour nous; et emperière et populaire[b], c'est tousjours une vie que tous accidents humains regardent. Escoutons y seulement; nous nous disons tout ce de quoy nous avons principalement besoing. Qui se souvient de s'estre tant et tant de fois mesconté de son propre jugement, est-il pas un sot de n'en entrer pour jamais en deffiance? Quand je me trouve convaincu par la raison d'autruy d'une opinion fauce, je n'apprens pas tant ce qu'il m'a dict de nouveau et cette ignorance particuliere (ce seroit peu d'acquest), comme en general j'apprens ma debilité et la trahison de mon entendement; d'où je tire la reformation de toute la masse. En

---

a. L'édition de 1588 porte : *qu'en Platon.* — *b.* Qu'elle soit d'un empereur ou d'un homme du peuple.

toutes mes autres erreurs je faits de mesme, et sens de cette reigle grande utilité à la vie. Je ne regarde pas l'espece et l'individu comme une pierre où j'aye bronché; j'apprens à craindre mon alleure par tout, et m'attens à la reigler. D'apprendre qu'on a dict ou faict une sottise, ce n'est rien que cela; il faut apprendre qu'on n'est qu'un sot, instruction bien plus ample et importante. Les faux pas que ma memoire m'a fait si souvant, lors mesme qu'elle s'asseure le plus de soy, ne se sont pas inutilement perduz; elle a beau me jurer à cette heure et m'asseurer, je secoüe les oreilles; la premiere opposition qu'on faict à son tesmoignage me met en suspens, et n'oserois me fier d'elle en chose de poix, ny la garentir sur le faict d'autruy. Et n'estoit que ce que je fay par faute de memoire, les autres le font encore plus souvant par faute de foy, je prendrois tousjours en chose de faict la verité de la bouche d'un autre plutost que de la mienne. Si chacun espioit de près les effects et circonstances des passions qui le regentent, comme j'ay faict de celle à qui j'estois tombé en partage, il les verroit venir, et ralantiroit un peu leur impetuosité et leur course. Elles ne nous sautent pas tousjours au colet d'un prinsaut[a]; il y a de la menasse et des degretz.

> *Fluctus uti primo cœpit cum albescere ponto,*
> *Paulatim sese tollit mare, et altius undas*
> *Erigit, inde imo consurgit ad æthera fundo*[b].

Le jugement tient chez moy un siege magistral, au moins il s'en efforce soingneusement; il laisse mes appetis aller leur trein, et la haine et l'amitié, voire et celle que je me porte à moy-mesme, sans s'en alterer et corrompre. S'il ne peut reformer les autres parties selon soy, au moins ne se laisse il pas difformer à elles : il faict son jeu à part.

L'advertissement à chacun de se cognoistre doibt estre d'un important effect, puisque ce Dieu de science et de lumiere[1064] le fit planter au front de son temple[1065], comme

---

a. Primesaut. — *b.* « Comme, sous le premier souffle du vent, la mer blanchit, puis, peu à peu, s'enfle, soulève ses ondes et bientôt se dresse du fond de l'abîme jusqu'au ciel. » Virgile, *Énéide*, VII, 528.

comprenant tout ce qu'il avoit à nous conseiller. Platon dict aussi[1066] que prudence n'est autre chose que l'execution de cette ordonnance, et Socrates le verifie par le menu en Xenophon[1067]. Les difficultez et l'obscurité ne s'aperçoivent en chacune science que par ceux qui y ont entrée. Car encore faut il quelque degré d'intelligence à pouvoir remarquer qu'on ignore, et faut pousser à une porte pour sçavoir qu'elle nous est close. D'où naist cette Platonique subtilité que, ny ceux qui sçavent n'ont à s'enquerir, d'autant qu'ils sçavent, ny ceux qui ne sçavent, d'autant que pour s'enquerir il faut sçavoir de quoy on s'enquiert[1068]. Ainsin en cette-cy de se cognoistre soy mesme, ce que chacun se voit si resolu et satisfaict, ce que chacun y pense estre suffisamment entendu, signifie que chacun n'y entend rien du tout, comme Socrates apprend à Euthydeme en Xenophon[1069]. Moy qui ne faicts autre profession, y trouve une profondeur et varieté si infinie, que mon apprentissage n'a autre fruict que de me faire sentir combien il me reste à apprendre. A ma foiblesse si souvant recogneüe je doibts l'inclination que j'ay à la modestie, à l'obeyssance des creances[a] qui me sont prescrites, à une constante froideur et moderation d'opinions, et la hayne à cette arrogance importune et quereleuse, se croyant et fiant toute à soy, ennemye capitale de discipline et de verité. Oyez[b] les regenter : les premieres sotises qu'ils mettent en avant, c'est au stile[c] qu'on establit les religions et les loix. *Nil hoc est turpius quàm cognitioni et perceptioni assertionem approbationémque præcurrere*[d]. Aristarchus disoit qu'anciennement à peine se trouva il sept sages au monde, et que de son temps à peine se trouvoit il sept ignorans[1070]. Aurions nous pas plus de raison que luy de le dire en nostre temps? L'affirmation et l'opiniastreté sont signes exprès de bestise. Cettuy-cy aura donné du nez à terre cent fois pour un jour : le voylà sur ses ergots, aussi resolu et entier que devant; vous diriez qu'on luy a infuz depuis quelque nouvelle ame et vigueur d'entendement, et qu'il luy advient comme à cet ancien fils de la terre, qui reprenoit nouvelle fermeté et se renforçoit par sa cheute,

---

a. Croyances. — *b.* Entendez. — *c.* Dans le style. — *d.* « Rien n'est plus honteux que de donner le pas à l'assertion et à la décision sur la perception et la connaissance. » Cicéron, *Académiques*, I, 12.

> *cui, cum tetigere parentem,*
> *Jam defecta vigent renovato robore membra*[a].

Ce testu indocile pense il pas reprendre un nouvel esprit pour reprendre une nouvelle dispute? C'est par mon experience que j'accuse l'humaine ignorance, qui est, à mon advis, le plus seur[b] party de l'escole du monde. Ceux qui ne la veulent conclurre en eux par un si vain exemple que le mien ou que le leur, qu'ils la recognoissent par Socrates, le[c] maistre des maistres. Car le philosophe Antisthenes à ses disciples : « Allons, disoit-il, vous et moy, ouyr Socrates; là je seray disciple avec vous[1071]. » Et, soustenant ce dogme de sa secte Stoïque, que la vertu suffisoit à rendre une vie pleinement heureuse et n'ayant besoin de chose quelconque : « Sinon de la force de Socrates », adjoustoit-il[1072].

Cette longue attention que j'employe à me considerer me dresse à juger aussi passablement des autres, et est peu de choses dequoy je parle plus heureusement et excusablement. Il m'advient souvant de voir et distinguer plus exactement les conditions de mes amys qu'ils ne font eux mesmes. J'en ay estonné quelqu'un par la pertinence de ma description et l'ay adverty de soy. Pour m'estre, dès mon enfance, dressé à mirer ma vie dans celle d'autruy, j'ay acquis une complexion studieuse en cela, et, quand j'y pense, je laisse eschaper au tour de moy peu de choses qui y servent : contenances, humeurs, discours. J'estudie tout : ce qu'il me faut fuyr, ce qu'il me faut suyvre. Ainsin à mes amys je descouvre, par leurs productions, leurs inclinations internes; non pour renger cette infinie varieté d'actions, si diverses et si descoupées[d], à certains genres et chapitres, et distribuer distinctement mes partages et divisions en classes et regions cogneuës,

> *Sed neque quam multæ species, et nomina quæ sint,*
> *Est numerus*[e].

Les sçavans partent[f] et denotent leurs fantasies[g] plus

---

a. [Antée] « dont les membres défaillants, chaque fois qu'il touche sa mère, reprennent force et vigueur ». Lucain, *Pharsale*, IV, 599. — *b.* Sûr. — *c.* L'édition de 1588 portait : *le plus sage qui fut oncques au témoignage des dieux et des hommes.* — *d.* Décousues. — *e.* « Mais combien y a-t-il d'espèces et quels noms ont-elles? On en ignore le nombre. » Virgile, *Géorgiques*, II, 103. — *f.* Partagent, analysent. — *g.* Idées.

specifiquement, et par le menu. Moy, qui n'y voy qu'autant que l'usage m'en informe, sans regle, presente generalement les miennes, et à tastons. Comme en cecy : je prononce ma sentence par articles descousus, ainsi que de chose qui ne se peut dire à la fois et en bloc. La relation et la conformité ne se trouvent poinct en telles ames que les nostres, basses et communes. La sagesse est un bastiment solide et entier, dont chaque piece tient son rang et porte sa marque : « *Sola sapientia in se tota conversa est*[a]. » Je laisse aux artistes, et ne sçay s'ils en viennent à bout en chose si meslée, si menue et fortuite, de renger en bandes cette infinie diversité de visages, et arrester nostre inconstance et la mettre par ordre. Non seulement je trouve mal-aisé d'attacher nos actions les unes aux autres, mais chacune à part soy je trouve mal-aysé de la designer proprement par quelque qualité principale, tant elles sont doubles et bigarrées à divers lustres[b].

Ce qu'on remarque pour rare au Roy de Macedoine Perseus, que son esprit, ne s'attachant à aucune condition, alloit errant par tout genre de vie et representant des mœurs si essorées[c] et vagabondes qu'il n'estoit cogneu ny de luy, ny d'autre quel homme ce fust[1073], me semble à peu près convenir à tout le monde. Et par dessus tous, j'ai veu quelque autre de sa taille, à qui cette conclusion s'appliqueroit plus proprement encore, ce croy-je : nulle assiette moyenne, s'emportant tousjours de l'un à l'autre extreme par occasions indivinables, nulle espece de train sans traverse et contrarieté merveilleuse, nulle faculté simple; si que[d], le plus vraysemblablement qu'on en pourra feindre un jour, ce sera qu'il affectoit et estudioit de se rendre cogneu par estre mescognoissable.

Il faict besoing des oreilles bien fortes pour s'ouyr franchement juger; et, par ce qu'il en est peu qui le puissent souffrir sans morsure, ceux qui se hazardent de l'entreprendre envers nous nous montrent un singulier effect d'amitié; car c'est aimer sainement d'entreprendre à blesser et offencer pour proffiter. Je trouve rude de juger celluy-là en qui les mauvaises qualitez surpassent les bonnes.

---

a. « Seule, la sagesse est tout entière enfermée en elle-même ». Cicéron, *De finibus*, III, 7. — *b.* Points de vue. — *c.* Libres en leur essor. — *d.* Si bien que.

LIVRE III, CHAPITRE XIII

Platon ordonne[1074] trois parties [a] à qui veut examiner l'ame d'un autre : science, bienveillance, hardiesse.

Quelquefois on me demandoit à quoy j'eusse pensé estre bon, qui se fut advisé de se servir de moy pendant que j'en avois l'aage.

> *Dum melior vires sanguis dabat, æmula necdum*
> *Temporibus geminis canebat sparsa senectus* [b].

— « A rien », fis-je. Et m'excuse volontiers de ne sçavoir faire chose qui m'esclave à autruy. Mais j'eusse dict ses veritez à mon maistre, et eusse contrerrolé ses meurs, s'il eust voulu. Non en gros, par leçons scholastiques, que je ne sçay point (et n'en vois naistre aucune vraye reformation en ceux qui les sçavent), mais les observant pas à pas, à toute oportunité, et en jugeant à l'œil piece à piece, simplement et naturellement, luy faisant voyr quel il est en l'opinion commune, m'opposant à ses flateurs. Il n'y a nul de nous qui ne valut moins que les Roys, s'il estoit ainsi continuellement corrompu, comme ils sont de cette canaille de gens. Comment, si Alexandre, ce grand et Roy et philosophe, ne s'en peut deffendre! J'eusse eu assez de fidelité, de jugement et de liberté pour cela. Ce seroit un office sans nom; autrement il perdroit son effect et sa grace. Et est un rolle qui ne peut indifferemment appartenir à tous. Car la verité mesme n'a pas ce privilege d'estre employée à toute heure et en toute sorte : son usage, tout noble qu'il est, a ses circonscriptions et limites. Il advient souvent, comme le monde est, qu'on la lâche à l'oreille du prince, non seulement sans fruict mais dommageablement, et encore injustement. Et ne me fera l'on pas accroire qu'une sainte remontrance ne puisse estre appliquée vitieusement, et que l'interest de la substance ne doive souvent ceder à l'interest de la forme. Je voudrois à ce mestier un homme content de sa fortune,

> *Quod sit esse velit, nihilque malit* [c],

---

a. Qualités. — *b.* « Tandis qu'un sang meilleur me donnait des forces et que l'envieuse vieillesse n'avait pas encore parsemé mes tempes chenues de cheveux blancs. » Virgile, *Énéide*, V, 415. — *c.* « Qui voulût être ce qu'il est et qui ne désirât rien de plus. » Martial, *Épigrammes*, X, XLVIII, 12.

et nay de moyenne fortune; d'autant que, d'une part, il n'auroit point de craincte de toucher vifvement et profondement le cœur du maistre pour ne perdre par là le cours de son advancement, et d'autre part, pour estre d'une condition moyenne, il auroit plus aysée communication à toute sorte de gens. Je le voudrois à un homme seul, car respandre le privilege de cette liberté et privauté à plusieurs engendreroit une nuisible irreverence. Ouy, et de celuy là je requerrois surtout la fidelité du silence.

Un Roy n'est pas à croire quand il se vante de sa constance à attendre le rencontre de l'ennemy pour le service de sa gloire, si pour son proffit et amendement il ne peut souffrir la liberté des parolles d'un amy, qui n'ont autre effort que de luy pincer l'ouye, le reste de leur effect estant en sa main. Or il n'est aucune condition d'hommes qui ayt si grand besoing que ceux-là de vrays et libres advertissemens. Ils soustiennent une vie publique, et ont à agreer à l'opinion de tant de spectateurs, que, comme on a accoustumé de leur taire tout ce qui les divertit de leur route, ils se trouvent, sans le sentir, engagez en la hayne et detestation de leurs peuples pour des occasions souvent qu'ils eussent peu eviter, à nul interest[a] de leurs plaisirs mesme, qui[b] les en eut advisez et redressez à temps. Communement leurs favoris regardent à soy plus qu'au maistre; et il leur va de bon, d'autant qu'à la verité la plus part des offices de la vraye amitié sont envers le souverain en un rude et perilleus essay; de maniere qu'il y faict besoing non seulement beaucoup d'affection et de franchise, mais encore de courage.

En fin, toute cette fricassée que je barbouille icy n'est qu'un registre des essais[c] de ma vie, qui est, pour l'interne santé, exemplaire assez, à prendre l'instruction à contrepoil. Mais quant à la santé corporelle, personne ne peut fournir d'experience plus utile que moy, qui la presente pure, nullement corrompue et alterée par art et par opinion[d]. L'experience est proprement sur son fumier au subject de la medecine, où la raison luy quite[e] toute la place. Tibere disoit que quiconque avoit vescu vingt ans se debvoit respondre des choses qui luy estoyent nuisibles ou salutaires, et se sçavoir conduire sans medecine[1075].

---

a. Sans nul détriment. — *b.* Si on. — *c.* Expériences. — *d.* Des opinions. — *e.* Cède.

Et le pouvoit avoir appris de Socrates, lequel, conseillant à ses disciples[1076], soigneusement et comme un très principal estude, l'estude de leur santé, adjoustoit qu'il estoit malaisé qu'un homme d'entendement, prenant garde à ses exercices, à son boire et à son manger, ne discernast mieux que tout medecin ce qui luy estoit bon ou mauvais. Si faict la medecine profession d'avoir tousjours l'experience pour touche de son operation. Ainsi Platon avoit raison de dire[1077] que pour estre vray medecin, il seroit necessaire que celuy qui l'entreprendroit eust passé par toutes les maladies qu'il veut guarir et par tous les accidens et circonstances dequoy il doit juger. C'est raison qu'ils prennent la verole s'ils la veulent sçavoir penser. Vrayement je m'en fierois à celuy-là. Car les autres nous guident comme celuy qui peint les mers, les escueils et les ports, estant assis sur sa table et y faict promener le modele d'un navire en toute seureté. Jettez-le à l'effect, il ne sçait par où s'y prendre. Ils font telle description de nos maux que faict un trompette de ville qui crie un cheval ou un chien perdu : tel poil, telle hauteur, telle oreille; mais presentez le luy, il ne le cognoit pas pourtant.

Pour Dieu, que la medecine me face un jour quelque bon et perceptible secours, voir comme je crieray de bonne foy :

Tandem efficaci do manus scientiæ [a]*!*

Les arts qui promettent de nous tenir le corps en santé et l'âme en santé, nous promettent beaucoup; mais aussi n'en est il point qui tiennent moins ce qu'ils promettent. Et en nostre temps, ceux qui font profession de ces arts entre nous en montrent moins les effects que tous autres hommes. On peut dire d'eus pour le plus, qu'ils vendent les drogues medecinales; mais qu'ils soient medecins, cela ne peut on dire [b].

J'ay assez vescu, pour mettre en compte l'usage qui m'a conduict si loing. Pour qui en voudra gouster, j'en ay faict l'essay, son eschançon. En voicy quelques articles, comme la souvenance me les fournira. (Je n'ay point de façon qui ne

---

a. « Enfin, je donne les mains à une science efficace. » Horace, *Épodes*, XVII, 1. — *b. à les voir et ceux qui se gouvernent par eux*, ajoute l'édition de 1588.

sont allée variant selon les accidents, mais j'enregistre celles que j'ay plus souvent veu en train, qui ont eu plus de possession en moy jusqu'asteure ᵃ.) Ma forme de vie est pareille en maladie comme en santé : mesme lict, mesmes heures, mesmes viandes me servent, et mesme breuvage. Je n'y adjouste du tout rien, que la moderation du plus et du moins, selon ma force et appetit. Ma santé, c'est maintenir sans destourbier ᵇ mon estat accoustumé. Je voy que la maladie m'en desloge d'un costé; si je crois les medecins, ils m'en destourneront de l'autre; et par fortune, et par art, me voylà hors de ma route. Je ne croys rien plus certainement que cecy : que je ne sçauroy estre offencé par l'usage des choses que j'ay si long temps accoustumées.

C'est à la coustume de donner forme à nostre vie, telle qu'il luy plaist; elle peut tout en cela : c'est le breuvage de Circé[1078], qui diversifie notre nature comme bon luy semble. Combien de nations, et à trois pas de nous, estiment ridicule la crainte du serain, qui nous blesse si apparemment; et nos bateliers et nos paysans s'en moquent. Vous faites malade un Aleman de le coucher sur un matelas[1079], comme un Italien sur la plume, et un François sans rideau[1080] et sans feu. L'estomac d'un Espagnol ne dure pas à nostre forme de manger, ny le nostre à boire à la Souysse[1081].

Un Aleman me fit plaisir, à Auguste[1082], de combatre l'incommodité de noz fouyers par ce mesme argument dequoy nous nous servons ordinairement à condamner leurs poyles[1083]. (Car à la verité, cette chaleur croupie, et puis la senteur de cette matiere reschauffée dequoy ils sont composez, enteste la plus part de ceux qui n'y sont experimentez; à moy non. Mais au demeurant, estant cette challeur eguale, constante et universelle, sans lueur, sans fumée, sans le vent que l'ouverture de nos cheminées nous apporte, elle a bien par ailleurs dequoy se comparer à la nostre. Que n'imitons nous l'architecture Romaine? Car on dict que anciennement le feu ne se faisoit en leurs maisons que par le dehors, et au pied d'icelles : d'où s'inspiroit la chaleur à tout le logis par les tuyaux practiquez dans l'espais du mur, lesquels alloient embrassant les lieux qui en devoient estre eschauffez; ce que j'ay veu clairement signifié, je ne sçay où, en Seneque[1084].) Cettuy-cy, m'oyant louër les com-

---

a. A cette heure. — *b.* Trouble.

moditez et beautez de sa ville, qui le merite certes, commença à me plaindre dequoy j'avois à m'en esloigner; et des premiers inconveniens qu'il m'allega, ce fut la poisanteur de teste que m'apporteroient les cheminées ailleurs. Il avoit ouï faire cette plainte à quelqu'un, et nous l'attachoit, estant privé par l'usage de l'appercevoir chez luy. Toute chaleur qui vient du feu m'affoiblit et m'appesantit. Si, disoit Evenus que le meilleur condiment de la vie estoit le feu[1085]. Je prens plustost toute autre façon d'eschaper au froid.

Nous craingnons les vins au bas; en Portugal cette fumée [a] est en delices, et est le breuvage des princes. En somme, chaque nation a plusieurs coustumes et usances qui sont, non seulement incogneuës, mais farouches et miraculeuses à quelque autre nation.

Que ferons nous à ce peuple qui ne fait recepte que de tesmoignages imprimez, qui ne croit les hommes s'ils ne sont en livre, ny la verité si elle n'est d'aage competant? Nous mettons en dignité nos bestises quand nous les mettons en moule [b]. Il y a bien pour luy autre poix de dire : « Je l'ai leu », que si vous dictes : « Je l'ay ouy dire. » Mais moy, qui ne mescrois non plus la bouche que la main des hommes et qui sçay qu'on escript autant indiscretement [c] qu'on parle, et qui estime ce siecle comme un autre passé, j'allegue aussi volontiers un mien amy que Aulugele et que Macrobe, et ce que j'ay veu que ce qu'ils ont escrit. Et, comme ils tiennent de la vertu qu'elle n'est pas plus grande pour estre plus longue, j'estime de mesme de la verité que, pour estre plus vieille, elle n'est pas plus sage. Je dis souvent que c'est pure sottise qui nous fait courir après les exemples estrangers et scholastiques. Leur fertilité est pareille à cette heure à celle du temps d'Homere et de Platon. Mais n'est ce pas que nous cherchons plus l'honneur de l'allegation que la verité du discours? comme si c'estoit plus d'emprunter de la boutique de Vascosan[1086] ou de Plantin[1087] nos preuves, que de ce qui se voit en nostre village. Ou bien certes, que nous n'avons pas l'esprit d'esplucher et faire valoir ce qui se passe devant nous, et le juger assez vifvement pour le tirer en exemple? Car, si nous disons que l'authorité nous manque pour

---

a. Cet arome. — *b.* En lettres moulées (imprimées). — *c.* Avec ausi peu de discernement.

donner foy à nostre tesmoignage, nous le disons hors de propos. D'autant qu'à mon advis, des plus ordinaires choses et plus communes et cogneuës, si nous sçavions trouver leur jour, se peuvent former les plus grands miracles de nature et les plus merveilleux exemples, notamment sur le subject des actions humaines.

Or sur mon subject, laissant les exemples que je sçay par les livres et ce que dict Aristote d'Andron, Argien, qu'il traversoit sans boire les arides sablons de la Lybie[1088], un gentil-homme[1089], qui s'est acquité dignement de plusieurs charges, disoit où j'estois qu'il estoit allé de Madril à Lisbonne en plain esté sans boire. Il se porte vigoureusement pour son aage, et n'a rien d'extraordinaire en l'usage de sa vie que cecy : d'estre deux ou trois mois, voire un an, ce m'a-il dict, sans boire. Il sent de l'alteration, mais il la laisse passer, et tient que c'est un appetit qui s'alanguit aiséement de soy-mesme ; et boit plus par caprice que pour le besoing ou pour le plaisir.

En voicy d'un autre. Il n'y a pas long temps que je rencontray l'un des plus sçavans hommes de France[1090], entre ceux de non mediocre fortune, estudiant au coin d'une sale qu'on luy avoit rembarré[a] de tapisserie ; et autour de luy un tabut[b] de ses valets plain de licence. Il me dict, et Seneque quasi autant de soy[1091], qu'il faisoit son profit de ce tintamarre, comme si, battu de ce bruict, il se ramenast et reserrast plus en soy pour la contemplation, et que cette tempeste de voix repercutast ses pensées au dedans. Estant escholier à Padoue, il eust son estude si long temps logé à la batterie des coches et du tumulte de la place qu'il se forma non seulement au mespris, mais à l'usage du bruit, pour le service de ses estudes. Socrates respondoit à Alcibiades, s'estonnant comme il pouvoit porter le continuel tintamarre de la teste de sa femme : « Comme ceux qui sont accoustumez à l'ordinaire son des roues à puiser l'eau[1092]. » Je suis bien au contraire : j'ay l'esprit tendre et facile à prendre l'essor ; quand il est empesché à part soy, le moindre bourdonnement de mouche l'assassine.

Seneque en sa jeunesse, ayant mordu chaudement à l'exemple de Sextius de ne manger chose qui eust prins mort, s'en passoit dans un an avec plaisir, comme il dict[1093].

---

a. Enclose. — *b.* Vacarme.

Et s'en laissa seulement pour n'estre soupçonné d'emprunter cette regle d'aucunes religions nouvelles, qui la semoyent. Il print quand et quand[a] des preceptes d'Attalus de ne se coucher plus sur des loudiers[b] qui enfondrent[c], et continua jusqu'à sa vieillesse ceux qui ne cedent point au corps[1094]. Ce que l'usage de son temps luy faict conter à[d] rudesse, le nostre nous le faict tenir à mollesse.

Regardez la difference du vivre de mes valets à bras[e] à la mienne : les Scythes et les Indes n'ont rien plus esloingné de ma force et de ma forme. Je sçay avoir retiré de l'aumosne[f] des enfans pour m'en servir, qui bien tost après m'ont quicté, et ma cuisine et leur livrée, seulement pour se rendre à leur premiere vie. Et en trouvay un, amassant depuis des moules emmy la voirie[g] pour son disner, que par priere ny par menasse je ne sceu distraire de la saveur et douceur qu'il trouvoit en l'indigence. Les gueux ont leurs magnificences et leurs voluptez, comme les riches, et, dict-on, leurs dignitez et ordres politiques. Ce sont effects de l'accoustumance. Elle nous peut duire[h] non seulement à telle forme qu'il luy plaist (pourtant, disent les sages[1095], nous faut-il planter à la meilleure qu'elle nous facilitera incontinent), mais au changement aussi et à la variation, qui est le plus noble et le plus utile de ses apprentissages. La meilleure de mes complexions corporelles, c'est d'estre flexible et peu opiniastre ; j'ay des inclinations plus propres et ordinaires et plus agreables que d'autres ; mais avec bien peu d'effort je m'en destourne, et me coule aiséement à la façon contraire. Un jeune homme doit troubler ses regles pour esveiller sa vigueur, la garder de moisir et s'apoltronir. Et n'est train de vie si sot et si debile que celuy qui se conduict par ordonnance et discipline.

> *Ad primum lapidem vectari cùm placet, hora*
> *Sumitur ex libro ; si prurit frictus ocelli,*
> *Angulus, inspecta genesi collyria quærit*[i].

a. En même temps. — b. Matelas. — c. Enfoncent, s'effondrent. — d. Mettre au compte de la. — e. Manœuvres. — f. La mendicité. — g. Sur les routes. — h. Former. — i. « Lui plaît-il de se faire porter jusqu'à la première borne, elle compulse son livre, pour savoir à quelle heure. Le coin de son œil lui démange-t-il pour l'avoir trop frotté, elle ne demande un collyre qu'après vérification de l'horoscope. » Juvénal, VI, 577.

Il se rejettera souvent aux excez mesme, s'il m'en croit : autrement la moindre desbauche le ruyne; il se rend incommode et desaggreable en conversation. La plus contraire qualité à un honneste homme, c'est la delicatesse et obligation à certaine façon particulière; et elle est particuliere si elle n'est ploiable et souple. Il y a de la honte de laisser à faire par impuissance ou de n'oser ce qu'on voit faire à ses compaignons. Que telles gens gardent leur cuisine! Par tout ailleurs il est indecent; mais à un homme de guerre il est vitieux et insupportable, lequel, comme disoit Philopœmen, se doit accoustumer à toute diversité et inegalité de vie[1096].

Quoy que j'aye esté dressé autant qu'on a peu à la liberté et à l'indifference, si est-ce que [a] par nonchalance, m'estant en vieillissant plus arresté sur certaines formes (mon aage est hors d'institution et n'a desormais dequoy regarder ailleurs que à se maintenir), la coustume a desjà, sans y penser, imprimé si bien en moy son caractere en certaines choses, que j'appelle excez de m'en despartir. Et, sans m'essaier, ne puis ny dormir sur jour, ny faire collation entre les repas, ny desjeuner, ny m'aller coucher sans grand intervalle, comme de trois bonnes heures, après le souper, ny faire des enfans qu'avant le sommeil, ny les faire debout, ny porter ma sueur, ny m'abreuver d'eau pure ou de vin pur, ny me tenir nud teste long temps, ny me faire tondre après disner; et me passerois autant malaiséement de mes gans que de ma chemise, et de me laver à l'issuë de table et à mon lever, et de ciel et rideaux à mon lict, comme de choses bien necessaires. Je disnerois sans nape; mais à l'alemande, sans serviette blanche, très-incommodéement : je les souille plus qu'eux et les Italiens ne font; et m'ayde peu de cullier [b] et de fourchette[1097]. Je plains qu'on n'aye suyvy un train que j'ay veu commencer à l'exemple des Roys : qu'on nous changeast de serviette selon les services, comme d'assiette. Nous tenons de ce laborieux soldat Marius que, vieillissant, il devint delicat en son boire et ne le prenoit qu'en une sienne couppe particuliere[1098]. Moy je me laisse aller aussi à certaine forme de verres, et ne boy pas volontiers en verre commun, non plus que d'une main commune [c]. Tout metal m'y desplait au pris d'une

---

a. Encore est-il que. — *b.* Cuiller. — *c.* L'édition de 1588 précisait:

matiere claire et transparente. Que mes yeux y tastent aussi, selon leur capacité.

Je dois plusieurs telles mollesses à l'usage. Nature m'a aussi, d'autre part, apporté les siennes : comme de ne soustenir plus deux plains repas en un jour sans surcharger mon estomac; ny l'abstinence pure de l'un des repas sans me remplir de vents, assecher ma bouche, estonner mon appetit; de m'offenser d'un long serain[a]. Car depuis quelques années, aux courvées de la guerre, quand toute la nuict y court, comme il advient communément, après cinq ou six heures l'estomac me commence à troubler, avec vehemente douleur de teste, et n'arrive poinct au jour sans vomir. Comme les autres s'en vont desjeuner je m'en vay dormir, et au partir de là aussi gay qu'au paravant. J'avois tousjours appris que le serain ne s'espandoit qu'à la naissance de la nuict; mais, hantant ces années passées familierement et long temps un seigneur imbu de cette creance[b], que le serain est plus aspre et dangereux sur l'inclination du soleil une heure ou deux avant son coucher, lequel il evite songneusement et mesprise celuy de la nuyct, il m'a cuidé[c] imprimer non tant son discours que son sentiment[d].

Quoy! que le doubte mesme et inquisition[e] frappe nostre imagination et nous change? Ceux qui cedent tout à coup à ces pentes attirent l'entiere ruyne sur eux. Et plains plusieurs gentils-hommes qui, par la sottise de leurs medecins, se sont mis en chartre[f] tous jeunes et entiers. Encores vaudroit-il mieux souffrir un reume que de perdre pour jamais par desaccoutumance le commerce de la vie commune, en action de si grand usage[1099]. Fascheuse science, qui nous descrie les plus douces heures du jour. Estendons nostre possession jusque aux derniers moyens. Le plus souvent on s'y durcit en s'opiniastrant, et corrige l'on sa complexion, comme fit Cæsar le haut mal, à force de le mespriser et corrompre[g][1100]. On se doit adonner aux meilleures regles, mais non pas s'y asservir, si ce n'est à

---

les tasses me déplaisent et l'argent, au pris du verre et d'estre servy à boire d'une main inaccoustumée et estrangere et en verre commun et me laisse aller au chois de certaine forme de verres. — *a.* De m'incommoder d'un long séjour à l'air du soir. — *b.* Croyance. — *c.* Failli. — *d.* Non tant ce qu'il pense que ce qu'il ressent. — *e.* Recherche. — *f.* En prison [dans leur chambre]. — *g.* Briser.

celles, s'il y en a quelqu'une, ausquelles l'obligation et servitude soit utile.

Et les Roys et les philosophes fientent, et les dames aussi [a]. Les vies publiques se doivent à la ceremonie; la mienne, obscure et privée, jouit de toute dispence naturelle; soldat et Gascon sont qualitez aussi un peu subjettes à l'indiscretion. Parquoy je diray cecy de cette action : qu'il est besoing de la renvoyer à certaines heures prescriptes et nocturnes, et s'y forcer par coustume et assubjectir, comme j'ay faict; mais non s'assujectir, comme j'ay faict en vieillissant, au soing de particuliere commodité de lieu et de siege pour ce service, et le rendre empeschant par longueur et mollesse. Toutesfois aux plus sales services, est-il pas autrement excusable de requerir plus de soing et de netteté? « *Natura homo mundum et elegans animal est*[b]. » De toutes les actions naturelles, c'est celle que je souffre plus mal volontiers m'estre interrompue. J'ay veu beaucoup de gens de guerre incommodez du desreiglement de leur ventre; le mien et moy ne nous faillons jamais au poinct de nostre assignation[c], qui est au saut du lict, si quelque violente occupation ou maladie ne nous trouble.

Je ne juge donc point, comme je disois, où les malades se puissent mettre mieux en seurté qu'en se tenant quoy dans le train de vie où ils se sont eslevez et nourris. Le changement, quel qu'il soit, estonne et blesse. Allez croire que les chastaignes nuisent à un Perigourdin ou à un Lucquois, et le laict et le fromage aux gens de la montaigne. On leur va ordonnant, une non seulement nouvelle, mais contraire forme de vie : mutation qu'un sain ne pourroit souffrir. Ordonnez de l'eau à un Breton de soixante dix ans, enfermez dans une estuve un homme de marine[d], deffendez le promener à un laquay basque[1101]; ils les privent de mouvement, et en fin d'air et de lumiere.

An vivere tanti est[e]?

Cogimur a suetis animum suspendere rebus,
Atque, ut vivamus, vivere desinimus...

---

a. L'édition de 1588 excusait cette liberté de langage : *Les autres ont pour leur part la discrétion et la suffisance, moy l'ingenuité et la liberté.* — *b.* « Par nature, l'homme est un animal propre et délicat. » Sénèque, *Épîtres*, 92. — *c.* Rendez-vous. — *d.* Mer. — *e.* « La vie est-elle d'un si grand prix? » Auteur inconnu.

*Hos superesse reor, quibus et spirabilis aer
Et lux qua regimur redditur ipsa gravis*[a]?

S'ils ne font autre bien, ils font aumoins cecy, qu'ils preparent de bonne heure les patiens à la mort, leur sapant peu à peu et retranchant l'usage de la vie.

Et sain et malade, je me suis volontiers laissé aller aux appetits qui me pressoient. Je donne grande authorité à mes desirs et propensions. Je n'ayme point à guarir le mal par le mal; je hay les remedes qui importunent plus que la maladie. D'estre subject à la cholique et subject à m'abstenir du plaisir de manger des huitres, ce sont deux maux pour un. Le mal nous pinse d'un costé, la regle de l'autre. Puisque on est au hazard de se mesconter[b], hazardons nous plustost à la suitte du plaisir. Le monde faict au rebours, et ne pense rien utile qui ne soit penible; la facilité luy est suspecte. Mon appetit en plusieurs choses s'est assez heureusement accommodé par soy-mesme et rangé à la santé de mon estomac. L'acrimonie[c] et la pointe des sauces m'agréèrent estant jeune; mon estomac s'en ennuyant depuis, le goust l'a incontinent suyvy. Le vin nuit aux malades; c'est la premiere chose de quoy ma bouche se desgouste, et d'un degust invincible. Quoy que je reçoive desagreablement me nuit, et rien ne me nuit que je face avec faim et allegresse; je n'ay jamais receu nuisance d'action qui m'eust esté bien plaisante. Et si[d] ay faict ceder à mon plaisir, bien largement, toute conclusion medicinalle. Et me suis jeune,

*Quem circumcursans huc atque huc sæpe Cupido
Fulgebat, crocina splendidus in tunica*[e],

presté autant licentieusement et inconsideréement qu'autre au desir qui me tenoit saisi.

Et militavi non sine gloria[f],

---

a. « On nous force à renoncer à nos habitudes et nous cessons de vivre pour vivre... Devrais-je regarder comme vivants ceux à qui on rend incommodes l'air qu'ils respirent et la lumière qui les gouverne? » Pseudo-Gallus, v. 155 et 247. — b. Tromper. — c. L'âcreté. — d. Et pourtant. — e. « Alors que voltigeant autour de moi Cupidon étincelait resplendissant dans sa robe de pourpre. » Catulle, LXVI, 133. — f. « Et j'ai fait la guerre non sans gloire. » Horace, *Odes,* III, xxv, 2.

plus toutesfois en continuation et en durée qu'en saillie :

Sex me vix memini sustinuisse vices[a].

Il y a du malheur certes, et du miracle, à confesser en quelle foiblesse d'ans[b] je me rencontray premierement en sa subjection. Ce fut bien rencontre, car ce fut long temps avant l'aage de choix et de cognoissance. Il ne me souvient point de moy de si loing. Et peut on marier ma fortune à celle de Quartilla, qui n'avoit point memoire de son fillage[1102].

*Inde tragus celerésque pili, mirandáque matri
  Barba meæ*[c].

Les medecins ploient ordinairement avec utilité leurs regles à la violence des envies aspres qui surviennent aux malades; ce grand desir ne se peut imaginer si estranger et vicieux que nature ne s'y applique. Et puis, combien est-ce de contenter la fantasie[d]? À mon opinion cette piece là importe de tout, au moins au delà de toute autre. Les plus griefs et ordinaires maux sont ceux que la fantasie[d] nous charge[e]. Ce mot Espagnol me plaist à plusieurs visages : « *Defienda me Dios de my*[f]. » Je plains[g], estant malade, dequoy je n'ay quelque desir qui me donne ce contentement de l'assouvir; à peine m'en destourneroit la medecine. Autant en fay-je sain : je ne vois guere plus qu'esperer et vouloir. C'est pitié d'estre alanguy et affoibly jusques au souhaiter.

L'art de medecine n'est pas si resolue que nous soyons sans authorité, quoy que nous facions : elle change selon les climats et selon les Lunes, selon Farnel[1103] et selon l'Escale[1104]. Si vostre medecin ne trouve bon que vous dormez, que vous usez de vin ou de telle viande, ne vous chaille[h] : je vous en trouveray un autre qui ne sera pas de son advis. La diversité des arguments et opinions medicinales embrasse toute sorte de formes. Je vis un miserable

---

a. « Je me souviens à peine d'y être allé jusqu'à six. » Ovide, *Amours*, III, vii, 26. — Le texte latin porte : *Et memini numeros sustinuisse novem*. — b. Combien jeune. — c. « Aussi eus-je de bonne heure du poil sous l'aisselle et une barbe précoce étonna ma mère. » Martial, *Épigrammes*, XI, xxii, 7. — d. L'imagination. — e. Nous procure. — f. « Dieu me défende de moi-même. » — g. Je regrette. — h. N'en ayez cure.

malade crever et se pasmer d'alteration pour se guarir, et estre moqué depuis par un autre medecin condamnant ce conseil comme nuisible; avoit-il pas bien employé sa peine? Il est mort freschement de la pierre un homme de ce mestier, qui s'estoit servy d'extreme abstinence à combatre son mal; ses compagnons disent qu'au rebours ce jeusne l'avoit asseché et luy avoit cuit le sable dans les roignons.

J'ay aperceu qu'aux blesseures et aux maladies, le parler m'esmeut et me nuit autant que desordre que je face. La voix me couste et me lasse, car je l'ay haute[a] et efforcée[b]; si que, quand je suis venu à entretenir l'oreille des grands d'affaires de poix, je les ay mis souvent en soing de moderer ma voix. Ce compte[c] merite de me divertir[d]: quelqu'un[1105], en certaine eschole grecque, parloit haut, comme moy; le maistre des ceremonies lui manda qu'il parlast plus bas: « Qu'il m'envoye, fit-il, le ton auquel il veut que je parle. » L'autre luy replica qu'il print son ton des oreilles de celuy à qui il parloit. C'estoit bien dict, pourveu qu'il s'entende: « Parlez selon ce que vous avez affaire à vostre auditeur. » Car si c'est à dire: « Suffise vous qu'il vous oye[e] », ou: « Reglez vous par luy », je ne trouve pas que ce fut raison. Le ton et mouvement de la voix a quelque expression et signification de mon sens; c'est à moy à le conduire pour me representer. Il y a voix pour instruire, voix pour flater, ou pour tancer. Je veux que ma voix, non seulement arrive à luy, mais à l'avanture qu'elle le frape et qu'elle le perse. Quand je mastine mon laquay d'un ton aigre et poignant, il feroit bon qu'il vint à me dire: « Mon maistre parlez plus doux, je vous oys[f] bien. » « *Est quædam vox ad auditum accommodata, non magnitudine, sed proprietate*[g]. » La parole est moitié à celuy qui parle, moitié à celuy qui l'escoute. Cettuy-cy se doibt preparer à la recevoir selon le branle qu'elle prend. Comme entre ceux qui jouent à la paume, celuy qui soustient se desmarche et s'apreste selon qu'il voit remuer celuy qui luy jette le coup et selon la forme du coup.

a. Forte. — *b.* Très vigoureuse. — *c.* Conte. — *d.* Me faire faire une digression. — *e.* Qu'il vous suffise qu'il vous entende. — *f.* Entends. — *g.* « Il y a une certaine voix propre à l'audition, non pas tant par son volume que par sa qualité. » Quintilien, *Instit. orat.*, XI, 3.

L'experience m'a encores appris cecy, que nous nous perdons d'impatience. Les maux ont leur vie et leurs bornes, leurs maladies et leur santé.

La constitution des maladies est formé au patron de la constitution des animaux. Elles ont leur fortune limitée dès leur naissance, et leurs jours; qui essaye de les abbreger imperieusement par force, au travers de leur course, il les allonge et multiplie, et les harselle au lieu de les appaiser. Je suis de l'advis de Crantor[1106], qu'il ne faut ny obstinéement s'opposer aux maux, et à l'estourdi, ny leur succomber de mollesse, mais qu'il leur faut ceder naturellement, selon leur condition et la nostre. On doit donner passage aux maladies; et je trouve qu'elles arrestent moins chez moy, qui les laisse faire; et en ay perdu, de celles qu'on estime plus opiniastres et tenaces, de leur propre decadence, sans ayde et sans art, et contre ses reigles. Laissons faire un peu à nature : elle entend mieux ses affaires que nous. — « Mais un tel en mourut. » — « Si fairés vous, sinon de ce mal là, d'un autre. » Et combien n'ont pas laissé d'en mourir, ayant trois medecins à leur cul? L'exemple est un miroüer vague, universel et à tout sens. Si c'est une medecine voluptueuse, acceptez la; c'est tousjours autant de bien present. Je ne m'arresteray ny au nom, ny à la couleur, si elle est delicieuse et appetissante. Le plaisir est des principales especes du profit.

J'ay laissé envieillir et mourir en moy de mort naturelle des reumes[a], defluxions gouteuses[b], relaxation[c], battement de cœur, micraines[d] et autres accidens, que j'ay perdu quand je m'estois à demy formé à les nourrir. On les conjure mieux par courtoisie que par braverie. Il faut souffrir doucement les loix de nostre condition. Nous sommes pour vieillir, pour affoiblir, pour estre malades, en despit de toute medecine. C'est la premiere leçon que les Mexicains font à leurs enfans, quand, au partir du ventre des meres, ils les vont saluant ainsin : « Enfant, tu és venu au monde pour endurer; endure, souffre, et tais toy. »

C'est injustice de se douloir[e] qu'il soit advenu à quelqu'un ce qui peut advenir à chacun, « *indignare si quid in te*

---

a. Rhumes. — *b*. Rhumatismes de goutte. — *c*. Relâchement [de ventre]. — *d*. Migraines. — *e*. Se plaindre.

iniquè propriè constitutum est [a] ». Voyez un vieillart, qui demande à Dieu qu'il luy maintienne sa santé entiere et vigoreuse, c'est à dire qu'il le remette en jeunesse.

Stulte, quid hæc frustra votis puerilibus optas [b]?

N'est-ce pas folie? Sa condition ne le porte pas. La goutte, la gravelle, l'indigestion sont symptomes des longues années, comme des longs voyages la chaleur, les pluyes et les vents. Platon[1107] ne croit pas qu'Æsculape se mist en peine de prouvoir par regimes à faire durer la vie en un corps gasté et imbecille, inutile à son pays, inutile à sa vacation [c] et à produire des enfans sains et robustes, et ne trouve pas ce soing convenable à la justice et prudence divine, qui doit conduire toutes choses à utilité. Mon bon homme, c'est faict : on ne vous sçauroit redresser; on vous plastrera pour le plus et estançonnera [d] un peu, et allongera-on de quelque heure vostre misere.

Non secus instantem cupiens fulcire ruinam,
  Diversis contra nititur obicibus,
Donec certa dies, omni compage soluta,
  Ipsum cum rebus subruat auxilium [e].

Il faut apprendre à souffrir ce qu'on ne peut eviter. Nostre vie est composée, comme l'armonie du monde, de choses contraires, aussi de divers tons, douz et aspres, aigus et plats, mols et graves[1108]. Le musicien qui n'en aymeroit que les uns, que voudroit il dire? Il faut qu'il s'en sçache servir en commun et les mesler. Et nous aussi, les biens et les maux, qui sont consubstantiels à nostre vie. Nostre estre ne peut sans ce meslange, et y est l'une bande non moins necessaire que l'autre. D'essayer à regimber contre la necessité naturelle, c'est representer la folie de Ctesiphon, qui entreprenoit de faire à coups de pied avec sa mule[1109].

a. « Plains-toi, si c'est à toi seul qu'on impose une injuste loi. » Sénèque, *Épîtres,* 91. — *b.* « Insensé! à quoi bon ces souhaits vains et ces vœux puérils? » Ovide, *Tristes,* III, viii, 11. — *c.* Profession. — *d.* Étayera. — *e.* « Ainsi celui qui veut soutenir un bâtiment l'étaie dans les endroits où il menace ruine jusqu'à ce que vienne le jour fatal où toute la charpente se disloque, où les étais tombent avec l'édifice. » Pseudo-Gallus, I, 171.

Je consulte peu des alterations que je sens, car ces gens icy[1110] sont avantageux [a] quand ils vous tiennent à leur misericorde [b] : ils vous gourmandent les oreilles de leurs prognostiques; et, me surprenant autre fois affoibly du mal, m'ont injurieusement traicté de leurs dogmes et troigne magistrale, me menassant tantost de grandes douleurs, tantost de mort prochaine. Je n'en estois abbatu ny deslogé de ma place, mais j'en estois heurté et poussé; si mon jugement n'en est ny changé ny troublé, au moins il en estoit empesché [c]; c'est tousjours agitation et combat.

Or je trete mon imagination le plus doucement que je puis et la deschargerois, si je pouvois, de toute peine et contestation. Il la faut secourir et flatter, et piper qui peut. Mon esprit est propre à ce service : il n'a point faute d'apparences par tout; s'il persuadoit comme il presche, il me secourroit heureusement.

Vous en plaict-il un exemple? Il dict que c'est pour mieux que j'ay la gravele; que les bastimens de mon aage ont naturellement à souffrir quelque goutiere (il est temps qu'ils commencent à se lácher et desmentir; c'est une commune necessité, et n'eust on pas faict pour moy un nouveau miracle? je paye par là le loyer [d] deu [e] à la vieillesse, et ne sçaurois en avoir meilleur compte); que la compaignie me doibt consoler, estant tombé en l'accident le plus ordinaire des hommes de mon temps (j'en vois par tout d'affligez de mesme nature de mal, et m'en est la société honorable, d'autant qu'il se prend plus volontiers aux grands : son essence a de la noblesse et de la dignité); que des hommes qui en sont frapez, il en est peu de quittes à meilleure raison : et si, il leur couste la peine d'un facheux regime et la prise ennuieuse et quotidienne des drogues medicinales, là où je le doy purement à ma bonne fortune : car quelques bouillons communs de l'eringium et herbe du turc[1111], que deux ou trois fois j'ay avalé en faveur des dames, qui, plus gratieusement que mon mal n'est aigre, m'en offroyent la moitié du leur, m'ont semblé également faciles à prendre et inutiles en operation [f]. Ils ont à payer mille veux à Esculape, et autant d'escus à leur médecin, de la profluvion [g] du sable aysée et abondante

---

a. Prennent des airs avantageux. — *b.* Merci. — *c.* Gêné. — *d.* Tribut. — *e.* Dû. — *f.* Effet. — *g.* Écoulement.

que je reçoy souvent par le benefice de nature. La decence mesme de ma contenance en compagnie ordinaire n'en est pas troublée, et porte mon eau dix heures et aussi longtemps qu'un autre.

« La crainte de ce mal, faict-il[1112], t'effraioit autresfois, quand il t'estoit incogneu : les cris et le desespoir de ceux qui l'aigrissent par leur impatience t'en engendroient l'horreur. C'est un mal qui te bat les membres par lesquels tu as le plus failly; tu es homme de conscience.

Quæ venit indignè pœna, dolenda venit [a].

Regarde ce chastiement; il est bien doux au pris d'autres et d'une faveur paternelle. Regarde sa tardifveté : il n'incommode et occupe que la saison de ta vie qui, ainsi comme ainsin [b], est mes-huy [c] perdue et sterile, ayant faict place à la licence et plaisirs de ta jeunesse, comme par composition [d]. La crainte et pitié que le peuple a de ce mal te sert de matiere de gloire; qualité, de laquelle si tu as le jugement purgé et en as guery ton discours [e], tes amys pourtant en recognoissent encore quelque teinture en ta complexion. Il y a plaisir à ouyr dire de soy : Voylà bien de la force, voylà bien de la patience. On te voit suer d'ahan, pallir, rougir, trembler, vomir jusques au sang, souffrir des contractions et convulsions estranges, degouter par foys de grosses larmes des yeux, rendre les urines espesses, noires et effroyables, ou les avoir arrestées par quelque pierre espineuse et herissée qui te pouinct et escorche cruellement le col de la verge, entretenant cependant les assistans d'une contenance commune, bouffonnant à pauses [f] avec tes gens, tenant ta partie en un discours tendu, excusant de parolle ta douleur et rabatant de ta souffrance.

« Te souvient il de ces gens du temps passé, qui recerchoyent les maux avec si grand faim, pour tenir leur vertu en haleine et en exercice? Mets le cas [g] que nature te porte et te pousse à cette glorieuse escole, en laquelle tu ne fusses jamais entré de ton gré. Si tu me dis que c'est un mal dangereux et mortel, quels autres ne le sont? Car

---

a. « C'est quand nous n'avons pas mérité le mal que nous avons le droit de nous en plaindre. » Ovide, *Héroïdes*, V, 8. — *b.* De toute manière. — *c.* Désormais. — *d.* Accord. — *e.* Réflexion. — *f.* Par intervalles. — *g.* Admets.

c'est une piperie medecinale d'en excepter aucuns, qu'ils disent n'aller point de droict fil à la mort. Qu'importe, s'ils y vont par accident, et s'ils glissent et gauchissent[a] aysément vers la voye qui nous y meine? Mais tu ne meurs pas de ce que tu es malade; tu meurs de ce que tu es vivant. La mort te tue bien sans le secours de la maladie. Et à d'aucuns les maladies ont esloigné la mort, qui ont plus vescu de ce qu'il leur sembloit s'en aller mourants. Joint qu'il est, comme des playes, aussi des maladies medecinales et salutaires. La cholique est souvent non moins vivace que vous; il se voit des hommes ausquels elle a continué depuis leur enfance jusques à leur extreme vieillesse, et, s'ils ne luy eussent failly de compaignie, elle estoit pour les assister plus outre; vous la tuez plus souvent qu'elle ne vous tue, et quand elle te presenteroit l'image de la mort voisine, seroit ce pas un bon office à un homme de tel aage de le ramener aux cogitations[b] de sa fin? Et qui pis est, tu n'as plus pour qui[c] guerir. Ainsi comme ainsin[d], au premier jour la commune necessité t'appelle. Considere combien artificielement et doucement elle te desgouste de la vie et desprend du monde : non te forçant d'une subjection tyrannique, comme tant d'autres maux que tu vois aux vieillarts, qui les tiennent continuellement entravez et sans relache de foyblesses et douleurs, mais par advertissemens et instructions reprises à intervalles, entremeslant des longues pauses de repos, comme pour te donner moyen de mediter et repeter sa leçon à ton ayse; pour te donner moyen de juger sainement et prendre party en homme de cœur, elle te presente l'estat de ta condition entiere, et en bien et en mal, et en mesme jour une vie très-alegre tantost, tantost insupportable. Si tu n'accoles la mort, au moins tu luy touches en paume[e] une fois le moys. Par où tu as de plus à esperer qu'elle t'attrappera un jour sans menace, et que, estant si souvent conduit jusques au port, te fiant d'estre encore aux termes accoustumez on t'aura, et ta fiance[f], passé l'eau[g] un matin inopinéement. On n'a point à se plaindre des maladies qui partagent loyallement le temps avec la santé. »

a. Dévient. — *b.* Pensées. — *c.* De motifs de. — *d.* De toute manière. — *e.* Tu lui touches la main. — *f.* Toi et ta confiance. — *g.* Fait passer l'eau [de l'Achéron].

LIVRE III, CHAPITRE XIII

Je suis obligé à la fortune de quoy elle m'assaut si souvent de mesme sorte d'armes; elle m'y façonne et m'y dresse par usage, m'y durcit et habitue; je sçay à peu près mes-huy[a] en quoy j'en doibts estre quitte. A faute de memoire naturelle j'en forge de papier, et comme quelque nouveau symptome survient à mon mal, je l'escris. D'où il advient qu'à cette heure, estant quasi passé par toute sorte d'exemples, si quelque estonnement me menace, feuilletant ces petits brevets[b] descousus comme des feuilles Sybillines[1113], je ne faux[c] plus de trouver où me consoler de quelque prognostique favorable en mon experience passée. Me sert aussi l'accoustumance à mieux esperer pour l'advenir; car, la conduicte de ce vuidange ayant continué si long temps, il est à croire que nature ne changera point ce trein et n'en adviendra autre pire accident que celuy que je sens. En outre, la condition de cette maladie n'est point mal advenante à ma complexion prompte et soudaine. Quand elle m'assaut mollement elle me faict peur, car c'est pour long temps. Mais naturellement elle a des excez vigoreux et gaillarts; elle me secouë à outrance pour un jour ou deux. Mes reins ont duré un aage[d] sans alteration; il y en a tantost un autre[e] qu'ils ont changé d'estat. Les maux ont leur periode comme les biens; à l'avanture est cet accident à sa fin. L'aage affoiblit la chaleur de mon estomac; sa digestion en estant moins parfaicte, il renvoye cette matiere cruë à mes reins[1114]. Pourquoy ne pourra estre, à certaine revolution, affoiblie pareillement la chaleur de mes reins, si qu'ils ne puissent plus petrifier mon flegme, et nature s'acheminer à prendre quelque autre voye de purgation? Les ans m'ont evidemment faict tarir aucuns reumes. Pourquoy non ces excremens, qui fournissent de matiere à la grave[f]?

Mais est-il rien doux au pris de cette soudaine mutation, quand d'une douleur extreme je viens, par le vuidange de ma pierre, à recouvrer comme d'un esclair la belle lumiere de la santé, si libre et si pleine, comme il advient en nos soudaines et plus aspres choliques? Y a il rien en cette douleur soufferte qu'on puisse contrepoiser au[g] plaisir

---

a. Désormais. — *b.* Notes. — *c.* Manque. — *d. quarante ans,* disait l'édition de 1588. — *e. quatorze,* dans l'édition de 1588. — *f.* Gravelle. — *g.* Mettre en balance avec le.

d'un si prompt amandement? De combien la santé me semble plus belle après la maladie, si voisine et si contiguë que je les puis recognoistre en presence l'une de l'autre en leur plus haut appareil, où elles se mettent à l'envy comme pour se faire teste et contrecarre! Tout ainsi que les Stoyciens[1115] disent que les vices sont utilement introduicts pour donner pris et faire espaule à la vertu, nous pouvons dire, avec meilleure raison et conjecture moins hardie, que nature nous a presté la douleur pour l'honneur et service de la volupté et indolence. Lors que Socrates, après qu'on l'eust deschargé de ses fers, sentit la friandise de cette demangeson que leur pesanteur avoit causé en ses jambes, il se resjouyt à considerer l'estroitte alliance de la douleur à la volupté, comme elles sont associées d'une liaison necessaire, si qu'à tours[a] elles se suyvent et s'entr'engendrent; et s'escrioit au bon Esope qu'il deut avoir pris de cette consideration un corps propre à une belle fable[1116].

Le pis que je voye aux autres maladies, c'est qu'elles ne sont pas si griefves en leur effect comme elles sont en leur yssue : on est un an à se ravoir, tousjours plein de foiblesse et de crainte; il y a tant de hazard et tant de degrez à se reconduire à sauveté que ce n'est jamais faict; avant qu'on vous aye deffublé d'un couvrechef et puis d'une calote, avant qu'on vous aye rendu l'usage de l'air, et du vin, et de vostre femme, et des melons, c'est grand cas si vous n'estes recheu en quelque nouvelle misere. Cette-cy a ce privilege qu'elle s'emporte tout net, là où les autres laissent tousjours quelque impression et alteration qui rend le corps susceptible de nouveau mal, et se prestent la main les uns aux autres. Ceux là sont excusables qui se contentent de leur possession sur nous, sans l'estendre et sans introduire leur sequele; mais courtois et gratieux sont ceux de qui le passage nous apporte quelque utile consequence. Depuis ma cholique je me trouve deschargé d'autres accidens, plus ce me semble que je n'estois auparavant, et n'ay point eu de fievre depuis. J'argumente que les vomissemens extremes et frequens que je souffre me purgent, et d'autre costé mes degoustemens et les jeunes estranges que je passe digerent mes humeurs peccantes, et nature vuide en ces pierres ce qu'elle a de superflu et

---

a. Si bien que tour à tour.

nuysible. Qu'on ne me die point que c'est une medecine trop cher vendue; car quoy, tant de puans breuvages, cauteres, incisions, suées, sedons[a], dietes, et tant de formes de guarir qui nous apportent souvent la mort pour ne pouvoir soustenir leur violence et importunité? Par ainsi, quand je suis atteint, je le prens à medecine : quand je suis exempt, je le prens à constante et entiere delivrance.

Voicy encore une faveur de mon mal, particuliere : c'est qu'à peu prez il faict son jeu à part et me laisse faire le mien, ou il ne tient qu'à faute de courage; en sa plus grande esmotion, je l'ay tenu dix heures à cheval. Souffrez seulement, vous n'avez que faire d'autre regime; jouez, disnez, courez, faictes cecy et faites encore cela, si vous pouvez; vostre desbauche y servira, plus qu'elle n'y nuira. Dictes en autant à un verolé, à un gouteux, à un hernieux. Les autres maladies ont des obligations plus universelles, geinent bien autrement nos actions, troublent tout nostre ordre et engagent à leur consideration tout l'estat de la vie. Cette-cy ne faict que pinser la peau; elle vous laisse l'entendement et la volonté en vostre disposition, et la langue, et les pieds, et les mains; elle vous esveille plustost qu'elle ne vous assopit. L'ame est frapée de l'ardeur d'une fievre, et atterrée d'une epilepsie, et disloquée par une aspre micraine[b], et en fin estonnée par toutes les maladies qui blessent la masse et les plus nobles parties. Icy, on ne l'ataque point. S'il luy va mal, à sa coulpe; elle se trahit elle mesme, s'abandonne et se desmonte. Il n'y a que les fols qui se laissent persuader que ce corps dur et massif qui se cuyt en nos roignons se puisse dissoudre par breuvages; parquoy, dépuis qu'il est esbranlé, il n'est que de luy donner passage; aussi bien le prendra il.

Je remarque encore cette particuliere commodité que c'est un mal auquel nous avons peu à diviner. Nous sommes dispensez du trouble auquel les autres maus nous jettent par l'incertitude de leurs causes et conditions et progrez, trouble infiniement penible. Nous n'avons que faire de consultations et interpretations doctorales : les sens nous montrent que c'est, et où c'est.

Par tels argumens, et forts et foibles, comme Cicero le mal de sa vieillesse[1117], j'essaye d'endormir et amuser

---

a. Sétons. — *b.* Migraine.

mon imagination, et gresser ses playes. Si elles s'empirent demain, demain nous y pourvoyerons d'autres eschapatoires.

Qu'il soit vray, voicy depuis, de nouveau, que les plus legers mouvements espreignent[a] le pur sang de mes reins. Quoy pour cela ? je ne laisse de me mouvoir comme devant et picquer après mes chiens, d'une juvenile ardeur, et insolente. Et trouve que j'ay grand raison d'un si important accident, qui ne me couste qu'une sourde poisanteur[b] et alteration en cette partie. C'est quelque grosse pierre qui foule et consomme la substance de mes roignons, et ma vie que je vuide peu à peu, non sans quelque naturelle douceur, comme un excrement hormais superflu et empeschant. Or sens je quelque chose qui crosle ? Ne vous attendez pas que j'aille m'amusant à recognoistre mon pous et mes urines pour y prendre quelque prevoyance ennuyeuse ; je seray assez à temps à sentir le mal, sans l'alonger par le mal de la peur. Qui craint de souffrir, il souffre desjà de ce qu'il craint. Joint que la dubitation et ignorance de ceux qui se meslent d'expliquer les ressorts de Nature, et ses internes progrez, et tant de faux prognostiques de leur art, nous doit faire cognoistre qu'ell'a ses moyens infiniment incognuz. Il y a grande incertitude, varieté et obscurité de ce qu'elle nous promet ou menace. Sauf la vieillesse, qui est un signe indubitable de l'approche de la mort, de tous les autres accidents, je voy peu de signes de l'advenir sur quoy nous ayons à fonder nostre divination.

Je ne me juge que par vray sentiment, non par discours[c]. A quoy faire, puisque je n'y veux apporter que l'attente et la patience ? Voulez vous sçavoir combien je gaigne à cela ? Regardez ceux qui font autrement et qui dependent de tant de diverses persuasions et conseils : combien souvent l'imagination les presse sans le corps ! J'ay maintesfois prins plaisir, estant en seurté et delivre de ces accidents dangereux, de les communiquer aux medecins comme naissans lors en moy. Je souffrois l'arrest de leurs horribles conclusions bien à mon aise, et en demeurois de tant plus obligé à Dieu de sa grace et mieux instruict de la vanité de cet art.

---

a. Expriment. — *b.* Pesanteur. — *c.* Raisonnement.

LIVRE III, CHAPITRE XIII

Il n'est rien qu'on doive tant recommander à la jeunesse que l'activeté et la vigilance. Notre vie n'est que mouvement. Je m'esbranle difficilement, et suis tardif par tout : à me lever, à me coucher, et à mes repas ; c'est matin pour moy que sept heures, et où je gouverne, je ne disne ny avant onze, ny ne soupe qu'après six heures. J'ay autrefois attribué la cause des fiévres et maladies où je suis tombé à la pesanteur et assoupissement que le long sommeil m'avoit apporté, et me suis tousjours repenty de me r'endormir le matin. Platon veut plus de mal à l'excés du dormir qu'à l'excés du boire[1118]. J'ayme à coucher dur et seul, voire sans femme, à la royalle, un peu bien couvert ; on ne bassine jamais mon lict ; mais depuis la vieillesse, on me donne quand j'en ay besoing des draps à eschauffer les pieds et l'estomach. On trouvoit à redire au grand Scipion d'estre dormart[1119], non à mon advis pour autre raison, sinon qu'il faschoit aux hommes qu'en luy seul il n'y eust aucune chose à redire. Si j'ay quelque curiosité en mon traitement, c'est plustost au coucher qu'à autre chose ; mais je cede et m'accommode en general, autant que tout autre, à la necessité. Le dormir a occupé une grande partie de ma vie, et le continuë encores en cet aage huict ou neuf heures d'une halaine. Je me retire avec utilité de cette propension paresseuse, et en vauts evidemment mieux ; je sens un peu le coup de la mutation, mais c'est faict en trois jours. Et n'en voy guieres qui vive à moins quand il est besoin, et qui s'exerce plus constamment, ny à qui les corvées poisent[a] moins. Mon corps est capable d'une agitation ferme, mais non pas vehemente et soudaine. Je fuis meshuy[b] les exercices violents, et qui me meinent à la sueur : mes membres se lassent avant qu'ils s'eschauffent. Je me tiens debout tout le long d'un jour, et ne m'ennuye poinct à me promener ; mais sur le pavé, depuis mon premier aage, je n'ay aymé d'aller qu'à cheval[c] ; à pied je me crotte jusques aux fesses ; et les petites gens sont subjets par ces ruës à estre choquez et coudoyez à faute d'apparence. Et ay aymé à me reposer, soit couché, soit assis, les jambes autant ou plus hautes que le siege.

Il n'est occupation plaisante comme la militaire ; occu-

---

a. Pèsent. — *b.* Désormais. — *c. sur le pavé, je ne puis aller qu'à cheval,* portait l'édition de 1588.

pation et noble en execution (car la plus forte, genereuse et superbe de toutes les vertus est la vaillance), et noble en sa cause; il n'est point d'utilité ny plus juste, ny plus universelle que la protection du repos et grandeur de son pays. La compaignie de tant d'hommes vous plaist, nobles, jeunes, actifs, la veue ordinaire de tant de spectacles tragiques, la liberté de cette conversation sans art, et d'une façon de vie masle et sans ceremonie, la varieté de mille actions diverses, cette courageuse harmonie de la musique guerriere qui vous entretient et eschauffe et les oreilles et l'ame, l'honneur de cet exercice, son aspreté mesme et sa difficulté, que Platon estime si peu, qu'en sa republique [1120] il en faict part aux femmes et aux enfans. Vous vous conviez aux rolles et hazards particuliers selon que vous jugez de leur esclat et de leur importance, soldat volontaire, et voyez quand la vie mesme y est excusablement employée,

Pulchrùmque mori succurrit in armis [a].

De craindre les hazards communs qui regardent une si grande presse [b], de n'oser ce que tant de sortes d'ames osent, c'est à faire à un cœur mol et bas outre mesure. La compaignie asseure [c] jusques aux enfans. Si d'autres vous surpassent en science, en grace, en force, en fortune, vous avez des causes tierces à qui vous en prendre; mais de leur ceder en fermeté d'ame, vous n'avez à vous en prendre qu'à vous. La mort est plus abjecte, plus languissante et penible dans un lict qu'en un combat, les fiévres et les catarres autant doleureux et mortels qu'une harquebusade. Qui seroit faict à porter valeureusement les accidents de la vie commune, n'auroit poinct à grossir son courage pour se rendre gendarme [d]. « *Vivere, mi Lucili, militare est* [e]. »

Il ne me souvient point de m'estre jamais veu galleux. Si [f] est la gratterie des gratifications [g] de Nature les plus douces, et autant à main [h]. Mais ell'a la penitance trop importunéement voisine. Je l'exerce plus aux oreilles, que j'ay au dedans pruantes [i] par saisons.

---

a. « Et je songe qu'il est beau de mourir sous les armes. » Virgile, *Énéide*, II, 317. — *b.* Foule. — *c.* Rassure. — *d.* Soldat. — *e.* « Vivre, mon cher Lucilius, c'est combattre. » Sénèque, *Épîtres*, 96. — *f.* Pourtant. — *g.* Dons. — *h.* Facile. — *i.* Qui me démangent.

LIVRE III, CHAPITRE XIII

Je suis nay de tous les sens entiers quasi à la perfection. Mon estomac est commodéement bon, comme est ma teste, et le plus souvent se maintiennent au travers de mes fiévres, et aussi mon haleine. J'ay outrepassé tantost de six ans le cinquantiesme[a], auquel des nations, non sans occasion, avoient prescript une si juste fin à la vie qu'elles ne permettoient point qu'on l'excedat. Si[b] ay-je encore des remises, quoy qu'inconstantes et courtes, si nettes, qu'il y a peu à dire de la santé et indolence de ma jeunesse. Je ne parle pas de la vigueur et allegresse; ce n'est pas raison qu'elle me suyve hors ses limites :

> *Non hæc amplius est liminis, aut aquæ*
> *Cælestis, patiens latus*[c].

Mon visage me descouvre incontinent, et mes yeux; tous mes changemens commencent par là, et un peu plus aigres qu'ils ne sont en effect; je faits souvent pitié à mes amis avant que j'en sente la cause. Mon miroir ne m'estonne pas, car, en la jeunesse mesme, il m'est advenu plus d'une fois de chausser ainsin un teinct et un port trouble et de mauvais prognostique sans grand accident; en maniere que les medecins, qui ne trouvoient au dedans cause qui respondit à cette alteration externe, l'attribuoient à l'esprit et à quelque passion secrete qui me rongeast au dedans; ils se trompoient. Si le corps se gouvernoit autant selon moy que faict l'ame, nous marcherions un peu plus à nostre aise. Je l'avois lors, non seulement exempte de trouble, mais encore plaine de satisfaction et de feste, comme elle est le plus ordinairement, moytié de sa complexion, moytié de son dessein :

> *Nec vitiant artus ægræ contagia mentis*[d].

Je tiens que cette sienne temperature a relevé maintesfois le corps de ses cheutes : il est souvent abbatu; que si elle n'est enjouée, elle est au moins en estat tranquille et reposé. J'eus la fiévre quarte quatre ou cinq mois, qui

---

a. J'ai passé l'âge auquel, disait l'édition de 1588. — *b.* Pourtant. — *c.* « Désormais mes poumons ne me permettent plus de braver les pluies du ciel sur le seuil d'une maîtresse. » Horace, *Odes,* III, x, 19. — *d.* « Mes membres n'ont nulle atteinte des troubles de mon esprit. » Ovide, *Tristes,* III, VIII, 25.

m'avoit tout desvisagé; l'esprit alla tousjours non paisiblement seulement, mais plaisamment. Si la douleur est hors de moy, l'affoiblissement et langueur ne m'attristent guiere. Je vois plusieurs defaillances corporelles, qui font horreur seulement à nommer, que je craindrois moins que mille passions et agitations d'esprit que je vois en usage. Je prens party de ne plus courre, c'est assez que je me traine; ny ne me plains de la decadence naturelle qui me tient,

> *Quis tumidum guttur miratur in Alpibus*[a]?

Non plus que je ne regrette que ma durée ne soit aussi longue et entière que celle d'un chesne.

Je n'ay poinct à me plaindre de mon imagination : j'ay eu peu de pensées en ma vie qui m'ayent seulement interrompu le cours de mon sommeil, si elles n'ont esté du désir, qui m'esveillat sans m'affliger. Je songe peu souvent; et lors c'est des choses fantastiques et des chimeres productes communément de pensées plaisantes, plustost ridicules que tristes. Et tiens qu'il est vray que les songes sont loyaux interpretes de nos inclinations; mais il y a de l'art à les assortir et entendre.

> *Res quæ in vita usurpant homines, cogitant, curant, vident,*
> *Quæque agunt vigilantes, agitántque, ea sicut in somno accidunt,*
> *Minus mirandum est*[b].

Platon dict[1121] davantage que c'est l'office de la prudence d'en tirer des instructions divinatrices pour l'advenir. Je ne voy rien à cela, sinon les merveilleuses experiences que Socrates, Xenophon, Aristote en recitent[1122], personnages d'authorité irreprochable. Les histoires disent que les Atlantes ne songent jamais, qui ne mangent aussi rien qui aye prins mort[1123], ce que j'y adjouste, d'autant que c'est, à l'adventure, l'occasion pourquoy ils ne songent point. Car Pythagoras ordonnoit certaine preparation de nourriture pour faire les songes à propos[1124]. Les miens

---

a. « Qui s'étonne d'un goitreux dans les Alpes? » Juvénal, XIII 162. — b. « Que les hommes retrouvent en songe les choses qui les occupent dans la vie et qu'ils méditent, qu'ils voient, qu'ils font lorsqu'ils sont éveillés, il n'y a là rien d'étonnant! » Vers tirés d'une tragédie d'Attius intitulée *Brutus* et rapportés par Cicéron, *De divinatione*, I, 22.

LIVRE III, CHAPITRE XIII

sont tendres et ne m'apportent aucune agitation de corps, ny expression de voix. J'ay veu plusieurs de mon temps en estre merveilleusement agitez. Theon le philosophe se promenoit en songeant, et le valet de Pericles sur les tuilles mesmes et faiste de la maison[1125].

Je ne choisis guiere à table, et me prens à la premiere chose et plus voisine, et me remue mal volontiers d'un goust à un autre. La presse des plats et des services me desplaist autant qu'autre presse. Je me contente aiséement de peu de mets; et hay l'opinion de Favorinus[1126] qu'en un festin il faut qu'on vous desrobe la viande où vous prenez appetit, et qu'on vous en substitue tousjours une nouvelle, et que c'est un miserable souper si on n'a saoulé les assistants de croupions de divers oiseaux, et que le seul bequefigue merite qu'on le mange entier. J'use familierement de viandes sallées; si ayme-je[a] mieux le pain sans sel, et mon boulanger chez moy n'en sert pas d'autre pour ma table, contre l'usage du pays. On a eu en mon enfance principalement à corriger le refus que je faisois des choses que communement on ayme le mieux en cet aage : sucres, confitures, pieces de four. Mon gouverneur combatit cette hayne de viandes delicates comme une espece de delicatesse. Aussi n'est elle autre chose que difficulté de goust, où qu'il s'applique. Qui oste à un enfant certaine particuliere et obstinée affection au pain bis et au lart, ou à l'ail, il luy oste la friandise. Il en est qui font les laborieux et les patiens pour regretter le bœuf et le jambon parmy les perdris. Ils ont bon temps : c'est la delicatesse des delicats; c'est le goust d'une molle fortune qui s'affadit aux choses ordinaires et accoustumées, *« per quæ luxuria divitiarum tædio ludit*[b]. » Laisser à faire bonne chere de ce qu'un autre la faict[c], avoir un soing curieux[d] de son traictement, c'est l'essence de ce vice :

Si modica cænare times olus omne patella[e].

Il y a bien vrayment cette difference, qu'il vaut mieux

---

a. Pourtant j'aime. — *b.* « Par lesquelles le luxe se joue de l'ennui des richesses. » Sénèque, *Épîtres,* 18. — *c.* Ne pas aimer manger ce qu'aiment les autres. — *d.* Recherché. — *e.* « Si tu ne sais pas te contenter d'un légume servi dans un modeste plat pour ton dîner. » Horace, *Épîtres,* I, v, 2.

obliger son desir aux choses plus aisées à recouvrer; mais c'est toujours vice de s'obliger. J'appellois autresfois delicat un mien parent, qui avoit desapris en nos galeres à se servir de nos licts et se despouiller pour se coucher.

Si j'avois des enfans masles, je leur desirasse[a] volontiers ma fortune. Le bon pere que Dieu me donna (qui n'a de moy que la recognoissance de sa bonté, mais certes bien gaillarde) m'envoia dès le berceau nourrir à un pauvre village des siens, et m'y tint autant que je fus en nourrisse, et encores au delà, me dressant à la plus basse et commune façon de vivre : « *Magna pars libertatis est bene moratus venter*[b]. » Ne prenez jamais, et donnez encore moins à vos femmes, la charge de leur nourriture; laissez les former à la fortune soubs des loix populaires et naturelles, laissez à la coustume de les dresser à la frugalité et à l'austerité; qu'ils ayent plustost à descendre de l'aspreté qu'à monter vers elle. Son humeur visoit encore à une autre fin : de me ralier avec le peuple et cette condition d'hommes qui a besoin de nostre ayde; et estimoit que je fusse tenu de regarder plutost vers celuy qui me tend les bras que vers celuy qui me tourne le dos. Et fut céte raison pourquoy aussi il me donna à tenir sur les fons à des personnes de la plus abjecte fortune[1127], pour m'y obliger et attacher.

Son dessein n'a pas du tout mal succedé : je m'adonne volontiers aux petits, soit pour ce qu'il y a plus de gloire, soit par naturelle compassion, qui peut infiniement en moy. Le party que je condemneray en noz guerres, je le condemneray plus asprement fleurissant et prospere; il sera pour me concilier aucunement à soy quand je le verray miserable et accablée[c][1128]. Combien volontiers je considere la belle humeur de Chelonis, fille et femme de Roys de Sparte. Pendant que Cleombrotus son mary, aux desordres de sa ville, eust avantage sur Leonidas son pere, elle fit la bonne fille, se r'allia avec son pere en son exil, en sa misere, s'opposant au victorieux. La chance vint elle à tourner? la voilà changée de vouloir avec la

---

a. Désirerais. — *b.* « C'est une grande partie de la liberté qu'un ventre bien réglé. » Sénèque, *Épîtres*, 123. — *c. Je condamne, en nos troubles la cause de l'un des partis, mais plus quand elle fleurit et qu'elle prospère; elle m'a parfois aucunement concilié à soy, pour la voir misérable et accablée.* (Édition de 1588.)

fortune, se rangeant courageusement à son mary, lequel elle suivit par tout où sa ruine le porta, n'ayant, ce semble, autre chois que de se jetter au party où elle faisoit le plus de besoin et où elle se montroit plus pitoyable[1129]. Je me laisse plus naturellement aller après l'exemple de Flaminius, qui se prestoit à ceux qui avoient besoin de luy plus qu'à ceux qui lui pouvoient bien-faire[1130], que je ne fais à celuy de Pyrrus, propre à s'abaisser soubs les grans et à s'enorgueillir sur les petis[1131].

Les longues tables me faschent et me nuisent : car, soit pour m'y estre accoustumé enfant, à faute de meilleure contenance, je mange autant que j'y suis. Pourtant chez moy, quoy qu'elle soit des courtes, je m'y mets volontiers un peu après les autres, sur la forme d'Auguste; mais je ne l'imite pas en ce qu'il en sortoit aussi avant les autres[1132]. Au rebours, j'ayme à me reposer long temps après et en ouyr conter, pourveu que je ne m'y mesle point, car je me lasse et me blesse de parler l'estomac plain, autant comme je trouve l'exercice de crier et contester avant le repas très salubre et plaisant. Les anciens Grecs et Romains avoyent meilleure raison que nous, assignans à la nourriture, qui est une action principale de la vie, si autre extraordinaire occupation ne les en divertissoit, plusieurs heures et la meilleure partie de la nuict, mangeans et beuvans moins hastivement que nous, qui passons en poste toutes noz actions, et estandans ce plaisir naturel à plus de loisir et d'usage, y entresemans divers offices de conversations utiles et aggreables.

Ceux qui doivent avoir soing de moy pourroyent à bon marché me desrober ce qu'ils pensent m'estre nuisible; car en telles choses, je ne desire jamais ny ne trouve à dire ce que je ne vois pas; mais aussi de celles qui se presentent, ils perdent leur temps de m'en prescher l'abstinence. Si que [a], quand je veus jeuner, il me faut mettre à part des soupeurs, et qu'on me presente justement autant qu'il est besoin pour une reglée collation; car si je me mets à table, j'oublie ma resolution.

Quand j'ordonne qu'on change d'aprest à quelque viande, mes gens sçavent que c'est à dire que mon appetit est alanguy et que je n'y toucheray point. En toutes celles

---

a. Si bien que.

qui le peuvent souffrir, je les ayme peu cuites et les ayme
fort mortifiées, et jusques à l'alteration de la senteur en
plusieurs. Il n'y a que la dureté qui generalement me fache
(de toute autre qualité je suis aussi nonchalant et souffrant[a]
qu'homme que j'aye cogneu), si que[b], contre l'humeur
commune, entre les poissons mesme il m'advient d'en
trouver et de trop frais et de trop fermes. Ce n'est pas la
faute de mes dents, que j'ay eu tousjours bonnes jusques
à l'excellence, et que l'aage ne commence de menasser qu'à
céte heure. J'ay aprins dès l'enfance à les froter de ma
serviette, et le matin, et à l'entrée et issuë de la table.

Dieu faict grace à ceux à qui il soustrait la vie par le
menu ; c'est le seul benefice de la vieillesse. La derniere
mort en sera d'autant moins plaine et nuisible ; elle ne tuera
plus qu'un demy ou un quart d'homme. Voilà une dent qui
me vient de choir, sans douleur, sans effort : c'estoit le
terme naturel de sa durée. Et cette partie de mon estre et
plusieurs autres sont desjà mortes, autres demy mortes,
des plus actives et qui tenoient le premier rang pendant
la vigueur de mon aage. C'est ainsi que je fons et eschape
à moy. Quelle bestise sera-ce à mon entendement de sentir
le saut de cette cheute, desjà si avancée, comme si elle
estoit entiere ? Je ne l'espere pas.

A la verité, je reçoy une principale consolation, aux
pensées de ma mort, qu'elle soit des justes et naturelles, et
que mes-huy[c] je ne puisse en cela requerir, ny esperer
de la destinée faveur qu'illegitime. Les hommes se font
accroire qu'ils ont eu autresfois, comme la stature, la vie
aussi plus grande. Mais Solon, qui est de ces vieux temps-là,
en taille pourtant l'extreme durée à soixante dix ans[1133].
Moy, qui ay tant adoré, et si universellement, cet ἄριστον
μέτρον[d] du temps passé et ay pris pour la plus parfaicte la
moyenne mesure, pretendray-je une desmesurée et monstrueuse vieillesse ? Tout ce qui vient au revers du cours de
nature peut estre fascheux, mais ce qui vient selon elle
doibt estre tousjours plaisant. « *Omnia, quæ secundum naturam fiunt, sunt habenda in bonis*[e]. » Par ainsi, dict Platon[1134],

---

[a]. Indifférent. — [b]. Si bien que. — [c]. Désormais. — [d]. « Cette
excellente médiocrité. » — [e]. « Tout ce qui arrive conformément à
la nature doit être compté au nombre des biens. » Cicéron, *De senectute*, 19.

la mort que les playes ou maladies apportent soit violante, mais celle, qui nous surprend, la vieillesse nous y conduisant, est de toutes la plus legere et aucunement delicieuse. « *Vitam adolescentibus vis aufert, senibus maturitas*[a]. »

La mort se mesle et confond par tout à nostre vie : le declin præoccupe son heure et s'ingere au cours de nostre avancement mesme. J'ay des portraits de ma forme de vingt et cinq et de trente cinq ans; je les compare avec celuy d'asteure[b] : combien de fois ce n'est plus moy! combien est mon image presente plus esloingnée de celles là que de celle de mon trespas! C'est trop abusé de nature de la tracasser si loing, qu'elle soit contrainte de nous quitter, et abandonner nostre conduite, nos yeux, nos dens, nos jambes et le reste à la mercy d'un secours estranger et mandié, et nous resigner entre les mains de l'art, lasse de nous suivre.

Je ne suis excessivement desireux ny de salades, ny de fruits, sauf les melons. Mon pere haïssoit toute sorte de sauces; je les aime toutes. Le trop manger m'empeche[c]; mais, par sa qualité, je n'ay encore cognoissance bien certaine qu'aucune viande[d] me nuise; comme aussi je ne remarque ny lune plaine, ny basse, ny l'automne du printemps. Il y a des mouvemens en nous, inconstans et incogneus; car des refors[e], pour exemple, je les ay trouvez premierement commodes, depuis facheux, a present de rechef commodes. En plusieurs choses je sens mon estomac et mon appetit aller ainsi diversifiant : j'ay rechangé du blanc au clairet, et puis du clairet au blanc. Je suis friant de poisson et fais mes jours gras des maigres, et mes festes des jours de jeusne; je croy ce qu'aucuns disent, qu'il est de plus aisée digestion que la chair. Comme je fais conscience de manger de la viande le jour de poisson, aussi fait mon goust de mesler le poisson à la chair : cette diversité me semble trop esloingnée.

Dès ma jeunesse, je desrobois par fois quelque repas : ou affin d'esguiser mon appetit au lendemain, car, comme Epicurus jeusnoit et faisoit des repas maigres pour accoustumer sa volupté à se passer de l'abondance[1135], moy, au

---

a. « Aux jeunes gens c'est un coup violent qui arrache la vie; aux vieillards c'est la maturité même. » Cicéron, *De senectute*, 19. — *b.* A présent. — *c.* Me gêne, m'embarrasse. — *d.* Aucun mets. — *e.* Raiforts.

rebours, pour dresser ma volupté à faire mieux son profit et se servir alaigrement de l'abondance; ou je jeusnois pour conserver ma vigueur au service de quelque action de corps ou d'esprit, car l'un et l'autre s'apparesse cruellement en moy par la repletion, et sur tout je hay ce sot accouplage d'une Deesse si saine et si alegre avec ce petit Dieu indigest et roteur, tout bouffy de la fumée de sa liqueur; ou pour guarir mon estomac malade; ou pour estre sans compaignie propre, car je dy, comme ce mesme Epicurus, qu'il ne faut pas tant regarder ce qu'on mange qu'avec qui on mange[1136], et louë Chilon de n'avoir voulu promettre de se trouver au festin de Periander avant que d'estre informé qui estoyent les autres conviez[1137]. Il n'est point de si doux apprest pour moy, ny de sauce si appetissante, que celle qui se tire de la société.

Je croys qu'il est plus sain de menger plus bellement et moins, et de menger plus souvent. Mais je veux faire valoir l'appetit et la faim : je n'aurois nul plaisir à trainer, à la medecinale, trois ou quatre chetifs repas par jour ainsi contrains. Qui m'assureroit que le goust ouvert que j'ay ce matin je le retrouvasse encore à souper? Prenons, sur tout les vieillards, prenons le premier temps opportum qui nous vient. Laissons aux faiseurs d'almanachs les ephemerides[a], et aux medecins. L'extreme fruict de ma santé, c'est la volupté : tenons nous à la premiere presente et cogneuë. J'evite la constance en ces loix de jeusne. Qui veut qu'une forme luy serve, fuye à la continuer; nous nous y durcissons, nos forces s'y endorment; six mois après, vous y aurez si bien acoquiné votre estomac que vostre proffit, ce ne sera que d'avoir perdu la liberté d'en user autrement sans dommage.

Je ne porte les jambes et les cuisses non plus couvertes en hyver qu'en esté, un bas de soye tout simple. Je me suis laissé aller pour le secours de mes reumes[b] à tenir la teste plus chaude, et le ventre pour ma cholique; mes maux s'y habituarent en peu de jours et desdaignarent mes ordinaires provisions[c]. J'estois monté d'une coife à un couvrechef, et d'un bonnet à un chapeau double. Les embourreures de mon pourpoint ne me servent plus que de garbe[d], ce n'est

---

a. L'édition de 1595 porte : *les espérances et les prognostiques* — *b.* Rhumes. — *c.* Précautions. — *d.* Parure.

rien, si je n'y adjouste une peau de lievre ou de vautour, une calote à ma teste. Suyvez cette gradation, vous irez beau train. Je n'en feray rien, et me desdirois volontiers du commencement que j'y ay donné, si j'osois. Tombez vous en quelque inconvenient nouveau? cette reformation ne vous sert plus : vous y estes accoustumé; cerchez en une autre. Ainsi se ruinent ceux qui se laissent empestrer à des regimes contraincts, et s'y astreignent superstitieusement : il leur en faut encore, et encore après d'autres au delà; ce n'est jamais faict.

Pour nos occupations et le plaisir, il est beaucoup plus commode, comme faisoyent les anciens, de perdre le disner et remettre à faire bonne chere à l'heure de la retraicte et du repos, sans rompre le jour : ainsi le faisois-je autrefois. Pour la santé, je trouve despuis par experience, au rebours, qu'il vaut mieux disner et que la digestion se faict mieux en veillant.

Je ne suis guiere subject à estre alteré, ny sain ny malade : j'ay bien volontiers lors la bouche seche, mais sans soif; communement je ne bois que du desir qui m'en vient en mangeant, et bien avant dans le repas. Je bois assez bien pour un homme de commune façon : en esté et en un repas appetissant, je n'outrepasse poinct seulement les limites d'Auguste, qui ne beuvoit que trois fois precisement[1138]; mais, pour n'offenser la reigle de Democritus, qui deffendoit de s'arrester à quattre comme à un nombre mal fortuné[1139], je coule à un besoing jusques à cinq, trois demysetiés environ; car les petits verres sont les miens favoris, et me plaict de les vuider, ce que d'autres evitent comme chose mal seante. Je trempe mon vin plus souvent à moitié, par fois au tiers d'eau. Et quand je suis en ma maison, d'un antien usage que son medecin ordonnoit à mon pere et à soy, on mesle celuy qu'il me faut dès la somelerie, deux ou trois heures avant qu'on serve. Ils disent que Cranaus, Roy des Atheniens, fut inventeur de cet usage de tremper le vin d'eau[1140], utilement ou non, j'en ay veu debattre. J'estime plus decent et plus sain que les enfans n'en usent qu'après seize ou dix-huict ans. La forme de vivre plus usitée et commune est la plus belle : toute particularité m'y semble à eviter, et haïrois autant un aleman qui mit de l'eau au vin qu'un françois qui le boiroit pur. L'usage publiq donne loy à telles choses.

Je crains un air empesché et fuys mortellement la fumée (la premiere reparation où je courus chez moy, ce fut aux cheminées et aux retrets[a], vice commun des vieux bastimens et insupportable), et entre les difficultez de la guerre compte ces espaisses poussieres dans lesquelles on nous tient enterrez, au chault[b], tout le long d'une journée. J'ay la respiration libre et aisée, et se passent mes morfondements[c] le plus souvent sans offence du poulmon, et sans toux.

L'aspreté de l'esté m'est plus ennemie que celle de l'hyver; car, outre l'incommodité de la chaleur, moins remediable que celle du froid, et outre le coup que les rayons du soleil donnent à la teste, mes yeux s'offencent de toute lueur esclatante : je ne sçaurois à cette heure disner assiz vis à vis d'un feu ardent et lumineux. Pour amortir la blancheur du papier, au temps que j'avois plus accoustumé de lire, je couchois sur mon livre une piece de verre, et m'en trouvois fort soulagé. J'ignore jusques à present l'usage des lunettes, et vois aussi loing que je fis onques, et que tout autre. Il est vray que sur le declin du jour je commence à sentir du trouble et de la foiblesse à lire, dequoy l'exercice a tousjours travaillé mes yeux, mais sur tout nocturne. Voylà un pas en arriere, à toute peine sensible. Je reculeray d'un autre, du second au tiers, du tiers au quart, si coïement[d] qu'il me faudra estre aveugle formé avant que je sente la decadence et vieillesse de ma veuë. Tant les Parques destordent artificiellement[e] nostre vie. Si suis-je en doubte que mon ouïe marchande à s'espaissir[f], et verrez que je l'auray demy perdue que je m'en prandray encore à la voix de ceux qui parlent à moy. Il faut bien bander[g] l'ame pour luy faire sentir comme elle s'escoule.

Mon marcher est prompt et ferme; et ne sçay lequel des deux, ou l'esprit ou le corps, j'ay arresté plus mal, aiséement en mesme point. Le prescheur est bien de mes amys, qui oblige mon attention tout un sermon. Aux lieux de ceremonie, où chacun est si bandé en contenance, où j'ay veu les dames tenir leurs yeux mesme si certains, je ne suis

---

a. Lieux d'aisances. — *b.* Pendant les chaleurs. — *c.* Rhumes de cerveau. — *d.* Doucement. — *e.* Habilement. — *f.* Pourtant j'hésite à reconnaître que je deviens dur d'oreille. — *g.* Tendre (son attention).

jamais venu à bout que quelque piece des miennes n'extra-
vague tousjours; encore que j'y sois assis, j'y suis peu
rassis[a]. Comme la chambriere du philosophe Chrysippus
disoit de son maistre qu'il n'estoit yvre que par les jambes
(car il avoit cette coustume de les remuer en quelque
assiette qu'il fust, et elle le disoit lors que le vin esmouvant les autres, luy n'en sentoit aucune alteration[1141]), on
a peu dire aussi dès mon enfance que j'avois de la follie
aux pieds, ou de l'argent vif, tant j'y ay de remuement et
d'inconstance en quelque lieu que je les place.

C'est indecence, outre ce qu'il nuit à la santé, voire et
au plaisir, de manger gouluement, comme je fais : je mors
souvent ma langue, par fois mes doits, de hastiveté. Diogenes, rencontrant un enfant qui mangeoit ainsin, en donna
un soufflet à son precepteur[1142]. Il y avoit à Rome des
gens qui enseignoyent à mascher, comme à marcher, de
bonne grace[1143]. J'en pers le loisir de parler, qui est un
si doux assaisonnement des tables, pourveu que ce soyent
des propos de mesme, plaisans et courts.

Il y a de la jalousie et envie entre nos plaisirs : ils se
choquent et empechent l'un l'autre. Alcibiades, homme bien
entendu à faire bonne chere, chassoit la musique mesme
des tables, à ce qu'elle[b] ne troublat la douceur des devis[c],
par la raison, que Platon luy preste[1144], que c'est un usage
d'hommes populaires d'appeler des joueurs d'instruments
et des chantres à leurs festins, à faute de bons discours et
agreables entretiens, de quoy les gens d'entendement
sçavent s'entrefestoyer.

Varro[1145] demande cecy au convive[d] : l'assemblée de
personnes belles de presence et agreables de conversation,
qui ne soyent ny muets, ny bavarts, netteté et delicatesse
aux vivres et au lieu, et le temps serain. Ce n'est pas une
feste peu artificielle[e] et peu voluptueuse qu'un bon traittement de table : ny les grands chefs de guerre, ny les grands
philosophes n'en ont refusé l'usage et la science. Mon
imagination en a donné trois en garde à ma memoire, que
la fortune me rendit de principale douceur en divers temps
de mon aage plus fleurissant, car chacun des conviez y

---

a. L'édition de 1588 ajoutait ici : *et pour la gesticulation, ne me trouve
guiere sans baguette à la main, soit à cheval ou à pied. Il y a de* l'indécence.
— *b.* De façon qu'elle. — *c.* Propos. — *d.* Festin. — *e.* De peu
d'art.

apporte la principale grace, selon la bonne trampe de corps
et d'ame en quoy il se trouve. Mon estat present m'en
forclost[a].

Moy, qui ne manie que terre à terre, hay cette inhumaine
sapience qui nous veut rendre desdaigneux et ennemis de
la culture[b] du corps. J'estime pareille injustice prendre à
contre cœur les voluptez naturelles que de les prendre trop
à cœur. Xerxes estoit un fat, qui, enveloppé en toutes les
voluptez humaines, alloit proposer pris à qui luy en trouveroit d'autres[1146]. Mais non guere moins fat est celuy qui
retranche celles que nature luy a trouvées. Il ne les faut ny
suyvre, ny fuir, il les faut recevoir. Je les reçois un peu
plus grassement et gratieusement, et me laisse plus volontiers aller vers la pante naturelle. Nous n'avons que faire
d'exagerer leur inanité; elle se faict assez sentir et se produit assez. Mercy à nostre esprit maladif, rabat-joye, qui
nous desgoute d'elles comme de soy-mesme : il traitte et
soy et ce qu'il reçoit tantost avant, tantost arriere, selon
son estre insatiable, vagabond et versatile.

Sincerum est nisi vas, quodcunque infundis, acescit[c].

Moy qui me vante d'embrasser si curieusement les
commoditez de la vie, et si particulierement, n'y trouve
quand j'y regarde ainsi finement, à peu près que du vent.
Mais quoy, nous sommes par tout vent. Et le vent encore,
plus sagement que nous, s'ayme à bruire, à s'agiter, et se
contente en ses propres offices, sans desirer la stabilité,
la solidité, qualitez non siennes.

Les plaisirs purs de l'imagination, ainsi que les desplai-
sirs, disent aucuns, sont les plus grands, comme l'expri-
moit la balance de Critolaüs[1147]. Ce n'est pas merveille :
elle les compose à sa poste et se les taille en plein drap.
J'en voy tous les jours des exemples insignes, et à l'adventure[d] desirables. Mais moy, d'une condition mixte, grossier, ne puis mordre si à faict[e] à ce seul object si simple,

---

a. L'édition de 1595 porte : en divers temps de mon aage plus
fleurissant. Mon estat present m'en forclost. *Car chacun pour soy y fournit
de grace principale, et de saveur selon la bonne trampe.* — b. *et plaisir*,
ajoutait l'édition de 1588. — c. « Si le vase n'est pas pur, tout ce que
vous y versez s'aigrit. » Horace, *Épîtres*, I, II, 54. — d. Peut-être.
e. Si pleinement.

que je ne me laisse tout lourdement aller aux plaisirs presents, de la loy humaine et generale, intellectuellement sensibles, sensiblement intellectuels. Les Philosophes Cyrenaïques[1148] tiennent, comme les douleurs, aussi les plaisirs corporels plus puissants, et comme doubles et comme plus justes.

Il en est qui d'une farouche stupidité, comme dict Aristote[1149], en sont desgoutez. J'en cognoy qui par ambition le font; que ne renoncent ils encores au respirer? que ne vivent-ils du leur, et ne refusent la lumiere, de ce qu'elle est gratuite et ne leur coute ny invention, ny vigueur? Que Mars, ou Pallas, ou Mercure les sustantent, pour voir, au lieu de Venus, de Cerez et de Bacchus[a] : chercheront ils pas la quadrature du cercle, juchez sur leurs femmes! Je hay qu'on nous ordonne d'avoir l'esprit aus nues, pendant que nous avons le corps à table. Je ne veux pas que l'esprit s'y cloue ny qu'il s'y veautre, mais je veux qu'il s'y applique, qu'il s'y sée, non qu'il s'y couche. Aristippus ne defendoit que le corps, comme si nous n'avions pas d'ame; Zenon n'embrassoit que l'ame, comme nous si n'avions pas de corps[1150]. Tous deux vicieusement. Pythagoras, disent-ils, a suivy une philosophie toute en contemplation, Socrates toute en meurs et en action[1151]. Platon en a trouvé le temperament entre les deux[1152]. Mais ils le disent pour en conter, et le vray temperament se trouve en Socrates, et Platon est bien plus Socratique que Pythagorique, et luy sied mieux.

Quand je dance, je dance; quand je dors, je dors; voyre et quand je me promeine solitairement en un beau vergier, si mes pensées se sont entretenues des occurences estrangieres quelque partie du temps, quelque autre partie je les rameine à la promenade, au vergier, à la douceur de cette solitude et à moy. Nature a maternellement observé cela, que les actions qu'elle nous a enjoinctes pour nostre besoing nous fussent aussi voluptueuses, et nous y convie non seulement par la raison, mais aussi par l'appetit : c'est injustice de corrompre ses regles.

Quand je vois et Cæsar et Alexandre, au plus espais

---

a. L'édition de 1588 ajoutait ici : *les humeurs vanteuses se peuvent forger quelque contentement, car que ne peut sur nous la fantasie, mais de sagesse, elles n'en tiennent tache.*

de sa grande besongne, jouyr si plainement des plaisirs naturels, et par consequent necessaires et justes, je ne dicts pas que ce soit relascher son ame, je dicts que c'est la roidir, sousmetant par vigueur de courage à l'usage de la vie ordinaire ces violentes occupations et laborieuses pensées. Sages, s'ils eussent creu que c'estoit là leur ordinaire vacation [a], cette-cy l'extraordinaire. Nous sommes de grands fols : « Il a passé sa vie en oisiveté, disons nous; je n'ay rien faict d'aujourd'huy. — Quoy, avez vous pas vescu? C'est non seulement la fondamentale, mais la plus illustre de vos occupations. — Si on m'eust mis au propre des grands maniements, j'eusse montré ce que je sçavois faire. — Avez vous sceu mediter et manier vostre vie ? vous avez faict la plus grande besoigne de toutes. »

Pour se montrer et exploicter, nature n'a que faire de fortune, elle se montre egallement en tous estages, et derriere, comme sans rideau. Composer nos meurs est nostre office, non pas composer des livres, et gaigner, non pas des batailles et provinces, mais l'ordre et tranquillité à nostre conduite. Nostre grand et glorieux chef-d'œuvre, c'est vivre à propos [b]. Toutes autres choses, regner, thesauriser, bastir, n'en sont qu'appendicules et adminicules pour le plus. Je prens plaisir de voir un general d'armée au pied d'une breche qu'il veut tantost attaquer, se prestant tout entier et delivre [c] à son disner, à son devis, entre ses amys; et Brutus, ayant le ciel et la terre conspirez à l'encontre de luy et de la liberté Romaine, desrober à ses rondes quelque heure de nuict, pour lire et breveter [d] Polybe en toute securité[1153]. C'est aux petites ames, ensepvelies du pois des affaires, de ne s'en sçavoir purement desmesler, de ne les sçavoir et laisser et reprendre :

> *ô fortes pejorâque passi*
> *Mecum sæpe viri, nunc vino pellite curas*
> *Cras ingens iterabimus æquor* [e].

a. Occupation. — b. Le texte de 1595 est un peu différent : *sans rideau. Avez-vous sceu composer vos mœurs : vous avez bien plus faict que celuy qui a composé des livres. Avez-vous sceu prendre du repos, vous avez plus faict, que celuy qui a pris des Empires et des villes. Le glorieux chef-d'œuvre de l'homme, c'est vivre à propos.* — c. Livre. — d. Annoter. — e. « Braves guerriers, qui avez souvent partagé avec moi de plus rudes épreuves, aujourd'hui noyez vos soucis dans le vin; demain nous voguerons sur la mer immense. » Horace, *Odes*, I, VII, 30.

Soit par gosserie ᵃ, soit à certes ᵇ, que le vin theologal et
Sorbonique est passé en proverbe[1154], et leurs festins, je
trouve que c'est raison qu'ils en disnent d'autant plus
commodéement et plaisamment qu'ils ont utilement et
serieusement employé la matinée à l'exercice de leur escole.
La conscience d'avoir bien dispensé ᶜ les autres heures est
un juste et savoureux condimant des tables. Ainsin ont
vescu les sages; et cette inimitable contention à la vertu
qui nous estonne en l'un et l'autre Caton, cett'humeur
severe jusques à l'importunité, s'est ainsi mollement sub-
mise et pleue aux loix de l'humaine condition et de Venus
et de Bacchus, suivant les preceptes de leur secte, qui
demandent le sage parfaict autant expert et entendu à
l'usage des voluptez naturelles qu'en tout autre devoir de
la vie. « *Cui cor sapiat, ei et sapiat palatus* ᵈ. »

Le relachement et facilité honore, ce semble, à merveilles
et sied mieux à une ame forte et genereuse. Epaminondas
n'estimoit pas que de se mesler à la dance des garçons
de ville, de chanter, de sonner et s'y embesongner avec
attention fut chose qui desrogeat à l'honneur de ses glorieuses victoires et à la parfaicte reformation de meurs
qui estoit en luy[1155]. Et parmy tant d'admirables actions
de Scipion l'ayeul[1156], personnage digne de l'opinion d'une
origine celeste, il n'est rien qui luy donne plus de grace
que de le voir nonchalamment et puerilement baguenaudant à amasser et choisir des coquilles, et jouer à cornichon-va-devant[1157] le long de la marine avec Lælius, et,
s'il faisoit mauvais temps, s'amusant et se chatouillant à
representer par escript en comedies[1158] les plus populaires
et basses actions des hommes, et, la teste pleine de cette
merveilleuse entreprinse d'Annibal et d'Afrique, visitant
les escholes en Sicile[1159], et se trouvant aux leçons de la
philosophie jusques à en avoir armé les dents de l'aveugle
envie de ses ennemis à Rome. Ny chose plus remercable
en Socrates que ce que, tout vieil, il trouve le temps de
se faire instruire à baller et jouer des instrumens, et le
tient pour bien employé[1160].

Cettui-cy s'est veu en ecstase, debout, un jour entier

---

a. Par plaisanterie. — *b.* Sérieusement. — *c.* Employé. — *d.* « Que
celui qui a le cœur sage ait aussi le palais délicat. » Paraphrase de
Cicéron, *De finibus*, II, 8.

et une nuict, en presence de toute l'armée grecque, surpris et ravi par quelque profonde pensée[1161]. Il s'est veu, le premier parmy tant de vaillants hommes de l'armée, courir au secours d'Alcibiades accablé des ennemis, le couvrir de son corps et le descharger de la presse à vive force d'armes[1162], et le premier emmy tout le peuple d'Athenes, outré comme luy d'un si indigne spectacle, se presenter à recourir[a] Theramenes, que les trente tyrans faisoyent mener à la mort par leurs satellites; et ne desista[b] cette hardie entreprinse qu'à la remontrance de Theramenes mesme, quoy qu'il ne fust suivy que de deux en tout[1163]. Il s'est veu, recherché par une beauté de laquelle il estoit esprins, maintenir au besoing une severe abstinence[1164]. Il s'est veu, en la bataille Delienne, relever et sauver Xenophon, renversé de son cheval[1165]. Il s'est veu continuellement marcher à la guerre et fouler la glace les pieds nuds, porter mesme robe en hyver et en esté, surmonter tous ses compaignons en patience de travail, ne menger point autrement en festin qu'en son ordinaire. Il s'est veu, vingt et sept ans de pareil visage, porter[c] la faim, la pauvreté, l'indocilité de ses enfans, les griffes de sa femme; et enfin la calomnie, la tyrannie, la prison, les fers et le venin[d]. Mais cet homme là estoit-il convié de boire à lut[e] par devoir de civilité, c'estoit aussi celuy de l'armée à qui en demeuroit l'avantage; et ne refusoit ny à jouer aux noysettes avec les enfans, ny à courir avec eux sur un cheval de bois[1166]; et y avoit bonne grace; car toutes actions, dict la philosophie, siéent également bien et honnorent egallement le sage. On a dequoy, et ne doibt on jamais se lasser de presenter l'image de ce personnage à tous patrons et formes de perfection. Il est fort peu d'exemples de vie pleins et purs, et faict on tort à nostre instruction, de nous en proposer tous les jours d'imbecilles et manques[f], à peine bons à un seul ply, qui nous tirent arriere plustost, corrupteurs plustost que correcteurs.

Le peuple se trompe : on va bien plus facilement par les bouts, où l'extremité sert de borne d'arrest et de guide, que par la voye du milieu, large et ouverte, et selon l'art

---

a. Délivrer. — *b.* Renonça à. — *c.* Supporter. — *d.* Poison. — *e.* Faire raison à quelqu'un en buvant autant que lui. — *f.* De faibles et défectueuses.

que selon nature, mais bien moins noblement aussi, et moins recommandablement. La grandeur de l'ame n'est pas tant tirer à mont[a] et tirer avant comme sçavoir se ranger et circonscrire. Elle tient pour grand tout ce qui est assez, et montre sa hauteur à aimer mieux les choses moyennes que les eminentes[1167]. Il n'est rien si beau et legitime que de faire bien l'homme et deuëment[b], ny science si ardue que de bien et naturellement sçavoir vivre cette vie; et de nos maladies la plus sauvage, c'est mespriser nostre estre. Qui veut escarter son ame le face hardiment, s'il peut, lors que le corps se portera mal, pour la descharger de cette contagion; ailleurs au contraire, qu'elle l'assiste et favorise et ne refuse point de participer à ses naturels plaisirs et de s'y complaire conjugalement, y apportant, si elle est plus sage, la moderation, de peur que par indiscretion ils ne se confondent avec le desplaisir. L'intemperance est peste de la volupté, et la temperance n'est pas son fleau : c'est son assaisonnement. Eudoxus, qui en establissoit le souverain bien[1168], et ses compaignons, qui la montarent à si haut pris, la savourerent en sa plus gracieuse douceur par le moyen de la temperance, qui fut en eux singuliere et exemplaire. J'ordonne à mon ame de regarder et la douleur et la volupté de veuë pareillement reglée *(« eodem enim vitio est effusio animi in lætitia, quo in dolore contractio[c] »)* et pareillement ferme, mais gayement l'une, l'autre severement, et, selon ce qu'elle y peut aporter, autant songneuse d'en esteindre l'une que d'estendre l'autre. Le voir sainement les biens tire après soi le voir sainement les maux. Et la douleur a quelque chose de non evitable en son tendre commencement, et la volupté quelque chose d'evitable en sa fin excessive. Platon les accouple[1169], et veut que ce soit pareillement l'office de la fortitude[d] combatre à l'encontre de la douleur et à l'encontre des immoderées et charmeresses blandices de la volupté[1170]. Ce sont deux fontaines ausquelles qui puise, d'où, quand et combien il faut, soit cité, soit homme, soit beste, il est bien heureux. La premiere, il la faut prendre par medecine et par necessité, plus escharsement[e]; l'autre,

---

a. Aller en haut. — *b.* Dûment. — *c.* « La dilatation de l'âme dans la joie n'est pas moins blâmable que sa contraction dans la douleur. » Cicéron, *Tusculanes,* IV, XXXI. — *d.* Bravoure. — *e.* Parcimonieusement, chichement.

par soif, mais non jusques à l'ivresse. La douleur, la
volupté, l'amour, la haine sont les premieres choses que
sent un enfant; si, la raison survenant, elles s'appliquent
à elle, cela c'est vertu[1171].

J'ay un dictionaire[1172] tout à part moy : je passe le
temps, quand il est mauvais et incommode; quand il est
bon, je ne le veux pas passer, je le retaste, je m'y tiens.
Il faut courir le mauvais et se rassoir[a] au bon. Cette fraze[b]
ordinaire de *passe-temps* et de *passer le temps* represente
l'usage de ces prudentes gens, qui ne pensent point avoir
meilleur compte de leur vie que de la couler et eschapper,
de la passer, gauchir[c] et, autant qu'il est en eux, ignorer
et fuir, comme chose de qualité ennuyeuse et desdaignable.
Mais je la cognois autre, et la trouve et prisable et commode, voyre en son dernier decours[d], où je la tiens; et
nous l'a nature mise en main, garnie de telles circonstances, et si favorables, que nous n'avons à nous plaindre
qu'à nous si elle nous presse et si elle nous eschappe
inutilement. « *Stulti vita ingrata est, trepida est, tota in futu-
rum fertur*[e]. » Je me compose pourtant à la perdre sans
regret, mais comme perdable de sa condition, non comme
moleste[f] et importune. Aussi ne sied il proprement bien
de ne se desplaire à mourir qu'à ceux qui se plaisent à
vivre. Il y a du mesnage à la jouyr[g]; je la jouys au double
des autres, car la mesure en la jouyssance depend du
plus ou moins d'application que nous y prestons. Principallement à cette heure que j'aperçoy la mienne si briefve
en temps, je la veux estendre en pois; je veus arrester
la promptitude de sa fuite par la promptitude de ma sesie,
et par la vigueur de l'usage compenser la hastiveté de
son escoulement; à mesure que la possession du vivre
est plus courte, il me la faut rendre plus profonde et plus
pleine.

Les autres sentent la douceur d'un contentement et de
la prosperité; je la sens ainsi qu'eux, mais ce n'est pas en
passant et glissant. Si la faut il estudier, savourer et ruminer,
pour en rendre graces condignes[h] à celuy qui nous l'ot-

---

a. S'arrêter. — *b.* Expression. — *c.* Esquiver. — *d.* Décadence. —
e. « La vie de l'insensé est ingrate, elle est trouble; elle se porte tout
entière dans l'avenir. » Sénèque, *Épîtres*, 15. — *f.* Pénible, lourde. —
g. De l'art à en jouir. — *h.* Justement méritées.

LIVRE III, CHAPITRE XIII

troye. Ils jouyssent les autres plaisirs comme ils font celluy du sommeil, sans les cognoistre. A celle fin que le dormir mesme ne m'eschapat ainsi stupidement, j'ay autresfois trouvé bon qu'on me le troublat pour que je l'entrevisse. Je consulte d'un[a] contentement avec moy, je ne l'escume pas; je le sonde et plie ma raison à le recueillir, devenue chagreigne[b] et desgoutée. Me trouve-je en quelque assiete tranquille? y a il quelque volupté qui me chatouille? je ne la laisse pas friponer aux sens, j'y associe mon ame, non pas pour s'y engager, mais pour s'y agreer, non pas pour s'y perdre, mais pour s'y trouver; et l'employe de sa part à se mirer dans ce prospere estat, à en poiser[c] et estimer le bon heur et amplifier. Elle mesure combien c'est qu'elle doibt à Dieu d'estre en repos de sa conscience et d'autres passions intestines, d'avoir le corps en sa disposition naturelle, jouyssant ordonnéement et competemmant[d] des functions molles[e] et flateuses par lesquelles il luy plait compenser de sa grace les douleurs de quoy sa justice nous bat à son tour, combien luy vaut d'estre logée en tel point que, où qu'elle jette sa veuë, le ciel est calme autour d'elle; nul desir, nulle crainte ou doubte qui luy trouble l'air, aucune difficulté passée, presente, future, par dessus laquelle son imagination ne passe sans offence. Cette consideration prent grand lustre de la comparaison des conditions differentes. Ainsi je me propose, en mille visages, ceux que la fortune ou que leur propre erreur emporte et tempeste, et encores ceux-cy, plus près de moy, qui reçoyvent si lâchement et incurieusement leur bonne fortune. Ce sont gens qui passent voyrement leur temps; ils outrepassent le present et ce qu'ils possedent, pour servir à l'esperance et pour des ombrages et vaines images que la fantaisie leur met au devant,

Morte obita quales fama est volitare figuras,
Aut quæ sopitos deludunt somnia sensus[f],

lesquelles hastent et allongent leur fuite à mesme qu'on les suit. Le fruit et but de leur poursuitte, c'est pour-

---

a. Médite sur un. — *b.* Chagrine. — *c.* Peser. — *d.* Convenablement. — *e.* Douces. — *f.* « Pareils à ces fantômes qui voltigent, dit-on, après la mort ou à ces songes qui abusent nos sens assoupis. » Virgile, *Énéide*, X, 641.

suivre, comme Alexandre disoit que la fin de son travail, c'estoit travailler,

Nil actum credens cum quid superesset agendum [a].

Pour moy donc, j'ayme la vie et la cultive telle qu'il a pleu à Dieu nous l'octroier. Je ne vay pas desirant qu'elle eust à dire la necessité de boire et de manger, et me sembleroit faillir non moins excusablement de desirer qu'elle l'eust double (« *Sapiens divitiarum naturalium quæsitor acerrimus* [b] »), ny que nous nous sustentissions mettant seulement en la bouche un peu de cette drogue par laquelle Epimenides [1173] se privoit d'appetit et se maintenoit, ny qu'on produisit stupidement des enfans par les doigts ou par les talons, ains [c], parlant en reverence, plus tost qu'on les produise encore voluptueusement par les doigts et par les talons, ny que le corps fut sans desir et sans chatouillement. Ce sont plaintes ingrates et iniques. J'accepte de bon cœur, et recognoissant, ce que nature a faict pour moy, et m'en agrée et m'en loue. On fait tort à ce grand et tout puissant donneur de refuser son don, l'annuller et desfigurer. Tout bon, il a faict tout bon. « *Omnia quæ secundum naturam sunt, æstimatione digna sunt* [d]. »

Des opinions de la philosophie, j'embrasse plus volontiers celles qui sont les plus solides, c'est à dire les plus humaines et nostres : mes discours sont, conforméement à mes meurs, bas et humbles. Elle faict bien l'enfant, à mon gré, quand elle se met sur ses ergots pour nous prescher que c'est une farouche alliance de marier le divin avec le terrestre, le raisonnable avec le desraisonnable, le severe à l'indulgent, l'honneste au des-honneste, que volupté est qualité brutale, indigne que le sage la gouste : le seul plaisir, qu'il tire de la jouyssance d'une belle jeune espouse, c'est le plaisir de sa conscience, de faire une action selon l'ordre, comme de chausser ses bottes pour une utile chevauchée. N'eussent ses suyvans [e] non plus

---

a. « Croyant n'avoir rien fait tant qu'il restait quelque chose à faire. » Lucain, *Pharsale*, II, 637. — *b.* « Le sage recherche avec beaucoup d'avidité les richesses naturelles. » Sénèque, *Épîtres*, 119. — *c.* Mais. — *d.* « Tout ce qui est selon la nature est digne d'estime. » Cicéron, *De finibus*, III, 6. — *e.* Puissent ses disciples n'avoir.

LIVRE III, CHAPITRE XIII

de droit[1174] et de nerfs et de suc au depucelage de leurs femmes qu'en a sa leçon! Ce n'est pas ce que dict Socrates[1175], son precepteur et le nostre. Il prise, comme il doit, la volupté corporelle, mais il prefere celle de l'esprit, comme ayant plus de force, de constance, de facilité, de varieté, de dignité. Cette cy va nullement seule selon luy (il n'est pas si fantastique), mais seulement premiere. Pour luy, la temperance est moderatrice, non adversaire des voluptez.

Nature est un doux guide, mais non pas plus doux que prudent et juste. « *Intrandum est in rerum naturam, et penitus quid ea postulet, pervidendum*[a]. » Je queste[b] par tout sa piste : nous l'avons confonduë de traces artificielles; et ce souverain bien Academique et Peripatetique, qui est vivre selon icelle, devient à cette cause difficile à borner et exprimer; et celuy des Stoïciens, voisin à celuy là, qui est consentir à nature. Est ce pas erreur d'estimer aucunes actions moins dignes de ce qu'elles sont necessaires? Si ne m'osteront-ils pas de la teste que ce ne soit un très-convenable mariage du plaisir avec la necessité, avec laquelle, dict un ancien[1176], les Dieux complottent tousjours. A quoy faire[c] desmembrons nous en divorce un bastiment tissu d'une si joincte et fraternelle correspondance? Au rebours, renouons le par mutuels offices. Que l'esprit esveille et vivifie la pesanteur du corps, le corps arreste la legereté de l'esprit et la fixe. « *Qui velut summum bonum laudat animæ naturam, et tanquàm malum naturam carnis accusat, profecto et animam carnaliter appetit et carnem carnaliter fugit, quoniam id vanitate sentit humana, non veritate divina*[d]. » Il n'y a piece[e] indigne de nostre soin en ce present que Dieu nous a faict; nous en devons conte jusques à un poil. Et n'est pas une commission par acquit[f] à l'homme de conduire l'homme selon sa condition : elle est expresse, naïfve et très-principale, et nous l'a le createur

---

a. « Il faut entrer dans la nature des choses et voir exactement ce qu'elle exige. » Cicéron, *De finibus*, V, 16. — *b.* Cherche. — *c.* Pourquoi. — *d.* « Quiconque vante l'âme comme le souverain bien et condamne la chair comme mauvaise, assurément il embrasse et chérit l'âme charnellement et charnellement fuit la chair parce qu'il en juge selon la vanité humaine, non d'après la vérité divine. » Saint Augustin, *Cité de Dieu*, XIV. 5. — *e.* Partie. — *f.* Pour la forme.

donnée serieusement et severement. L'authorité peut seule envers les communs entendemens, et poise plus en langage peregrin. Reschargeons en ce lieu. « *Stultitiæ proprium quis non dixerit, ignavè et contumaciter facere quæ facienda sunt, et alio corpus impellere, alio animum, distrahique inter diversissimos motus*[a]. »

Or sus, pour voir, faictes vous dire un jour les amusemens et imaginations que celuy là met en sa teste, et pour lesquelles il destourne sa pensée d'un bon repas et plainct l'heure qu'il emploie à se nourrir; vous trouverez qu'il n'y a rien si fade en tous les mets de vostre table que le bel entretien de son ame (le plus souvent il nous vaudroit mieux dormir tout à faict que de veiller à ce à quoy nous veillons), et trouverez que son discours et intentions ne valent pas vostre capirotade[b]. Quand ce seroient les ravissements d'Archimedes mesme[1177], que seroit-ce? Je ne touche pas icy et ne mesle point à cette marmaille d'hommes que nous sommes et à cette vanité de desirs et cogitations qui nous divertissent, ces ames venerables, eslevées par ardeur de devotion et religion à une constante et conscientieuse meditation des choses divines, lesquelles, preoccupant[c] par l'effort d'une vifve et vehemente esperance l'usage de la nourriture eternelle, but final et dernier arrest des Chrestiens desirs, seul plaisir constant, incorruptible, desdaignent de s'attendre à nos necessiteuses commoditez, fluides et ambigues, et resignent facilement au corps le soin et l'usage de la pasture sensuelle et temporelle. C'est un estude privilegé. Entre nous, ce sont choses que j'ay tousjours veuës de singulier accord : les opinions supercelestes et les meurs sousterraines.

Esope, ce grand homme, vid son maistre qui pissoit en se promenant : « Quoy donq, fit-il, nous faudra-il chier en courant[1178]? » Mesnageons le temps; encore nous en reste-il beaucoup d'oisif et mal employé. Nostre esprit n'a volontiers pas assez d'autres heures à faire ses besongnes, sans se desassocier du corps en ce peu d'espace qu'il luy

---

a. « Qui n'avouent pas que le propre de la sottise soit de faire lâchement et en maugréant ce qu'on est forcé de faire, de pousser le corps d'un côté et l'âme de l'autre, de se partager entre des mouvements si contraires. » Sénèque, *Épîtres*, 74. — *b.* Capilotade (ragoût). — *c.* Occupant à l'avance.

faut pour sa necessité. Ils veulent se mettre hors d'eux et eschapper à l'homme. C'est folie; au lieu de se transformer en anges, ils se transforment en bestes[1179]; au lieu de se hausser, ils s'abattent. Ces humeurs transcendantes m'effrayent, comme les lieux hautains et inaccessibles; et rien ne m'est à digerer fascheux en la vie de Socrates que ses ecstases et ses demoneries, rien si humain en Platon que ce pourquoy ils disent qu'on l'appelle divin. Et de nos sciences, celles-là me semblent plus terrestres et basses qui sont le plus haut montées. Et je ne trouve rien si humble et si mortel en la vie d'Alexandre que ses fantasies[a] autour de son immortalisation[1180]. Philotas le mordit plaisamment par sa responce[1181]; il s'estoit conjouy[b] avec luy par lettre de l'oracle de Jupiter Hammon qui l'avoit logé entre les Dieux : « Pour ta consideration j'en suis bien aise, mais il y a de quoy plaindre les hommes qui auront à vivre avec un homme et luy obeyr, lequel outrepasse et ne se contente de la mesure d'un homme. » *« Diis te minorem quod geris, imperas*[c]. »

La gentille inscription dequoy les Atheniens honorerent la venue de Pompeius en leur ville, se conforme à mon sens :

> *D'autant es tu Dieu comme*
> *Tu te recognois homme*[1182].

C'est une absolue perfection, et comme divine, de sçavoyr jouyr loialment de son estre. Nous cherchons d'autres conditions, pour n'entendre l'usage des nostres, et sortons hors de nous, pour ne sçavoir quel il y fait. Si, avons nous beau[d] monter sur des eschasses, car sur des eschasses encores faut-il marcher de nos jambes. Et au plus eslevé throne du monde, si ne sommes assis que sus nostre cul.

Les plus belles vies sont, à mon gré, celles qui se rangent au modelle commun et humain, avec ordre, mais sans miracle et sans extravagance. Or la vieillesse a un peu besoin d'estre traictée plus tendrement. Recommandons la

---

a. Idées. — *b.* Réjoui en commun. — *c.* « C'est en te soumettant aux dieux que tu règnes sur le monde. » Horace, *Odes*, III, vi, 5; cité par Juste Lipse, *Adversus dialogistum*, I. — *d.* Aussi nous est-il séant (ironique).

à ce Dieu, protecteur de santé et de sagesse[1183], mais gaye et sociale :

> *Frui paratis et valido mihi,*
> *Latoe, dones, et, precor, integra*
> *Cum mente, nec turpem senectam*
> *Degere, nec cythara carentem*[a].

a. « De jouir des biens que j'ai acquis, avec une santé robuste, voilà ce que je te demande de m'accorder, fils de Latone, et je t'en prie, que mes facultés restent entières; fais que ma vieillesse ne soit pas ridicule et puisse encore toucher la lyre. » Horace, *Odes*, I, XXXI, 17.

FIN DU TROISIÈME LIVRE

APPENDICE

I

MONTAIGNE ET LA BOÉTIE

A. — ESQUISSE DES RAPPORTS ENTRE LES DEUX AMIS

C'est à Bordeaux, en 1557, que Montaigne rencontra celui qu'il allait aimer d'une affection unique. Étienne de La Boétie était né à Sarlat, au cœur même du Périgord, le 1er novembre 1530 : il avait donc deux ans et demi de plus que Michel de Montaigne. Orphelin de bonne heure, il avait été élevé sous la direction de son oncle Nicolas Gaddi, évêque de Sarlat, prélat fort distingué, qui avait le culte de l'antiquité. Lui-même, tout en étudiant le droit à l'université d'Orléans, la première de France en ce temps-là, se plongeait dans l'étude des auteurs classiques, écrivait des vers grecs, latins et français. Le 23 septembre 1553, il y obtenait le diplôme de licencié en droit civil ; le 17 mai de l'année suivante, il était admis, avec dispense, au parlement de Bordeaux.

Une grande réputation l'y précédait : aux yeux de ses collègues, comme aux yeux de Montaigne qui l'avait lu avant de le connaître, ce jeune magistrat de vingt-trois ans était l'auteur éloquent du *Discours de la servitude volontaire*, diatribe généreuse et véhémente, cri poussé « à l'honneur de la liberté » contre les tyrans, et où il sied de voir une invocation au droit exhumé et un ressouvenir de la pensée antique, — l'œuvre d'un jeune juriste et d'un jeune humaniste.

Dans quelles circonstances et à quel moment La Boétie avait-il composé cet ardent *Discours* ? C'est ce qu'on ne saurait préciser, car Montaigne, si net à l'accoutumée quand il est question de son ami, donne deux dates au pamphlet. Après avoir écrit que La Boétie l'avait composé à dix-huit ans, c'est-à-dire en 1548, il se ravisa et écrivit seize, désireux peut-être d'excuser l'auteur aux yeux de la postérité, en permettant qu'on pût mettre sur le compte de l'âge les véhémences bien vives du *Discours*. Mais il semble que Montaigne, poussé par l'amitié, ait exagéré sans doute la jeunesse de l'auteur. Il est incontestable en tout cas que le *Discours*, même s'il a été écrit environ 1546-1548, a été retouché quelques années plus tard, vers 1552-1553, par un esprit moins adolescent. Plusieurs détails le prouvent : La Boétie parle, dans son œuvre, de Ronsard, Baïf et Du Bellay, qui ont fait « tout à neuf » notre poésie : or l'action de la Pléiade ne se fit sentir qu'après 1549, date de la *Déffence et illustration de la langue françoise*. Ce que La Boétie dit, d'autre part, des trois poètes ne peut être écrit qu'après l'apparition des *Odes* de Ronsard en 1550 et 1552, et de Baïf en 1552. Enfin il fait allusion, dans le *Discours*, au projet de *La Franciade*, que Ronsard ne conçut qu'environ l'année 1552.

On peut donc admettre, sans crainte de trop errer, qu'écrites par un jeune homme de dix-huit ans, qu'enflammaient à l'école d'Orléans les convictions ferventes d'un Du Bourg et qu'enfiévrait sans doute la sanglante répression des troubles de la Guyenne (1548), les pages du *Discours* furent reprises dans un âge plus voisin de la maturité, mais sans que ces retouches leur eussent beaucoup ôté de leur âpreté première. Les précautions de Montaigne, plus tard, n'y changeront rien. Il pourra se refuser à insérer dans la première édition des *Essais* (1580) ce *Discours* que le protestant Goulait avait publié en 1578, et le défendre contre les fausses interprétations! Il n'en reste pas moins que, de l'aveu de Montaigne lui-même, La Boétie, « s'il eust eu à choisir, eust mieux aymé estre nay à Venise qu'à Sarlat », et que le titre saisissant du *Contr'un*, donné par Jacques de Thou à son ouvrage, s'y applique très pertinemment [a].

a. Le critique qui a sans doute le mieux jugé du *Contr'un*, Alfred Jeanroy, écrit excellemment :

« Aujourd'hui encore le fond de la pensée de La Boétie reste une énigme : il y a en effet contradiction absolue entre sa vie, qui fut celle de l'homme le plus modéré, le plus conciliant, le plus attaché à son prince, et son pamphlet, où souffle un vent de révolution, presque d'anarchie, et dont la conclusion logique serait le régicide (dont l'apologie est du reste formellement présentée). Qu'il n'y ait là qu'une « exercitation d'écolier », c'est ce que Montaigne

Sans doute, le *Contr'un* ne reflète-t-il que le La Boétie
d'avant Bordeaux, et le jeune magistrat qui avait, en termes
déférents, toujours eu soin d'excepter le roi de France de
ses spéculations, allait-il bientôt s'assagir. Son mariage, sa
charge de conseiller au parlement le rassérénèrent et le
fixèrent : aux plaisirs changeants de l'adolescence et de la
jeunesse succéda la tranquille entente d'un mariage assorti;
aux constructions incertaines et farouchement livresques,
l'exercice scrupuleux d'une fonction accomplie avec zèle,
mesure et droiture. Homme de devoir, qu'on eut tôt fait
d'apprécier pour son savoir et son caractère, La Boétie se
vit confier des missions dont il s'acquitta à merveille. C'est
lui qui accompagne à Agen (septembre 1561) le lieutenant-
général du roi en Guyenne pour l'aider à expulser les
huguenots du couvent des Jacobins, dont ils s'étaient empa-
rés indûment. C'est lui encore qui se voit désigné (avec
onze collègues) pour commander cent hommes lors des
troubles de Bordeaux (décembre 1562). C'est lui enfin que
Michel de L'Hospital choisit comme truchement, quand il
veut s'expliquer au parlement de Bordeaux sur le fameux
édit de Romorantin...

Cependant La Boétie n'abandonne pas l'étude des lettres
grecques et latines, mais sa verve, moins fougueuse, se
borne à traduire en français des traités de Plutarque et de
Xénophon. En outre, il écrit des vers français, la plupart
imités ou traduits de l'italien, et aussi des vers latins : les
premiers, écrits à la louange de celle qu'il épousa, valent
moins que ne le croyait Montaigne, mais plus qu'on ne
l'a dit; les seconds sont d'une langue excellente et d'un
tour élégant. La Boétie correspond avec Dorat, avec Baïf,
avec Jules-César Scaliger. Il jouit d'une légitime, précoce

---

ne nous persuadera pas aisément : n'avoue-t-il pas lui-même, peu
soucieux de la contradiction, que La Boétie « était assez consciencieux pour ne mentir pas, même en se jouant »? Le plus vraisemblable
est que La Boétie exprimait fort sérieusement des idées dangereuses,
médiocrement mûries du reste, et simple écho de ses lectures. C'était
une sorte « d'utopie » à laquelle il ne prétendait point sacrifier son
repos et la sûreté de l'État. Mais le jour vint où les protestants enten-
dirent se servir de cette arme, que l'auteur lui-même avait voulu
laisser au fourreau; c'est alors que Montaigne refusa de se faire leur
complice en l'imprimant de nouveau et usa de toute son habileté
pour en atténuer la signification. »

autorité, tant parmi ses collègues que parmi les lettrés.

Aussi ne faut-il point s'étonner qu'unis d'avance par un même goût pour les anciens moralistes, notamment pour Plutarque, Montaigne et La Boétie se soient liés d'une étroite amitié. Il ne faut pas être surpris non plus si, dans cette amitié, le rôle de « conducteur » est revenu à Étienne. A distance, et maintenant que la gloire a renversé les rôles, Montaigne semble introduire La Boétie — et il l'introduit en effet — près de la postérité, mais quand ils se connurent à Bordeaux, La Boétie avait l'avantage de l'âge et celui, en outre, d'être l'auteur de plusieurs essais juvéniles. Ajoutez que par son caractère plus naïf et plus enflammé, par son élévation morale et son amour des antiques vertus, La Boétie dominait Montaigne, qui, plus nonchalant et plus libre, éprouvait pour l'aîné, si ferme, si droit et si sûr de lui, une déférence mêlée à une vive sympathie. Les pièces latines de La Boétie nous montrent en celui-ci un guide inquiet de son jeune ami, et nous font voir en lui le conseiller perpétuel qui réchauffe de son enthousiasme la vertu d'une âme plus flottante. Oui, La Boétie fut bien, littéralement, la conscience de Montaigne. Mais si cette déférence se mêle à l'amitié profonde que Montaigne eut pour lui, si tous deux, à leur sentiment, ont joint je ne sais quel désir naïf de rivaliser avec les amitiés fameuses des anciens, et une coquetterie certaine d'humanistes, il reste que Montaigne, cet égotiste jaloux, a aimé de toute son âme La Boétie : « Il l'aima vivant, a écrit M. René Radouant ; mort, il en fait « à tout jamais les obsèques. » Le regret de cette perte... lui inspira... des expressions toujours plus touchantes et plus émues. Le mot fameux *parce que c'était lui, parce que c'était moi* est postérieur à 1588. »

Si, en effet, après avoir comparé Montaigne et La Boétie, on était trop tenté d'incliner du côté de celui dont la mort prématurée rend la figure plus mystérieuse, et par suite plus attirante, il faudrait, pour rendre justice au survivant, lire le *Discours sur la mort de feu M. de la Boëtie,* adressé par Montaigne à son père sous forme de lettre, et publié en 1571. On le trouvera à la suite de cette esquisse, avec quelques autres lettres de Montaigne relatives à son ami.

« Ce n'est pas sans raison, note Félix Hémon, dans sa judicieuse étude sur le chapitre *De l'Amitié,* que Sainte-

Marthe a uni les deux amis dans le même éloge. Comment les séparerait-on ? La Boétie a donné le plus grand exemple peut-être de l'amitié victorieuse de la souffrance, presque de la mort ; et par delà aussi de la mort, Montaigne a fait vivre La Boétie, en l'aimant, en le faisant aimer... Leur liaison s'est brusquement dénouée en 1563. Mais ce n'en est là que le terme apparent : dix-huit ans après, pendant son voyage d'Italie, le souvenir, soudain réveillé, de l'ami perdu lui causait la plus aiguë des souffrances. Aimer avec cet emportement, surtout quand on est Montaigne, c'est se rendre bien digne d'avoir été choisi entre tous par un La Boétie. »

*
* *

Huit ans après la mort de son ami, en 1571, Montaigne accomplissait un pieux devoir en publiant toutes ses œuvres, à l'exception du *Discours de la servitude volontaire* et d'un autre traité qui semble avoir eu pour titre *Mémoires de nos troubles sur l'édit de janvier 1562*, et qui ne nous est pas parvenu.

Le recueil publié par Montaigne et intitulé comme suit : *La Mesnagerie de Xenophon, les Règles de mariage de Plutarque, Lettre de consolation de Plutarque à sa femme, le tout traduit du Grec en François par feu Monsieur Estienne de La Boëtie, conseiller du Roy en sa court de Parlement à Bordeaux. Ensemble quelques vers latins et françois de son invention. Item un discours sur la mort du dit Seigneur de La Boëtie, par M. de Montaigne*, Paris, Federic Morel, 1571.

C'est un volume petit in-8º, de 131 feuillets chiffrés. Le privilège est du 18 octobre 1570 ; l'achevé d'imprimer, du 24 novembre de la même année.

Bien que les vers français soient mentionnés dans le titre, ils ne figurent pas dans le volume et ne virent le jour que quelque temps après, dans un opuscule séparé, intitulé : *Vers françois de feu Estienne de La Boëtie, conseiller du Roy en sa conduite de Parlement à Bordeaux*, Paris, Federic Morel, 1571.

C'est aussi un volume petit in-8º de 13 feuillets chiffrés et 1 feuillet blanc.

Vingt-neuf sonnets de La Boétie ont été également insérés par Montaigne au chapitre XXIX du premier tome de l'édition des *Essais* de 1580, puis supprimés des éditions suivantes. Nous les avons donnés plus haut, en note, dans la nôtre.

Ajoutons que chacun des opuscules de La Boétie recueillis par Montaigne est précédé d'une lettre dédicacée de Montaigne : la *Mesnagerie* de Xénophon, d'une lettre à Monsieur de Lansac; les *Règles de mariage* de Plutarque, d'une lettre à Monsieur de Mesmes; la *Lettre de consolation* de Plutarque, d'une lettre de Montaigne à sa femme qui venait de perdre un petit enfant; les *Vers latins*, d'une lettre au chancelier de L'Hospital, alors en disgrâce et privé des sceaux, mais Montaigne n'était point courtisan. D'autre part une lettre à Monsieur de Foix, ambassadeur à Venise, précédait les vers français. Ces épîtres, jointes au *Discours sur la mort de La Boétie*, forment la part personnelle de Montaigne dans ces publications. Nous les donnons dans les pages suivantes.

B. — LETTRES DE MONTAIGNE OU IL EST QUESTION DE LA BOËTIE

I

DISCOURS SUR LA MORT DE FEU M. DE LA BOËTIE[a].

Extraict d'une lettre que monsieur le conseiller de Montaigne escrit à monseigneur de Montaigne son pere, contenant quelques particularitez qu'il remarqua en la maladie et mort de feu M. de La Boëtie[1184].

... Quant à ses dernieres paroles, sans doubte si homme en doibt rendre bon compte, c'est moy; tant parce que, du long de sa maladie, il parloit aussi volontiers à moy qu'à nul aultre, que aussi pource que, pour la singuliere et fraternelle amitié que nous nous estions entreportée, j'avois trescertaine cognoissance des intentions, jugemens et volontez qu'il avoit eus durant sa vie, autant sans doubte qu'homme peult avoir d'un aultre; et parce je les sçavois estre haultes, vertueuses, pleines de tres certaine resolution et, quand tout est dict[b], admirables. Je preveoyois bien que si la maladie luy laissoit le moyen de se pouvoir exprimer, qu'il ne luy eschapperoit rien, en une telle nécessité, qui ne feust grand et plein de bon exemple : ainsi, je m'en prenois le plus garde que je pouvois[c]. Il est vray, monseigneur, comme j'ay la memoire fort courte, et desbauchée encores par le trouble que mon esprit avoit à souffrir d'une si lourde perte et si importante, qu'il est impossible que je n'aye oublié beaucoup de choses que je vouldrois estre sceues : mais celles desquelles il m'est souvenu, je les vous manderay le plus au vray qu'il me sera possible; car, pour le representer ainsi fierement arresté en sa brave desmarche[d], pour vous faire veoir ce courage invincible dans un corps atterré et assommé par les furieux efforts

---

a. La Mesnagerie de Xenophon, etc., fol. 121. — *b.* Pour tout dire.
— *c.* J'y prenais garde autant que je pouvais. — *d.* Carrière.

de la mort et de la douleur, je confesse qu'il y fauldroit
un beaucoup meilleur style que le mien; parce qu'encores
que durant sa vie, quand il parloit de choses graves et
importantes, il en parloit de telle sorte, qu'il estoit malaysé
de les si bien escrire, si est ce qu'à ce coup il sembloit que
son esprit et sa langue s'efforceassent à l'envy, comme
pour luy faire leur dernier service : car sans doubte je ne
le veis jamais plein ny de tant et de si belles imaginations,
ny de tant d'eloquence, comme il a esté le long de cette
maladie. Au reste, monseigneur, si vous trouvez que j'aye
voulu mettre en compte ses propos plus legiers et ordinaires, je l'ay faict à escient; car estant dicts en ce temps
là, et au plus fort d'une si grande besongne, c'est un singulier tesmoignage d'une ame pleine de repos, de tranquillité et d'asseurance.

Comme je revenois du palais, le lundy neufviesme
d'aoust 1563, je l'envoyay convier à disner chez moy. Il
me manda qu'il me mercioit; qu'il se trouvoit un peu mal,
et que je luy ferois plaisir, si je voulois estre une heure
avecques luy, avant qu'il partist pour aller en Medor[a].
Je l'allay trouver bientost aprez disner : il estoit couché
vestu, et montroit desja je ne sçais quel changement en son
visage. Il me dist que c'estoit un flux de ventre avecques
des trenchees, qu'il avoit prins le jour avant, jouant en
pourpoinct soubs une robbe de soye, avecques monsieur
d'Escars; et que le froid luy avoit souvent faict sentir
semblables accidents. Je trouvay bon qu'il continuast l'entreprinse qu'il avoit pieça[b] faicte de s'en aller; mais qu'il
n'allast pour ce soir que jusques à Germignan[1185], qui
n'est qu'à deux lieues de la ville. Cela faisois je pour le
lieu où il estoit logé, tout avoysiné de maisons infectes de
peste, de laquelle il avoit quelque apprehension, comme
revenant[c] de Perigord et d'Agenois, où il avoit laissé
tout empesté; et puis, pour semblable maladie que la
sienne, je m'estois aultresfois tresbien trouvé de monter
à cheval. Ainsin il s'en partit, et madamoiselle de La Boëtie
sa femme[1186], et monsieur de Bouillhonnas son oncle,
avecques luy.

Le lendemain, de bien bon matin, voycy venir un de ses
gents, à moy, de la part de mademoiselle de La Boëtie,

---

a. Médoc. — *b*. Depuis longtemps. — *c*. Vu qu'il revenait.

qui me mandoit qu'il s'estoit fort mal trouvé la nuict, d'une forte dysenterie. Elle envoyoit querir un medecin et un apotiquaire, et me prioit d'y aller : comme je feis l'apresdisnée.

A mon arrivée, il sembla qu'il feust tous esjouï de me veoir; et comme je voulois prendre congé de luy pour m'en revenir, et luy promisse[a] de le reveoir le lendemain, il me pria, avecques plus d'affection et d'instance qu'il n'avoit jamais faict d'aultre chose, que je feusse le plus que je pourrois avecques luy. Cela me toucha aulcunement[b]. Ce neantmoins je m'en allois, quand madamoiselle de La Boëtie, qui pressentoit desja je ne sçais quel malheur, me pria, les larmes à l'œil, que je ne bougeasse pour ce soir. Ainsin elle m'arresta; dequoy il se resjouït avecques moy. Le lendemain, je m'en reveins; et le jeudy, le feus retrouver. Son mal alloit en empirant; son flux de sang, et ses trenchees qui l'affoiblissoient encores plus, croissoient d'heure à aultre.

Le vendredy, je le laissay encores; et le samedy, je le feus reveoir desja fort abbattu. Il me dict lors que sa maladie estoit un peu contagieuse, et, oultre cela, qu'elle estoit mal plaisante et melancholique; qu'il cognoissoit tresbien mon naturel, et me prioit de n'estre avecques luy que par boutees[c], mais le plus souvent que je pourrois. Je ne l'abandonnay plus. Jusques au dimanche, il ne m'avoit tenu nul propos de ce qu'il jugeoit de son estre, et ne parlions que de particulieres occurences de sa maladie, et de ce que les anciens medecins en avoient dict; d'affaires publicques bien peu, car je l'en trouvay tous desgousté dez le premier jour. Mais le dimanche, il eust une grand' foiblesse; et comme il feut revenu à soy, il dict qu'il luy avoit semblé estre en une confusion de toutes choses, et n'avoir rien veu qu'une espesse nue, et brouillart obscur, dans lequel tout estoit peslemesle et sans ordre; toutesfois qu'il n'avoit eu nul desplaisir à tout cet accident. « La mort n'a rien de pire que cela, luy dis je lors, mon frere. — Mais n'a rien de si mauvais », me respondit il.

Depuis lors, parce que dez le commencement de son mal il n'avoit prins nul sommeil, et que, nonobstant touts les remedes, il alloit tousjours en empirant, de sorte

---

[a]. Promettais. — [b]. Singulièrement. — [c]. Boutades.

qu'on y avoit desja employé certains bruvages desquels on ne se sert qu'aux dernieres extremitez, il commencea à desesperer entierement de sa guarison; ce qu'il me communiqua. Ce mesme jour, parce qu'il feut trouvé bon, je luy dis, « Qu'il me sieroit mal, pour l'extreme amitié que je luy portois, si je ne me soulciois, que comme en sa santé on avoit veu toutes ses actions pleines de prudence et de bon conseil autant qu'à homme du monde, qu'il les continuast encores en sa maladie; et que, si Dieu vouloit qu'il empirast, je serois tresmarry qu'à faulte d'advisement[a] il eust laissé nul de ses affaires domestiques descousu, tant pour le dommage que ses parents y pourroient souffrir, que pour l'interest de sa reputation » : ce qu'il print de moy de tresbon visage; et, aprez s'estre resolu des[b] difficultez qui le tenoient suspens en cela, il me pria d'appeler son oncle et sa femme, seuls, pour leur faire entendre ce qu'il avoit deliberé quant à son testament. Je luy dis qu'il les estonneroit. « Non, non, me dict il, je les consoleray; et leur donneray beaucoup meilleure esperance de ma santé, que je ne l'ay moy mesme. » Et puis, il me demanda si les foiblesses qu'il avoit eues ne nous avoient pas un peu estonnés. « Cela n'est rien, luy feis je, mon frere; ce sont accidents ordinaires à telles maladies. — Vrayement non, ce n'est rien, mon frere, me respondit il, quand bien il en adviendroit ce que vous en craindriez le plus. — A vous ne seroit ce que heur, luy repliquay je; mais le dommage seroit à moy, qui perdrois la compaignie d'un si grand, si sage et si certain amy, et tel que je serois asseuré de n'en trouver jamais de semblable. — Il pourroit bien estre, mon frere, adjousta il : et vous asseure que ce qui me faict avoir quelque soing que j'ay de ma guarison, et n'aller si courant au passage que j'ay desja franchy à demy, c'est la consideration de vostre perte, et de ce pauvre homme et de cette pauvre femme (parlant de son oncle et de sa femme), que j'ayme touts deux uniquement, et qui porteront bien impatiemment, j'en suis asseuré, la perte qu'ils feront en moy, qui de vray est bien grande pour vous et pour eulx. J'ay aussi respect[c] au desplaisir qu'auront beaucoup de gents de

---

a. Avertissement. — *b.* Après avoir pris sa résolution au sujet des. — *c.* Égard.

bien qui m'ont aymé et estimé pendant ma vie, desquels, certes je le confesse, si c'estoit à moy à faire, je serois content de ne perdre encores la conversation [a]; et si je m'en vois, mon frere, je vous prie, vous qui les cognoissez, de leur rendre tesmoignage de la bonne volonté que je leur ay portée jusques à ce dernier terme de ma vie : et puis, mon frere, par adventure, n'estois je point nay si inutile, que je n'eusse moyen de faire service à la chose publicque; mais, quoy qu'il en soit, je suis prest à partir quand il plaira à Dieu, estant tout asseuré que je jouïrai de l'ayse que vous me predites. Et quant à vous, mon amy, je vous cognois si sage, que, quelque interest que vous y ayez, si [b] vous conformerez vous volontiers et patiemment à tout ce qu'il plaira à sa saincte Majesté d'ordonner de moy; et vous supplie vous prendre garde que le dueil de ma perte ne poulse ce bon homme et cette bonne femme hors des gonds de la raison. » Il me demanda lors comme ils s'y comportoient desja. Je luy dis que assez bien pour l'importance de la chose. « Ouy, suyvit-il, à cette heure qu'ils ont encore un peu d'esperance; mais si je la leur ay une fois toute ostée, mon frere, vous serez bien empesché à les contenir. » Suyvant ce respect[c], tant qu'il vescut depuis, il leur cacha tousjours l'opinion certaine qu'il avoit de sa mort, et me prioit bien fort d'en user de mesme. Quand il les veoyoit auprez de luy, il contrefaisoit la chere[d] plus gaye, et les paissoit de belles esperances.

Sur ce poinct, je le laissay, pour les aller appeler. Ils composerent leur visage le mieulx qu'ils peurent, pour un temps. Et aprez nous estre assis autour de son lict, nous quatre seuls, il dict ainsi, d'un visage posé, et comme tout esjouy :

« Mon oncle, ma femme, je vous asseure, sur ma foy, que nulle nouvelle attaincte de ma maladie, ou opinion mauvaise que j'aye de ma guarison, ne m'a mis en fantasie de vous faire appeler pour vous dire ce que j'entreprends; car je me porte, Dieu mercy, tresbien, et plein de bonne esperance : mais, ayant de longue main apprins, tant par longue experience que par longue estude, le peu d'asseurance qu'il y a à l'instabilité et inconstance des choses

---

a. La compagnie. — *b.* Certes. — *c.* Ayant égard à cela. — *d.* Le visage, l'accueil.

humaines, et mesme en nostre vie, que nous tenons si chere, qui n'est toutesfois que fumée et chose de neant; et considerant aussi que, puisque je suis malade, je me suis d'autant approché du dangier de la mort, j'ay deliberé de mettre quelque ordre à mes affaires domestiques, aprez en avoir eu vostre advis premierement. »

Et puis addressant son propos à son oncle : « Mon bon oncle, dict il, si j'avois à vous rendre à cette heure compte des grandes obligations que je vous ay, je n'aurois eu piece[a] faict : il me suffit que, jusques à present, où que j'aye esté, et à quiconque j'en aye parlé, j'aye tousjours dict que tout ce que un tressage, tresbon et tresliberal pere pouvoit faire pour son fils, tout cela avez vous faict pour moy, soit pour le soing qu'il a fallu à m'instruire aux bonnes lettres, soit lorsqu'il vous a pleu me poulser aux estats[b][1187], de sorte que tout le cours de ma vie a esté plein de grands et recommendables offices d'amitiez vostres envers moy; somme, quoy que j'aye[c], je le tiens de vous, je l'advoue de vous, je vous en suis redevable, vous estes mon vray pere : ainsi, comme fils de famille, je n'ay nulle puissance de disposer de rien, s'il ne vous plaist de m'en donner congé. » Lors il se teut, et attendit que les soupirs et les sanglots eussent donné loysir à son oncle de luy respondre. Qu'il trouveroit tousjours tresbon tout ce qu'il luy plairoit. Lors ayant à le faire son heritier, il le supplia de prendre de luy le bien qui estoit sien.

Et puis destournant sa parole à sa femme : « Ma semblance, dict il (ainsi l'appelloit il souvent, pour quelque ancienne alliance qui estoit entre eulx), ayant esté joinct à vous du sainct nœud de mariage, qui est l'un des plus respectables et inviolables que Dieu nous ait ordonné çà bas pour l'entretien de la société humaine, je vous ay aymée, cherie et estimée autant qu'il m'a esté possible, et suis tout asseuré que vous m'avez rendu reciproque affection, que je ne sçaurois assez recognoistre. Je vous prie de prendre de la part de mes biens ce que je vous donne, et vous en contenter, encores que je sçache bien que c'est bien peu au prix de vos merites. »

Et puis tournant son propos à moy : « Mon frere,

a. De longtemps. — *b.* Aux emplois publics. — *c.* En somme, tout ce que je puis avoir.

dict il, que j'ayme si cherement, et que j'avois choisy parmy tant d'hommes pour renouveller avecques vous cette vertueuse et sincere amitié, de laquelle l'usage est, par les vices, dez si longtemps esloingné d'entre nous, qu'il n'en reste que quelques vieilles traces en la memoire de l'antiquité, je vous supplie, pour signal de mon affection envers vous, vouloir estre successeur [a] de ma bibliotheque et de mes livres, que je vous donne : present bien petit, mais qui part de bon cœur, et qui vous est convenable pour l'affection que vous avez aux lettres. Ce vous sera μνημόσυνον *tui sodalis*[b]. »

Et puis, parlant à touts trois generalement, loua Dieu de quoy[c], en une si extreme nécessité, il se trouvoit accompaigné de toutes les plus cheres personnes qu'il eust en ce monde; et qu'il luy sembloit tresbeau à veoir une assemblee de quatre si accordants et si unis d'amitié; faisant, disoit il, estat que nous nous entr'aymions unanimement les uns pour l'amour des aultres. Et nous ayant recommendé les uns aux aultres, il suyvit ainsin : « Ayant mis ordre à mes biens, encores me fault il penser à ma conscience. Je suis chrestien, je suis catholique; tel ay vescu, tel suis je deliberé de clorre ma vie. Qu'on me face venir un presbtre; car je ne veulx faillir à ce dernier debvoir d'un chrestien. »

Sur ce poinct il finit son propos, lequel il avoit continué avecques telle asseurance de visage, telle force de parole et de voix, que, là où je l'avois trouvé, lorsque j'entray en sa chambre, foible, traisnant lentement les mots les uns aprez les aultres, ayant le pouls abbattu comme de fiebvre lente, et tirant à la mort, le visage pasle et tout meurtry, il sembloit lors qu'il veinst, comme par miracle, de reprendre quelque nouvelle vigueur, le teinct plus vermeil, et le pouls plus fort; de sorte que je luy feis taster le mien, pour les comparer ensemble. Sur l'heure j'eus le cœur si serré, que je ne sceus rien luy respondre. Mais deux ou trois heures aprez, tant pour luy continuer cette grandeur de courage, que aussi parce que je souhaitois, pour la jalousie que j'ay eue toute ma vie de sa gloire et de son honneur, qu'il y eust plus de tesmoings de tant et si belles preuves de magnanimité, y ayant plus grande

---

a. Héritier. — *b.* « Un souvenir de votre ami. » — *c.* De ce que.

compaignie en sa chambre, je luy dis que j'avois rougi de honte de quoy le courage m'avoit failly à ouïr ce que luy, qui estoit engagé dans ce mal, avoit eu courage de me dire : que jusques lors j'avois pensé que Dieu ne nous donnast gueres si grand advantage sur les accidents humains, et croyois malayseement ce que quelquesfois j'en lisois parmy les histoires : mais qu'en ayant senti une telle preuve, je louois Dieu de quoy ce avoit esté en une personne de qui je feusse tant aymé, et que j'aymasse si cherement; et que cela me serviroit d'exemple pour jouer ce mesme roolle à mon tour.

Il m'interrompit pour me prier d'en user ainsin, et de montrer, par effect, que les discours que nous avions tenus ensemble pendant nostre santé, nous ne les portions pas seulement en la bouche, mais engravez[a] bien avant au cœur et en l'ame, pour les mettre en execution aux premieres occasions qui s'offriroient; ajdoustant que c'estoit la vraye practique de nos estudes et de la philosophie. Et me prenant par la main, « Mon frere, mon amy, me dict il, je t'asseure que j'ay faict assez de choses, ce me semble, en ma vie, avecques autant de peine et difficulté que je fois cette cy. Et quant tout est dict[b], il y a fort long temps que j'y estois preparé, et que j'en sçavois ma leçon toute par cœur. Mais n'est ce pas assez vescu jusques à l'aage auquel je suis? j'estois prest à entrer à mon trente troisiesme an. Dieu m'a faict cette grace, que tout ce que j'ay passé jusques à cette heure de ma vie, a esté plein de santé et de bonheur : pour l'inconstance des choses humaines, cela ne pouvoit gueres plus durer. Il estoit meshuy[c] temps de se mettre aux affaires, et de veoir mille choses malplaisantes, comme l'incommodité de la vieillesse, de laquelle je suis quite par ce moyen : et puis, il est vraysemblable que j'ay vescu jusques à cette heure avecques plus de simplicité et moins de malice, que je n'eusse, par adventure, faict, si Dieu m'eust laissé vivre jusqu'à ce que le soing de m'enrichir, et accommoder mes affaires, me feust entré dans la teste. Quant à moy, je suis certain, je m'en vois[d] trouver Dieu, et le sejour des bienheureux. » Or, parce que je montrois, mesme au visage, l'impatience que j'avois à l'ouïr : « Comment, mon frere! me dict il, me voulez

---

a. Imprimés. — *b.* Pour tout dire. — *c.* Désormais. — *d.* Vais.

vous faire peur? Si je l'avois, à qui seroit ce de me l'oster, qu'à vous? »

Sur le soir, parce que le notaire surveint, qu'on avoit mandé pour recevoir son testament, je le luy feis mettre par escript; et puis je luy feus dire s'il ne le vouloit pas signer : « Non pas signer, dict il, je le veulx faire moy mesme : mais je vouldrois, mon frere, qu'on me donnast un peu de loysir; car je me treuve extremement travaillé, et si affoibly que je n'en puis quasi plus. » Je me meis à changer de propos; mais il se reprit soubdain, et me dict qu'il ne falloit pas grand loysir à mourir[a], et me pria de sçavoir si le notaire avoit la main bien legiere, car il n'arresteroit gueres à dicter. J'appellay le notaire; et sur le champ il dicta si vite son testament, qu'on estoit bien empesché à le suyvre. Et ayant achevé, il me pria de luy lire; et parla à moy, « Voylà, dict il, le soing d'une belle chose que nos richesses! *Sunt hæc, quæ hominibus vocantur bona*[b]! » Aprez que le testament eust esté signé, comme sa chambre estoit pleine de gents, il me demanda s'il luy feroit mal de parler. Je luy dis que non, mais que ce feust tout doulcement.

Lors il feit appeller madamoiselle de Saint Quentin sa niepce, et parla ainsin à elle : « Ma niepce m'amie, il m'a semblé, depuis que je t'ay cogneue, avoir veu reluire en toy des traicts de tresbonne nature : mais ces derniers offices que tu fois, avecques si bonne affection et telle diligence, à ma presente necessité, me promettent beaucoup de toy; et vrayement je t'en suis obligé, et t'en mercie tresaffectueusement. Au reste, pour me descharger, je t'advertis d'estre premierement devote envers Dieu : car c'est sans doubte la principale partie de nostre debvoir, et sans laquelle nulle aultre action ne peult estre ny bonne ny belle; et celle là y estant bien à bon escient, elle traisne aprez soy, par necessité, toutes aultres actions de vertu. Aprez Dieu, il te fault aymer et honorer ton pere et ta mere, mesme ta mere ma sœur, que j'estime des meilleures et plus sages femmes du monde; et te prie de prendre d'elle l'exemple de ta vie. Ne te laisse point emporter aux plaisirs : fuy comme peste ces folles privautez que tu veois

---

a. Perdre de temps près de mourir. — *b.* « Voilà ce que les hommes appellent des biens! »

les femmes avoir quelquesfois avecques les hommes ; car, encores que sur le commencement elles n'ayent rien de mauvais, toutesfois petit à petit elles corrompent l'esprit, et le conduisent à l'oysifveté, et de là, dans le vilain bourbier du vice. Crois moy : la plus seure garde de la chasteté à une fille, c'est la severité. Je te prie, et veulx, qu'il te souvienne de moy, pour avoir souvent devant les yeulx l'amitié que je t'ay portée ; non pas pour te plaindre, et pour te douloir[a] de ma perte, et cela deffends je à touts mes amis tant que je puis, attendu qu'il sembleroit qu'ils feussent envieux du bien, duquel, mercy à[b] ma mort, je me verray bientost jouïssant ; et t'asseure, ma fille, que si Dieu me donnoit à cette heure à choisir, ou de retourner à vivre encores, ou d'achever le voyage que j'ay commencé, je serois bien empesché au chois. Adieu, ma niepce m'amie. »

Il feit, aprez, appeler madamoiselle d'Arsat sa belle fille[1188], et luy dict : « Ma fille, vous n'avez pas grand besoing de mes advertissements, ayant une telle mere, que j'ay trouvée si sage, si bien conforme à mes conditions et volontez, ne m'ayant jamais faict nulle faulte : vous serez tresbien instruicte, d'une telle maistresse d'eschole. Et ne trouvez point estrange, si moy, qui ne vous touche d'aulcune parenté, me soulcie et me mesle de vous ; car, estant fille d'une personne qui m'est si proche, il est impossible que tout ce qui vous concerne ne me touche aussi. Et pourtant ay je tousjours eu tout le soing des affaires de monsieur d'Arsat vostre frere, comme des miennes propres, et, par adventure, ne vous nuira il pas à vostre advancement d'avoir esté ma belle fille. Vous avez de la richesse et de la beauté assez ; vous estes damoiselle de bon lieu : il ne vous reste que d'y adjouster les biens de l'esprit ; ce que je vous prie vouloir faire. Je ne vous deffends pas le vice, qui est tant detestable aux femmes ; car je ne veulx pas penser seulement qu'il vous puisse tumber en l'entendement, voire je crois que le nom mesme vous en est horrible. Adieu, ma belle fille. »

Toute la chambre estoit pleine de cris et de larmes, qui n'interrompoient toutesfois nullement le train de ses discours, qui feurent longuets. Mais, aprez tout cela, il commenda qu'on feist sortir tout le monde, sauf sa garnison ;

---

a. T'affliger. — b. Grâce à.

ainsi nomma il les filles qui le servoient. Et puis appellant mon frere de Beauregard[1189] : « Monsieur de Beauregard, luy dict il, je vous mercie bien fort de la peine que vous prenez pour moy. Vous voulez bien que je vous descouvre quelque chose que j'ay sur le cœur à vous dire ? » De quoy quand mon frere luy eut donné asseurance, il suyvit ainsi : « Je vous jure que de touts ceulx qui se sont mis à la reformation de l'Église, je n'ay jamais pensé qu'il y en ayt eu un seul qui s'y soit mis avecques meilleur zele, plus entiere, sincere et simple affection, que vous[1190] : et crois certainement que les seuls vices de nos prelats, qui ont sans doubte besoing d'une grande correction, et quelques imperfections que le cours du temps a apporté en nostre Église, vous ont incité à cela. Je ne vous en veulx, pour cette heure, desmouvoir ; car aussi ne prie je pas volontiers personne de faire quoy que ce soit contre sa conscience : mais je vous veulx bien advertir qu'ayant respect[a] à la bonne reputation qu'a acquis la maison de la quelle vous estes par une continuelle concorde, maison que j'ay autant chere que maison du monde (mon Dieu, quelle case[b], de laquelle il n'est jamais sorty acte que d'homme de bien !), ayant respect à la volonté de vostre pere, ce bon pere à qui vous debvez tant, de vostre bon oncle, à vos freres, vous fuyiez ces extremitez : ne soyez point si aspre et si violent ; accommodez vous à eulx : ne faites point de bande et de corps à part ; joignez vous ensemble. Vous veoyez combien de ruynes ces dissentions ont apporté en ce royaume ; et vous responds qu'elles en apporteront de bien plus grandes. Et comme vous estes sage et bon, gardez de mettre ces inconvenients parmy vostre famille, de peur de luy faire perdre la gloire et le bonheur duquel elle a jouï jusques à cette heure. Prenez en bonne part, monsieur de Beauregard, ce que je vous en dis, et pour un certain[c] tesmoignage de l'amitié que je vous porte : car pour cet effect me suis je reservé, jusques à cette heure, à vous le dire, et, à l'adventure[d], vous le disant en l'estat auquel vous me veoyez, vous donnerez plus de poids et d'auctorité à mes paroles. » Mon frere le remercia bien fort.

Le lundy matin, il estoit si mal, qu'il avoit quitté toute esperance de vie. De sorte que deslors qu'il me veit, il

---

a. Égard. — *b.* Maison. — *c.* Sûr. — *d.* Peut-être.

m'appella tout piteusement, et me dict : « Mon frere, n'avez-vous pas de compassion de tant de torments que je souffre? ne veoyez vous pas, meshuy[a], que tout le secours que vous me faictes ne sert que d'alongement à ma peine? » Bientost aprez, il s'esvanouit; de sorte qu'on le cuida[b] abandonner pour trespassé : enfin, on le reveilla à force de vinaigre et de vin. Mais il ne veit de fort long temps aprez; et nous oyant crier autour de luy, il nous dict : « Mon Dieu! qui me tormente tant? Pourquoy m'oste lon[c] de ce grand et plaisant repos auquel je suis? Laissez moy, je vous prie. » Et puis m'oyant[d], il me dict : « Et vous aussi, mon frere, vous ne voulez doncques pas que je guarisse? Oh! quel ayse vous me faictes perdre! » Enfin, s'estant encores plus remis, il demanda un peu de vin. Et puis, s'en estant bien trouvé, me dict que c'estoit la meilleure liqueur du monde. « Non est dea[e], feis je pour le mettre en propos; c'est l'eau. — C'est mon, repliqua il, ὕδωρ ἄριστον[f]. » Il avoit desja toutes les extremitez, jusques au visage, glacés de froid, avecques une sueur mortelle qui lui couloit tout le long du corps : et n'y pouvoit on quasi plus trouver nulle recognoissance de pouls.

Ce matin, il se confessa à son presbtre; mais parce que le presbtre n'avoit apporté tout ce qu'il luy falloit, il ne luy peut dire la messe. Mais le mardi matin, monsieur de La Boëtie le demanda, pour l'ayder, dict il, à faire son dernier office chrestien. Ainsin, il ouït la messe, et feit ses pasques[g]. Et comme le presbtre prenoit congé de luy, il luy dict : « Mon pere spirituel, je vous supplie humblement, et vous et ceulx qui sont soubs vostre charge, priez Dieu pour moy. Soit qu'il soit ordonné, par les tressacrez thresors des desseings de Dieu, que je finisse à cette heure mes jours, qu'il ayt pitié de mon ame, et me pardonne mes pechez, qui sont infinis, comme il n'est pas possible que si vile et si basse creature que moy aye peu executer les commandements d'un si hault et si puissant maistre. Ou, s'il luy semble que je face encores besoing par deçà,

---

a. Désormais. — *b.* Pensa. — *c.* M'ôte-t-on. — *d.* Entendant. — *e.* Mais non (*non dea* est le contraire de *oui-da*). — *f.* « Oui, certes, répliqua-t-il, l'eau est la meilleure des choses. » Les deux mots grecs sont de Pindare, qui commence par là sa première *Olympique*. — *g.* Communia.

et qu'il veuille me reserver à quelque aultre heure, suppliez le qu'il finisse bientost en moy les angoisses que je souffre, et qu'il me face la grace de guider doresnavant mes pas à la suyte de sa volonté, et de me rendre meilleur que je n'ay esté. » Sur ce poinct, il s'arresta un peu pour prendre haleine; et veoyant que le presbtre s'en alloit, il le rappella, et luy dict : « Encores veulx je dire cecy en vostre presence : Je proteste que comme j'ay esté baptizé, ay vescu, ainsi veulx je mourir soubs la foy et religion que Moïse planta premierement en Ægypte; que les peres receurent depuis en Judee; et qui de main en main, par succession de temps, a esté apportee en France. » Il sembla, à le veoir, qu'il eust parlé encores plus long temps, s'il eust pu : mais il finit, priant son oncle et moy de prier Dieu pour luy : « Car ce sont, dict il, les meilleurs offices que les chrestiens puissent faire les uns pour les aultres. » Il s'estoit, en parlant, descouvert une espaule, et pria son oncle la recouvrir, encores qu'il eust un valet plus prez de luy; et puis me regardant : *Ingenui est,* dict il, *cui multum debeas, ei plurimum velle debere* [a].

Monsieur de Belot le vient veoir aprez midy : et il luy dict, luy presentant sa main : « Monsieur, mon bon amy, j'estois icy à mesme pour payer ma debte; mais j'ay trouvé un bon crediteur qui me l'a remise. » Un peu aprez, comme il se resveilloit en sursault : « Bien! bien! qu'elle vienne quand elle vouldra, je l'attends, gaillard et de pied coy » : mots qu'il redict deux ou trois fois en sa maladie. Et puis, comme on luy entreouvroit la bouche par force pour le faire avaller, *An vivere tanti est* [b]? dict il, tournant son propos à monsieur de Belot.

Sur le soir, il commencea bien à bon escient à tirer aux traicts [c] de la mort : et comme je soupois, il me feit appeler, n'ayant plus que l'image et que l'umbre d'un homme, et, comme il disoit luy mesme, *non homo, sed species hominis;* et me dict, à toutes peines [d] : « Mon frere, mon amy, pleust à Dieu que je veisse les effects des imaginations [e] que je viens d'avoir! » Aprez avoir attendu quelque temps,

---

a. « Il est d'un cœur racé de vouloir devoir extrêmement à celui à qui l'on doit beaucoup. » Cicéron, *Epist. fam.,* II, 6. — *b.* « La vie vaut-elle tant que cela? » — *c.* S'engager dans le passage. — *d.* A grand-peine. — *e.* Pensées.

qu'il ne parloit plus, et qu'il tiroit des soupirs trenchants pour s'en efforcer, car alors la langue commenceoit fort à luy denier son office : « Quelles sont elles, mon frere? » luy dis-je. « Grandes, grandes », me respondit il. « Il ne feut jamais, suyvis je, que je n'eusse cet honneur que de communiquer à toutes celles qui vous venoient à l'entendement : voulez vous pas que j'en jouïsse encores? » « C'est mon dea[a], respondit il; mais, mon frere, je ne puis, elles sont admirables, infinies, et indicibles. » Nous en demeurasmes là : car il n'en pouvoit plus. De sorte qu'un peu auparavant il avoit voulu parler à sa femme, et luy avoit dict, d'un visage le plus gay qu'il le pouvoit contrefaire, qu'il avoit à luy dire un conte. Et sembla qu'il s'efforceast pour parler : mais la force luy defaillant, il demanda un peu de vin pour la luy rendre. Ce feut pour neant; car il esvanouït soubdain, et feut long temps sans veoir.

Estant desja bien vòysin de sa mort, et oyant les pleurs de madamoiselle de La Boëtie, il l'appella et luy dict ainsi : « Ma semblance, vous vous tormentez avant le temps : voulez vous pas avoir pitié de moy? Prenez courage. Certes, je porte plus la moitié de peine, pour le mal que je vous veois souffrir, que pour le mien; et avecques raison, parce que les maulx que nous sentons en nous, ce n'est pas nous proprement qui les sentons, mais certains sens que Dieu a mis en nous : mais ce que nous sentons pour les aultres, c'est par certain jugement et par discours de raison que nous le sentons. Mais je m'en vois[b]. » Cela disoit-il, parce que le cœur luy failloit. Or, ayant eu peur d'avoir estonné sa femme, il se reprint, et dict : « Je m'en vois dormir : bon soir, ma femme; allez vous en. » Voylà le dernier congé qu'il print d'elle.

Aprez qu'elle feut partie : « Mon frere, me dict il, tenez vous auprez de moy, s'il vous plaist. » Et puis, ou sentant les poinctes de la mort plus pressantes et poignantes, ou bien la force de quelque medicament chauld qu'on luy avoit faict avaller, il print une voix plus esclatante et plus forte, et donnoit des tours[c] dans son lit avecques tout plein de violence : de sorte que toute la compaignie commencea à avoir quelque esperance, parce que jusques lors

---

a. C'est mon avis certes. — *b.* Je m'en vais. — *c.* Se retournait.

la seule foiblesse nous l'avoit faict perdre. Lors, entre aultres choses, il se print à me prier et reprier, avecques une extreme affection, de luy donner une place. De sorte que j'eus peur que son jugement feust esbranlé : mesme que luy ayant bien doulcement remonstré qu'il se laissoit emporter au mal, et que ces mots n'estoient pas d'homme bien rassis, il ne se rendit point au premier coup, et redoubla encores plus fort : « Mon frere! mon frere! me refusez vous doncques une place? » Jusques à ce qu'il me contraignit de le convaincre par raison, et de luy dire que puisqu'il respiroit et parloit, et qu'il avoit corps, il avoit par consequent son lieu. « Voire, voire [a], me respondit il lors, j'en ay : mais ce n'est pas celuy qu'il me fault : et puis, quand tout est dict, je n'ay plus d'estre. — Dieu vous en donnera un meilleur bientost », luy feis je. « Y feusse je desja, mon frere! me respondit il; il y a trois jours que j'ahanne pour partir. » Estant sur ces destresses [b], il m'appella souvent, pour s'informer seulement si j'estois prez de luy. Enfin, il se meit un peu à reposer, qui nous confirma encores plus en nostre bonne esperance : de maniere que, sortant de sa chambre, je m'en resjouïs avecques madamoiselle de La Boëtie. Mais une heure aprez, ou environ, me nommant une fois ou deux, et puis tirant à soy un grand souspir, il rendit l'ame, sur les trois heures du mercredy matin dixhuitiesme d'aoust, l'an mil cinq cents soixante trois, aprez avoir vescu trente deux ans, neuf mois, et dix-sept jours.

---

a. C'est vrai, c'est vrai. — b. A l'agonie.

II

A MONSIEUR MONSIEUR DE LANSAC [a][1191]

Chevalier de l'ordre du Roy, conseiller de son conseil privé,
sur-intendant de ses finances,
et capitaine de cent gentilshommes de sa maison.

Monsieur, je vous envoye la *Mesnagerie* de Xenophon, mise en françois par feu monsieur de La Boëtie : present qui m'a semblé vous estre propre; tant pour estre party premierement, comme vous sçavez, de la main d'un gentilhomme de marque[1192]; tresgrand homme de guerre et de paix, que pour avoir prins sa seconde façon de ce personnage[1193] que je sçais avoir esté aymé et estimé de vous pendant sa vie. Cela vous servira tousjours d'aiguillon à continuer envers son nom et sa memoire vostre bonne opinion et volonté. Et hardiment, monsieur, ne craignez pas de les accroistre de quelque chose; car ne l'ayant gousté que par les tesmoignages publics qu'il avoit donné de soy, c'est à moy à vous respondre qu'il avoit tant de degrez de suffisance[b] au delà, que vous estes bien loing de l'avoir cogneu tout entier. Il m'a faict cet honneur, vivant, que je mets au compte de la meilleure fortune des miennes, de dresser avecques moy une cousture d'amitié si estroicte et si joincte, qu'il n'y a eu biais, mouvement, ny ressort en son ame, que je n'aye peu considerer et juger, au moins si ma veue n'a quelquefois tiré court. Or, sans mentir, il estoit, à tout prendre, si prez du miracle, que pour, me jectant hors des barrieres de la vraysemblance, ne me faire mescroire[c] du tout, il est force, parlant de luy, que je me resserre et restreigne au dessoubs de ce que j'en sçais. Et pour ce coup, monsieur, je me contenteray seulement de vous supplier, pour l'honneur et reverence que vous devez à la verité, de tesmoigner et croire que nostre Guyenne n'a eu garde de veoir rien pareil à luy parmy

---

a. Lettre qui se trouve au-devant de la *Mesnagerie* de Xénophon et des autres traductions de La Boétie, imprimées chez Federic Morel en 1571, fol. 2. — *b.* Capacité, savoir. — *c.* Refuser de croire.

les hommes de sa robbe. Soubs l'esperance doncques que vous luy rendrez cela, qui luy est tresjustement deu, et pour le refreschir en vostre memoire, je vous donne ce livre, qui tout d'un train aussi vous respondra, de ma part, que, sans l'expresse deffense que m'en faict mon insuffisance, je vous presenterois autant volontiers quelque chose du mien, en recognoissance des obligations que je vous doibs, et de l'ancienne faveur et amitié que vous avez portée à ceuls de nostre maison. Mais, monsieur, à faulte de meilleure monnoye, je vous offre en payement une tresasseurée volonté de vous faire humble service.

Monsieur, je supplie Dieu qu'il vous maintienne en sa garde.

Vostre obeïssant serviteur,

MICHEL DE MONTAIGNE.

III

A MONSIEUR MONSIEUR DE MESMES [a][1194]

Seigneur de Roissy et de Malassize,
conseiller du roy en son privé conseil.

Monsieur, c'est une des plus notables folies que les hommes facent, d'employer la force de leur entendement à ruyner et chocquer les opinions communes et receues qui nous portent de la satisfaction et du contentement : car, là où tout ce qui est soubs le ciel employe les moyens et les utils [b] que nature luy a mis en main (comme de vray c'en est l'usage) pour l'adgencement et commodité de son estre, ceulx cy, pour sembler d'un esprit plus gaillard et plus esveillé, qui ne receoit et qui ne loge rien que mille fois touché et balancé au plus subtil de la raison, vont esbranlant leurs ames d'une assiette paisible et reposee, pour, aprez une longue queste [c], la remplir, en somme, de doubte, d'inquietude, et de fiebvre. Ce n'est pas sans

---

a. Lettre qui se trouve au-devant des *Règles de mariage* de Xénophon, dans l'édition de 1571. — *b.* Outils. — *c.* Poursuite.

raison que l'enfance et la simplicité ont esté tant recommendées par la Verité mesme. De ma part, j'ayme mieulx estre plus à mon ayse, et moins habile; plus content, et moins entendu. Voylà pourquoy, monsieur, quoyque des fines gents se mocquent du soing que nous avons de ce qui se passera icy aprez nous, comme nostre ame, logée ailleurs, n'ayant plus à se ressentir des choses de çà bas, j'estime toutesfois que ce soit une grande consolation à la foiblesse et briefveté de cette vie, de croire qu'elle se puisse fermir[a] et alonger par la reputation et par la renommée; et embrasse tresvolontiers une si plaisante et favorable opinion engendrée originellement en nous, sans m'enquerir curieusement ny comment, ny pourquoy. De maniere que, ayant aymé, plus que toute aultre chose, feu monsieur de La Boëtie, le plus grand homme, à mon advis, de nostre siecle, je penserois lourdement faillir à mon debvoir, si, à mon escient, je laissois esvanouïr et perdre un si riche nom que le sien, et une memoire si digne de recommendation; et si je ne m'essayois, par ces parties là, de le ressusciter et remettre en vie. Je crois qu'il le sent aulcunement[b], et que ces miens offices le touchent et resjouïssent : de vray, il se loge encores chez moy si entier et si vif, que je ne le puis croire ny si lourdement enterré, ny si entierement esloingné de nostre commerce. Or, monsieur, parce que chasque nouvelle cognoissance que je donne de luy et de son nom, c'est autant de multiplication de ce sien second vivre, et dadvantage que son nom s'ennoblit et s'honnore du lieu qui le receoit, c'est à moy à faire, non seulement de l'espandre le plus qu'il me sera possible, mais encores de le donner en garde à personnes d'honneur et de vertu : parmy lesquelles vous tenez tel reng, que, pour vous donner occasion de recueillir ce nouvel hoste, et de luy faire bonne chere[c], j'ay esté d'advis de vous presenter ce petit ouvrage, non pour le service que vous en puissiez tirer, sçachant bien que, à practiquer Plutarque et ses compaignons, vous n'avez que faire de truchement, mais il est possible que madame de Roissy[1195], y veoyant l'ordre de son mesnage et de vostre bon accord representé au vif, sera tresayse de sentir la bonté de son inclination naturelle

---

a. Affermir, fortifier. — *b.* Singulièrement. — *c.* Bon visage, bon accueil.

avoir non seulement attainct, mais surmonté ce que les plus sages philosophes ont peu imaginer du debvoir et des loix du mariage. Et en toute façon, ce me sera tousjours honneur de pouvoir faire chose qui revienne à plaisir à vous ou aux vostres, pour l'obligation que j'ay de vous faire service.

Monsieur, je supplie Dieu qu'il vous doint[a] tresheureuse et longue vie. De Montaigne, ce 30 avril 1570.

Votre humble serviteur,

MICHEL DE MONTAIGNE.

IV

A MONSEIGNEUR MONSIEUR DE L'HOSPITAL [b]1196,

Chancelier de France.

Monseigneur, j'ay opinion que vous aultres, à qui la fortune et la raison ont mis en main le gouvernement des affaires du monde, ne cherchez rien plus curieusement que par où vous puissiez arriver à la cognoissance des hommes de vos charges : car à peine est il nulle communauté si chestive, qui n'ay en soy des hommes assez pour fournir commodement à chascun de ses offices, pourveu que le despartement et le triage s'en peust justement faire; et ce poinct là gaigné, il ne resteroit rien pour arriver à la parfaicte composition d'un estat. Or, à mesure que cela est le plus souhaitable, il est aussi plus difficile, veu que ny vos yeulx ne se peuvent estendre si loing que de trier et choisir parmy une si grande multitude et si espandue, ny ne peuvent entrer jusques au fond des cœurs pour y veoir les intentions et la conscience, pieces principales à considerer : de maniere qu'il n'a esté nulle chose publicque si bien establie, en laquelle nous ne remarquions souvent la faulte de ce despartement[c] et de ce chois; et en celles où l'ignorance et la malice, le fard, les faveurs, les brigues et la violence commandent, si quelque eslection se veoid

---

a. Donne. — *b.* Lettre qui se trouve au-devant des *Poemata*, dans l'édition de 1571. — *c.* Répartition.

faicte meritoirement et par ordre, nous le debvons sans doubte à la fortune, qui, par l'inconstance de son bransle divers, s'est pour ce coup rencontrée au train de la raison.

Monsieur, cette consideration m'a souvent consolé, sçachant M. Estienne de La Boëtie, l'un des plus propres et necessaires hommes aux premieres charges de la France, avoir tout du long de sa vie croupy, mesprisé ez cendres de son fouyer domestique, au grand interest[a] de nostre bien commun; car, quant au sien particulier, je vous advise, monsieur, qu'il estoit si abondamment garny des biens et des thresors qui desfient la fortune, que jamais homme n'a vescu plus satisfaict ny plus content. Je sçais bien qu'il estoit eslevé aux dignitez de son quartier[b], qu'on estime des grandes; et sçais, dadvantage, que jamais homme n'y apporta plus de suffisance[c], et que, en l'aage de trente deux ans, qu'il mourut, il avoit acquis plus de vraye reputation en ce reng là que nul autre avant luy : mais tant y a que ce n'est pas raison de laisser en l'estat de soldat un digne capitaine, ny d'employer aux charges moyennes ceulx qui feroient bien encores les premieres. A la verité, ses forces feurent mal mesnagées, et trop espargnées, de façon que, au delà de sa charge, il luy restoit beaucoup de grandes parties oysifves et inutiles, desquelles la chose publicque eust peu tirer du service, et luy de la gloire.

Or, monsieur, puisqu'il a esté si nonchalant de se poulser soy mesme en lumiere, comme, de malheur, la vertu et l'ambition ne logent gueres ensemble; et qu'il a esté d'un siecle si grossier ou si plein d'envie, qu'il n'y a peu nullement estre aydé par le tesmoignage d'aultruy, je souhaite merveilleusement que, au moins aprez luy, sa memoire, à qui seule meshuy[d] je doibs les offices de nostre amitié, receoive le loyer de sa valeur, et qu'elle se loge en la recommendation des personnes d'honneur et de vertu. A cette cause[e] m'a il prins envie de le mettre au jour, et de vous le presenter, monsieur, par ce peu de Vers latins qui nous restent de luy[1197]. Tout au rebours du masson, qui met le plus beau de son bastiment vers la rue, et du marchand, qui faict montre et parement du plus riche eschantillon de sa marchandise, ce qui estoit en luy le plus recommen-

---

a. Au grand préjudice. — b. Sa région, sa province. — c. Capacité. — d. Désormais. — e. C'est pourquoi.

dable, le vray suc et moelle de sa valeur l'ont suivy, et ne nous en est demeuré que l'escorce et les feuilles. Qui pourroit faire veoir les reglez bransles[a] de son ame, sa pieté, sa vertu, sa justice, la vivacité de son esprit, le poids et la santé de son jugement, la haulteur de ses conceptions si loing eslevées au dessus du vulgaire, son sçavoir, les graces compaignes ordinaires de ses actions, la tendre amour qu'il portoit à sa miserable patrie, et sa haine capitale et jurée contre tout vice, mais principalement contre cette vilaine traficque qui se couve sous l'honorable tiltre de justice, engendreroit certainement à toutes gents de bien une singuliere affection envers luy, meslée d'un merveilleux regret de sa perte. Mais, monsieur, il s'en fault tant que je puisse cela, que du fruict mesme de ses estudes il n'avoit encores jamais pensé d'en laisser nul tesmoignage à la posterité; et ne nous en est demeuré que ce que, par maniere de passetemps, il escrivoit quelquesfois.

Quoy que ce soit, je vous supplie, monsieur, le recevoir de bon visage, et, comme nostre jugement argumente maintesfois d'une chose legiere une bien grande, et que les jeux mesmes des grands personnages rapportent aux clairvoyants quelque marque honnorable du lieu d'où ils partent, monter, par ce sien ouvrage, à la cognoissance de luy mesme, et en aymer et embrasser par consequent le nom et la memoire. En quoy, monsieur, vous ne ferez que rendre la pareille à l'opinion tresresolue qu'il avoit de vostre vertu; et si[b] accomplirez ce qu'il a infiniment souhaité pendant sa vie : car il n'estoit homme du monde en la cognoissance et amitié duquel il se feust plus volontiers veu logé que en la vostre. Mais si quelqu'un se scandalise de quoy si hardiment j'use des choses d'aultruy, je l'advise qu'il ne feut jamais rien plus exactement dict ne escript, aux escholes des philosophes, du droict et des debvoirs de la saincte amitié, que ce que ce personnage et moy en avons practiqué ensemble. Au reste, monsieur, ce legier present, pour mesnager d'une pierre deux coups, servira aussi, s'il vous plaist, à vous tesmoigner l'honneur et reverence que je porte à vostre suffisance[c], et qualitez singulieres qui sont en vous : car, quant aux estrangieres et fortuites, ce n'est pas de mon goust de les mettre en ligne de compte.

---

a. Mouvements réglés. — *b.* Ainsi. — *c.* Capacité, mérite.

Monsieur, je supplie Dieu qu'il vous doint[a] tres-heureuse et longue vie. De Montaigne, ce 30 avril 1570.
Vostre humble et obeïssant serviteur,

MICHEL DE MONTAIGNE.

V

ADVERTISSEMENT AU LECTEUR[b]

Lecteur, tu me doibs tout ce dont tu jouïs de feu M. Estienne de La Boëtie; car je t'advise que quant à luy il n'y a rien qu'il eust jamais esperé de te faire veoir, voire ny qu'il estimast digne de porter son nom en public. Mais moy, qui ne suis pas si hault à la main[c], n'ayant trouvé aultre chose dans sa librairie[d], qu'il me laissa par son testament, encores n'ay je pas voulu qu'il se perdist; et, de ce peu de jugement que j'ay, j'espere que tu trouveras que les plus habiles hommes de nostre siecle font bien souvent feste de moindre chose que cela. J'entends de ceulx qui l'ont practiqué plus jeune (car nostre accointance ne print commencement qu'environ six ans avant sa mort), qu'il avoit faict force aultres vers latins et françois, comme soubs le nom de Gironde, et en ay ouï reciter des riches lopins : mesme celuy qui a escript les antiquitez de Bourges en allegue que je recognois; mais je ne sçais que tout cela est devenu, non plus que ses poëmes grecs. Et, à la verité, à mesure que chaque saillie luy venoit à la teste, il s'en dechargeoit sur le premier papier qui luy tumboit en main, sans aultre soing de le conserver. Asseure toy que j'y ay faict ce que j'ay peu, et que, depuis sept ans que nous l'avons perdu, je n'ay peu recouvrer que ce que tu en veois : sauf un discours de LA SERVITUDE VOLONTAIRE, et quelques memoires de nos troubles sur l'edict de janvier 1562[1198]. Mais quant à ces deux dernieres pieces, je leur treuve la

---

a. Donne. — *b.* Imprimé à la suite de la lettre de M. de Lansac, et qui sert de préface aux diverses traductions de La Boëtie, édition de Paris, 1571. — *c.* Hautain. — *d.* Bibliothèque.

façon trop delicate et mignarde pour les abandonner au grossier et pesant air d'une si mal plaisante saison. A Dieu. De Paris, ce dixiesme d'aoust 1570.

VI

A MONSIEUR MONSIEUR DE FOIX [a][1199]

Conseiller du roi en son conseil privé,
et ambassadeur de Sa Majesté prez la seigneurie de Venise.

Monsieur, estant à mesme de vous recommender, et à la posterité, la memoire de feu Estienne de La Boëtie, tant pour son extreme valeur que pour la singuliere affection qu'il me portoit, il m'est tumbé en fantasie combien c'estoit une indiscretion de grande consequence, et digne de la coerction[b] de nos loix, d'aller, comme il se faict ordinairement, desrobbant à la vertu la gloire, sa fidelle compaigne, pour en estrener, sans chois et sans jugement, le premier venu, selon nos interests particuliers : veu que les deux resnes principales qui nous guident et tiennent en office, sont la peine et la recompense, qui ne nous touchent proprement, et comme hommes, que par l'honneur et la honte, d'autant que celles icy donnent droictement à l'ame, et ne se goustent que par les sentiments interieurs et plus nostres : là où les bestes mesmes se veoyent aulcunement[c] capables de toute aultre recompense à peine corporelle. En oultre, il est bon à veoir que la coustume de louer la vertu, mesme de ceulx qui ne sont plus, ne vise pas à eulx, ains[d] qu'elle faict estat d'aiguillonner par ce moyen les vivants à les imiter : comme les derniers chastiements sont employez par la justice, plus pour l'exemple que pour l'interest de ceulx qui les souffrent. Or, le louer et le meslouer s'entrerespondants de si pareille consequence, il est malaysé à sauver que nos loix deffendent offenser la reputation d'aultruy, et ce neantmoins permettent de l'ennoblir sans merite. Cette pernicieuse licence de jecter ainsin, à nostre

a. Imprimé en avant des *Vers françois* de La Boëtie, dans l'éd. de 1571. — *b.* Coercition. — *c.* Jusqu'à un certain point. — *d.* Mais.

poste ᵃ, au vent les louanges d'un chascun, a esté aultrefois diversement restreincte ailleurs; voire, à l'adventure ᵇ ayda elle jadis à mettre la poësie en la malegrace des sages. Quoy qu'il en soit, au moins ne se sçauroit on couvrir, que le vice du mentir n'y apparoisse tousjours, tresmesseant à un homme bien nay, quelque visage qu'on luy donne.

Quant à ce personnage de qui je vous parle, monsieur, il m'envoye bien loing de ces termes; car le dangier n'est pas que je luy en preste quelqu'une, mais que je luy en oste; et son malheur porte que, comme il m'a fourny, autant qu'homme puisse, de tresjustes et tresapparentes occasions de louange, j'ay bien aussi peu de moyen et de suffisance ᶜ pour la luy rendre; je dis moy, à qui seul il s'est communiqué jusques au vif, et qui seul puis respondre d'un million de graces, de perfections et de vertus qui moisirent oysifves au giron d'une si belle ame, mercy à l'ingratitude de sa fortune. Car, la nature des choses ayant, je ne sçais comment, permis que la verité, pour belle et acceptable qu'elle soit d'elle mesme, si ne l'embrassons nous qu'infuse et insinuée en nostre creance par les utils de la persuasion, je me treuve si fort desgarny, et de credit pour auctoriser mon simple tesmoignage, et d'eloquence pour l'enrichir et le faire valoir, qu'à peu a il tenu que je n'aye quité là tout ce soing, ne me restant pas seulement du sien par où dignement je puisse presenter au monde au moins son esprit et son sçavoir.

De vray, monsieur, ayant esté surprins de sa destinée en la fleur de son aage, et dans le train d'une tresheureuse et tresvigoreuse santé, il n'avoit pensé à rien moins qu'à mettre au jour des ouvrages qui deussent tesmoigner à la posterité quel il estoit en cela; et à l'adventure ᵈ estoit il assez brave, quand il y eust pensé, pour n'en estre pas fort curieux. Mais enfin j'ay prins party qu'il seroit bien plus excusable à luy, d'avoir ensepvely avecques soy tant de rares faveurs du ciel, qu'il ne seroit à moy d'ensepvelir encores la cognoissance qu'il m'en avoit donnée : et, pourtant, ayant curieusement recueilli tout ce que j'ay trouvé d'entier parmy ses brouillarts ᵉ et papiers espars çà et là, le jouet du vent et de ses estudes, il m'a semblé bon,

---

a. A notre gré. — *b.* Peut-être même. — *c.* Capacité. — *d.* Peut-être. — *e.* Brouillons.

quoy que ce feust, de le distribuer et de le despartir en autant de pieces que j'ay peu, pour de là prendre occasion de recommender sa memoire à d'autant plus de gents, choisissant les plus apparentes et dignes personnes de ma cognoissance, et desquelles le tesmoignage luy puisse estre le plus honnorable; comme vous, monsieur, qui de vous mesme pouvez avoir eu quelque cognoissance de luy pendant sa vie, mais certes bien legiere pour en discourir[a] la grandeur de son entiere valeur. La posterité le croira, si bon luy semble; mais je luy jure, sur tout ce que j'ay de conscience, l'avoir sceu et veu tel, tout consideré, qu'à peine par souhait et imagination pouvois je monter au delà, tant s'en fault que je luy donne beaucoup de compaignons.

Je vous supplie treshumblement, monsieur, non seulement prendre la generale protection de son nom, mais encores de ces dix ou douze Vers françois, qui se jectent, comme par necessité, à l'abry de vostre faveur. Car je ne vous celeray pas que la publication n'en ayt esté differée aprez le reste de ses œuvres, soubs couleur de ce que, par de là[1200], on ne les trouvoit pas assez limez pour estre mis en lumiere. Vous verrez, monsieur, ce qui en est; et, parce qu'il semble que ce jugement regarde l'interest de tout ce quartier[b] icy, d'où ils pensent qu'il ne puisse rien partir en vulgaire qui ne sente le sauvage et la barbarie, c'est proprement vostre charge, qui, au reng de la premiere maison de Guyenne, receu de vos ancestres, avez adjousté du vostre le premier reng encores en toute façon de suffisance[c], maintenir non seulement par vostre exemple, mais aussi par l'auctorité de vostre tesmoignage, qu'il n'en va pas tousjours ainsin. Et ores que[d] le faire soit plus naturel aux Gascons que le dire, si est ce[e] qu'ils s'arment quelquesfois autant de la langue que du bras, et de l'esprit que du cœur. De ma part, monsieur, ce n'est pas mon gibbier de juger de telles choses; mais j'ay ouï dire à personnes qui s'entendent en sçavoir, que ces vers sont non seulement dignes de se presenter en place marchande; mais dadvantage, qui s'arrestera à la beauté et richesse des inventions, qu'ils sont, pour le subject, autant charnus,

---

a. Mesurer. — *b.* Cette province. — *c.* Capacité. — *d.* Bien que. — *e.* Encore est-il.

pleins et moëlleux, qu'il s'en soit encores veu en nostre langue. Naturellement chasque ouvrier se sent plus roide en certaine partie de son art, et les plus heureux sont ceulx qui se sont empoignez à la plus noble; car toutes pieces egualement necessaires au bastiment d'un corps ne sont pas pourtant egualement prisables. La mignardise du langage, la doulceur et la polissure reluisent, à l'adventure, plus en quelques aultres; mais en gentillesse d'imaginations, en nombre de saillies, poinctes et traicts, je ne pense point que nuls autres leur passent devant : et si fauldroit il encores venir en composition de ce, que ce n'estoit ny son occupation, ny son estude, et qu'à peine au bout de chasque an mettoit il une fois la main à la plume, tesmoing ce peu qu'il nous en reste de toute sa vie. Car vous veoyez, monsieur, vert et sec, tout ce qui m'en est venu entre mains, sans chois et sans triage; en maniere qu'il y en a de ceulx mesmes de son enfance. Somme, il semble qu'il ne s'en meslat, que pour dire qu'il estoit capable de tout faire; car, au reste, mille et mille fois, voire en ses propos ordinaires, avons nous veu partir de luy choses plus dignes d'estre sceues, plus dignes d'estre admirees.

Voylà, monsieur, ce que la raison et l'affection, joinctes ensemble par un rare rencontre, me commandent vous dire de ce grand homme de bien; et, si la privauté que j'ay prinse de m'en addresser à vous, et de vous en entretenir si longuement, vous offense, il vous souviendra, s'il vous plaist, que le principal effect de la grandeur et de l'eminence, c'est de vous jecter en bute à l'importunité et embesongnement des affaires d'aultruy. Sur ce, aprez vous avoir presenté ma treshumble affection à vostre service, je supplie Dieu vous donner, monsieur, tresheureuse et longue vie. De Montaigne, ce premier de septembre mil cinq cents soixante et dix.

Votre obeïssant serviteur,

MICHEL DE MONTAIGNE.

VII

A MADAMOISELLE DE MONTAIGNE [a][1201]
Ma femme.

Ma femme, vous entendez bien que ce n'est pas le tour d'un galant homme, aux regles de ce temps icy, de vous courtiser et caresser encores : car ils disent qu'un habile homme peult bien prendre femme; mais que de l'espouser c'est à faire à un sot. Laissons les dire : je me tiens, de ma part, à la simple façon du vieil aage; aussi en porte je tantost le poil; et, de vray, la nouvelleté couste si cher jusqu'à cette heure à ce pauvre estat (et si je ne sçais si nous en sommes à la derniere enchere), qu'en tout et par tout j'en quitte le party. Vivons, ma femme, vous et moy, à la vieille françoise. Or, il vous peult souvenir comme feu monsieur de La Boëtie, ce mien cher frere, et compaignon inviolable, me donna, mourant, ses papiers et ses livres, qui m'ont esté, depuis, le plus favory meuble des miens. Je ne veulx pas chichement en user moy seul, ny me merite qu'ils ne servent qu'à moy : à cette cause, il m'a prins envie d'en faire part à mes amis. Et parce que je n'en ay, ce crois je, nul plus privé que vous, je vous envoye la lettre consolatoire de Plutarque à sa femme, traduicte par luy en françois : bien marry de quoy la fortune vous a rendu ce present si propre, et que, n'ayant enfant qu'une fille longuement attendue, au bout de quatre ans de nostre mariage, il a fallu que vous l'ayez perdue dans le deuxiesme an de sa vie. Mais je laisse à Plutarque la charge de vous consoler, et de vous advertir de vostre debvoir en cela, vous priant le croire pour l'amour de moy; car il vous descouvrira mes intentions, et ce qui se peult alleguer en cela, beaucoup mieulx que je ne ferois moy mesme. Sur ce, ma femme, je me recommande bien fort à vostre bonne grace, et prie Dieu qu'il vous maintienne en sa garde. De Paris, ce 10 septembre 1570.

Vostre bon mary,

MICHEL DE MONTAIGNE.

a. Imprimé au-devant de la *Lettre de consolation* de Plutarque à sa femme, dans l'édition des œuvres de La Boétie de 1571.

II

LISTE DES SENTENCES
INSCRITES DANS LA « LIBRAIRIE »
DE MONTAIGNE

Lues par Galy et Lapeyre, qui les ont publiées dans leur ouvrage : *Montaigne chez lui* (Périgueux, 1861), les 57 sentences inscrites sur les travées de la « librairie » de Montaigne (voir notre *Introduction*, p. VII) ont été reproduites par Bonnefon (*Revue d'histoire littéraire de la France*, 1894), par miss Grace Norton (*Studies in Montaigne*, 1905), par Pierre Villey (au tome I de son édition des *Essais*, 1930).

La plupart d'entre elles ont été inscrites par Montaigne à l'époque où il composait l'*Apologie de Sebond*, c'est-à-dire environ 1575. Les deux tiers, en effet, se retrouvent citées dans l'*Apologie*.

Certaines cependant appartiennent à une époque antérieure*, et remontent très probablement au début de la retraite de Montaigne en son château. Aucune, sauf la sentence 34, de reconstitution conjecturale, n'est citée dans l'édition de 1588 ni dans les éditions postérieures à cette date. On a donc peu de chance de se tromper en pensant qu'elles datent de la période 1572-1580, et pour la majeure partie des années 1575 et 1576.

19 sur 57 sont prises dans l'Écriture, directement ou indirectement; une dizaine dans Sextus Empiricus; Stobée enfin a été fortement mis à contribution par l'auteur des *Essais*.

25 sont grecques; 32 latines. Aucune, sauf la sentence numérotée 39, tirée des poèmes latins de Michel de L'Hospital (1560), n'appartient à un auteur contemporain de Montaigne.

---

* Huit sentences, tirées de l'Écriture, recouvrent des sentences antérieures qui devaient pour la plupart procéder de Stobée. Les deux sentences grecques sur quatre qu'on a pu reconstituer viennent, en effet, de cet auteur.

APPENDICE

Nous en reproduisons ci-dessous la liste, en donnant le texte de chaque sentence, sa référence*, et sa traduction.

1. Extrema homini scientia ut res sunt boni consulere, cætera securum. *Eccl.***.

« *Le bout du savoir pour l'homme est de considérer comme bon ce qui arrive, et pour le reste d'être sans souci.* »

2. Cognoscendi studium homini dedit Deus ejus torquendi gratia. *Eccl.*, I***.

« *Dieu a donné à l'homme le goût de connaître pour le tourmenter.* »

3. Τοὺς μὲν κενοὺς ἀσκοὺς τὸ πνεῦμα διίστησι, τοὺς δὲ ἀνοήτους ἀνθρώπους τὸ οἴημα. [Stobée, *Sentences*.]

« *Le vent gonfle les outres vides, l'outrecuidance les hommes sans jugement.* »

4. Omnium quæ sub sole sunt fortuna et lex par est. *Eccl.*, IX****.

« *Tout ce qui est sous le soleil a même fortune et loi.* »

---

* Quand la référence est donnée telle quelle, c'est qu'elle est de Montaigne lui-même. On a placé entre crochets les références données par les commentateurs ou les détails complétant les références données par Montaigne.

** Cette sentence, attribuée par Montaigne à *Eccl.*, ne se retrouve ni dans l'*Ecclésiaste* ni dans l'*Ecclésiastique*. Montaigne a écrit dans ses *Essais*, l. II, chap. XII : « Accepte, dit l'Ecclésiaste, en bonne part les choses au visage et au goust qu'elles se presentent à toy, du jour à la journée; le demeurant est hors de ta connoissance. »

*** Montaigne a cité cette sentence en français dans ses *Essais*, l. II, chap. XVII. Elle ne se trouve pas dans l'*Ecclésiaste*. Miss Grace Norton (*Studies in Montaigne*, 1905) propose d'y voir une déformation du texte suivant : *Et proposui in animo meo quærere et investigare sapienter de omnibus, quæ fiunt sub sole. Hanc occupationem pessimam dedit Deus filiis hominum, ut occuparentur in ea* (*Ecclésiaste*, I, 13). « Je me suis proposé de chercher et d'enquêter sagement sur tout ce qui se passe sous le soleil. Dieu a donné cette très mauvaise occupation aux fils des hommes pour qu'ils s'y occupent. »

**** Montaigne, qui a cité deux fois cette sentence dans les *Essais* (l. I, chap. XXXVI; l. II, chap. XII), ne reproduit pas exactement l'*Ecclésiaste*, qui a dit : *Hoc est pessimum inter omnia, quæ sub sole fiunt, quia eadem cunctis eveniunt*. « Le pire de tout ce qui a lieu sous le soleil, c'est que les mêmes choses arrivent à tout le monde. »

5. Ἐν τῷ φρονεῖν γὰρ μηδέν, ἥδιστος βιός. [Sophocle, *Ajax*, 552*.]

« *La vie la plus douce, c'est de ne penser à rien.* »

6. Οὐ μᾶλλον οὕτως ἔχει ἢ ἐκείνως ἢ οὐδετέρως. [Sextus Empiricus, *Hypotyposes*, I, 19**.]

« *Ce n'est pas plus de cette façon que de celle-là ou que d'aucune des deux.* »

7. Orbis magnæ vel parvæ earum rerum quas Deus tam multas facit notitia in nobis est. *Eccl.*

« *Du grand et du petit monde des choses que Dieu a faites en si grand nombre, la notion est en nous.* »

8. Ὁρῶ γὰρ ἡμᾶς οὐδὲν ὄντας ἄλλο πλὴν
    εἴδωλ' ὅσοιπερ ζῶμεν ἢ κούφην σκιάν.

[Sophocle, *Ajax*, 124, dans Stobée, *De superbia*, éd. de 1559, p. 188.]

« *Car je vois que tous, tant que nous sommes, nous ne sommes rien de plus que des fantômes ou une ombre légère.* »

9. O miseras hominum mentes! O pectora cæca!
   Qualibus in tenebris vitæ quantisque periclis
   Degitur hoc ævi quodcumque est!

[Lucrèce, *De natura rerum*, II, 14.]

« *O malheureux esprits des hommes! ô cœurs aveugles! En quelles ténèbres de la vie, et dans quels grands périls s'écoule ce tout petit peu de temps que nous avons!* »

10. Κρίνει τίς αὐτὸν πώποτ' ἄνθρωπον μέγαν ὂν ἐξαλείφει
    πρόφασις ἡ τυχοῦσ' ὅλον.

[Euripide, dans Stobée, *De superbia*, éd. de 1559, p. 187.]

« *Celui qui d'aventure se prend pour un grand homme, le premier prétexte l'abattra complètement.* »

11.   Omnia cum cælo terraque marique
      Sunt nihil ad summam summai totius***.

[Lucrèce, *De natura rerum*, VI, 678.]

---

* Cette sentence a été recouverte par la précédente. Montaigne, qui l'a prise sans doute aux *Adages* d'Érasme (chapitre *Fortuna stultitia*), l'a citée au l. II, chap. XII.

** Montaigne cite cette sentence au l. II, chap. XII, et la traduit de la façon suivante : « Il n'est non plus ainsi qu'ainsi ou que ni l'un ni l'autre. »

*** Montaigne a reproduit cette sentence au l. II, chap. XII.

« *Toutes les choses avec le ciel, la terre et la mer, ne sont rien auprès de la totalité du grand tout.* »

12. Vidisti hominem sapientem sibi videri? Magis illo spem habebit insipiens. *Prov.*, 26 [XXVI, 12].

« *As-tu vu un homme qui se figure sage? Un dément donnera plus que lui à espérer.* »

13. Quare ignoras quomodo anima conjungitur corpori, nescis opera Dei. *Eccl.*, II*. [XI, 5.]

« *Puisque tu ignores comment l'âme est unie au corps, tu ne connais pas l'œuvre de Dieu.* »

14. Ἐνδέχεται καὶ οὐκ ἐνδέχεται. [Sextus Empiricus, *Hypotyposes*, I, 21.]

« *Cela peut être et cela peut ne pas être.*

15. Ἀγαθὸν ἀγαστόν. [Platon, *Cratyle.*]

« *Le bon est admirable.* »

16. Κέραμος ἄνθρωπος.

« *L'homme est d'argile.* »

17. Nolite esse prudentes apud vosmetipsos. *Ad Rom.* XII. [Saint Paul, *Épître aux Romains*, XII, 16.]

« *Ne soyez point sages à vos propres yeux.* »

18. Ἡ δεισιδαιμονία καθάπερ πατρὶ τῷ τύφῳ κεῖθεται **. [Stobée, *De superbia*, sermo XXII, p. 189.]

« *La superstition obéit à l'orgueil comme à son père.* »

19. Οὐ γὰρ ἐᾷ φρονέειν ὁ Θεός μέγα ἄλλον ἢ ἑαυτόν ***. [Hérodote, VII, 10.]

« *Dieu ne laisse personne d'autre que lui-même s'enorgueillir.* »

20. Summum nec metuas diem nec optes****. [Martial, *Épigrammes*, X, 47.]

« *Ne crains ni ne souhaite ton dernier jour.* »

21. Nescis homo, hoc an illud magis expediat, an æque utrumque*****. *Eccl.*, II. [XI, 6.]

---

* Cette sentence, très effacée, a été reconstituée par conjectures. Elle diffère sensiblement du texte de l'*Ecclésiaste*.

** Recouverte par la précédente, mais lisible, cette sentence est citée au l. II, chap. XII.

*** Sentence citée au l. II, chap. XII.

**** Cette sentence, qui se lit sous la précédente, est citée au l. II, chap. XXXVII.

***** Cette sentence diffère sensiblement du texte de l'*Ecclésiaste*.

« *Homme, tu ne sais si ceci ou cela te convient plus, ou l'un et l'autre également.* »

22. Homo sum, humani a me nihil alienum puto*.
[Térence, *Heautontimorumenos*, I, 1.]

« *Je suis homme, je considère que rien d'humain ne m'est étranger.* »

23. Ne plus sapias quam necesse est, ne obstupescas. *Eccl.*, 7. [VII, 17.]

« *Ne sois pas plus sage qu'il ne faut, de peur d'être stupide.* »

24. Si quis existimat se aliquid sire, nondum cognovit quomodo oportet illud scire. *Cor. VIII*. [Saint Paul, I *Épître aux Corinthiens*, VIII, 2.]

« *L'homme qui présume de son sçavoir, ne sçait pas encore ce que c'est que sçavoir.* » (Traduction de Montaigne, l. II, chap. XII.)

25. Si quis existimat se aliquid esse, cum nihil sit, ipse se seducit. *Ad Galat.*, *VI*. [Saint Paul, *Épître aux Galates*, VI, 3]

« *L'homme, qui n'est rien, s'il pense estre quelque chose, se seduit soymesmes et se trompe.* » (Traduction de Montaigne, l. II, chap. XII.)

26. Ne plus sapite quam oporteat, sed sapite ad sobrietatem. *Rom. XII.* [Saint Paul, *Épître aux Romains*, XII, 3.]

« *Ne soyez pas plus sages qu'il ne faut, mais soyez sobrement sages.* » (Traduction de Montaigne, l. I, chap. XXX.)

27. Καὶ τὸ μὲν οὖν σαφές οὔτις ἀνὴρ ἴδεν οὐδέ τις ἔσται εἰδώς. [Xénophane, pris dans Sextus Empiricus.]

« *Aucun homme n'a su, ni ne saura rien de certain.* »

28. Τίς δ'οἶδεν εἰ ζῆν τοῦθ' ὃ κέκληται θανεῖν
  τὸ ζῆν δὲ θνῆσκειν ἔστι **.

[Euripide, cité par Stobée, sermon 119, éd. de 1559, p. 609.]

« *Qui sait si vivre est ce qu'on appelle mourir, et si mourir c'est vivre?* »

29. Res omnes sunt difficiliores quam ut eas possit homo consequi***. *Eccl.*, *I*. [I, 8.]

---

* Vers cité par Montaigne, mais un peu modifié, au l. II, chap. 11.
** Sentence citée par Montaigne, l. II, chap. XII.
*** Le texte exact de l'*Ecclésiaste* est : *Cunctæ res difficiles, non potest eas homo explicare sermone.* « Toutes les choses sont difficiles, l'homme ne peut les expliquer par des propos. »

APPENDICE

« *Toutes les choses sont trop difficiles pour que l'homme puisse les comprendre.* »

30. Ἐπέων δὲ πολὺς νομὸς ἔνθα καὶ ἔνθα *. [Homère, *Iliade*, XX, 249.]

« *On peut dire beaucoup de paroles dans un sens et dans l'autre.* »

31. Humanum genus est avidum nimis auricularum. [Lucrèce, *De natura rerum*, IV, 598.]

« *Le genre humain est excessivement avide de récits.* »

32. Quantum est in rebus inane. [Perse, I, 1.]

« *Quelle inanité dans les choses!* »

33. Per omnia vanitas. *Eccl.*, I. [I, 2.]

« *Partout vanité!* »

34. ... Servare** modum finemque tenere
     Naturamque sequi. [Lucain, *Pharsale*, II, 381.]

« *Garder la mesure, observer la limite et suivre la nature.* »

35. Quid superbis, terra et cinis***? [*Ecclésiastique*, X, 9.]

« *Pourquoi te glorifier, terre et cendre?* »

36. Væ qui sapientes estis in oculis vestris. *Isa. V.* [Isaïe, V, 21.]

« *Malheur à vous qui êtes sages à vos propres yeux!* »

37. Fruere jucunde præsentibus, cætera extra te****.

« *Jouis agréablement du présent, le reste est en dehors de toi.* »

38. Παντὶ λόγῳ λόγος ἴσος ἀντίκειται *****. [Sextus Empiricus, *Hypotyposes*, I, 6 et 27.]

« *A tout raisonnement on peut opposer un raisonnement d'égale force.* »

---

* Sentence citée deux fois par Montaigne, l. II, chap. XII.

** Le mot *servare* est seul lisible au début; MM. Gaby et Lapeyre ont cru pouvoir reconstituer ici le fragment de Lucain cité dans les *Essais*, l. II, chap. XII.

*** Montaigne a cité cette sentence au livre II, chap. XII.

**** Cette sentence, qu'on peut rapprocher de la sentence 1, est développée par Montaigne au livre II, chap. XII.

***** Montaigne se sert de cette citation au livre II, chap. XV, début.

APPENDICE

39. ...Nostra vagatur
In tenebris nec cæca potest mens cernere verum.
[Michel de L'Hospital.]

« *Notre esprit erre dans les ténèbres et ne peut, aveugle qu'il est, discerner le vrai.* »

40. Fecit Deus hominem similem umbræ de qua post solis occasum quis judicabit. *Eccl.*, 7*.

« *Dieu a fait l'homme semblable à l'ombre, de laquelle qui jugera quand par l'éloignement de la lumière elle sera évanouie?* » (Traduction de Montaigne au livre II, chap. XII.)

41. Solum certum nihil esse certi et homine nihil miserius aut superbius. [Pline, *Hist. Nat.*, II, 7.]

« *Il n'y a rien de certain que l'incertitude, et rien plus misérable et plus fier que l'homme.* » (Traduction de Montaigne à la fin du livre II, chap. XIV, supprimée après 1588.)

42. Ex tot Dei operibus nihilum magis cuiquam homini incognitum quam venti vestigium. *Eccl.*, XI**.

« *De toutes les œuvres de Dieu, rien n'est plus inconnu à n'importe quel homme que la trace du vent.* »

43. Ἄλλοισιν ἄλλος θεῶν τε κ'ἀνθρώπων μέλει. [Euripide, *Hippolyte*, 104.]

« *Chacun des dieux et des hommes a ses préférences.* »

44. Ἐφ' ᾧ φρονεῖς μέγιστον, ἀπολεῖ τοῦτό σε, τὸ δοκεῖν τιν' εἶναι.
[Ménandre, dans Stobée, éd. de 1559, p. 188.]

« *L'opinion que tu as de ton importance te perdra, parce que tu te crois quelque chose.* »

45. Ταράσσει τοὺς ἀνθρώπους οὐ τὰ πράγματα, ἀλλὰ τὰ περὶ τῶν πραγμάτων δόγματα. [Épictète, *Enchiridion*, X, dans Stobée, CXVII, éd. de 1559, p. 598.]

« *Les hommes sont tourmentés par l'opinion qu'ils ont des choses, non par les choses mêmes.* » (Traduction de Montaigne, au livre II, chap. XIV, début.)

46. Καλὸν φρονεῖν τὸν θνητὸν ἀνθρώποις ἴσα. [Euripide, *Colchide*, pris dans Stobée, *De superbia*, éd. de 1559, p. 188.]

---

* L'*Ecclésiaste* compare souvent l'homme à une ombre, mais ce texte ne s'y retrouve pas.

** On ne trouve point de texte de ce genre dans l'*Ecclésiaste*, ni dans l'*Ecclésiastique*.

APPENDICE

« *Il est bien que le mortel ait des pensées qui ne s'élèvent pas au-dessus des hommes.* »

47. Quid æternis minorem
Consiliis animum fatigas ?
[Horace, *Odes*, II, xi, 11.]
« *Pourquoi fatiguer ton esprit d'éternels projets qui le dépassent?* »

48. Judicia Domini abyssus multa. *Psalm.*, 35. [XXXV, 7.]
« *Les jugements du Seigneur sont un profond abîme.* »

49. Οὐδὲν ὁρίζω. [Sextus Empiricus, *Hypotyposes*, 1.]
« *Je ne décide rien.* »

50. Οὐ καταλαμβάνω. [Sextus Empiricus, *Hypotyposes*, 22.]
« *Je ne comprends pas.* »

51. Ἐπέχω. [Sextus Empiricus, *Hypotyposes*, 23.]
« *Je suspends mon jugement.* »

52. Σκέπτομαι. [Sextus Empiricus, *Hypotyposes*, 26.*]
« *J'examine.* »

53. More duce et sensu.
« *En ayant pour guides la coutume et les sens.* »

54. Judicio alternante.
« *Par le raisonnement alternatif.* »

55. Ἀκαταληπτῶ. [Sextus Empiricus, *passim.*]
« *Je ne puis comprendre.* »

56. Οὐδὲν μᾶλλον.
« *Rien de plus.* »

57. Ἀρρεπῶς.
« *Sans pencher d'un côté.* »

---

* Montaigne a traduit cette sentence et les trois précédentes au livre II, chap. xii.

III

LES LIVRES DE MONTAIGNE

Lorsqu'en l'an du Christ 1571, « à l'âge de trente-huit ans, la veille des calendes de mars, anniversaire de sa naissance, Michel de Montaigne, ennuyé depuis longtemps déjà de l'esclavage de la cour, du parlement et des charges publiques, se sentant encore dispos, vint à part se reposer sur le sein des doctes vierges, dans le calme et la sécurité », il choisit pour en faire son habituel séjour une tour séparée du reste de son château, et qui n'avait été jusque-là d'aucun usage. Il en fit le siège de sa « domination » et parvint « à soustraire ce seul coin à la communauté et conjugale, et filiale, et civile ».

Cette tour était placée sur le porche d'entrée, à l'angle ouest de la face méridionale du carré que forment les communs et la maison d'habitation. Le rez-de-chaussée en était occupé par une chapelle; un escalier en colimaçon menait à l'étage, conduisant à la chambre où Montaigne couchait parfois « pour estre seul » et à laquelle était joint un réduit permettant d'y entendre la messe; au-dessus, se trouvaient la « librairie » et le « cabinet » où se tenait « la pluspart des jours de sa vie » et « la pluspart des heures du jour », sauf l'hiver, le maître de céans. De là il dominait son domaine, voyant sous lui son jardin, sa basse-cour, sa cour, et gardant l'illusion de pouvoir « tout d'une main » commander son ménage.

Le commanda-t-il beaucoup? On en doute. Il avait évidemment plus de plaisir à lire, à méditer ses lectures, à noter ses réflexions dans la marge des livres, à composer lentement ses *Essais*. Du fauteuil où il s'asseyait, sa vue embrassait la salle circulaire, où près de mille livres étaient rangés « sur des pupitres à cinq degrés tout à l'environ ». Il y trouvait ceux que La Boétie lui avait légués en mourant, ceux qu'il avait acquis lui-même, et qu'il continuait d'acquérir, et dont beaucoup étaient reliés en vélin blanc. Une inscription courant sur la frise de cette « librairie »,

APPENDICE

belle « entre les librairies de village », disait en termes émouvants les mérites de l'ami disparu; des sentences latines et grecques, tracées au pinceau, couvraient quarante-six solives et deux poutres transversales, remémorant au philosophe les règles de la sagesse sceptique. Quant au « cabinet » adjoint à la « librairie », qui était « assez poli » et « capable à recevoir du feu pour l'hiver », le maître du logis en avait fait orner les parois de diverses peintures, représentant des scènes mythologiques empruntées aux *Métamorphoses* d'Ovide, des épisodes cynégétiques ou guerriers. Une allégorie plus personnelle faisait voir deux navires battus par la tempête et des naufragés nageant vers le rivage où s'élève un temple de Neptune. Une légende entourait ce tableau; ce qu'on en peut lire donne à croire que Montaigne, en le choisissant, songeait au poète Horace et à l'ode à Pyrrha. N'avait-il pas lui aussi, après s'être engagé, non sans risque, en pleine mer, renoncé à l'aventure et aux dangers, et trouvé le port loin de l'orage?

Si les peintures du cabinet se sont avec le temps plus qu'à demi effacées, ce qu'il en reste permet de reconstituer le décor du local où travaillait Montaigne; si les livres qui composaient la « librairie » ont été dispersés, on a pu du moins en retrouver quelques-uns, qui portent en tête la signature du grand écrivain qui jadis fut leur possesseur : ce ne sont point toujours les plus intéressants, ni ceux qui furent le plus utilisés dans les *Essais;* et l'on a pu aussi, par de très minutieuses et prudentes conjectures, reconstituer une partie du groupe des ouvrages que Montaigne a lus, et même le plus souvent l'édition dont il fit usage.

La liste des ouvrages sur lesquels figure la signature de Montaigne est la suivante :

1. Aimoin, *Histoire des Francs.*
« *Aimoini monachi... Historiæ Francorum libri V.* » (Parisiis, apud Andream Wechelum, 1567.)

2. Allegre, *Décade contenant les vies des empereurs Trajanus, Adrianus, Antonius Pius, Commodus, Pertinax, Julianus, Severus, Antoninus Bassianus, Heliogabalus, Alexander, extraictes de plusieurs autheurs grecs, latins et espagnols, et mises en françois...* (A Paris, par Vascosan, 1567.)

3. Apollinaire, *Paraphrase des Psaumes en vers héroïques.*
« *Apolinarii interpretatio Psalmorum versibus heroicis.* » (Parisiis, apud Adr. Turnebum, 1552.)

4. Arculanus, *Pratiques.*
« *Practica Johannis Arculani Veronensis particularium morborum omnium...* » (Venetiis, ex officina Valgrisiana, 1560.)

5. Aretino, *Histoire de son temps.*
« *La historia universale de suoi tempi di M. Lionardo Aretino... riveduta, ampliata et corretta per Francesco Sansovino.* » (In Venetia, 1561.)

6. Ausone, *Œuvres.*
« *Ausonius. Aldus.* » (Venetiis in ædibus Aldi et Andreæ soceri mense novembri 1517.)

7. Id., *Œuvres.*
« *D. Magni Ausonii Burdigalensis poetæ... opera.* » (Lugduni, apud Joan. Tornæsium, 1558.)

8. Bacci.
« *Del Tevere di M. Andrea Bacci Medico e Filosofo.* » (In Venetia, 1576.)

9. Baïf, *Œuvres en rime.*
« *Euvres en rime de Jan Antoine de Baïf.* » (A Paris, pour Lucas Breyer, marchant libraire...)

10. Belloy (Pierre de), *Examen du discours publié contre la maison royalle de France... sur la Loy salique...* (imprimé nouvellement, 1587).

11. Beuterus, *Éphéméride.*
« *Michælis Beutheri... Ephemeris historica.* » (Parisiis, ex officina Michælis Fezandat et Roberti Grandion, 1551.)

12. Bèze (Théodore de) et Buchanan (Georges), *Poemata.*
« *Theodori Bezæ Vezelii poematum, editio secunda... Item ex Georgia Buchanano aliisque variis insignibus poetis excepta carmina præsertimque epigrammata...* » (Henricus Stephanus, 1569.)

13. *Bible.*
« *Divinæ Scripturæ... omnia... opera.* » (Basileæ, per Joan. Hervagium, 1545.)

14. Bonfinius, *Décades hongroises.*
« *Antonii Bonfinii rerum ungaricarum decades quatuor cum dimidia...* » (Basileæ, ex officina Oporiniana, 1568.)

15. Bouaystuau, *Bref discours de l'excellence et dignité de*

l'homme, faict en latin par Pierre Bouaystuau..., puis traduit par luy-mesme en françois... (Paris, pour Jean Longis et R. Le Mangnier, 1558.)

16. Bugnon, *Chronicon urbis Matissinæ...* (Lugduni, J. Tornæsius, 1559.)

17. Castañeda (Lopez de), *Histoire de la découverte de l'Inde.*
« *Historia del descubrimiento... de la India, compuesta por Hernan Lopez de Castañeda en languaje Portugues, y traduzida nuevamente en Romance Castellano.* » (Anvers, en casa de Martin Nucio, 1553.)

18. César, *Commentaires.*
« *C. Julii Cæsaris commentarii...* » (Antverpiæ, ex officina Christoph. Plantini, 1570.)

19. Denys d'Halicarnasse, *Œuvres.*
« *Dionysi Alicarnassei antiquitatum Romanorum libri X.* » (Lutetiæ..., 1546.)

20. Du Choul (Guillaume), *Discours de la religion des anciens Romains...* (Lyon, de l'imprimerie de Guillaume Rouille, 1556.)

21. Egnatius, *Hommes illustres de Venise.*
« *Joannis Baptistæ Egnatii... de exemplis illustrium virorum Venete civitatis atque aliarum gentium.* » (Parisiis, in officina Audoëni Parvi, 1554.)

22. Id., *Vies des Césars postérieures au recueil de Suétone.*
« *Cæsarum vitæ post Suetonium conscriptæ.* » (2 tomes, Lugduni, apud Gryphium, 1551.)

23. Érasme, *Paraphrase aux lettres des Apôtres.*
« *Des. Erasmi Rot. in epistolas apostolicas paraphrasis.* » (Lugduni, apud Gryphium, 1544.)

24. Eusèbe, *Préparation évangélique.*
« *Eusebii Pamphili evangelicæ præparationis lib. XV.* » (Lutetiæ..., 1544.)

25. *Florilège d'épigrammes.*
« *Florilegium diversorum epigrammatum in septem libros...* » (Badio, sub prelo Ascensiano, 1531.)

26. Forsterus, *Histoire du droit civil romain.*
« *Valentini Forsteri jureconsulti, De historia Juris civilis romani libri tres.* » (Basileæ, per Joannem Oporinum..., 1565.)

27. Franchi, *De l'union du royaume de Portugal à la couronne de Castille.*

« *Della unione del regno di Portogallo alla corona di Castiglia, istoria del Sig. Ieronimo de Franchi...* » (In Genova, appresso Bartoli, 1585.)

28. Gambara, *Carmina novem illustrium feminarum, Sapphus, Erinnæ, Myrus, Myrtidis, Corinnæ, Telesillæ, Praxillæ, Nossidis, Anytæ... latino versu a Laurentio Gambara expressa.* (Antverpiæ, ex officina Chr. Plantini, 1568.)

29. Gilles (Nicole), *Annales et croniques de France, depuis la destruction de Troyes jusques au temps du roy Louis onziesme.* (Paris, 1562.)

30. Gyraldi, *Des dieux des gentils.*
« *De deis gentium varia et multiplex historia...*»(Basileæ, 1548.)

31. Herburt-Fulstin, *Histoire des roys et princes de Poloigne...*, traduite de latin en françois par Balduin (Paris, 1573).

32. *Histoire Auguste.*
« *Cæsarum vitæ post Suetonium conscriptæ..., Egnatii in eosdem annotationes.* » (Lugduni, apud Gryphium, 1551.)

33. *Histoire des Germains.*
« *Germanicarum rerum quatuor celebriores vetustioresque chronographi...* » (Francfort, 1566.)

34. Homère, *Odyssea græce*, 1525.

35. Hygin, *Fables et Astronomiques, suivies des ouvrages de divers auteurs du même genre.*
« *L. Julii Hygini fabularum liber...* » (Basileæ, 1549.)

36. Justinien, *Histoire de Venise.*
« *Petri Justiniani Patritii Veneti... rerum Venetarum ab urbe condita historia.* » (Venetiis, 1560.)

37. Léon l'Hébreu, *Dialogues d'amour.*
« *Dialoghi di amore, composti per Leone medico Hebreo.* » (In Vinegia, 1549.)

38. Lusignan (Estienne de), *Description de toute l'isle de Cypre...* (Paris, chez Guillaume Chaudière, 1580.)

39. Massarius, *Corrections et annotations au 9e livre de l'Histoire naturelle de Pline.*
« *Francisci Massarii Veneti in novum Plinii de Naturali historia librum castigationes et annotationes.* » (Basileæ, Froben, 1537.)

40. Masverius, *Traité de droit*.
« *Masvarii jurisconsulti galli practica forensis...* » (Parisiis, apud H. et D. de Marnef fratres, 1555.)

41. Mauro, *Antiquités de Rome*.
« *Le antichita della citta di Roma... per Lucio Mauro.* » (In Venetia, appresso Ziletti, 1558.)

42. Montaigne, *Les Essais* (édition de 1588).

43. Montanus, *De Republica*.
« *Joannis Ferrarii Montani, de Republica bene instituenda...* » (Basileæ, per Oporinum, 1556.)

44. Munster, *Cosmographie universelle* (édition de 1565).

45. Nizolius, *Observations sur Cicéron*.
« *Marii Nizolii Brixellensis in M. T. Ciceronem observationes utilissimæ...* » (Lugduni, apud hæredes Gryphi, 1562.)

46. Ochino, *Catéchisme*.
« *Il catechismo o vera institutione christiana di M. Bernardino Ochino da Siena...* » (In Basilea, 1561.)

47. Id., *Sur la présence du corps de Jésus*, etc.
« *Disputa di M. Bernardino Ochino da Siena intorno alla presenza del corpo di Giesu Christo nel sacramento della cena.* » (In Basilea, 1561.)

48. Osorio, *Histoire d'Emmanuel de Portugal*.
« *Hieronymi Osorii Lusitani... de rebus Emmanuelis regis Lusitaniæ... domi forisque gestis libri XII...* » (Coloniæ Aggrippinæ, apud hæredes Birckmanni, 1574.)

49. Panvinius, *Histoire des empereurs romains*.
« *Onuphrii Panvinii... Romanorum principum... libri IV...* » (Basileæ, per Henricum Petrum, 1558.)

50. Id., *Commentaires sur l'histoire romaine*.
« *Onuphrii Panvinii... Reipublicæ romanæ commentariorum libri tres...* » (Venetiis, apud Valgrisium, 1558.)

51. Papyre Masson, *Annales françaises*.
« *Papirii Massoni annalium libri quatuor, quibus res gestæ Francorum explicantur...* » (Lutetiæ, apud Chesneau, 1577.)

52. Pétrarque, *Œuvres*.
« *Il Petrarca...* » (In Lyone, appresso Rovillio, 1550.)

53. Philon, *Œuvres*.
« *Philonis Judæi in libros Mosisde mundi opificio, historicos,*

de legibus; ejusdem libri singulares. » (Parisiis, ex officina Turnebi, 1552.)

54. Pichot, *De la nature des âmes.*

« *De animorum natura... auctore Petro Pichoto Andegavo, Medico Burdigalensi.* » (Burdigalæ, ex officina Millangii, 1574.)

55. Plotin, *Ennéades, traduites en latin par Ficin.*

« *Plotini Divini de rebus philosophicis libri LIIII, in Enneades sex distributi, a Marsilio Ficino Florentino e græca lingua in latinam versi...* » (Basileæ, per Guerinum, 1559.)

56. Plutarque, *Vies parallèles.*

« *Plutarchi Chæronei quæ vocantur Parallela...* » (Basileæ, Froben, 1550.)

57. Politien, *Œuvres.*

« *Angeli Politiani operum tomus primus..., tomus secundus..., tomus tertius...* » (Lugduni, apud Gryphium, 1550-1545-1546.)

58. Quinte-Curce, *Alexandre le Grand.*

« *Q. Curtii historiographi... de rebus gestis Alexandri magni...* » (Basileæ, 1545.)

59. Ringhieri, *Cento givochi liberali...* (In Bologna, per Giaccarelli, 1551.)

60. San Pedro, *Prison d'amour,* trad. italienne.

« *Carcer d'amore tradotte dal magnifico Messer Lelio de Manfredi Ferrarese de idioma spagnolo in lingua materna...* » (In Vinegia, per Bindoni et Pasini, 1546.)

61. Sansovino, *Gouvernement des divers royaumes et républiques antiques et modernes.*

« *Del governo amministratione di diversi regni et republiche cosi antiche come moderne di M. Francesco Sansovino...* » (In Venetia, appresso Bertano, 1578.)

62. Sauvage, *Chronique de Flandres.*

« *Cronique de Flandres anciennement composée par auteur incertain, et nouvellement mise en lumiere par Denis Sauvage, de Fontenailles en Brie, historiographe du tres chrestien Roy Henry, second de ce nom.* » (A Lyon, par Guillaume Rouillé, 1562.) joint à :

« *Les Memoires de Messire Olivier de La Marche... nouvellement mis en lumière par Denis Sauvage...* » (A Lyon, par Guillaume Rouillé, 1562.)

APPENDICE

63. Silves de la Selva, *Comiêça la dozena parte del invencible Cavallero Amadis de Gaula que tracta de los grandes hechos en Armas del esforçado Cavallero don Silves de la Selva con et fin de las guerras Rurianas...* (Anno del nacimiento d'ñro Salvador d'M. D. y. xlix.)

64. Streinnius, *Gentium et familiarum Romanorum stemmata.* (Henri Estienne, 1559.)

65. Synésius, *De l'empire jusqu'à Arcadius.*
« *Synesii episcopi Cyrenes ed regno ad Arcadium imperatorem...* » (Parisiis, ex officina Turnebi, 1555.)

66. Térence, *Comédies.*
« *P. Terentii Comædiæ sex...* » (Parisiis, ex officina Roberti Stephani, 1541.)

67. Id., *Comédies*, éd. d'Érasme.
« *Habes hic amice lector P. Terentii comœdias... indicata sunt carminum genera... studio et opera Des. Erasmi Roterdami...* » (Basileæ, Froben, 1588.)

68. Théophraste, *De odoribus*, éd. d'Adrien Turnèbe.
« *Theophrasti libellus de odoribus, ab Adriano Turnebo latinitate donatus et scholiis atque annotationibus illustratus.* » (Lutetiæ, Vascosanus, 1556.)

69. Varchi.
« *Le secunda parte delle lezzione di M. Benedetto Varchi...* » (In Fiorenza, appresso Giunti, 1561.)

70. Végèce, Frontin, Ælian.
« *Vegece, Du Fait de guerre et fleur de chevalerie, quatre livres; Frontin, Des stratagèmes, quatre livres; Ælian, De l'ordre et instruction des batailles, un livre...* » (Paris, Chrestien Wechel, 1536.)

71. Victorius, *Commentaires aux trois livres d'Aristote sur l'Art de dire.*
« *Petri Victorii commentarii longe doctrissimi in tres libros Aristotelis de Arte dicendi.* » (Basileæ, ex officina Joannis Oporini, 1559.)

72. Villani, *Histoire de son temps.*
« *La prima parte delle historiæ universali de suoi tempi di Giovan Villani cittadino Fiorentino...* » (In Venetia, ad instantia de Giunti di Fiorenza, 1559.)

73. Virgile, *Bucoliques, Géorgiques et Énéide.*

« *P. Virgilii Maronis Bucolica, Georgica et Æneis,* ...*Nicolai Erythræi opera in pristinam lectionem restituta...* » (Venetiis, 1539.)

74. Xénophon, *Œuvres,* trad. latine.
« *Xenophontis... opera.* » (Basileæ, apud Insigrinium, 1551.)

75. Id., *Le Mesnagier.* (Paris, pour Jean Dalier, 1562.)

76. Id., *La Mesnagerie de Xénophon. Les règles de mariage de Plutarque. Lettre de consolation de Plutarque à sa femme. Le tout traduict du grec en françois par M. Estienne de La Boétie... Ensemble quelques vers Latins et François de son invention. Item, un discours sur la mort dudit Seigneur de La Boétie, par M. de Montaigne.* (Paris, Federic Morel, 1571.)

De ces soixante-seize ouvrages aujourd'hui retrouvés, et sur lesquels Montaigne a apposé sa signature, ceux qui furent mis le plus à contribution pour les *Essais* sont sans doute les *Comédies* de Térence et les *Œuvres* de Virgile et de Xénophon. Pierre Villey a compté que 25 citations des *Essais* sont empruntées à Térence; que 116 sont tirées de Virgile, et 46 de Xénophon. Mais plus importante encore est la dette de Montaigne envers des ouvrages qui firent partie de sa « librairie » dont on n'a point retrouvé ses exemplaires. Parmi ceux-là dominent, comme il est naturel pour un auteur dont le latin fut la langue naturelle, les représentants de la littérature romaine antique, depuis Cicéron, qu'il pratiqua beaucoup au collège de Guyenne et qu'il citait ensuite sans l'aimer*, jusqu'à Sénèque, dont il trouvait les *Épîtres* si profitables**. Car s'il fut vite dégoûté de Cicéron, dont les « longueries d'apprest » le découragèrent, et dont il jugea que les discours « languissent autour du pot », il sut gré à Sénèque de traiter la morale « à pièces décousues ». Il pratiqua aussi beaucoup, avec Virgile, ses prédécesseurs Lucrèce et Catulle, ses contemporains Horace et Ovide, ses successeurs Lucain, Juvénal, Martial, Perse,

---

* Les *Tusculanes,* au calcul de Villey, ont fourni 59 citations latines; le *De natura deorum,* 28; le *De finibus,* 25; le *De officiis,* 25; les *Académiques,* 18; le *De divinatione,* 17.

** Villey enregistre 84 citations tirées des *Épîtres.*

APPENDICE

et Claudien lui-même, et Ausone*. Les historiens, de Salluste, César et Tite-Live à Quinte-Curce, Suétone et Tacite y figurent aussi notoirement; encore sied-il de noter qu'il ne lut Tacite qu'assez tard**. Signalons enfin que la *Cité de Dieu* de saint Augustin, lue dans l'édition de 1570 qui contient le commentaire de Vivès, a fourni à elle seule 19 citations.

Quant aux auteurs grecs, dont il n'entendait pas assez la langue pour les lire *de plano,* il semble bien que les cinq auxquels il se soit surtout attaché furent Plutarque, « le Plutarque françois » d'Amyot, Xénophon, Platon, Aristote et Diogène Laërce***. Les autres, il les lisait sans les fréquenter; il les « cueillait » surtout par fragments dans les florilèges anciens ou chez les compilateurs du XVIe siècle, qui en groupent les traits, les sentences et les anecdotes.

Il a beaucoup plus pratiqué les anecdotiers de son époque que les grands écrivains, même Rabelais, qu'il trouve « simplement plaisant ». Et il a préféré, semble-t-il, à ses compatriotes les auteurs italiens du temps, sans doute parce que la mode était à l'Italie, mais surtout peut-être parce que la tradition latine, si chère à Montaigne, s'était conservée au-delà des Alpes beaucoup plus vivace que chez nous. Signalons pêle-mêle les emprunts nombreux faits au *Courtisan* de Castiglione****, aux *Mémoires* des frères Du Bellay*****, à l'*Histoire d'Italie* de Guichardin******, aux *Politica* de

---

* Lucrèce lui a fourni 149 citations, Catulle 29, Horace 165, Ovide 72, Lucain 37, Juvénal 50, Martial 41, Perse 23, Claudien 12, Ausone, 11.

** Tite-Live a fourni 38 citations, César et Salluste 18, Quinte-Curce 7, Suétone 43, Tacite 7.

*** Montaigne, au calcul de Villey, a fait environ 258 emprunts aux *Œuvres morales* et 140 aux *Vies;* et il y a plus de 160 références des *Essais* à Diogène Laërce. Après 1588, la *Morale à Nicomaque* lui fournit une vingtaine d'emprunts; Platon lui donne plus de 150 allégations. — Il faut encore signaler Hérodote, lu dans la traduction française de Saliat (1573) et qui a fourni plus de 50 références.

**** Lu par Monzi soit dans le texte italien, soit dans la traduction française de Colin (Paris, 1537, ou Lyon, 1538).

***** Montaigne, a recensé Villey, a fait environ 25 emprunts aux frères Du Bellay, tous dans l'édition de 1580.

****** A qui Montaigne a fait environ 10 emprunts.

Juste Lipse*, à l'*Histoire générale des Indes* de Gomara**, à l'*Histoire du Portugal* de Goulard***, etc.

Ces citations, si nombreuses soient-elles, et ces réminiscences de lectures, ne doivent pas pourtant nous induire en erreur et faire croire que Montaigne prenait partout son bien « vert et sec » ni qu'il fût l'homme d'une quantité de livres. Sans doute les *Essais* peuvent-ils présenter, de prime abord, un aspect un peu emprunté, mais on a tôt fait de discerner avec quel art Montaigne, ayant choisi ce qui lui paraît propre, l'insère adroitement dans son texte. Il sied d'observer, d'autre part, que cet auteur passionné de lecture ne lisait pas tous les ouvrages de la même manière. S'il se contentait de parcourir certains livres, les autres, ceux qu'il croyait devoir lui être profitables, il les lisait, les relisait lentement, les annotait, les appréciait parfois ligne à ligne, les résumait ou les analysait.

Grâce à l'exemplaire de César que Montaigne annota, et qui fait partie aujourd'hui de la bibliothèque du château de Chantilly, nous pouvons nous rendre compte de la façon de procéder de l'auteur des *Essais*. Deux dates placées en tête du volume nous apprennent que Montaigne en a commencé la lecture, par les trois livres de la *Guerre civile*, le 25 février 1578 et qu'il l'a achevée le 21 juillet 1578 par la *Guerre des Gaules* : soit près de cinq mois, pendant lesquels Montaigne couvrit les 336 pages du livre de plus de 600 notes réparties inégalement dans les marges, sans compter les soulignures nombreuses qui marquent l'attention et l'intérêt pris à cette lecture, sans compter, au verso d'un des derniers feuillets du livre, ce jugement d'ensemble sur César : « Somme, c'est César un des plus grands miracles de Nature. Si elle eût voulu ménager ses faveurs, elle en eût bien fait deux pièces admirables : — le plus disert, le plus net et le plus sincère historien qui fut jamais, car, en cette partie, il n'en est nul Romain qui lui soit comparable,

---

* Montaigne a emprunté à cet ouvrage, après 1588, 34 citations d'auteurs divers.
** Près de 100 emprunts ont été faits par Montaigne à Gomara.
*** Une vingtaine.

et suis très aise que Ciceron le juge de même; et le chef de guerre en toutes considérations des plus grands qu'elle fit jamais. Quand je considère la grandeur incomparable de cette âme, j'excuse la Victoire de ne s'être pas défaite de lui, voire en cette très injuste et très inique cause. Il me semble qu'il ne juge de Pompéius que deux fois (208,324). Ses autres exploits et ses conseils, il les narre naïvement, ne leur dérobant rien de leur mérite; voire parfois il lui prête des recommandations de quoi il se fût bien passé, comme lorsqu'il dit que ses conseils tardifs et considérés étaient tirés en mauvaise part par ceux de son armée : car par là il semble le vouloir décharger d'avoir donné cette misérable bataille, tenant César combattu et assiégé de la faim (319). Il me semble bien qu'il passa un peu légèrement ce grand accident de la mort de Pompéius. De tous les autres du parti contraire, il en parle indifféremment, — tantôt nous proposant fidèlement leurs actions vertueuses, tantôt vicieuses, — qu'il n'est pas possible d'y marcher plus consciencieusement. S'il dérobe rien à la vérité, j'estime que ce soit parlant de soi : car si grandes choses ne peuvent être faites par lui qu'il n'y ait plus du sien qu'il n'y en met. C'est ce livre qu'un général d'armée devrait continuellement avoir devant les yeux pour patron, comme faisait le maréchal Strozzi qui le savait quasi par cœur et l'a traduit; non pas je ne sais quel Philippe de Comines que Charles cinquième avait en pareille recommandation que le grand Alexandre avait les œuvres d'Homère et Marcus Brutus Polybius l'historien. »

Bien que César n'ait jamais été l'un des auteurs préférés de Montaigne, de telles réflexions sont précieuses, qui nous montrent l'état d'esprit du lecteur quand sa lecture est encore toute fraîche. Nous connaissons aussi les annotations écrites par Montaigne à la suite de ses exemplaires des *Mémoires* des frères Du Bellay, de Commines et de Guichardin : elles datent des dernières années de sa magistrature. Ces notules avivent notre regret qu'on n'ait point pu retrouver le Plutarque, le Sénèque, le Cicéron et les autres livres de chevet que Montaigne avait sans doute, selon son habitude, copieusement enrichis de ses notes.

Du moins le catalogue qu'un érudit chercheur comme Pierre Villey a pu dresser de ses livres éclaire singulièrement la connaissance des *Essais* et permet de prendre de l'œuvre et de ses développements successifs une idée plus nette et plus juste. En même temps qu'un tel catalogue nous livre les « sources » de Montaigne, et nous montre la dette de l'essayiste à l'égard des anciens et des contemporains, il nous permet aussi de nous rendre compte que Montaigne a toujours cherché avant tout, dans n'importe quel auteur, ce qui l'éclairait le plus sur lui-même, ou, pour parler plus exactement, qu'il y chercha ce qu'il était lui-même.

NOTES

1. « Le voilà donc mort ce grand ministre, cet homme si considérable, qui tenoit une si grande place, dont le moi, comme dit M. Nicole, étoit si étendu; qui étoit le centre de tant de choses : que d'affaires, que de desseins, que de projets, que de secrets, que d'intérêts à démêler, que de guerres commencées, que d'intrigues, que de beaux coups d'échec à faire et à conduire! Ah! mon Dieu, donnez-moi un peu de temps; je voudrois bien donner un échec au duc de Savoie, un mat au prince d'Orange. Non, non, vous n'aurez pas un seul, un seul moment. » (Mme de Sévigné, *Lettre du 6 juillet 1691, sur la mort de Louvois.*)

2. Ce mot est de Tibère (cf. Suétone, *Vie de Tibère*, LXI); mais l'empereur qui voulait « estendre la mort et la faire sentir par les tourmens » est Caligula. Cf. Suétone, *Vie de Caligula*, XXX.

3. Tiré de Lampride, *Vie d'Héliogabale*, XXXIII.

4. Tiré de Plutarque, *Vie de César*, X.

5. Tiré de Tacite, *Annales*, IV, 22.

6. Tiré de Tacite, *Annales*, VI, 48.

7. Tiré de Plutarque, *Vie de Nicias*, X.

8. Tiré d'Appien, *De bello Mithridatico*, éd. Estienne, p. 21.

9. D'après Tacite, *Annales*, XVI, 15.

10. D'après Xiphilin, *Vie d'Adrien*, fin.

11. D'après Suétone, *Vie de César*, LXXXVII. Cf. aussi Plutarque, *Dicts des anciens Roys.*

12. Dans l'*Histoire Naturelle*, VII, 53.

13. Cf. t. I, l. II, chap. VI, pp. 408-409.

14. D'après Xénophon, *Mémorables*, IV, 8.

15. Tiré de Cornelius Nepos, *Vie d'Atticus*, XXII.

16. Tiré de Diogène Laërce, *Vie de Cléanthe*, VII, 176.

17. L'anecdote de Marcellinus est empruntée à Sénèque, *Épîtres*, 87.

18. D'après Plutarque, *Vie de Caton d'Utique.* Cf. Sénèque, *De providentia*, II.

19. D'après Plutarque, *Contredicts des philosophes stoïques*, XXIV.

20. C'est l'une des sentences qui étaient inscrites dans la « librairie » de Montaigne.

21. Les pyrrhoniens.

22. Sénèque, dans ses *Épîtres*, 4.

23. Tiré de Plutarque, *Vie de Lycurgue*, XI.

24. Tiré de Plutarque, *Vie de Pompée*, I.

25. Tiré de Plutarque, *Vie de Caton d'Utique*, XXXVI.

26. D'après Tacite, *Annales*, XIII, 45.

27. Montaigne veut parler ici des vertugadins, ancêtres des paniers et des crinolines.

28. Au dire de Valère Maxime, II, 1, 4 et d'Aulu-Gelle, IV, 3.

29. Sénèque, dans le *De clementia*, I, 23.

30. Tiré d'Hérodote, IV, 23.

31. Tiré de Gomara, *Histoire générale des Indes*, III, 30.

32. Allusion aux premiers troubles de la guerre civile, en 1560.

33. Tout le paragraphe est emprunté à Raymond Sebond, *Théologie naturelle*, CXCI.

34. Tiré de Cicéron, *De finibus*, III, 17.

35. Id., *ibid*.

36. D'après Sénèque, *Épîtres*, 21.

37. Ce Métrodore était un ami et un disciple d'Épicure, mort en 277 av. J.-C.

38. La lettre d'Épicure à Métrodore et les développements qu l'encadrent procèdent de Cicéron, *De finibus*, II, 30-31.

39. D'après Cicéron, *De finibus*, III, 17.

40. Dans la *Morale à Nicomaque*, II, 7.

41. D'après Cicéron, *De finibus*, II, 15.

42. D'après Cicéron, *De finibus*, II, 18.

43. D'après Cicéron, *De finibus*, II, 17.

44. Id., *ibid*.

45. D'après Cicéron, *De officiis*, III, 10.

46. D'après Cicéron, *Tusculanes*, I, XLV, et Sénèque, *Épîtres*, 79. Cf. P.-J. Toulet, *Contrerimes* :

> *La gloire est plus vaine une image*
> *Que l'ombre sur le mur...*

47. Cf. Corneille, *Le Cid*, acte IV, scène 3 :

> *O combien d'actions, combien d'exploits célèbres*
> *Sont demeurés sans gloire au milieu des ténèbres,*
> *Où chacun, seul témoin des grands coups qu'il donnoit,*
> *Ne pouvoit discerner où le sort inclinoit!*

48. D'après Cicéron, *De finibus*, II, 15.

49. Tiré de Sénèque, *Épîtres*, 91.

50. Paraphrase de Sénèque, *Épîtres*, 85.

51. Tiré de Tite-Live, LIV, 22.

52. Id., *ibid.*

53. Le fameux anneau de Gygès, cf. Platon, *République*, II, III, p. 360.

54. On trouve la même expression dans Sebond, *Théologie naturelle*, folio 209 recto.

55. Cités par Jean Bodin, *Methodus ad facilem historiarum cognitionem, proœmium.*

56. Cf. Tahureau, *Dialogues*, éd. de 1566, pp. 243-245.

57. Au livre I des *Essais*, chap. XLVI.

58. Tiré de Plutarque, *Dicts notables des Lacedæmoniens.*

59. Dans *Les Lois*, XII, p. 950.

60. Le « pédagogue » de Platon est Socrate.

61. Tiré de Diogène Laërce, *Vie de Platon*, III, 26.

62. D'après Plutarque, *Vie de Numa*, XIV.

63. D'après Plutarque, *Vie de Sertorius*, XV.

64. Villey rapproche la liste qui précède de différentes listes du XVIe siècle : Corneille Agrippa, *De vanitate scientiarum*, XCI; Blackwood, *De conjunctione religionis et imperii*, éd. de Paris, 1575, folio 30 verso; Coignet, *Instruction aux princes*, IV, etc.

65. Dans son *Histoire*, éd. de Rieux (1547), chap. LVI.

66. Tiré de Plutarque, *Comment on pourra discerner le flatteur d'avec l'amy*, VIII. Cf. Jean Bodin, *République*, IV, 6.

67. Tiré de Plutarque, *Vie d'Alcibiade*, I.

68. Tiré de Plutarque, *Vie de César*, I.

69. L'empereur Constance, au rapport d'Ammien Marcellin, XXI, 16.

70. Montaigne traduit ainsi une sentence empruntée à l'*Ecclésiaste*, I, qui figurait sur une travée de sa « librairie » : *Cognoscendi studium homini dedit Deus ejus torquendi gratia.* Voir l'appendice, p. 613.

71. Cette antithèse est prise à Sénèque, *Épîtres*, 36.

72. Le paragraphe est tiré de Diodore de Sicile, XIV, 28, traduit par Amyot, qui a pris le nom d'une fête, les *Lénéennes*, pour le titre d'une tragédie de Denys.

73. Ce quelqu'un dont il est fait mention par Plutarque dans ses *Préceptes de mariage* (XXVI) est Xénocrate.

74. Allusion au passage des *Académiques* (I, 2) où Cicéron critique

les avocats Amafanius et Rabirius qui parlaient « sans art sur des sujets communs, en langage vulgaire, sans définitions, sans divisions ».

75. Dans la traduction du *Timée*, II.

76. Les phrases de Du Vair et de Balzac sont, en effet, beaucoup plus « régulières » que celles de Montaigne.

77. Dans *Les Lois*, p. 887; dans *La Politique*, p. 283.

78. Dans le *Dialogue des orateurs*, XXXIX.

79. Estienne Pasquier (*Lettres*, XVIII, 1) raconte qu'ayant vu Montaigne aux états généraux de Blois en 1588, il lui signala les provincialismes dont son livre était plein. « Et comme il ne m'en voulut croire, ajoute-t-il, je le menai en ma chambre où j'avais son livre et là je lui montrai plusieurs manières de parler familières non aux Français, ains seulement aux Gascons, *un patenôtre, un dette, un rencontre, ces ouvrages sentant à l'huile et à la lampe*. Et surtout je lui montrai que je le voyais habiller le mot de *jouir* du tout à l'usage de Gascogne et non de notre langue française : *ni la santé que je jouis jusques à présent...* »

80. D'en deçà de la Charente qui limitait à peu près au nord le domaine de la *langue d'oc*, c'est-à-dire des dialectes méridionaux.

81. D'après Lacurne de Sainte-Palaye, on désignait par cette expression un maître homme; d'après Furetière, un intrigant.

82. L'image du mariage du corps et de l'âme est fréquente chez Sebond, *Théologie naturelle*, folios 112 recto, 163 recto, etc.

83. Autre idée de Sebond, folio 487 verso.

84. Ce paragraphe est tiré de Cicéron, *De finibus*, IV, 24.

85. Au rapport de Végèce (I, 5), cité par Juste Lipse, *Politiques*, V, 12.

86. L'ouvrage de Balthazar Castiglione qui porte ce titre. Cf. I, xx.

87. Dans la *Morale à Nicomaque*, IV, 7.

88. Dans les *Politiques*, IV, 44.

89. Dans *La République*, VII, 535.

90. Au dire de Plutarque, *Vie de Philopœmen*, I.

91. Pierre Eyquem mourut à 72 ans.

92. Montaigne ajoute cela en s'amusant, de même que Marot, dans une énumération analogue de vices et de défauts, ajoute ironiquement :

Au demeurant le meilleur fils au monde.

93. On ne se servait point d'enveloppes au temps de Montaigne; on pliait et rabattait le papier avant de le sceller. Cf. t. I, livre I, chap. XL, p. 285.

94. Montaigne semble faire ici la théorie de la politique d'Henri IV;

mais les premières lignes du développement étaient antérieures à l'avènement du Béarnais.

95. Dans la *Morale à Nicomaque*, IV, 8.

96. Apollonius de Thyane, le philosophe pythagoricien du Ier siècle, dont les *Epistulæ* avaient paru à Bâle en 1554. Cf. *Ep.* LXXXIII.

97. Charles VIII. Cf. Corrozet, *Propos mémorables*, éd. de 1557, p. 56.

98. Au dire d'Aurélius Victor, *De viris illustribus*, LXVI, et de nombreux compilateurs du XVIe siècle.

99. D'après Tacite, *Annales*, I, 11.

100. Allusion à Machiavel, dans *Le Prince*.

101. En 1537. Cf. *Thesoro politico*, II, 5, et aussi Paul Jove, *Histoire de son temps*, chap. XXXVI.

102. Tiré de Diogène Laërce, *Vie d'Aristippe*, II, 68.

103. Ce trait relatif à Messala Corvinus, général romain, orateur historien et poète, ami de Tibulle et d'Horace, se trouve dans Pline *Hist. naturelle*, VII, 24.

104. Georges de Trébizonde, célèbre philologue, né en Crète (1396), mort à Rome (1486), rhéteur, philosophe, traducteur, compilateur.

105. Cicéron, dans le *De senectute* (VII), prétend n'avoir jamais ouï dire qu'un vieillard ait oublié l'endroit où il aurait caché sa bourse.

106. Même trait au livre I, chap. XXVI.

107. C'est Mlle de Gournay qui se chargea, comme on sait, de cette tâche. Dans sa préface de 1635 (voir notre *Introduction*) elle déclare qu'il ne reste « qu'environ cinquante vides ou noms à remplir en ce plantureux nombre de près de douze cents passages ».

108. « Tout le monde se plaint de sa mémoire, a dit La Rochefoucauld, et personne ne se plaint de son jugement. »

109. Pline le Jeune (*Épîtres*, V, 3) conte comment son oncle, Pline l'Ancien, qui se servait d'un lecteur et d'un secrétaire pour prendre des notes sous sa dictée, blâmait celui-là d'avoir perdu du temps en reprenant une phrase mal lue, mais intelligible.

110. Rien n'est plus contraire, en effet, aux préceptes que donne Montaigne dans son chapitre sur l'éducation des enfants.

111. Il s'agit de Protagoras, en qui Démocrite d'Abdère (et non d'Athènes) devina les plus remarquables dispositions, au rapport d'Aulu-Gelle, *Nuits attiques*, V, 3.

112. En septembre 1559, quand François II mena au duc de Lorraine Charles III sa sœur Claude de France. On sait que « le bon roi René » était peintre amateur, et amateur de peinture.

113. Tiré de Diogène Laërce, *Vie de Chrysippe*, VII, 179.

114. On a trouvé parmi les décombres du château de Montaigne un jeton en cuivre portant d'un côté les armes de Montaigne ceintes du collier de Saint-Michel avec l'inscription *Michel seigneur de Montaigne,* et de l'autre, une balance dont les plateaux sont en équilibre avec la légende suivante : 42, 1576, Ἐπέχω, c'est-à-dire son âge (42 ans), la date où il avait cet âge, et la sentence : « Je suspends [mon jugement]. »

115. La *Satire Ménippée* prête à l'archevêque de Lyon le mot suivant : « Jamais ne fut dit pour néant que l'Évangile est un couteau de tripière qui coupe des deux côtés. »

116. Même idée dans l'*Apologie de Raimond Sebond.*

117. Comme il est advenu à Montaigne lui-même, l. III, chap. XIII.

118. « Le bon sens, dit Descartes dans le *Discours de la méthode,* est la chose du monde la mieux partagée. »

119. Cf. *Essais,* l. I, chap. XXVI.

120. François de Guise, dont il a raconté plus haut (l. I, chap. XXIII) un trait de grandeur d'âme.

121. Le maréchal de France Strozzi, qui fut tué d'un coup de mousquet au siège de Thionville, le 20 juin 1558. Il était cousin de Catherine de Médicis. Cf. plus bas, chap. XXXIV.

122. François Olivier (1475-1560), chancelier d'Henri II et de François II.

123. Aurat, plus connu sous les noms de Daurat ou Dorat (environ 1510-1588), poète néo-latin érudit, qui fut le maître de Baïf, de Ronsard et de Joachim Du Bellay au collège de Coqueret, à Paris. Il a écrit, au dire de Scaliger, 50 000 vers latins et grecs.

124. Théodore de Bèze (1519-1605), qui commença par écrire des poésies latines assez libres, les *Juvenilia* (1548), puis embrassa la religion réformée, enseigna le grec à Lausanne, et succéda à Calvin dans la direction de l'église de Genève. — A Rome on fit reproche à Montaigne d'avoir cité ce poète huguenot.

125. Voir t. I, l. I, chap. XXVI, p. 188, et la note 500.

126. Le chancelier Michel de L'Hospital, qui figure deux lignes plus haut à côté d'Olivier comme homme d'État, est inscrit dans cette liste comme poète néo-latin. Ses *Poemata,* célèbres de son temps, parurent en 1585.

127. Montdoré, bibliothécaire du roi, mort en 1581, plus connu, à vrai dire, comme mathématicien que comme poète; il signait ses *Poemata* du nom de *Montaureus.*

128. Voir t. I, l. I, chap. XXV, p. 148, et la note 368.

129. Le duc d'Albe, après avoir encouru la disgrâce de son maître, avait été chargé de conquérir le Portugal et s'était signalé à la bataille d'Alcantara (1580).

130. Le connétable de Montmorency, tué dans la deuxième guerre de religion, à Saint-Denis « à la vue de Paris et de son Roi » (1493-1567).

131. La Noue était mort en 1591. Un jour qu'on parlait de l'échanger (il était prisonnier des catholiques) contre le maréchal Strozzi, le cardinal de Lorraine s'y opposa : « Il y a en France plusieurs Strozzi, observa-t-il, il n'y a qu'un La Noue. »

132. Voir notre *Introduction*.

133. Montaigne écrit cette ligne du vivant de sa femme et de sa fille.

134. Voir notre *Introduction*.

135. Ces vers sont empruntés à une violente satire de Marot contre son ennemi Sagon, dont il altère le nom en *sagoin* (*Épître de Fripelipes, valet de Marot, à Sagon*).

136. Tiré de Plutarque, *Vie de Marius*, LI.

137. Dans *La République*, III, p. 558.

138. Dans le *De gubernatione Dei*, I, 14.

139. Plutarque, dans la *Vie de Lysandre*, IV.

140. D'après Gomara, *Histoire générale des Indes*, II, 28.

141. Il s'agit de Lysandre. Cf. Plutarque, *Vie de Lysandre*, V.

142. Tiré de Plutarque, *Vie de Caton d'Utique*, VII. Cf. aussi *Vie de Pompée*, XVI.

143. D'après Vopiscus, *Vie de Tacite*, X, dont se souvient Jean Bodin, *Methodus ad facilem historiarum cognitionem*, éd. de 1576, p. 63.

144. On sait que cette réhabilitation de Julien l'Apostat fut blâmée à Rome.

145. Tiré d'Ammien Marcellin, *Histoire*, XXV, 4.

146. Tiré d'Ammien Marcellin, *Histoire*, XXIV, 4.

147. Tiré d'Ammien Marcellin, *Histoire*, XXV, 3.

148. Tiré d'Ammien Marcellin, *Histoire*, XXV, 5, et XX, 10.

149. Tiré d'Ammien Marcellin, *Histoire*, XXV, 4.

150. Tiré d'Ammien Marcellin, *Histoire*, XXII, 10.

151. Entre autres Zonaras, cf. trad. Millet de Saint-Amour, éd. de 1560, 3e partie, folio 11 recto.

152. Eutrope, dans son *Abrégé d'Histoire romaine*, X, 8.

153. Tiré d'Ammien Marcellin, *Histoire*, XXII, 3.

154. Tiré d'Ammien Marcellin, *Histoire*, XXV, 4, et XVI, 5.

155. Tiré d'Ammien Marcellin, *Histoire*, XXV, 4, et XVI, 5.

156. Tiré d'Ammien Marcellin, *Histoire*, XVI, 5.

157. Tiré d'Ammien Marcellin, *Histoire*, XVI, 5.

158. Le rapprochement est d'Ammien Marcellin, *Histoire*, XXV, 3.

159. Tiré d'Ammien Marcellin, *Histoire*, XXV, 3.

160. Tiré d'Ammien Marcellin, *Histoire*, XXV, 5.

161. Tiré d'Ammien Marcellin, *Histoire*, XXV, 4.

162. Tiré d'Ammien Marcellin, *Histoire*, XXV, 4.

163. Tiré d'Ammien Marcellin, *Histoire*, XXV, 3.

164. Tiré d'Ammien Marcellin, *Histoire*, XX, 5.

165. D'après Théodoret, III, 20.

166. D'après Zonaras, éd. de 1560, 3ᵉ partie, folio 12 recto.

167. Dans son *Histoire*, XXI, 2.

168. Tiré d'Ammien Marcellin, *Histoire*, XXII, 5.

169. Même idée chez Gentillet, *Anti-Machiavel*, éd. de 1579, p. 429.

170. Ce « verset grec ancien » est un vers d'Épicharme, que Montaigne avait lu sans doute dans l'*Anthologie* de Stobée (éd. de 1559, p. 28).

171. Dans le *Phédon* de Platon, III, p. 60.

172. Dans Sénèque, *Épîtres*, 99.

173. *Épîtres*, 63.

174. Dans *La République*, IV, p. 126.

175. Cette demande était : « Qu'est-ce que Dieu? » Cf. Cicéron, *De natura deorum*, I, 22.

176. Tiré de Suétone, *Vie de Vespasien*, XXIV.

177. Tiré de Spartien, *Vie de Vérus*, VII.

178. Allusion très probable à Henri III, qui, depuis le combat de Moncontour (1569), n'avait plus paru sur un champ de bataille.

179. Le Béarnais, qui, dans un billet à son ami Givry, après la prise de Corbeil, lui mandait : « Tes victoires m'empêchent de dormir, comme anciennement celles de Miltiade, Thémistocle. Adieu, Givry, voilà tes vanités payées. »

180. L'empereur turc, qui conquit l'Égypte, — mort en 1520.

181. D'après le *Thesoro politico*, II, 2.

182. Tiré de Froissart, I, 123.

183. Tiré de Zonaras, *Vie de Julien*, fin.

184. Dans la *Cyropédie*, I, 2, 16.

185. Dans ses *Épîtres*, 88.

186. Tout le paragraphe est tiré de Ieronimo de Franchi Conestaggio, *Dell'unione del regno di Portogallo alla corona di Castiglia* (Gênes 1585), folios 36-40.

187. Courir la poste, à cheval.

NOTES

188. Dans Xénophon, *Cyropédie*, VIII, 6.

189. Dans la *Guerre civile*, III, 2.

190. Dans la *Vie de César*, LVII.

191. Tiré de Pline, *Histoire Naturelle*, VII, 10.

192. Le paragraphe est tiré de Pline, *Hist. naturelle*, X, 24 et 37, dont s'était souvenu Juste Lipse, *Saturnalium sermonum libri*.

193. Tiré de Gomara, *Hist. générale des Indes*, V, 7.

194. Tiré de Chalcondyle, XIII, 19.

195. Tout le début de cet essai s'inspire de Bodin, *République*, IV, et V, passim.

196. Tiré de Froissart, éd. Sauvage (1569), I, 213.

197. Philippe Auguste, dont le fils Philippe (et non Jean) mena une expédition en Angleterre en 1216.

198. Tiré de Plutarque, XXI.

199. Cicéron, *Épîtres*, VII, 5.

200. Dans la *Vie de César*, LIV.

201. D'après Plutarque, *Vie d'Antoine*, VIII.

202. D'après Tite-Live, XLV, 12-13.

203. Appien, IV, 6. Il s'agit de Géta.

204. Froissart, I, XXIX, 37.

205. Dans l'*Histoire Naturelle*, VII, 50.

206. Au livre I des *Essais*, chap. XXI.

207. *Épîtres*, 50.

208. Dans les *Annales*, XII, 47.

209. Au dire de Macrobe, *Saturnales* (VII, 13), cité par Béroald, Commentaire à la *Vie d'Auguste* de Suétone, chap. XXIV.

210. Tiré de Suétone, *Vie d'Auguste*, XXIV.

211. Tiré de Valère Maxime, V, III, 3.

212. Tiré de Valère Maxime, IX, II, 8.

213. Tiré de Plutarque, *Vie de Lycurgue*, XIV.

214. On trouve cette idée avec les mêmes exemples que cite Montaigne dans l'*Anti-Machiavel* de Gentillet (éd. de 1579).

215. Tiré de Plutarque, *Vie de Pélopidas*, XIV.

216. Tiré de Plutarque, *Pourquoi la justice divine diffère quelquefois la punition des maléfices*, II.

217. Tiré de Goulard, *Histoire du Portugal*, IV, 12.

218. Ce trait, cité par Vivès dans son *Commentaire de la Cité de Dieu* (V, 27), se trouve dans la préface de Pline à son *Histoire Naturelle*.

219. Voir la note précédente.

220. Tirée de Diogène Laërce, *Vie d'Aristote*, V, 18.

221. Sous Charles VI le Fou, en 1402. Cf. Monstrelet, *Chroniques*, I, 9.

222. D'après Hérodote, I, 82.

223. Allusion à la fameuse bataille des Horaces et des Curiaces, cf. Tite-Live, I, 24.

224. Celui de ses frères qui accompagna Montaigne dans son voyage en Italie.

225. Ce duel a été raconté par Brantôme, *Mémoires touchant les duels*, VI.

226. A en croire La Noue (*Discours politiques*, V), 300 à 400 gentilshommes passaient les Alpes chaque année pour se perfectionner dans l'escrime. Cf. Montaigne, *Journal de voyage* : « Aux escoles d'escrime [de Padoue]... Il y avoit plus de çant jantilshomes François. »

227. Corbis et Orsua. Cf. Tite-Live, XXVII, 21.

228. D'après Valère Maxime, II, III.

229. Tiré de Plutarque, *Vie de César*, XII.

230. Tiré de Plutarque, *Vie de Philopœmen*, I.

231. Platon, *Lachès*, VII, p. 123.

232. Dans *Les Lois*, p. 796.

233. D'après Zonaras, III, éd. de 1560, folio 828, et Gentillet, *Anti-Machiavel*, III, 3.

234. Tiré de Tite-Live, XL, 3.

235. Allusion au mot de Caligula cité plus haut, chap. XIII, p. 3. Voir la n. 2.

236. Dans son *Autobiographie*, LXXV.

237. Il s'agit de Mahomet II. Cf. Chalcondyle, X, 2.

238. Comme Lavardin, *Histoire de Scanderberg*, folio 446 recto.

239. L'anecdote est contée par Hérodote, I, 92 et par Plutarque, *De la malignité d'Hérodote*, XVIII.

240. Traduit de Paul Jove, *Histoire de son temps*, XIII.

241. Au dire de Tite-Live, XXXVIII, 50-54.

242. Tiré de Plutarque, *Vie de Caton le Censeur*, I.

243. Tiré de Plutarque, *Comparaison de Flaminius avec Philopœmen*.

244. Tiré de Plutarque, *Dicts des Lacedæmoniens*.

245. Tiré de Plutarque, *Vie de Philopœmen*, VIII.

246. Tiré de Sénèque, *Épîtres*, 36.

247. Traduit de Sénèque, *Épîtres*, 36.

248. Tiré de Sénèque, *Épîtres*, 68.

249. Voir *Essais*, l. I, chap. XXXVII, et l. II, chap. XI.

250. Tiré de Sénèque, *Épîtres*, 71.

251. Sénèque, dans son traité *De providentia*, VI.

252. Tiré de Diogène Laërce, *Vie de Pyrrhon*, IX, 62, 63, 64, 67.

253. Il s'agit du bâtard de la maison de Campois. Cf. Henri Estienne, *Apologie pour Hérodote*, XV, 19.

254. D'après Cicéron, *Tusculanes*, V, XXVII, et Élien, *Histoires variées*, VII, 18.

255. Tiré de Plutarque, *Vie d'Alexandre*, XXI. Cf. Cicéron, *Tusculanes*, II, XXII et XXVII.

256. Les théologiens.

257. Dans la *Vie de saint Louis*, XXX.

258. Tiré de Gentillet, *Anti-Machiavel*, II, 9.

259. Relaté par Chalcondyle, VII, 8.

260. Il s'agit d'Henri IV.

261. Jehan de Jaureguy, qui blessa Guillaume d'Orange d'un coup de pistolet à Anvers, le 18 mars 1582; et Balthazar Gérard, qui le tua à Delft, le 10 juillet 1584.

262. Allusion à l'assassinat de François de Guise par Poltrot de Méré, le 18 février 1563.

263. Balthazar Gérard. Cf. n. 261.

264. Tiré de Du Haillant, *Histoire des Rois de France*, éd. de 1576, pp. 456-457.

265. On trouve des cas semblables rapportés par Bouaystuau, *Histoires prodigieuses* : chap. VI, *Histoire notable de deux filles engendrées de nostre temps, qui estoient collées ensemble par les testes;* chap. XXXV, *Prodige de deux filles jumelles jointes et collées ensemble par les parties postérieures.*

266. Aristote, *Rhétorique*, III, 12.

267. Dans la *Morale à Nicomaque*, X, 9.

268. Cité par Plutarque, *Comment il faut refréner la cholère*, VI.

269. L'image est de Sénèque, *De ira*, I, v.

270. Dans la *Vie de César*, XII.

271. La sentence d'Eudamidas et celle de Cléomène sont tirées de Plutarque, *Dicts des Lacedæmoniens*.

272. Tiré de Plutarque, *Comment il faut ouïr*, VII. Cf. Aulu-Gelle, *Nuits attiques*, XVIII, 3.

273. Tiré d'Aulu-Gelle, *Nuits attiques*, I, 26.

274. Ces deux exemples sont tirés de Plutarque, *Comment il faut nourrir les enfants*, XVIII. Cf. aussi Valère Maxime, IV, 1; Cicéron, *Tusculanes*, IV, XXXVI, etc.

275. Tiré de Plutarque, *Dicts des Lacedæmoniens* et *Dicts des anciens Roys*.

276. D'après Sénèque, *De ira*, I, 18.

277. D'après Sénèque, *De ira*, III, 8.

278. Tiré de Plutarque, *Instruction pour ceulx qui manient affaire d'estat*, XIV.

279. Dans Diogène Laërce, *Vie de Diogène*, VI, 34.

280. Dans la *Morale à Nicomaque*, III, 7.

281. Tiré de Sénèque, *De ira*, I, 17.

282. Montaigne parle ici du premier cardinal de Lorraine (1524-1574), frère du duc François de Guise, et qui avait été tout-puissant sous François II.

283. Dion Cassius, *Historiarum romanarum libri*, LXI, 10, 12, 20.

284. Surtout dans les *Annales*, XIII, 1; XIV, 53-55; XV, 60 et 64.

285. Notamment Suétone, dans sa *Vie de Néron*.

286. Le même argument se lit dans Jean Bodin, *Methodus ad facilem historiarum cognitionem*, IV.

287. Cf. t. I, n. 1114.

288. Au chapitre IV.

289. Dans la première, Hannibal donne le premier rang à Alexandre; dans la seconde, à Pyrrhus.

290. Dans la *Vie de Pyrrhus*, XII.

291. Dans les *Tusculanes*, II, XIV.

292. Plutarque, dans la *Vie de Lycurgue*, XIV, et, parmi les « cent autres témoins », Valère Maxime, III, 3.

293. Ammien Marcellin, *Histoire*, XXII, 16.

294. Tiré de Tacite, *Annales*, IV, 45.

295. Tiré de Tacite, *Annales*, XV, 57.

296. Cf. Pogge, *Facezie*, et Castiglione, *Corteggiano*, III, 22.

297. Au l. I. des *Essais* chap. XXVII.

298. L'*ostracisme* ou bannissement par inscription du nom sur une coquille (en grec *ostrakon*) se pratiquait à Athènes; le *pétalisme* ou bannissement par inscription du nom sur une feuillle (en grec *petalon*) d'olivier ou de laurier était en usage à Sparte.

299. Dans la *Comparaison de Pompeius et d'Agesilaus*.

300. Il s'agirait, d'après une note manuscrite de Florimond de Ræmond transcrite par La Montagne sur un exemplaire des *Essais* conservé à la bibliothèque de Bordeaux, de Louis de Bourbon, duc de Montpensier (1513-1582), qui fut gouverneur de l'Anjou et du Maine, le même auprès de qui Montaigne se rendit en 1574 au camp de Sainte-Hermine.

301. Anecdote tirée de Diogène Laërce, *Vie de Xénocrate*, IV, 7.

302. Suétone, *Vie de César*, XLV.

303. Id., *ibid.*, XLIX.

304. Id., *ibid.*, LII. Cf. Plutarque, *Vie de César*, XLV.

305. Id., *ibid.*, LII.

306. Suétone, *Vie de César*, L.

307. Tiré du *Commentaire* de Béroald, L.

308. D'après Suétone, *Vie de César*, XLV.

309. Mahomet II. Cf. Chalcondyle, *Histoire de la décadence de l'Empire grec.*

310. Anecdote rapportée par Chalcondyle, *Histoire de la décadence de l'Empire grec*, V, 11; Paul Jove, *Histoire;* Laverdin, Bonfinius, etc.

311. Tiré de Suétone, *Vie de César*, LIII.

312. Id., *ibid.*, XLVIII.

313. Id., *ibid.*, LIII.

314. Id., *ibid.*, LIII.

315. Tiré de Sabellicus, *Commentaire* sur Suétone, L.

316. *Sine Cerere et Baccho friget Venus,* dit le proverbe latin, c.-à-d. « Sans manger ni boire l'amour est frigide ».

317. Tiré de Suétone, *Vie de César*, LXXV.

318. Allusion à Labiénus, qui se mit du côté de Pompée. Cf. Plutarque, *Vie de César*, X.

319. Tiré de Suétone, *Vie de César*, LXXV.

320. Id., *ibid.*, LXXIII.

321. Id., *ibid.*, LXXIII.

322. Id., *ibid.*, LXXIII.

323. Id., *ibid.*, LXXV.

324. Id., *ibid.*, LXXV.

325. Id., *ibid.*, LXXII.

326. Id., *ibid.*, XLVII.

327. Id., *ibid.*, LXXII.

328. Id., *ibid.*, LXXVII.

329. Id., *ibid.*, LXXVII.

330. Id., *ibid.*, LXXVI.

331. L'histoire de Spurina, qu'on trouve dans Valère Maxime (IV, 5), avait déjà été contée par Boccace, *De casibus illustrium virorum*, IV, et par Ravisius, *Officina*, éd. de 1557, folio 107 verso.

332. Voir plus loin dans les *Essais*, le chapitre XXXVI du livre II.

333. D'après Cicéron, *Tusculanes*, II, XXVI.

334. D'après Plutarque, *Vie de Brutus*, I.

335. Tiré sans doute de Bodin, préface au *Methodus*.

336. Voir plus haut, chap. XVII, p. 65, et la n. 121. « Pour plus grande preuve que j'aye jamais veu de mondict sieur le mareschal, nous dit de lui Brantôme (*Œuvres*, éd. Lalanne, t. II, p. 241), de son sçavoir, ç'a esté les *Commentaires* de Cæsar qu'il avoit tournées de latin en grec, et luy-mesmes escrites de sa main, avec des commantz latins, additions et instructions pour gens de guerre, les plus belles que je vis jamais, et qui furent jamais escrites. »

337. Tiré de Suétone, *Vie de César*, LXVI.

338. La remarque est de Béroald dans son *Commentaire sur Suétone*, LXVI.

339. Tiré de Suétone, *Vie de César*, LXV.

340. Tiré de César, *De bello gallico*, I, XVI.

341. Tiré de Suétone, *Vie de César*, LXVII.

342. Id., *ibid.*, LXVII.

343. Id., *ibid.*, LXVII et *Vie d'Auguste*, XXV.

344. Id., *ibid.*, LXIX.

345. Dans *De bello gallico*, IV, 17.

346. *Id.*, II, 21.

347. Tiré de Plutarque, *Vie de César*, V.

348. Dans *De bello gallico*, VII, 24.

349. Dans la *Guerre civile*, I, 72.

350. Tiré de Suétone, *Vie de César*, LIII.

351. Tiré de *De bello gallico*, II, 25.

352. Tiré de Suétone, *Vie de César*, LVIII.

353. Tiré de Plutarque, *Dicts des anciens Roys*.

354. Erreur de transcription : César, dans *De bello gallico* (VII, 76), dit 8 000.

355. Tiré de Plutarque, *Vie de Lucullus*, XIII.

356. D'après César, *De bello gallico*, VII, 75.

357. Dans la *Cyropédie*, II, 2.

358. Tiré de Chalcondyle, III, 11.

359. Tiré de Lavardin, *Histoire de Scanderberg*, folio 444 recto.

360. Tiré de César, *De bello gallico*, VII, 68.

361. Dans Suétone, *Vie de César*, LX.

362. Tiré de *De bello gallico*, I, 46.

363. Cf. Platon, *Lois*, p. 689.

364. Tiré de Suétone, *Vie de César*, LVII.

365. Le rapprochement est de Béroald, dans une note de son *Commentaire*.

366. Tiré de Suétone, *Vie de César*, LXIV.

367. Id., *ibid.*, LXVIII.

368. Coligny.

369. Agrippa d'Aubigné, relevant le même trait dans son *Histoire universelle,* ajoute pareillement : « Marque le lecteur ce trait qui n'a point d'exemples en l'antiquité. »

370. L'exemple est tiré de Tite-Live, XXIV, 18.

371. Tiré de Suétone, *Vie de César*, LXVIII.

372. Tiré de Plutarque, *Vie de César*, V.

373. D'après César, *Guerre civile*, III, 9.

374. L'anecdote est tirée de Pline le Jeune, *Épîtres*, VI, 24.

375. L'anecdote est tirée de Pline le Jeune, *Épîtres*, III, 16.

376. L'anecdote est tirée de Tacite, *Annales*, XV, 62-65.

377. Traduit de Sénèque, *Épîtres*, 104.

378. Virgile.

379. Cité par Plutarque, *Des oracles de la prophétesse Pythie*, VIII.

380. Tiré de Plutarque, *Vie d'Alexandre*, II. Cf. Pline l'Ancien, *Hist. naturelle*, V, 29.

381. Tiré de Plutarque, *Dicts des Lacedæmoniens*.

382. Dans le traité *Du trop parler*, V.

383. Tiré de Plutarque, *Dicts des anciens Roys* et *Vie d'Alcibiade*, III.

384. Tiré de Plutarque, *Dicts des anciens Roys*.

385. D'après Cicéron, *Tusculanes*, I, xxxii.

386. Tiré de Gentillet, *Anti-Machiavel*, III, 1.

387. Cf. Plutarque, *Vie d'Alexandre*, IV, Quinte-Curce, I, xi.

388. Cf. Quinte-Curce, I, xvii.

389. Id., xxii.

390. Id., xii.

391. Id., xviii.

392. Id., xxii.

393. Id., VIII, 1.

394. Id., X, 5.

395. Id., IX, 3 et Plutarque, *Vie d'Alexandre*, XIX

396. D'après Arrien, trad. Witard, VII.

397. D'après Arrien, trad. Witard, VII.

398. D'après Postel, *Histoire des Turkes* (éd. de 1575), II, p. 131.

399. Au dire de Diodore de Sicile (éd. Amyot, 1559), XV, 24.

400. D'après Plutarque, *Comment il faut ouïr*, III.

401. D'après Diodore, XV, 10, et Cicéron, *De officiis,* I, 44.

402. Notamment Diodore, XV, 24.

403. Amyot écrit à ce sujet dans la préface à ses *Vies* : « Ayant fait toute diligence à moy possible de les chercher ès principales librairies de Venize et de Rome, je ne les ay peu recouvrer. »

404. D'après Plutarque, *Que l'on ne sçauroit vivre joyeusement selon la doctrine d'Epicurus*, XIII.

405. Tiré de Plutarque, *Esprit familier de Socrate*, IV.

406. Id., *ibid.*

407. Tiré de Diodore, XV, 19.

408. Tiré de Diodore, XV, 24. Cf. Cornelius Nepos, *Épaminondas*, X.

409. Montaigne a déjà fait mention de ce larcin plus haut, chap. IX.

410. Il avait commencé à l'âge de 39 ans, en 1572.

411. C'est ainsi que Montaigne nomme la maladie de la pierre dont il ressentit les premières atteintes environ 1578.

412. Tamerlan, au rapport de Chalcondyle, III, 10.

413. Tiré de Diogène Laërce, *Vie d'Antisthène*, VI, 28.

414. Entre autres Laurent Joubert, *Erreurs populaires au faict de la médecine* (1578), l. IV, chap. IX.

415. Dans Diogène Laërce, *Vie d'Épicure*, X, 118.

416. Dans le *De divinatione*, II, 69.

417. La même idée se trouve, dans les mêmes termes, chez Sebond, *Théologie naturelle*, LVII, folio 58 verso.

418. Tiré de Pline, *Hist. Nat.,* VII, 12.

419. Tiré de Plutarque, *Pourquoy la justice divine diffère quelquefois la punition des maléfices*, XIX.

420. Dans les *Politiques*, II, 2.

421. Tiré de Diogène Laërce, *Vie d'Épicure*, X, 129. Cf. Cicéron, *Tusculanes*, V, XXXIII.

422. D'après Plutarque, *Banquet des sept Sages*, XIX.

423. D'après Pline, *Hist. Nat.* (XXIX, 1), cité par Laurent Joubert, *Erreurs populaires au faict de la médecine*, l. I, chap. I.

424. Dans la *Vie de Caton le Censeur*, XII.

425. Pline, *Hist. Nat.* (XXV, 1), cité par Corneille Agrippa, *De vanitate scientiarum*, LXXXIII.

426. Dans son *Histoire*, IV, 187.

427. Dans le *Timée*, p. 89.

428. Cette sentence, traduite de Sénèque (*Épîtres*, 107), est citée aussi par Rabelais dans le *Cinquième livre*, chap. XXXVI.

429. Ces deux traits sont cités par Corneille Agrippa, *De vanitate scientiarum*, LXXXIII.

430. Tiré de Diogène Laërce, *Vie de Diogène*, VI, 62.

431. D'après Antonius Melissa et Maximus, *Sententiarum tomi tres* (1546), p. 62.

432. Dans *La République*, III, p. 389.

433. Dans la fable XIII, *Le Malade et le Médecin*.

434. D'après Pline, *Hist. Nat.*, XXIX, 1. Cf. Corneille Agrippa, *De vanitate scientiarum*, LXXXIII.

435. Cf. n. 431.

436. D'après Pline, *Hist. Nat.*, XXIX, 1.

437. Id., *ibid*.

438. Tous ces exemples sont pris à Corneille Agrippa, *De vanitate scientiarum*, LXXXIII.

439. Pline l'Ancien, *Hist. Nat.*, XXIX, 1.

440. Cf. t. I, n. 1495.

441. Léonard Fioravanti, de Bologne, médecin célèbre, mort en 1588.

442. Jean Argentier ou *Argenterius*, autre médecin italien célèbre (1513-1572).

443. Dans la fable LXXVI, *L'Æthiopien*.

444. Cf. Corneille Agrippa, *De vanitate scientiarum*, chap. LXXXIII.

445. Id., *ibid.*, LXXXII.

446. Id., *ibid.*, LXXXIII.

447. Allusion à La Boétie, mort de dysenterie.

448. Montaigne se souvient ici des opinions contradictoires des médecins Franciotti et Donati, auteurs de traités sur les bains de la Villa. Cf. son *Journal de voyage*, Première saison aux bains de Lucques.

449. C'est une contrée de Gascogne, ayant pour villes principales Dax, Saint-Sever et Aire. Les seigneurs de Caupène appartenaient à la famille de Montesquieu.

450. Caupène et Montaigne avaient même à ce propos un procès qui durait depuis 1570.

451. C'est un village du canton de Salies-de-Béarn. Cf. Louis Batcave, *Revue des Études historiques*, 1901, p. 127 : *Commentaire historique d'un passage de Montaigne*.

452. Aux sources de la Durance.

453. Cf. la note 81.

454. Sans doute à Orthez, où Jeanne d'Albret avait créé une université.

455. A condition, dit Laurent Joubert (*Erreurs populaires au faict de la médecine*, I, 1), que le bouc ait été nourri d'herbes saxifrages.

456. *Honora medicum propter necessitatem*, dit l'*Ecclésiastique de Jésus* (XXXVIII, 1) cité par Laurent Joubert, *Erreurs populaires...*, I, 1.

457. Dans les *Paralipomènes* (II, XVI, 12), cité aussi par Laurent Joubert, *Erreurs populaires...*, I, 1.

458. Tiré d'Hérodote, I, 197.

459. Dans l'*Odyssée*, IV, 231.

460. D'après Diogène Laërce, *Vie de Platon*, III, 7.

461. Marguerite de Gramont, veuve de Jean de Durfort de Duras, qui fut tué près de Libourne.

462. Tiré de Tacite, *Annales*, VI, 46.

463. Dans l'*Histoire Naturelle*, XXIX

464. Cf. n. 461.

465. Au dire de Plutarque, *Vie de Périclès*, XXIV.

466. Ces comparaisons sont tirées de Cicéron, *Académiques*, II, 26.

467. Tiré de Tacite, *Annales*, II, 83.

468. Allusion au rôle d'intermédiaire et de négociateur joué par Montaigne après la rupture de la paix de Fleix (vers 1584) entre le roi de Navarre et le maréchal de Matignon, lieutenant général d'Henri III en Guyenne.

469. Hypéride, l'orateur attique, ami de Démosthène et qui périt la même année (322 av. J.-C.). — Le trait est tiré de Plutarque, *Comment on pourra discerner le flatteur d'avec l'amy*, XXVI.

470. Allusion à quelque conte populaire, où l'on voyait une vieille femme brûler un cierge à saint Michel et un autre au dragon vaincu, pour le cas où celui-ci aurait un jour sa revanche.

471. Cette boutade est empruntée à Rabelais, qui la reproduit plusieurs fois (Prologue de *Pantagruel,* chapitres III et VII du *Tiers Livre,* Prologue du *Quart Livre*).

472. Le château de Montaigne.

473. Tiré de Cornelius Nepos, *Vie d'Atticus*, VI.

474. Allusion aux nombreux gentilshommes du temps qui s'enfermaient dans leur château pour n'avoir pas à prendre parti entre le roi et la Ligue, et qu'on appelait avec mépris les « casaniers ».

475. Tiré d'Hérodote, VII, 163.

476. En ces temps troubles beaucoup se posèrent la question que Montaigne traite ici : Jean Bodin approuve la loi de Solon qui con-

traignait les citoyens à prendre parti dans les luttes intestines ; Juste Lipse tient que seuls les hommes en charge ont à se prononcer, mais que les moindres seigneurs peuvent attendre; Charon pense comme Lipse; Du Vair (*De la Constance*, III) se justifiait sur la nécessité d'avoir rendu justice au nom de la Ligue, à l'encontre des ordres du roi.

477. L'évêque d'Orléans, Jean de Morvilliers, garde des Sceaux en 1568, avait participé aux négociations de Cateau-Cambrésis, ainsi qu'au concile de Trente. De caractère assez flottant ou prudent, il usa d'une grande modération envers les huguenots. Il mourut en 1577.

478. Cf. livre II, chap. II.

479. Lieutenant d'Alexandre qui, après la mort de son maître, fut roi de Thrace (323), puis roi de Macédoine (286). Cf. Plutarque, *De la curiosité*, IV.

480. Henri III et le roi de Navarre. Cf. n. 468.

481. Allusion à la fable 293, — que devait imiter La Fontaine (IV, 5) sous le titre de *L'Ane et le petit Chien*.

482. Un sage de l'Inde. Cf. Plutarque, *Vie d'Alexandre*, XX.

483. On ignore à qui Montaigne fait ici allusion. Quant à l'anecdote rapportée, elle est tirée de Tacite, *Annales*, II, 64. Les deux prétendants au trône de Thrace se nommaient Cotys et Rhescuporis; l'empereur qui les empêcha de venir aux armes est Tibère.

484. Chargé par Alexandre, lors de son expédition contre les Perses, du gouvernement de la Macédoine, Antipater vainquit les Lacédémoniens qui avaient tenté de secouer le joug de la Macédoine (330 av. J.-C.). Tiré de Plutarque, *Comment on pourra discerner le flatteur d'avec l'amy*, XXI.

485. Le trait est tiré de Plutarque, *Dicts des anciens Roys*.

486. Ce médecin, passant du camp de Pyrrhus à celui de Fabricius, avait offert au consul romain d'empoisonner le roi d'Épire; Fabricius fit reconduire à Pyrrhus le félon, et son geste généreux eut l'approbation du Sénat. D'après Plutarque, *Vie de Pyrrhus*, XXV. Cf. aussi Cicéron, *De officiis*, III, 22.

487. Le trait est tiré d'Herburt-Fulstin, *Histoire des roys de Poloigne*, trad. française de Balduin (1573), folio 43 recto.

488. Tiré de Plutarque, *Vie d'Eumène*, IX.

489. Tiré de Florus, *Epitome* du XXVIIe livre de Tite-Live.

490. Anecdote tirée de Lavardin, *Histoire de Scanderberg*, folio 253 verso.

491. Anecdote tirée de Du Haillan, *Histoire des rois de France*, folio 42.

492. Séjan. — L'anecdote est prise à Tacite, *Annales* V, 9.

493. Tiré de Chalcondyle, I, 10.

494. Tiré de Cromer, *De rebus gestis Polonorum*, p. 384.

495. Lanson (*Les Essais de Montaigne*, p. 236) et Plattard, dans son édition, trouvent que ce paragraphe serait mieux placé avant le précédent. « L'exemple de Timoléon... se rattache mieux à l'idée exprimée par le développement : *Quand il s'en trouveroit...* » Il est possible que Montaigne ait mal placé son renvoi dans l'exemplaire de 1588.

496. Cf. *Essais*, t. I, l. I, chap. XXXVIII, p. 267, et la note 651.

497. Anecdote tirée de Diodore de Sicile, XVI, 29.

498. Tiré de Cicéron, *De officiis*, III, 22.

499. Au livre II des *Essais*, chap. XXXVI.

500. Sparte.

501. Pompée, d'après Plutarque, *Vie de Pompée*, III.

502. César, d'après Plutarque, *Vie de César*, XI.

503. Marius, d'après Plutarque, *Vie de Marius*, X.

504. Les Lacédémoniens. Cf. Plutarque, *Dicts des Lacedæmoniens*.

505. Les deux exemples sont tirés de Tacite, *Histoires*, III, 51.

506. Montaigne admet-il ici le système de Copernic à l'égard duquel il s'était montré ailleurs bien sceptique, cf. *Essais*, t. I, l. II, chap. XII? Radouant note que *du leur* n'est pas d'explication facile, et qu'il entend peut-être « le mouvement de lente dégradation qui se produit dans chacune des choses créées ».

507. Démade disait (Plutarque, *Vie de Démosthène*, III) « qu'il avait pu souvent se contredire lui-même, mais l'intérêt public, jamais ».

508. Montaigne, en effet, se laisse aller dans le livre III et dans les additions de 1595 aux confidences les plus personnelles.

509. C'est déjà la pensée de Pascal (XII, 13) : « L'homme n'est ni ange ni bête », etc.

510. Cf. en effet, livre I, chap. LVI; livre II, chap. III.

511. C'est la doctrine même de Socrate, selon qui la vertu ou le bien se confond avec la science de la vertu ou du bien. Opinion fort contestable. Au chapitre XII du livre II, Montaigne, rapportant la même maxime : « Tout vice est produit par l'ignorance », ajoute : « Si cela est vray, il est subject à une longue interprétation. »

512. Cette pensée est traduite de Sénèque, *Épîtres*, 81.

513. D'après Plutarque, *De la tranquillité de l'âme*, IX.

514. D'après Plutarque, *Banquet des sept Sages*, XII.

515. D'après Plutarque, *Instruction pour ceux qui manient affaires d'Estat*, IV.

516. D'après Plutarque, *Vie d'Agésilas*, V.

517. C'est le proverbe : « Personne n'est un héros pour son valet de chambre. »

518. Proverbe qui se trouve dans saint Luc, IV, 24 : « Nemo propheta acceptus est in patria sua. »

519. Dans la *Morale à Nicomaque*, X, 7.

520. Voir *Essais*, t. I, l. I, chap. XXVI, pp. 187 et 188.

521. D'après Sénèque, *Épîtres*, 94.

522. D'après Plutarque, *Dicts des anciens Roys*.

523. Sophocle, au rapport de Cicéron, *De senectute*, XIV.

524. Tiré de Diogène Laërce, *Vie d'Antisthène*, VI, 5.

525. Dans la *Morale à Nicomaque*, X, 8.

526. Allusion à son amitié pour La Boétie.

527. Plutarque, dans le traité *De la pluralité d'amis*, II.

528. Dans *Les Lois*, VI.

529. D'après Plutarque, *Comment il faut refréner la cholère*, X.

530. D'après Plutarque, *Vie de Dion*, I.

531. Au début de *Phèdre*.

532. Tiré de Tacite, *Annales*, VI, 1.

533. Cette anecdote, tirée de Guevara, *Épîtres dorées*, est rapportée aussi par Brantôme, *Dames galantes, Deuxième discours* :

« Aussi cette dame Flora eut cela de bon et de meilleur que Lays, qui s'abandonnoit à tout le monde comme une bagasse, et Flora aux grands; si bien que, sur le seuil de sa porte, elle avoit mis cet escriteau : *Rois, princes, dictateurs, consuls, pontifes, questeurs, ambassadeurs, et autres grands seigneurs, entrez, et non d'autres.* »

534. Tiré de Postel, *Histoire des Turkes*, III.

535. Tiré d'Olivier de La Marche, *Mémoires* (publiés par Denys Sauvage en 1562).

536. La tour où Montaigne avait sa « librairie » était située en avant des autres corps de bâtiment.

537. Tous ces modes de consolation sont empruntés à Cicéron, *Tusculanes*, III, XXXI.

538. Au livre II des *Essais*, chap. XXIII, pp. 87-89.

539. Anecdote tirée de Commines, *Mémoires*, II, 3.

540. D'après Cicéron, *Tusculanes*, I, XXXIV.

541. D'après Tacite, *Annales*, XV, 57.

542. D'après Tacite, *Annales*, XVI, 9.

543. Le trait se trouve dans Diogène Laërce, *Vie de Xénophon*, II, 54, et dans Valère Maxime, IV, 10.

544. D'après Cicéron, *Tusculanes*, I, XXVI.

545. Tiré de Sénèque, *Épîtres*, 82 et 83.

546. Sans doute Henri de Navarre qui, après avoir vaincu à Coutras (20 octobre 1587), était venu loger à Montaigne.

547. Allusion au chagrin qu'il avait eu de la mort de La Boétie (août 1563).

548. Tiré de Cicéron, *Tusculanes*, III, xv.

549. Tiré de Plutarque, *Vie d'Alcibiade*, XIV.

550. Dans la *Consolation envoyée à sa femme sur la mort de sa fille* (I), traité traduit par La Boétie. Voir notre appendice.

551. Placée, couverte de sang, sous les yeux du peuple. Cf. Plutarque, *Vie d'Antoine*, IV.

552. Tibère, au dire de Suétone, *Vie de Tibère*, LXII.

553. Trait tiré de Diogène Laërce, *Vie de Polémon*, IV, 27.

554. Il s'agit du mari de la belle Corisande d'Andouins, tué le 6 août 1580. Cf. livre I, chap. xxix, p. 212.

555. Dans l'*Institution oratoire*, VI, 2.

556. Allusion plaisante à ce prêtre de la fable, qui, en disant la messe, faisait lui-même les réponses. Cf. Marot, *Seconde Épître du Coq à l'âne à Lyon Jamet* :

> Puis que respondre ne me veux,
> Je ne te prendray aux cheveux,
> Lyon, mais sans plus te semondre,
> Moy mesme je me veux respondre,
> Et feray le Prestre Martin.

557. Tiré d'Hérodote, III, 30.

558. Tiré de Plutarque, *De la superstition*, IX.

559. Dans *Les Lois*, II, p. 657.

560. Allusion à la doctrine platonicienne des *fureurs* ou *enthousiasmes*. Cf. Platon, *Phèdre*, p. 244.

561. Dans *Les Lois*, VII, p. 791.

562. D'après Cicéron, *Tusculanes*, III, xv.

563. Tous ces personnages sont cités par Diogène Laërce, dans sa *Vie de Platon*.

564. Comparaisons prises à Plutarque, *De la tranquillité de l'âme*, XV et VIII.

565. Tout ce développement provient de Sénèque, *Épîtres*, 53.

566. Thalès de Milet, d'après Diogène Laërce, *Vie de Thalès*, I, 36.

567. Au dire de Nicéphore Calliste, *Histoire ecclésiastique*, V, 32 (éd. de 1586).

568. Tiré de Plutarque, *De la curiosité*, III.

569. Tiré de Plutarque, *Dicts des anciens Roys*.

NOTES

570. Transcrit de Diogène Laërce, *Vie de Socrate*, II, 36.

571. Dans la *Morale à Nicomaque*, IV, 9.

572. Montaigne l'a dit, en effet, au livre I de ses *Essais*, chap. xxx, p. 226.

573. Trait tiré de Plutarque, *De la mauvaise honte*, X.

574. D'après Hérodote, VI, 60.

575. Traits tirés de Goulard, *Histoire du Portugal*, II, 3.

576. Tiré de Diogène Laërce, *Vie de Socrate*, II, 33.

577. Virgile.

578. Tiré d'Élien, *Histoires diverses*.

579. *Il*, c'est Virgile, cf. *supra*, p. 277.

580. Cf. *Essais*, l. II, chap. xv, p. 9.

581. Procule, au dire de Vopiscus, *Vie de Proculus*.

582. Messaline.

583. Anecdote tirée de Bohier, *Decisiones Burdegalenses* (quest. 316, n. 9), édition de 1567, et déjà citée par plusieurs écrivains du xvie siècle, notamment Bouchet, *Serées*, III, et Cholières, *Matinées*, IX.

584. Tiré de Plutarque, *De l'amour*, XXIII.

585. Tiré de Diogène Laërce, *Vie de Polémon*, IV, 17.

586. Montaigne confond Caligula avec Caracalla. Cf. Dion Cassius, *Vie de Caracalla*.

587. D'après Herburt Fulstin, *Histoire des roys de Poloigne*, folio 70.

588. Éléonore, la fille de Montaigne, née en 1571, avait alors quinze ans environ.

589. Dans le *Timée*, p. 42.

590. Au dire de Plutarque, *Questions de table*, III, 6.

591. D'après Diogène Laërce, *Vie de Strato*, V, 69.

592. Id., *Vie de Théophraste*, V, 43.

593. Id., *Vie d'Aristippe*, II, 84.

594. Id., *Vie de Démétrius*, V, 81.

595. Id., *Vie d'Héraclide*, V, 87.

596. Id., *Vie d'Antisthène*, VI, 15.

597. Id., *Vie de Zénon*, VII, 163.

598. Id., *Vie de Cléanthe*, VII, 175.

599. Id., *Vie de Cléanthe*, VII, 178.

600. Id., *Vie de Chrysippe*, VII, 187.

601. Id., *Vie de Chrysippe*, X, 3.

602. D'après Hérodote, II, 48.

603. Tiré de saint Augustin, *Cité de Dieu,* VII, 24, et VI, 9.

604. Il s'agit sans doute du pape Paul IV (1554-1559).

605. Dans le *Timée,* p. 91.

606. Dans *La République,* V, p. 452.

607. Tiré de Balbi, *Viaggio del l'Indie Orientali* (1590), p. 626.

608. Livie, l'épouse d'Auguste, d'après Dion Cassius, *Vie de Tibère,* cité par Laurent Joubert, *Erreurs populaires,* préface.

609. Dans *La République,* V, p. 457 (où il parle des femmes en général, non des Lacédémoniennes seulement).

610. Dans *La Cité de Dieu,* XXII, 17.

611. Tiré d'Antonius Melissa et Maximus, *Sententiarum... tomi tres,* sermo 54 (édition 1546).

612. Tiré d'Élien, *Histoire des animaux,* VI, 42.

613. D'après Plutarque, *Vie de Lucullus,* XVIII.

614. Id., *Vie de César,* III.

615. Id., *Vie de Pompée,* II.

616. Id., *Vie d'Antoine,* XII.

617. Id., *Vie de Caton d'Utique,* VII.

618. Id., *Vie de Pompée,* V.

619. D'après Tacite, *Annales,* XIII, 44, et *Histoires,* IV, 44.

620. Tiré d'Hérodote, IV, 2.

621. Plutarque a consacré un traité à la *Mauvaise honte.*

622. Dans l'*Odyssée,* XVII, 347. Le vers est cité par Platon, *Charmide,* p. 161, et *Lachès,* p. 201.

623. D'après Lactance, *De divina institutione,* I, 22, cité par Vivès, *Commentaire de la Cité de Dieu,* XVIII, 15.

624. D'après Plutarque, *Comment on pourra recevoir utilité des ennemis,* VII.

625. Les deux anecdotes sur Phaulius et Galla sont tirées du même passage de Plutarque, *De l'amour,* XVI.

626. Tiré d'Arrien, VII, 17.

627. Tiré de Diogène Laërce, *Vie de Phédon,* II, 105.

628. Exemple cité par plusieurs compilateurs du xvie siècle, notamment par Corneille Agrippa, *De vanitate scientiarum* LXIII.

629. Hérodote, I, 93 et 196.

630. D'après Plutarque, *Demandes des choses romaines,* question IX.

631. Tiré de Gomara, *Histoire générale des Indes.*

632. Tiré de Plutarque, *De la tranquillité de l'âme,* XL.

633. D'après Castiglione, *Le Courtisan,* III, 24.

634. Mot attribué à Alphonse V d'Aragon.

635. D'après Plutarque, *Vie de Flaminius*, X.

636. Tiré de Tacite, *Annales*, XI, 26-27.

637. Dans la *Vie de Démosthène*, I.

638. Montaigne ici voit plus juste que beaucoup de ses contemporains, qui croyaient (avec Ronsard et Du Bellay) la richesse d'une langue proportionnée au nombre de ses mots.

639. Ronsard écrivait dans son *Abrégé d'art poétique* : « Tu pratiqueras bien souvent les artisans de tous métiers, comme de marine, vénerie, fauconnerie, et principalement les artisans de fer, orfèvres, tondeurs, maréchaux, minérailliers, et de là tireras maintes belles et vives comparaisons... »

640. Allusion aux vers de Virgile et de Lucrèce commentés au début de ce chapitre.

641. Léon Hebreo, rabbin portugais, auteur de dialogues d'amour parus à Rome en 1535 et traduits en français en 1551. Montaigne en possédait dans sa « librairie » l'édition vénitienne de 1549.

642. Marsile Ficin (1433-1499), président de l'Académie platonicienne de Florence, traducteur et commentateur de Plotin et de Platon. Son commentaire du *Banquet*, où il est traité de l'amour, avait été traduit en français par J. de La Hay (Simon Sylvius) en 1546, et par Guy Le Febvre de La Boderie, en 1578.

643. Le cardinal Pierre Bembo (1470-1547), fameux par ses dialogues d'amour, *Gli Asolani*, parus en 1505, traduits par J. Martin en 1545 et plusieurs fois réédités au cours du siècle.

644. Equicola (1460-1539), auteur d'un traité sur la nature de l'amour, *Della natura d'Amore*, paru en 1525 et traduit en français par Gabriel Chapuis, en 1589.

645. Anecdote tirée de Plutarque, *Comment on pourra discerner le flatteur d'avec l'amy*, XXII.

646. Ou plutôt Antigénides, nom commun à deux Thébains, célèbres joueurs de flûte, le premier qui fut le maître d'Alcibiade, le second contemporain d'Alexandre. Cf. Plutarque, *Vie de Démétrius*, I; Aulu-Gelle, *Nuits attiques*, XV, 17; Valère Maxime, III, 7, etc.

647. D'écrire les *Essais*.

648. Pasquier n'est donc pas le premier qui fit à Montaigne reproche de gasconisme : l'édition de 1588 (et donc ce passage) se trouvait imprimée, quand Montaigne rencontra Pasquier aux états de Blois. Voir notre *Introduction*, tome I, p. XI.

649. Tiré d'Élien, *Histoire des animaux*, XVII, 25. Cf. aussi Diodore, XVII, 20; Strabon, XV.

650. Cf. *Dialogues* de Platon, passim.

651. Tiré de Diogène Laërce, *Vie de Zénon*, VI, 32.

652. Tiré de Pythagore, *Vie de Pythagore,* VIII, 6.

653. D'après Platon, *Banquet,* p. 206.

654. Dans *Les Lois,* VII, p. 803.

655. D'après Plutarque, *Comment on pourra discerner le flatteur d'avec l'amy,* XXIII.

656. Dans *Les Lois,* p. 803.

657. Tiré de Diogène Laërce, *Vie de Zénon,* VII, 13.

658. Tiré de Plutarque, *Demandes des choses romaines,* question 52.

659. Tiré de Diodore de Sicile, XII, 17.

660. La Libye, au dire de Jean Léon, *Historiale description de l'Afrique,* trad. par Jean Temporal (1556), p. 23.

661. Marguerite de Navarre.

662. Tiré de Pastel, *Des histoires orientales...* (1575), p. 228.

663. Lucrèce et Virgile.

664. Trait pris à Plutarque, *De la curiosité,* III.

665. Philoxène, au dire d'Aristote, *Éthique,* III, 10, et d'Athénée, I, 6.

666. Allusion à l'anecdote contée par Rabelais (*Tiers Livre,* chap. XXXVII) du faquin mangeant son pain à la fumée d'un rôt.

667. D'après Diogène Laërce, *Vie de Zénon,* VII, 130.

668. D'après Xénophon, *Mémorables,* I, III, 11.

669. Tiré de Valère Maxime, VIII, XI, 4.

670. Tiré d'Hérodote, II, 89.

671. Tiré d'Hérodote, V, 92, et cité par Ravisius Textor, *Officina,* comme un trait d'amour conjugal.

672. Cf. Cicéron, *Tusculanes,* I, XXXVIII.

673. Tiré d'Hérodote, IV, 107.

674. D'après Diogène Laërce, *Vie d'Aristippe,* II, 69.

675. Dans *Le Banquet,* p. 183.

676. Anecdote tirée de Diodore de Sicile, XVII, 16, et de Quinte-Curce, VI, 5.

677. Tiré de Lavardin, *Histoire de Scanderberg,* folio 383.

678. Dans *Les Lois,* XI, p. 925.

679. Ces « ecclésiastiques crêtés » sont Théodore de Bèze, qui succéda à Calvin à la tête de l'Église réformée de France, et Mellin de Saint-Gelais, aumônier de François Ier et d'Henri II.

680. Ce vers est d'un rondeau de Mellin de Saint-Gelais, *Œuvres* (1574), p. 99.

681. Tiré de Sénèque, *Épîtres,* 116.

NOTES

682. D'après Plutarque, *Dicts des Lacedæmoniens.*

683. Transcrit de Xénophon, *Banquet*, IV, 27.

684. Tiré de Diogène Laërce, *Vie de Bion*, IV, 47.

685. Tiré de Xénophon, *Cyropédie*, VII, 1.

686. Dans l'*Anabase*, II, 6.

687. D'après Suétone, *Vie de Galba*, XXII.

688. Tiré de Diogène Laërce, *Vie d'Arcésilas*, IV, 34.

689. Dans le *Protagoras*, p. 309.

690. En souvenir des tyrannicides Harmodius et Aristogiton, parce que les premiers poils débarrassent les amoureux de toute tyrannie. Cf. Plutarque, *De l'amour*, VII.

691. Dans la 4ᵉ Journée de l'*Heptaméron*, nouvelle XXXV.

692. Dans *La République*, V, p. 468.

693. *Id.*, V, pp. 456 et 457.

694. Tiré de Diogène Laërce, *Vie d'Antisthène*, VI, 12.

695. Dans les *Problemata*, XXXIII, 9.

696. Dans les *Causes naturelles*, XI.

697. Dans le *Banquet* de Platon, p. 221.

698. Tiré de Diogène Laërce, *Vie d'Épicure*, X, 117.

699. Tiré de Chalcondyle, trad. Vigenère, VII, 7.

700. Les Mérovingiens. Cf. Du Haillan, *Histoire des roys de France*, II, p. 105.

701. Les traits concernant Marc Antoine, Héliogabale et Firmus sont tirés de Petrus Crinitus, *De honesta disciplina*, XVI, 10.

702. Dans le *Discours à Nicoclès*, VI, 19.

703. Dans la 3ᵉ *Olynthienne*.

704. Cicéron, dans le *De officiis*, II, 16.

705. D'après Cicéron, *De officiis*, II, 15.

706. Montaigne, dans son *Journal de voyage* (29 décembre 1580), rend à Grégoire XIII le même témoignage : « D'une nature douce, peu se passionnant des affaires du monde, grand batisseur, et en cela il lairra à Rome et ailleurs un singulier honneur à sa mémoire. »

707. Commencé en 1578, le Pont-Neuf ne fut achevé que trente ans après, en 1608.

708. Tiré de Plutarque, *Vie de Galba*, V.

709. D'après Platon, *République*, I, p. 342.

710. Tiré de Plutarque, *Dicts des anciens Roys*.

711. Traduit de Sénèque, *Épîtres*, 73.

712. Tiré de Xénophon, *Cyropédie*, VIII, 2.

713. Tiré de Cicéron, *De officiis*, II, 15.

714. D'après Crinitus, *De honesta disciplina*, XII, 7.

715. Tiré de Juste Lipse, *De amphitheatro*, VII.

716. Id., *ibid.*, X.

717. Id., *ibid.*, XV.

718. Id., *ibid.*, XVII.

719. Id., *ibid.*, XII.

720. D'après Platon, *Timée*, pp. 22 sq.

721. Inspiré de Gomara, *Histoire générale des Indes*, X, 13, qui parle ici des Incas.

722. Id., *ibid.*, X, 13.

723. Id., *ibid.*, II, 7.

724. Id., *ibid.*, III, 19.

725. Allusion au chapitre de ce nom, *Essais*, l. I, XXXI.

726. Inspiré de Gomara, *Histoire générale des Indes*, V, 7. — Le roi du Pérou en question est Attabalipa.

727. Tiré de Gomara, *Histoire de Cortez*, trad. italienne de Cravalix (Venise, 1576), folios 211 recto et 212.

728. Tiré de Gomara, *Histoire générale des Indes*, II, 61.

729. Les deux Diego Almagro (le père et le fils) furent mis à mort par Pizarre, au nom de Charles Quint, en 1538 et 1542; Pizarre lui-même fut exécuté en 1548.

730. Philippe II, dit le Prudent *(El Prudente)* ou l'Avisé *(El Discreto)* qui régnait depuis 1556.

731. Gomara, dans l'*Histoire générale des Indes*, II, 75.

732. Id., *ibid.*, V, 86.

733. Id., *ibid.*, V, 6.

734. Pizarre lui-même, au dire de Gomara, *loc. cit.*

735. César, d'après Plutarque, *Vie de César*, III.

736. Dans son parallèle du *De finibus*, II, 20.

737. Tiré d'Hérodote, III, 83.

738. Le premier de ces livres est le dialogue de Buchanan intitulé *De jure regni apud Scotos* (1579); le second est un libelle de Blackwood, jurisconsulte anglais résidant à Poitiers, *Adversus Georgii Buchanani dialogum « De jure regni apud Scotos » pro regibus Apologia* (1581). Buchanan fait le point des idées protestantes; Blackwood fait de la royauté une chose divine et des rois des êtres divins.

739. Tiré de Plutarque, *De la tranquillité de l'âme*, XII.

740. Tiré de Plutarque, *Comment on pourra discerner le flatteur d'avec l'amy*, XV.

741. Dans l'*Iliade*, chant V. Cf. Plutarque, *Propos de table*, IX, 4.

742. Tiré de Tacite, *Annales*, II, 84.

743. D'après Plutarque, *Comment on pourra discerner le flatteur d'avec l'amy*, VIII.

744. Id., *ibid.*, VIII.

745. Id., *ibid.*, XIII.

746. Id., *ibid.*, XIII.

747. Tiré de Spartien, *Vie d'Adrien*, XV.

748. Tiré de Macrobe, *Saturnales*, II, 4. — Le mot de Pollion et celui d'Adrien (n. 747) sont rapportés ensemble par Crinitus, *De honesta disciplina*, XII, 2.

749. Tiré de Plutarque, *De la tranquillité de l'âme*, X.

750. Pascal s'est souvenu de cet essai dans son traité *De l'Esprit géométrique*, où il appelle Montaigne « l'incomparable auteur de l'art de conférer ».

751. Dans *Les Lois*, X, p. 394. Cf. Sénèque, *De ira*, I, 6.

752. Tiré de Plutarque, *Vie de Caton le Censeur*, IV.

753. « Si ce n'était le respect humain, dit Mme de Staël, je n'ouvrirais pas ma fenêtre pour voir pour la première fois la baie de Naples, tandis que je ferais cinq cents lieues pour parler à un homme d'esprit que je ne connais pas. »

754. Cette idée était développée dans un ouvrage italien de Guazzo, *La Civil conversazione*, traduit en français par Chappuis (Lyon, 1579).

755. Même bref parallèle institué par Montaigne au livre III, chap. III, cf. *supra*, p. 238.

756. Henri III et le duc d'Alençon aimaient à mettre aux prises, sur des questions de philosophie ou de morale, les savants de leur cour.

757. Tiré de Plutarque, *De la mauvaise honte*, XII.

758. Au livre VII, p. 539.

759. La Faculté des arts comprenait les classes d'humanités et de philosophie.

760. Dans les dialogues de Platon qui portent les noms de ces deux philosophes.

761. D'après Lactance, *Institution divine*, III, 28.

762. Héraclite. Cf. *Essais*, t. I, l. I, chap. L, p. 336.

763. Simple paysan de Phocide, rangé par Platon (dans le *Protagoras*) au nombre des sept Sages, au lieu de Périandre. Cf. Diogène Laërce, *Vie de Myson*, I, 108.

764. Misanthropique; Timon, mis en scène par Lucien, est le plus célèbre des misanthropes.

765. Cf. Pascal (V, 10) : « D'où vient qu'un boiteux ne nous irrite pas et un esprit boiteux nous irrite! »

766. Le mot est rapporté par Plutarque, *Comment il faut ouïr*, VI.

767. Dans le *Gorgias* de Platon, p. 480.

768. Les chefs huguenots.

769. Dans la *République* de Platon, VI, p. 495.

770. Tiré de Plutarque, *Comment on pourra discerner le flatteur d'avec l'amy*, XIV.

771. D'après Tite-Live, XXXVIII, 48, cité par Juste Lipse, *Politiques*, V, 16.

772. Sentence rapportée par Plutarque dans les *Dicts notables des anciens Roys*, et qu'Amyot cite dans la préface de ses *Vies*.

773. Thucydide, III, 57, cité par Juste Lipse, *Politiques*, IV, 3.

774. Tiré de Plutarque, *Comment il faut ouïr*, VII.

775. Tiré de Diogène Laërce, *Vie d'Antisthène*, VI, 8.

776. Tiré de Gomara, *Histoire générale des Indes*, II, 77.

777. La comparaison est prise à Plutarque, *De l'esprit familier de Socrates*, I.

778. Ce « dogme » est rapporté par Diogène Laërce, *Vie d'Aristippe*, II, 35.

779. Dans la *Cyropédie* de Xénophon, III, 3.

780. D'après Plutarque, *Vie de Lycurgue*, XV.

781. Allusion probable à la mort d'Henri II, tué dans un tournoi par Montgomery (juillet 1559) et à celle du duc d'Enghien, tué dans un jeu, par un coffre lancé d'une fenêtre (23 février 1546).

782. Commines (III, 12) attribue le mot à son maître Louis XI.

783. Sans doute s'agit-il ici d'un des trois fils du marquis de Trans : le comte de Gurson, le comte de Fleix, le chevalier de Trans, tués tous trois au combat de Moncrabeau, le 29 juillet 1587. Cf. *Essais*, l. I, chap. XIV, p. 60, et la note 147.

784. Tacite regrette (*Annales*, XVI, 16) de n'avoir à retracer, au lieu d'événements publics de grande importance, que la « soumission servile » de Rome aux folies de Néron. Montaigne, partisan de l'histoire anecdotique (voir l. I, chap. XXVIII), soutient que l'histoire des empereurs était au contraire le plus intéressant des sujets.

785. Cf. Tacite, *Histoires*, II, 38.

786. Transcrit de Tacite, *Annales*, VI, 6.

787. Tacite s'excuse, en effet (*Annales*, IX, 11), de rappeler qu'en 88 il exerça la préture.

788. Cf. Tacite, *Annales*, XIII, 35.

789. Id., *Histoires*, IV, 81.

790. Allusion à la sentence fameuse de l'*Ecclésiaste* (I, 2) : « *Vanitas vanitatum et omnia vanitas.* »

791. Il s'agit de Dindyme, auteur de quatre mille volumes sur la grammaire, dont il est question dans Sénèque, *Épîtres*, 88. Son nom avait été transformé en Diomède et le nombre de ses volumes porté à six mille par Jean Bodin, source certaine de Montaigne, dans la dédicace de sa *Methodus*.

792. On sait que Pythagore imposait à ses disciples un silence de deux ans.

793. Tiré de Suétone, *Vie de Galba*, IX.

794. Allusion aux pamphlets et libelles de toutes sortes suscités par les guerres de religion.

795. Tiré de Plutarque, *Comment on pourra discerner le flatteur d'avec l'amy*, XXXI, et *Comment il faut ouïr*, X.

796. D'après une note de Florimond de Ræmond transcrite par La Montagne sur un exemplaire des *Essais* conservé à Bordeaux, il s'agirait de Lagebâton, premier président au Parlement de Bordeaux, mort en 1583. Selon d'autres, du chancelier Michel de L'Hospital.

797. Tiré d'Hérodote, VII, 209.

798. Dans la *Cyropédie*, I, vi, 3.

799. Allusion à l'anecdote contée par Plutarque dans la *Vie de Paul Émile*, III. On blâmait un Romain d'avoir répudié sa femme, qui était belle et lui avait donné de beaux enfants : « Hé! dit-il, montrant son soulier, n'est-il pas beau et neuf? Nul de vous ne sait pourtant qu'il me blesse le pied. »

800. Allusion à la fille de Montaigne, Éléonore.

801. Tiré de Cornelius Nepos, *Vie de Phocion*, I.

802. Tiré de Diogène Laërce, *Vie de Cratès*, VI, 88.

803. Comparaison empruntée à Plutarque, *Comment il faut refréner la cholère*, XVI.

804. Tiré de Diogène Laërce, *Vie de Diogène*, VI, 54.

805. Cette crainte se vérifia; Montaigne ne laissa qu'une fille, Éléonore, et son château passa dans une autre famille.

806. Lui-même, Michel de Montaigne.

807. Tiré de Diogène Laërce, *Vie de Platon*, III, 23.

808. Le père de Montaigne étant mort en 1568, le présent passage serait donc de 1586.

809. Dans la fameuse lettre à Archytas, IX, p. 337.

810. Ponéropolis, « la Ville des méchants », — d'après Plutarque, *De la curiosité*, X.

811. Pyrrha, femme de Deucalion, ayant, après le déluge, consulté l'oracle de Thémis pour savoir comment on pourrait établir l'espèce

humaine, se vit répondre de jeter les os de sa mère derrière elle; elle comprit qu'il s'agissait des pierres de la terre, et en jeta, ainsi que son mari : les pierres jetées par Deucalion produisirent des hommes, celles de Pyrrha des femmes. Cf. Apollonios de Rhodes, III, 1085 sq.; Apollodore, I, 7, 2; Ovide, *Métamorphoses*, I, 260 sq.

812. Cadmus, après avoir tué le dragon sacré, fils de Mars, en jeta les dents, sur l'avis de Pallas : il en naquit des hommes qui s'entretuèrent à l'exception de cinq, qui furent les ancêtres des Thébains. Cf. Ovide, *Métamorphoses*, III, 1-81.

813. Tiré de Plutarque, *Vie de Solon*, IX.

814. Tiré de saint Augustin, *Cité de Dieu*, VI, 4.

815. Il en parlait aussi autrement, car on trouve dans les *Quatrains* de Pibrac des références pour toutes les opinions. Cf. *Quatrain XCIII* :

> *Je hais ces mots de puissance absolue,*
> *De plein pouvoir, de propre mouvement :*
> *Aux saints décrets ils ont premièrement,*
> *Puis à nos lois la puissance tollue.*

816. Gui Du Faur, seigneur de Pibrac, né à Toulouse en 1529, était mort le 30 mai 1584. Avocat et conseiller du roi, il avait représenté la France au concile de Trente, et accompagné le futur Henri III en Pologne. — La première édition complète de ses quatrains avait paru en 1576 sous le titre de *Quatrains du Seigneur de Pibrac contenant préceptes et enseignements utiles pour la vie de l'homme, composez à l'imitation de Phocylides, d'Epicharmus et autres anciens poëtes grecs*.

817. Paul de Foix, conseiller du roi, tour à tour ambassadeur de France en Écosse, en Angleterre, à Venise et à Rome, le même à qui Montaigne avait dédié, en 1570, sa publication des vers français de La Boétie (voir ci-dessus p. 607) et qui était mort à la fin du mois de mai 1584.

818. Anecdote tirée de Tite-Live, XXIII, 3.

819. Dans *La République*, III, p. 546.

820. D'après Valère Maxime, VII, 2. On trouve le même propos dans Plutarque, *Consolation à Apollonius*, IX, mais prêté à Socrate; l'édition des *Essais* de 1588 portait *Socrate*, non *Solon*.

821. Dans son *Discours à Nicoclès*, VII, 26.

822. Dans Quinte-Curce, VII, 1, 94.

823. Cicéron, dans le *Brutus*, LX.

824. Le livre III, qui est la première addition, le premier « alongeail » de longue haleine.

825. Cf. livre II, chap. XXVII, début. — Montaigne, quoi qu'il en dise, a corrigé beaucoup, du moins après 1588.

826. Tiré de Cicéron, *Académiques*, II, 22. — L'Antiochus en question est Antiochus d'Ascalon, qui mourut vers 69 av. J.-C., après

avoir essayé de concilier la doctrine des académiciens avec celle des péripatéticiens et des stoïciens. Il fut le maître de Cicéron.

827. On ne sait à qui Montaigne fait allusion.

828. Montaigne veut parler ici des fautes d'impression, qui sont en effet nombreuses dans les premières éditions des *Essais*.

829. Montaigne pourtant a écrit sur l'exemplaire dit de Bordeaux des recommandations du genre de celles-ci : « *Cet* home, *cette* femme, écrivez-le sans *s* à la différence de *c'est*, *c'estoit*. *Campaigne*, *Espaigne*, *gasconique*, etc., mettez un *i* devant le *g* comme à *Montaigne*. Mettez *règle*, *regler*, non pas *reigle*, *reigler*, suivez l'othographe ancienne... Regardez de près aux points, qui sont en ce style de grande importance. C'est un langage coupé : qu'il n'y épargne les points et lettres majuscules. »

Sous le nom d'orthographe « ancienne », tant dans le texte que dans la note que nous venons de citer, Montaigne désigne l'orthographe traditionnelle, par opposition aux orthographes « modernes » et savantes, comme celle de Louis Meigret, que certains auteurs avaient adoptée.

830. Montaigne a expliqué ailleurs (l. II, chap. xv) pourquoi il avait toujours refusé de fortifier son château : « J'ai affaibli le dessein des soldats ôtant à leur exploit le hasard et toute matière de gloire militaire, qui a accoutumé de leur servir de titre et d'excuse... Je leur rends la conquête de ma maison lâche et traîtresse... Je n'ai ni garde ni sentinelle que celle que les astres font pour moi. »

831. On a cru, bien à tort, voir dans cette expression une allusion à Job, insulté sur son fumier par sa femme et par ses amis. C'est une locution militaire, d'origine rustique, très usitée au XVIe siècle, et qui veut dire « m'attaquer chez moi ».

832. Faut-il croire que ces lignes furent écrites avant l'époque où le château de Montaigne, en 1585, fut envahi par une bande de huguenots?

833. Les gens du voisinage abritaient, en cas de danger, leurs familles et leurs bétails derrière les murs du château de Montaigne.

834. L'orateur qui lutta avec Démosthène contre Philippe et fut, pendant douze ans, chargé de l'administration du trésor public. Cf. Plutarque, *Vie des dix orateurs : Lycurgue*, I.

835. Hippias d'Élée; d'après Platon, *Hippias minor*, p. 368.

836. Ce trait de Bajazet est tiré de Chalcondyle, trad. Vigenère, II, 12. Au dire de Chalcondyle, Bajazet, s'il refusa la note envoyée par Thémir, reçut « patiemment » ses présents.

837. Tiré de Goulard, *Histoire du Portugal*, XIX, 6.

838. Dans la *Morale à Nicomaque*, IV, 3, — à propos d'Homère, *Iliade*, I, 503.

839. Dans la *Morale à Nicomaque*, IX, 7.

840. Tiré de Xénophon, *Cyropédie*, VIII, 4.

841. D'après Tite-Live, XXXVII, 6; XXXVIII, 27; XXXVII, 25.

842. La vanité nobiliaire, qu'on a relevée chez Montaigne, lui fait ici altérer la vérité. Le château de Montaigne n'appartient à sa famille que depuis la fin du xve siècle; son père seul y est né, et non « la plupart de ses ancêtres ».

843. Ses ancêtres s'appelaient, en réalité, Eyquem, et non Montaigne. Voir notre *Introduction*.

844. Les auteurs de la *Logique de Port-Royal* (partie III, chap. xx, section IV) ont durement reproché à Montaigne ce qu'il y a de peu chrétien dans cette attitude en face de la mort. « On ne saurait en bonne justice leur en vouloir, note Jeanroy, de n'avoir pas fait remarquer l'incomparable harmonie de la période. »

845. Au rapport de Plutarque, *Comment on pourra recevoir utilité de ses ennemis*, X.

846. Ce souhait ne fut pas exaucé : c'est à Paris que se firent sentir le plus cruellement les misères de la Ligue, de 1588 à 1594.

847. Tiré de Plutarque, *De l'exil*, IV.

848. Cf. *Essais*, livre I, chap. xxvi, pp. 168 sq.

849. Tiré de Plutarque, *De l'exil*, V.

850. D'après Platon, *Apologie*, XXVIII, 37 et 38.

851. Id., *ibid.*, 38 b.

852. Id., *Criton*, début.

853. Dans la *Cyropédie*, VIII, 8.

854. Tiré de Plutarque, *Des communes conceptions contre les Stoïques*, XVIII.

855. Ce trait est emprunté à Saxon le Grammairien, *Danorum regum heroumque historiæ*, l. XIV.

856. Montaigne songe à La Boétie.

857. Platon, *Lois*, XII, p. 950.

858. La secte des stoïciens. Cf. Plutarque, *Contredits des philosophes stoïques*.

859. Tiré de Crinitus, *De honesta disciplina*, XVIII, 12.

860. Non pas Dion, mais Bion. Tiré de Diogène Laërce, *Vie de Bion*, IV, 46-47.

861. Rapportée par Cicéron, *De amicitia*, VI.

862. Ces traits des Indiens anciens sont tirés d'Hérodote, III, 99.

863. Il s'agit sans doute de Louis XI, qui but, dans l'espoir de recouvrer la santé, le sang de quelques enfants, au dire de Gaguin, *Rerum gallicarum annales*, X, 33.

864. Allusion à l'épisode de David et d'Abisag, cf. *Livre des Rois,* I.

865. On appelait *bolus* d'Arménie ou *bolus* oriental une petite motte de terre, marquée d'un cachet, dont on usait en pharmacie.

866. Nom donné à des associés, qui, ayant résolu de mourir en même temps, vivaient dans les délices. Cf. Plutarque, *Vie d'Antoine,* XV.

867. Exemple tiré de Tacite, *Annales,* XVI, 19.

868. Exemple tiré de Tacite, *Histoires,* I, 72.

869. Les Français.

870. Montaigne laisse entendre ici que le voyage qu'il a fait en Allemagne jusqu'à Munich et en Italie jusqu'à Rome n'est rien auprès de ceux qu'il aurait voulu faire.

871. Tiré de Cicéron, *De amicitia,* XXIII.

872. Tiré de Xénophon, *Mémorables,* II, 1.

873. Le Béarnais séjourna au château de Montaigne les 18 et 19 décembre 1586, puis, de nouveau, en 1587. Voir notre *Introduction.*

874. Porcie, fille de Caton d'Utique, passionnée de philosophie. Cf. Plutarque, *Vie de Brutus,* XV.

875. Soit Marc-Antoine Muret qui publia en 1552 le recueil de ses *Juvenilia,* poèmes latins assez libres, et un discours sur l'excellence de la théologie, soit Théodore de Bèze, qui publia lui-même, à peu d'intervalle, des *Juvenilia* et une apologie du supplice de Michel Servet.

876. D'après Plutarque, *Comment il faut ouïr,* VIII.

877. L'amour de Xénophon pour Clinias est mentionné par Diogène Laërce, *Vie de Xénophon,* II, 48.

878. Tiré de Diogène Laërce, *Vie d'Antisthène,* VI, 11.

879. Tiré de Diogène Laërce, *Vie de Diogène,* VI, 38.

880. Transcrit de Guevara, *Épîtres dorées,* I, 263, *Histoire notable de trois dames amoureuses.*

881. Cf. Cicéron, *Épîtres,* II, 1.

882. Charles VIII, qui rendit le Roussillon à Ferdinand de Castille, en se laissant aller aux « persuasions » de son confesseur Olivier Maillard.

883. Mêmes idées au chapitre I de ce livre III.

884. Dans *La République,* VI, p. 492.

885. Dans *La République,* VI, p. 497.

886. D'après Platon, *Gorgias,* XXIX, p. 474.

887. Tiré de Trébellius Pollion, *Triginta tyranni,* XXIII.

888. Allusion au livre du *Prince,* de Machiavel.

889. Cette entrevue de Cotys, roi de Paphlagonie, se rendant

au camp d'Argilas, roi de Sparte, sur la parole de celui-ci, se trouve d'ailleurs dans Xénophon, *Agésilas*, III et IV.

890. On nommait *capettes*, à cause de la *cape* qu'ils portaient, les écoliers du collège de Montaigu.

891. Les triumvirs Antoine, Octave et Lépide.

892. La digression qui précède.

893. Il s'agit du *Phèdre*.

894. A preuve le chapitre *Des coches*, pour ne citer que celui-là.

895. *L'Andrienne*, *L'Eunuque* sont des comédies de Térence.

896. Ces trois noms propres sont des titres de *Vies* de Plutarque, et, en réalité, des surnoms : *Sylla*, « visage couperosé »; *Cicéron*, « [l'homme] au pois chiche *(cicer)* »; *Torquatus*, « [l'homme] au collier *(torques)* ».

897. Dans l'*Ion*, dont Montaigne traduit ici le passage fameux où Platon qualifie le poète de « chose légère, ailée et sacrée », κοῦφον χρῆμα καὶ πτηνὸν καὶ ἱερόν.

898. C'est le titre d'un traité des *Œuvres morales*.

899. Dans *Les Lois*, VI, p. 719.

900. Allusion probable à ce qu'en dit Varron, cité par saint Augustin, *Cité de Dieu*, VI, 4 sq.

901. D'après Plutarque, *Vie d'Alexandre*, II, et Aulu-Gelle, *Nuits attiques*, XX, 4.

902. Rome. Voir le *Journal de voyage*, où Montaigne, visitant la Ville, parle des « pièces de ce corps admirable, renversé et défiguré » et des « petites montres de sa ruine qui paraissent encore au-dessus de la bière ».

903. Les Romains.

904. Le passage se trouve donc daté de 1586.

905. Entre les Romains et moi.

906. Cf. Cicéron, *De finibus*, V, 1.

907. Le 13 mars 1581, mais non sans que Montaigne, comme on le voit dans le *Journal*, l'ait vivement désirée et sollicitée.

908. Allusion au fameux précepte inscrit au fronton du temple d'Apollon Delphien : « Connais-toi toi-même. »

909. Dans *Les Lois*, VII, p. 793.

910. C'est aussi l'opinion de Sénèque, *Épîtres*, 62.

911. Transcrit de Sénèque, *De brevitate vitæ*, III, 1 : « Nemo invenitur qui pecuniam suam dividere velit : vitam unusquisque quam multis distribuit... profusissimi in eo cujus unius honesta avaritia est. »

912. Les jurats qui l'élurent le 1er août 1581. Voir notre *Introduction*.

913. Buchon a retrouvé et le docteur Payen publié la lettre d'Henri III invitant expressément Montaigne à accepter la mairie de Bordeaux. En voici le libellé :
« A Monsieur de Montaigne, chevalier de mon ordre, gentilhomme ordinaire de ma chambre, estant de présent à Rome. »
« Monsieur de Montaigne, pour ce que j'ay en estime grande vostre fidellité et zellée dévotion à mon service, ce m'a esté plaisir d'entendre que vous ayez esté esleu maïor de ma ville de Bourdeaulx, ayant eu très agréable et confirmé ladite eslection et d'autant plus vollontiez qu'elle a esté sans brigue et en vostre lointaine absence. A l'occasion de quoy mon intention est, et vous ordonne et enjoincts bien expressément que sans délay ne excuse reveniez, au plus tost que la presente vous sera rendue, faire le deu et service de la charge où vous avez esté si legitimement appellé. Et vous ferez chose qui me sera très agreable, et le contraire me desplairoit grandement, priant Dieu, Monsieur de Montaigne, qu'il vous ayt en sa saincte garde.

HENRI. »

914. Louis de Saint-Gelais, seigneur de Lansac, ambassadeur de Charles IX au concile de Trente.

915. Armand de Gontaut, baron de Biron (1524-1592), maréchal de France en 1577.

916. Jacques de Goyon, comte de Matignon (1525-1597), maréchal de France en 1579.

917. D'après Plutarque, *Les Trois Formes de gouvernement*, I; Sénèque, *De beneficiis*, I, XIII; Budé, *Institution du Prince*, préface. Mais, note Villey, aucun de ces textes ne mentionne Bacchus, et Plutarque substitue les Mégariens aux Corinthiens.

918. Cette image est prise à Plutarque, *Comment on pourra discerner le flatteur d'avec l'amy*, XXIII.

919. Sénèque, *De ira*, I, 15 et 16.

920. D'après une note de Florimond de Ræmond, transcrite par La Montagne dans un exemplaire des *Essais* conservé à Bordeaux, il s'agirait de Jacques de Ségur, de la maison de Pardaillan, qui fut gentilhomme de la chambre du roi de Navarre en 1576, puis surintendant de sa maison.

921. Henri IV.

922. Sénèque, *Épîtres*, 16.

923. Tiré de Cicéron, *Tusculanes*, V, XXXII.

924. Tiré de Sénèque, *Épîtres*, 18.

925. Tiré de Plutarque, *Que le vice seul est suffisant pour rendre l'homme malheureux*, IV.

926. Tiré de Diogène Laërce, *Vie de Cléanthe*, VII.

927. Grégoire XIII, qui fit réformer le calendrier en 1582, de sorte qu'on passe subitement du 9 au 20 décembre.

928. Montaigne fait allusion ici à une aventure personnelle : à Rome, l'Inquisition lui reprocha d'avoir loué un poète hérétique; en effet, il avait rangé (*Essais*, t. II, l. II, chap. XVII, p. 65) le huguenot Théodore de Bèze parmi les meilleurs poètes de l'époque. Il n'en effaça point pourtant le nom de son livre.

929. Tiré de Tite-Live, VI, 18.

930. Au livre II, chap. XIX, début.

931. Le parti protestant.

932. La Ligue, qui prit naissance au lendemain du traité de Beaulieu, en 1576.

933. Tiré de Plutarque, *Dicts notables des Lacedæmoniens*.

934. Id., *Dicts notables des anciens Roys*.

935. Tiré de Diogène Laërce, *Vie de Zénon*, VII, 17.

936. Tiré de Xénophon, *Mémorables*, I, 3.

937. Id., *Cyropédie*, V, 1.

938. Allusion à la guerre de Charles le Téméraire contre les Suisses, qui se termina par la défaite, à Granson, du duc de Bourgogne. D'après Commines (V, 3), elle eut pour origine « un chariot de peaux de moutons que Mgr de Romont prit à un Suisse passant sur sa terre ». Cf. aussi Bodin, *République*, IV, 1 et VII.

939. A en croire Plutarque (*Vie de Marius*, III), la jalousie de Marius contre Sylla fut excitée par un cachet que ce dernier avait fait « engraver » en mémoire de ses succès sur Jugurtha.

940. Allusion au jugement de Pâris et à la guerre de Troie.

941. Comparaison prise à Plutarque, *Comment on pourra apercevoir si l'on profite en l'exercice de la vertu*, IV.

942. Dans son traité *De la mauvaise honte*, VIII.

943. Transcrit de Diogène Laërce, *Vie de Bias*, I, 87.

944. Sa mairie de Bordeaux.

945. On peut, à l'appui de ce dire de Montaigne (qui répond dans ce chapitre aux détracteurs de ses actes publics à la mairie de Bordeaux), citer sa lettre du 27 mai 1585 au maréchal de Matignon : « Monseigneur, le voisinage de M. de Vaillac nous remplit d'alarmes, et n'est jour qu'on ne m'en donne cinquante bien pressantes. Nous vous supplions très humblement de vous en venir incontinent que vos affaires le pourront permettre. J'ai passé toutes les nuits ou par la ville en armes, ou hors de la ville sur le port; et avant votre avertissement y avais déjà veillé une nuit sur la nouvelle d'un bateau chargé d'hommes armés qui devait passer. Nous n'avons rien vu, et avant-

hier soir y fûmes jusques après minuit, où M. de Gourgues se trouva, mais rien ne vint. Je me servis du capitaine Saintes, ayant besoin de nos soldats. Lui et Massip remplirent les trois pataches. Pour la garde du dedans de la ville, j'espère que vous la trouverez en l'état que vous nous la laissâtes. J'envoie ce matin deux jurats avertir la cour de Parlement de tant de bruits qui courent et des hommes évidemment suspects que nous savons y être. Sur quoi, espérant que vous soyez ici demain ou plus tard, je vous baise très humblement les mains, etc.

« Il n'a été jour que je n'aie été au Château Trompette. Vous trouverez la plate-forme faite. Je vois l'archevêché tous les jours. »

946. D'après Plutarque, *Comment on pourra discerner le flatteur d'avec l'amy*, XXXII.

947. D'après Plutarque, *Vie d'Alexandre*, II.

948. Dans *Le premier Alcibiade*, début.

949. Dont parle Plutarque, *Comment on pourra apercevoir si l'on profite en l'exercice de la vertu*, X.

950. D'après une note manuscrite de Florimond de Ræmond, transcrite par La Montagne sur un exemplaire des *Essais* conservé à Bordeaux, il s'agirait de Bernard Arnoul, conseiller au Parlement de Bordeaux. Cf. Boscheron de Portes, *Histoire du Parlement de Bordeaux* (1877), t. I, pp. 206 sq., t. II, pp. 442-443.

951. Comme fait le Bridoye de Rabelais au *Tiers Livre* de *Pantagruel*, chap. XXXIX-XLII.

952. Tiré de Plutarque, *Des communes conceptions contre les Stoïques*.

953. Tiré de Cicéron, *De officiis*, II, 22.

954. Cf. n. 927.

955. Dans les *Demandes des choses romaines*, XXIV.

956. Allusion aux nombreux prodiges (naissances de monstres, soleil double, météores, etc.) dont font mention les chroniqueurs du XVIe siècle, notamment J. de Thou, *Histoire de mon temps*, et où l'on voyait des manifestations de la colère de Dieu.

957. C'est une sentence transcrite de Sénèque, *Épîtres*, 81.

958. Il s'agit, selon Florimond de Ræmond, de M. de Nemours, le neveu de Louise de Savoie, que la goutte tourmentait depuis l'âge de 36 ans et qui venait de mourir en 1585.

959. D'après Cicéron, *Académiques*, II, 47.

960. D'après Platon, *Théétète*, XI, p. 155. — Montaigne dit Thaumantis pour Thaumas, Thaumantis signifiant proprement « fille de Thaumas ».

961. Cette cause fameuse, de Duthil ou du faux Martin Guerre, a été exposée par le jurisconsulte toulousain Coras (1513-1572) dans un écrit publié en 1561 : *Arrest mémorable du Parlement de Tolose, contenant une histoire prodigieuse de nostre temps, avec cent belles et doctes anno-*

tations de Monsieur Jean de Coras, conseiller en ladicte Cour et rapporteur du procès prononcé ès Arrestz generaulx le XII septembre MDLX.

962. La magie, au dire de Coras, expliquait certaines singularités de cette affaire étrange.

963. Cette anecdote, tirée d'Aulu-Gelle, *Nuits attiques*, XII, 7, ou de Valère Maxime, VIII, 1, est rapportée aussi par Rabelais au *Tiers Livre* de *Pantagruel*, chap. XLIV.

964. Jean Bodin, dans sa *Démonomanie des sorciers* (1586), tente de confondre ceux qui ne croient pas à la sorcellerie en alléguant l'autorité des Écritures et les exemples de sorciers qu'on y trouve.

965. C'est bien l'attitude que Montaigne montre à l'endroit des événements merveilleux dans son *Journal de voyage*.

966. Jean Bodin, dans la préface et la conclusion de sa *Démonomanie*, réclamait des châtiments contre ceux qui ne croyaient pas à la sorcellerie, les accusant d'impiété et d'athéisme.

967. Dans *La Cité de Dieu*, XIX, 18.

968. Cette marque d'insensibilité à la douleur s'appelait le « sceau du diable ».

969. L'ellébore passait, chez les anciens, pour l'antidote de la folie, et La Fontaine s'en souvient dans l'une de ses fables : *Le Lièvre et la Tortue* :

> *Ma commère, il vous faut purger*
> *Avec quatre grains d'ellébore.*

Jean Wier rapporte à ce propos, dans ses *Cinq livres d'histoires, discours et disputes des illusions et impostures des diables* (traduit en français par Jacques Grévin en 1567), qu'Alciat prescrivait aussi l'ellébore pour les sorciers des Alpes condamnés au feu par l'Inquisiteur.

970. Le nœud gordien.

971. Tiré de saint Augustin, *Cité de Dieu*, XVIII, 18.

972. Aristote, *Problèmes*, X, 26.

973. Au commencement de ce chapitre, p. 473.

974. Dans ses *Rime e prose* (éd. de Ferrare, 1585, p. 11).

975. Dans la *Vie de Caligula*, III.

976. Ce Théramène, disciple de Prodicus le Rhéteur, est cité par Érasme, en ses *Adages* (I, 1, 94).

977. D'après Plutarque, *De la mauvaise honte*, VI, et Sénèque, *De beneficiis*, II, 17.

978. Transcrit de Cicéron, *Académiques*, II, 34.

979. Anecdote tirée de Planude, *Vie d'Ésope*, qui servait de préface aux éditions des Fables d'Ésope de ce temps-là.

980. Transcrit de Platon, *Banquet*, XXXVII, p. 221.

981. Socrate.

982. Platon et Xénophon.

983. Même idée dans Cicéron, *Académiques*, I, 4.

984. Dans la *Vie d'Agricola*, IV.

985. « Il nous faut abêtir pour nous assagir », lit-on dans l'*Apologie de Raimond Sebond*.

986. Allusion aux ravages causés en Guyenne, en 1585, par les bandes huguenotes de Turenne.

« Tout ce chapitre, dit Sainte-Beuve, est beau, touchant, approprié, se sentant à la fois d'une noble élévation stoïque et de cette nature débonnaire et populaire de laquelle Montaigne se disait à bon droit issu et formé. Il ne saurait y avoir au-dessus d'un tel chapitre, à titre de consolation dans les calamités publiques, qu'un chapitre de quelque autre livre non plus humain, mais véritablement divin, qui ferait sentir la main de Dieu partout, et non point par manière d'acquit comme le fait Montaigne, mais la main réellement présente et vivante. » (*Causeries du lundi*, IV, 78.)

987. Les Italiens, Espagnols et Allemands, soudoyés par l'un ou l'autre parti.

988. Allusion évidente à Henri de Navarre, plus tard Henri IV, qui, depuis la mort du duc d'Alençon, frère d'Henri III (1584), était l'héritier présomptif du trône.

989. Ce précepte, tiré de Valère Maxime (II, 7), est cité par Juste Lipse, *Politiques*, V, 13.

990. Cet autre précepte, tiré de Frontin (*Stratagèmes*, IV, 3), est également cité par Juste Lipse, *Politiques*, V, 13.

991. Un capitaine commandeur de Rhodes était un capitaine commandant un vaisseau de l'ordre de Saint-Jean de Jérusalem. Notons en passant que, depuis 1522, l'ordre n'était plus à Rhodes, mais à Malte.

992. Tiré de Postel, *Histoire des Turkes*, p. 316.

993. Tiré de Paul Jove, *Histoire de son temps*, XLVI.

994. Dans Plutarque, *Vie de Brutus*, III.

995. Dans l'épître VII, *Propinquis Dionis*, p. 331.

996. Montaigne se ressentait naturellement des dommages subis et des pertes éprouvées par ses fermiers. Cf. *Essais*, l. II, chap. xv, et l. III, chap. ix.

997. Entendez : au catholique j'étais huguenot, au ligueur royaliste et réciproquement.

998. La situation de la maison de Montaigne en pays huguenot et l'accueil qui y était fait, même aux réformés, tendaient à le faire ranger parmi ceux-ci.

999. Cette peste qui dura six mois (juin-décembre 1585) aurait fait périr en Guyenne, au dire de la *Chronique bordelaise* de Lurbes (1594), quatorze mille hommes.

1000. Montaigne a dit ailleurs (*Essais*, l. III, chap. IX) qu'il aimerait une mort solitaire.

1001. Tiré de Diodore de Sicile, XVII, 23.

1002. D'après Tite-Live, XXII, 51.

1003. Image tirée de Plutarque, *De l'amour et charité des pères et mères envers leurs enfants*, I.

1004. Traduit de Sénèque, *Épîtres*, 74.

1005. Le stoïcien Sénèque, dans ses *Épîtres*, 13 et 24.

1006. Traduit de Sénèque, *Épîtres*, 30.

1007. Montaigne a déjà cité (l. I, chap. XX, p. 81) cette sentence de Cicéron, mais en français et en y joignant un commentaire tout différent.

1008. Cf. *Essais*, l. II, chap. XIII, p. 5.

1009. Montaigne résume ici ou paraphrase Platon, *Apologie de Socrate*, passim.

1010. D'après Platon, *Apologie de Socrate*, XXXII, 40.

1011. Id., ibid., XVII, 29.

1012. Id., ibid., XXXIII, 41.

1013. Id., ibid., XXVI, 36.

1014. Id., ibid., XXIII, 34.

1015. Id., ibid., XVII, 28.

1016. Id., ibid., XXIII et XXIV, 34 et 35.

1017. Id., ibid., XXXIII, 41.

1018. Tiré de Diogène Laërce, *Vie de Socrate*, II, 40. Cf. Cicéron, *De oratore*, I, 54.

1019. Tiré de Plutarque, *De l'envie et de la haine*, III.

1020. Allusion aux emprunts faits par Montaigne aux compilateurs ou commentateurs de son temps.

1021. Dans l'*Euthydème* de Platon.

1022. Villey rapproche de ce trait un passage d'Estienne Pasquier, *Correspondant*, t. VII, *lettre à Monsieur Loiret*.

1023. Cicéron, qu'il vient de citer.

1024. D'après Cicéron, *Tusculanes*, IV, XXXVII, et *De fato*, V.

1025. Au dire de Diogène Laërce, *Vie d'Aristote*, V.

1026. Id., *ibid*.

1027. Tiré de Quintilien, *Instit. orat.*, II, 15. Athénée, en son chapitre XIII, attribue à l'avocat de Phryné le recours à ce procédé.

1028. Le mot grec composé καλοκάγαθον signifie, en effet, « bel et bon ». Xénophon a disserté sur ce mot dans sa *Mesnagerie*, traduite au XVIe siècle par La Boétie. Cf. *Œuvres* de La Boétie, éd. Bonnefon, pp. 93-94.

1029. Dans le *Gorgias*, VII, p. 452.

1030. Dans les *Politiques*, I, 3.

1031. Tiré de Diogène Laërce, *Vie d'Aristote*, V, 20.

1032. Peut-être s'agit-il ici de la mésaventure survenue à Montaigne dévalisé dans une forêt? Mais le récit qu'il en fait dans une lettre à Matignon du 16 février 1588 est fort différent de celui-ci.

1033. Tiré de Diogène Laërce, *Vie d'Aristote*, V, 17.

1034. Tiré de Plutarque, *De l'envie et de la haine*, III.

1035. Plutarque rapporte bien ainsi ce mot dans la *Vie de Lycurgue*, IV, mais en l'attribuant au roi de Sparte Charilaüs, et non pas au roi Charillus.

1036. Le trait est tiré de Cicéron (*Académiques*, II, 18), mais Cicéron dit *Délos*, et non pas *Delphes*.

1037. Fabricant de cartes à jouer de ce temps-là.

1038. Même idée dans Plutarque, *De l'envie et de la haine*, I.

1039. Sentence tirée de Sénèque, *Épîtres*, 113.

1040. L'empereur Justinien, sous le règne duquel furent publiés le *Code* et les *Pandectes*.

1041. Même observation dans Bodin, *République*, VI, 6.

1042. Guillaume Bouchet (*Sérées*, IX) cite un exemple de cette sorte, mais le situe aux abords du royaume de Fez.

1043. Ferdinand le Catholique.

1044. Tiré de Bodin, *République*, V, 1. Cf. L'Ostal, *Discours philosophiques* (éd. de 1579), p. 263.

1045. Dans *La République*, III, p. 405.

1046. Ulpien, le célèbre jurisconsulte romain du IIIe siècle de notre ère.

1047. Cf. *Essais*, l. II, chap. XII, p. 655, et la n. 1535.

1048. Id., *ibid.*, et la n. 1535.

1049. La même idée se retrouve chez Rabelais et aussi chez Budé, Alciat, etc.

1050. Tiré de Plutarque, *Des communes conceptions des Stoïques*, XIX.

1051. Tiré de Diogène Laërce, *Vie de Cratès*, IX, 9.

1052. D'après Plutarque, *Pourquoi la Pythie ne rend plus ses oracles en vers*, 26.

1053. Montaigne cite ici, pour illustrer sa pensée, des vers de La Boétie adressés à Marguerite de Carle, sa future femme. Cf. *Œuvres* de La Boétie, éd. Bonnefon, pp. 254-255.

1054. Dans la *Morale à Nicomaque*, IV, 3.

1055. Tiré de Plutarque, *De la pluralité d'amis*, I.

1056. Tiré de saint Augustin, *Cité de Dieu*, XXI, 8.

1057. Tiré de Plutarque, *Dicts des anciens Roys*.

1058. Id., *Instruction pour ceulx qui manient affaires d'Estat*, XXI.

1059. Id., *Pourquoy la justice divine diffère souvent la punition des maléfices*, XVI.

1060. Tiré de Diogène Laërce, *Vie d'Aristippe*, II, 93.

1061. Id., *ibid*, II, 99.

1062. Qui disait qu'il n'aurait pas confiance même dans sa mère, s'il s'agissait de sa vie, car il craignait qu'elle ne mît par étourderie dans l'urne une fève noire au lieu d'une fève blanche. Cf. Plutarque, *Vie d'Alcibiade*, XIII.

1063. Tiré de Mendoza, *Histoire du grand royaume de la Chine*, trad. française de Luc de La Porte (1588), pp. 70-72.

1064. Apollon.

1065. A Delphes. Cf. *supra*, n. 1036.

1066. Dans le *Timée*, p. 72; et dans le *Charmide*, XII, p. 164.

1067. Dans les *Mémorables*, IV, 2.

1068. C'est ce que dit Platon dans le *Ménon*, XIV, p. 80.

1069. Dans les *Mémorables*, IV, 2.

1070. D'après Plutarque, *De l'amitié fraternelle*, I.

1071. Tiré de Diogène Laërce, *Vie d'Antisthène*, VI, 2.

1072. Tiré de Diogène Laërce, *Vie d'Antisthène*, VI, 11.

1073. Tiré de Tite-Live, XLI, 20.

1074. Dans le *Gorgias*, XLII, p. 487.

1075. D'après Tacite, *Annales*, VI, 46, et Suétone, *Vie de Tibère*, XXVII.

1076. Dans les *Mémorables*, de Xénophon, IV, 7.

1077. Dans *La République*, III, p. 408.

1078. Allusion aux maléfices de cette magicienne, qui changeait en pourceaux les compagnons d'Ulysse. Cf. *Odyssée*, X, 239 sq.

1079. Les Allemands, comme l'a noté Montaigne dans son *Journal de voyage*, ignoraient l'emploi des matelas.

1080. Allusion aux lits à rideaux, d'usage commun dans la France du XVIe siècle.

1081. Allusion au proverbe : « Boire comme un Suisse », pour dire boire beaucoup.

1082. Augsbourg, l'*Augusta Vindelicorum* des Romains où Montaigne s'était arrêté en octobre 1580. Voir son *Journal de voyage*.

1083. Les chambres chauffées par des poêles de faïence.

1084. Dans l'*Épître* 90.

1085. D'après Plutarque, *Questions platoniques*, VIII.

1086. Michel Vascosan, né à Amiens vers 1500, mort en 1576, fut imprimeur à Paris en 1530 et donna beaucoup d'éditions qui se distinguent par la beauté du papier, l'élégance des caractères et la correction du texte.

1087. Christophe Plantin, né à Saint-Avertin près de Tours (1514-1589), fonda en 1550 à Anvers le plus important établissement typographique des Pays-Bas.

1088. Tiré de Diogène Laërce, *Vie de Pyrrhon*, IX, 81.

1089. Jean de Vivonne, marquis de Pisani, qui fut ambassadeur en Espagne de 1572 à 1583. Le même trait a été relevé à son sujet par François de Sygrueilh, Bordelais, dans son journal, cf. *Archives historiques de la Gironde*, XIII, p. 354.

1090. On ne sait de qui Montaigne veut parler.

1091. Dans l'*Épître* 56.

1092. Tiré de Diogène Laërce, *Vie de Socrate*, II, 36.

1093. Dans l'*Épître* 108.

1094. *Ibid.*

1095. Montaigne désigne ici les pythagoriciens, en se référant à Plutarque, *Du bannissement ou de l'exil*, VII.

1096. Tiré de Plutarque, *Vie de Philopœmen*, I.

1097. On sait que la fourchette, importée d'Italie en France au XVIe siècle, ne fut guère en usage en France qu'à partir de Louis XIII.

1098. Trait tiré de Plutarque, *Comment il faut refréner la cholère*, XIII.

1099. Montaigne fait ici allusion aux réunions du soir.

1100. Tiré de Plutarque, *Vie de César*, V.

1101. Les Basques étaient fort prisés comme laquais. Nous voyons, au chapitre XXVIII de *Gargantua*, que Gargantua a un laquais basque.

1102. Allusion à la Quartilla de Pétrone, *Satiricon*, XXV.

1103. Fernel (1497-1558), le célèbre médecin d'Henri II.

1104. Jules-César Scaliger (1484-1558), qui, né à Padoue, vint enseigner la médecine à Agen et qui prétendait descendre de la famille *Della scala*, d'où son nom francisé de *L'Escale*.

1105. Carnéade, au dire de Plutarque, *Du trop parler*, XXI.

1106. Dans Cicéron, *Tusculanes*, III, VI.

1107. Dans sa *République*, III, p. 407.

1108. La comparaison est prise à Plutarque, *De la tranquillité de l'âme*, XIV.

1109. Tiré de Plutarque, *Comment il faut refréner la cholère*, VIII.

1110. Les médecins.

1111. L'*éringium* ou chardon à cent têtes et l'*herbe du turc* ou herniaire glabre étaient employés alors comme diurétiques.

1112. *Il*, c'est l'esprit de Montaigne raisonnant avec lui.

1113. Allusion aux feuilles d'arbre sur lesquelles la sibylle de Cumes inscrivait ses prophéties. Cf. Virgile, *Énéide*, III, v. 443 et 451.

1114. C'est du moins ainsi qu'Ambroise Paré, dans son *Traité des pierres*, expliquait la gravelle.

1115. D'après Plutarque, *Des communes conceptions des Stoïques*, X.

1116. Ce dernier trait est tiré de Platon, *Phédon*, III, p. 60.

1117. Dans le *De senectute*.

1118. Dans *Les Lois*, VII, 13, p. 803. Cf. Diogène Laërce, *Vie de Platon*, III, 39.

1119. Tiré de Plutarque, *Instruction pour ceux qui manient affaires d'Estat*, IV.

1120. Platon, *République*, V, pp. 451-457.

1121. Dans le *Timée*, p. 71, fin.

1122. Dans le *De divinatione* de Cicéron, I, 25.

1123. Tiré d'Hérodote, IV, 184. Cf. aussi Pline, *Histoire naturelle*, V, 8.

1124. Tiré de Cicéron, *De divinatione*, II, 58.

1125. Tiré de Diogène Laërce, *Vie de Pyrrhon*, IX, 82.

1126. Montaigne confond ici l'opinion de Favorinus avec celle que ce philosophe critique émet dans les *Nuits attiques* d'Aulu-Gelle (XV, 8).

1127. C'était un usage autrefois assez répandu que de donner comme parrain à ses enfants un mendiant « puissant au ciel ». Au XVIIIe siècle Montesquieu et Buffon eurent ainsi l'un et l'autre un mendiant pour père spirituel.

1128. On a voulu voir dans cette confession et surtout dans la variante de 1588 une marque de sympathie de l'auteur pour les huguenots : c'est forcer le sens d'un passage, où Montaigne note seulement que sa pitié va aux faibles et aux vaincus.

1129. Tiré de Plutarque, *Vie d'Agis et de Cléomènes*, V.

1130. Tiré de Plutarque, *Vie de Flaminius*, I.

1131. Tiré de Plutarque, *Vie de Pyrrhus*, I.

1132. Traits tirés de Suétone, *Vie d'Auguste*, LXXI.

1133. D'après Hérodote, I, 32.

1134. Dans le *Timée*, p. 81, fin.

1135. D'après Sénèque, *Épîtres*, 18.

1136. Id., *ibid.*

1137. Tiré de Plutarque, *Banquet des sept Sages*, III.

1138. Au dire de Suétone, *Vie d'Auguste*, LXXVII.

1139. Emprunt à Érasme (*Adages*, II, III, 1), qui, citant Pline, a écrit par erreur Democritus, et non Demetrius.

1140. Athénée (II, 2) fait remonter cet usage non pas à Cranaüs, mais à son successeur Amphictyon.

1141. Tiré de Diogène Laërce, VII, 183.

1142. Tiré de Plutarque, *Que la vertu se peut enseigner et apprendre*, II.

1143. Tiré de Sénèque, *Épîtres*, 15.

1144. Dans le *Protagoras*, XXXII, p. 347.

1145. D'après Aulu-Gelle, *Nuits attiques*, XIII, 11.

1146. D'après Cicéron, *Tusculanes*, V, VII.

1147. Id., *ibid.*, V, XVII.

1148. Notamment Aristippe, cf. Diogène Laërce, *Vie d'Aristippe*, II, 90.

1149. Dans la *Morale à Nicomaque*, II, 7; III, 11.

1150. Ces détails concernant Aristippe et Zénon procèdent de Cicéron, *Académiques*, II, 45.

1151. Tiré de saint Augustin, *Cité de Dieu*, VIII, 4.

1152. Dans *Les Lois*, I.

1153. Tiré de Plutarque, *Vie de Brutus*, I.

1154. Le président des séances d'argumentation, en Sorbonne, pouvait mettre à l'amende de « deux quartauts de vin » l'étudiant en théologie qui cherchait seulement à se faire applaudir. De là le dicton scolastique de *vin théologal*. Rabelais, dans son *Gargantua* (chap. XV et XVIII), parle de chopiner théologalement.

1155. Tiré de Cornelius Nepos, *Vie d'Épaminondas*, II.

1156. Dans le texte de Cicéron (*De oratore*, II, 6) que suit ici Montaigne, il s'agit non point de « l'aïeul », Scipion l'Africain, mais de Scipion Émilien.

1157. « Jouer à cornichon-va-devant », c'est ramasser en courant des objets posés à terre.

1158. On a déjà vu (l. I, chap. XL, p. 280) que Montaigne attribuait à Scipion les comédies de Térence.

1159. Il s'agit bien, cette fois, de Scipion l'Africain, et Montaigne suit ici Tite-Live, XXIX, 19.

1160. D'après Xénophon, *Banquet*, II.

1161. D'après Platon, *Banquet*, XXXVI, p. 220.

1162. Id., *ibid.*

1163. D'après Diodore de Sicile, XIV, 1.

1164. D'après Platon, *Banquet*, XXXII, p. 215.

1165. D'après Diogène Laërce, *Vie de Socrate*, II, 22.

1166. Tous ces traits sont tirés de Platon, *Banquet*, XXXV, p. 219.

1167. Tiré de Sénèque, *Épîtres*, 39.

1168. Tiré de Diogène Laërce, *Vie d'Eudoxus*, VIII, 68.

1169. Dans le *Phédon*, III, p. 60.

1170. Dans *Les Lois*, I, p. 633.

1171. Tiré des *Lois*, II, p. 653.

1172. Une façon particulière de parler, par allusion au sens que Montaigne donne, il va nous le dire, au mot *passer*.

1173. Le philosophe et poète grec du VIIe siècle, rangé parfois parmi les sept Sages, cf. Plutarque, *Banquet des sept Sages*, XIV, et Diogène Laërce, *Vie d'Épiménide*, I, 114.

1174. Calembour usuel dans la littérature facétieuse du temps. Cf. Baïf, *Passe-Temps*, l. II (éd. Marty-Laveaux, t. IV, p. 296) :

Vous seriez très bonne avocate;
Vous n'aimez rien tant que le droit...

et Rabelais, *Pantagruel*, VII : *bragueta juris*, la braguette du *droit*.

1175. Notamment dans Platon, *République*, IX, p. 585.

1176. Simonide, au rapport de Platon, *Lois*, p. 818.

1177. Qui découvrit, en prenant son bain, son grand principe d'hydrostatique et jubila : *Eurêka!* (« J'ai trouvé! »).

1178. Tiré de Planude, *Vie d'Ésope*.

1179. Pascal a repris ce dernier mot : « L'homme n'est ni ange ni bête, et le malheur veut que qui veut faire l'ange fait la bête. »

1180. Tiré de Quinte-Curce, IV, 7; VIII, 5.

1181. Tiré de Quinte-Curce, VI, 9.

1182. La citation est prise au Plutarque d'Amyot, *Vie de Pompée*, VII.

1183. Phébus-Apollon.

1184. Cette lettre, publiée seulement en 1571 (et sous le titre de *Discours sur la mort de feu M. de la Boëtie*), fut-elle réellement écrite au lendemain de cette mort, en 1563, ou bien composée de sens rassis en vue de l'édition? L'on peut hésiter. Peut-être fut-elle réellement écrite d'une manière plus familière, ensuite retouchée pour l'impression après quelques années. En effet, on y croit trouver les traces d'un sentiment profond de douleur et de regret très sincères, mais non pas tout à fait récents.

1185. Germignac, non loin de Pons, en Saintonge.

1186. Jusqu'au XVIIe siècle, les femmes de haute noblesse recevaient seules le titre de Madame.

1187. Car, comme dit Montaigne dans sa lettre au chancelier de L'Hospital (voir notre appendice, p. 604), son ami « estoit eslevé aux dignitez de son quartier, qu'on estime des grandes ».

1188. Mlle d'Arsat ou d'Arsac, qui épousa le sieur de Beauregard, frère de Montaigne, était la fille d'un premier mariage de sa femme.

1189. C'était l'aîné des frères de Montaigne. Voir notre *Introduction*.

1190. M. de Beauregard était huguenot.

1191. Louis de Saint-Gelais, seigneur de Lansac, nommé conseiller d'État par Catherine de Médicis au mois de mai 1568, et qui fut ambassadeur de Charles IX au concile de Trente.

1192. C'est Xénophon que Montaigne traite ici de gentilhomme.

1193. La Boétie.

1194. Henri de Mesmes, seigneur de Roissy et de Malassise, conseiller d'État, chancelier du royaume de Navarre, etc., né à Paris en 1532 d'une famille originaire du Béarn. Il allait être chargé cette année même (août 1570) de négocier avec les protestants la paix de Saint-Germain qui fut appelée la *paix malassise*. Fort lettré, capable de « réciter Homère par cœur d'un bout à l'autre », il fut le protecteur et l'ami de plusieurs humanistes et poètes : Turnèbe, Dorat, Lambin, Pibrac, Passerat et il a laissé des *Mémoires*.

1195. Jeanne Hennequin était cousine au troisième degré d'Henri de Mesmes, qui l'avait épousée par dispense le 13 juin 1552 et avait eu d'elle un fils, Jean-Jacques de Mesmes, qui fut le comte d'Avaux, et une fille, Judith, qui épousa Jacques Barillon, seigneur de Mancy.

1196. L'Hospital était alors en disgrâce et privé des sceaux.

1197. Plusieurs des poésies latines de La Boétie sont adressées à Montaigne lui-même; d'autres à Belot, leur ami commun; à Jos. de La Chassagne, beau-père de l'auteur des *Essais;* à Marguerite de Carle, femme de La Boétie; à Jules-César Scaliger, etc.

1198. Voir l'appendice, p. 583.

1199. Cf. t. I, n. 552.

1200. A Paris, où Montaigne faisait imprimer alors chez Federic Morel les œuvres posthumes de La Boétie.

1201. Cf. n. 1186.

INDEX ALPHABÉTIQUE

DES PRINCIPALES MATIÈRES

CONTENUES

DANS LES ESSAIS DE MONTAIGNE

A

ABRA, *fille de saint Hilaire, évêque de Poitiers,* I, 249.
Absence. Ranime l'amitié des personnes mariées, II, 416.
Abus. Fondement de tous les abus de ce monde, II, 465, 466.
ABYDÉENS. Leur obstination à périr jusqu'au dernier, I, 395, 396.
Académiciens. Leur sentiment moins aisé à défendre que celui des Pyrrhoniens, I, 629 *et suiv.*
Accidents funestes. Supportés sans peine par certaines personnes, I, 48 *et suiv.* Accidents pires à souffrir que la mort, I, 383. Fermeté des gens du commun contre les accidents les plus fâcheux de la vie, plus instructive que les discours des philosophes, II, 488.
Accointances domestiques. Ce qu'il faut rechercher, I, 208.
ACHAÏENS. Détestaient toute sorte de tromperies dans les guerres, I, 22.

Actions. C'est miracle de pouvoir mêler à telles actions quelque image de justice, II, 219.
ÆLIUS VERUS. Ce qu'il répondit à sa femme qui lui reprochait d'entretenir des maîtresses, I, 228.
ÆMILIUS LEPIDUS. Sa mort, I, 86.
ÆMILIUS REGILLUS (L.). Ne peut empêcher ses soldats de saccager une ville qui s'était rendue à lui par composition, I, 25.
ÆSCHYLUS. Sa mort, I, 86.
Age. Quel est l'âge où l'homme est capable des plus grandes actions, I, 361. Et celui où son corps et son esprit vont s'affaiblissant, I, 362.
AGÉSILAUS. Ce qu'il était d'avis d'apprendre aux enfants, I, 153. Comment il allait vêtu, 257. Par trop d'ardeur, il manque l'occasion de défaire les Béotiens, 305-306. Sa réponse aux Thasiens qui l'avaient fait dieu,

I, 591. S'il est vrai qu'il ait été mis à l'amende pour s'être trop fait aimer de ses concitoyens, II, 132. Pourquoi il prenait en voyageant son logis dans les églises, 227. Ce qu'il pensait de l'amour, 322.

AGIS, *roi de Sparte*. Sa réponse remarquable à un ambassadeur de la ville d'Abdère, I, 499.

AGRIGENTINS. Élevaient des monuments en l'honneur des bêtes qui leur avaient ét chères, I, 478, 479.

AIGUEMOND. Voyez EGMONT.

ALBE *(Le duc d')*. Cruautés qu'il exerça à Bruxelles, I, 27. Comparé avec le connétable de Montmorency, II, 66.

ALBIGEOIS. Brûlés tout vifs pour ne vouloir pas désavouer leurs opinions, I, 52, *a*.

ALBUCILLA. Mort de cette Romaine, II, 4.

ALBUQUERQUE. Pourquoi, étant en danger de périr, il prit un jeune garçon sur ses épaules, I, 268.

ALCIBIADE. Donna un soufflet à un grammairien qui lui déclara n'avoir pas un Homère, II, 163. Sa vie est une des plus riches et des plus désirables, au gré de Montaigne, 168. Pourquoi il coupa la queue et les oreilles à un fort beau chien qu'il avait, 257. Ne voulait point de musique à table, 565.

ALCMÉON. A quelles choses il attribuait la divinité, I, 572.

Alcyons. Leurs qualités merveilleuses; fabrique admirable de leur nid, I, 530.

ALÉSIA. Deux événements extraordinaires concernant le siège de cette ville entrepris par César, II, 147. Cf. aussi I, 239.

ALEXANDRE LE GRAND. Sa cruauté envers Bétis, gouverneur de Gaza, I, 6, et contre la ville de Thèbes, 6 et 7. Pourquoi il refusait de combattre la nuit, 26. En quel cas son intrépidité parut le plus, 136 *et suiv*. Blâmé par son père Philippe de ce qu'il chantait trop bien, 282. Comment il se moqua de ses flatteurs, qui voulaient lui faire accroire qu'il était fils de Jupiter, 292-293. Profondément endormi un peu avant sa dernière bataille contre Darius, 302. De son cheval Bucéphale, 320-321. Pourquoi il ne doit être jugé ni à table, ni au jeu, 336. Digne récompense qu'il donne à l'extrême adresse d'un art inutile, 344. Quelle odeur exhalait son corps, 347. Sa valeur n'était point parfaite ni universelle, 370, 371. Jugement général sur Alexandre, préférable à César même, II, 164. En quoi il est bien inférieur à Socrate, 228. Comment son père le reprit de sa libéralité, 337.

ALEXANDRE, *tyran de Phères*. Pourquoi il ne voulait pas assister à la représentation des pièces tragiques, II, 96.

ALEXANDRE VI, *pape*. Comment il fut empoisonné avec son fils le duc de Valentinois, I, 250.

ALPHONSE XI, *roi de Castille*. En quoi il trouvait les ânes plus heureux que les rois, I, 296. Fondateur de l'ordre des chevaliers de la Bande ou de l'Écharpe en Espagne; règles qu'il leur donna, 325.

ALVIANE *(Barthélemy d')*, *général vénitien*. Pourquoi son corps fut rapporté à Venise à travers

les terres des ennemis, I, 14.
AMASIS, *roi d'Égypte*. Épouse une belle Grecque, mais sans en pouvoir jouir pendant quelque temps, I, 104-105.
Ambassadeurs. Surpris dans un mensonge par François Ier, I, 34 *et suiv.* Autre ambassadeur surpris en faute par Henri VIII, roi d'Angleterre, 35.
Ambition. Plus difficile à dompter que l'amour, à en juger par l'exemple de César, II, 135. L'exemple de Ladislas, roi de Naples, semble prouver le contraire, 136. N'est pas un vice de petits compagnons, II, 469.
Ame. Doit avoir quelque objet vrai ou faux dont elle puisse s'occuper, I, 19. Ne regarde pas les choses d'un même biais, 266. Elle se découvre en tous ses mouvements, 335. Donne aux choses telle forme qu'il lui plaît, *ibid*. Ce que la raison nous apprend de sa nature, 605. Grande diversité d'opinions sur l'endroit du corps où réside notre âme, 607. Différents sentiments sur l'origine de l'âme, 611. L'opinion de la préexistence des âmes, avant que d'être unies à nos corps, réfutée, 612 *et suiv.* Raisons d'Épicure, pour prouver que l'âme naît, se fortifie et s'affaiblit avec le corps, 615. L'âme de l'homme le plus sage sujette à devenir l'âme d'un fou, 616. L'immortalité de l'âme faiblement soutenue par les plus hardis dogmatistes, 617. Sur quoi est fondée l'opinion de l'immortalité des âmes, 618 *et suiv.* Transmigration de l'âme d'un corps dans un autre, soutenue par Platon; comment réfutée par Épicure, 621 *et suiv.* Si les facultés et les inclinations de nos âmes dépendent de l'air, du climat et du terroir où nous vivons; quelle est la conclusion qu'on peut tirer de là, 646 *et suiv.* En quoi consiste le véritable prix de l'âme, II, 228. En quoi paraît sa grandeur, 571.

AMÉRICAINS. Ce fut leur grandeur et leur vertu qui les livrèrent à la perfidie et à la férocité des Espagnols, II, 342 *et suiv.* Magnificences des jardins de leurs rois, *ibid.* Par quels moyens les Américains furent subjugués, *ibid. et suiv.* Comment ils ont été traités par les Espagnols, 344. Réponse vigoureuse et sensée que certains peuples d'Amérique firent aux Espagnols, qui les voulaient rendre tributaires, 344. Horrible boucherie que les Espagnols firent en Amérique de leurs prisonniers de guerre, 345 *et suiv.*

AMÉRIQUE. Quel compliment certains peuples d'Amérique firent à Fernand Cortez, I, 230. En quel sens les sauvages de l'Amérique sont barbares, 235. Excellence de leur police, *ibid.* Qualité de leur climat, 236. Leurs bâtiments, leurs lits, *ibid.* Leurs repas, leur boisson, leur pain, 236-237. Comment ils passent leur temps, 237. Où ils logent les âmes après la mort, *ibid.* Leurs prêtres et prophètes; en quoi consiste leur morale : comment traités si leurs prophéties se trouvent fausses, 238. Leurs guerres, leurs armes, leurs combats, *ibid.* Pourquoi ils mangent leurs prisonniers, *ibid.* Leurs guerres nobles et généreuses, 239. Leur modération, leur cordialité, et comment ils usent de la victoire, *ibid.* Quelle est la jalousie de leurs femmes, 243. (Voyez *Sauvages.*)

AMESTRIS, *mère de Xerxès.* Inhumainement pieuse, I, 580.

Amitié. Le fruit le plus parfait de la société, I, 199. Quatre espèces de liaisons entre les hommes, auxquelles le nom d'amitié ne convient pas proprement, *ibid.* Amitié contre nature, fort en usage chez les Grecs : ce qu'en pensait Montaigne, 202. Idée de l'amitié la plus accomplie, 203. En quoi se résout la vraie amitié, 204. Idée des amitiés communes, 205. Dans une amitié parfaite, c'est à celui qui reçoit que celui qui donne est obligé, 206. L'amitié parfaite est indivisible, 207. Les amitiés ordinaires peuvent être partagées entre plusieurs personnes, *ibid.* Amitié unique et principale dénoue toutes autres obligations, *ibid.* Amitié des maris envers leurs femmes, restreinte par la théologie, 226. Le vrai but de l'amitié, II, 418.

Amour. Comment il se guérit, au jugement de Cratès, I, 550. Combien cette passion a d'empire sur l'esprit de l'homme, 638 *et suiv.* Ses emportements bannis du mariage et pourquoi, II, 273. Tout tend, parmi les hommes, à mettre en jeu cette passion, 280. Ce que c'est que l'amour, 305. Il rend l'homme ridicule, et semblable aux bêtes, 306. Ne doit point être condamné, puisqu'il nous est inspiré par la nature, *ibid.* Parler discrètement de l'amour, c'est le rendre plus piquant, 308. L'amour des Espagnols et des Italiens, plus respectueux et plus timide, n'en est que plus agréable, 309. L'amour doit être conduit par degrés et sans précipitation, *ibid.* Pourquoi, en amour, les hommes ont tort de blâmer la légèreté et l'inconstance des femmes, 315. Pouvoir injuste que des amants favorisés s'attribuent sur leurs maîtresses, 319. Avantages qu'on pourrait retirer de l'amour dans un âge avancé, 324. Quel est l'âge auquel l'amour convient proprement et naturellement, 326.

Amour conjugal. Doit être accompagné de respect, I, 227.

Amours dénaturées. Vrai moyen de les discréditer, I, 122-123.

AMURAT. Immole six cents jeunes Grecs à l'âme de son père, I, 229.

AMYOT (*Jacques*). Loué de ce que, dans sa traduction de Plutarque, il n'a pas francisé les noms latins, I, 308. Éloge de son style, 398.

ANACHARSIS. Quel est, à son avis, le gouvernement le plus heureux, I, 299.

ANAXAGORAS. Le premier philosophe qui ait reconnu que toutes choses ont été faites et sont gouvernées par un esprit infini, I, 572.

ANAXARCHUS. Mis en pièces par le tyran Nicocréon; sa fermeté dans la douleur, I, 381 *et suiv.*

ANAXIMANDER. Son opinion sur la nature de Dieu, I, 572; et

sur celle de notre âme, 663.
ANAXIMÈNE. Son opinion sur la nature de Dieu, I, 572.
ANDRODUS. Par quelle aventure il échappa à la mort qu'il allait subir, I, 526 et suiv.
ANDRON, *Argien*. Traversait la Libye sans boire, II, 536.
ANGLAIS. Vœu fort particulier de quelques gentilshommes anglais : réflexions à ce sujet, II, 92, 93.
Animaux. Voyez *Bêtes*.
ANTIGONUS. Comment il se moque d'un poète qui l'avait appelé *fils du Soleil*, I, 293. Comment il punit les soldats d'Eumène, son ennemi, après qu'ils le lui eurent livré, II, 215. Comment il se dispensa de rien donner à un philosophe cynique, 483.
ANTIOCHUS. Dépouillé de ses conquêtes par une lettre du sénat romain, II, 91.
ANTISTHÈNE. Sa réponse à ceux qui lui reprochaient sa conversation avec les méchants, I, 268. Sa maxime sur la constance dans le malheur, 271. Quel était, selon lui, le meilleur apprentissage, I, 469 et suiv. Sa réponse au prêtre qui, l'initiant aux mystères d'Orphée, l'assurait que ceux qui se vouaient à cette religion jouiraient d'un bonheur éternel et parfait après la mort, 486. Pourquoi il conseillait aux Athéniens d'ordonner que les ânes fussent employés au labourage comme les chevaux, II, 371.
ANTISTHÈNE ou ANTISTHENIUS, surnommé *Hercule*. Ce qu'il commandait à ses enfants, II, 359.
APOLLODORE, *tyran de Potidée*. Torturé par le souvenir de sa propre barbarie, I, 402.
Apparences. Dans la vie, le sage est déterminé par elle, I, 559 et suiv. Philosophes qui ont soutenu qu'il se trouvait dans un même sujet des apparences contraires, 659. On ne peut rien juger définitivement d'une chose par les apparences que nous en donnent les sens, 676 et suiv.
Approbation publique. Pourquoi elle doit être recherchée, II, 28 et suiv.
ARACUS, *amiral de Sparte*, I, 130.
ARCÉSILAS. Louable de ce qu'il savait bien user de ses richesses, I, 274. Sa réponse à un jeune homme efféminé qui lui demandait si le sage peut être amoureux, II, 326. Sa visite à Ctésibius malade, 441.
ARCHIAS, *tyran de Thèbes*. Périt dans une conspiration, pour avoir différé d'ouvrir une lettre, I, 400 et suiv.
ARCHILÉONIDE, *mère de Brasidas*. Pourquoi elle rejette l'éloge qu'on lui fait de son fils, I, 287.
Architecte. Courte harangue d'un architecte au peuple d'Athènes, I, 184. Du langage des architectes, 340.
ARCHYTAS. Sa modération dans la colère, II, 122. Quelle aversion il avait pour une parfaite solitude, II, 429.
Aréopage. Pourquoi ce vénérable sénat jugeait de nuit, I, 633.
ARÉTIN (*Pierre*). S'il mérite le nom de *divin*, I, 341.
ARGENTERIUS (*Jean Argentier*), *médecin*, II, 185.
ARGIPPÉES. Peuple qui vivait en sûreté, sans armes offensives, II, 13.

ARIOSTE. A quel âge Montaigne cessa de prendre goût à ses ouvrages, I, 450. Ne peut être comparé à Virgile, 451.

ARISTARCHUS. Ce qu'il disait pour se jouer de la présomption de son siècle, II, 528.

ARISTIPPE. Sa réponse à celui qui lui disait qu'il devait aimer ses enfants, parce qu'ils étaient sortis de lui, I, 199-200. A soulevé contre lui toute la philosophie par ses opinions hardies en faveur de la volupté et de la richesse, 470. Ses mœurs louées, *ibid*. Pourquoi il ne fait pas difficulté d'accepter une robe parfumée, 554. Pourquoi il souffre que Denys le Tyran lui crache au visage, *ibid*. Sa réponse à Diogène, qui lui dit que, s'il savait vivre de choux, il ne ferait pas la cour à des tyrans, *ibid*. Quel fruit il avait tiré de la philosophie, II, 52.

ARISTODEMUS, *roi des Messéniens*. Ce qui le détermine à se tuer, II, 261.

ARISTON. Comment il définit la rhétorique, I, 338. Son opinion sur la nature de Dieu, 627. A quoi il comparait une leçon, II, 432.

ARISTOTE. Comment il conduisit l'instruction d'Alexandre, I, 176. Comment il définissait l'amitié parfaite, 206. A quel âge il voulait qu'on se mariât, 427. Qualification ridicule qu'il donne à l'homme, 541. S'il est véritablement dogmatiste, 563. N'avait point d'opinion déterminée sur la nature de Dieu, 572 *et suiv*. Censuré pour avoir considéré la privation comme un principe, 602 *et suiv*. Combien il parut sensible à des médisances qu'on lui dit avoir été faites contre lui, II, 98. Sa réponse à celui qui demandait pourquoi on se plaisait à voir souvent les belles personnes, 510. Ce qu'il dit à quelqu'un qui lui reprochait d'avoir été miséricordieux envers un méchant, 515.

ARIUS. On ne peut rien conclure contre lui de la manière dont il mourut, I, 247.

ARMÉNIE. Ses montagnes sont quelquefois toutes couvertes de neige, I, 258.

Armes. Mauvaise coutume de ne les prendre que sur le point d'une extrême nécessité, I, 443. Armes des Français, 443 et 444; des Mèdes, 444; des piétons romains, 445 ; des Parthes, 446.

Armoiries. Incertaines, I, 310.

ARRAS. Étrange obstination de plusieurs de ses habitants, lorsqu'elle fut prise par le roi Louis XI, I, 49.

ARRIA, *femme de Cécina Pætus*. Se poignarde elle-même, pour encourager son mari à éviter par sa mort le supplice qui lui était destiné, II, 154 *et suiv*. Belles paroles qu'elle dit après s'être donné le coup mortel, gâtées par Martial, qui a prétendu les embellir, 156.

ARSAC *(Le sieur d')*, *frère de Montaigne*, I, 232.

ARTAXERXÈS. Comment il adoucit la rigueur de quelques lois de Perse, I, 474 *et suiv*.

ARTIBIUS, *général de l'armée de Perse*. Comment son cheval fut cause de sa mort, I, 320.

ASIATIQUES. Pourquoi ils menaient en leurs guerres femmes et concubines parées de leurs

plus riches joyaux, I, 314.
Asinius Pollio. Ce qu'il trouvait à reprendre dans les *Commentaires* de César, I, 505. Sa lâcheté de ne vouloir publier la critique d'un ouvrage qu'après que l'auteur de cet ouvrage serait mort, II, 98. Pourquoi il ne voulait rien répliquer à Auguste, qui avait fait des vers contre lui, 354.
Assassin. Deux assassins de Guillaume Ier, prince d'Orange, II, 115 *et suiv*.
Assassins, *peuple dépendant de la Phénicie*. Comment ils croient gagner le paradis, II, 116.
Assigny (*Le sieur de l'*), I, 23.
Assyriens. Comment ils domptaient les chevaux dont ils se servaient à la guerre, I, 325.
Astapa, *ville d'Espagne*. Avec quelle fureur ses habitants se jettent dans un bûcher ardent avec leurs femmes, leurs enfants, et tout ce qu'ils avaient de plus précieux, I, 395.
Atalante. Par quel moyen elle fut vaincue à la course, II, 252.
Ataraxie des pyrrhoniens. Ce que c'est, I, 557, 650 *et suiv*.
Athéisme. Rarement établi dans l'esprit de l'homme comme un dogme sérieusement digéré, I, 488 *et suiv*.
Athènes. Comment elle était aimée des étrangers, II, 278.
Athéniens. Leur superstition sur la sépulture des morts, cruelle et puérile, I, 17. Comment ils en sont punis, 18. De leur dieu inconnu, 570. Pourquoi ils firent couper les pouces aux Éginètes, II, 95.
Athlètes. Leur force est plutôt vigueur de nerfs que de cœur, I, 164. Qui se sont privés des plaisirs de l'amour pour se conserver plus agiles et plus vigoureux, 428.
Atlantide, *île*. Son étendue, I, 231. Ce ne peut être l'Amérique, 232.
Atticus (*Pomponius*). Sa mort volontaire, II, 5 *et suiv*.
Aubigny (*Monsieur d'*) assiégeant Capoue, I, 25.
Aufidius. Sa mort, I, 86.
Auguste. Il veut se venger de Neptune après une tempête, I, 20. Comment il témoigne son affliction pour avoir perdu quelques légions, 21. Conjuration de Cinna contre lui, découverte un peu avant l'exécution, 132 *et suiv*. Son discours à Cinna, 132. Sa clémence envers ce conjuré, et avantages qu'il en retira, 133-134. Son sommeil profond à l'heure d'une bataille, 304. Quel âge il fixa pour l'exercice des charges de judicature, 361. Son caractère impénétrable aux plus hardis juges, 366. Libéral de dons, était avare de récompenses d'honneur, 417. Épigramme composée par lui, 523.
Augustin (*Saint*). Miracles attestés par lui, I, 196. Quel dommage c'eût été que ses écrits eussent été perdus! I, 442.
Aurat, *ou plutôt* Daurat. Mis par Montaigne au rang des meilleurs poètes latins de son temps, II, 65.
Auteurs. Ne doivent écrire sur chaque sujet que ce qu'ils savent, I, 234. S'ils peuvent prétendre à quelque recommandation par leurs écrits, II, 60.

Autruches. Attelées à un coche, II, 333.
Avarice. Ce qui la produit, I, 62.
Aveugle. Histoire d'un gentilhomme aveugle-né, I, 663. Exemple d'un homme devenu aveugle en dormant, II, 93.

Avocats. Comparés aux prédicateurs, I, 35-36. Persuadés quelquefois de la bonté d'une cause par leur propre passion, 636. Trouvent à toutes causes assez de biais pour les accommoder où bon leur semble, *ibid.*

B

Bains. Les anciens en usaient tous les jours avant le repas, I, 330. Leur utilité, II, 190. Chaque nation en fait un usage particulier, 191.
Baisers. Comment ils ont été avilis, II, 310.
BAJAZET Ier. Fit éventrer un soldat accusé d'avoir pris de la bouillie à une pauvre femme qui en sustentait ses enfants, I, 405.
Barbare. Ce qu'implique ce mot dans la bouche de chaque peuple, I, 234. Il y a plus de barbarie à manger un homme vivant qu'à le manger mort, 239.
Bataille. Si, dans une bataille, il faut attendre l'ennemi, ou l'aller attaquer, I, 316 *et suiv.*
BATHORY *(Étienne),* roi de Pologne. Loué par Montaigne, I, 257.
BAYARD. Sa fermeté sur le point de rendre l'esprit, I, 15. Quel était son vrai nom, 311.
Beauté du corps. En quoi elle consiste, I, 533 *et suiv.* Si, sur cet article, les hommes ont quelque avantage sur les bêtes, 534. De quel prix est la beauté corporelle, II, 40 et 509.

BEAUVAIS *(L'évêque de).* Vainqueur de plusieurs ennemis à la bataille de Bouvines, il les donnait à d'autres pour les tuer ou les faire prisonniers, I, 288. Pourquoi il ne se servait que d'une massue dans le combat, *ibid.*
BEBIUS, *juge.* Particularité remarquable de l'heure de sa mort, I, 86.
BÉDOUINS. L'opinion qu'ils avaient d'une nécessité inévitable et préordonnée les engageait à s'exposer dans les combats sans aucune précaution, II, 114.
BELLAY *(Guillaume du).* Jugement sur ses Mémoires, I, 461 *et suiv.*
BELLAY *(Martin du).* Ses Mémoires historiques : ce qu'en pense Montaigne, I, 461 *et suiv.*
BELLAY *(Joachim du).* Excellent poète français, au jugement de Montaigne, II, 65.
BEMBO *(Le cardinal),* II, 302.
BERTHEVILLE, *lieutenant du comte de Brienne,* I, 26.
BESSUS, *Pæonien.* Comment il découvrit lui-même, sans y penser, le parricide qu'il avait commis, I, 401 et 402.

INDEX

Bêtes. Petites bêtes qui ne vivent qu'un jour, I, 94. Les bêtes sont sujettes à la force de l'imagination, 108 *et suiv.* Certains égards qu'on doit avoir pour les bêtes, 478. Exemples remarquables de cette espèce de respect, *ibid. et suiv.* Se communiquent leurs pensées aussi bien que les hommes, 497. Habileté qu'on remarque dans leur conduite, 499 *et suiv.* Elles ont un langage naturel, 503 *et suiv.* Suivent librement leurs inclinations, *ibid.* Leur subtilité dans leur chasse, 507 *et suiv.* Elles discernent ce qui peut les soulager dans leurs maladies, 508. Sont capables d'instruction, 510. Ont de l'équité, *ibid.* Leur amitié est plus vive et plus constante que celle des hommes, 519. Il y a des bêtes qui sont bizarres et extravagantes dans leurs amours comme les hommes, *ibid.* Bêtes qui paraissent entachées d'avarice, 521. Autres qui sont fort ménagères, *ibid.* Autres qui ont la passion de la guerre, 522. Société qui s'observe entre les bêtes, 528. Pourquoi Moïse défendit de manger leur sang, 607.

Bétis, *gouverneur de Gaza.* Fait prisonnier par Alexandre le Grand, I, 6. Sa valeur et sa fermeté jusqu'à son dernier soupir, *ibid.*

Bèze. Mis par Montaigne au rang des meilleurs poètes latins de son temps, II, 65.

Bias. Ce qu'il dit à des gens qui, se trouvant avec lui dans un vaisseau battu de la tempête, imploraient le secours des dieux, I, 268.

Bibliothèque. Ce qui sauva les bibliothèques du feu, lorsque les Goths ravageaient la Grèce, I, 154. Situation et forme de la bibliothèque de Montaigne, II, 248 *et suiv.*

Bien. Nous le désirons avec d'autant plus d'ardeur que nous avons plus de peine à l'obtenir, II, 9. Le bien et le mal moral se trouvent en nous mêlés ensemble, 771.

Bien-être (Le). En quoi il consiste pour l'homme; opinions diverses à ce sujet, I, 649 *et suiv.*

Bien-faire (Le). Se juge par la seule intention, I, 370.

Biens véritables. Mettent l'homme au-dessus des injures, I, 271.

Biens de fortune : en quel sens ils sont utiles à ceux qui les possèdent, 293. Moyen le plus sage de les distribuer en mourant, 436. Ce qui détermine certaines gens au choix qu'ils font des héritiers de leurs biens, 437. Selon Platon, c'est par les lois que doit être réglée la disposition de nos biens, *ibid.*

Bion. Ce qu'il dit d'un roi qui, dans le deuil, s'arrachait les cheveux, I, 20. Philosophe faux, esprit fort, 488. Avec quelle franchise il décrivit son origine à Antigonus, II, 421 *et suiv.*

Biron *(Le maréchal de)*, maire de Bordeaux, II, 449.

Blosius *(Caius).* La réponse *qu'il aurait fait toutes choses pour son ami,* très raisonnable en un certain sens, I, 204-205.

Boccace. Son *Décaméron,* mis par Montaigne au rang des livres simplement plaisants, I, 450.

Bodin. Réfuté sur ce qu'il a dit de Plutarque, I, 460, II, 29.

BOÉTIE *(Étienne de La)*. Auteur d'un discours intitulé *de la Servitude volontaire*, ou *le Contr'un*. Quelle en fut l'occasion et la matière, I, 168. A quel âge il le composa, 198. La Boétie et Montaigne firent leur alliance du nom de *frère :* ce qu'il faut entendre par là, 198. Comment, dès leur première rencontre, ils s'aimèrent de la plus parfaite amitié, 203 *et suiv.* Regrets de Montaigne sur sa perte, 209 *et suiv.* Éloge qu'il en fait, 211 *et suiv.* Vingt-neuf sonnets composés par lui dans sa jeunesse, 212 *et suiv.* Ses excellentes qualités, II, 63. Voir aussi l'appendice. II, 585-606.

Bœuf. Porté par une femme, qui s'y était accoutumée en le portant veau, I, 112.

Boiteux et *boiteuse.* Sur quoi est fondé un proverbe qui court depuis longtemps sur leur compte, II, 482.

BOJOCATUS. Réponse généreuse qu'il fit aux Romains, I, 384.

BOLESLAS III, *roi de Pologne.* Trahi, II, 214 *et suiv.*

BONIFACE VIII, *pape.* Son caractère, I, 365.

BONNES *(Barthélemy de)*, au siège de Commercy, I, 24.

BORGIA *(César), duc de Valentinois*, I, 250.

Borgne. Exemple d'un homme qui devint borgne pour avoir fait semblant de l'être, II, 92 *et suiv.*

BORROMÉE *(Le cardinal)*. Austérité de sa vie, I, 61.

BOUCHET, *auteur* des Annales d'Aquitaine, I, 196.

Bouffons qui ont plaisanté en mourant, I, 49.

Bourreaux. De ceux qui ont consenti à être les bourreaux de leurs propres parents, II, 216.

BOUTIÈRES *(M. de)*, I, 399, 400.

BRÉSIL. Par qui cette contrée fut surnommée *la France antarctique*, I, 231. Pourquoi ses habitants ne mouraient que de vieillesse, I, 544.

BRIENNE *(Le comte de)*, I, 26.

BROUSSE *(Le sieur de La), frère de Montaigne*, I, 401.

BRUTUS. Regrets de Montaigne sur la perte du livre qu'il avait écrit, *de la Vertu*, I, 456. N'estimait pas l'éloquence de Cicéron, 457.

BUCÉPHALE, *cheval d'Alexandre*, I, 321.

BUCHANAN. Mis par Montaigne au rang des meilleurs poètes latins de son temps, II, 65.

Bulle. Formulaire d'une bulle qui accorde à Montaigne la bourgeoisie romaine, II, 444, 445.

BUNEL *(Pierre)*, I, 480.

BURES *(Le comte de)*, I, 76.

C

CALIGULA. Ruine une belle maison; pourquoi, I, 20.

CAMBYSE ou CAMBYSES. Ce qui le détermina à faire mourir son frère, II, 261.

CANIUS *(Julius), noble romain*. S'appliqua en mourant à observer l'effet de la mort, I, 406.

CANNIBALES, ou *sauvages de l'Amérique.* Voy. AMÉRIQUE.

CAPILUPUS *(Lælius)*, fameux auteur de centons, I, 158.

CARAFFE *(Antoine)*, *cardinal*. Son maître d'hôtel, I, 339 *et suiv.*

CARNAVALET, le plus excellent homme de cheval du temps de Montaigne, I, 328.

CARNÉADES. Trop passionné pour l'étude, I, 177. A soutenu que la gloire est désirable pour elle-même, II, 18. Noble sentiment de ce philosophe, *ibid. et suiv.*

CARO *(Annibal)*. Éloge de ses lettres, I, 285.

CARTHAGE. Ses habitants jetés dans une confusion soudaine par des terreurs paniques, I, 77.

CARTHAGINOIS. Leur barbare superstition qui les portait à immoler des enfants à Saturne, I, 380. En quel cas ils punissaient leurs généraux victorieux, II, 369.

CASSIUS SEVERUS. Parlait mieux sans être préparé, I, 36. Mot de lui, 441.

CASTALIO *(Sébastien)*. Savant homme en Allemagne, meurt de misère, I, 254.

CATENA. Supplice de ce brigand italien, I, 474.

CATON *l'Ancien*, ou *le Censeur*. Sa parcimonie, I, 342. Reproche qu'on lui a fait de bien boire, 376.

CATON *le Jeune*. Comment il tourna en ridicule les plaisanteries que Cicéron avait répandues dans un de ses plaidoyers, I, 184. Divers jugements sur sa mort, 259 *et suiv.* Beaux traits de cinq poètes latins à sa louange, comparés et appréciés, 261. Caton tranquille à la veille d'une émeute publique où il devait avoir beaucoup de part, 303. Sa vertu le porta à se donner la mort, 465. Avec quelle fermeté et sérénité d'âme il l'affronta, *ibid. et suiv.* Sa mort moins belle que celle de Socrate, 467.

CATULLE. En quoi supérieur à Martial, I, 452.

CATULLUS *(Q. Lutatius)*. Pourquoi il prit la fuite dans un combat, I, 287.

CAUNIENS. Bannissaient de leur pays les dieux étrangers, I, 595.

CAUPÈNE, *en Chalosse (Le baron de)*, II, 193 *et suiv.*

CÉA, *île de Négrepont*. Histoire singulière d'une femme de cette île, I, 397 *et suiv.*

Cerfs. Attelés à un coche, II, 333.

CÉSAR. De combien il s'endetta pour arriver au suprême pouvoir, I, 61. Excellent capitaine, eut l'ambition de se faire connaître aussi pour excellent ingénieur, 72. Ce qu'il dit à un soldat cassé de vieillesse, 92. Son intrépidité en présence de ses légions mutinées, 132. Moyens qu'il employa pour se faire aimer de ses ennemis, 139. Il marchait nu-tête devant son armée, 257. S'il pleura de bonne foi à la mort de Pompée, 264. Pourquoi il a écrit sa propre histoire, 280. Il était fort bon homme de cheval, 330. Avait un cheval singulier qui ne put être dressé que par lui, *ibid.* Pourquoi il fut appelé *sponda regis Nicomedis*, 333. Éloge de ses *Commentaires*, 458. On y a trouvé des méprises, 460. A quelle occasion Montaigne le traite de brigand, 466. Singulière preuve de clémence, 473.

Quelle mort César trouvait la plus souhaitable, II, 5. Il a vendu et donné des royaumes, lorsqu'il n'était que simple citoyen romain, 90. Les plaisirs de l'amour ne l'empêchèrent jamais de profiter des occasions de s'agrandir, 135 *et suiv.* Sa sobriété singulière, 137. A quel propos il fut traité d'ivrogne par Caton, 138. Sa douceur et sa clémence envers ses ennemis, *ibid.* Égards qu'il avait pour ses amis, 140. Sa justice, *ibid.* Son ambition effrénée a rendu sa mémoire odieuse à tous les gens de bien, *ibid.* Ses *Commentaires* devraient être le bréviaire de tout homme de guerre, 142. Comment il rassurait ses troupes lorsqu'il les voyait alarmées par la crainte des forces nombreuses de l'ennemi, 143. Il accoutumait ses soldats à lui obéir sans s'informer de ses desseins, *ibid.* Amusait ses ennemis pour les surprendre avec plus d'avantage, *ibid.* Vertu qu'il exigeait de ses soldats, 144. Il leur accordait beaucoup de licence, et voulait qu'ils fussent richement armés, *ibid.* Dans l'occasion, les traitait avec beaucoup de sévérité, *ibid.* Pourquoi il fit faire un pont sur le Rhin, *ibid.* Pourquoi il aimait à haranguer ses soldats, 145. Rapidité de ses expéditions militaires, *ibid. et suiv.* Il voulait tout voir lui-même, 146. Aimait mieux une victoire gagnée par prudence que par la force des armes, *ibid.* Plus circonspect dans ses entreprises qu'Alexandre, il se jetait hardiment dans le péril lorsque la nécessité le requérait, 147 *et suiv.* Sa confiance et sa fermeté au siège d'Alésia, 148. Il n'approuvait pas toute sorte de moyens d'obtenir la victoire, 149. Il savait très bien nager, et en tira de très grands avantages, 150. Combien ses soldats lui étaient affectionnés, *ibid. et suiv.* Exemples mémorables de leur intrépidité, de leur dévouement à son service, 151 *et suiv.* Inhumanité de César, engagé dans une guerre civile, 221. Comment sa robe troubla toute Rome, ce que sa mort n'avait pas fait, 258.

Cestius. Comment il fut traité pour avoir méprisé l'éloquence de Cicéron, I, 456 *et suiv.*

Chalcondyle, *historien grec,* II, 105.

Charges. Désignées par des titres trop éclatants, I, 341. Grandes charges données au hasard, II, 368 *et suiv.* Ce que les sages recommandent à ceux qui exercent une charge publique, 450 *et suiv.* Pourquoi ils ne doivent pas trop se passionner, 452.

Charillus, *Lacédémonien.* Sa retenue dans un accès de colère, II, 122.

Charles V ou Charles Quint, *empereur.* Ce qu'il disait des capitaines et des soldats de François Ier, I, 73 *et suiv.* Quelle fut la plus belle de ses actions, 429.

Charles VIII, *roi de France.* Quelle fut, en partie, la cause de la rapidité de ses conquêtes en Italie, I, 154. Service que lui rendit son cheval à la bataille de Fornoue, 320.

Charondas. Châtiait ceux qui

hantaient mauvaise compagnie, I, 268.

CHASTEL *(Jacques du), évêque de Soissons*. Sa mort volontaire, I, 396.

Chasteté. Devoir qu'il est difficile aux femmes d'observer dans toute sa rigueur, II, 287. Ce qui doit les encourager à la bien conserver, *ibid. et suiv.* Étendue de ce devoir, 291 *et suiv.* C'est de l'innocence de la volonté que dépend la chasteté; exemples divers, 254 *et suiv.* La curiosité sur l'article de la chasteté des femmes est ridicule et pernicieuse, 296 *et suiv.*

CHASTILLON *(L'amiral de)*. Voyez COLIGNY.

Châtiments. Pourquoi ne devraient pas être infligés par des gens en colère, II, 119.

CHÉLONIS, *fille et femme de rois de Sparte*. Sa tendresse et sa générosité, II, 558.

Cheval. Chevaux destriers; pourquoi ainsi nommés, I, 319. Chevaux à changer au milieu de la course, *ibid.* Chevaux des Mamelucks fort adroits, 320. Du cheval d'Alexandre et de celui de César, *ibid.* Aller à cheval, exercice très salutaire, 321. Gens de cheval; à quelle occasion les généraux romains leur ordonnaient de mettre pied à terre dans un combat, *ibid.* Combats à cheval; quels en étaient les inconvénients, 322 *et suiv.* Les Massiliens se servaient de leurs chevaux sans selle et sans bride, 325. Chevaux farouches des Assyriens, *ibid.* Le sang et l'urine des chevaux dont on s'est abreuvé dans un cas de nécessité, 326. Chevaux autant estimés et respectés des Américains que les Espagnols, *ibid.* Chevaux éventrés pour se garantir du froid, 327. Chevaux tondus pour être menés en triomphe, 328. Adresse surprenante d'un homme à cheval, *ibid.* Autres exemples du même genre, *ibid.*

Chèvres. S'affectionnent pour les enfants qu'elles nourrissent de leur lait, I, 439.

Chien. Animal capable de raison, I, 510 *et suiv.* Chien qui contrefait le mort, 510. Chien qui trouve le moyen de tirer de l'huile du fond d'une cruche, 512. Chiens dressés à combattre dans les armées, 514. Chiens de chasse, connaissent quel est le meilleur de leurs petits, 517. Chiens plus fidèles que les hommes, 525 *et suiv.* Chien des Indes, d'une magnanimité extraordinaire, 530.

CHILON. Précepte de lui, qui ne s'applique qu'aux amitiés communes, I, 206.

CHINE *(La)*. Il y a dans ce royaume des officiers établis pour récompenser les bonnes actions, aussi bien que pour punir les mauvaises, II, 524.

CHIRON. Pourquoi il refusa l'immortalité, I, 98.

CHRÉTIENS. Pourquoi ils ne doivent point autoriser leur religion par les événements, I, 245, 246. Leur zèle plein d'injustice et de fureur, 485 *et suiv.* Sur quoi est fondée la profession qu'ils font de leur religion, 487 *et suiv.*

Christianisme. Quelle est la marque du vrai christianisme, I, 483.

CHRYSIPPE. Combien il aimait à

charger ses livres de citations, I, 123, 156. Jusqu'où il a multiplié les dieux, 573. Raison ridicule dont il se sert pour prouver que l'âme réside autour du cœur, 607 *et suiv.*

Cicéron. Conseillait la solitude, I, 276 *et suiv.* Le peu de solidité de ce conseil, 278. Dans quelle vue il a publié des lettres qu'il avait écrites à ses amis, 280. Pourquoi il donna la liberté à un de ses esclaves, 283. Quel jugement Montaigne faisait des ouvrages philosophiques de Cicéron, 454 *et suiv.* Éloge de ses *Lettres à Atticus*, 456. Caractère de cet orateur, *ibid. et suiv.* Sa poésie méprisée par Montaigne, *ibid.* Son éloquence incomparable a trouvé des censeurs, 457. S'il a méprisé les lettres dans sa vieillesse, 556. Quelle manière de philosopher était le plus à son goût, 563 *et suiv.*

Cimber, un des conspirateurs contre César : ce qu'il dit en s'engageant dans cette entreprise, I, 375.

Cimetières. Pourquoi ils ont été placés dans l'intérieur des villes, I, 91.

Cinéas, *conseiller de Pyrrhus.* Comment il réprime la vaine ambition de ce prince, I, 299.

Cinna. Sa conjuration contre Auguste, et clémence de celui-ci, I, 132 *et suiv.*

Cippus. Comment il lui vint des cornes au front, I, 101.

Civilité. Trop d'exactitude y est blâmable, I, 45, 46. Avantages d'une civilité bien entendue, 47.

Cléanthes. Opinion peu déterminée qu'il avait sur la nature de Dieu, I, 573. Sa résolution à mourir, II, 6. Combien il gagnait par le travail de ses mains, 454.

Cléomène, *fils d'Anaxandrides, roi de Sparte.* Croyait tout permis contre un ennemi, I, 25. Ce qu'il répondit à des ambassadeurs de Samos, 183. Sa réponse à ses amis, qui, le voyant pendant sa maladie sujet à des fantaisies particulières, lui en faisaient des reproches, 633. Comment il se moqua d'un rhétoricien qui haranguait sur la vaillance, II, 121.

Cléomène III. Attend la dernière extrémité pour se donner la mort, I, 389.

Climacides, *femmes de Syrie.* Quel était leur office, I, 506.

Clodomire, *roi d'Aquitaine.* Par son opiniâtreté à poursuivre son ennemi vaincu, il perd la vie, I, 314.

Clovis. Quel salaire obtinrent de lui trois esclaves qui avaient trahi leur maître, II, 215.

Coches. De quel usage ils ont été dans la guerre, II, 332. Leur usage pour le luxe, *ibid. et suiv.*

Cocuage. Maintes gens s'en effraient, mais beaucoup en tirent profit, I, 61. Braves gens qui furent cocus, et qui le surent sans exciter de tumulte, II, 289. Mal qu'on est obligé de tenir secret, 297.

Cœlius, *l'orateur.* S'emporte contre un homme qui, pour ne pas l'irriter, évitait de le contredire, II, 123.

Colère. Des châtiments infligés dans la colère, II, 120. Modération de quelques grands hommes dans des accès de colère, 121 *et suiv.* La colère, passion sujette à s'applaudir, 122. Il vaut mieux la laisser éclater que de la tenir renfermée, 124. Règles à observer en faisant éclater sa colère, *ibid. et suiv.* Si la colère peut servir d'aiguillon à la vaillance et à la vertu, 126.

Coligny *(Gaspard de), seigneur de Chastillon-sur-Loing, amiral de France,* II, 150.

Collèges, sévèrement jugés par Montaigne, cruautés qu'on y exerce contre l'enfance, I, 176 *et suiv.*

Combattre à l'épée et à la cape, usage pratiqué par les anciens Romains, I, 330.

Comédiens, qui pleuraient encore au sortir du théâtre, où ils avaient été attendris par leur rôle, II, 260.

Comédies françaises. Du temps de Montaigne, manquaient d'invention, I, 452.

Commander. S'il est plus doux de commander que d'obéir, I, 294. A qui il appartient de commander, 295.

Commentateurs. Pourquoi il y en a un fort grand nombre, II, 518 *et suiv.*

Commines *(Philippe de).* Jugement qu'en fait Montaigne, I, 461. Mot de cet historien critiqué, II, 377.

Conférence. Son utilité, II, 358. Exercice plus avantageux que celui des livres, *ibid.* Pourquoi l'on y doit admettre les reparties vives et hardies, 375 *et suiv.*

Confiance. Elle doit être ou paraître exempte de crainte, I, 137. Confiance envers des troupes suspectes, qui eut un heureux succès, 138.

Conjurations. S'il est dangereux de les prévenir par des exécutions sanglantes, I, 131. Conseil donné à un tyran pour l'en mettre à couvert, 139.

Connaissance des choses. A quel usage elle doit être employée, I, 53. A quoi se réduit notre connaissance des choses naturelles, 508. Jusqu'où peut atteindre l'humaine connaissance, 628 *et suiv.*

Conrad, *marquis de Montferrat,* II, 116, *e.*

Conrad III. Comment il fut réconcilié avec Guelphe, son grand ennemi, I, 4.

Conscience. Sa force, I, 401 *et suiv.* Ne laisse pas le crime longtemps secret, *ibid.* Fruit de la bonne conscience, 403. Satisfaction qui y est attachée, II, 224 *et suiv.*

Conseils. Ils sont indépendants des événements, II, 233.

Constance. Comment définie, et en quoi elle consiste, I, 45. Constance au milieu des malheurs, 272. Constance dans la douleur : exemples sur ce sujet qui tiennent de la fureur, I, 381 *et suiv.*

Converser. Combien il est utile de savoir converser familièrement avec toutes sortes de gens, II, 239 *et suiv.* Il faut se mettre au niveau de ceux avec qui l'on converse, *ibid. et suiv.* Comment on peut juger la capacité d'un homme dans la conversation, 372. Utilité dans la conversation des reparties vives et hardies, 375 *et suiv.*

Cornelius Gallus. Sa mort, I, 86.

Corps. Les exercices du corps et la bienséance extérieure, considérable partie de l'éducation des enfants, I, 175 *et suiv.* Diversité d'opinions sur la matière qui produit le corps de l'homme, 623. Avantages de la beauté du corps, II, 40. La santé, la vigueur du corps, est cause des élancements extraordinaires de l'esprit, 265 *et suiv.*

CORRAS, *conseiller au parlement de Toulouse.* Son opinion dans l'affaire du faux Martin Guerre, II, 478.

CORTEZ *(Fernand).* Compliment singulier que lui adressent des peuples d'Amérique, I, 230. Quelle idée les ambassadeurs du roi de Mexique lui donnèrent de la grandeur de leur maître, *ibid.*

COSSITIUS *(Lucius).* De femme, changé en homme, I, 101.

COTYS, *roi de Thrace.* Pourquoi il casse de beaux vases après les avoir payés libéralement, II, 460.

Couardise. Voyez *Poltronnerie.*

Courtisan (Le), livre italien cité, I, 325.

Courtisans. Avec quelle bassesse ils cachent aux princes leurs défauts, II, 353.

Coutume. Sa force, I, 112 *et suiv.* Étranges impressions qu'elle fait sur nos âmes, 115. Coutumes bizarres de divers peuples, 116 *et suiv.* Combien est impérieux le joug de la coutume, 121. C'est l'unique fondement de quantité de choses très autorisées dans le monde, 122. Des coutumes anciennes, 330 *et suiv.* Coutumes établies dans un pays directement contraires à celles de quelque autre pays, II, 535.

CRASSUS *(Publius).* Pourquoi il fait donner le fouet à un ingénieur, I, 74-75.

CRATÈS. Sa réponse à celui qui lui demandait jusqu'à quel temps il fallait philosopher, I, 144. Sa recette contre l'amour, 550. Ce qu'il pensait de notre âme, 606. Singulières dispositions qu'il fit à sa mort, II, 386.

Crédulité. Marque de faiblesse, I, 193 *et suiv.*

CREMUTIUS CORDUS. Voyant qu'on brûlait ses livres, se fait mourir lui-même, I, 441.

CRÉTOIS. Imprécations qu'ils faisaient contre ceux qu'ils haïssaient beaucoup, I, 121. Crétois réduits à boire l'urine de leurs chevaux, 326.

Crime. La peine naît avec lui, I, 402.

Criminels. Livrés aux médecins pour être anatomisés en vie, II, 88.

Crocodile. Quel secours il reçoit du roitelet, et quels égards il a pour lui, I, 529.

CRÉSUS. Acte barbare de ce prince, II, 105-106.

Croyants. Si la multitude des croyants est une bonne preuve de la vérité, II, 475 *et suiv.*

Cruauté extrême, I, 475. Conséquences de la cruauté qu'on exerce sur les bêtes, *ibid. et suiv.* La cruauté est l'effet de la poltronnerie, II, 97. Un premier acte de cruauté en produit d'autres nécessairement, 103. Exemple remarquable sur ce sujet, *ibid. et suiv.*

Cuisines portatives en usage chez les Romains, I, 332.

Curiosité. Celle qui doit être inspirée aux jeunes gens, I, 167. Curiosité, passion avide et gourmande de nouvelles, 399. Funestes effets de la curiosité, 552. Est vicieuse partout, mais où pernicieuse, II, 296.

Cyniques. Appelaient *vice* de n'oser faire à découvert ce que nous faisons en secret, I, 656 *et suiv.* Jusqu'où allait leur impudence 657 *et suiv.*

Cyrus. Défense qu'il fit à ses enfants de voir et de toucher son corps après sa mort, I, 16. Pourquoi il fut battu à l'école, 152. Établit le premier des chevaux de poste, 401. Exemple de sa libéralité après qu'il fut roi, d'où les princes peuvent apprendre à bien placer leurs dons, II, 336 *et suiv.* Comment il se mit à couvert des traits de la belle Panthée, sa captive, 462.

Cyrus *le jeune.* Pourquoi il se préférait à son frère Artaxerxès, I, 376.

D

Damindas ou Damidas, *Lacédémonien.* Sa généreuse réponse à quelqu'un qui menaçait les Lacédémoniens de la puissance de Philippe, I, 383 *et suiv.*

Dandamis, *sage indien.* Ce qu'il blâmait dans Socrate, Pythagore, Diogène, II, 212.

Darius. Proposition qu'il fait à des Indiens qui mangeaient leurs pères trépassés, et aux Grecs qui les brûlaient, I, 122.

David. Comment et par qui ses psaumes doivent être chantés, I, 353 *et suiv.*

Défauts. Raisons que nous avons tous de supporter les défauts d'autrui, II, 363.

Délibération. Doit précéder nos engagements dans les affaires et surtout dans des querelles, II, 466.

Déluges. Ont causé de grands changements sur la terre, I, 231.

Démade, *Athénien.* Jugement qu'il prononce contre un homme qui vendait les choses nécessaires aux enterrements, I, 111.

Démétrius. Son jugement sur la voix du peuple, II, 22-23.

Démocrite. Comparé avec Héraclite, pourquoi lui est préféré, I, 336. Un jour qu'on lui avait servi des figues qui sentaient le miel, il se mit d'abord à rechercher la cause physique de ce goût, I, 567. Comment sa servante mit fin à cette recherche, *ibid.* Opinion vague qu'il avait de la nature de Dieu, 572.

Denisot *(Nicolas).* Poète moins connu par ce nom que par celui de *comte d'Alsinois,* anagramme de son nom, I, 310.

Denys. Voyez Dionysius.

Désir. S'accroît par la difficulté d'obtenir une chose, II, 9.

Deuil. Comment les femmes le portaient anciennement, et devraient le porter encore, selon Montaigne, I, 334.

Devins (Faux). Comment traités

par les Scythes, I, 238 *et suiv.*

Dévotion supercéleste. Ce qu'en jugeait Montaigne, II, 34.

DIAGORAS. Sa réponse à ceux qui lui montraient des tableaux de gens échappés du naufrage, I, 41. Niait ouvertement l'existence de Dieu, I, 573.

DICÆARCHUS. Ce qu'il pensait de notre âme, I, 606.

DIEU. Les hommes ne doivent pas l'invoquer indifféremment à toute occasion, I, 350 *et suiv.* Il faut avoir l'âme nette quand on le prie, 351. Prier Dieu seulement par coutume, en quoi blâmable, 352. Le nom de Dieu ne doit pas entrer dans nos discours ordinaires, 357. Dieu doit être prié rarement, et pourquoi, *ibid.* Dieu se fait connaître par ses ouvrages visibles; ce qui devrait nous y attacher solidement, I, 486. Sa nature ne doit point être recherchée trop curieusement par l'homme, 553. A quoi se réduisent nos notions sur la divinité, 554. Idées que les histoires païennes nous donnent de Dieu, 570 *et suiv.* Diverses opinions des philosophes sur la nature de Dieu, 572 *et suiv.* Des hommes en faire des dieux, c'est la dernière des extravagances, 574 *et suiv.* Il est ridicule de raisonner de Dieu par comparaison à l'homme, 579; et de juger du pouvoir et des perfections de Dieu par rapport à nos conceptions et par rapport à nous, 582 *et suiv.* Arguments que la philosophie a imaginés pour et contre une divinité, également frivoles, 586 *et suiv.* Dieu seul a une substance réelle et constante, 681. Comment son nom peut être accru, II, 15.

Dieux qui épousent les querelles des hommes, I, 592 *et suiv.* Dieux étrangers bannis par les Cauniens, 595. Puissance des dieux bornée à certaines choses, *ibid. et suiv.* Dieux chétifs et populaires, 596.

DIOCLÉTIEN. Pour quelle raison il ne voulut point reprendre le gouvernement de l'empire, auquel il avait renoncé, I, 298 *et suiv.*

DIODORUS *le dialecticien.* Sa mort soudaine causée par la honte, I, 11.

DIOGÈNE *le cynique.* Comment il en usait avec ses amis quand il avait besoin d'argent, I, 206 *et suiv.* Diogène plus mordant que Timon, 337. Impudence de ce philosophe, 658. Raillé sur ce qu'en plein hiver il embrassait tout nu une statue de neige, II, 460.

DIOGÈNE LAERCE. Ce qu'en pensait Montaigne, I, 458.

DIOMÉDON, *capitaine athénien.* Condamné injustement à mort, prie pour ses juges, I, 17 *et suiv.*

DIONYSIUS *le père, tyran de Syracuse.* Sa cruauté au siège de Rhège, I, 5. Comment il traita un Syracusain qui tenait ses richesses cachées dans la terre, 65. Grand chef de guerre, voulut encore s'illustrer par la poésie, 73. Conseil qu'il reçut pour se mettre à l'abri des conjurations, 140. Comment il se moquait des grammairiens, des musiciens et des orateurs 147. Sa poésie méprisée aux jeux Olympiques, 352 *et suiv.*

Quelle fut la cause de sa mort, 353. Pourquoi il condamna Philoxène aux carrières, et Platon à être vendu comme esclave, II, 354.

Dioscoride, *île de la mer Rouge*. Habitée par des chrétiens d'un genre tout particulier, I, 355.

Disputes mal conduites. Mauvais effets qu'elles produisent, II, 360. C'est l'ordre et la conduite qui donnent du prix à la dispute, 362. Les disputes sont infinies parmi les hommes, et ne roulent la plupart que sur des mots, 521.

Dissimulation. Inconvénients dont ce vice est accompagné, II, 49.

Diversion. Consoler par diversion; de quelle utilité, II, 250 *et suiv.* Cette voie utilement employée dans la guerre et les négociations, 251 *et suiv.* Est une recette utile aux maladies de l'âme, 254; et en particulier contre l'amour, 256 *et suiv.*

Divination. Son étrange origine, I, 40 *et suiv.* Quelles sont les voies naturelles qui y conduisent, 638.

Divorce. Si, par l'interdiction du divorce, on a resserré les nœuds du mariage, II, 13.

Doctrine nouvelle. Pourquoi il est bon de s'en défier, selon Montaigne, I, 640 *et suiv.*

Dogmatistes. A quoi se réduit leur profession, I, 562.

Dormir. Sommeil profond de grands personnages dans leurs plus importantes affaires, I, 302-304. Nations où les hommes dorment et veillent par demi-années, 304.

Douaire. Gros douaire est la ruine des familles, I, 436 *et suiv.*

Douleur. Le pire accident de notre être; comment elle peut être adoucie, I, 54 *et suiv.* Plusieurs exemples de fermeté dans la douleur, 57 *et suiv.* Opinion de la douleur sur quoi fondée, 68. N'est pas toujours à fuir, 547. Tient à la volupté par un bout, II, 77. Plaisant moyen de la divertir, 206.

Dreux *(bataille de)*. Ses accidents les plus remarquables, I, 305 *et suiv.*

Drogues médicinales. Forfanterie employée dans leur choix et leurs doses, II, 197 *et suiv.*

Drogues odoriférantes. Mêlées avec les viandes, I, 349.

Drusus *(Livius)*. Ce qu'il dit d'un architecte qui lui offrait de disposer sa maison de telle sorte que ses voisins n'y auraient aucune vue, II, 226 *et suiv.*

Duels. C'est par lâcheté qu'on y a introduit des seconds, des tiers, etc., II, 99 *et suiv.* Histoire d'un duel entre des Français à Rome, 100.

Duras *(Madame de)*. Fin de chapitre adressée à cette dame, II, 199 *et suiv.*

E

Échecs. Quel jugement Montaigne faisait du jeu des échecs, I, 336. Ce jeu peut nous aider à nous connaître nous-mêmes, *ibid.*

Écrits obscurs. Trouvent toujours des interprètes qui leur font honneur, I, 659 *et suiv.*

Écriture sainte. S'il faut la mettre entre les mains du petit peuple, I, 353 *et suiv.*; et la traduire en toutes sortes d'idiomes, 354.

Écrivains. Pourquoi les écrivains ineptes devraient être réprimés par les lois, II, 382 *et suiv.*

ÉDOUARD Ier, *roi d'Angleterre.* Pourquoi il veut que ses os soient portés dans l'armée de son fils, lorsqu'il marchera contre les Écossais, I, 14.

ÉDOUARD III, *roi d'Angleterre.* Pourquoi, à la bataille de Crécy, il ne veut pas envoyer du secours au prince de Galles, I, 287. Ce qu'il disait de Charles V, roi de France, II, 81. Pourquoi, en faisant une paix générale avec la France, il ne voulut pas terminer le différend du duché de Bretagne, 87.

ÉDOUARD, *prince de Galles, fils du précédent.* Comment sa colère fut apaisée en Guyenne par la valeur de trois gentilshommes français, I, 1.

Éducation des enfants. Ouvrage tout plein de difficultés, I, 158 *et suiv.* Éducation des enfants doit être conduite sans violence, 178 *et suiv.* Effets d'une bonne éducation, II, 64. L'éducation fortifie les inclinations naturelles, loin de les changer, 229.

ÉGINARD, *chancelier de Charlemagne*, I, 507.

EGMONT *(Lamoral, comte d')*, I 27 *et suiv.*

Éguillettes ou *aiguillettes.* D'où procède ce qu'on a nommé *nouement d'aiguillettes*, I, 102. Mal d'imagination, guéri par un moyen fondé sur le même principe, *ibid et suiv.*

ÉGYPTE. Serment des juges d'Égypte, II, 214. Pourquoi l'on y ordonna, par une loi expresse, que les corps des belles et jeunes femmes seraient gardés trois jours, avant que d'être mis entre les mains de ceux qui devaient les embaumer, 311.

ÉGYPTIENS. Comment, au milieu de leurs festins, ils rappelaient aux conviés, l'idée de la mort, I, 91. Les Égyptiens offraient à leurs dieux des pourceaux en figure, 475. Adoraient dans les animaux quelque image des facultés divines, 478; et portaient le deuil à leur trépas, 479. Leur prudence impudente au sujet de leurs dieux, 575.

Éléphants. Dressés à danser au son de la voix, I, 513. Subtilité et pénétration de ces animaux, *ibid. et suiv.* Si les éléphants ont quelque sentiment de religion, 515. Éléphant rival d'Aristophane le grammairien, 521. Éléphant touché de repentir, 531,

Éloquence. Elle a plus contribué que les armes à l'avancement des grands personnages de Rome, I, 339. En quel temps elle y a le plus fleuri, *ibid.* Ce qui constitue la véritable éloquence, II, 300.

EMMANUEL, *roi de Portugal.* Édit qu'il fit publier contre les Juifs; effet qui en résulte, I, 49 *et suiv.*

EMPÉDOCLE. Pourquoi il refuse la royauté que lui offraient les Agrigentins, I, 144. Son opinion touchant la nature de Dieu, 572.

Empereurs romains. Pourquoi les dépenses qu'ils faisaient pour les spectacles publics étaient injustes, II, 337.

Encens. Son usage dans les églises, sur quoi fondé, I, 349.

Éné de. Si ce poème et *l'Orlando furioso* peuvent être comparés, I, 450.

Enfants. Le mensonge et l'opiniâtreté doivent être d'abord réprimés en eux, I, 33. Combien il importe de les corriger de bonne heure, 114. Il n'est pas aisé de prévoir, par leurs premières actions, ce qu'ils seront un jour, 159. Le succès de l'éducation d'un enfant dépend du choix que l'on fera de son gouverneur, 160. Utilité des voyages pour les enfants, 163. Pourquoi ils ne devraient point être élevés auprès de leurs parents, 164. Doivent être dressés à avoir en compagnie les yeux ouverts sur tout ce qui s'y passe, 165 *et suiv.* Il faut leur inspirer la sincérité et une honnête curiosité, 167. En quel temps ils doivent être instruits dans les sciences, 170. A quoi on peut connaître qu'un enfant est bien ou mal né, 174. Un enfant est capable de recevoir les leçons de philosophie, 175 *et suiv.* Les enfants ne doivent pas être engagés à l'étude par sévérité, 176 *et suiv.* Doivent être corrigés de toute humeur étrange et particulière, 179; et formés à toute sorte de coutumes et même à pouvoir souffrir quelques excès, 180. C'est par leurs actions qu'on doit juger des progrès qu'ils font, 182. Doivent être plus soigneusement instruits dans la connaissance des choses que dans celle des mots, 182. Ne doivent pas s'embarrasser de débrouiller des subtilités sophistiques, 182 *et suiv.* Socrate veut qu'on leur donne un beau nom, 307. D'où vient que leur affection envers leurs pères est moins grande que celle de leurs pères envers eux, 423. Violence dans leur éducation, condamnée, 425 *et suiv.* Vrai moyen de se faire aimer de ses enfants, 426. L'appellation paternelle ne doit pas leur être interdite, 430. Ils doivent être admis à vivre familièrement avec leurs pères, lorsqu'ils sont d'âge pour cela, *ibid.* On a raison de les empêcher de contrefaire les défauts naturels, II, 93. Ne devraient pas être abandonnés indiscrètement au gouvernement de leurs parents, 119. Patience merveilleuse d'un enfant lacédémonien, 128 *et suiv.*

Enfant monstrueux. Sa description, II, 117 *et suiv.*

Enfantement. Douleurs qui l'accompagnent, supportées sans peine, I, 57 Exemple remarquable sur cela d'une dame romaine, *ibid.*

Ennemi vaincu. S'il faut le poursuivre à outrance, I, 312, *et suiv.*

Enthousiasme. Élève l'homme au-dessus de lui-même, I, 382.

ÉPAMINONDAS. Sa fermeté dans une accusation qui lui fut intentée devant le peuple thébain, I, 5. Mot excellent de lui, 80. Comment il qualifiait les deux victoires qu'il avait remportées contre les Lacédémoniens, 442. Pourquoi il re-

fusa des richesses légitimes, 464.
Fut, selon Montaigne, le plus
excellent homme dont on ait
connaissance, II, 166. Caractère de sa valeur, de son courage et de son habileté dans
la guerre, *ibid.* Son savoir,
ses mœurs, sa vertu pleine
partout et uniforme, 167. Sa
résolution à demeurer constamment attaché à la pauvreté :
ce qu'en jugeait Montaigne,
ibid. Preuves palpables de sa
bonté, de son équité et de son
humanité, *ibid.* Sa douceur et
sa courtoisie dans le fort du
combat, 168. Jusqu'où il portait la délicatesse sur l'article
de la justice, *ibid.* et 219.

Épée. L'arme la plus sûre et la
plus utile dans un combat, I,
323.

ÉPICHARIS. Accusé d'avoir trem-
pé dans une conspiration contre
Néron : sa fermeté dans les
tourments, II, 130.

ÉPICURE. Dispense son sage de
la prévoyance et du souci de
l'avenir, I, 12. Ce qu'il pensait
des richesses, 62. Ne mettait
aucune citation dans ses écrits,
156. Sa lettre à Meniceus, 176.
S'il n'aurait pas préféré ses
ouvrages à des enfants nés de
lui, 442. Ses dogmes irréli-
gieux et délicats, sa vie dévo-
tieuse et laborieuse, 470. Comment Épicure représentait les
dieux, 573. Opinion de ce
philosophe à l'égard des plaisirs obscènes, 655. Conseillait
de fuir la gloire, II, 17; et il n'y
était pas insensible lui-même,
ibid. Lettre qu'il dicta un peu
avant son dernier soupir, *ibid.
et suiv.*

Épicuriens. Extravagance de leurs
principes de physique, I, 608
et suiv. Pourquoi ils déchar-
geaient la Divinité de toute
sorte de soins, 637.

ÉPIMÉNIDE. Son sommeil durant
cinquante-sept ans, I, 304.

Épingle. Femme guérie de l'imagination d'avoir avalé une
épingle, I, 108.

Éponge. Usage qu'en faisaient les
anciens Romains, I, 331.

ÉQUICOLA, *théologien*, II, 302.

ESCALIN *(Antoine).* Moins connu
par ce nom, qui était son vrai
nom, que par celui de *capitaine Poulin* et du *baron de La
Garde*, I, 311.

Escares, poissons. Comment s'as-
sistent les uns les autres, I,
517.

Esclave, récompensé et puni pour
avoir trahi son maître, II, 215.

Escrime. Exercice qui n'a rien de
noble, II, 101 *et suiv.* Est inutile et dommageable dans les
combats, 102. Il est malséant
et pourquoi, *ibid. et suiv.*

ESCUT *(Le seigneur de l')* au siège
de Rhège, I, 23.

ÉSOPE. Quel cas Montaigne faisait de ses fables, I, 451. A
quelle occasion il lui donne le
titre de *grand homme*, II, 576.

ESPAGNOL. Fermeté d'un paysan
espagnol mis à la torture la
plus violente, II, 651.

ESPAGNOLS. Avec quelle barbarie ils traitèrent les Américains, II, 344 *et suiv.* Cruautés qu'ils exercèrent contre le
dernier roi du Pérou, 345 *et
suiv.;* et contre celui de Mexico,
346. Boucherie qu'ils firent de
leurs prisonniers de guerre,
346 *et suiv.*

Espérance. Jusqu'où elle doit nous
accompagner, I, 389.

Esprit. Les hommes ne sont pas moins attachés aux productions de leur esprit qu'à leurs enfants, I, 440 *et suiv.* Pourquoi il est dangereux de commencer tard à faire imprimer les productions de son esprit, II, 507 *et suiv.*

Esprit humain. Comment défini, I, 627. Pourquoi il est incapable d'arriver à la connaissance évidente des choses, 628. Jugements de l'esprit dépendant des altérations du corps, 631. Son infirmité malaisée à découvrir, 632. Est grand ouvrier de miracles, 644. Comment il se détermine à choisir entre deux choses indifférentes, II, 18. La plupart des esprits ont besoin de matière étrangère pour s'exercer, 238. Il est occupé ou détourné par très peu de chose, 258; et déterminé par de pures imaginations, par des objets chimériques, *ibid. et suiv.* Il est trop étroitement uni au corps, 266. Vanité de ses recherches, qui paraît en ce qu'il s'attache souvent à découvrir les causes d'un fait avant que d'être assuré de ce fait, 473. Il se forge des raisons des choses les plus vaines, 486.

Esprits simples. Propres à devenir bons chrétiens, I, 346. Esprits médiocres, sujets à s'égarer, *ibid.* Grands esprits, chrétiens les plus accomplis, *ibid.* Quels esprits sont les mieux disposés à se soumettre à la religion et aux lois politiques, 562.

ESSÉNIENS. Comment ils se maintenaient sans l'usage des femmes, II, 306 *et suiv.*

ESTAMPES *(Madame d')*, I, 462.

ESTISSAC *(Madame d')*. Citée comme un exemple d'affection maternelle, I, 422 *et suiv.*

ESTRÉES *(Le seigneur d')*, I, 250.

État. Rien n'est plus dangereux pour un État qu'un grand changement, II, 396 *et suiv.* Exemple remarquable de la difficulté qui accompagne la réformation générale d'un État, 396 *et suiv.*

États politiques. Sujets aux mêmes accidents que le corps humain, II, 86 *et suiv.* Ne laissent pas de se soutenir, quoique fort déréglés, II, 398. Une vertu naïve et sincère ne peut être employée à la conduite des États corrompus, 434 *et suiv.*

Être à soi. Combien il importe de savoir être à soi, I, 271 *et suiv.*

Étude. Quel doit en être le fruit, I, 162.

EUDAMIDAS, *de Corinthe.* Son testament singulier, I, 207.

EUDAMIDAS, *de Lacédémone.* Ce qu'il dit d'un philosophe qui discourait de la guerre, II, 121.

EUDÉMONIDAS, *ou plutôt* EUDAMIDAS, *fils d'Archidamus et frère d'Agis.* Mot de ce Lacédémonien sur Xénocrate, II, 107.

EUDOXUS, *philosophe pythagoricien.* A quel prix il souhaitait de voir le soleil de fort près, I, 568.

EUMÈNE. Sa belle réponse à Antigone, lors du siège de Nora, I, 23. Livré à Antigone par ses soldats, II, 215.

Expérience. Si elle peut terminer l'incertitude philosophique, I, 603 *et suiv.* Ce n'est pas assez de compter les expériences, il faut les peser et les assortir, II, 366. Pourquoi l'expérience n'est pas un sûr moyen pour nous instruire de la vérité des choses, 516 *et suiv.*

EYQUEM, II, 26. Voyez MONTAIGNE.

F

Fatalisme. Quel usage on a fait de cette doctrine, II, 115.
FAVORINUS. Pourquoi il se laisse vaincre dans une dispute de grammaire par l'empereur Adrien, II, 354.
Femmes. Action généreuse des femmes de Weinsberg, I, 4. Qui s'ensevelissent ou qui se brûlent avec le corps de leurs maris, 43. Qui méprisent la douleur pour l'intérêt de leur beauté, 58 *et suiv.* Femmes jugées incapables d'une parfaite amitié, 201 *et suiv.* Comment les femmes portaient le deuil anciennement et devraient le porter encore, à l'avis de Montaigne, 334. Qui ont préféré la conservation de leur honneur à la vie, I, 390 *et suiv.* Qui se donnent la mort pour encourager leurs maris à les imiter, 391 *et suiv.* Pourquoi les femmes ont du penchant à contrarier leurs maris, 433. Leur gros douaire est la ruine des familles, 436. Il est dangereux de laisser aux femmes la liberté de partager à leurs enfants le bien de leurs pères, 438. Le temps de leur grossesse est indéterminé, 624. Pourquoi elles se masquent, et prennent des airs sévères et pleins de pudeur, II, 11 *et suiv.* Différence qu'il y a entre l'honneur des femmes et leur devoir, 30. Exemple remarquable d'une femme qui se noie pour avoir été battue par son mari, 111. Femmes indiennes qui se brûlent ou s'enterrent volontairement avec le corps mort de leurs maris, *ibid.* Femmes emportées, comment deviennent furieuses, 123 *et suiv.* Femmes de Gascogne très obstinées, 131. Ce que Montaigne jugeait des femmes qui n'étalent leur affection pour leurs maris qu'après qu'ils sont morts, 152. Exemple d'une femme sans nom et de basse naissance qui, par pure affection pour son mari, attaqué d'un mal incurable, l'encourage à la mort et meurt avec lui, 153 *et suiv.* Si les femmes doivent être savantes, 242. Quelles connaissances leur conviennent, *ibid. et suiv.* Du commerce avec les femmes : sincérité qui doit l'accompagner, 244 *et suiv.* Lois sévères imposées aux femmes par les hommes, avant qu'elles y aient donné leur consentement, 278. Si ces lois ont rendu les femmes plus retenues, 285 *et suiv.* Combien il leur est difficile de garder leur chasteté, 287. Ce qui doit les y engager, *ibid.* Combien les femmes sont tourmentées par la jalousie, et combien elles sont odieuses lorsqu'elles s'y abandonnent, 291. Femmes scythes crevant les yeux à leurs esclaves, pour s'en servir plus secrètement, 292. A quel prix

une femme faisait gloire, dans les Indes orientales, d'abandonner son honneur, 295. Jalousie d'une femme funeste à son mari, 298. Pourquoi, en amour, les hommes ont tort de blâmer la légèreté et l'inconstance des femmes, 314 *et suiv.* A quel âge les femmes doivent changer le titre de belles en celui de bonnes, 327.

Feraulez. Bel exemple qu'il donne du mépris des richesses, I, 66 *et suiv.*

Ficin *(Marsile), interprète de Platon*, II, 545.

Fille. Changée en homme, I, 101, *et suiv.* Fille d'une vertu fort équivoque, qui se précipita, de peur d'être violée par un soldat, I, 368.

Filles. L'éducation qu'on leur donne ne tend qu'à leur inspirer de l'amour, II, 280 *et suiv.*; et c'est à cette passion qu'elles sont portées naturellement, 281.

Finesse contre un ennemi. Blâmée, et avec raison, I, 21 *et suiv.*

Fioravanti, *médecin de Bologne*, II, 185.

Flora. Quelle était l'humeur de cette fameuse courtisane, II, 247.

Florentins. Dénonçaient la guerre au son d'une cloche, I, 23.

Foi. Le seul principe qui attache le chrétien à sa religion, II, 482. Description d'une vraie et vive foi, 483 *et suiv.*

Foix *(Diane de).* Voy. Gurson.

Foix *(François de), duc de Candale*, I, 159.

Foix *(Gaston de)*, à la bataille de Ravenne, I, 313.

Foix *(Paul de).* Regrets de sa mort, II, 395. Voir aussi l'appendice, II, 607.

Fortune. A beaucoup de part aux ouvrages de poésie, de peinture, et aux entreprises militaires, I, 135. Elle corrige quelquefois nos desseins, 252. Surpasse les règlements de l'humaine prudence, *ibid.* Faveur singulière qu'elle fit à deux proscrits, 253. Les événements de la guerre dépendent d'elle pour la plupart, 318-319.

Foulques, *comte d'Anjou.* Va se faire fouetter à Jérusalem, I, 60.

Fourmi. Exemple remarquable d'une espèce de communication entre les fourmis, I, 515. Prévoyance des fourmis, 521.

Français *(Les).* Hardiesse merveilleuse de trois gentilshommes français, I, 3. Les Français sont fort changeants dans leur manière de s'habiller, 329. Ils condamnent bientôt les modes qu'ils ont le plus admirées, *ibid.* Ne s'armaient, du temps de Montaigne, que sur le point d'une extrême nécessité, 448. Leurs armes les incommodaient plus par leur poids qu'elles ne contribuaient à leur défense, *ibid.*

France antarctique. Par qui découverte, I, 231.

François Ier, *roi de France.* Comment il fit tomber en contradiction un ambassadeur, I, 34 *et suiv.* Pourquoi il aima mieux attendre Charles Quint sur ses propres terres que de l'aller attaquer chez lui, 317 *et suiv.* Les mémoires de Du Bellay ne donnent qu'une connaissance imparfaite du règne de ce prince, 461 *et suiv.*

François, *marquis de Saluces.*
Obligé au roi de France de son
marquisat; pourquoi le trahit,
I, 39-40.

François, *duc de Bretagne.* Quelles
connaissances il exigeait des
femmes, I, 150.

Franget *(Le seigneur de),* I, 71.

Fregosse *(Octavien),* I, 26.

Froissard. Historien plus recommandable par sa candeur que par son habileté, I, 458.

Fronde, dont les anciens se servaient dans les combats : son usage, I, 323.

Fuite. Noble usage qu'en ont fait des nations très belliqueuses, I, 43.

Fulvius. Ayant découvert à sa femme un secret de l'empereur Auguste, qu'elle éventa aussitôt, veut se tuer : comment il est prévenu dans ce dessein par sa femme, I, 393-394.

Funérailles. Le trop grand soin que l'on prend d'avance à ce sujet est une vanité ridicule, I, 16. Ne doivent être ni mesquines, ni trop pompeuses, 17.

G

Galba, *empereur.* Son goût en amour, II, 326.

Galba, *simple particulier.* Ce qu'il dit à un valet qui lui allait voler de l'argenterie, dans le temps qu'il faisait semblant de dormir pour favoriser une intrigue amoureuse entre sa femme et Mécène, II, 295.

Gallio *(Junius).* Pourquoi rappelé à Rome du lieu où il avait été exilé, I, 229.

Gallus Vibius. Devint fou en tâchant de comprendre l'essence de la folie, I, 100.

Gascons. Admirés pour avoir des chevaux accoutumés à virer en courant, I, 324.

Gaulois. Ne pouvaient souffrir d'être blessés par des flèches, I, 324. Regardaient l'accointance avec les femmes comme préjudiciable au courage, 428. Description de leurs armes, 444.

Gêne. Ses inconvénients, I, 404 *et suiv.* L'usage en est condamné par plusieurs nations et pourquoi, 405.

Génération. Est la principale des actions naturelles : disposition qui y est le plus propre, I, 518. D'un homme privé des parties qui y sont nécessaires, II, 118. Pourquoi l'action qui nous met au monde est exclue des propos sérieux et réglés, 270.

Généraux d'armée. S'ils doivent se déguiser sur le point de la mêlée, I, 315.

Gentilhomme. Son devoir envers un grand qui va le visiter, I, 46. Doit être affectionné à son prince, sans s'attacher à lui par des emplois à la cour, 166. Condition des gentilshommes en France du temps de Montaigne, 297. Mariage singulier d'un vieux gentilhomme, 364. Combien il lui est honteux d'être obligé de se dédire, II, 466. Gentilhomme qui passait un an entier sans boire, 536.

GERMAIN *(Marie)*, de fille devenue garçon, I, 101.

GÉTA, *empereur*. Faisait servir les mets à sa table, selon les premières lettres de leur nom, I, 307.

GÈTES. Comment ils envoient des députés à leur dieu Zamolxis, I, 580 *et suiv*.

GIRALDI *(Lilio Gregorio)*, I, 254.

Gladiateurs. Pourquoi donnés en spectacle au peuple romain pour être égorgés en sa présence, II, 88 *et suiv*.

Gloire. La plus inutile, vaine et fausse monnaie qui soit à notre usage, I, 272. Incompatible avec le repos, 277. Vanité de la passion que les hommes ont pour la gloire, 286 *et suiv*. Philosophes qui en ont prêché le mépris, II, 16. Pourquoi elle peut être recherchée, 17. Combien peu de gens qui ont droit à la gloire y ont part, 27. Ce que c'est que la gloire qui se conserve dans les livres, 28. Court moyen de parvenir à la gloire, 227 *et suiv*.

GOBRIAS. Voulut mourir pour se venger, I, 625.

GOURNAY LE JARS *(Marie de)*, *fille d'alliance de Montaigne*. Son éloge, II, 66.

Gouvernement. Chaque peuple est content de celui auquel il est accoutumé, I, 122. Quel est, suivant Anacharsis, le plus heureux, 299. A quoi se réduisent les disputes sur la meilleure forme de gouvernement, II, 394. Quel est le meilleur pour chaque nation, 395. Si rien peut autoriser les maux qu'on cause à son pays, sous prétexte de corriger les abus de son gouvernement, 491.

Gouverneur d'un enfant. C'est du choix qu'on en fait que dépend le succès de l'éducation, I, 160. Qualités qu'il doit avoir, et règle qu'il doit suivre en instruisant son élève, *ibid. et suiv*.

GOVEA *(André)*, I, 191.

Grammairiens. Leur langage, I, 340.

GRAMONT *(Madame de)*, *comtesse de Guiche*. Hommage que lui fait Montaigne des sonnets de La Boétie, I, 212-213.

GRAMONT *(M. de)*, *comte de Guiche*, tué au siège de La Fère, II, 259 *et suiv*.

Grandeur. Qui la connaît, la peut fuir sans beaucoup d'effort, II, 349 *et suiv*.

Grands. Ne doivent point être loués pour des choses communes I, 281. Pourquoi les grands doivent avoir plus de soin de cacher leurs fautes que les petits, 296. Pourquoi les grands paraissent quelquefois plus sots qu'ils ne sont effectivement, II, 367. Le silence leur est d'un merveilleux usage, 368. Combien leur rang nous impose, 371. Qu'il faut se défier de l'habileté d'un homme qui occupe un grand poste, *ibid*.

Gravelle. Son avantage sur bien d'autres maladies, II, 549 *et suiv*.

GRECS. Ne se piquaient pas d'une scrupuleuse bonne foi, I, 22. Leur nom était un terme de mépris chez les Romains, 141. Grecs fameux par leur retraite d'auprès de Babylone : combien ils souffrirent en passant par les montagnes d'Arménie,

258. Pourquoi, sur la fin du repas, les Grecs buvaient en plus grands verres qu'au commencement, 379.
Grégoire XIII, *pape*, II, 334, 456.
Grouchy (*Nicolas*), I, 188.
Guérente (*Guillaume*), I, 188, 191.
Guerre. Dénoncée au son d'une cloche, I, 23. Parole des gens de guerre peu certaine, 24. La passion pour la guerre, preuve d'imbécillité dans l'homme, se trouve dans quelques animaux, 516. Guerre étrangère, de quelle utilité, II, 87. Caractère de la guerre que se firent César et Pompée, 459 *et suiv*. Désordres causés par la guerre civile en France, du temps de Montaigne, 490.
Guerriers. Quels étaient les plus grands guerriers du temps de Montaigne à son avis, II, 65.
Guesclin (*Bertrand Du*), *connétable de France*. Honneurs qu'on lui rend après sa mort, I, 14. Est nommé si différemment qu'on ne sait lequel de ses noms doit être honoré de ses victoires, 310.
Guevara. Ses lettres; ce qu'en pensait Montaigne, I, 325.
Guicciardin. Quel jugement Montaigne faisait de cet historien, I, 460 *et suiv*.
Guillaume, *comte de Salsberi*. Pris par l'évêque de Beauvais à la bataille de Bouvines, I, 288.
Guise (*Le duc de*). Sa conduite à la bataille de Dreux, I, 305. Mourut à Orléans, II, 65.
Gurson (*Diane de Foix, comtesse de*). Le chapitre *De l'Institution des enfants* lui est dédié, I, 154.
Gylippus, *de Sparte*, I, 316.
Gymnosophistes. Se brûlaient volontairement après un certain âge, ou lorsqu'ils étaient menacés de quelque maladie, II, 113.

H

Habits. Bizarrerie de la coutume en ce qui les concerne, I, 124. Tout homme de bon sens doit s'y conformer, 125. Quand les habits de soie commencèrent à être méprisés en France, 300.
Hannibal. Sa réponse à Antiochus, qui lui demanda si les Romains se contenteraient de son armée, I, 314-315. A vécu la belle moitié de sa vie de la gloire acquise en sa jeunesse, 362.
Hardiesse. Jusqu'où elle doit s'étendre, I, 137 *et suiv*.
Harpasté. Folle de la femme de Sénèque : devenue aveugle, elle s'imagina que c'était la maison où elle habitait qui était devenue obscure, II, 93. Sages réflexions de Sénèque sur l'imagination de cette folle, *ibid. et suiv*.
Hasard. Pourquoi il peut tant sur nous, I, 371. Il a beaucoup de part aux actions humaines, II, 368.
Hégésias. Pensait que le sage ne doit rien faire que pour soi, I, 337. Ce qui portait ses dis-

ciples à se priver de la vie, II, 253.

Héliodore, *évêque*. Aime mieux perdre son évêché que son roman, I, 440.

Héliogabale. Où il fut mis à mort, I, 250. Ses apprêts pour se faire mourir délicatement, II, 3.

Henri IV, *roi d'Angleterre*. Défi fait à ce prince par Louis, duc d'Orléans, II, 99 *et suiv.*

Henri VII, *roi d'Angleterre*. Sa perfidie à l'égard du duc de Suffolk, I, 27.

Henri VIII, *roi d'Angleterre*. Comment il surprit en faute un ambassadeur, I, 35.

Héraclide *de Pont*. Opinions indéterminées qu'il avait sur la nature de Dieu, I, 573.

Héraclite. Sa réponse aux Éphésiens, qui lui reprochaient de passer son temps à jouer avec des enfants, I, 144. Héraclite et Démocrite; leur humeur opposée : pourquoi Montaigne donne la préférence à celle de Démocrite, 336 *et suiv*. Héraclite avoue que l'essence de l'âme nous est inconnue, 607. Son opinion sur la formation du monde, sa destruction et sa renaissance, 643. Ce que Cratès jugeait de ses écrits, II, 520.

Hérisson. Prévoit le vent qui doit souffler, I, 516.

Hermachus *(Lettre d'Épicure à)*, II, 17.

Hésiode *(Mort d')*, I, 525.

Hiéron. Croit que les rois sont moins en état de goûter les plaisirs de la vie que de simples particuliers, I, 295. Ce qu'il trouvait incommode dans la royauté, 296.

Hilaire *(Saint)*. Ses miracles dans Bouchet, I, 196. Demande à Dieu la mort de sa fille Abra et de sa femme, 249.

Himbercourt *(Le sieur d')*. Comment il calma la furie des Liégeois, II, 252.

Hippias, *d'Élis*. Pourquoi il avait appris à faire toutes les choses dont il avait besoin pour l'entretien et la commodité de la vie, II, 408.

Hippocrate, *le père de la médecine*, II, 119, 184.

Histoire. S'il convient qu'elle soit écrite par un philosophe et un théologien, I, 110. L'étude en est très utile aux jeunes gens, 167. Pourquoi Montaigne préférait la lecture de l'histoire à toute autre lecture, 457 *et suiv*. Quelles sont les seules bonnes histoires, 458 *et suiv*.

Historiens. Combien il importe qu'un historien connaisse sa profession, I, 73. Qualités qu'il doit avoir, 233. Historiens simples, par où estimables, 458. En quoi consiste le prix des historiens excellents, *ibid. et suiv*. Quels sont les historiens méprisables, 458.

Homère. Reconnu pour maître de toutes sortes de gens; sur quel fondement, I, 460. Sa prééminence sur les plus grands génies, II, 161 *et suiv*. A d'abord atteint la perfection de son art, 162 *et suiv*. Éloge qu'en fait Plutarque et qui ne convient qu'à lui seul, 163. Rien n'est si universellement connu que son nom et ses ouvrages, *ibid. et suiv*.

Homme. Sujet vain, divers et ondoyant, I, 5. Trop occupé de l'avenir, 11. En quoi consiste son devoir, *ibid. et suiv.* Les hommes ont cru que les faveurs du ciel les accompagnaient dans le tombeau, 14. L'homme s'en prend à des choses inanimées pour amuser ses passions, 19. Ce qui rend un homme aisé ou indigent, 67. A combien de revers il peut être exposé avant sa mort, 78 *et suiv.* C'est la mort des hommes qui fait connaître leur vrai caractère, 80. Qui leur apprendrait à mourir leur apprendrait à vivre, 81. Comment l'homme est acheminé naturellement à la mort, 81 *et suiv.* Pourquoi chacun est satisfait du lieu de sa naissance, 122, *c.* Ce qui constitue le vrai mérite de l'homme, et sa supériorité sur ceux de son espèce, 241. Les bons ou mauvais succès ne prouvent ni son mérite ni son démérite, 246. L'homme est sujet à des passions opposées, 264 *et suiv.* Il se passionne pour mille choses qui ne le concernent point, 266. Si un homme doit être loué pour des qualités qui ne conviennent point au rang qu'il tient dans le monde, 281. L'homme doit être estimé par lui-même, non par ses atours, 288 *et suiv.* Imperfection de l'homme démontrée par l'inconstance de ses désirs, 342 *et suiv.* Quel est le cours naturel de la vie de l'homme, 360. Les lois ont accordé trop tard aux hommes le maniement de leurs affaires, 361 *et suiv.* A vingt ans, l'homme fait voir ce qu'il est capable de faire, 362. Homme peu d'accord avec lui-même, 365. Inconstance de ses inclinations, *ibid. et suiv.* Qu'il n'est pas sûr de juger de l'habileté et de la vertu des hommes par quelques actions extérieures, 367 *et suiv.* L'homme le plus sage peut être dérangé par divers accidents, 369. L'homme est élevé quelquefois au-dessus de lui-même par une espèce d'enthousiasme, 380. Il est une bonne discipline à lui-même, 414. Hommes créés capables de raison, à quelle fin, 424 *et suiv.* Si l'homme a de grands avantages sur les autres créatures, 493 *et suiv.* De quel droit il se donne la supériorité sur les animaux, 496 *et suiv.* La nature l'a traité plus favorablement qu'on ne l'imagine, 500 *et suiv.* L'homme a des armes naturelles, 503. S'il est naturel à l'homme de parler, *ibid. et suiv.* Homme et animaux, également soumis à l'ordre de la nature, 504 *et suiv.* Hommes esclaves des autres hommes, 506. Quel soin ils prennent de certaines bêtes, 507. Force de l'homme, inférieure à celle de plusieurs animaux, 508. Hommes venus de pays éloignés en France; pourquoi tenus pour sauvages, 514. A l'égard de la beauté, les hommes n'ont point de privilège particulier au-dessus des bêtes, 534. L'homme a plus de raison de se couvrir qu'aucun autre animal, *ibid. et suiv.* Il s'attribue des biens imaginaires, et laisse les réels aux animaux, 536 *et suiv.* En quoi consiste l'excellence de l'homme sur la bête, 537. Vices et passions de l'homme, *ibid.* L'homme fort porté à s'imaginer que tout ce qui existe est fait pour lui, 594. Il n'a que des idées confuses de soi-même, 601. Incertitude que chaque homme peut remarquer dans ses jugements, 631. L'homme est inconstant dans ses désirs; preuve de sa faiblesse, 646. Confusion où se jettent les hommes sur le règlement de leurs mœurs, 651 *et suiv.* Peu d'hommes meurent avec une vraie fermeté d'âme, II, 1. Les hommes sont souvent réduits à se servir de mauvais moyens pour une bonne fin, 88. Hommes sanguinaires et meurtriers sont lâches et timides, 103. Leurs désirs devraient être amortis avec l'âge, 107. Ils parviennent rarement à cet état, d'agir constamment selon les principes d'une vertu solide, 109 *et suiv.* Hommes doubles; à quoi utiles, 210. Pourquoi fuit-on à voir naître l'homme, tandis qu'on court à le voir mourir, 307. Hommes qui se cachent d'autres hommes, et sont ingénieux à se maltraiter eux-mêmes, *ibid. et suiv.* Comment le vice d'un homme peut servir d'instruction aux autres, 355. Moyen de juger de la capacité d'un homme dans la conversation, 372 *et suiv.* Quel parti peut prendre un homme vertueux dans des temps fort déréglés, 437 *et suiv.* Pourquoi l'homme n'aime pas à se connaître et à s'observer lui-même, 446. Sottise des hommes qui sans discrétion asservissent leur temps et leurs facultés à d'autres hommes, 448. L'homme qui connaît exactement ce qu'il se doit à lui-même trouve par là ce qu'il doit aux autres, 451. Il doit savoir ce qui l'intéresse proprement et essentiellement, 454. Il doit borner ses désirs, s'il veut être à couvert des insultes de la fortune, 456. Les hommes sont naturellement fort portés à faire valoir leurs opinions, 475 *et suiv.* L'homme est incapable de modération, même à l'égard de la science, 486. L'expérience que chaque homme a de soi-même suffit pour le rendre sage, 526. Quel est le vrai chef-d'œuvre de l'homme, 568.

Honnête homme. Il n'est pas moins estimé pour être déshonoré par sa femme, II, 296. L'honnête homme n'est point gâté par l'emploi qu'il exerce, 457.

Honneur. Les récompenses d'honneur doivent être dispensées avec beaucoup de discrétion, I, 417 *et suiv.*

HORACE. Cas que Montaigne faisait de ce poète, I, 451. D'où vient que son expression est pleine d'énergie, II, 300 *et suiv.*

HORN (*Philippe de Montmorency-Nivel, comte de*). Sa mort, I, 27.

HOSPITAL (*Michel de L'*). Mis par Montaigne au rang des meilleurs poètes latins de son temps, II, 65. Voir aussi l'appendice, II, 603.

HUNIADE (*Jean Corvin*), II, 114 *et suiv.*

HYPÉRIDE. Sa réponse aux Athéniens, qui se plaignent de l'âpreté de ses discours, II 207.,

Hyposphagma. Sorte de maladie; sa description, I, 673.

I

Icétas, *Syracusain.* Conspire contre Timoléon, I, 252.

Icus. Chasteté de cet athlète, II, 428.

Ignatius *ou mieux* Egnatius, *père et fils.* Tous deux proscrits, terminent leur vie dans un même instant, I, 253.

Ignorance et sagesse. Parviennent aux mêmes fins, I, 345 *et suiv.* Deux sortes d'ignorance, 346. Pourquoi l'ignorance est recommandée par la religion, 540. Ses effets sont préférables à ceux de la science, 542. Ignorance et simplicité, leur utilité, 555. Tous les abus du monde viennent de ce qu'on nous apprend à craindre de faire profession de notre ignorance, II, 477. Espèce d'ignorance très estimable, 478.

Ignorants. Il y a parmi les ignorants plus de véritable mérite que parmi les savants, I, 540.

Ile. Découverte par les Carthaginois, ne peut être l'Amérique, I, 231 *et suiv.*

Imagination. Ses effets, I, 98. L'imagination cause des extases et des défaillances extraordinaires, 100. Met en crédit les visions et les enchantements, 101. Plaisant conte d'un malade soulagé par des clystères qu'il ne prenait point, 108. Maladies causées par un pur effet d'imagination, 108. Ses effets sur le corps d'autrui, 109 *et suiv.;* et sur les femmes grosses, 109. Imagination, faculté commune aux bêtes et aux hommes, *ibid. et* 529 *et suiv.*

Immodération vers le bien. Ce que c'est, I, 225.

Immortalité. Pourquoi refusée par Chiron, I, 98.

Imposture. Sur quoi elle s'exerce le plus communément, I, 245.

Inclinations naturelles. Si elles sont extirpées par l'éducation, II, 228 *et suiv.*

Indathyrses, *roi des Scythes.* Réponse qu'il fait à Darius, qui lui reprochait de reculer à son approche, I, 43-44.

Indiens. Se brûlant tous dans leur ville, assiégée par Alexandre, I, 395.

Indolence et pesanteur d'esprit. Compagnes de la vigueur et de la santé, I, 545. Indolence parfaite, n'est ni possible, ni désirable, 546.

Industrie frivole. Récompensée selon son vrai mérite, I, 344 *et suiv.*

Innocents. Reconnus pour tels, sacrifiés aux formes de la justice, II, 522. Il n'est pas sûr à une personne innocente de se mettre entre les mains de la justice humaine, *ibid. et suiv.*

Intention. Juge de nos actions, I, 27. C'est par elle seule qu'on doit juger si une action est bonne ou mauvaise, 370.

Iphicrate, *d'Athènes,* I, 282.

Iphigénie. Artifice dont un peintre se servit dans la représentation de son sacrifice, I, 8.

Irénée. Quel fut le genre de sa mort, I, 247.

Isabeau, *princesse d'Écosse,* I, 150.

Isabelle, *reine d'Angleterre,* I, 252.

Ischolas, *capitaine lacédémonien.*

Sacrifie sa vie pour le bien de son pays, I, 242.
ITALIENS. Plaisante raison de leur manque de bravoure, I, 468. Tiennent leurs femmes dans une trop grande contrainte, II, 312.

Ivrognerie. Vice grossier et dont les suites sont quelquefois très funestes, I, 373 *et suiv.* N'a pas été fort décriée par les anciens, 376. C'est un vice moins malicieux que les autres, *ibid.*

J

JACOB. Complaisance de ses femmes, I, 243.
JACQUES DE BOURBON, *roi de Naples.* Simplicité de sa personne et luxe de son cortège, II, 248.
Jalousie. Action extraordinaire qu'occasionne cette passion, II, 110, 111. Son injustice, 289. Les plus sages ont été les moins sensibles à cette passion, *ibid.* Combien les femmes sont tourmentées par la jalousie, et combien elles deviennent odieuses lorsqu'elles s'y abandonnent, 291. Jalousie d'une femme funeste à son mari, 298.
JARNAC *(Bataille de)*, I, 246.
JAROPELC, *duc de Russie.* Comment il punit un gentilhomme dont la trahison lui avait procuré le moyen de se venger d'un roi de Pologne, son grand ennemi, II, 214 *et suiv.*
JASON, *de Phères.* Comment guéri d'un apostume, I, 251.
JEAN Ier, *roi de Castille*, I, 195.
JEAN II, *roi de Portugal*, I, 50 *et suiv.*
JEAN SECOND, *poëte latin moderne.* Ce que Montaigne pensait de ses *Baisers*, I, 450.
JEANNE Ire, *reine de Naples.* Pourquoi elle fit étrangler Andréosse, son premier mari, II, 315.

Jeu. Pour y réussir, il faut être modéré dans le gain et dans la perte, II, 453.
Jeune homme. Pourquoi il ne doit être ni délicat ni trop régulier dans sa manière de vivre, II, 537.
Jeunes gens. Il y en a de bonne famille qui s'adonnent au larcin; pourquoi, II, 425.
Jeux de main. Sont odieux, II, 376.
Jeux et exercices publics. Sont utiles à la société, I, 192.
Joie. Exemples divers de morts subites causées par la surprise d'un plaisir inespéré, I, 10 *et suiv.*
Joie constante. Marque de sagesse, I, 173.
JOINVILLE *(Le sire de)*, I, 507.
Journal. Tenu par le père de Montaigne des choses les plus importantes qui concernent sa famille, I, 254.
JUAN D'AUTRICHE *(Don)*, vainqueur des Turcs, I, 247.
Jugement. Est un outil à tous sujets, et se mêle partout, I, 334. A peine y a-t-il une seule heure en notre vie où notre jugement se trouve en son assiette, 634.
Juges. Serment que leur faisaient prêter les rois d'Égypte, II, 214. Juges de la Chine établis

pour récompenser les bonnes actions aussi bien que pour punir les mauvaises, 524.

Juifs. Les Portugais les maltraitent pour les faire changer de religion, I, 50 *et suiv.* Par zèle pour la leur, se tuent et tuent leurs propres enfants, 51 *et suiv.*

Jules II, *pape*, I, 35.

Julien, *empereur*. Différentes peines qu'il infligea à de lâches soldats, I, 71. Pourquoi il n'était point touché des louanges de ses courtisans, 238. Était ennemi de la religion chrétienne, mais très grand homme et doué d'excellentes vertus, II, 73. Sa chasteté, sa justice, *ibid.* Réponse qu'il fit à un évêque qui osa l'appeler *méchant* et *traître à Christ*, *ibid.* Sa sobriété, *ibid.* Son application au travail, son habileté dans l'art militaire, 74. Sa mort semblable à celle d'Épaminondas, *ibid. et suiv.* Pourquoi on lui a donné le titre d'*Apostat*, 75. Il fut fort entêté du culte des faux dieux, et extrêmement superstitieux, *ibid.* S'il est vrai qu'il ait dit, quand il se sentit blessé : « Tu as vaincu Nazaréen », *ibid.* Il voulait rétablir le paganisme, *ibid. et suiv.* Pourquoi il accorda une tolérance générale aux différents partis qui divisaient les chrétiens, 76. Preuve sensible de son activité et de sa sobriété, 81, 82.

Jument. Son lait fait les délices des Tartares, I, 327.

Juste Lipse. Son éloge, I, 158.

Justice. Vendre la justice, coutume farouche, I, 124. Ce que signifiait l'épée rouillée de Marseille, 125. Les exécutions de la justice devraient être bornées à une mort simple, sans aucune marque de rigueur, 473 *et suiv.*, et II, 105. Justice malicieuse, qui, par fraude et fausses espérances de pardon, amène le criminel à découvrir son fait, 206 *et suiv.* Justice universelle, bien meilleure que la justice particulière et nationale, 212. La justice est proprement la vertu qui convient aux rois, 335. Il n'est pas sûr à l'innocent de se mettre entre les mains de la justice humaine, 522.

K

Kapenty *(Ensorcelés de)*, II, 117

Kinge, femme de Boleslas, roi de Pologne, consent au vœu de chasteté de son mari, II, 214 *et suiv.*

L

Labienus. Ses écrits, les premiers qui aient été condamnés à être brûlés, I, 440 *et suiv.* Il ne put survivre à cet affront, 441.

Lacédémoniens. Vaine cérémonie qu'ils observaient à la mort de leurs rois, I, 13. Avec quelle constance leurs enfants supportaient la douleur, 57. Comment ils instruisaient leurs enfants, 151 *et suiv.* En quoi cette instruction différait de celle que les Athéniens donnaient à leurs enfants, 153. Ce que les Lacédémoniens répondirent à Antipater, qui leur demandait cinquante enfants pour otages, *ibid.* Action d'un enfant de Lacédémone, devenu esclave et traité indignement par son maître, 383-384. Réponse généreuse des Lacédémoniens à Antipater et à Philippe, 384. Reproche fait à un soldat lacédémonien, 446. Ce que comprenait la prière publique et particulière que les Lacédémoniens faisaient à la Divinité, 648. Si ce qu'a dit Plutarque d'un enfant lacédémonien, qu'*il se laissa déchirer le ventre par un renardeau qu'il avait volé*, est incroyable, II, 128 *et suiv.*

LADISLAS, *roi de Naples.* Comment il fut empoisonné, II, 136 *et suiv.*

LAHONTAN *(Vallée de)*, *en Gascogne*, II, 193 *et suiv.*

LAÏS. Ce qu'elle disait des philosophes de son temps, II, 433.

Langage gascon. Ce qu'en jugeait Montaigne, II, 39, 40.

Langage humain. Plein de défauts, I, 587 *et suiv.* Pourquoi le langage commun, si propre à tout autre usage, devient obscur dans les contrats et les testaments, II, 518 *et suiv.*

Langues. Comment la langue est enrichie par de bons esprits, II, 301 *et suiv.* Ce que Montaigne jugeait de la langue française, *ibid. et suiv.*

LANSAC *(M. de)*, maire de Bordeaux, II, 449. Voir aussi l'appendice, II, 600.

LAODICE, *ou plutôt* LADICE. Belle Grecque mariée à Amasis, roi d'Égypte : pourquoi elle promet une statue à Vénus, I, 104 *et suiv.*

Larcin. Pourquoi permis par Lycurgue, I, 653. Pourquoi moins haï que l'indigence, II, 230.

LAURENTINE, *fameuse courtisane.* Par quelle aventure, ayant couché dans le temple d'Hercule, elle parvint aux honneurs divins après sa mort, I, 593.

LÉON, *Hébreu, rabbin*, II, 245.

LÉON, *pape arien, successeur de Félix.* Sa mort, I, 247.

LÉON X, *pape.* Sa mort, causée par un excès de joie, I, 10.

LÉONOR, *fille de Montaigne*, I, 427; II, 281.

LEPIDUS *(M. Æmilius)*. Meurt du déplaisir que lui cause la mauvaise conduite de sa femme, II, 289.

Lettre. Si la lecture d'une lettre doit être différée, I, 399 *et suiv.*

Lettres. Si la connaissance des lettres est d'une absolue nécessité, I, 150 *et suiv.* Éloge excessif que Cicéron fait des lettres, 541. D'où vient que les gens de lettres sont vains et faibles d'entendement, II, 64.

LÈVE *(Antoine de)*. Déconseille une expédition pour flatter adroitement son maître Charles Quint, I, 287.

Libéralité. Si elle sied bien à un roi, et jusqu'à quel point, II, 334 *et suiv.* Exemple de libéralité d'un prince, par où les autres peuvent apprendre à placer leurs dons, 337.

Liberté. En quoi consiste la véritable, I, 93.

LICQUES *(Le seigneur de)*, I, 250.
LILIUS GREGORIUS GIRALDUS, *savant italien*. Meurt de misère, I, 254.
Lion. Noble gratitude d'un lion, I, 526 *et suiv*. Lions attelés à un coche, II, 332, 333.
Lits. Comment les femmes s'y couchaient chez les Romains, I, 333.
LIVIA *(La signora)*. Ses caleçons, I, 163.
LIVIE. Favorisait les amours de son mari Auguste, I, 243. Ce qu'elle dit après avoir vu par hasard des hommes nus, II, 285.
Livres. Quand on a commencé à Rome de brûler les livres qui déplaisaient aux empereurs, I, 441. Avantages qu'on retire de leur commerce, II, 247 *et suiv*. Inconvénients attachés aux plaisirs qu'ils procurent, 250.
Loi très sage concernant les rois trépassés, I, 12. Lois de l'honneur opposées à celles de la justice, 124. S'il est utile de changer les lois qui sont établies par un long usage, 125. En quel cas les lois anciennes doivent faire place à de nouveaux règlements, 129 *et suiv*. Des lois somptuaires, 299 *et suiv*. Les lois ont accordé trop tard aux hommes le maniement de leurs affaires, 361. Lois fort nécessaires pour tenir l'homme en règle, 626. Lois humaines sujettes à de continuels changements, 651. S'il y a des lois naturelles, c'est-à-dire reconnues universellement et constamment, 652. Justice des lois, sur quoi fondée, *ibid. et suiv*. Lois naturelles perdues parmi les hommes, 653. Les plus justes ont quelque mélange d'injustice, II, 78. Multiplicité des lois funestes à un État, 516 *et suiv*. Il y a plus de lois en France que dans tout le reste du monde ensemble, 517. Lois de la nature sont les meilleures, *ibid*. Imperfection des lois qui concernent les sujets d'un État, 522. Ce qui maintient en crédit les lois les plus déraisonnables, 524 *et suiv*.

LORRAINE *(Cardinal de)*. Mis en comparaison avec Sénèque, II, 648 *et suiv*.
LORRAINE *(René II, duc de)*, I, 263.
LOUIS *(Saint)*. Avec quelle dureté il se traitait par dévotion, I, 59. Pourquoi il détourne un roi tartare, qui s'était fait chrétien, d'aller baiser les pieds du pape à Lyon, 484.
LOUIS XI, le plus défiant de nos rois, I, 137, 138.
LUCAIN. Condamné à mort, rendit l'esprit en prononçant quelques vers de sa *Pharsale*, I, 441. Pourquoi Montaigne le pratiquait volontiers, 451.
LUCRÈCE, *poète épicurien*. S'il peut être comparé à Virgile, I, 451. Vive peinture qu'il a faite des amours de Vénus et de Mars, II, 299 *et suiv*.
LUTHER. Premiers progrès de sa réforme, I, 480.
Lutte. Condamnée par Philopœmen et par Platon, II, 102.
Luxe. Lois que fit Zeleucus pour le corriger, I, 300. En France, on prend pour règle la règle de la cour, 301.
LYCON, *philosophe*. Ce qu'il prescrivit au sujet de ses funérailles, I, 17.

INDEX

Lycurgue. Pourquoi il défendait aux Lacédémoniens de dépouiller leurs ennemis vaincus, I, 315. Pourquoi il leur permit le larcin, 653. Ce qu'il ordonna aux mariés de Lacédémone pour tenir l'amour en haleine, II, 9.

Lyncestes. S'il fut réputé justement coupable, parce qu'il n'avait pu réciter le discours qu'il avait médité pour sa défense, II, 401.

M

Machiavel. Jugement porté sur cet écrivain, II, 58.

Macon (*L'évêque de*). Sa conduite dans son ambassade à Rome, I, 73, 74.

Mahomet. Pourquoi il a promis à ses sectateurs un paradis abondant en toutes sortes de voluptés sensibles, I, 575 *et suiv.*

Mahomet II. Comment il traita celui dont il s'était servi pour faire périr son frère, II, 215.

Mains. Grand nombre d'actions qu'on exprime par leur moyen, I, 498.

Mal. Ce que c'est; et comment il vient à nous intéresser, I, 47 *et suiv.* N'en point avoir, c'est avoir le plus de bien qu'on puisse espérer, 546. Conseil que donne la philosophie d'oublier nos maux passés, 547.

Malade. Combien il lui importe d'avoir de la confiance en son médecin, I, 107 *et suiv.*, et II, 183.

Maladie. Qui n'était qu'un pur effet d'imagination, I, 107 *et suiv.* Maladies de corps et d'esprit, causées par l'agitation de notre âme, 544 *et suiv.* De diverses maladies contrefaites et devenues réelles, II, 92 *et suiv.* Sentiments opposés des médecins sur la cause des maladies, 184 *et suiv.* Chaque maladie avait son médecin particulier chez les Égyptiens, 188. Les maladies ont leurs périodes qu'il faut attendre tranquillement, 544.

Manger. Quelques personnes n'aiment pas qu'on les voie manger, II, 307.

Manlius Torquatus. Général romain qui condamna son fils à la mort; jugement qu'en porte Plutarque, I, 401.

Marcellin (*Ammien*). Historien païen qui, témoin des actions de Julien l'Apostat, le blâme d'avoir défendu aux chrétiens de tenir des écoles, II, 73.

Marguerite, *reine de Navarre.* En quoi elle faisait consister le devoir d'un gentilhomme envers un grand qui va le visiter, I, 45 *et suiv.* Étrange idée qu'elle donne de la dévotion d'un jeune prince, 358. Éloge de son *Heptaméron*, 472.

Mariage. Quelle sorte de marché, I, 201. Ce qu'implique cette liaison, 227. Sa principale fin, *ibid.* Continence conjugale, 228. Quel âge y est le plus propre, 427 *et suiv.* Si on en a rendu le nœud plus ferme en ôtant le moyen de le dissoudre, II, 13. Les emportements de l'amour en sont bannis, et pourquoi, 273 *et suiv.* Idée d'un bon mariage, 275. De quel prix est un bon mariage, *ibid.* Le mariage doit être exempt de haine et de mépris, 276. Différence qu'il y a entre le mariage et l'amour, 278. Pourquoi les hommes s'y abandonnent librement à l'amour qu'ils défendent rigoureusement aux femmes, *ibid. et suiv.* Ce qui peut faire un bon mariage, 298. Loi établie par Platon pour décider de l'opportunité de tout mariage, 315. Dans le mariage, l'amitié est ranimée par l'absence, 116.

MARIE GERMAIN. *Voy.* GERMAIN.

MARIE STUART, *reine d'Écosse,* I, 79.

Mariés. Comment ils doivent se comporter en la couche nuptiale, I, 105.

Maris. A quels maux ils s'exposent en tenant leurs femmes dans une trop grande contrainte, II, 278.

MARIUS *le père,* plus délicat dans sa vieillesse, II, 538.

MARIUS *le jeune.* S'endort après avoir donné le signal du combat, dans sa dernière journée contre Sylla, I, 304.

MAROT, cité, I, 392.

MARSEILLE. On y gardait du poison aux dépens du public, pour ceux qui voudraient s'en servir, I, 397.

MARTIAL. Ce que Montaigne pensait de ses épigrammes, I, 452, 453.

MARTIN (*Le capitaine Saint-*) *un des frères de Montaigne,* I, 86.

MASSINISSA, *roi.* Sa vigueur jusqu'à une extrême vieillesse, I, 256.

MASSYLIENS, *peuple d'Afrique.* Comment ils gouvernaient leurs chevaux, I, 325.

MATECOLOM (*Le sieur de*), *un des frères de Montaigne,* II, 100.

MATIGNON, maréchal de France, maire de Bordeaux, II, 449.

MAXIMILIEN. Pudeur très particulière de cet empereur, I, 15.

MÉCÉNAS. Sa passion pour la vie, II, 170.

Méchants. Combien leur société est funeste, I, 267.

MECHMET, *empereur.* Supplices barbares qu'il ordonnait, II, 105.

Médecine. Méprisée par Montaigne en maladie, et pourquoi, I, 134. Ses succès, sur quoi fondés, 135. L'expérience lui semble peu favorable, II, 178. Quand elle commença d'être reçue parmi les Romains, 179. Fut chassée de Rome par l'entremise de Caton le Censeur, *ibid.* Quand et par qui mise en crédit, 184. Qu'il n'est pas sûr que, supposé que la médecine ne fait point de bien, elle ne fasse point de mal, 186 *et suiv.* Ses promesses, la plupart incroyables, 187 *et suiv.* Faiblesse des raisons sur quoi est fondé cet art, 189. Son incertitude autorise presque toutes nos envies, 542 *et suiv.*

Médecins. S'ils font plus de bien que de mal, et comment ils excusent le mauvais succès de leurs ordonnances, II, 179 *et suiv.* Loi des Égyptiens qui les obligeait d'en répondre, 182. Le mystère leur est très nécessaire, *ibid.* Ils y ont renoncé mal à propos, 183. Pourquoi un médecin devrait être seul à traiter un malade, *ibid. et suiv.* Médecins qui, depuis

Hippocrate, ont combattu les opinions et la pratique les uns des autres, s'entraccusant d'ignorance et de fourberie, 184 *et suiv.* Les médecins sont fort sujets à se méprendre, 186 *et suiv.* Contes plaisants contre les médecins, 193 *et suiv.* Sont dignes d'estime, et pourquoi, 196. Ils ne font eux-mêmes que fort peu d'usage des drogues médicinales, *ibid.* D'où vient qu'on se livre communément aux médecins, *ibid.* Sur quoi est fondée la connaissance qu'ils prétendent avoir de la bonté de leurs drogues, 197. Les jurisconsultes et les médecins sont nuisibles aux pays qu'ils habitent, 517, 518.

MÈDES. Pesamment et malaisément armés, I, 444.

MÉDICIS *(Catherine de), reine de France,* II, 334.

MÉDICIS *(Laurent de), duc d'Urbin,* I, 44.

Méditer. Occupation importante, II, 473.

MÉGABYZUS. Comment il fut repris par Apelle, chez qui il s'avisa de parler de peinture, II, 368.

MÉNANDRE. Sa réponse au reproche qu'on lui faisait de ne pas travailler à une comédie qu'il avait promise, I, 184. Son mot sur la rareté des amis, 209.

Mensonge. Vice très odieux, I, 33. Doit être soigneusement supprimé dans les enfants, *ibid.* D'où vient qu'aujourd'hui nous sommes si sensibles au reproche qu'on nous fait de mentir, II, 71. Les Grecs et les Romains étaient moins délicats que nous sur ce point, *ibid. et suiv.*

Menteurs. Doivent avoir bonne mémoire, I, 32.

Mer. Si c'est la crainte qui fait soulever l'estomac à ceux qui voyagent sur mer, II, 329 *et suiv.*

Mères. Il est juste de leur laisser la tutelle de leurs enfants, I, 436. Quel fond on peut faire sur leur affection naturelle pour eux, 438. Quelle est la plus utile et la plus honorable occupation d'une mère de famille, II, 415.

Merlins. Espèce particulière d'enfants chez les mahométans, I, 593.

MERVEILLE. Ambassadeur secret de François Ier, assassiné à Milan par le duc de Sforce, I, 34 *et suiv.*

METELLUS. Ses belles paroles sur les difficultés qui doivent accompagner la vertu, I, 464.

Métempsycose. Reçue par plusieurs nations, I, 476.

MÉTROCLÈS. A quelle occasion il fut attiré de la secte des péripatéticiens à celle des stoïciens, I, 656.

Mets. Servis alphabétiquement, I, 307.

MEXICAINS. Distinguaient le monde en cinq âges, et se croyaient dans le dernier lorsque les Espagnols vinrent les exterminer, II, 348. Quel serment ils faisaient faire à leurs rois, 371 *et suiv.* La première leçon qu'on donnent à leurs enfants, 544.

MEXIQUE. Nombre prodigieux d'hommes que sacrifiait annuellement le roi de ce pays, I, 230. Combien de fois il changeait d'habit par jour, 258.

Cruauté des Espagnols envers le dernier roi du Mexique, II, 346 *et suiv.*

MIDAS. Fut obligé de révoquer la prière qu'il avait faite aux dieux, I, 648. Est déterminé par un songe à se tuer, II, 261.

Miracles, que saint Augustin témoigne avoir vus, I, 196. Miracles faux, comment accrédités dans le monde, II, 474 *et suiv*. Ce qui fait qu'on a de la peine à se désabuser d'un faux miracle, 475 *et suiv*. Histoire d'un faux miracle qui fut sur le point d'être accrédité, quoique bâti sur un fondement très faible, 476. Si des événements miraculeux racontés dans nos livres sacrés on n'en peut rien conclure en faveur de pareils événements modernes, 480.

Mode. Entêtement et inconstance des Français sur ce qu'ils appellent *la mode*, I, 329.

Modération. Requise même à l'égard de la vertu, I, 226. Celle qu'on doit garder dans les troubles civils, II, 208, et entre des gens brouillés, 210.

Modestie. Fort nécessaire aux jeunes gens, I, 165 *et suiv.*; et aux femmes, II, 312, *et suiv.*

Mœurs. La science des mœurs doit être inculquée de bonne heure dans l'esprit des enfants, I, 167 *et suiv*. Les mœurs du simple peuple plus réglées que celles des philosophes, II, 65.

MOLLEY-MOLUCH, *roi de Fez.* Prêt à mourir de maladie, il livre bataille aux Portugais, et expire victorieux, I, 603 *et suiv.*

MONCONTOUR *(Bataille de)*, I, 246.

Monde. Fréquentation du monde, de quelle unité, I, 168. Le monde doit être le livre d'un jeune homme, *ibid. et suiv*. La pluralité des mondes crue autrefois, et encore à présent : ce qu'on en peut conclure, selon Montaigne, I, 583, 584. Le monde est sujet à des changements continuels, 642 *et suiv.*

Monde (Nouveau-). Réflexions sur sa découverte, I, 231. Conformité surprenante des coutumes, mœurs et croyances, entre le Nouveau-Monde et le nôtre, 644. Du Nouveau-Monde, et du génie de ses habitants quand on en fit la découverte, II, 341. Il fut subjugué par les ruses des Espagnols plutôt que par leur valeur, 342. Avec quelle inhumanité les habitants du Nouveau-Monde furent traités par les Espagnols, 343 *et suiv.*

Monstres. S'il y en a véritablement, II, 639.

MONTAIGNE *(Pierre* EYQUEM, *seigneur de), père de l'auteur des* Essais. Soins qu'il prit pour l'éducation de son fils, I, 187 *et suiv*. Un de ses projets, 253. Son portrait, 378. Demande à son fils la traduction de la *Théologie naturelle*, 480-481. Aimait à bâtir, 388. Nouveaux détails sur la manière dont il éleva son fils, 558 *et suiv.*

MONTAIGNE *(Michel* EYQUEM, *seigneur de), auteur des* Essais. Pourquoi il s'est amusé à les écrire, I, 30. Se plaint de son peu de mémoire, *ibid. et suiv.*

INDEX

Avantages qui en résultent pour lui, 31. Ennemi des vaines cérémonies, 46. Comment il s'est comporté, par rapport aux commodités de la vie, en trois sortes d'état où il a vécu, 62. Comment il réglait sa dépense, 64. Comment il profitait de la conversation des hommes, 72. Temps précis de sa naissance, 85. Pourquoi il eut soin de se familiariser de bonne heure avec la mort, 88. Pourquoi refuser d'écrire l'histoire de son temps, 110. Il fut instruit dès l'enfance à ne mêler aucune finesse de tromperie dans ses jeux, 115. Méprisait la médecine, et pourquoi, 135. A quoi se réduit la connaissance qu'il avait des sciences, 155. Ses livres favoris, *ibid.* Jugement qu'il porte de son ouvrage, 157. Quel style lui plaisait le plus, 187. Comment il apprit le latin, 187 *et suiv.;* et le grec, 188. On l'éveillait dans son enfance au son de quelque instrument, 189. Comment il prit du goût pour la lecture dès l'âge de huit ans, 190 *et suiv.* Ne lut jamais de romans, 190. A quel âge il jouait les premiers rôles dans des tragédies latines, 191. Sa liaison avec La Boétie (*voyez* ce nom). En différents temps, son goût pour la poésie a été différent, 262. Critique qu'il fait de Pline le Jeune et de Cicéron, 280. En quoi il fait consister le mérite de ses *Essais,* 282. Son génie pour le style épistolaire, 283. Ennemi des compliments outrés qu'on emploie dans les lettres, 284. Peu propre à faire des lettres de recommandation, *ibid.* Écrivait ses lettres avec beaucoup de rapidité et de négligence, 285. Ce qu'il dit de sa manière de travailler et d'envisager un sujet, 334 *et suiv.* Comment il juge du prix de son livre, 347. Portrait et caractère qu'il fait de son père, 378 *et suiv.* Montaigne était peu sensible au plaisir de boire, 379 *et suiv.* Histoire d'un accident qui lui causa un long évanouissement, 408, 409. Difficultés attachées à l'étude constante qu'il fait de lui-même, 414 *et suiv.* S'il est blâmable d'entretenir le monde de soi, 416. Ce qui lui a mis en tête de se mêler d'écrire, 422. Ne souffrait pas volontiers près de lui les enfants nouveau-nés, 424. A quel âge il se maria, 417. De l'affection qu'il avait pour son livre, 442. Pourquoi il a caché le nom des auteurs de qui il a emprunté des pensées, 448. Ce qu'il cherchait dans les livres, 449. Pourquoi il préférait les anciens aux modernes, 460. Ce qu'il pensait d'Ovide sur la fin de ses jours, *ibid.* Poètes latins qu'il mettait au premier rang, 451. Quel usage il faisait de Sénèque et de Plutarque, 453. Pourquoi il se plaisait surtout à l'histoire, 457 *et suiv.* En quoi consistait la vertu de Montaigne, 468 *et suiv.* Il était moins réglé dans ses opinions que dans ses mœurs, 470. En quoi consistait sa bonté, 471. Il pouvait résister aux plus fortes impressions de la volupté, 472. Il avait le naturel fort tendre, 473. Son humanité à l'égard des bêtes, 475. Quelle était sa devise, 588. La faiblesse et l'inconstance de son jugement, 635. Pourquoi il ne prenait pas aisément de nouvelles opinions, 638-639. Comment il obtint l'ordre de Saint-Michel, 648. Comment il se trouva préservé dans une maison sans défense, durant les guerres civiles, II, 14. Geste particulier de Montaigne, marque apparente d'une sotte fierté, 32. Il était porté à ravaler le prix des choses qu'il possédait, et à ne pas faire grand cas de lui-même, 33. De toutes les opinions concernant le prix des hommes, quelles il embellissait plus facilement, 34. Il était toujours fort peu satisfait des productions de son esprit, 35. Quelle idée il avait de ses ouvrages, 37. Se croyait peu propre à entretenir les princes, 38. Caractère de son style, *ibid. et suiv*. Son français était corrompu par le langage du pays où il vivait, 39. Facilité qu'il avait eue à parler et à écrire en latin, 40. Qualités corporelles de Montaigne, 41. Il était d'une complexion délicate et nonchalant, 43 *et suiv*. Ennemi de la fatigue de délibérer, 46. Dégoûté de l'ambition par l'incertitude qui l'accompagne, 47. Peu fait aux mœurs de son siècle, 48. Il haïssait la dissimulation, 49. Était naturellement ouvert et libre avec les grands, 51. Avait la mémoire fort infidèle, 52. Était ennemi de toute obligation et contrainte, *ibid. et suiv*. Nouvelles preuves de la défectuosité de sa mémoire, 54. Caractère de son esprit, *ibid. et suiv*. Son ignorance des choses les plus vulgaires, 55. Montaigne était naturellement irrésolu, 57. Peu favorable au changement dans les affaires publiques, 59. Sur quoi était fondée l'estime qu'il faisait de lui-même, 60; et l'idée qu'il avait de la justesse de ses opinions, 61. Il aimait à louer le mérite dans ses amis, et même dans ses ennemis, 63. Il était peu prévenu en faveur de son siècle, 64. Pourquoi il parle si souvent de lui-même dans son livre, 71 *et suiv*. Soulagement que Montaigne trouve dans la vieillesse, 107. Caractère de son courroux dans les grandes et les petites affaires, 125, 126. Devenu sujet à la colique, il s'accoutume à souffrir patiemment ce mal, 171. Quel usage il tire de cette douloureuse maladie, *ibid*. Il croit qu'on doit se plaindre librement dans le fort de la douleur, *ibid. et suiv*. Il se possédait assez lui-même dans ses accès de colique, 173. Il pense tenir de son père le mal de la pierre à quoi il est sujet, 175, et le mépris qu'il a pour la médecine, 176. Sur quoi il fonde ce mépris, *ibid. et suiv*. Il préfère l'estime présente à celle qui pourrait le suivre après sa mort, 199 *et suiv*. Quels biens il met en ligne de compte, 200. Pourquoi il a parlé si librement contre la médecine, 201. En quel état il serait, s'il venait jamais à se livrer entre les mains des médecins, *ibid*. Que ce n'est pas un désir de gloire qui l'a porté à écrire contre les médecins, 202 *et suiv.* Était ennemi de toute tromperie, 205. Délicatement consciencieux dans ses négociations avec les princes, 207 *et suiv.* N'embrassait aucun parti avec trop d'ardeur, 208. Sa conduite entre des personnes de différent parti, 210. Il fuyait les emplois publics et toutes sortes d'artifices, 212, 213. Pourquoi et comment il entreprit de parler de lui dans ce livre, 223. Jugeait mieux de lui-même par ses propres réflexions sur sa conduite que par les reproches ou les louanges de ses amis, 225. Prenait son jugement pour directeur ordinaire de ses actions, 231. Ne se repentait point de la manière dont il avait conduit ses affaires, 233. Se servait rarement des avis d'autrui dans la conduite de ses affaires, et en donnait rarement aux autres, *ibid. et suiv.* Pourquoi il ne s'affligeait pas lorsque les événements ne répondaient pas à ses désirs, 234. Ce qu'il jugeait d'un repentir causé uniquement par l'âge, *ibid.* En quoi il faisait consister son bonheur, 235. Peu attentif aux conversations frivoles, 239. Se blâme d'être trop délicat dans le commerce qu'il est obligé d'entretenir avec le commun des hommes, *ibid.* Passionné pour des amitiés exquises, peu propre aux amitiés communes, 240. Quelle était la solitude qu'il désirait, 243. De quelle sorte d'hommes il recherchait la familiarité, 244. De la douceur qu'il trouvait dans le commerce des femmes, *ibid. et suiv.* Il voulait que ce commerce fût accompagné de sincérité, 245. En amour, il préférait les grâces du corps à celles de l'esprit, 246. Quel usage il tirait de son commerce avec les livres, 247. Ce qu'il dit de sa bibliothèque et de sa situation, 248 *et suiv.* Se délivrait d'une passion par le moyen d'une autre passion, 257. Ce qu'il pense de ceux qui condamneront la licence de ses écrits, 267. Il aimait à dire tout ce qu'il osait faire, *ibid.* Pourquoi il aimait à rendre sa confession publique, *ibid. et suiv.* Quelle raison l'engagea à se marier, quoique assez mal disposé pour le mariage, 276. Ce qu'il jugeait de la langue française, 301. Pourquoi, excepté Plutarque, il aimait à se passer de livres en écrivant, 302, et à composer chez lui, où il n'était aidé de personne, *ibid. et suiv.* Il était fort sujet à imiter, 303. Produisait ordinairement ses plus profondes pensées à l'improviste, 304. N'aimait pas à être interrompu lorsqu'il parlait, *ibid.* Son goût sur le chapitre de l'amour, 313. Fort libre dans ses paroles : comment il excuse cette licence, 318. Avec combien de discrétion et de bonne foi il se conduisait dans ses amours, 319 *et suiv.* Croyait que l'amour était salutaire, pris avec modération, 324. Ne pouvait souffrir ni coche, ni litière, ni bateau, 331. N'a jamais souhaité des postes fort élevés, 350. Il aurait préféré une vie tranquille et délicieuse à celle d'un Regulus, 351. N'aimait ni à maîtriser ni à être maîtrisé, *ibid.* Souffrait sans peine d'être contredit en conversation, 359. Pourquoi il se défiait de l'habileté d'un homme lorsqu'il le voyait dans un grand poste, 372. Aimait à railler et à être raillé, 375 *et suiv.* Comment il s'y prenait pour juger d'un ouvrage d'esprit dont l'auteur le voulait faire juge, 376. Comment il plaisante sur le dessein qu'il a pris d'enregistrer ses propres fantaisies, 381. Il était plus sage et plus modéré dans la prospérité que dans l'adversité, 383. Pourquoi il se plaisait à voyager, 384. Fuyait l'embarras des affaires domestiques, 386. Était peu sensible au plaisir de bâtir, et à d'autres plaisirs d'une vie retirée, 388. Aimait à se fier à ses domestiques, 390. Évitait de s'instruire de ses propres affaires, par pure négligence, 391. Nullement enclin à thésauriser, il était assez habile à dépenser, 392. Ennemi des répétitions, 400. Se défiait de sa mémoire, lors même qu'il avait appris un discours par cœur, 401. Faisait volontiers des additions à son livre, mais n'y corrigeait rien, 402. Fort exposé dans sa maison durant les guerres civiles; pourquoi il est fâché de n'être à couvert du pillage qu'à la faveur d'autrui, 405. Montaigne se tenait absolument obligé par les engagements de la probité et de ses promesses, *ibid. et suiv.* Il était si ennemi de la contrainte qu'il comptait pour un gain d'être dégagé de son attachement à certaines personnes par leur ingratitude, 406. Se félicitait de ne devoir rien aux princes, et de vivre dans l'indépendance, 407. Sa tendresse pour Paris, 412. Il regardait tous les hommes comme ses compatriotes, 413. Avantages qu'il trouvait à voyager, 414. Pourquoi il aimerait mieux mourir ailleurs que chez lui, 419. Voudrait être assisté d'un sage ami en sortant du monde, 420. Ce qu'il gagne à publier ses mœurs, 421. Quels étaient ses préparatifs par rapport à la mort, 424. Sa manière de voyager, 425. De quel genre de mort il s'accommoderait le mieux, *ibid. et suiv.* Il se prêtait sans peine aux différents usages et aux manières de chaque pays, 427 *et suiv.* Aurait aimé un compagnon de voyage avec qui il eût pu s'entretenir, 429. Raisons qui auraient pu détourner Montaigne de la passion de voyager, 430. Ce qu'il répond à ces raisons, 431. Pourquoi il est obligé de se peindre tel qu'il est, 434. Il était peu propre au maniement des affaires publiques, 435. Pourquoi il aimait à faire des digressions, 438. Son inclination pour la ville de Rome, 441 *et suiv.* Pourquoi Montaigne ne comptait point pour un malheur de n'avoir point d'enfants qui pussent porter son nom, 443. Une des faveurs de la fortune qui lui plaisait le plus, ce fut d'avoir été fait bourgeois de Rome, 444 *et suiv.* Se passionnait pour fort peu de choses, 447. Pourquoi il s'opposait aux affections qui l'attachaient à autre chose qu'à lui, *ibid. et suiv.* Élu maire de

Bordeaux, il fut obligé d'accepter cette charge, qui lui fut continuée par seconde élection, 449. Portrait qu'il fit de lui-même à messieurs de Bordeaux, 450. Pourquoi il étendait ses besoins au-delà de ce que la nature exige nécessairement, 454 *et suiv.* En épousant un parti, il n'épousait point les injustices et les entêtements ridicules de ce parti, 457. Avait soin de ne pas devenir esclave de ses affections, 459. Comment, dans la conduite de ses affaires et de ses propres actions, il évitait les inconvénients en les prévenant, *ibid. et suiv.* Il s'opposait d'abord au progrès de ses passions, 460. A quel prix il a eu soin d'éviter les procès, 462 *et suiv.* Jugement qu'on fit de la manière dont il s'était acquitté de sa mairie de Bordeaux, 467. En quelles sortes d'affaires Montaigne aurait pu être employé utilement, 468. Quel était le miracle le plus réel à ses yeux, 474 *et suiv.* Il était ennemi des décisions trop hardies, 478. Maltraité des deux partis durant les désordres d'une guerre civile, comment il souffrit cette infortune, 193. A quelles extrémités il fut réduit par la peste qui le chassa de chez lui, 497, 498. Dans quelle vue Montaigne a chargé son livre de citations, 506, 507. Son air naïf lui a été d'un grand usage, et en particulier dans deux occasions très importantes, 511 *et suiv.* La simplicité de son intention, qui paraissait dans ses yeux et dans sa voix, empêchait qu'on ne prît en mauvaise part la liberté de ses discours, 515. Il s'étudiait lui-même plus qu'aucun sujet; ce qu'il apprenait par là, 525. Cette étude l'instruisait à juger passablement des autres, 529. Il se serait cru propre à parler librement à son maître, et à lui apprendre à se connaître lui-même, 531 *et suiv.* Pourquoi il croit que son livre peut fournir des instructions utiles à la santé du corps, 532 *et suiv.* Malade, il conservait la même manière de vivre que lorsqu'il était en santé, 534. Fuyait la chaleur qui vient directement du feu, *ibid.* Usages auxquels il se trouvait asservi dans sa vieillesse, 538. Il avait soin de se tenir le ventre libre, 540. Sain et malade, il suivait volontiers ses appétits naturels, 541. Pourquoi le parler lui nuisait dans ses maladies, 543. Pourquoi il évitait de consulter les médecins, 544. Il aimait à flatter son imagination dans ses maux, comme par exemple dans la gravelle, *ibid.* Il était grand dormeur, 553. Il avait naturellement la constitution fort saine, dont il sentait les effets jusque dans la vieillesse, 555. Son esprit peu troublé par les maux du corps, *ibid. et suiv.* Ses songes plutôt ridicules que tristes, 556. Il était peu délicat à table, 557. Il fut dressé, dès le berceau, à la plus commune façon de vivre, 558. Fut tenu sur les fonts par des personnes de la plus basse naissance, *ibid.* Quel fut le fruit de cette éducation, *ibid. et suiv.* Il n'aimait pas à être longtemps à table, 559.

De quelle espèce d'abstinence il était capable, *ibid.* De son goût, qui a eu ses changements et ses révolutions, 561. Il était friand de poisson, et n'aimait point à le mêler avec la chair, *ibid.* Jeûnait quelquefois, et pourquoi, *ibid. et suiv.* Règles qu'il observait à l'égard de ses vêtements, 562. Il préférait le dîner au souper : quelle mesure il observait dans son boire, 563. Son goût par rapport à l'air, 564. Il était plus incommodé par un grand chaud que par un grand froid, *ibid.* Il avait la vue longue, mais ses yeux étaient aisément fatigués par l'exercice, *ibid.* Sa démarche : il se tenait fort peu dans une même situation, *ibid. et suiv.* Il mangeait avec trop d'avidité, 565. Ce qu'il jugeait des plaisirs de la table, *ibid.* Dans quel rang il mettait les plaisirs purs de l'imagination et les plaisirs corporels, 566 *et suiv.* Usage qu'il faisait de la vie, 571. Il aimait à goûter les douceurs de son état, 572. Ses discours s'accordaient avec ses mœurs, 573.

MONT-DORÉ. Mis par Montaigne au rang des meilleurs poètes latins de son temps, II, 65.

MONTFORT *(Jean V, comte de)*, duc de Bretagne, I, 263 *et suiv.*

MONTLUC *(Blaise de)*, maréchal de France, I, 434-435.

MONTMORD *(Le seigneur de)*, I, 23.

MONTMORENCY *(Le connétable de)*. Sa conduite au siège de Pavie, I, 69. Sa mort est un des événements les plus remarquables du temps, II, 65.

Morale. Leçons de morale, aussi méprisées de celui qui les fait que de celui à qui il les fait, II, 432.

MOROZO *(Matteo di)*, complice des menées contre le duc d'Athènes, I, 140.

Mort. En quel sens elle nous acquitte de toutes nos obligations, I, 27. Diversité d'opinions touchant la mort, 48. Plaisanteries dites à l'heure de la mort, *ibid. et suiv.* Mort recherchée avec avidité, 49. Unique juge du bonheur des hommes, 79. Mépris de la mort, un des principaux bienfaits de la vertu, 83. Plusieurs exemples de morts extraordinaires et soudaines, 85, 86. Combien il importe d'être préparé d'avance à la mort, et de se familiariser avec elle, 88. Quelles sont les morts les plus saines, 90. Ne pas craindre la mort nous procure une vraie liberté, 93. Motifs d'en user ainsi, *ibid.* La mort fait partie de l'ordre de l'univers, 96. Pourquoi elle est mêlée d'amertume, 98. Pourquoi elle nous paraît autre à la guerre que dans nos maisons, 99. Mort, recette à tous maux, 384. Elle dépend de la volonté de l'homme, *ibid.* Raisons contre une mort volontaire, 385. Raisons qui peuvent porter l'homme à se donner la mort, 387. Morts funestes, pour avoir été précipitées, 389, 390. Mort préférée à l'esclavage, 390; et à une vie malheureuse, 392. Mort désirée pour l'espérance d'un plus grand bien, 396. On ne la peut essayer qu'une fois, et nous sommes tous apprentis quand nous y venons, 406.

Comment on peut se familiariser avec la mort, 407. Si les défaillances, dans l'agonie de la mort, sont fort douloureuses, 410. La mort s'interprète par la vie, 466. Ce qu'on doit juger de la fermeté de bien des gens qui se sont donné la mort, II, 4. La mort la plus désirable, *ibid*. L'envie de mourir utilement est très louable, mais l'exécution n'en est pas en notre puissance, 82. Si ceux qui, prêts à recevoir la mort sur un échafaud, se livrent à de grands transports de dévotion doivent être loués de fermeté, 254. Si, lorsqu'on meurt dans une bataille ou dans un combat singulier, on pense beaucoup à la mort, *ibid*. Différentes considérations qui nous empêchent de penser directement à la mort, 255. A quoi sert la préparation à la mort, 501. La mort fait partie de notre être, et est très utile à la nature, 505 *et suiv*.

Mucius Scévola. Sa fermeté à souffrir la douleur, I, 58.
Muleasses, *ou mieux* Muley-Haçan, *roi de Tunis*. Ce qu'il blâmait dans la conduite de son père, I, 428.
Mules et mulets. Monture honorable et déshonorable en différents pays, I, 325. Exemple d'une subtilité malicieuse dans un mulet, 521.
Multitude. Combien son jugement est méprisable, II, 22.
Muret *(Marc-Antoine)*. Mis par Montaigne au rang des meilleurs orateurs de son temps, I, 188. Ses tragédies latines représentées au collège de Guyenne, 191.
Musa, *médecin d'Auguste*, II, 412.
Muses. Sont le jouet et le passe-temps de l'esprit, II, 250. Sont en grande liaison avec Vénus, 271.
Mussidan *(Siège de)*, I, 24.
Myson, *un des sept Sages*. Sa réponse à celui qui lui demanda *de quoi il riait étant seul*, II, 364.

N

Nacre. Quelle liaison elle entretient avec le pinnothère, I, 529.
Nansaut ou Nassau *(Le comte de)*, I, 23.
Nations. S'il y en a qui dorment et veillent six mois de suite, I, 304. Nations qui ont eu un chien pour leur roi, 497. Qui ne s'expriment que par gestes, 499.
Nature. Elle est supérieure à l'art, I, 235, 499. Ce que Montaigne conclut de là en faveur des bêtes contre l'homme, 500.

L'étude de la nature est une pâture pour l'esprit humain, 567, 568. *Aller selon la nature*: ce que c'est, selon nous, 586. *Se conformer à la nature*, précepte de grande importance, même par rapport à l'extérieur, II, 511. La nature a rendu agréables à l'homme les actions qu'il doit faire nécessairement, 567.
Naturel sanguinaire à l'égard des bêtes. Ce qu'il dénote, I, 476.
Nausiphanes, *disciple de Pyrrhon.*

Croyait tout incertain, I, 586.

Nécessité. Est une violente maîtresse d'école, I, 314.

Nécessités naturelles. Leurs limites, I, 274.

Neige. Les anciens s'en servaient pour rafraîchir leur vin, I, 332.

NÉORITES. Comment ils traitent les corps morts, II, 498.

NÉRON. Magnanimité de deux soldats interrogés par ce prince I, 13. Ce qu'il sentit en quittant sa mère, dont il avait ordonné la mort, 265. Acte d'humanité qu'il fait paraître en signant la sentence d'un criminel, 365.

Neutralité. N'est ni belle ni honnête dans les guerres civiles, II, 208.

NICÉTAS, *ou plutôt* HICÉTAS, *Syracusain.* A été un des premiers à soutenir le mouvement de la terre, I, 640.

NICIAS. Comment il perd l'avantage qu'il avait nettement gagné sur les Corinthiens, I, 14.

NINACHETUEN, *seigneur indien.* Se jette dans le feu pour ne pas survivre à son déshonneur, I, 393.

NIOBÉ. Pourquoi les poètes ont feint qu'elle fût convertie en rocher, I, 8.

Nobles. Distribués en un festin en différentes tables, suivant la ressemblance de leurs noms, I, 307. A quel rang sont élevés dans le royaume de Calecut, II, 274.

Noblesse. Noms fiers et magnifiques de l'ancienne noblesse, I, 306 *et suiv.* Ce qui la constitue essentiellement en France, 421. La noblesse n'est point jointe nécessairement à la vertu II, 274.

Noms. Pris en mauvaise part, I, 306. Noms plus ordinaires dans les généalogies de quelques princes, *ibid. et suiv.* Il est bon d'avoir un nom facile à prononcer, 307. Prendre le nom de ses terres : confusion que produit cet usage, 309 *et suiv.* Changements de noms contribuent à falsifier les familles les plus obscures, *ibid.* Noms et surnoms diversement changés, 310. Noms communs à plusieurs personnes, 311.

NOUE *(Le sieur de La).* Son éloge, II, 277.

Nouveautés. Introduites dans les lois, sont toujours funestes, I, 126 *et suiv.* Le meilleur prétexte en est très dangereux, 129. Dans les habits, les danses, etc., sont funestes à la jeunesse, 301-302.

Nu. La coutume d'aller nu n'a rien de contraire à la nature, I, 255 *et suiv.* L'homme est le seul animal abandonné nu sur la terre, 500.

NUMA, *roi de Rome,* I, 571.

NUMIDES. Pourquoi, montés à cheval dans le combat, ils menaient un second cheval, I, 319.

O

Obéissance pure. Première loi que Dieu a imposée aux hommes, I, 539.

OCTAVIUS *(Sagitta).* A quelle action barbare il fut entraîné par sa jalousie, II, 291.

Oiseaux. Prédictions qui se tirent de leur vol, I, 517. Oiseaux passagers prévoient le changement des saisons, *ibid.*

Oisiveté. Ses dangereux effets, I, 28 *et suiv.*

Olivier *(Le chancelier).* Mot qu'on lui attribue, II, 48.

Opiniâtreté. Doit être d'abord réprimée dans les enfants, I, 33. De celle des femmes, II, 131. Est sœur de la constance, au moins en vigueur et fermeté, 132. Opiniâtreté et affirmation sont signes exprès de bêtise, 526.

Opinions. Épousées aux dépens de la vie, I, 49. Donnent du prix à bien des choses, 61, 62. De la liberté des opinions philosophiques, 655.

Oracles. Quand ils ont commencé à perdre leur crédit, I, 38.

Orange *(Guillaume de Nassau, prince d'),* II, 636.

Orateur. Il est attendri par un rôle feint qu'il joue lui-même, II, 259.

Ordres de chevalerie. Institution louable et d'un grand usage, I, 418. L'ordre de Saint-Michel, d'abord très estimé, comment est venu à tomber dans le mépris, *ibid. et suiv.* Il est difficile de mettre en crédit un nouvel ordre de chevalerie, 420.

Orgueil. Ses funestes effets, I, 552.

Origène. Pourquoi il s'abandonna à l'idolâtrie, II, 268 *et suiv.*

Ostorius. Avec quelle fermeté il se donna la mort, II, 4.

Otanes. A quelle occasion il renonça au droit qu'il avait de prétendre au royaume de Perse, II, 351.

Othon. S'endormit un peu avant que de se tuer, I, 302 *et suiv.* Ce qu'il eut de commun avec Caton, 303 *et suiv.*

Ovide. A quel âge Montaigne commença de s'en dégoûter, I, 450.

P

Paluel (le), *danseur,* I, 163.

Palus Méotides. Combien les gelées y sont âpres, I, 258.

Panetius. Sage réponse de ce philosophe à un jeune homme qui lui demandait s'il siérait bien au sage d'être amoureux, II, 221 *et suiv.*

Paracelse, *médecin alchimiste,* I, 641 et II, 185.

Paris. Ce que pense Montaigne de cette ville, I, 349.

Parlementer. Voyez *Place assiégée.*

Parleurs. De deux espèces, les uns propres à être prêcheurs, et les autres avocats, I, 35, 36.

Parménide. Ce qu'il prenait pour Dieu, I, 572. Son opinion sur la nature de notre âme, 606.

Parole. La plus parfaite est susceptible de divers sens, I, 659.

Parthes. Presque toujours à cheval, I, 321. Description de leurs armes, *ibid.,* 446, 447.

Pasiclès. Impudence de ce philosophe cynique, I, 331.

Passions. Celles qui se laissent goûter et digérer ne sont que médiocres, I, 10. On s'en prend à des choses inanimées pour les amuser, 19 *et suiv*. Les premiers mouvements des passions permis au sage par les stoïciens, 45. Passions déréglées animent et accompagnent les plus éminentes vertus, 637. Quels effets doit produire leur diversité, 638. On peut se dégager d'une passion par le moyen d'une autre, II, 256. Comment les passions sont dissipées par le temps, 257. Exemples de passions très violentes excitées par des causes frivoles, 464.

Patenôtre. Prière que les chrétiens devraient constamment employer, I, 350.

PAULINA, *femme de Saturninus*. Matrone de grande réputation à Rome, qui pensait coucher avec le dieu Sérapis, I, 593.

PAULINUS, *évêque de Nole*. Ce qu'il dit après le sac de cette ville, étant dépouillé de tous ses biens et prisonnier, I, 271.

PAUSANIAS *le Lacédémonien*. Supplice qui lui fut infligé, et dont sa mère donna la première idée, I, 225.

PAUSANIAS *le Macédonien*. Cité comme exemple des inconvénients d'une profonde ivresse, I, 375.

PAVIE *(Siège de)*, I, 69.

PAXEA, *femme romaine*. Pourquoi elle se donne la mort, I, 393.

Pays. Petit pays où régnaient la paix et la santé, parce qu'il n'y avait ni gens de loi ni médecins; comment il fut enfin exposé aux procès et à une légion de maladies, II, 193 *et suiv*.

Paysans et philosophes. Honnêtes gens, I, 346, 347.

Pédants. Méprisés en tout temps des plus galants hommes, I, 141 *et suiv*. Extrême différence entre les anciens philosophes et nos pédants, 142 *et suiv*. Caractère d'un parfait pédant, 148.

PÉGU *(Royaume du)*. Tous les habitants y vont les pieds nus en tout temps, I, 257.

Peine. Naît avec le péché, I, 402. Peines dans une autre vie, sur quoi fondées, 574.

PÉLAGIE *(Sainte)*. Mort de cette vierge, I, 391.

PELLETIER, *médecin et mathématicien*, I, 104; II, 21.

Pères. Ont plus d'affection pour leurs enfants que les enfants n'en ont pour leurs pères, I, 423. Comment cette affection devrait être réglée, 424. En quel temps les pères doivent admettre leurs enfants au partage de leurs biens, 425. Jeunes gens poussés au larcin par l'avarice de leurs pères, *ibid. et suiv*. Mauvaise excuse des pères qui thésaurisent pour se faire respecter de leurs enfants, 426. Par où ils doivent se rendre respectables, 427. Un père sur l'âge doit laisser l'usage de ses biens à ses enfants, mais avec la liberté de les reprendre s'ils abusaient de cette bonté, 428 *et suiv*. Un père doit se familiariser avec ses enfants qui le méritent : exemple remarquable sur ce sujet, 431 *et suiv*. Dureté de certains pères qui privent leurs enfants du fruit de leurs biens, même après leur mort, 432. Indiscrétion des pères qui châtient leurs enfants dans de violents accès de colère, II, 119. Ressemblances qui passent des pères, aïeux ou bisaïeux, aux enfants, 174 et 175.

Périandre, *médecin grec*. Reproche que lui faisait Archidamus de quitter la gloire de bon médecin pour acquérir celle de mauvais poète, I, 72.

Périandre, *tyran de Corinthe*. Jusqu'où il porta l'amour qu'il avait pour sa femme, II, 311.

Pérou. Le dernier roi du Pérou, comment traité par les Espagnols, II, 345. Pompe et magnificence des ouvrages du Pérou, 348 *et suiv*.

Perrozet, *habile cartier*, II, 516.

Perse. Jusqu'à quel temps les rois de Perse retenaient leurs femmes dans leurs festins, I, 227.

Perses. Enseignaient la vertu à leurs enfants, au lieu des lettres, I, 151. Traitaient de leurs principales affaires après boire, 376.

Perséus, *auditeur de Zénon*. A quoi il dit qu'on a attaché le nom de Dieu, I, 573.

Perséus, *roi de Macédoine*. Prisonnier à Rome, mourut par la privation du sommeil, I, 668. Son caractère, qui est à peu près celui de tous les hommes, II, 530.

Pescaire (*Le marquis de*), I, 26.

Peste. Description d'une peste qui survint dans le pays où était Montaigne, II, 497 *et suiv*. Fermeté du peuple dans ce désastre général, 498.

Pétrarque, I, 626.

Pétronius (*Granius*), *questeur dans l'armée de César*. Sa réponse à Scipion qui, l'ayant fait prisonnier, lui offrait la vie, II, 151.

Pétronius, *favori de Néron*. Avec quelle mollesse il mourut, II, 426.

Pets, qu'un homme avait à commandement; histoire sur ce sujet, rapportée par saint Augustin, I, 106. Pets organisés, selon Vivès, *ibid*.

Peuples, qui n'attaquent jamais leurs ennemis qu'ils ne leur aient déclaré la guerre, I, 22. Chaque peuple content du gouvernement auquel il est accoutumé, 122. Peuples chez qui les enfants mangent leurs pères trépassés; autres qui les brûlent, *ibid*. Qu'il faut au peuple une religion palpable, 571. Qu'il est besoin qu'il ignore beaucoup de choses vraies, et qu'il en croie beaucoup de fausses, 597. Peuples chez qui le fils mangeait son père, et pourquoi, 653. Si le peuple a raison d'être choqué des dépenses extravagantes du prince, II, 334. Comment les politiques l'amusent dans le temps qu'ils le maltraitent le plus, 383. Avec quelle indiscrétion les peuples se laissent mener par les chefs de parti, 459.

Peur. Étranges effets de cette passion, I, 75 *et suiv*. Effets opposés qu'elle produit, 76 *et suiv*. Pousse quelquefois à des actions valeureuses, 77. Suspend toute autre passion, *ibid. et suiv*. Même effet produit par la peur et par une extrême ardeur de courage, 345.

Phalarica. Espèce d'arme; sa description et son usage, I, 323.

Pharax. Empêche d'autorité un roi de Lacédémone de poursuivre un corps de troupes qui venaient d'échapper à une déroute, I, 314.

PHÉRÉCYDES. Lettre qu'il écrivit à Thalès, comme il expirait, I, 555.

PHILIPPE. Sa lettre à Alexandre, où il le reprend de ce qu'il tâchait de gagner les Macédoniens par des présents, II, 337. Comment Philippe satisfit à l'équité et aux formes judiciaires, après avoir prononcé un jugement dont il reconnut l'injustice, 523.

PHILIPPIDES. Sage réponse qu'il fit au roi Lysimachus, II, 210.

PHILISTUS, *chef de l'armée de mer du jeune Denys.* Comment il se trouva réduit dans un combat à se donner lui-même la mort, II, 382, *b.*

PHILOPŒMEN. De quoi loué par Plutarque, I, 130. Sa conduite dans une bataille contre les Lacédémoniens, 305 *et suiv.*

Philosopher. Ce que c'est, I, 81 *et suiv.*

Philosophes. S'il convient à un philosophe d'écrire l'histoire, I, 110, 111. Philosophes, pourquoi méprisés, 142 *et suiv.* Extrême différence qu'il y a entre eux et nos pédants, 144 *et suiv.* Ils renoncent malaisément au désir de la gloire, 286. Sectes entières de philosophes qui ont méprisé les disciplines libérales, 561, 562. Leur conduite à l'égard de la religion et des lois, 568 *et suiv.* S'ils ont parlé sérieusement de la hiérarchie de leurs dieux et de la condition des hommes dans une autre vie, 579. S'ils ont traité la science sérieusement, 610. Opinions licencieuses qu'ils ont débitées concernant le vice et la vertu, et les lois communément établies, 655 *et suiv.* Philosophes qui ont prêché le mépris de la gloire, II, 16.

Philosophie. Vanité des recherches philosophiques, I, 52 *et suiv.* Philosophie pleine d'incertitudes et d'extravagances, 56. En quoi consiste la vraie, au jugement de Platon, 162. Pourquoi la philosophie est méprisée par les gens sensés, 172. La philosophie, formatrice des mœurs, s'ingère partout, 177. La philosophie et la théologie se mêlent de régler toutes les actions des hommes, 226. La philosophie nous renvoie à l'ignorance pour nous mettre à couvert des maux qui nous pressent, 233. Elle nous conseille ridiculement d'oublier nos maux passés, 234. Recette qu'elle ordonne à toutes sortes de nécessités, qui est de mettre fin à la vie que nous ne pouvons endurer, 236. La philosophie est une poésie sophistiquée, 283. Reproche qu'on peut faire à quiconque se mêle de philosophie, *ibid.* Comment les faibles, au dire de Socrate, corrompent la dignité de la philosophie, II, 367.

PHILOXENUS. Comment il témoigna son dépit contre celui qui lisait mal ses ouvrages, I, 668.

PHRYNÉ, *fameuse courtisane.* Comment elle gagna ses juges, II, 509.

Physionomie avantageuse. N'est pas fondée directement sur les beaux traits du visage, II, 510. Si l'on peut faire quelque fond sur la physionomie, *ibid.*

PHYTON, *gouverneur de Rhège.* Avec

INDEX

quelle constance il souffre les traitements barbares de Denys le Tyran, I, 5.

PIBRAC. Son éloge, II, 395.

Pie. Comment une pie vint à imiter le son de la trompette, I, 512.

Pieds. Façonnés au service que rendent les mains, I, 115.

Pigeons. Dressés à rapporter réponse, II, 85.

PISON, *général romain*. A quel excès d'injustice il fut entraîné par colère et par la dureté de son tempérament, II, 122 *et suiv*.

Pitié. Comment elle dissipe l'inimitié, I, 3. En quoi elle paraît vicieuse aux stoïques, 4.

PITTACUS. Quel était le plus grand mal qu'il eût à souffrir dans la vie, II, 258.

Place assiégée. Si le gouverneur doit en sortir pour parlementer, I, 21 *et suiv*. Places surprises dans le temps qu'on parlementait, 23 *et suiv*. Défense trop opiniâtre d'une place, pourquoi punie, 69. Gouverneurs de place, comment punis de leur lâcheté, *ibid. et suiv*.

Place consulaire. A table était plus accessible, et pourquoi, I, 400.

Plaisir. C'est le but et le fruit de la vertu des hommes, I, 81, 82. L'esprit et le corps doivent s'aider mutuellement dans son usage, II, 322 *et suiv*.

PLATON. Beau précepte qu'il allègue souvent dans ses écrits, I, 11. Comment il rangeait les biens corporels, 65. Comment il tança un enfant qui jouait aux noix, 114. Éloge de ses lois sur l'éducation de la jeunesse, 177 *et suiv*. Combien de serviteurs il avait, 342. Ordonne une sépulture ignominieuse pour les suicidés, 387. Dialogues de Platon; ce qu'en jugeait Montaigne, 455. Impression que fit sur plusieurs de ses disciples son discours sur l'immortalité de l'âme, 487. Ne voulait pas qu'on parlât aux hommes d'enfer et de Tartare, 488. Quels ont été ses véritables sentiments, 565. A combien de sectes il a donné naissance, *ibid*. Pourquoi il a choisi de philosopher par dialogues, 566. Opinion peu déterminée qu'il avait sur la nature de Dieu, 569 et 572. Sur les plaisirs qu'il promet à l'homme en l'autre vie, 575 *et suiv*. Conte qu'on a fait sur sa naissance, 593. Si Platon a dit que la nature est une poésie énigmatique, 599. Comment Timon l'appelait par injure, *ibid*. Ce qu'il disait de la nature de notre âme, 606. Définition ridicule de l'homme, faite par Platon, 608. Pourquoi ce philosophe refusa une robe parfumée, 654. Sa retenue dans un accès de colère, II, 122. Par qui surnommé l'Homère des philosophes, 163. Beau mot de lui au sujet de ceux qui en médisaient, 288. Sa loi pour décider de l'opportunité de tout mariage, 315. Quelles qualités il exige d'un homme qui prétend examiner l'âme d'un autre homme, 531. Ce qu'il exige de celui qui veut entreprendre de guérir les maladies des hommes, 533.

PLAUTE. Goût de ceux qui l'égalent à Térence, I, 451.

PLINE *le Jeune*. Dans quelle vue il conseillait la solitude, I, 275.

Le peu de solidité de ce conseil, *ibid. et suiv.* A quelle fin il a publié des lettres qu'il avait écrites à ses amis, 278.

PLUTARQUE. Éloge qu'en fait Montaigne, I, 167. Ce qu'il juge de Brutus et de Torquatus, qui condamnèrent leurs enfants à la mort, 381. Plutarque et Sénèque comparés, 454. Plutarque croit qu'après la mort les gens vertueux deviennent enfin de vrais dieux, 623. Sa douceur, son équité, II, 121. Il est justifié par Montaigne du reproche que lui fait Jean Bodin d'avoir écrit des choses incroyables, 128 *et suiv.* Si Plutarque a manqué d'équité dans le choix qu'il a fait des Romains pour les mettre en parallèle avec les Grecs, 132. Il est moins tendu, et par conséquent plus persuasif que Sénèque, 488.

Poésie. Celle qui est excellente est au-dessus des règles, I, 262. Poésies d'un goût bizarre, 344. Poésie populaire, comparable à la meilleure, 347. Poésie médiocre insupportable, *ibid.*

Poète. Ses saillies dépendent beaucoup de la fortune, I, 135. Est de tous ouvriers le plus amoureux de son ouvrage, 442 *et suiv.* Poètes latins et français du temps de Montaigne, II, 65.

Poison. Gardé et préparé aux dépens du public, pour ceux qui voudraient s'en servir, I, 397.

Poisson. On le faisait voir nageant dans les salles basses des anciens, I, 332. Petit poisson qui arrête les navires en pleine mer, 516. Assistance que se prêtent entre eux les poissons, 528 *et suiv.*

POITIERS. Fondation de Notre-Dame-la-Grande dans cette ville; son origine, I, 307 *et suiv.*

POL *(Pierre), docteur en théologie.* Comment il se promenait dans Paris sur sa mule, I, 324.

POLÉMON, *philosophe.* Pourquoi appelé en justice par sa femme, II, 280.

Police humaine. Pleine d'imperfections, a besoin du vice pour se soutenir, II, 206.

Politiques. Comment ils amusent le peuple dans le temps qu'ils le maltraitent le plus, II, 383.

POLLIO. *Voyez* ASINIUS POLLIO.

POLONAIS. Se blessent pour autoriser leur parole, I, 59.

Poltronnerie. Si elle doit être punie de mort, I, 70 *et suiv.* Comment on la punit ordinairement, 71. Est mère de la cruauté, II, 96.

POMPÉE. Pardonne à toute une ville, en considération de la générosité d'un citoyen, I, 5-6. Blâmé de n'avoir pas bien su profiter de l'avantage qu'il eut une fois sur César, 313; et d'avoir ordonné à ses troupes d'attendre l'ennemi, au lieu d'aller fondre sur lui, 316 *et suiv.* Était bon homme de cheval, 320. Déclarait ses ennemis tous ceux qui ne l'accompagnaient pas à la guerre, 456.

POMPÉE, *danseur du temps de Montaigne,* I, 163.

POMPEIA PAULINA, *femme de Sénèque.* Résolue de mourir avec son mari, se fait ouvrir les veines des bras, II, 677 *et suiv.* Néron empêcha l'exécution de ce dessein, 679 *et suiv.*

PORTUGAIS. Chassés par des mouches à miel de devant une ville qu'ils assiégeaient, I, 524 *et suiv.*

Posidonius, *philosophe stoïcien.* De quelle manière il triomphe de la douleur, I, 53.

Poste. Chevaux de poste, établis par Cyrus, II, 84. La même chose pratiquée par les Romains, *ibid.* Comment on courait la poste au Pérou, 85.

Postumius, *dictateur.* Pourquoi il fit mourir son fils, I, 225.

Pouces. Coutume de contracter alliance en se blessant, s'entresuçant les pouces, II, 94. Étymologie du mot pouce, *ibid.* Comment nommés en langue grecque, *ibid.* Pouces baissés, marque de faveur; et haussés, marque du contraire, 95. Comment étaient punis autrefois chez les Romains ceux qui se coupaient les pouces, *ibid.* Pouces coupés à des ennemis vaincus, *ibid.*

Poulpe. Sorte de poisson qui change de couleur quand il veut, I, 516.

Poyet *(Le chevalier)*, I, 36.

Praxitèle. Effet que produisit sa statue de Vénus sur un jeune homme, II, 311.

Prédicateurs. Comparés aux avocats, I, 36. Sont persuadés par leur propre passion, I, 636.

Prédictions. Qui se tiraient du vol des oiseaux; de quel poids, I, 517.

Présomption. Maladie naturelle à l'homme, I, 496. Son unique partage, 540 *et suiv.* Ce que c'est que la présomption, II, 32. La crainte d'y tomber ne doit pas nous empêcher de nous connaître tels que nous sommes, *ibid.*

Prière à Dieu. Celle que les chrétiens devraient constamment employer, I, 350. C'est la seule dont se servait Montaigne, *ibid.* Ce qu'on doit juger des prières de ceux qui persistent de dessein délibéré dans de mauvaises habitudes, 351. Abus qu'on fait des prières, 359.

Prince. Loi qui ordonne d'examiner la conduite des princes après leur mort, I, 12. Cérémonie ordinaire à leur entrevue, 46. Triste état d'un prince trop défiant, 137. Si un prince fait mieux d'attendre son ennemi sur ses propres terres que d'aller l'attaquer chez lui, 317. Exemples qui établissent sur cela le pour et le contre, *ibid. et suiv.* Combien il importe aux princes de fuir la fourberie, II, 50 *et suiv.* Un prince doit mourir debout, 79; et commander ses armées en personne, 79, 80. Quelles devraient être l'activité et la sobriété des princes, 80. Leur secret est une importune garde à qui n'en a que faire, 210. En quel cas un prince est excusable de manquer à sa parole, 216, 217. Excellent caractère d'un prince qui était supérieur aux accidents de la fortune, 453.

Principes. Diversité d'opinions sur le sujet des principes naturels, I, 601 *et suiv.* En recevant des principes sans examen, on s'expose à toutes sortes d'égarements, 602 *et suiv.*

Procès. Il n'en est point de si clair auquel les avis ne se trouvent divers, I, 655.

Profit. Divers exemples qui montrent que le profit de l'un est le dommage de l'autre, I, 111 et 112.

Promesse. Le seul cas où un particulier est autorisé à manquer à sa promesse, II, 451.

Pronostications de différents genres. Quand elles ont été abolies, I, 38 *et suiv.*

Prophètes des sauvages de l'Amérique. Leur morale; comment ils sont traités si leurs prophéties se trouvent fausses, I, 238 *et suiv.*

PROTAGORAS. N'avait aucune opinion sur l'existence, la non-existence et la nature de Dieu, I, 572.

PROTOGÉNÈS. Comment il acheva par hasard une peinture qu'il allait effacer, I, 251 et 252.

Psaumes de David. Comment et par qui ils doivent être chantés, I, 353.

Purgation. Si l'utilité des purgations procurées par la médecine est bien avérée, II, 179 *et suiv.*

PYRRHON. Comment dépeint, I, 561. Essaya vainement de faire répondre sa vie à sa doctrine, II, 109 *et suiv.*

Pyrrhoniens. Ce qu'ils professaient I, 557 *et suiv.* Ce qu'ils gagnaient par là, 559. Langage qui leur est ordinaire, 560. Leur conduite dans la vie commune, 561. Ils sont embarrassés à trouver des expressions qui puissent représenter leur opinion, 587. Ce que c'est que leur *ataraxie,* 650.

PYRRHUS. Sa vaine ambition, I, 299. Il pensa perdre une bataille pour s'être déguisé dans le combat, 316.

PYTHAGORE. Ce qu'il répondit à un prince qui lui demanda de quelle science il faisait profession (c'est à tort que la réponse a été attribuée par Montaigne à Héraclide de Pont), I, 181. Pythagore calme l'emportement d'une troupe de jeunes gens par la musique, 308. Achetait des bêtes en vie pour leur redonner la liberté, 476. Quelle idée il croyait que l'homme peut avoir de Dieu, 571. Ce que c'est que Dieu selon ce philosophe, 572.

Q

QUARTILLA. N'avait point mémoire de son fillage, II, 542.
Querelles. Délibération qui doit les précéder, II, 464. Combien sont honteuses la plupart des réconciliations qui les suivent, 466.

QUINTILIEN. Pourquoi il n'approuve point qu'aux écoles on fouette les jeunes gens, I, 179.
QUITO. Chemin magnifique de Quito à Cusco, II, 348 *et suiv.*

R

Rabelais. Mis par Montaigne au rang des livres simplement plaisants, I, 450.

Raisciac, *seigneur allemand*. Sa mort subite causée par la tristesse, I, 9.

Raison humaine. Si elle peut juger de ce qui la regarde immédiatement, I, 605. L'assoupissement de notre raison, voie naturelle pour entrer au cabinet des dieux, 637. Glaive double et dangereux, II, 58.

Rang. Combien le rang nous impose, II, 371.

Rangon *(Le comte Guy de)*, I, 23.

Ravenne *(Victoire de)*, I, 313.

Razias ou Rasias. Sa mort, accompagnée d'une fermeté extraordinaire, I, 391.

Récompenses. Dans une autre vie; sur quoi fondées, I, 576 *et suiv*.

Régents de collège. Plaisamment caractérisés, I, 182.

Regulus. Sa parcimonie, I, 341. A montré plus de fermeté que Caton, 425.

Religion. N'a point de fondement humain plus assuré que le mépris de la vie, I, 94. Les hommes ne s'en servent communément que comme d'un moyen pour satisfaire leurs plus injustes passions, 484, 485. Quelle est la plus vraisemblable des opinions humaines touchant la religion, 570. Il faut une religion palpable pour le peuple, 571. Zèle de religion souvent excessif, par conséquent injuste, II, 72. A porté les chrétiens à détruire les livres des païens et à diffamer l'empereur Julien, *ibid. et suiv*.

Remora. Petit poisson que les Latins prétendaient avoir la propriété d'arrêter les navires, I, 516.

Renard. Raisonne très sensiblement, I, 506.

René *(Le roi)*. Son portrait présenté à François II, II, 57.

Rense *(Le capitaine)*, I, 251.

Repentance des hommes. Pleine de corruption pour l'ordinaire, II, 230. Quel doit être l'effet d'une vraie repentance, 232. On ne peut se repentir de sa forme universelle, selon Montaigne, *ibid*. Du repentir causé uniquement par l'âge, 234 *et suiv*.

Repos et gloire. Choses incompatibles, I, 278.

Réputation. Est mise à trop haut prix, II, 24.

Résolution. De quel usage, I, 4. Résolution extraordinaire, 139.

Ressemblance. Passe des pères, des aïeux et des bisaïeux, aux enfants, II, 174 et 175.

Retraite. Quels tempéraments y sont les plus propres, I, 272, 273. Dans quelle vue Pline et Cicéron la conseillaient, 275, 276. Peu de solidité qu'il y a dans ce conseil, 276. Voyez *Solitude*.

Révélation. C'est d'elle que nous vient l'assurance de l'immortalité de l'âme, I, 620.

Rhétorique. Art trompeur, pire que le fard des femmes, I, 338. Quel est son véritable usage, 338 *et suiv*.

Richesse. Moyens d'éviter les embarras qui l'accompagnent, I, 66.

ROBERT, *roi de France,* I, 251.

ROBERT Ier, *roi d'Écosse,* I, 14.

ROCHEFOUCAULD *(Le comte de La),* I, 182.

Rois. Nous leur devons l'obéissance, mais l'estime et l'affection ne sont dues qu'à leurs vertus, I, 12. Vanité impertinente d'un roi, 20. De quoi ils doivent se glorifier, 282. Ils sont sujets aux mêmes passions et aux mêmes accidents que les autres hommes, 292. Sont moins en état de goûter les plaisirs que de simples particuliers, 295. Sont prisonniers dans les limites de leur pays, 296. Comment un roi peut inspirer à ses sujets le mépris de l'or, de la soie et des vaines dépenses, 299 *et suiv.* L'âme d'un roi et celle d'un savetier sont jetées au même moule, 525. Les rois doivent mourir debout, II, 79; et commander leurs armées en personne, *ibid.* Si la libéralité sied bien à un roi, et jusqu'à quel point, 334. Quelle est la vertu qui convient proprement aux rois, 335. Il n'est pas en leur pouvoir de contenter l'avidité de leurs sujets, 336. Les rois sont excusables, parce que leur métier est un des plus difficiles, 351. Pourquoi ils sont exclus de l'honneur qui vient des exercices du corps et de l'esprit, *ibid.* La seule chose que les enfants des rois apprennent comme il faut, 353. Défauts des rois, comment cachés à leurs yeux, *ibid. et suiv.* Les rois donnent les plus grandes charges au hasard, 368. Quel respect leur est dû, 371. Les rois auraient besoin d'un officier chargé de leur parler librement, et de leur apprendre à se connaître, 531, 532.

ROMAINS. Pourquoi ils ôtaient aux peuples nouvellement conquis leurs armes et leurs chevaux, I, 321. Combattaient à l'épée et à la cape, 330. Prenaient des bains tous les jours avant le repas, *ibid.* Se parfumaient tout le corps, et se faisaient pinceter tout le poil, *ibid.* Aimaient à se coucher mollement, et mangeaient sur des lits, *ibid.* Comment ils témoignaient leurs respects aux grands, 331. A quel usage ils mettaient l'éponge, *ibid.* Comment ils rafraîchissaient leur vin, 332. Avaient des cuisines portatives, *ibid.* Avaient des poissons dans leurs salles basses, *ibid.* Quelle était chez eux la place d'honneur à table, *ibid.* S'ils se nommaient avant ou après ceux à qui ils parlaient ou écrivaient, *ibid.* Leurs femmes se baignaient avec les hommes, 333. Ils payaient le batelier en entrant dans le bateau, *ibid.* De quelle couleur étaient les habits de deuil des dames romaines, 334. Les Romains portaient même accoutrement les jours de deuil et les jours de fête, 345. Armes d'un piéton romain, 445. Pour quelle raison les Romains se maintenaient continuellement en guerre, II, 86 *et suiv.* De la grandeur romaine, 90. Pourquoi ils rendaient aux rois leurs royaumes après les avoir conquis, 91. Pourquoi les Romains ont refusé le triomphe à des généraux qui avaient remporté de grandes victoires, 369.

ROME. Était plus vaillante avant qu'elle fût savante, I, 154, 539. Inclination particulière que Montaigne avait pour cette ville, II, 441. Considérée comme la métropole de toutes les nations chrétiennes, 442.

ROMMERO (*Julien*), gouverneur d'Ivoy, I, 26.

RONSARD. Excellent poète français, au jugement de Montaigne, II, 65.

Rossignols. Instruisent leurs petits à chanter, I, 511.

Ruses de guerre. Condamnées chez les anciens, I, 23, 24. Autorisées chez nous, 24.

RUSTICUS. Pourquoi loué par Plutarque et par Montaigne, I, 399, 400.

RUTILIUS (*Publius*), II, 102.

S

Sacrifices humains. En usage dans presque toutes les religions, I, 229. Comment pratiqués dans le Nouveau-Monde, *ibid.* Constance de ceux qu'on y sacrifiait, 230. Combien cet usage était farouche et insensé, 580, 581.

Sage. En quoi il diffère du fou par rapport aux passions, I, 45. Dans la conduite de la vie, le sage est déterminé par les apparences, 559 *et suiv.*

Sagesse. Quelles en sont les marques, I, 173. Quel est son but, *ibid.* Son caractère, selon Montaigne, II, 266 *et suiv.*

Sagesse et ignorance. Parviennent aux mêmes fins, I, 346.

SALLUSSE (*François, marquis de*), I, 39.

SALONE. Succès étonnant que ses habitants, réduits à l'extrémité, eurent sur ceux qui les tenaient assiégés, II, 151 *et suiv.*

SALSBERI (*Guillaume, comte de*), I, 288.

SANCHO, douzième roi de Navarre, surnommé *le Tremblant*, I, 345.

Satisfaction. Après la mort, de nul poids, I, 28.

SATURNINUS. Ce qu'il dit aux soldats qui l'avaient élu général, II, 436.

Sauvages de l'Amérique. Leur constance lorsqu'ils sont faits prisonniers, I, 243. Chanson guerrière d'un prisonnier sauvage, *ibid.* Chanson amoureuse d'un sauvage d'Amérique, 244. Du langage de ces sauvages, *ibid.* Sauvages venus en France : ce qu'ils jugèrent de nos mœurs, *ibid. et suiv.* Réponse qu'un de ces sauvages fit à Montaigne, 245. *Voyez* AMÉRIQUE.

Savants. Méprisables, parce qu'ils sont malappris, I, 143 *et suiv.* Ne s'appliquent qu'à remplir la mémoire, 145. Ne songent qu'à faire une vaine montre de leur science, *ibid. et suiv.* Sottise d'un Romain qui se croyait savant, parce qu'il avait des savants à ses gages, 146. Ca-

ractère des faux savants, 147.
Surnommés *lettreferits* en Périgord; signification de ce mot, 148. Savants qui recherchent la vérité, comparés aux épis de blé, 555. S'ils peuvent prétendre à quelque recommandation par leurs écrits, 556 *et suiv.* Le principal savoir de notre siècle est de savoir entendre les savants, II, 520. D'un savant homme qui aimait à étudier au milieu d'un grand bruit, 536.

SCÆVA, *centurion de l'armée de César*. Combien de coups il reçut sur son bouclier en soutenant une attaque, I, 434.

SCANDER-BEG. Comment il fut apaisé par un soldat qui l'avait irrité, I, 3. Ce qui suffisait, selon lui, à un chef de guerre pour garantir sa réputation militaire, 532.

Science. Nous ne sommes savants que de la science présente, I, 145. Doit être accompagnée de jugement, 146. Est dangereuse pour qui n'en sait pas faire usage, 150. Quelle est la plus difficile et la plus importante, 158. De quelle utilité est la science, 159. Si elle exempte l'homme des incommodités humaines, II, 174 *et suiv.* Les sciences traitent les choses avec trop d'art, II, 302. Étrange abus qu'on fait de la science, 358 *et suiv.* C'est un bien dont l'acquisition est dangereuse, 486 *et suiv.* Si, dans les maux de la vie, nous tirons de grands secours des instructions de la science, 499 *et suiv.*

Science de gueule. Plaisamment tournée en ridicule, I, 339 *et suiv.*

SCIPION *l'Africain*. Son intrépidité, I, 137. A vécu la belle moitié de sa vie de la gloire acquise en sa jeunesse, 362. Accusé devant le peuple, dédaigne fièrement de se justifier, 403 *et suiv.*

SCIPION *le jeune*. Ce qu'il répondit à un jeune homme qui lui faisait montre d'un beau bouclier, I, 445. Comment il faisait manger ses soldats, 446.

SCIPION, *beau-père de Pompée*. Acquit beaucoup de gloire par sa mort, I, 80.

SCRIBONIA, *dame romaine*. Pourquoi elle conseille à son neveu de se tuer, I, 391.

SCYTHES. Comment ils excusèrent leur fuite à Darius, qui les poursuivait, I, 43 *et suiv.* Les Scythes s'abreuvaient du sang de leurs chevaux, 326. Par combien de meurtres ils honoraient leurs rois morts, 425.

SÉBASTIEN, *roi de Portugal*, II, 82.

SEBOND (*Raymond*). Apologie de sa *Théologie naturelle,* I, 479 *et suiv.* Montaigne le traduisit de l'espagnol en français, 480. Objection qu'on faisait contre ce livre; et réponse, 482 *et suiv.* Autre objection contre la faiblesse de ses arguments, réfutée par Montaigne, 491 *et suiv.*

SÉCHEL (*Georges*). Avec quelle horrible férocité il fut traité, après avoir été vaincu et pris, par le voïvode de Transylvanie, II, 106.

SÉJAN. Pourquoi sa fille fut forcée par le bourreau avant qu'il l'étranglât, II, 216.

SÉLEUCUS, *roi*. Le peu de cas qu'il faisait de la royauté, I, 294.

SÉLUM Ier. Ce qu'il pensait des

victoires gagnées en l'absence du maître, II, 81.

Semence. Par quel moyen elle devient prolifique, II, 273.

Sénèque. Conseil fort extraordinaire qu'il donne à un de ses amis, I, 248 *et suiv.* Comparé avec Plutarque, 454. Sénèque prétend ne devoir sa vertu qu'à lui-même, 542. Comment il élève le sage au-dessus de Dieu, *ibid.* Pensée de Sénèque critiquée avec raison, 681. Sénèque comparé avec le cardinal de Lorraine, II, 127. Portrait injuste que l'historien Dion a fait de ce philosophe, *ibid. et suiv.* Sénèque prêt à mourir par l'ordre de Néron : ce qu'il dit à ses amis et à sa femme, 156. Preuve singulière de l'affection que Sénèque avait pour sa femme, 157. Grands efforts qu'il fit pour se préparer contre la mort, 488. Il s'accoutuma, pendant un an, à ne rien manger qui eût eu vie, 536, 537.

Sens. Si l'expérience des sens peut mettre fin à l'incertitude philosophique, I, 604 *et suiv.* Les sens sont le commencement et la fin de nos connaissances, 661. Il y a lieu de douter si l'homme est pourvu de tous les sens naturels, 662. Les sens ne trompent jamais, selon Épicure, 665. L'expérience démontre l'erreur de l'opération des sens, 667. Les sens imposent quelquefois à notre raison, 669. Ils sont altérés par les passions de l'âme, 672. Considération sur les sens des animaux, 673. Différence extrême entre les effets de leurs sens et les effets des nôtres, *ibid.* Combien le jugement de l'opération des sens est incertain, 674 *et suiv.* On ne peut juger définitivement d'une chose par les apparences qu'on en reçoit par les sens, 677.

Senteurs étrangères. A bon droit suspectes, I, 348.

Sépulture des morts. Superstition cruelle et puérile des Athéniens à ce sujet, I, 17. Comment punie, 18.

Sertorius. Comment il débusqua ses ennemis d'un poste inaccessible, I, 424.

Servitude volontaire. Titre d'un ouvrage de La Boétie, l'ami de Montaigne, I, 168.

Servius, *le grammairien.* Comment il se délivra de la goutte, I, 385.

Severus. *Voyez* Cassius.

Sextilia *ou* Sextitia, *dame romaine.* Pourquoi elle se donne la mort, I, 393.

Sforce *(Ludovic-Marie), dixième duc de Milan.* Sa captivité et sa mort, I, 79.

Sforce *(François III), fils du précédent,* I, 34.

Silence. Est d'un merveilleux usage aux grands, II, 368.

Sincérité. Doit être inspirée de bonne heure aux enfants, I, 165 *et suiv.*

Singes d'une grandeur extraordinaire qu'Alexandre rencontra dans les Indes ; comment ils furent attrapés, II, 303 *et suiv.*

Société. Ceux qui se dérobent aux offices communs de la société prennent le parti le plus commode, II, 141 *et suiv.*

Socrate. Ce que c'était que son *Démon,* I, 42. Comment il se joue d'un sophiste qui n'avait rien gagné à Sparte, 153 *et suiv.*

Réflexions sur ce qu'il répondit à celui qui lui demanda d'où il était, 168. Son opinion sur ce que doivent faire les jeunes gens, les hommes faits et les vieillards, 273. Pourquoi il fut estimé le seul sage, 417. Comment il s'essayait à la vertu, 464. Pourquoi la vertu lui devint aisée, *ibid. et suiv.* La gaieté qui accompagna sa mort la met au-dessus de celle de Caton, 467. Ce qui lui fit donner le nom de *Sage*, 552. Réponse de Socrate à ceux qui lui demandaient ce qu'il savait, 555. Il ne faisait cas que de la science des mœurs, 565. Pourquoi il se comparait aux sages-femmes, *ibid*. Ses idées confuses de la Divinité, 572. Ce qu'il demandait aux dieux, 648. Noble constance dont sa mort fut accompagnée, II, 5. Il était de beaucoup supérieur à Alexandre, 228. Pourquoi il ne s'opposa que mollement au dessein que ses ennemis avaient de le faire mourir, 237. Ce qu'il dit en voyant quantité de joyaux et de meubles de prix, 454. Comment il conseillait qu'on se défendît contre l'amour, 462. Admirable par la simplicité de ses discours et de sa conduite, 485. Son caractère qui nous a été transmis par des témoins très fidèles et très éclairés, *ibid*. Discours plein de simplicité qu'il fit à ses juges, 503 *et suiv*. En quoi consistent la noblesse et l'excellence de ce discours, 504 *et suiv*. Portrait abrégé de la noblesse et de la simplicité de l'âme de Socrate, 569 *et suiv*.

Soi. Combien il importe de savoir être à soi, I, 272. C'est une chose louable que d'être juste estimateur de soi-même, 415. S'occuper de soi n'est pas se plaire en soi, 116. Que chacun doit se faire juge de soi-même, II, 222 *et suiv*.

Soie (Habits de). Quand les hommes commencèrent à en mépriser l'usage en France, I, 299, 300.

Soldat. Venant à guérir d'une maladie qui lui rendait la vie odieuse, perdit toute sa valeur, I, 368. Autre soldat qui n'est vaillant que pour regagner ce qu'il avait perdu, *ibid*.

Soldats. Comment leur lâcheté doit être punie, I, 71. S'ils doivent être richement armés, 314. S'il leur faut permettre d'insulter l'ennemi, 315. La vie de soldat est agréable et très noble, II, 553 *et suiv*.

Soleil. Son adoration, culte le plus excusable, I, 571.

Soliman II, *empereur des Turcs*, II, 51.

Solitude. L'ambition nous en donne le goût, I, 267. But qu'on s'y propose, *ibid*. Elle ne nous dégage point de nos vices, 269. En quoi consiste la vraie solitude, 270. A qui elle convient le mieux, 279 *et suiv*. Quelle occupation il faut choisir à une telle vie, 275. Solitude recherchée par dévotion; ce qu'on en doit juger, 276. Le vrai usage de la solitude, 279. Voyez *Retraite*.

Solon. Réflexions sur le mot de ce philosophe, que *nul homme ne peut être dit heureux avant sa mort*, I, 13 et 79. Ce qu'il répondit à ceux qui l'exhortaient à ne pas répandre pour son fils mort des larmes inutiles, 654. Il permit aux femmes de se prostituer pour gagner leur vie, II, 295.

Sommeil. Ce n'est pas sans raison qu'on lui trouve de la ressemblance avec la mort, I, 407.

SOPHOCLE. Mourut de joie, I, 10. Censuré pour avoir loué un beau garçon, 228. Jugement en sa faveur; s'il était bien fondé, 372.

SOPHRONIE *(Sainte)*. Mort de cette vierge, I, 391 *et suiv.*

Sorciers. Raisons qui obligeaient Montaigne à ne rien décider sur le chapitre des sorciers, et à traiter de chimères la plupart des contes qu'on en fait, II, 480 *et suiv.* Il est porté à croire que ceux qu'on traite de sorciers ont l'imagination blessée, 481 *et suiv.*

Sot. Il est impossible de traiter de bonne foi avec un sot, II, 360. Comment un sot dit quelquefois une chose sensée, 373. Ce qu'il y a de plus déplaisant dans le sot, c'est qu'il admire tout ce qu'il dit, 374.

Sottise. L'extérieur grave et la fortune de celui qui parle donnent souvent du poids aux sottises qu'il dit, II, 366.

Soumission. Adoucit un cœur irrité, I, 3.

Sourds naturels. Pourquoi ils ne parlent point, I, 404.

SPARTIATES. Pourquoi ils refusèrent le prix de la valeur à un de leurs citoyens qui s'était le plus distingué dans un combat, I, 260.

Spectacles publics. Combien utiles dans les grandes villes, I, 192. Quelques mots sur ceux que les empereurs romains donnaient au peuple, II, 337.

SPEUSIPPUS, *philosophe.* Fausse tradition sur sa mort, I, 86. Il mit fin lui-même à sa vie, 385. Son opinion sur la nature de Dieu, 572.

SPURINA, *jeune Toscan doué d'une beauté singulière.* Pourquoi se défigure tout le visage, II, 141, 142. En quoi son action était digne de blâme, 142.

STATILIUS. Pourquoi il refusa d'entrer dans la conspiration contre César, I, 337.

STILPON, *philosophe.* Sa constance après l'embrasement de sa patrie, où il avait tout perdu, I, 270. Comment il hâta sa mort, 380. Il devait sa tempérance à ses soins, 471.

Stoïciens. Appellent *misérables* et *fous* tous les hommes, excepté leur sage, I, 385. Pourquoi le fou, selon eux, ne doit point renoncer à la vie, *ibid.* Ils ne pensent pas que des amours saintement réglées soient interdites au sage, 655.

STRATON, *philosophe.* Ne reconnaissait pour Dieu que le mécanisme d'une nature insensible, I, 573 et 590. Où il loge l'âme, 607.

STRATONICE, *femme de Dejotarus.* Vertu de cette princesse, I, 243.

STROZZI, *maréchal de France* II, 65, 142 et 459.

SUBRIUS FLAVIUS. Sa constance sur le point d'être mis à mort, II, 254.

Succès. N'est pas une preuve d'habileté, II, 368 et 369.

SUFFOLK *(Duc de)*. Périt victime de la mauvaise foi de Henri VII, roi d'Angleterre, I, 27 *et suiv.*

Suicide. Sépulture ignominieuse ordonnée par les lois de Platon pour ceux qui s'étaient tués, I, 387. Quelles sont les raisons les plus justes de se donner la mort, 388.

Sujets. S'il leur est permis de se rebeller et armer contre leur prince pour la défense de la religion, I, 485 *et suiv.*

SULMONE *(Le prince de)*, I, 328.

Supérieur. Ce qu'il doit surtout attendre de ses sujets, I, 74.

Surnoms illustres. Donnés mal à propos à des esprits médiocres, I, 341.

SYLLA. Se montre inexorable à Pérouse, I, 6. Comment il récompense et punit un esclave pour avoir trahi son maître, II, 215.

SYLVIUS *ou* SILVIUS, *médecin célèbre du temps de Montaigne.* Conseillait de s'enivrer une fois tous les mois, I, 376.

T

Table. Quelle était la place d'honneur à table chez les anciens Romains, I, 332. Plaisirs de la table, comment ménagés par les Grecs et par les Romains, II, 559.

TACITE. Son génie et son caractère, selon Montaigne, II, 377 *et suiv.* Il a jugé de Pompée avec trop de sévérité, 378 *et suiv.* S'il a bien jugé d'un mot de Tibère, écrivant au sénat, 379. Blâmé pour s'être excusé d'avoir parlé de soi dans son *Histoire,* 380. Tacite et tous les historiens sont louables de rapporter des faits extraordinaires et des bruits populaires, *ibid.*

TAGÈS. Auteur de l'art de deviner parmi les Toscans, I, 40 et 41.

TALVA. Meurt de joie, I, 10.

TAMBURLAN *ou* TAMERLAN, I, 154 et 327; II, 409.

TASSE *(Le), le célèbre poète.* Devient fou quelque temps avant sa mort, I, 545.

TAUREA JUBELLIUS. Sa mort généreuse, I, 394, 395.

TAVERNA *(Francisque), ambassadeur de Fr. Sforce, duc de Milan,* I, 34, 35.

TÉRENCE. S'il est l'auteur des comédies publiées sous son nom, I, 280 et 281. En quoi Montaigne le trouve admirable, 451. Pourquoi il doit être placé fort au-dessus de Plaute, *ibid.* Son éloge, *ibid.*

TÉRÈS, *roi de Thrace.* Sa passion pour la guerre, I, 61.

TERNATE, *la principale île des Moluques.* On n'y entreprend jamais la guerre qu'après l'avoir déclarée d'une manière fort particulière, I, 22.

Terreurs paniques. Ce qu'on entend par là, I, 78.

THALÈS. Pourquoi il ne voulait pas se marier, I, 61. Ce qu'il fit pour répondre à ceux qui lui reprochaient de ne mépriser les richesses que parce qu'il ignorait l'art de s'enrichir, 144. Mot de lui à ce sujet, 427, 428. Son opinion sur la nature de Dieu, 572. Reproche que lui fit une Milésienne, et qui peut

INDEX

s'appliquer à quiconque se mêle de philosophie, 600 *et suiv.* Ce qu'il disait de la nature de notre âme, 606; et de la difficulté pour l'homme de se connaître, 625.

THALESTRIS, *reine des Amazones*. Pourquoi elle alla trouver Alexandre, II, 314.

THÉANO, *femme de Pythagore* (Montaigne s'est trompé en disant : la *bru* de Pythagore). Ce qu'elle disait d'une femme couchée avec son mari, I, 105.

THÉBAINS. Adoucis par la fermeté d'Épaminondas, I, 4 et 5. Cruautés exercées contre eux par Alexandre, 6 et 7.

THÉMISTITAN. Sacrifices sanglants offerts à cette divinité, I, 580.

THÉODORUS. Ce qu'il répondit à Lysimachus qui menaçait de le tuer, I, 48. Ne voulait pas que le sage se hasardât pour le bien de son pays, 573. Niait ouvertement qu'il y eût des dieux, *ibid.*

Théologie et philosophie. Se mêlent de régler toutes les actions des hommes, I, 226. La théologie ne doit avoir rien à démêler avec les autres sciences, 356.

THÉON, *le philosophe*. Se promenait en songeant tout endormi, II, 557.

THÉOPHILE, *empereur*. Forcé par un de ses chefs à se sauver par la fuite, après la déroute de son armée, I, 76 et 77.

THÉOPHRASTE. Indéterminé dans ses opinions sur la nature de Dieu, I, 573.

THÉOPOMPE, *roi de Sparte*. Refuse un éloge pour le donner à son peuple, I, 288.

THOMAS *(Simon), médecin*, I, 100.

Thons. Semblent avoir quelque teinture de mathématique, I, 529.

THRACE. Ses habitants tiraient des flèches contre le ciel quand il tonnait, I, 21. En quoi les rois de Thrace se distinguaient de leur peuple, 291.

THRASONIDES, *jeune homme grec*. Pourquoi il refuse de jouir de sa maîtresse, II, 310.

THURIENS. Ce que leur législateur ordonna contre ceux qui proposeraient ou l'abolition ou l'introduction d'une nouvelle loi, I, 125.

TIBÈRE. Refuse son consentement à un acte perfide qui aurait tourné à son avantage, II, 435.

TIGILLIN. Sa mort pleine de mollesse, I, 86; II, 426.

Tigre. Exemple de générosité de cet animal, I, 529. Tigres attelés à un coche, II, 333.

TIMOLÉON. Comment sauvé d'un assassinat, I, 252, 253. Pourquoi il pleure son frère à qui il venait de donner la mort, 267. A quelles conditions il fut déchargé de ce meurtre par le sénat de Corinthe, II, 449.

TIMON, surnommé *le Misanthrope*. Moins mordant que Diogène, I, 337.

Trahison utile. Préférée à l'honnêteté hasardeuse, II, 213. Combien la trahison est funeste à qui se charge de l'exécuter, *ibid.* En quel cas la trahison est excusable, 214. Trahisons punies par ceux qui les avaient commandées, *ibid. et suiv.*

Traîtres. Tenus pour maudits par ceux mêmes qui les récompensent, II, 216.

TRAPEZONCE, c'est-à-dire *Georges de Trébizonde, dialecticien*, I, 510.

TRIPOLI (*Raymond, comte de*), II, 116.

Tristesse. Passion méprisable, I, 7. Ses effets, *ibid.* Lorsqu'elle est extrême, ne se peut exprimer, 8. Exemple mémorable d'une mort subite occasionnée par la tristesse, 9. Autres effets de cette passion, *ibid. et suiv.*

TRIVULCE (*Alexandre*). Sa mort, I, 23.

TRIVULCE (*Théodore*). Mots remarquables qu'il dit au sujet de Barthélemy d'Alviane, I, 14.

TULLIUS MARCELLINUS, *jeune Romain*. Avec quelle fermeté il se résout à mourir, II, 6.

TURCS. Comment ils se nourrissent dans leurs armées, I, 326. Fondement le plus commun de leur courage, II, 114. Turcs fanatiques : se font honneur de ravaler leur propre nature, 307.

TURNEBUS (*Adrianus*). Son caractère, I, 148 et 149. Son éloge, 650. Mis par Montaigne au rang des meilleurs poètes latins de son temps, II, 65.

Tyran. Tyrans ingénieux à prolonger les tourments de ceux qu'ils font mourir, II, 105.

U

URGULANIA, *aïeule de Plautius Silanus*, II, 4.

V

Vaillance. A ses limites comme les autres vertus, I, 69. Est la première de toutes parmi les Français, 420 *et suiv.* Ce qui doit l'avoir mise en crédit parmi les hommes, 421. Vertu populaire en France du temps de Montaigne, II, 66.

Vaincus morts. Pleurés par leurs vainqueurs, I, 263.

VALACHI, *Courriers du Grand-Seigneur.* Ce qui fait qu'ils vont avec une extrême diligence, II, 85.

VALENTINOIS. *Voyez* BORGIA.

VARRON. Le plus subtil et le plus savant auteur latin, au jugement de Montaigne, I, 593. Comment il excusait les absurdités de la religion romaine, 597. Quelles qualités il demande dans des convives pour rendre un festin agréable, II, 565.

VAUX (*Henri de*), *chevalier champenois*, I, 24.

VELLY (*Le seigneur du*), *ambassadeur de France à Rome*, I, 73.

Vengeance. Celle qui nous porte jusqu'à tuer notre ennemi devient par cela même inutile, II, 97. Moyen de dissiper un violent désir de vengeance, 256.

VENISE (*Jugement sur*), I, 349.

INDEX

Vercingétorix, *roi des Arvernes*, II, 149.

Vérité. D'où nous vient sa connaissance, I, 555. S'il est au pouvoir de l'homme de la trouver, *ibid*. Sa recherche, occupation très agréable, 567.

Vertu. Comment la volupté en est le but et le fruit, I, 82. Le mépris de la mort est un de ses principaux bienfaits, 83. Est le but de la sagesse, 173. Son vrai portrait, *ibid*. Comment doit être représentée aux jeunes gens, 174. Est facile à acquérir; est la source des vrais plaisirs, *ibid*. Son véritable emploi, *ibid*. Si elle peut être recherchée avec trop d'ardeur, 225. Motifs vicieux détruisent son essence, 260. Se contente de soi, 271. Veut être recherchée uniquement pour elle-même, 371. La vertu est supérieure à ce qu'on appelle bonté naturelle, 462. Doit être accompagnée de difficultés, 464. Comment elle devient aisée dans les âmes nobles comme étaient celles de Socrate et de Caton, *ibid*. *et suiv*. La vertu a différents degrés, 467 *et suiv*. Elle est désirable, indépendamment de la gloire qui peut l'accompagner, 699. Serait une chose frivole, si elle tirait sa recommandation de la gloire, 700. A son lustre indépendant de l'approbation des hommes, 702 *et suiv*. Une vertu naïve et sincère ne peut être employée à la conduite d'un État corrompu, II, 434, 435.

Vervins *(Le seigneur de)*, condamné à mort, I, 70.

Vêtements. De l'usage de se vêtir, I, 255 *et suiv*.

Veuve. Qui se trouve grosse sans savoir à quelle occasion elle l'était devenue, I, 375. On doit laisser aux veuves de quoi maintenir leur état, 436.

Viandes. Farcies de drogues odoriférantes, I, 349.

Vibius Virius, *sénateur de Capoue*. Comment lui et vingt-sept sénateurs de Capoue se donnent la mort, I, 394 *et suiv*.

Vices. Prennent pied dès la plus tendre enfance, et devraient être corrigés au plus tôt, I, 113 *et suiv*. Ne sont pas tous également énormes, 373, 374. Un vice n'entraîne pas tous les vices à sa suite, 471. Vices déguisés sous le nom de vertus, II, 209. Douleur qui accompagne le vice, 224.

Victoire. N'était point acquise, chez les Grecs, à celui qui demandait à l'ennemi un corps pour l'inhumer, I, 14. En quoi elle consiste réellement, 241. Est le but principal d'un capitaine et de chaque soldat, 305. Celle qui se gagne sans le maître n'est pas complète, I, 81.

Vie. Le mépris qu'on en fait, fondement le plus assuré de notre religion, I, 94. N'a qu'une entrée, et cent mille issues, 374. Mépris de la vie mal fondé, 378. Vie de l'homme comparée avec raison à un songe, 672. Une vie exquise est celle qui est réglée intérieurement et en son particulier, II, 225 *et suiv*. Par quels objets frivoles le désir de la vie est entretenu, 259. Quel est le vrai but de la vie, 502.

Vieillards. Exemple d'un vieillard qui, voulant se faire craindre dans sa famille, y était méprisé, I, 432. Vieillards trompés par leurs domestiques, 433. D'autres par leurs femmes, *ibid*. Les vieillards ont besoin de s'égayer l'esprit, II, 262. Doivent assister aux jeux et aux exercices des jeunes gens, 263; et profiter de toutes les occasions de jouir de quelque plaisir, 264.

Vieilles gens. Ce que c'est que leur sagesse, II, 234.

Vieillesse. Mourir de vieillesse, chose singulière et extraordinaire, I, 361. Quelle étude convient à la vieillesse, II, 107. Si la vieillesse doit nous empêcher de voyager, 418.

Vierge. Ne pouvait être mise à mort chez les Romains, II, 216.

VILLEGAIGNON *(Nic. Durand de), chevalier de Malte,* I, 231.

Vin. Gelé et distribué par morceaux, I, 257, 258. La délicatesse au vin est à fuir, et pourquoi, 377. Jusqu'à quel âge Platon le défendait aux enfants, 379. Restrictions requises dans l'usage du vin, *ibid.* Vin pur, contraire à la vieillesse, 380.

VIRGILE. Cas que Montaigne faisait de ses *Géorgiques,* et du cinquième livre de *L'Énéide,* I, 451. Si l'on peut lui comparer Lucrèce ou l'Arioste, *ibid.* Ce qu'il doit à Homère, II, 161.

VISCHA *(Jean).* Voir ZISCHA.

Visions et enchantements. N'ont de crédit que par la puissance de l'imagination, I, 102.

VIVÈS, *cité par Montaigne,* I, 106.

Voix. Qualifiée par Zénon fleur de la beauté, I, 668. Comment il faut régler sa voix en conversant avec les hommes, II, 543.

VOLUMNIUS *(Lucius),* I, 370.

Volupté. Sujette à plus d'incommodités et de traverses que la vertu, I, 82. Cherche à s'irriter par la douleur, II, 10. Une volupté constante et universelle serait insupportable à l'homme, 78. La volupté corporelle a son prix, quoiqu'elle soit inférieure à celle de l'esprit, 579.

Voyages. De quelle utilité ils sont à un jeune homme, I, 163. A quel âge un jeune homme devrait commencer ses voyages, *ibid.* Si la vieillesse doit nous empêcher de voyager, II, 418.

Vue. Comment elle en impose à l'esprit, I, 668, 669.

W

WICLEF, *l'hérétique,* I, 15.

WITOLDE, *prince de Lithuanie.* Pourquoi il ordonna que les criminels condamnés à mort se défissent eux-mêmes de leurs propres mains, II, 216.

X

Xanthiens. Ne purent être détournés de courir volontairement à la mort, I, 50.

Xénocrate. Établit huit dieux, I, 573. Comment il maintint sa continence, II, 3.

Xénophane. Le seul philosophe théiste qui ait rejeté toute sorte de divination, I, 41, 42. Son opinion sur la nature de Dieu, 573. Quelle forme les animaux donnent à Dieu, selon ce philosophe, 594.

Xénophon. Pourquoi il a écrit sa propre histoire, I, 280. Opinion peu déterminée qu'il avait sur la nature de Dieu, 572.

Xerxès. Fouette l'Hellespont, et envoie un cartel au mont Athos, I, 20. Pourquoi frappé d'un sentiment de joie et de tristesse à la vue de ses troupes innombrables, 266. Propose un prix pour qui inventerait un nouveau plaisir, II, 566.

Y

Yvoy. Surprise de cette ville par la faute de Julien Rommero, I, 26.

Z

Zamolxis, divinité des Gètes, I, 580.

Zéleucus. Lois qu'il fit pour corriger le luxe, I, 300.

Zénobie. Rare exemple de continence conjugale, I, 227.

Zénon *d'Élée*. Opinion qu'on lui attribue, I, 573. Comment il définissait la voix, 668.

Zénon *de Citium*. Avait deux sortes de disciples d'un génie fort différent, I, 187. Ne reconnaissait pour Dieu que la loi naturelle, I, 573. Comment il définissait la nature, 597. Faiblesse de ses arguments, 609 *et suiv*. Sa chasteté, II, 307.

Zeuxidamus. Réponse de ce roi de Sparte, I, 182.

Zischa ou Vischa *(Jean)*. Ordonne qu'on fasse un tambour de sa peau après sa mort, I, 15.

Zoroastre. Opinion sur l'époque où il vécut, I, 643.

TABLE DES MATIÈRES

DU TOME SECOND

LIVRE SECOND (suite)

Chap.	XIII. De juger de la mort d'autruy.	1
—	XIV. Comme nostre esprit s'empesche soy-mesmes.	8
—	XV. Que nostre desir s'accroit par la malaisance.	9
—	XVI. De la gloire	15
—	XVII. De la præsumption	31
—	XVIII. Du dementir.	67
—	XIX. De la liberté de conscience.	72
—	XX. Nous ne goustons rien de pur	76
—	XXI. Contre la faineantise.	80
—	XXII. Des postes.	84
—	XXIII. Des mauvais moyens employez à bonne fin.	86
—	XXIV. De la grandeur romaine.	90
—	XXV. De ne contrefaire le malade.	92
—	XXVI. Des pouces.	94
—	XXVII. Couardise mere de la cruauté.	96
—	XXVIII. Toutes choses ont leur saison.	106
—	XXIX. De la vertu.	109
—	XXX. D'un enfant monstrueux.	117
—	XXXI. De la colere	118
—	XXXII. Defence de Seneque et de Plutarque.	127
—	XXXIII. L'histoire de Spurina.	134
—	XXXIV. Observations sur les moyens de faire la guerre de Julius Cæsar.	142
—	XXXV. De trois bonnes femmes.	152
—	XXXVI. Des plus excellens hommes.	161
—	XXXVII. De la ressemblance des enfans aux peres	169

LIVRE TROISIÈME ET DERNIER

Chap.	I. De l'utile et de l'honneste	205
—	II. Du repentir	222

TABLE DES MATIÈRES

Chap.	III. De trois commerces	237
—	IV. De la diversion	250
—	V. Sur des vers de Virgile	262
—	VI. Des coches	329
—	VII. De l'incommodité de la grandeur	349
—	VIII. De l'art de conferer	355
—	IX. De la vanité	381
—	X. De mesnager sa volonté	447
—	XI. Des boyteux	472
—	XII. De la phisionomie	484
—	XIII. De l'experience	516

Appendice 579

Notes 633

Index alphabétique des principales matières contenues dans les *Essais* de Montaigne 683

ACHEVÉ D'IMPRIMER
PAR L'IMPRIMERIE FLOCH
A MAYENNE
LE 15 JUILLET 1974.

Numéro d'éditeur : 1610
Numéro d'imprimeur : 12976
Dépôt légal : 3ᵉ trim. 1974

Printed in France